Lith.Anst.v.J.G.Bach,Leipzig.

POMPEJI

IN SEINEN

GEBÄUDEN, ALTERTHÜMERN UND KUNSTWERKEN

DARGESTELLT

VON

JOHANNES OVERBECK.

Adolf

1826 - 1895

VIERTE IM VEREINE MIT

AUGUST MAU

DURCHGEARBEITETE UND VERMEHRTE AUFLAGE

MIT 30 GRÖSSEREN ZUM THEIL FARBIGEN ANSICHTEN UND 320 HOLZSCHNITTEN IM TEXTE
SOWIE EINEM GROSSEN PLANE.

LEIPZIG

VERLAG VON WILHELM ENGELMANN

1884.

30006

HERRN

JOSEPH FIORELLI

SENATOR DES KÖNIGREICHS, GENERALDIRECTOR DER ALTERTHÜMER
UND DER KUNSTSCHÄTZE ITALIENS U. S. W.

BLEIBT AUCH DIESE VIERTE AUFLAGE

ZUGEEIGNET

VON DEN HERAUSGEBERN.

Vorwort zur vierten Auflage.

Als mir der Herr Verleger mittheilte, es mache sich eine vierte Auflage dieses Buches nöthig, und mich ersuchte, für dieselbe die nöthigen Vorbereitungen zu treffen, erklärte ich ihm, mich hierauf nur unter der Bedingung einlassen zu können, dass es mir gelingen würde, namentlich für den ersten, baugeschichtlichen und topographischen Theil einen sachverständigen Mitarbeiter zu finden. Meine Beweggründe zu dieser Erklärung waren sehr nahe liegende und zwingende. Schon in den Vorreden zu der zweiten und dritten Auflage dieses Buches habe ich mich über meine Stellung zu dem in demselben behandelten Gegenstande freimüthig ausgesprochen und hervorgehoben, dass nach meiner Überzeugung eigentlich nur derjenige, welcher sich durch besondere Studien und einen lange dauernden Aufenthalt an Ort und Stelle hierzu in vollem Maße vorbereitet habe, über Pompeji zu schreiben berechtigt und berufen sei, und dass ich nur zu gut wisse, wie wenig diese Vorbedingungen bei mir zutreffen. Seitdem aber haben sich die durch Fiorelli (*Gli scavi di Pompei dal* 1868 *al* 1872, *Napoli* 1873) angebahnten Studien über Pompeji namentlich durch die Arbeiten von Nissen (Pompejanische Studien, Leipzig 1877), Mau (Pompejanische Beiträge, Berlin 1879; Geschichte der decorativen Wandmalerei in Pompeji, Berlin 1882) und von den zur Herausgabe der Sammelschrift zum Centennarium der Verschüttung

Pompejis (*Pompei e la regione sotterrata dal Vesuvio nell' anno 79, Napoli* 1879) vereinigten Gelehrten in einem Grad und in einer Weise vertieft, dass es nur demjenigen, welcher die oben bezeichneten Vorbedingungen im vollen Maß erfüllt, möglich ist, sich über die meisten der in diesen Studien behandelten Gegenstände selbst nur ein eigenes Urteil zu bilden. Ich aber bin in den acht Jahren, welche seit der Herausgabe der dritten Auflage dieses Buches (1875) verflossen sind, um von einer umfangreichen amtlichen Thätigkeit an unserer Universität zu schweigen, litterarisch auf ganz anderen Gebieten, durch Herausgabe des dritten Bandes meiner Griechischen Kunstmythologie (Hera, Poseidon, Demeter und Kora 1873—1878) und Besorgung der dritten Auflage meiner Geschichte der Griechischen Plastik (1880—1882) so vollauf in Anspruch genommen gewesen, dass ich den neuen Pompejistudien, ohne länger als anderthalb Wochen in den Osterferien des vorigen Jahres wieder an Ort und Stelle gewesen zu sein, wohl von ferne habe folgen, aber mir in denselben kein selbständiges Urteil habe bilden können.

Nun hat sich die von mir dem Herrn Verleger gestellte Bedingung für die Besorgung dieser vierten Auflage in der vollkommensten Weise erfüllt, indem Herr Dr. August Mau, den man wohl ohne Widerspruch zu finden als den besten Kenner Pompejis, wenigstens unter uns Deutschen, bezeichnen kann, sich auf meine Bitte in liebenswürdig entgegenkommender Weise zur Mitwirkung bei der Herstellung der neuen Auflage bereit finden ließ.

Über die Art seiner auf den ganzen ersten Theil (vom 1. Capitel des einleitenden Theiles bis einschließlich zum 4. Capitel des antiquarischen Haupttheiles, also alle die in der Inhaltsübersicht mit einem * bezeichneten Abschnitte und Capitel) erstreckten Mitarbeiterschaft kann ich mich kurz fassen. Allerdings lag ja ein bereits mehrmals überarbeiteter Text vor, dessen Gliederung und Eintheilung und dessen auf ein nicht fachwissenschaftlich gebildetes Publicum berechnete Haltung wir Beide stillschweigend als maßgebend anerkannt haben. Ich habe mich jedoch nicht für berechtigt gehalten, meinem verehrten Mitarbeiter in Beziehung auf eine conservative Behandlung des in der dritten Auflage vorliegenden Textes irgendwelche Schranken zu ziehn oder selbst ihm nur Wünsche in dieser Richtung anzudeuten. Ich darf also die von Mau bearbeiteten Theile, obgleich in ihnen Manches aus der frühern Bearbeitung stehn geblieben ist, als durchaus sein geistiges Eigenthum erklären, wobei ich indessen nicht unerwähnt lassen will, dass er mir in Hinsicht auf die formale Redaction des Textes, auf die Ausdehnung oder Beschränkung wissenschaftlicher Erörterungen eine Einwirkung freundlich gestattet und namentlich zugelassen hat, manche Ausführungen und Begründungen in die Anmerkungen zu verweisen, welche auf diesem Wege zu einer ganz andern wissenschaftlichen Bedeutung gelangt sind, als welche sie in den früheren Auflagen besaßen.

Für den ganzen letzten Theil (von dem fünften Capitel des ersten Haupttheiles an, also für alle in der Inhaltsübersicht nicht durch einen * ausgezeichneten Capitel und Abschnitte) trifft mich ganz allein die Verantwortung und ich kann nur wünschen und hoffen, dass dieser Theil der Arbeit gegen den andern nicht allzu weit zurückstehe.

Da wir die von uns benutzten Schriften überall in den Anmerkungen angeführt haben, ist hier nur noch zu bemerken, dass Helbigs »Wandgemälde der vom Vesuv verschütteten Städte Campaniens« Leipzig 1868 und das ergänzende Verzeichniss von Sogliano: »*Le pitture murali Campane scoverte negli anni* 1867—79« in dem oben genannten Sammelwerke zum Centennarium der Verschüttung Pompejis, auf welche Verzeichnisse bei jedem angeführten Bilde verwiesen ist, mit den Abkürzungen Hlbg. No. *x* und Sogl. No. *x* angeführt sind, woneben es in der Regel überflüssig erschienen ist, die hier genannten Abbildungen zu bezeichnen.

Der Herr Verleger hat seinerseits durch Vermehrung der Abbildungen und Ersetzung mangelhafter und veralteter Illustrationen durch neue, sowie durch Vervollständigung und Berichtigung des großen Planes das Seinige gethan, um dies Buch der ihm nun bereits seit einer so langen Reihe von Jahren bewahrten Gunst des Publicums würdig zu erhalten. Möge diese Gunst demselben auch in dieser seiner neuesten Gestalt zugewendet bleiben.

Leipzig im October 1883.

Overbeck.

Inhaltsverzeichniss.

I. Einleitender Theil.

II. Erster oder antiquarischer Haupttheil.

III. Zweiter oder artistischer Haupttheil.

Verzeichniss der gröſseren Ansichten und Pläne.

Verzeichniss der Holzschnitte im Text.

I.

Einleitender Theil.

Einleitung.

Wenn Goethe in seiner italienischen Reise unter dem 13. März 1787 von der Zerstörung Pompejis schreibt: »Es ist viel Unheil in der Welt geschehn, aber wenig das den Nachkommen so viel Freude gemacht hätte. Ich weiß nicht leicht etwas Interessanteres«, so leiht er damit einer Empfindung Ausdruck, welche wohl so ziemlich Jeder theilen wird, dem es vergönnt war, durch die Ruinen der uns durch ein wunderbares Schicksal überkommenen antiken Stadt zu wandern. Allerdings mag der erhaltene Eindruck bei Verschiedenen verschieden, auch bald stärker, bald schwächer sein; möglich dass der eine und der andere Besucher, der mit wer weiß welchen Erwartungen nach Pompeji gekommen ist, sich enttäuscht gefunden hat, spricht doch Goethe selbst in einem Briefe vom 11. März des genannten Jahres von dem »wunderlichen, halb unangenehmen Eindrucke dieser mumisirten Stadt«, den er und Genossen sich »in der Laube zunächst am Meer in einem geringen Gasthofe bei einem frugalen Mahle aus den Gemüthern gewaschen haben«, und gewiss ist, dass man den ganzen Zauber dieser Stätte erst bei einem längern Aufenthalt und gründlichem Studium empfindet. Dennoch wird man gewiss Wenige finden, welche nicht in Pompeji selbst mehr oder weniger enthusiasmirt gewesen wären, Wenige, denen die stundenlange Wanderung durch Pompeji, selbst unter dem Strahle der in den schattenlosen Ruinen besonders heiß brennenden Sommersonne Süditaliens, dem Geschauten gegenüber zu mühsam erschienen wäre, ja Wenige, denen selbst fern von Pompeji und ohne es mit leiblichem Auge sehn zu können, nicht Schilderungen und Abbildungen der antiken Stadt ein lebhafteres Interesse erregen, als gar mancher andere Gegenstand.

Der Zauber aber, den Pompeji auf den Besucher ausübt, das Interesse, welches seine Ruinen und Überreste dem Gelehrten wie dem Laien erregen, beruht darauf, dass gegenüber dem Zustande der Vereinzelung der antiken Monumente und ihrer modernen Umgebung fast im ganzen Bereiche der antiken Cultur, es hauptsächlich nur Pompeji ist, wo das Alterthum uns, wenn auch nicht in ungestörter Ganzheit und Unverletztheit, so doch in einem Zustande der Erhaltung entgegentritt, welcher durch verhältnissmäßig geringe Anstrengung in der geistigen Anschauung zur Ganzheit erhoben werden kann, wo uns also am vollkommensten und klarsten ein Stück der antiken Welt mitten in unsere moderne gestellt und dennoch in sich abgeschlossen entgegentritt.

Denn selbst von der Schwesterstadt Herculaneum kann man Gleiches nicht sagen. Herculaneum nämlich ist nicht allein ungleich tiefer verschüttet, als Pompeji, es ist in seinen wichtigsten Theilen von einem mächtigen Strome vulcanischen Schlammes überfluthet, der zu einer felsenfesten Rinde erstarrt ist, und auf dem großentheils die modernen Städte Portici und Resina erbaut sind. Demnach kann Herculaneum nur zum kleinsten Theil aufgedeckt werden, und zu Tage liegen von ihm nur ein paar einzelne Häuser, während manches früher in der Art eines Bergwerks, gleichsam durch Stollen und Schachte aufgegrabene und nach Kunstwerken durchsuchte Gebäude, wie die Basilika u. a. wieder verschüttet worden ist, und das Theater. zu dessen über den Sitzstufen umlaufendem gewölbtem Corridor man auf einer 112 Stufen tiefen Treppe hinabsteigt und dessen Orchestra 26,60 M. unter dem Niveau der Stadt Resina liegt, nur bei dem zweifelhaften Lichte von Kerzen besichtigt werden kann. Pompeji dagegen liegt wieder offen unter dem freundlichen Lichte des campanischen Himmels, der ihm einst gelächelt hat, wir können, die leichte Luft des Lebens athmend, durch seine Straßen wandern. in seine Häuser eintreten und seine Monumente im Strahle der glänzenden Sonne betrachten, die, Leben und Freude weckend, die Gedanken an Tod und Zerstörung aus unserer Seele verscheucht. Herculaneum ist eine dunkele Gruft, in der ein ganzes Geschlecht begraben liegt, Pompeji ist wie eine Stadt, die etwa nach einem Brande von den Einwohnern verlassen ist, welche sich die Phantasie als wiederkehrend denken mag. Ein wunderbares Walten des Schicksals hat uns diese Stätte des Alterthums in ihrer Ganzheit bewahrt. Hier pulsirte das Leben in frischester Fülle und Kraft, hier schuf und wirkte dasselbe nach allen Richtungen mit ganzer, reger Geschäftsthätigkeit, hier trieb sich der lebhafte Verkehr eines sorglosen Völkchens durch die Straßen und Gassen, als plötzlich die Parze den Faden abschnitt. Ungeahnt und daher um so furchtbarer brach das Verhängniss über die Stadt herein, als der für erloschen gehaltene Vesuv in seiner ersten historisch bekannten und zugleich gewaltigsten Eruption vom Jahre 79 Massen von Bimsstein- und anderen Steinbrocken, dann von Asche auswarf, die, von gewaltigen Wassergüssen zusammengeschlämmt, mit einer gleichmäßigen Decke die ganze Stätte dieses Lebens einhüllten, sie beschützend vor den langsam aber sicher wirkenden Zerstörungen kommender Zeiten, und Alles, was sie trug, geheimnissvoll bewahrend bis auf späte Jahrhunderte.

Diese Jahrhunderte sind gekommen; uns war es vorbehalten die bedeckende Hülle hinwegzuheben. Ohne große Mühe kann die höchstens sieben bis acht Meter starke, dabei weiche und lockere Masse vulcanischer Asche und Lapilli (Bimssteinbrocken) hinweggeräumt werden, bis man auf das Pflaster der alten Straßen gelangt, zu deren Seiten die Gebäude sich erheben. Und wenngleich die Ausgrabungen während der einhundert und fünfunddreißig Jahre, die seit der Entdeckung verstrichen sind, meistens, und auch bis in die neueren, besseren Zeiten mit einer Säumigkeit und Lässigkeit betrieben worden sind, die gegenüber den wissenschaftlichen und künstlerischen Interessen der Funde nur aus einer gründlich schlechten Verwaltung erklärbar ist, so ist doch ein ungefähres Drittel der verschütteten Stadt wieder an den Tag gebracht, und zwar dasjenige Drittel, welches neben dem Forum und noch ein paar Plätzen die Hauptstraßen, die bedeutendsten öffentlichen Gebäude, Tempel, Basilika, Bäder, Theater und Amphitheater umfasst und daneben eine Fülle von Wohnhäusern, Läden, gewerblichen Anlagen, so dass kaum eine Seite des alten Lebens in seinen monumentalen Resten nicht vor unseren Blicken offen läge.

Freilich sind auch diese Gebäude Trümmer; theils die Verschüttung selbst, theils die langsamer, aber unaufhaltsam wirkenden Einflüsse der Zeit während der 1800 jährigen Bedeckung, theils endlich die Thätigkeit der Menschen, welche, nachweisbarer Weise bald nach der Verschüttung beginnend, vielleicht Jahrhunderte lang eine Art von Raubbau in Pompeji getrieben und Alles was sie brauchen und fortschleppen konnten, herausgewühlt haben; sodann die weiterhin näher zu schildernde Art, wie die Ausgrabungen bis in die neueren Zeiten betrieben worden sind, und endlich die aller Vorsichtsmaßregeln spottende Macht der Jahre und der atmosphärischen Einflüsse auf die ausgegrabenen Gebäude [1]), dies Alles hat uns auch von Pompeji nur Ruinen, in den am frühesten ausgegrabenen Theilen mehrfach recht kahle und verfallene Ruinen übrig gelassen. Aber dennoch lassen sich diese Ruinen im Ganzen betrachtet kaum mit irgend welchen anderen an Erhaltung vergleichen, und außerdem fand man in ihnen eine solche Masse der beweglichen Reste des Lebens, welches in ihnen kreiste, wie an keinem anderen Orte der Welt. Des Erhaltenen ist mit einem Worte so viel, dass es kaum möglich ist, dasselbe in Gedanken nicht zu ergänzen, zu verbinden, zu beleben, und dies Erhaltene ist nicht zerstreut, wie an anderen Orten, es steht oder liegt (lag wenigstens bei der Auffindung) an dem Orte seiner Bestimmung, begrenzt, nachbarlich umgeben von Gleichartigem, nicht von unserer modernen Welt, nicht zusammengetragen und classificirt in einem Museum. Kein Ort der Welt ist daher geeigneter, dem Liebhaber eine Übersicht über das antike Leben zu gewähren, als Pompeji, kein Monumentenkreis lässt sich so leicht und völlig zum Ganzen verbinden, an keinen die Belehrung über Zweck und Bestimmung alles Einzelnen so leicht anknüpfen, und bei keinem Anlass ist die Gefahr der Eintönigkeit des Vortrags über die Sitten und das Wesen einer vergangenen Zeit so gering, wie bei einer Beschreibung Pompejis.

Dies ist die eine Seite der Bedeutung, welche die alte wieder aufgegrabene Stadt für uns hat, man kann sie die antiquarische nennen; eine andere ist künstlerischer Art. Die Bauwerke Pompejis, welche, zum größten Theile wenigstens, einer von den tiefen und durchgreifenden Principien altgriechischer Architektonik bereits vielfach abweichenden Zeit angehören, bieten freilich nur einen Anhaltepunkt von zweifelhaftem Werth, um den Liebhaber über das Wesen der alten Architektur zu belehren; auch die verhältnissmäßig wenigen Sculpturwerke Pompejis (deren Herculaneum eine ungleich bedeutendere Reihe bietet) sind, obgleich sie einige vorzügliche Stücke enthalten, sehr wenig geeignet, einen Begriff von dem Wesen, namentlich von dem Umfange antiker Plastik zu geben oder selbst nur zu unterstützen. Um so wichtiger sind dagegen die Malereien, sowohl die eigentlichen wie die Mosaiken. Auch die Malereien Pompejis sind freilich nur geringe Vertreter der alten Malerkunst, sie sind, selbst in ihren Vorbildern, aus sinkender Kunstzeit wie die Mehrzahl der Bauwerke, sind nicht die Arbeiten namhafter Meister selbst dieser Zeit; dennoch aber und trotz allen diesen Mängeln sind die Gemälde von Herculaneum und Pompeji die Grundlage unserer monumentalen Vorstellung von der antiken Malerei, da außer dem einen oder dem andern Tafelgemälde und einigen nicht wesentlich verschiedenen, zum Theil noch späteren Wandgemälden von der Art der pompejanischen, endlich außer den Vasenbildern, die in ihrer Einfarbigkeit kaum Schattenbilder der alten Gemälde sind, Alles von alter Malerei unwiederbringlich verloren ist. So vertreten uns die herculanischen und pompejanischen Wandgemälde fast allein die ganze alte Malerkunst, und zwar nach einer sehr bedeutenden Seite ihrer Technik, nach dem Wesen der Form- und Farbgebung wenigstens dieser Technik, nach dem der Composition, nach dem der Gegenstände. Und mögen auch die besten dieser Bilder, hätten wir die Werke der Meister, als sehr schwache Nachklänge der eigentlichen Herrlichkeit der Kunst erscheinen, mögen sie einen großen Theil der Schuld tragen, dass über die antike Malerei als Ganzes schwer ausrottbare falsche Vorstellungen und Vorurteile sich festgesetzt haben, dennoch können wir uns ihrer Erhaltung nicht genug freuen, dennoch werden wir immer anerkennen müssen, dass sich vortreffliche, reizvolle, anmuthige, in jedem Betracht interessante Kunstwerke in großer Zahl unter ihnen befinden.

So tritt neben die antiquarische Bedeutung Pompejis eine künstlerische, und so wird neben die Abtheilung dieser Beschreibung, welche es mit den Resten des Lebens und mit deren Erklärung und Neubelebung zu thun hat, eine zweite künstlerischen Interesses zu stellen sein, deren Gegenstände besonders die Gemälde Pompejis und die durch sie vertretene antike Malerei bilden.

Sowie aber der Hervorhebung der Bedeutung der pompejanischen Gemälde gleich eine Einschränkung hinzuzufügen war, so muss eine ähnliche für die oben angedeutete antiquarische Wichtigkeit der alten Stadt und eine Warnung vor Überschätzung hier zum Schlusse nachgetragen werden. Pompeji ist, wenngleich eine reiche, handeltreibende Stadt mit lebhaftem Verkehr, dennoch nur eine kleine und eine Landstadt ohne politische Bedeutung gewesen; allen ihren Resten ist nicht der Stempel des Wesens einer Haupt- und Weltstadt aufgeprägt, und wenn man Pompeji ein Miniaturbild Roms genannt hat, so kann das, abgesehn von den unrömischen Elementen, denen man in ihr begegnet, nur in Beziehung auf die Denkmäler des communalen und privaten Lebens gelten. Was Rom darüber hinaus besaß, was die ewige Stadt zur Hauptstadt nicht allein Italiens, sondern der Welt machte, was von den Monumenten, welche diese weltbeherrschende Stellung geschaffen, in Rom geblieben ist, das fehlt nicht allein in Pompeji, das lässt sich an den Monumenten in Pompeji auch nicht nachweisen, so wenig wir Jemandem an Städten wie Bonn oder Zwickau die Einrichtungen und das Eigenthümliche von Städten wie London und Paris oder Berlin und Dresden klar machen können. Mit der bloßen Vergrößerung durch die Phantasie ist's hier eben nicht gethan. Vergleichende Blicke auf das Leben der Welthauptstadt können wir wohl von dem vor uns befindlichen Monumentenkreise des Landstädtchens werfen, aber nur dagegen muss gleich hier Verwahrung eingelegt werden, dass es nicht die Absicht dieses Buches sein kann, die Beschreibung Pompejis zum Anlass einer encyklopädischen Darstellung der römischen Antiquitäten zu machen, dass vielmehr Pompeji der wirkliche und eigentliche Gegenstand der Beschreibung, Darstellung und Erklärung ist und, wenn der Zweck nicht verfehlt werden soll, sein muss.

Erstes Capitel.

Campania felix, der Golf von Neapel, der Vesuv, Pompejis Lage, Heerstraßen in Campanien.

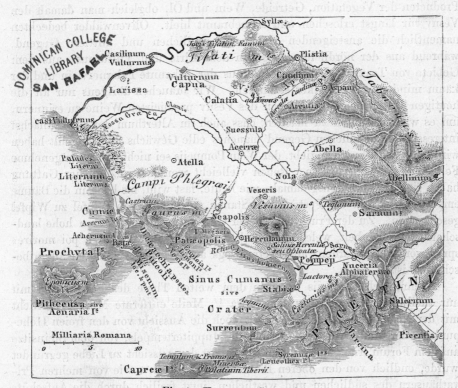

Fig. 1. Karte von Campanien.

Die ganze Küstenlandschaft, in der Pompeji liegt, zwischen dem Liris und der Halbinsel von Sorrent, welche seit dem fünften Jahrhundert v. Chr. unter dem Namen Campania begriffen wurde, gehört zu den glücklichsten und reichsten Strecken der ganzen Erde. Besonders ist die Strecke am Meeresufer selbst, zwischen den beiden Vorgebirgen, welche den heutigen Golf von Neapel, im Alterthum der Krater genannt, umschließen, dem von Misenum mit den vorliegenden Inseln Procida und Ischia und dem der Minerva (Punta della Campanella) mit der Insel Capri, von einer Fruchtbarkeit und von einer landschaftlichen Schönheit zugleich, welche ihr im Munde aller Reisenden den Namen eines Paradieses verschafft und sie zum unzählige Male wiederholten Gegenstand unserer Landschaftsmalerei gemacht haben. Im Norden treten mäßige Hügel, im Süden hohe und steile Berge dicht an das Meer hinan; dazwischen, von Neapel bis zu den Kalksteingebirgen der sorrentiner Halbinsel, erstreckt sich ins Land hinein die weite, von Bergen umgrenzte, stets von kühlenden Seewinden erfrischte Ebene, unterbrochen nur durch den zugleich großartig und anmuthig emporsteigenden Kegel des Vesuv, der damals, vor dem ersten geschichtlich bekannten, für Pompeji so verhängnißvollen Ausbruche, bis hoch an seinen Gipfel vom herrlichsten Laubwalde bedeckt war. Die Vulcanität des Bodens ist wie überall so auch hier die Quelle großer Fruchtbarkeit; bereits der unter August schreibende Geograph Strabo erkannte in ihr den Grund des Reichthums dieser Gegend an den edelsten Producten der Vegetation, Getreide, Wein und Öl, obgleich man damals den Vesuv für längst erloschen und ausgebrannt hielt. Olivenwälder bedeckten namentlich die ansteigenden Höhen der südlichen und mittlern Gegend, während aus der nördlichen zwischen dem Liris und Vulturnus, aus dem Gebiete von Teanum, dem ager Falernus der bekannte Falernerwein und der kaum minder edle Massiker stammten. Wir brauchen übrigens nur an die heutigen Tages an den Abhängen des Vesuv producirten Weine zu erinnern, um es wahrscheinlich zu machen, dass auch im Alterthum der uns zunächst interessirenden südlichen Gegend manches edle Gewächs nicht gefehlt haben wird, obgleich Plinius angiebt, der Wein Pompejis sei nicht ohne unangenehme Folgen genießbar gewesen. Reben vielleicht weniger vorzüglicher Gattung haben sich aber unstreitig damals, wie heute, fast wild, bis hoch in die Bäume emporgerankt und wie Festons von Stamm zu Stamm, von Wipfel zu Wipfel geschlungen. Zu der Fruchtbarkeit der Gegend gesellt sich deren hohe landschaftliche Schönheit, welche in dem bekannten »veder Napoli e poi morire« sprichwörtlich geworden, aber keineswegs auf Neapels Aussichten allein beschränkt ist.

Wenngleich Pompejis Lage in dem weiten Thale des Sarnus und mit nur theilweiser Aussicht auf das etwa $1/4$ Meile entfernte Meer sich nicht mit der Neapels messen kann, so ist doch die Aussicht von den freien Höhepunkten der Stadt, von dem Podium des Juppitertempels, von dem Steinsitze auf dem Forum triangulare, der offenbar dort der Aussicht zu Liebe gegründet wurde, endlich von den oberen Rängen des Theaters, sowie von mehren Privathäusern des südlichen und westlichen, jetzt freilich durch die Aufschüttungen der Ausgrabungen zum Theil bedeckten, Abhangs eine überaus entzückende. Stellen wir uns auf dem letztern Punkte so, dass wir den leichte graue Wolken ausstoßenden, nur $3/4$ Meile entfernten Vesuv zur Rechten haben, so schweifen unsere Blicke über die schöne, reich bebaute, von Baumgruppen und Alléen unterbrochene, mit Dörfern und Städtchen reich übersäete Ebene hinaus auf den klarblauen Golf von Neapel, den rechts die vorspringenden Abhänge des Vesuv begrenzen, welche uns den Blick auf Neapel verhüllen, während in weiterer Ferne der in dem steil abfallenden Cap Misenum endende Höhenzug und der gewaltige Kegel des Epomeo auf Ischia, den Horizont begrenzend, in blauen Duft gehüllt emporragen. Links, auslaufend von den bedeutenden Höhenzügen des Hirpiner Gebirgs streckt sich die bergige Landzunge vor, von deren Fuß und ansteigenden Seiten uns Castellammare und Sorrent entgegenschimmern, und an deren Ende das wundervoll gestaltete Capri, freilich nicht ganz und nicht in seinem interessantesten Profile, mit dem es sich Neapel darstellt, sichtbar wird. Höher und steiler erhebt sich landeinwärts die Fortsetzung der sorrentiner Berge und überragt mit den schroffen und phantastischen Gipfeln des Monte Santangelo die vom Sarno durchströmte Ebene südöstlich von Pompeji. Voll imposanter Pracht ziehen sich, wenn wir uns weiter links wenden, die Hirpiner Berge in das Land hinein und erheben sich in mannigfachen und schöngeformten Umrissen zu der Masse des Apennin, der weit hinten das Bild dieser glanzvollen und gesegneten Ebene begrenzt. Der Sarno strebt in der geringen Entfernung von etwa 20 Minuten von Pompeji dem Meere zu, noch heute ein immer strömender, ja wasserreicher, im Alterthum ein weit landeinwärts schiffbarer Fluss. Wie aber um Pompeji, so ist Campanien in allen Theilen wasserreich, selbst im höchsten Sommer, weshalb, sowie wegen der Seewinde, die Hitze dort lange nicht die dörrende Wirkung hat, wie im nachbarlichen aber trockenen Latium und wie namentlich in der nähern Umgebung Roms.

Dass ein in jeder Weise so gesegneter Landstrich von alter Zeit her reich bevölkert war, ist leicht begreiflich: in der That sind uns die Namen vieler Städte bekannt, und von manchen derselben sind bedeutende Ruinen nachweisbar. Soweit unsere Kenntniss hinaufreicht, waren diese Gegenden von einer Bevölkerung bewohnt, welche dem oskischen Zweige des italischen Volksstammes angehörte. Schon früh siedelten sich dann an den Küsten Griechen, namentlich ionischen Stammes an: schon im 11. Jahrhundert v. Chr. soll Kyme gegründet sein. Von hier aus ward Dikaearchia (Pozzuoli), alsdann Parthenope (später Palaeopolis) an der Spitze des Posilipo, und im Anschlusse daran Neapolis gegründet. Der Einfluss der griechischen Cultur auf die Eingeborenen war bedeutend. Sie nahmen das griechische Alphabet an, welches sie freilich in eigenthümlicher Weise zu dem uns wohlbekannten oskischen Alphabet umbildeten, und es scheint, dass sie im fünften Jahrhundert in Sitten und Gebräuchen vollständig hellenisirt waren. Eine zweite Periode in der Geschichte Campaniens beginnt mit dem Ende des fünften Jahrhunderts. Die gleichfalls oskischen Stämme des Gebirgslandes, bekannt unter dem Namen der Samniten, welche an der Cultur und Hellenisirung ihrer in der Ebene wohnenden Stammesgenossen nicht Theil genommen, dafür aber sich größere kriegerische Tüchtigkeit bewahrt hatten, drangen jetzt in die Ebene vor, und bemächtigten sich sowohl der Städte einheimischer Gründung als der griechischen Colonien. Im Jahre 424 fiel Capua, 420 Kyme in ihre Hände. Nur Neapel rettete eine beschränkte Selbständigkeit. Aber auch die neuen Bewohner Campaniens entzogen sich nicht der griechischen Cultur, und nach weniger als einem Jahrhundert war es schon wieder der Gegensatz zwischen ihnen und den zurückgebliebenen Stammesgenossen im Gebirge, welcher zu neuen Kämpfen, zur Einmischung der Römer, und durch die samnitischen Kriege (342—290) zur Unterwerfung Campaniens und zugleich auch Samniums unter die römische Herrschaft führte. Die Unterwerfung geschah in der Form eines ewigen Bündnisses; sie ward gesichert durch ein wohlberechnetes Netz von Straßen und festen Militärcolonien.

In der nun folgenden dritten Periode, der Zeit der römischen Herrschaft bis zum Bundesgenossenkriege, ist ohne Zweifel römische Sitte und Sprache vielfach in Campanien eingedrungen. Doch blieben die meisten Gemeinden der Form nach selbständig; sie behielten ihre einheimische Verwaltung, die Bevölkerung im wesentlichen ihre oskisch-samnitische Nationalität und ihre vom Griechenthum abhängige Cultur.

Erst in den Jahren 90—80 kämpften die Samniten ihren letzten Verzweiflungskampf gegen das übermächtige Rom, in Verbindung anfangs mit den übrigen »Bundesgenossen« Roms (Bundesgenossenkrieg 90—88), dann mit den römischen Demokraten (Marius und Cinna). Die Niederwerfung und blutige Vernichtung der samnitischen Nation durch Sulla, die Ausdehnung des römischen Bürgerrechts auf ganz Italien, endlich die Deduction römischer Colonien führte zur vollständigen Romanisirung auch Campaniens. Die römische Sprache herrscht von jetzt an im officiellen Gebrauch ausschließlich und wird auch im Privatverkehr immermehr die Oberhand gewonnen haben.

Die Bedeutung Pompejis beruhte darauf, dass es Hafenstadt war. Und zwar diente ihm nach dem Zeugniss Strabos (V, p. 247) als Hafen die Mündung des Sarnus. Derselbe Strabo giebt an, Pompeji sei Hafenort für Nuceria (Nocera), Nola und Acerrae, eine Notiz, welche in Bezug auf das viel näher an Neapel liegende Acerrae höchst seltsam ist und für die Zeit des Strabo kaum glaublich scheint. Man hat vermuthet, dass in früheren Jahrhunderten, als der nördliche Theil der campanischen Küste (Kyme, Dikaearchia, Parthenope) in den Händen der Griechen war, die oskischen Städte des Binnenlandes und unter ihnen auch Acerrae, um sich von den Griechen unabhängig zu machen, sich in Pompeji einen eigenen Hafen geschaffen haben, und dass dann auch später der Handel dieser Städte die einmal eingeschlagene Straße beibehalten habe; und in der That scheint dies der einzig mögliche Ausweg zu sein, wenn man nicht einen Irrthum Strabos annehmen will.

Es ist zwar auch versucht worden, die Stelle Strabos so zu erklären, dass Pompeji eine gemeinsame Colonie jener drei Städte wäre. Ja man hat gemeint, dass dies in dem Namen Pompaiia ausgedrückt sei, welcher, mit dem griechischen Verbum πέμπω (aussenden) nahe zusammenhangend, gar nichts anderes als eben »Colonie« bedeuten könne. Und da nun Pompeji durch zwei ostwestliche Straßen in drei Stücke zerlegt wird, so hat man in diesen die drei Tribus der Nuceriner, Nolaner und Acerraner erkennen wollen. Doch ermangeln leider diese geistreichen Combinationen des Fundaments. Die Worte Strabos sagen durchaus nichts anderes, als dass zu seiner Zeit Pompeji jenen drei Städten als Hafenplatz diente; und auch die erwähnte Bedeutung des Namens kann nicht im geringsten als sicher gelten: warum sollte z. B. nicht der italische Stamm *pompe*, welcher »fünf« bedeutet, darin stecken [2]?

Pompeji, obgleich Hafenstadt, brauchte darum doch nicht unmittelbar am Meere zu liegen, denn, wie Strabo bezeugt, diente als Hafen der Fluss. Da aber die Alten Pompeji durchweg als Küstenstadt erwähnen, so hat man auch in neuerer Zeit ziemlich allgemein angenommen, dass das Meer im Alterthum viel näher hinanreichte als jetzt, wo die Küste etwa zwei Kilometer von Pompeji entfernt ist. Rosini, welcher in seiner Einleitung zu der Publication der herculanensischen Papyrusrollen sich eingehend mit dieser Frage beschäftigt, kam, gestützt namentlich auf Höhenunterschiede des Terrains, zu dem Resultat, dass das Meer sich dem südwestlichen Thor (Porta marina) bis auf etwa 300 Meter näherte, dass dann nach Südwesten eine kleine Halbinsel vorsprang, weiter aber die Küste mit tiefer Einbuchtung dicht an die Südseite der Stadt und das Amphitheater hinantrat. Seine Meinung ist von den Späteren meistens gebilligt worden. Eine methodische Untersuchung dieser Frage hat erst in neuester Zeit der gegenwärtige Director der Ausgrabungen, Herr M. Ruggiero, vorgenommen, indem er durch eine Reihe von Versuchsgrabungen zwischen Pompeji und dem Meer das Terrain untersuchen und die dabei sich ergebenden Bodenschichten sorgfältig aufzeichnen ließ. Auf diese Weise ist zwar eine vollständige Lösung der Frage noch nicht erreicht worden, doch sind wir ihr nahe gekommen und ist der Weg zu derselben deutlich vorgezeichnet. Es ergab sich nämlich, dass, wenn man von der Stadt aus an der Eisenbahn entlang gegen das Meer fortschreitet, der obere, der Stadt zunächst liegende Theil der Ebene von den Verschüttungsmassen des Jahres 79 n. Chr. in regelmäßigen Schichten bedeckt ist, während weiter gegen das Meer hin diese Massen fehlen. Diese Erscheinung erklärt sich allein durch die Annahme, dass zur Zeit des verhängnissvollen Ausbruches das Meer bis dahin reichte, wo die Verschüttungsmassen sich zu finden beginnen; denn da dieselben specifisch leichter sind als das Wasser, so wurden sie, soweit sie in's Meer fielen, fortgespült ohne Spuren zu hinterlassen. Da nun schon bei einer Grabung an einem reichlich 500 Meter von der Porta marina entfernten Punkt die betreffenden Schichten nicht mehr gefunden wurden, so ist es sehr glaublich, dass auf dieser Seite die von Rosini auf Grund einer Senkung des Bodens angenommene Uferlinie, etwa 300 Meter von dem genannten Thor, das richtige trifft. Dagegen ist durch zahlreiche Funde von Resten antiker Gebäude und Pflanzungen, welche ebenfalls Ruggiero zusammengestellt hat, sowie auch durch das Vorhandensein der Verschüttungsmassen festgestellt, dass die Ebene südöstlich der Stadt im Alterthum bewohnt und bebaut war, dass also Rosinis Annahme, als habe das Meer dicht an die Südmauer und an das Amphitheater hinan gereicht, irrig war. Bei weiteren Nachforschungen wird es nun darauf ankommen, genau den Punkt zu ermitteln, bis zu welchem die Verschüttungsschichten von 79 reichen, und von diesem Punkte aus nach beiden Seiten die Uferlinie zu verfolgen. So viel ist sicher, dass die Entfernung Pompejis vom Meere höchstens den vierten Theil der jetzigen Entfernung betrug. Von den erwähnten antiken Gebäuderesten fanden sich die dem Meere am nächsten liegenden in der Nähe der Sarnobrücke und des von ihr nicht weit entfernten Mühlencomplexes: also mindestens dahin reichte das Land im Jahre 79; und eben hier wurden unter anderem Reste einer Barke, ein Anker und Fischergeräth gefunden. Da nun die Fischerei ihren natürlichen Sitz am Meeresstrande, nicht etwa am Ufer des Flusses hat, so ist es wahrscheinlich, dass wir auch hier einen Punkt der alten Küste gefunden haben; die Entfernung zwischen der alten und der neuen Küste ist dann hier annähernd dieselbe wie vor der Porta marina. Es mag noch bemerkt werden, daß das Ufer nicht durch die Verschüttungsmassen des Jahres 79 vorgerückt wurde, welche wie gesagt fortgespült werden mussten, sondern im Lauf der Jahrhunderte durch die erdigen Theile, welche der früher in mehren, oft sich verändernden Armen die Ebene durchströmende Fluss mit sich führte.

Wie die Küstenlinie so ist auch das Flussbett des Sarnus nicht mehr das alte. Seinen jetzigen Lauf erhielt er erst durch die in diesem Jahrhundert vorgenommene Regulirung. Das alte Flussbett kennen wir bis jetzt nicht, doch scheint es, dass eine in den Jahren 1880 und 1881 stattgefundene Entdeckung einen Schluss auf die ungefähre Lage desselben gestattet. In einiger Entfernung von dem südlichsten Thor Pompejis, dem Stabianer Thor, eben jenseits des aus dem Sarno abgeleiteten Canals (Canale di Bottaro) stieß man auf einen Complex von Gebäuden und fand daselbst eine große Anzahl von menschlichen Gerippen nebst auffallend vielen werthvollen goldenen Schmucksachen. Combiniren wir nun damit die Beobachtung, dass der Verkehr Pompejis mit seinem Hafen offenbar hauptsächlich eben durch das Stabianer Thor stattfand, da die an die Porta marina sich anschließende Straße für Wagen gesperrt, die Stabianer Straße aber augenscheinlich stark befahren war, so ergiebt es sich uns als sehr wahrscheinlich, dass jene Skelette und jene Goldsachen von Pompejanern herrühren, welche am Tage der Katastrophe mit ihren Schätzen geflohen waren um sich einzuschiffen, was ihnen, vermuthlich wegen des zu großen Zudranges, nicht gelang. Wir werden weiter annehmen dürfen, dass jener Gebäudecomplex den Landungsplatz bezeichnet und dicht an dem alten Flussbett, aber noch diesseits desselben lag. Ist dies richtig, so mochte der Fluss um etwa 400 Meter näher an der Stadt fließen als jetzt[3]).

Wenn also Pompeji weder unmittelbar am Meer noch unmittelbar am Fluss lag, so hatte dies seinen Grund darin, dass bei der Wahl des Ortes andere Umstände maßgebend waren. Es musste nämlich nicht nur auf bequeme Lage für den Handel, sondern auch auf natürliche Festigkeit und Vertheidigungsfähigkeit gesehen werden. Deshalb gründete man Pompeji auf einem Hügel, d. h. auf dem untersten Ende eines uralten Lavastromes, der lange vor Menschengedenken sich vom Vesuv in südwestlicher Richtung dem Meere zuwälzte, ohne dasselbe zu erreichen. Er erstarrte in seinem Lauf, indem er sich gegen den Endpunkt desselben aufstaute und so die zur Gründung einer antiken Stadt wünschenswerthe Erhöhung darbot. In Folge seiner Lage auf einem Hügel ist Pompeji bei allen späteren Ausbrüchen von Lavaströmen verschont geblieben: ein für uns höchst wichtiger Umstand, denn andernfalls würde die Wiederaufdeckung mit den allergrößten Schwierigkeiten verbunden sein. In neuester Zeit ist der Stadthügel genau triangulirt und nivellirt worden (Fiorelli, *Gli scavi* 1861—73 Taf. XIII), mit dem Ergebniss, dass sein höchster Punkt, ganz nahe bei dem Herculaner Thor. 42,53 M., der niedrigste innerhalb des damals ausgegrabenen Theils, östlich neben dem kleinen Theater, 15,08 (das Stabianer Thor liegt noch tiefer), die Area des Forums 33,60 M. und die Arena des Amphitheaters 12,80 über der mittlern Höhe des

Meeresspiegels liegt. Von seinem Profil und den Niveauverhältnissen verschiedener Hauptpunkte der Stadt wird die Skizze Fig. 2, aufgenommen von einem Punkte am Sarno, eine wenigstens allgemeine Vorstellung vermitteln können.

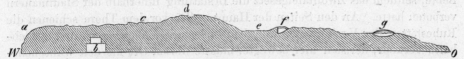

Fig. 2. Skizze vom Profil des pompejanischen Stadthügels.

a Schutthalden ; *b* Zweistöckiges modernes Wirthshaus; *c* Forum; *d* Höchster Punkt; *e* Forum triangulare;
f Großes Theater; *g* Amphitheater.

Wie die natürliche Wasserstraße des Sarnus Pompeji mit den Binnenlandstädten verband, so war dasselbe, freilich erst später, erst als die römische Herrschaft sich über diese Gegend verbreitet hatte, durch die via Campana, eine jener gewaltigen Heerstraßen, welche man mit Recht die Adern des römischen Reiches genannt hat, und durch deren municipale Fortsetzungen mit mehren der umliegenden Städte und schließlich über Herculaneum, Neapel, Puteoli, Capua und die via Appia mit Rom verbunden. Diese großen römischen Heerstraßen, welche die Hauptstadt mit den entferntesten Grenzen des unermesslichen Reiches verbanden, über Berge und Thäler und Ströme wegliefen, an vielen Orten, selbst in entfernten Provinzen nicht allein erkennbar erhalten, sondern fahrbar und wirklich befahren sind, waren der Gegenstand der eifrigsten Sorge der Machthaber Roms sowohl in den Zeiten der Republik wie in denen des Kaiserreichs, und sind diejenigen Monumente, welche uns neben den gewaltigen, oft viele Meilen langen Aquaeducten den stärksten Begriff von der Größe des römischen Reichs und seiner Verwaltung zu geben geeignet sind. Ihre Construction, die sorgfältigste welche man für den Straßenbau überhaupt anwenden kann, besteht aus drei Lagen; das Fundament (*statumen*) wurde gebildet durch eine mächtige Lage größerer durch Mörtel verbundener Steine; die mittlere Lage (*rudera*) besteht aus Kies oder kleineren Steinen, auch Scherben und Sand, bestimmt, ein völlig ebenes Niveau zu bilden und, in einander gearbeitet und festgewalzt wie unsere Chausséen, die oberste Lage, die eigentliche Fahrstraße zu tragen, welche aus großen, wohl in einander gefugten Steinplatten gebildet ist. Die so hergestellte Fahrstraße (*agger*) wurde in der Nähe von Städten zu beiden Seiten mit Fußwegen (Trottoirs, *margines*) eingefaßt, welche sich bis zu 10″ über das Niveau des Agger erheben und durch Prellsteine, die in mäßigen Entfernungen von einander angebracht sind, geschützt werden. Die Erhebung und Einfassung der Fußwege durch behauene Steine bildet gegen den flachgewölbten Rücken des Agger die Rinnsteine oder Gossen, in welche das Wasser von der Fahrstraße abfließt, um durch eigene in mäßigen Zwischenräumen angebrachte Abzugsröhren unter den Trottoirs hindurch von der Straße ganz entfernt zu werden. In der Nähe Pompejis zeigt die Hauptstraße nicht drei, sondern nur zwei Lagen, die zweite und dritte, indem der felsige Untergrund die Errichtung eigener Substructionen (*statumina*) unnöthig machte. An der ganzen Länge der Hauptstraßen hin standen Meilenzeiger (*milliaria*), so wie seit Augustus *stationes* und *mansiones*, Stationen und Einkehre für die von ihm organisirten

Postanstalten, während in der Nähe der Städte die Straßen zu beiden Seiten mit Tempeln oder kleineren Heiligthümern, mit Villen und mit Grabmälern eingefasst waren, welche letzteren man unmittelbar vor dem Thor anzubringen liebte, seitdem das Zwölftafelgesetz die Bestattung innerhalb der Stadtmauern verboten hatte. An den Seiten der Hauptstraßen vor dem Thore schienen die Ruhestätten der Verstorbenen von dem Leben nicht abgetrennt, und der lebhafte Verkehr, der sich hier bewegte, musste diesen Ort als den wünschenswerthesten für die Denkmäler verdienter Bürger erscheinen lassen. Wie reich und anmuthig diese Einfassung der Hauptstraßen war, werden wir bei der Gräberstraße Pompejis kennen lernen, obgleich auch diese nur ein schwaches Abbild des Glanzes und Geschmacks der Hauptstadt bietet.

Zweites Capitel.

Geschichtliche Notizen über Pompeji bis zur Verschüttung.

Von einer Geschichte Pompejis im eigentlichen Sinne kann nicht die Rede sein, denn kaum ein halbes Dutzend kurzer Notizen über die Schicksale der Stadt sind auf uns gekommen; im übrigen wissen wir von denselben nur das, was sich aus unserer Kenntniss der Geschichte der ganzen Landschaft ergiebt.

Ohne Zweifel ward auch Pompeji um 420 von den aus dem Gebirge in die Ebene vordringenden Samniten besetzt. Von seinen Zuständen vor dieser Zeit wissen wir gar nichts. Aber auch in Betreff der samnitischen Zeit müssen wir uns mit wenigen Andeutungen genügen lassen. Zunächst ist es bemerkenswerth, dass die nach und nach alle Städte Campaniens erobernden Samniten, so wenig sie daheim eine staatliche Einheit bildeten, was ihr endliches Unterliegen gegen Rom bedingte, eben so wenig in Campanien zu einer Gesammtverfassung oder auch nur zu einer dauernden Eidgenossenschaft, die sich über den Heerbann im Momente der Noth erhoben hätte, zusammentraten. In den Inschriften ist wenigstens keine Spur von einer Centralgewalt, welche gemeinsame Anordnungen für mehre Städte getroffen hätte, und in ihnen sowohl wie bei den Schriftstellern werden immer nur städtische Localbehörden genannt. Der gemeinsame oskische Name dieser ist *Meddiss* (römisch *medix*) von dem Stamm des lat. Verbums *mĕderi*, welchen wir mit »walten« übersetzen können; die oskischen Behörden hießen also »Walter« im Sinne von »Herrscher«, aber mit dem Nebenbegriff der vom Volke eingesetzten und einer republikanischen Gemeinde gegenüber ausgeübten Gewalt, im Gegensatze der im Worte »Herrscher« ausgedrückten königlichen. Zu dieser Bezeichnung Medix tritt dann ein den Amtskreis bezeichnendes Beiwort, und der höchste Magistrat wird durch Medix-tuticus (*meddiss-tovtiks*) als »Stadt-« oder »Staatswalter« bezeichnet. Neben diesem fungirten andere niedere Beamte in bestimmten Amtskreisen, wie z. B. zwei etwa den Aedilen entsprechende Medices decetasii in Nola (Mommsen, Unterit. Diall. S. 254, 278) und in Pompeji ein

in einigen Inschriften genannter *kvaisstur* d. i. Quaestor (das. S. 183) und
zwei Aedilen (*aidilis*), sowie ein *kombennieis* d. i. conventus, in anderen
Städten auch *senatus* genannter Rath, in dessen Händen die Wahl der Magistrate und die oberste Staatsgewalt gelegen zu haben scheint.

Die schon berührte erste geschichtliche Erwähnung Pompejis bei Livius
IX, 38 fällt in das Jahr 310 v. u. Z. Im zweiten Samnitenkriege, während
der Consul C. Marcius Rutilus den Samniten die Bergfeste Allifae und die
Herrschaft im Vulturnusthal entriss, landete der Flottenführer P. Cornelius
mit seinen Kriegsschiffen bei Pompeji, in der Mündung des Sarnus, von wo
ein Theil der Flottenmannschaft plündernd im Gebiet von Nuceria flussauf-
wärts vordrang. Sie fanden keinen Widerstand; dadurch sorglos gemacht,
zogen sie nach vollbrachter Plünderung ohne die nöthigen Vorsichtsmaßregeln
wieder den Schiffen zu. Indess die Bewohner des Sarnusthals waren nicht
gemeint, sich das Ihrige so gutwillig entreißen zu lassen; sie rotteten sich
zusammen, folgten den heimkehrenden Plünderern, erreichten sie nicht weit
von den Schiffen, erschlugen einen Theil derselben und nahmen ihnen die
Beute ab; die Überlebenden flohen in größter Angst und Eile auf die Schiffe.
Wir dürfen wohl kaum annehmen, dass auch die Pompejaner an dieser Waffen-
that betheiligt waren. Livius spricht nur von Landbewohnern (*agrestes*); auch
ist es nicht glaublich, dass P. Cornelius seinen Mannschaften erlaubt haben
sollte, am rechten Sarnusufer zu plündern, unter den Mauern der festen Stadt,
welche, dicht am Landungsplatz gelegen, ihnen sofort den Rückzug abgeschnitten
haben würde. Ohne Zweifel lag das von den Römern geplünderte Gebiet von
Nuceria auf dem linken Ufer, und waren die Plünderer gegen einen Überfall
seitens der Pompejaner dadurch geschützt, dass die Stadt durch die römische
Flotte cernirt war. Aber so wenig dieser locale Sieg über eine römische Heeres-
abtheilung, wie die vielen und glänzenden Erfolge der Samniten über die römischen Eroberer im ersten und zweiten samnitischen Kriege (343 — 304) und
die verzweifelten Anstrengungen des dritten samnitischen Krieges (298—290),
konnte das endliche Schicksal Samniums und der von Samniten abhängigen
und besetzten Landstriche, die gänzliche Unterwerfung unter Rom, abwenden.
Pompeji war von jetzt an durch ewiges Bündniß mit Rom vereinigt und zur
Heeresfolge verpflichtet, blieb aber im übrigen formell selbständig, behielt
seine eigene Verfassung und Verwaltung, und auch die oskische Sprache wird
die herrschende geblieben sein. Dass freilich jetzt römische Sitte und Sprache
vielfach Eingang fand, dürfen wir sicher annehmen. Wenn die oskischen
Inschriften uns beweisen, dass schon vor der völligen Romanisirung es hier
Magistrate mit römischer Benennung (*kvaisstur, aidilis*) gab, so kann es kaum
zweifelhaft sein, dass diese Benennungen in der Zeit nach den Samnitenkriegen
aufgekommen sind.

Im zweiten punischen Kriege, nach Hannibals glänzendem Siege bei
Cannae, fielen die Samniten und fast alle anderen Stämme und Städte Unter-
italiens von den Römern ab und wandten sich dem karthagischen Sieger zu.
Es ist wahrscheinlich — obgleich bestimmte Nachrichten fehlen —, dass auch
Pompeji, Capuas Beispiele folgend, wo die Volkspartei Hannibal die Thore
geöffnet hatte, mit Hilfe karthagischer Waffen seine Unabhängigkeit von Rom

zu begründen suchte. Vergebens. M. Marcellus' Sieg über Hannibal bei Nola im Jahre 215 nöthigte den Letztern, sich weiter südlich zu ziehen und die campanischen Städte sich selbst zu überlassen. Bekannt ist, dass Capua nach hartnäckigem Widerstande im Jahre 211 wiedererobert und streng bestraft wurde, und, dass trotz des im Einzelnen zwischen Römern und Puniern wechselnden Kriegsglückes in Unteritalien vor Ablauf des Jahrhunderts Roms neue Herrschaft in diesen Gegenden neu begründet war und dieselben fester umschloss, als zuvor.

Im Bundesgenossenkrieg drangen im Jahre 89 v. Chr. die Römer unter Sulla in das südliche Campanien ein; T. Didius erstürmte Herculaneum; Sulla selbst zerstörte Stabiae und belagerte Pompeji. Ein unter Cluentius heranrückendes Entsatzheer ward zweimal geschlagen, Pompeji aber nicht genommen, da Sulla es vorzog, statt sich mit längerer Belagerung aufzuhalten, lieber in Samnium, den eigentlichen Herd des Aufstandes, einzurücken. So war der Kriegssturm mit den Schrecken der Einnahme, Plünderung und Zerstörung an Pompeji vorübergegangen. Sulla schiffte sich im Jahre 87 nach Asien ein um König Mithradates zu bekämpfen; in Rom kam die demokratische Partei unter Marius und Cinna ans Ruder, der sich sowohl das von Sulla vor Nola zurückgelassene Heer, als die Samniten und Campaner anschlossen. Als dann im Jahre 83 Sulla aus Asien zurückkehrte, als mit den römischen Demokraten auch die ihnen verbündeten Samniten in ihrem letzten blutigen Verzweiflungskampf unterlagen, da war es aus mit dem letzten Rest von Selbständigkeit Campaniens und speciell Pompejis. Sulla hatte Pompeji nicht vergessen. Nachdem im Jahre 80 der letzte Widerstand niedergeworfen war, sandte er eine Anzahl — wir wissen nicht wie viele — seiner ausgedienten Soldaten als Colonisten dahin, indem er ihnen einen Theil der Stadt und der Flur anwies. Sulla's Neffe, P. Sulla, leitete die Ansiedelung.

So war ein großer Theil der Pompejaner seines Besitzes und seiner Heimath beraubt; die übrigen mussten mit den verhassten Eindringlingen in denselben Mauern leben, ja sie mussten es sich wahrscheinlich gefallen lassen, dass dieselben als eine bevorzugte Classe constituirt wurden, sie selbst aber in Bezug auf die Abstimmungen in Communalsachen und auf die Benutzung der öffentlichen Localitäten nur beschränkte Rechte genossen. Denn namentlich falls die Colonisten weniger zahlreich waren, als die alten Pompejaner, bedurfte es besonderer Bestimmungen, um jenen, was ja nothwendig war, die Herrschaft zu sichern, und sicher werden diese Bestimmungen nicht gefehlt haben. In der That erfahren wir aus einer Rede, welche Cicero zur Vertheidigung jenes P. Sulla hielt, dass gleich in der nächsten Zeit zwischen den Alt- und Neubürgern Jahre lang gestritten wurde über die Spaziergänge und die Abstimmungen (*de ambulatione ac de suffragiis*); der Streit wurde durch einen Schiedspruch der Patrone der Colonie erledigt. Übrigens erfahren wir bei dieser Gelegenheit, dass P. Sulla bei der Constituirung des Gemeinwesens in billiger und verständiger Weise vorging. Beide Theile waren mit seiner Thätigkeit zufrieden und er erfreute sich einer solchen Beliebtheit auch bei den Altbürgern, dass man ihn beschuldigen konnte, er habe dieselben zur Theilnahme an der Verschwörung Catilina's zu verleiten gesucht. Die Rechtsungleichheit zwischen Alt- und Neubürgern wird nur für die erste Zeit der Colonie gegolten haben; wir dürfen annehmen, dass mit Beginn der Kaiserzeit der Unterschied aufhörte und sie zu einer Bürgerschaft verschmolzen waren.

Was wurde aus den bei der Ansiedelung der sullanischen Veteranen ausgetriebenen Bürgern? Auch diese Frage kann wenigstens vermuthungsweise beantwortet werden. Pompeji hatte eine Vorstadt, welche den Namen *pagus Augustus Felix suburbanus* führte. Den Namen Augustus konnte dieser Pagus natürlich nicht vor der Zeit des gleichnamigen Kaisers erhalten. Da aber der Dictator Sulla den Beinamen Felix führte, so ist nicht ohne Wahrscheinlichkeit vermuthet worden, dass schon zu seiner Zeit, also zur Zeit der Colonisirung, diese Vorstadt entstand, und zwar dadurch, dass die ausgetriebenen Einwohner außerhalb der Stadt angesiedelt wurden.

Pompeji erscheint seit der sullanischen Colonisirung ganz romanisirt und erfreute sich ohne bemerkenswerthe Ereignisse eines wachsenden Wohlstandes, welcher auf dem Handel und auf mannigfaltiger Industrie beruhte und nicht wenig dadurch erhöht wurde, dass Pompeji in die Zahl derjenigen Landstädte eintrat, in welche, wie nach Bajae, Neapel, Puteoli, vornehme Römer sich zurückzogen, wenn sie des Staatslebens und des Geräusches der Hauptstadt müde geworden waren, oder wenn sie aus anderen Gründen Erholung und Ruhe unter dem schönen Himmel Süditaliens und inmitten griechischer Kunst und Sitte aufsuchten.

Die erste namhafte Person, von der wir eine solche Ansiedelung in Pompeji erfahren, ist Cicero, welcher, obgleich nicht unbeträchtlich verschuldet, sich neben seinem Landsitze in Puteoli noch einen solchen in Pompeji kaufte, von dem er in seinen Briefen (*Epp. ad div.* 7, 1) zu erzählen weiß. Die Annahme freilich, dass die unter dem Namen der Villa des Cicero bekannten, dicht vor dem Herculaner Thor gelegenen, 1763 aufgegrabenen und zum größten Theile bald wieder zugeschütteten Ruinen einer Villa wirklich dem Pompeianum des großen Redners angehören, ist grundlos, und schon deshalb nicht glaublich, weil Cicero in seinen Briefen ganz besonders die stille Zurückgezogenheit seines Landsitzes rühmt, was sich mit der Lage der in Rede stehenden Villa an der Heerstraße kaum verträgt. Auch der M. Tullius, welcher laut der Inschrift auf dem Architrav der Aedicula den Tempel der Fortuna Augusta erbaut hat, ist nicht der Redner; ob er mit ihm verwandt war, können wir nicht wissen.

Kaiser Claudius besaß in Pompeji eine eigene Villa, in der ihm sein Söhnchen Drusus an einer Birne erstickte, die der Knabe in die Höhe geworfen und mit dem Munde aufgefangen hatte, ein Kunststück, welches man noch heute bei der neapolitaner Straßenjugend geübt sieht. Ohne Grund freilich glaubt Winckelmann in seinen Nachrichten v. d. neuesten hercul. Entdeckungen § 58 in einer der beiden Villen links an der Gräberstraße, welche man als die des Cicero und die des M. Arrius Diomedes zu bezeichnen pflegt, die Villa des Claudius erkennen zu dürfen. Auch andere vornehme Römer scheinen der Mode, sich in Pompeji anzusiedeln, gefolgt zu sein; doch ist es bestimmt nachweisbar nur in Betreff des Senators Livineius Regulus, auf welchen wir demnächst zurückkommen.

Pompeji hieß jetzt *Colonia Veneria Cornelia Pompeianorum*, nach dem
Namen des Dictators und der von ihm vorzugsweise verehrten Göttin; wie
ganz Italien erhielt es das römische Bürgerrecht und ward zum Behuf der
hauptstädtischen Abstimmungen der Tribus Menenia zugetheilt. Römische
Amtssprache und römisches Recht wurden eingeführt, auch bei öffentlichen
Bauten von jetzt an römisches Maß zu Grunde gelegt. Die Verfassung war
eine der römischen nachgebildete Municipalverfassung. Dem römischen Senat
entsprach die Versammlung der Decurionen, deren Normalzahl vermuthlich
auch hier, wie in der Regel, hundert war, und welche sich hauptsächlich durch
die Aufnahme der abtretenden Beamten ergänzte. Den römischen Consul
entsprachen als höchste Beamte die »rechtsprechenden Zweimänner« (*duum-*
viri iuri dicundo); ihre Namen dienten, wie die der Consuln, zur Bezeichnung des Jahres in municipalen Documenten. Ihnen stand, wie schon ihr
Name besagt, die Gerichtsbarkeit zu, mit der Maßgabe jedoch, dass sowohl
Civilsachen, deren Object eine gewisse Werthsumme überstieg, als auch
schwerere Criminalfälle den römischen Behörden vorbehalten waren. Außerdem hatten sie den Vorsitz im Decurionensenat und in der Volksversammlung; die in letzterer gewählten Beamten wurden von ihnen ernannt und
proclamirt. — Dem in Rom nur in jedem fünften Jahr gewählten Censor entsprach keine besondere Behörde, sondern die Geschäfte desselben wurden von
Rechtsduumvirn besorgt, welche in dem betreffenden Jahr, also im gewöhnlichen Lauf der Dinge in jedem fünften Jahr, den Titel fünfjähriger Duumvirn
(*duumviri quinquennales*) führten. Ihnen lag die Revision der Decurionenliste
(*album decurionum*) ob, in welche sie die abgetretenen Beamten eintrugen, und
aus der sie diejenigen strichen, welche wegen eines Criminalverbrechens ver-
urtheilt oder wegen sonstiger Bescholtenheit nicht mehr zum Sitz in der Versammlung berechtigt waren. Auch die Bürgerliste wurde von ihnen geführt.
Ferner wurden die wichtigsten Finanzgeschäfte von den Quinquennalen besorgt: sie hatten die öffentlichen Bauten zu vergeben und die städtischen
Grundstücke jedesmal für die fünfjährige Etatsperiode zu verpachten. In
letzterer Beziehung erfahren wir durch die im Jahre 1875 gefundenen Quittungstafeln des pompejanischen Bankiers L. Caecilius Jucundus, dass Pompeji
u. A. Weidegründe (*pascua*) und eine Tuchwalkerei (*fullonica*) besaß, welche
beide eine Zeit lang an den genannten Bankier verpachtet waren; die Quittungen über seine jährlichen Zahlungen sind ausgestellt von einem Sklaven
der Gemeinde (*servus coloniae Veneriae Corneliae Pompeianorum*); unter den
Zeugen, welche ihre Siegel darauf gesetzt haben, erscheinen die Duumvirn des
laufenden Jahres, entweder beide oder einer von ihnen.

Die zweite Behörde der Colonie waren die beiden Aedilen, welche bisweilen auch mit den Rechtsduumvirn zusammen als »Viermänner« (*quattuorviri*)
bezeichnet werden und den curulischen Aedilen Roms entsprachen. Ihnen lag
die Sorge für die öffentlichen Gebäude und Wege ob, ferner die Sorge für die
Getreidezufuhr (*cura annonae*) und die Marktpolizei, namentlich die Controle
der im Marktverkehr angewandten Maße und Gewichte.

Quaestoren, welche wir in anderen Municipien und Colonien finden, gab
es in Pompeji wenigstens in der Kaiserzeit nicht. Der Quaestor Vibius Popi-

dius, welcher die Säulenhallen am Forum erbauen ließ, gehört wahrscheinlich der Zeit vor der Deduction der Colonie an. Einige sehr alte gemalte Wahlprogramme, in denen jemand zur Wahl als Quaestor empfohlen wird, sind keinesfalls jünger als die älteste Zeit der Colonie.

Die Beamten wurden gewählt von der nach Curien abstimmenden Volksversammlung. Die Candidaten mussten sich vorher melden, und ihre Namen wurden von dem die Wahl leitenden Duumvirn bekannt gemacht. Meldeten sich nun weniger Candidaten, als Stellen zu besetzen waren, so präsentirte der Vorsitzende selbst so viele wie noch fehlten. Jeder von diesen durfte einen Gegencandidaten vorschlagen, welcher seinerseits einen dritten Candidaten namhaft machen konnte: alle diese wurden dann zur Wahl gestellt. Abgestimmt wurde schriftlich durch Einreichung eines Täfelchens (*tabella*); in jeder Curie wurden die Stimmen gezählt und der Name des von dieser Curie gewählten Candidaten auf eine Tafel (*tabula*) geschrieben; als gewählt galt, für wen die absolute Majorität der Curien sich entschieden hatte. So konnte es also vorkommen, dass überhaupt keine Wahl zu Stande kam, oder dass von zwei Stellen nur eine besetzt wurde. Für diesen Fall scheint angeordnet gewesen zu sein, dass die Decurionen einen interimistischen Beamten mit dem Titel eines Präfecten wählten, welcher bis zum Zustandekommen einer Wahl die Geschäfte wahrzunehmen hatte. Es wird mit Wahrscheinlichkeit angenommen, dass diese Bestimmung auf ein von einem Petronius vorgeschlagenes Gesetz (aus der letzten Zeit der Republik) zurückgeht, und dass dies die mehrfach auf Inschriften, auch in Pompeji, vorkommenden *praefecti ex lege Petronia* sind.

Neben die Decurionen tritt seit der Zeit des Tiberius eine zweite bevorzugte Classe, die Augustalen, ein dem Cultus des Augustus und des iulischen Kaiserhauses, dann auch anderer vergötterter Kaiser gewidmetes Collegium, welches ausschließlich oder vorwiegend aus Freigelassenen bestand. Da die Freigelassenen vom Decurionat und den Municipalämtern ausgeschlossen waren, so fanden reiche Männer dieses Standes, wie Trimalchio im Roman des Petronius, in den Würden des Augustalencollegiums eine Befriedigung ihres Ehrgeizes.

Es ist nicht wahrscheinlich, dass die Vorstadt, der *pagus Augustus Felix suburbanus,* gesonderte Verwaltung und eigene Beamte hatte, vielmehr stand sie wohl unter den städtischen Behörden. Die auf Inschriften vorkommenden *ministri* und wahrscheinlich auch der *magister* des Pagus sind Priester, das Collegium der *pagani* hatte ohne Zweifel ebenfalls priesterlichen Charakter. Vermuthlich besorgten auch diese Priester und dies Collegium den Cultus des Augustus und anderer vergötterter Kaiser.

Ein Beispiel des Eingreifens der römischen Behörden berichtet uns Tacitus (*Ann.* XIV, 17) aus der Zeit Neros. Der aus dem Senat ausgestoßene Livineius Regulus veranstaltete im Jahr 59 n. Chr. in Pompeji, wohin er sich zurückgezogen, Gladiatorenkämpfe im Amphitheater. Das pompejanische Amphitheater, zu groß für die Zahl der Einwohner der Stadt allein, wie noch genauer dargethan werden soll, war auf Besuch von den Nachbarstädten berechnet. Auch bei dieser Gelegenheit waren zahlreiche Nuceriner nach Pompeji gekommen, zwischen

denen und den Pompejanern es, wie schon früher, zu Sticheleien, Reibereien,
dann zu Steinwürfen und zum Gebrauch der blanken Waffe kam. Es setzte
zahlreiche Todte und schwere Verwundungen, namentlich auf Seiten der
Nuceriner, da die Pompejaner natürlich zahlreicher waren und daher Sieger
blieben. Die Nuceriner wandten sich klagend nach Rom; der Kaiser schob
die Sache dem Senat, dieser den Consuln zu, und nachdem sie von diesen
wieder an den Senat gelangt war, lautete der Urtheilsspruch, alle ähnliche
Schau sei in Pompeji auf 10 Jahre zu verbieten, die gegen das Gesetz gebildeten Collegien aufzulösen, Livineius und die Theilhaber an dem Krawall zu
verbannen. Bedenkt man, mit welcher Leidenschaft das Volk an diesen Spielen hing, welche ihm nächst dem Brode als das wichtigste Lebensbedürfniss
erschienen (*panem et circenses*), so begreift man die Härte dieses freilich nicht
ungerechten Spruches für Pompeji. Die beiden Rechtsduumvirn des laufenden Jahres, Gaius und Gnaeus Pompejus Grosphus, wurden ihres Amtes
enthoben; den neu gewählten, N. Sandelius Messius Balbus und P. Vedius
Siricus, wurde zur Herstellung der Ordnung und zur Durchführung des Ur-
theils ein außerordentlicher *Praefectus iuri dicundo*, eine Art municipaler
Dictator, in der Person des Sex. Pompeius Proculus, eines frühern Rechtsduumvirn, neben- oder vielmehr übergeordnet.

Es kann nicht überraschen, wenn wir in Pompeji localen Erinnerungen
an dieses wichtige Erlebniss der Stadt begegnen. Eine solche liegt vermuthlich

Fig. 3. Schlägerei im Amphitheater.

in einer seit langer Zeit bekannten Griffelzeichnung mit Inschrift vor, auf
welche an einem andern Orte zurückgekommen werden soll, ganz unzwei-

felhaft aber ist die Kampfscene im Amphitheater in einem freilich rohen, aber sehr interessanten Bilde dargestellt, welches im Jahre 1869 in einem geringen Hause in der *Strada dell' Anfiteatro* entdeckt, von de Petra in dem *Giornale degli scavi di Pompei, nuova serie* Vol. I, tav. 8, p. 185 ff. publicirt und erläutert worden ist und hier (Fig. 3) in kleinerem Maßstabe wiederholt wird.

Lange bevor die Zeit der Strafe abgelaufen war, im Jahre 63 n. Chr. und zwar am 5. Februar, betraf Pompeji eine entsetzliche Zerstörung durch ein von tödtlichen Erdaushauchungen begleitetes Erdbeben, welches die wiedererwachten Kräfte des seit Jahrhunderten, vielleicht seit Jahrtausenden schlummernden und für erloschen geltenden Vesuvs ankündigte und in allen umliegenden Städten, in Neapel, Herculaneum, Nuceria, mehr oder minder bedeutende Verheerungen anrichtete, am schwersten aber Pompeji heimsuchte. Zahlreiche Gebäude stürzten ganz oder theilweise zusammen, Statuen wurden von ihren Piedestalen herabgestürzt und zerbrochen und manches Privathaus beschädigt. Wie groß der Schade im Ganzen gewesen sei, können wir nicht angeben, jedenfalls war er bedeutend, und wir werden mehrfach den Spuren dieser Zerstörung begegnen.

Für alle Untersuchungen über die Gebäude Pompejis bietet das Erdbeben vom Jahre 63 einen willkommenen Anhaltspunkt. Von einem Gebäude, dem Tempel der Isis, ist es uns durch eine Inschrift ausdrücklich bezeugt, dass er nach demselben von Grund auf neu gebaut wurde; an vielen anderen Gebäuden ist der mehr oder weniger vollständige Wiederaufbau deutlich zu constatiren. Namentlich aber geht der überwiegende Charakter der ganzen Decoration auf diese Restaurationen zurück: nicht nur wurden die Wände im neuesten Stil bemalt, sondern auch die Säulen sammt ihrem Gebälk vielfach mit einer dicken Stuckhülle umgeben, die alten Capitelle verstümmelt und in aus Stuck gebildete bunte Phantasiecapitelle eingehüllt. Andererseits aber war die Zerstörung keine vollständige, und es ist genug stehn geblieben, um uns von dem Charakter der Stadt, wie sie früher war, und von ihrer Entwickelung mindestens seit dem zweiten Jahrhundert vor Chr. eine deutliche Vorstellung zu geben. Und bei der Art, wie man die stehn gebliebenen Reste beim Neubau verwerthete, dürfen wir wohl annehmen, dass ihrer nicht allzu viele in Folge des Erdbebens vom Jahr 63 spurlos verschwunden sind.

Der Neubau Pompejis schritt mit großer Raschheit vorwärts. Der Isistempel war durch die Freigebigkeit eines Privatmannes wieder aufgebaut, der Apollo- (sog. Venus)-tempel hergestellt und gründlich modernisirt worden; die Privathäuser waren, je nach den Mitteln der Besitzer, theils glänzend erneuert, theils, so gut es eben ging, ausgebessert worden; an den Säulengängen des Forums wurde rüstig gearbeitet. Schon bewegte sich von neuem ein reges und unbesorgtes Leben durch die Straßen der verjüngten Stadt, schon waren Handel und Gewerbe wieder in schwunghaftem Betrieb, schon hatte ohne Zweifel der Luxus und die Üppigkeit sich auf's neue mannigfach entfaltet, da plötzlich schlug Pompejis zwölfte Stunde. Es war nach unserer Zeitrechnung der 24. August des Jahres 79 n. Chr., als der Ausbruch des Vesuvs erfolgte. Dunkele Nacht, nur von den zuckenden vulkanischen Blitzen grauenvoll erhellt, hüllte die Gegend ein, über welche das Verderben sich dahinwälzte; und als nach drei langen, fürchterlichen Tagen die Aschen- und Rauchwolken die Sonne durchbrechen ließen, waren die Reste des im Bürgerkriege zerstörten Stabiae, waren die blühenden Städte Herculaneum und Pompeji vom Erdboden verschwunden, versenkt in das dunkele Grab für mehr als anderthalb Jahrtausende.

Drittes Capitel.

Die Verschüttung Pompejis.

Mit der größten Lebendigkeit hat Bulwer in seinem Roman »Die letzten Tage von Pompeji« die Scenen der Verschüttung, das nicht Überlieferte durch Phantasie ergänzend, geschildert, wobei er, im Anschluss an eine nicht glaubwürdige Nachricht, die Pompejaner eben im Amphitheater versammelt sein lässt. Ein Gleiches zu versuchen, liegt außer der Aufgabe dieser Schrift, nur das muss hier eine Stelle finden, was aus alten Schriftstellern über das furchtbare Ereigniss entnommen und aus Spuren desselben an Ort und Stelle geschlossen werden kann. Dass die Pompejaner ganz unvorbereitet von ihrem Schicksal betroffen wurden, dass man den Vesuv für völlig erloschen hielt, bezeugt uns Strabo, welcher unter Augustus Folgendes schrieb: »Oberhalb dieser Orte liegt der Berg Vesuvius, von herrlich angebauten Feldern umgeben bis an den Gipfel. Dieser aber ist größtentheils flach und ganz unfruchtbar, dem Ansehn nach aschig, und man sieht daselbst Höhlungen in den porösen Steinen von rußiger Farbe, als wären sie vom Feuer zerfressen, so dass man schließen möchte, der ganze Ort habe einmal gebrannt, enthalte Feuerkrater, und sei erloschen, nachdem ihm der Stoff ausgegangen. Vielleicht ist grade das der Grund der ihn umgebenden Fruchtbarkeit, wie man sagt, dass bei Katana die Gegend so vorzüglichen Wein hervorbringe, seitdem ein Theil derselben mit der vom Aetna ausgeworfenen Asche bedeckt ist.«

Über den Ausbruch des Vesuv ist es von Interesse, wenigstens die auf dies Naturereigniss bezüglichen Stellen der Briefe des jüngern Plinius zu lesen, welche freilich nicht Pompejis Untergang, sondern den Tod des ältern Plinius und die Begebenheiten in und um Misenum zum Hauptgegenstande haben. Ohne die in allen Sprachen oft abgedruckten Briefe (Plin. *Epist.* VI, 16, 20) hier nochmals ganz zu wiederholen, ziehen wir die den Vesuvausbruch betreffenden Stellen aus. »Am 24. August gegen 1 Uhr Nachmittags (nach unserer Tagesrechnung) machte meine Mutter ihn (meinen Oheim, den ältern Plinius) auf eine Wolke von ungewöhnlicher Gestalt und Größe aufmerksam . . . Er stand alsbald auf und begab sich auf eine Höhe, von der man diese außerordentliche Erscheinung besser sehen konnte. Es war damals in dieser Entfernung nicht möglich, zu entscheiden, von welchem Berge diese Wolke aufsteige, später fand es sich, dass sie sich vom Vesuv erhob. Ich kann keine genauere Beschreibung ihrer Gestalt geben, als indem ich sie mit der eines Pinienbaums vergleiche, denn sie schoss zu einer bedeutenden Höhe empor wie ein Stamm und breitete sich oben in Zweige aus, indem sie, glaube ich, zuerst durch einen Luftstoß, so weit dessen Kraft reichte, in die Höhe getrieben wurde, dann aber, wo diese Kraft nachließ, oder ihr eigenes Gewicht zur Geltung kam, sich in die Breite ausdehnte. Sie erschien bald glänzend, bald dunkel und gefleckt, je nachdem sie mehr mit Erde oder mit Asche erfüllt war.« Darauf folgen die Angaben über das, was der ältere Plinius zur Rettung seiner Freunde unternahm, welche nahe am Fuße des Vesuv wohnend, der dringendsten Gefahr ausgesetzt waren, und welche er zur See zu retten hoffte, wobei der dicker werdende und mit Bimssteinstücken und schwarz gebrannten Steinen untermischte Aschenregen in sein Schiff stürzte, während das Meer neue Untiefen zeigte und der Berg herabzustürzen, das Ufer vorzurücken schien. »Mittlerweile«, fährt der Briefsteller fort, »stiegen vom Vesuv an verschiedenen Orten große Flammen empor, was durch die eingetretene nachtgleiche Finsterniss noch schrecklicher sichtbar wurde.« Weiter wird erzählt, wie Plinius in Stabiae das Zimmer, in welchem er ruhte, verlassen musste, weil sonst die in dem Hofe, aus welchem es zugänglich war, sich häufenden Massen von Asche und Bimsstein den Ausgang gesperrt haben würden, wie man dann, als wegen des heftigen Erdbebens die Häuser einzustürzen drohten, ins Freie ging, indem man sich durch auf den Kopf gebundene Kissen gegen die herabfallenden Massen schützte, wie dann plötzlich Flammen und Schwefeldämpfe aus dem Boden drangen, wie Plinius, von diesen Gasen betäubt, umsank und so sein Ende fand. In dem zweiten Briefe wird noch Folgendes erwähnt, was für uns Interesse bietet. »Schon mehre Tage vor dem Ausbruch hatten verschiedene Erdstöße stattgefunden, die aber wenig beachtet wurden, da sie in Campanien gewöhnlich sind; in der Nacht aber (nach dem Ausbruch) waren sie so besonders heftig, dass sie Alles um uns her nicht nur erschütterten, sondern umzuwerfen drohten.« Am nächsten Morgen war das Licht äußerst matt und dämmerig; die Wagen, in denen Plinius mit seiner Mutter die Stadt (Misenum) verließ, wurden von Erdstößen hin und her geworfen, und konnten auch durch die Unterstützung mit großen Steinen nicht festgehalten werden. Die See schien sich vom Lande zurückzuziehen, getrieben von den krampfhaften Bewegungen der Erde, so dass das Ufer erweitert wurde und Seethiere auf dem trockenen Sande liegen blieben. »Auf der andern Seite brachen aus einer furchtbaren schwarzen Wolke große Flammen hervor, die Blitzen glichen, aber größer waren. . . . . Bald darauf senkte sich die Wolke auf die Erde und bedeckte das Meer, so dass die Insel Capreae und das Vorgebirg Misenum unseren Blicken entzogen wurden. . . . . Aschenregen, obgleich noch nicht sonderlich dick, begann zu fallen; ich blickte zurück: dichte Finsterniss lag hinter uns und kam, wie ein über die Erde sich ergießender Strom, uns immer näher. Wir wichen, so lange wir noch sehen konnten, von der Straße auf die Felder aus, um nicht im Gewühl der Menschen erdrückt zu werden. Kaum hatten wir uns hier niedergelassen, so umgab uns eine Finsterniss, die nicht mit der einer mondlosen oder wolkigen Nacht, sondern nur mit der in einem verschlossenen Zimmer ohne Licht verglichen werden kann. Man hörte das Jammern von Weibern, das Geschrei von Kindern und die Rufe von Männern; die einen riefen nach ihren Eltern, andere nach ihren Kindern, andere nach ihren Gatten; nur an der Stimme erkannten sie sich. Einige beklagten ihr eigenes Schicksal, Andere das der Ihrigen. Einzelne wünschten aus Todesfurcht zu sterben, Viele erhoben ihre Hände zu den Göttern, aber die Meisten glaubten, auch mit den Göttern sei es jetzt aus, und es sei dies die letzte und ewige Nacht, das Ende der Welt. Auch an solchen fehlte es nicht, welche die wirklichen Schrecknisse durch eingebildete vermehrten: Misenum hieß es, sei theils eingestürzt, theils stehe es in Flammen; unwahre Nachrichten, die aber doch geglaubt wurden.« Wir haben die Schilderung dieser Scenen beigefügt, weil sie uns ein Bild dessen geben, was, und sicher in erhöhtem Maße, unter der unglücklichen Bevölkerung Pompejis vorging. »Dann wurde es etwas heller: uns schien dies ein Anzeichen nicht des wieder anbrechenden Tages, sondern des sich uns nahenden Feuers. Das Feuer blieb uns nun freilich fern; die Finsterniss trat wieder ein, neuer und schwerer Aschenregen folgte, den wir von Zeit zu Zeit abschüttelten um nicht von ihm begraben und erdrückt zu werden .... Endlich lichtete sich diese fürchterliche Finsterniss nach und nach und verwandelte sich in eine Art Rauch oder Nebel; bald wurde es dann auch wieder völlig Tag, und selbst die Sonne erschien am Himmel, obgleich nur sehr blass, so etwa wie bei einer Sonnenfinsterniss. Jeder Gegenstand, der sich unseren Blicken bot, war verändert, indem er mit Asche wie mit einem tiefen Schnee bedeckt war.«

Ergänzend tritt diesem Berichte zur Seite, was der Historiker Cassius Dio (lib. 66, c. 22 sq.) um 200 n. Chr. unter Commodus erzählt. Freilich aber stammt sein Bericht offenbar aus den Erzählungen minder kaltblütiger Beobachter, und zeigt den Einfluss der in Folge eines so erschütternden Ereignisses nothwendig eintretenden Mythenbildung. »In Campanien folgten schreckliche und seltsame Ereignisse. Nämlich im Herbst desselben Jahres brach auf ein Mal ein großes Feuer aus. Der Berg Vesuvius liegt nah am Meere bei Neapolis, und hat reichliche Feuerquellen. Früher war er überall gleich hoch und das Feuer stieg mitten aus ihm empor. Denn nur hier ist er in Brand gekommen, die ganze Außenseite ist aber auch bis jetzt feuerlos geblieben. Weil sich nun diese nie entzündet hat, der innere Theil aber am Feuer verdorrt und zu Asche wird, so haben die Gipfelwände rings umher noch jetzt die ursprüngliche Höhe, die ganze Brandstätte aber ist von der Zeit verzehrt und durch das Zusammenfallen hohl geworden, dergestalt, dass der ganze Berg, wenn man Kleines mit Großem vergleichen darf, einem Schauplatze für Thiergefechte ähnlich ist. Und zwar enthält seine Höhe viele Baum- und Weinpflanzungen, der Kreis aber ist dem Feuer überlassen und giebt am Tage Rauch von sich, bei Nacht aber eine Flamme, so dass es aussieht, als würde in ihm viel Räucherwerk aller Art angezündet. Und das geschieht immer so, bald stärker bald wieder schwächer; oft stößt er auch Asche aus, wenn viel auf einmal eingesunken ist, und wirft Steine empor, wenn er vom Dampfe überwältigt wird; dann tost und brüllt er, weil er nicht feste, sondern schmale und verborgene Luftöffnungen hat. Das ist die Beschaffenheit des Vesuvius und solches geschieht auf ihm fast jedes Jahr. Alles andere aber, was sich in früherer Zeit zugetragen hat, mag es auch den jedesmaligen Augenzeugen ungewöhnlich groß erschienen sein: dennoch möchte es, selbst alles zusammengenommen, im Vergleich mit dem, was sich in dem Jahre begab, von dem wir sprechen, gering zu achten sein. Es geschah nämlich Folgendes. Man glaubte viele große übermenschliche gewaltige Männer, wie man die Giganten malt, bald auf dem Berge, bald in dem umliegenden Lande und in den Städten, bei Tag und bei Nacht auf der Erde herumwandeln und in der Luft einherschweben zu sehen. Darauf folgte eine furchtbare Dürre und plötzliche Erdstöße, so dass dort der ganze Boden aufgeschüttelt wurde und die Höhen emporsprangen. Und Töne vernahm man, theils unter der Erde donnerähnlich, theils über derselben wie Gebrülle; und zu gleicher Zeit brauste das Meer auf und hallte der Himmel wieder. Nach diesem hörte man plötzlich einen ungeheuern Knall, ols ob auch die Berge zusammenstürzten, und es fuhren zuerst übergroße Steine empor, so dass sie bis zum Gipfel selbst gelangten, dann vieles Feuer und entsetzlicher Rauch, so dass die Luft ganz verdunkelt und die Sonne ganz verhüllt wurde, als wenn sie sich verfinsterte. So verwandelte sich der Tag in Nacht und das Licht in Finsterniss, und Manche wähnten, die Giganten stünden auf (denn es erschienen wiederum allerlei riesige Gestalten im Rauch, und man vernahm Schall wie von Trompeten), Andere aber, die ganze Welt vergehe in Nichts oder in Feuer. Darum floh Alles, die Einen aus den Häusern auf die Straße, Andere von draußen in die Häuser, noch Andere von der See auf's Land und von diesem auf's Meer, bestürzt und jede Entfernung sicherer wähnend als den Ort, wo sie sich grade aufhielten. Während dies geschah, stürmte ungeheurer Aschenregen einher, welcher Land und Meer und die ganze Luft erfüllte. Dieser that an vielen Orten Schaden, wie und wo es sich grade traf, an Menschen, Land und Vieh, tödtete sämmtliche Fische und Vögel und verschüttete sogar zwei ganze Städte, Herculaneum und Pompeji, da eben die Bevölkerung der letzteren im Theater saß. Denn die Menge der Asche war so groß, dass ein Theil davon bis nach Afrika, Syrien und Aegypten und sogar bis nach Rom kam und hier die Luft erfüllte und die Sonne verdunkelte. Daher entstand denn auch in dieser Stadt eine nicht ⌊geringe, viele Tage anhaltende Furcht, denn keiner wusste, was geschehen war, und keiner konnte es vermuthen; vielmehr meinte man auch hier, die ganze Welt kehre sich um und die Sonne sinke in die Erde und erlösche, die Erde aber erhebe sich in den Himmel. Damals that indess diese Asche dort keinen großen Schaden, später aber brach in Folge dessen eine furchtbare Pest aus.«

Weitere Aufklärung liefert uns die Untersuchung des noch jetzt vorliegenden Thatbestandes. Eine Prüfung der 7 bis 9 Meter starken Decke Pompejis ergiebt zuerst, dass dieselbe wesentlich e i n e r Eruption des Vesuv, derjenigen vom Jahre 79, angehört, welche durch die weiße oder weißgraue Farbe der von ihr gelieferten Lapilli sich von allen späteren unterscheidet. Damit soll nicht gesagt sein, dass in späterer Zeit keinerlei Aschenregen mehr auf Pompeji gefallen sei, es ist vielmehr an vielen Stellen das Vorhandensein schwarzgrauer Lapilli Zeugniss späterer Eruptionen und die Überlagerung des Materials der Eruption von 79 durch späteres sehr bestimmt nachweisbar.

2*

Allein zu der Stärke und Tiefe der Verschüttung hat das nichts Wesentliches beigetragen, im Mittel 7 Meter tief ist Pompeji im Jahre 79 verschüttet worden. Und zwar besteht die Verschüttung ihrer Hauptmasse nach etwa zur Hälfte ihrer ganzen Tiefe aus Lapilli (neapolitanisch Rapilli), d. h. unregelmäßig gestalteten Bimssteinbröckchen von der Größe einer Erbse bis zu 6, auch 9 Cm. Durchmesser, unter welche sich gelegentlich, aber doch nur einzeln, ansehnliche Stücke von 30 und mehr Centimeter Durchmesser gemischt finden. Diese Lapillimasse, als lockere, Feuchtigkeit durchlassende und daher selbst feuchte Decke liegt zu unterst auf dem Pflaster der Straße und den Fußböden der Zimmer; von einer noch unter derselben befindlichen dünnen Schicht feinerer Asche, die angeblich »papamonte« heißen soll, habe ich weder irgendwo eine Spur gefunden, noch war den Beamten in Pompeji die Sache oder der Name bekannt. Wohl aber liegt über der dicken Lapillimasse eine im Allgemeinen ebenfalls 1—2 Meter dicke, fest zusammengeklebte Aschenschicht. Untrügliche Kennzeichen beweisen, dass gewaltige Wassermassen entweder gleichzeitig mit der Asche, oder sehr bald nachher gefallen sind. In dieser Aschenschicht und von ihr abgeformt sind etwa $3\frac{1}{2}$ Meter vom Boden die unten näher zu besprechenden Leichen, sowie früher manche andere gefunden worden. Die vereinzelten Massen meist dunkler Lapilli, welche hie und da über der Aschenschicht liegen und namentlich muldenförmige Vertiefungen in derselben ausgefüllt haben, welche durch das Einsinken der oberen Verschüttungslagen beim Zusammenbrechen der verdeckten Gebäude oder ihrer Fußböden entstanden sind, diese kommen kaum in Betracht. Nach außen zu ist die Asche nach und nach in fruchtbaren Boden übergegangen, dessen dünne Humusschicht mit flachwurzelnden Pappeln und Maulbeerbäumen, sowie mit Korn-, Baumwollen- und Lupinenfeldern bestellt ist[4]. Aus der Beschaffenheit der verschüttenden Massen lässt sich nun mancherlei für die Geschichte der Verschüttung schließen. Zunächst muss der oft wiederholten Annahme widersprochen werden, als wären die Auswürflinge des Vesuv glühend auf Pompeji gefallen, so dass sie das Holzwerk entzündet oder verkohlt hätten. Das ist gewiss nicht der Fall gewesen; die Verkohlung des Holzwerkes, des Brodes, der Früchte, des Kornes u. dgl. ist freilich Thatsache, aber sie ist sicherlich nicht das Resultat bei der Verschüttung entstandener Brände, sondern dasjenige eines andern chemischen Processes in Folge des Verschüttetseins während 18 Jahrhunderten. Denn theils ist es ganz undenkbar, dass die kleinen und porösen Lapilli während ihrer langen Bewegung durch die Luft eine solche Hitze bewahrt haben sollten, theils geht auch aus sicheren Thatsachen hervor, dass ein allgemeiner Brand nicht stattfand. Wir finden nämlich Holz, Früchte, Stoffe wohl in Kohle, niemals aber in Asche verwandelt; ferner sind alle diese Gegenstände, wo sie mit Eisen oder Bronze in Berührung waren, auch von der Verkohlung verschont geblieben, was bei einem Brande unmöglich sein würde; die Knochen und der Marmor sind nirgends calcinirt, das Blei nicht geschmolzen; Menschen und Thiere blieben im Lapilliregen am Leben und wurden, wie die schon erwähnten Leichen beweisen, von der Asche erstickt, nicht verbrannt; endlich zeigen auch die Malereien der Wände keine Spur des Feuers, was um so deutlicher wird durch den Vergleich mit den hie und da sich findenden Brandspuren von geringer Ausdehnung. Denn natürlich wird es an einzelnen localen Bränden, verursacht durch das Feuer von Herden, Lampen u. dgl., nicht gefehlt haben. — Diese Beweise sind so zwingend, dass ihnen gegenüber die hie und da roth gewordene gelbe Ockerfarbe, die bisweilen verbogenen Gläser nicht als Gegenargumente aufkommen können: wir müssen annehmen, dass diese Erscheinungen durch chemische Einwirkungen zu Stande kamen, welche wir freilich genauer nachzuweisen nicht im Stande sind, wie denn ja Experimente von 18 Jahrhunderten nicht gemacht werden können. Aus der Art der Verschüttung, zusammengehalten mit den Notizen des Plinius, geht hervor, dass die Katastrophe über Pompeji nicht mit einer solchen Heftigkeit hereinbrach, dass es den Bewohnern nicht möglich gewesen wäre, das nackte Leben zu retten, wenn sie es hierauf angelegt und dazu die rechten Mittel ergriffen hätten. Die meisten Bewohner Pompejis sind nach Ausweis der Fundorte ihrer Gerippe und sonstiger Umstände entweder, jedoch in der Minderzahl, dadurch umgekommen, dass sie sich Schutz suchend in das Innere ihrer Gebäude, nicht selten in die Keller flüchteten, wo sie dann allerdings durch die nachfolgenden Massen eingesperrt worden und erstickt oder verhungert sind [5]. Andere, und zwar scheint dies die Mehrzahl gewesen zu sein, haben von ihren Habseligkeiten, zum Theil, wie das zu gehen pflegt, Schnurrpfeifereien, zu retten versucht, und sind dann, zu spät fliehend und durch die lockeren Lapillimassen in der Flucht gehemmt, umgekommen. Manche blieben während des Lapilliregens in ihren Häusern; als derselbe nachließ, suchten sie zu fliehen, wurden aber von dem nun folgenden Aschenregen begraben. Über die Zahl der im Ganzen gefundenen Gerippe schwanken die aus älterer Zeit sehr unzuverlässigen Angaben so sehr, dass keine derselben hier wiederholt werden kann; einen ungefähren Maßstab für das Ganze giebt uns aber die Thatsache, dass in dem kleinen von 1861 bis 1878 ausgegrabenen Stück 116 menschliche Gerippe und außerdem Gerippe von 8 Pferden, 14 Schweinen, 10 Rindern, 4 Hunden u. dgl. m. gefunden worden sind. Danach zu schließen ist die Katastrophe eine in der That entsetzliche gewesen. Über die Situationen, in denen man die Gerippe fand, in denen also die alten Pompejaner gestorben wären, sind eine Masse romantischer aber unbewährter und zum Theil sicher falscher Erzählungen im Schwange [6]. Zu solchen Fabeln gehört die Schildwache, welche man in der ersten kleinen Grabnische links vor dem Herculaner Thor gefunden haben will, das junge liebende Paar, welches in innigster Umarmung in der Straße von dem Theater zum Forum verschüttet worden sein soll [7], die Mutter mit drei Kindern in der überwölbten Halbkreisnische rechts an der Gräberstraße, die Männer, welche angeblich nicht weit davon im Triclinium funebre beim Leichenmahl von der Katastrophe überrascht wurden. Von einigen Isispriestern erzählt man, sie seien länger als rathsam in den Nebengebäuden des Tempels zurückgeblieben; den einen habe man unfern eines Tisches mit Speiseresten (Hühnerknochen) gefunden und er scheine plötzlich erstickt zu sein, den andern hätte die Verzweiflung der Todesangst zu einem gewaltsamen Rettungsversuch getrieben: mit einer Axt hätte er, da die Thür versperrt war, bereits zwei Wände durchhauen, um sich einen Ausweg zu bahnen, vor der dritten wäre

er ebenfalls erschöpft oder erstickt zusammengesunken. Ein dritter hätte
allerlei Tempelkostbarkeiten zusammengerafft und wäre mit ihnen geflohen,
aber er hätte nur das Forum triangulare erreicht, wo man das Gerippe mit
allerlei Gegenständen des Isiscultus fand. Besser verbürgt ist es, dass man
auf dem einen Altar des Isistempels, wie auf keinem andern, halbverbrannte
Opfer gefunden hat[8]. Doch würde es unvorsichtig sein, hieraus auf eine besondere Blüthe des Isiscultus zu schließen. Ähnlich wie der erwähnte Isispriester sind die meisten übrigen Bewohner Pompejis mit ihren Habseligkeiten
beladen umgekommen; aus den Dieterichen in den Schlüsselbunden Einiger
hat man schließen wollen, dass unter den Rettern auch unberufene gewesen
seien (Finati, *Musée Bourbon*, Naples 1843, 3, S. 117). Die Kryptoporticus des
am Ende der Gräberstraße gelegenen Landhauses (der s. g. Villa des M. Arrius
Diomedes) zeigt uns das Bild eines jener vergeblichen Rettungsversuche im
Innern der Häuser[9]. Am Eingang und am Fuße der Treppe der als Keller
dienenden Krypta, in der viele Amphoren an den Wänden standen, fand man
18 erwachsene Personen und zwei Kinder. Ihre Gebeine waren unter mehre
Fuß hoch liegender feiner Asche begraben, welche, durch die eingedrungene
Feuchtigkeit verbunden eine gypsartige feste Masse bildete, in der die bedeckten
Gegenstände abgeformt waren. Leider war es nur möglich, einen solchen Abdruck von dem Halse, den Schultern und der Brust eines jungen, nach dem
Zeugniss des Abdrucks tadellos schönen, mit ganz feinem Gewande bekleide-
ten Mädchens zu gewinnen, welcher in Gyps ausgegossen im Museum be-
wahrt wird. Sie hatte sich im ersten Schrecken mit ihrer Mutter, welche ein
Kind auf dem Arme, ein größeres neben sich hatte, und vielen anderen Fami-
liengliedern in diese bedeckte Gallerie zurückgezogen und war dort von
der fallenden Asche und den Lapilli begraben worden. Sie scheinen in ihr
Schicksal ergeben gestorben zu sein, man fand sie mit verhülltem Haupte.
Der Hausherr dagegen, von einem Sclaven begleitet, hatte die Flucht für
sicherer gehalten, und in Hoffnung auf Rettung im Freien die Seinen ver-

Fig. 4.   Auffindung eines Gerippes.

lassen. Aber nicht ein-
mal den Umkreis seiner
Besitzung erreichte er,
man fand sein Gerippe,
den Schlüssel zur Garten-
thür in der Hand und
einen schlangenförmigen
Ring am Finger, nahe bei
dem hintern Ausgang aus
dem Garten, neben ihm
den Sclaven, der aller-
lei in Leinen gewickelte
Münzen mitgenommen
hatte. Die allermeisten
dieser und manche an-
dere derartige Berichte, ausgenommen den letzterwähnten, sind unverbürgt,
obgleich ihrer einige an und für sich nicht unglaublich klingen und sowohl

mit dem übereinstimmen, was z. B. ein Mazois als sicher überliefert, als mit dem was heutzutage sich bei den meisten Auffindungen von Gerippen wiederholt. Die Lagen, in denen die armen Verschütteten starben, sind meistens erkennbar, und eben so erkennbar ist, dass die meisten den Erstickungstod, Andere durch Hunger gestorben sind. So z. B. derjenige, von dessen Auffindung in einem gewölbten Raume des Hauses reg. VII, ins. 14, n. 9 die nebenstehende, aus Mazois' großem Werke entlehnte Abbildung (Fig. 4) eine Vorstellung giebt.

Ein ungleich höheres Interesse als die Gerippe nehmen sieben ziemlich vollständige Leichenabgüsse in Anspruch, welche, in dem neuen Localmuseum im Flügel des s. g. Seethores gleich neben dem gewöhnlichen Eingang in die Stadt aufbewahrt, ein Hauptaugenmerk aller Besucher Pompejis ausmachen, und von denen unzählbare Photographien verbreitet sind. Mit diesen Abgüssen, von deren dreien, einem riesig großen Manne (Fig. 5), einer Frau und einem neben derselben liegenden sehr jungen Mädchen hiernächst (Fig. 6) nach Photographien gefertigte Abbildungen mitgetheilt werden, verhält es sich folgendermaßen. Die vier Personen, um die es sich zunächst handelt, hatten auf ihrer Flucht, offenbar dem Forum und weiterhin einem Thore zustrebend die Masse der an der Fundstelle 3½ Meter dick gefallenen Lapilli überwunden, und suchten durch dieselben watend weiter zu kommen, als der Aschenregen begann[10]. Dieser hemmte ihre weitere Flucht, sie sanken auf die Unterlage der Lapilli nieder und wurden von der Aschenschicht eingehüllt und begraben, und zwar so, dass diese feine, schlammartige Materie sie allerseits dicht umgab und erhartend ihre Körper nebst der Bekleidung abformte, ungefähr so wie in ähnlicher Materie das oben erwähnte Mädchen in der Villa des Diomedes abgeformt und theilweise erhalten ist. Indem nun die Körper und Gewänder im Laufe der 1800 Jahre bis zur Auffindung in Staub zerfielen, wurden durch die Natur gleichsam fertige Hohlformen hergestellt, in deren Innerem nur die Gerippe vollständig erhalten sind. Als nun die Arbeiter bei der Ausgrabung an der auf dem großen Plane mit † bezeichneten Stelle in dem s. g. *vicolo del tempio di Augusto* oder *vico degli scheletri* am 5. Febr. 1863 auf die erste dieser Hohlformen mit darin steckenden Knochen stießen, wurde Fiorelli herbeigeholt, dessen kluger und vorsichtiger Gewandtheit wir den seltenen und werthvollen Anblick verdanken. Derselbe ließ nämlich die gefundene Hohlform und nach einander die später gefundenen mit Gyps ausgießen und dann die Form zerstören. Und so feierten zuerst diese vier unglücklichen Pompejaner, später noch drei andere, ihre Auferstehung im Gypsabguss, der freilich an Feinheit und Schärfe gegen einen aus künstlicher Hohlform gemachten weit zurücksteht, der aber dennoch hinlänglich genau ist, um nicht allein die Situation des Todes, und die wesentlichen Formen der Körper, sondern selbst manche Einzelheit dieser Formen: der Gewänder und des übrigens sehr geringfügigen Schmuckes erkennen zu lassen. Der — wie das Maß des in unserer Abbildung daneben stehenden pompejaner Führers in der Tracht der sechziger Jahre zeigt — riesig große Mann liegt auf dem Rücken, auf den er sich im Todeskampfe gewälzt zu haben scheint, wobei er sein kurzes Gewand krampfhaft emporgezogen hat. Er soll nach der Ansicht Sachverständiger am Schlag gestorben sein. Eine nähere Beschreibung des-

selben scheint der Abbildung (Fig. 5) gegenüber unnöthig. Ein ungleich rüh-
renderes Bild bieten die beiden Frauen, und in der That wahrhaft erschütternd
wirkt im Original der Anblick des jungen Mädchens dieser Gruppe (Fig. 6 rechts in der Ab-
bildung), eines zarten Wesens von 13 — 14 Jahren, welches sich, offenbar ermattet und in der sichtbaren Unmöglichkeit zu entkommen, in ihr hartes Schicksal ergeben und sich vorwärts und halb seitwärts mit unter dem Kopf gekreuzten Armen niedergelegt hat. So ist sie, die Ruhe ihrer Lage be-zeugt es, verhältnissmäßig sanft gestorben, und so liegt sie mehr wie schlafend als wie todt vor uns, während die sie beglei-tende Frau, aus der Lage auf dem Gesicht, aus der Haltung des linken Armes, der geball-ten Faust und der Stellung der Beine zu schließen, sich nicht gleicherweise niedergelegt hat, sondern hingestürzt und in schwererem Todeskampfe durch Erstickung gestorben ist. Die Bekleidung aller dieser Gestal-ten ist sehr geringfügig; na-türlich haben die Fliehenden ihre weiten Gewänder von sich geworfen und im hemdartigen

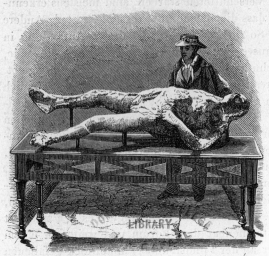

Fig. 5. Leichenabguss; Mann.

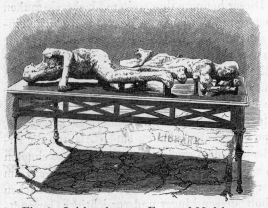

Fig. 6. Leichenabgüsse; Frau und Mädchen.

Unterkleide zu entkommen gesucht. Dieses erkennt man mit hinlänglicher
Deutlichkeit; um Studien über die Einzelheiten der antiken Gewandung an-
zustellen, sind aber diese Abgüsse doch zu roh. Es ist jedoch keinem Zweifel
unterworfen, dass man nach und nach eine größere Anzahl von so abformbaren
Leichen finden und die Ausgüsse in immer vollkommenerer Weise herzustellen
lernen wird. Am besten, ja fast wunderbar erhalten und trefflich abgeformt
ist die im Juni 1873 gefundene fast ganz nackte Leiche eines Mannes, welche
die hier beigegebene lithographische Nachbildung einer Photographie vergegenwärtigt. Und so werden diese Abgüsse voraussichtlich dem antiquarisch-
wissenschaftlichen Interesse noch manche interessante Einzelheiten darbieten,
mehr, als die ersten es vermögen. Sentimentale Betrachtungen und Beschreibungen, zu denen die gegenwärtigen Leichenformen hinlänglichen Anhalt bieten, müssen Jedem überlassen bleiben, welcher an dergleichen Gefallen findet.

Lith. Anst. v. J.G.Bach, in Leipzig.

Über das Schicksal der überlebenden Bevölkerung der verschütteten Stadt sind wir nicht genauer unterrichtet. Sichere Spuren an mehr als einem Orte weisen darauf hin, dass, vielleicht bald nach der Verschüttung beginnend und wer kann sagen wie lange fortgesetzt, nicht unbeträchtliche Nachgrabungen gemacht worden sind, um dem Grabe der Stadt an Schätzen und an kostbaren Werkstücken zu entziehn, was etwa noch zu erlangen war. An sehr vielen Orten sind auch wirklich Baumaterialien, namentlich Marmorstücke und Marmortafeln, ja ganze Säulen und Reihen von Säulen und Gebälk gehoben worden, und die verhältnissmäßig immerhin geringe Zahl nicht allein von Werken der Sculptur, sondern auch von Kostbarkeiten, sowie das wenige Geld, welches in Pompeji gefunden ist, zeigt, dass die Ausbeute dieser früheren Grabungen nicht gering war. Bei der Lockerheit der Verschüttung ist dies auch recht wohl begreiflich, besonders da wir, wie gesagt, gar nicht bestimmen können, wie lange dort gewühlt worden sein mag. Sind doch selbst in dem tief verschütteten Herculaneum Ausgrabungen vorgenommen worden: man hat dort mühsam gehauene Gänge gefunden, durch welche manches schätzbare Kunstwerk entfernt worden sein mag [11]).

Der Kaiser Titus fasste den Plan, die zerstörten Städte wieder herstellen zu lassen, beauftragte zwei römische Senatoren mit einer Rundreise und Durchmusterung der verwüsteten Plätze und besuchte sie nach einer Nachricht auch selbst. Was für Pompeji das Ergebniss gewesen sei, ist unbekannt. Der Name Pompejis soll auf ein in der Gegend der alten Stadt gegründetes Dorf übergegangen sein, welches aber im Jahre 472 n. Chr. das Schicksal des ältern Pompeji erlitt [12]), und dessen Trümmer unter dem Landvolke den Namen *la Civita* erhielten, wie Altpompeji noch viele Jahre lang (den 27. November 1756 kommt der Name Pompeji zuerst vor, aber la Civita kehrt noch in den 60er Jahren wieder) in den Ausgrabungstagebüchern heißt. Jedenfalls blieb das alte Pompeji verschwunden, der größte Theil der Bewohner mag sich zerstreut oder nach der Hauptstadt gezogen haben; Alles was der Boden und die bald auf demselben wuchernde Vegetation deckte, gerieth nach und nach mit Pompejis Namen in völlige Vergessenheit.

Viertes Capitel.

Andeutungen über die Geschichte der Wiederentdeckung und der Ausgrabungen Pompejis.

Diese Vergessenheit dauerte bis zum Jahre 1748, wo, 30 Jahre nach der ersten, unbenutzten Entdeckung Herculaneums, und zehn Jahre, nachdem man dort zu graben angefangen hatte, ein Zufall auf Pompejis Wiederauffindung leitete. Dies ist um so bemerkenswerther, als die verschüttete Stadt als solche eigentlich nie ganz unkenntlich gewesen sein kann, und namentlich das Amphitheater deutlich genug als eine kraterförmige Vertiefung im Boden sich zu erkennen gab. Wenn wir aber die Nichtbeachtung dieser Anzeichen daraus erklären können, dass der Name und die Existenz Pompejis in den

früheren Jahrhunderten eben ganz vergessen war, dass ferner weder die Zeit
der rohen Longobardenherrschaft, noch die glückliche, mit ihrer Gegenwart
allein beschäftigte Zeit der Herrschaft der schwäbischen Kaiser Interessen
antiquarischer Forschung geneigt sein konnte, so bleibt es immerhin auffallend
genug, dass man in den späteren Jahrhunderten, in denen mancher zufällige
Fund gemacht wurde, nicht zu einer weitern Nachforschung sich anschickte,
zumal da seit dem Anfange des 16. Jahrhunderts Pompejis Name in der Litteratur wieder auftaucht, und man im 17. auf Karten die Orte der verschütteten Städte freilich unrichtig ansetzte[13]). Am unbegreiflichsten aber ist es,
dass die Entdeckungen des Architekten Domenico Fontana so ganz ohne
Folgen blieben. Dieser baute nämlich in den Jahren 1594—1600 einen unterirdischen Canal, um das Wasser des Sarno nach Torre dell' Annunziata zu
schaffen, und zwar führt dieser noch heute fließende Canal mitten durch die
Stadt Pompeji in der auf dem großen Plane durch punktirte Linien angegebenen Richtung. Fontana stieß auf Mauerwerk, ja zwei Inschriften (I. R. N.
2253. 2300; C. I. L. X, 928. 952) wurden zu Tage gefördert, deren erstere
den Namen der in Pompeji verehrten Venus fisica enthält, aber dennoch ließ
man diesen seltsamen Umstand ohne Beachtung. Auch der bald nachher
erfolgte Fund zweier weiteren Inschriften, darunter einer großen und interessanten Grabschrift zweier Cerespriesterinnen, eines *magister pagi Augusti
felicis suburbani*, eines Duumvirn und Quinquennalen und eines Decurionen
von Pompeji (*decurio Pompeis*), gab keinen Anstoß zu weiteren Nachforschungen. Fernere Spuren von Bauwerken wurden, wiederum nebst zwei Inschriften,
die abermals Pompejis Namen enthielten, 1689 entdeckt, aber, indem man den
Namen auf eine Villa des Pompejus bezog[14]), ebenfalls nicht weiter verfolgt.
Endlich im Jahre 1748 unter der Herrschaft Karls von Bourbon (später Karl III
von Spanien) stießen Bauern bei der Bearbeitung eines Weinbergs nordöstlich
auf altes Gemäuer und, weitergrabend, auf eine Anzahl werthvoller Gegenstände, welche die durch die Auffindung des herculanischen Theaters erregte
Aufmerksamkeit auf diese Entdeckungen lenkten.

Man sollte nun glauben, dass die Ausgrabungen, welche gleich im Anfang
mancherlei Ausbeute lieferten, mit großem Eifer betrieben worden seien, allein,
obgleich der König selbst sich mehrfach bei denselben als Augenzeuge bethei-
ligte, war dies doch nicht der Fall. Vielmehr ging die Ausgrabung mit der
größten Langsamkeit und Nachlässigkeit vor sich, wurde gelegentlich Jahre lang
(1751 bis November 1754!) ganz aufgegeben, dann mit 4 Arbeitern unter einem
Corporal fortgesetzt (1756), und kam erst gegen die 60er Jahre und in diesen
einigermaßen in Zug. Dazu kommt, dass weder der Plan der Ausgrabungen
ein wohl durchdachter, noch die Verfahrungsart eine zu billigende, vielmehr
eine Art von Raubbau war, der sehr Vieles zerstörte und unheilbar verdarb
und beinahe wieder so viel verschüttete, wie man ausgegraben hatte[15]). Denn
es wurde sprungweise bald hier bald dort gegraben, und zwar namentlich da,
wo man Kostbarkeiten, Geld und Geldeswerth zu finden hoffte; von solchen
Funden ist in den Tagebüchern der ersten Jahrzehnte viel die Rede, auch
etwa noch von Statuen und besonders merkwürdigen Gemälden; die antiken

Gebäude als solche dagegen scheinen äußerst wenig Interesse eingeflößt zu haben, und viele Jahre hindurch kehrt in den Tagebüchern der Ausdruck wieder: es ist das und das Gebäude ausgegraben worden »ohne irgendwelche Neuigkeit« oder »ohne irgend etwas Bemerkenswerthes zu finden«. Auch das Wiederzuschütten der ausgegrabenen Baulichkeiten, nachdem man sie ausgeraubt und die Gemälde von ihren Wänden gesägt hatte, hangt hiermit zusammen. So ist Manches noch jetzt zum zweiten Male auszugraben, das Meiste aber, das seit jener Zeit bloßliegt, ist in einem traurigen Zustande und bietet einen Anblick der Verwüstung dar, welcher gegen die Art, wie das Gefundene heutzutage geschont und bewahrt wird, in der grellsten Weise absticht.

Man begann mit den Punkten, die sich äußerlich durch die Hülle auszeichneten, und die errathen ließen, was hier vergraben sei; so wurde gleich 1748 die Ausgrabung des Amphitheaters begonnen, aber erst nach langer Pause in der Arbeit 1813—1816 vollendet; bald nach der Entdeckung 1754 und 55 legte man das kleine Quartier nordwestlich vom Amphitheater, das s. g. Forum boarium und das große Haus der Julia Felix bloß, welches letztere aber z. B. wieder verschüttet wurde. Das ähnlich wie das Amphitheater äußerlich erkennbare größere Theater wurde 1764 in Angriff genommen, aber die Ausgrabung erst 1793 ganz vollendet, nächst diesem in dem um dasselbe belegenen Quartier zunächst 1765 und 66 der Isistempel, 1766 der s. g. Aesculaptempel, in den folgenden Jahren das Forum triangulare und die Gladiatorencaserne nebst mehren Privatwohnungen ausgegraben, von 1769 an das kleine Theater begonnen, also in fünf Jahren eine ganze Reihe der wichtigsten Gebäude wiedergewonnen, deren vollständige Ausgrabung aber bis in die 90er Jahre, natürlich oftmals unterbrochen, dauerte. Gleichzeitig von 1763 an begann man am entgegengesetzten Ende der Stadt bei der in ihrer Längenerstreckung erkennbaren Gräberstraße. Man grub zuerst in der Nähe des Herculaner Thors, fand 1763 die s. g. Villa Ciceros, die ebenfalls wieder verschüttet wurde, und bis 1770 eine Reihe der zunächst an der Stadt gelegenen Grabdenkmäler. Die folgenden Jahre 1771—1774 brachten die s. g. Villa des M. Arrius Diomedes nebst den gegenüberliegenden Grabmälern seiner Familie an's Tageslicht. Dennoch aber war der Eifer bereits wieder so erkaltet, dass im Jahre 1762 Winckelmann nur acht Arbeiter in der ganzen Stadt in Thätigkeit fand (Sendschreiben S. 29), deren Zahl freilich 1764 wieder auf dreißig, meistens Sträflinge und tuniser Sclaven, gestiegen war, welche aber das Werk so langsam förderten, dass Winckelmann behauptet, man würde in Rom in einem Monat mehr ausgraben, als in Pompeji in Jahresfrist, und bei gleicher Schläfrigkeit werde für die Nachkommen im vierten Gliede noch zu graben und zu finden übrig sein (Sendschreiben S. 32) [16]). Wahrhaftig, das sind wir, und wir könnten diese Voraussagung getrost wiederholen, wenn nicht die neueste Aera, auf welche zurückzukommen ist, hier Wandel geschafft hätte. Von dem um den Anfang der sechziger Jahre gewonnenen Thor von Herculaneum drang man langsam in die Stadt südöstlich vorwärts, aber die Mitte der siebziger Jahre fand die Arbeit noch nicht über den ersten Brunnen am Kreuzwege fortgeschritten und zwar nur an den Häusern zur rechten des in

die Stadt Schreitenden, während das kleine Quartier, welches von der Hauptstraße und der ersten, zu der Stadtmauer führenden Nebengasse eingefasst ist,
erst im Anfang der 90er Jahre ausgegraben wurde. Gleichzeitig grub man
an einigen anderen Stellen, von denen namentlich das Theaterquartier schon
erwähnt wurde, aber nur einzelne Entdeckungen kann man aus diesem Zeitraum anführen. So wurde 1767—69 in der genannten Gegend das nach dem
Kaiser Joseph II von Österreich genannte Haus (106 im großen Plan) aufgegraben, und 1795—98 räumte man abermals in demselben Quartier und fand
die sogenannte Bildhauerwerkstatt (Plan 107); so brachte das Jahr 1799 durch
die Bemühungen des französischen Generals Championnet zur Zeit der »par-
thenopeïschen Republik« die nach ihm benannten Häuser südlich am Forum
(Plan 92) zu Tage. Das ist aber auch fast Alles, was in dieser ganzen Periode
gethan wurde, und von 1800 bis 1802, während der blutigen Reaction unter
den wieder in's Land gekommenen Bourbonen stockte die Arbeit vollständig;
1803 ist sehr wenig und 1804—6 wiederum gar nicht gearbeitet worden,
wenigstens wissen die Tagebücher, sofern solche überhaupt vorhanden sind,
nur von eingestürzten oder ruinirten Gebäuden und von etlichen Maßregeln
zu berichten, welche man gegen den totalen Zerfall ergriff. Reger wurde der
Eifer seit Joseph Bonapartes (1806) und Joachim Murats (1808) Thronbesteigung, und in dem Zeitraum von 1806—1815 wurde Bedeutendes geschafft.
Man arbeitete nicht allein mit sehr verstärkter Mannschaft, welche sich 1809
96 Köpfe stark, 1812 eine Zeit lang ca. 150, 1813 aber bis zu 674 Personen
mit 26 Karren und 7 Saumthieren verzeichnet findet, sondern man arbeitete,
was viel mehr sagt, seit 1807 zuerst nach einem bestimmten Plane, dessen
Entwurf von Michael Arditi in den Tagebüchern abgedruckt ist und manches
sehr Interessante enthält. Den Hauptschauplatz bildet das Quartier vom Herculaner Thor bis zum Forum und die Gräberstraße von außen her, aber auch
das Amphitheater, dessen Ausgrabung früher in den ersten Anfängen stecken
geblieben war, wurde in den Jahren 1813—16 gänzlich an's Licht gebracht,
ebenso erreichte man schon 1806 die (bis 1813 ganz ausgegrabene) Basilika;
1813 das Forum an seinen beiden Enden; auch eine Reihe der interessanteren
Privathäuser verdankt man dieser Periode des Eifers. Allerdings ermattete der
Impuls nach der glorreichen zweiten Wiederkehr der Bourbonen, dennoch
war bis 1823, außer einer bedeutenden Zahl von Privathäusern, das ganze
Herz der Stadt, das Forum civile mit allen umliegenden Gebäuden, sowie der
größte Theil des Umfanges der Stadtmauern und die ganze Gräberstraße zu
Tage gefördert. Leider war auch in dieser Periode seit dem Beginn der planmäßigen Ausgrabungen das Verfahren ein verkehrtes. Man räumte nämlich,
dem Niveau der Straßen und der Fußböden der Gebäude folgend die Verschüttungsmasse in verticalen Abschnitten fort, wobei dieselbe, welche, wie schon
früher bemerkt worden, zur Hälfte aus lockeren und unverbundenen Lapilli, zur
Hälfte aus der darüber liegenden schweren, verschlämmten Asche besteht,
nothwendig nachstürzen und eben so natürlich die von ihr getragenen und
gestützten Theile der Baulichkeiten in ihren Sturz mit hineinziehen musste.
Wie viele Dächer, Erker, Balcone, obere Fußböden u. dgl. auf diese Weise
zusammengebrochen und dann als werthloser und unförmlicher Schutt wegge-

Ansicht der Ausgra

Lith. Anst. v. J.G. Bach, Leipzig.

peji im Mai 1873.

worfen sind, kann Niemand sagen, obgleich uns die neuesten Ausgrabungen schließen lassen, dass Vieles und Bedeutendes früher zu Grunde gerichtet worden sein muss. Dazu kommt, dass man den ausgegrabenen Schutt theils innerhalb der Stadt selbst, z. B. in der Gegend am Stabianer Thor, wieder ablud, theils unmittelbar vor der Stadt aufwarf und damit jene Schutthügel herstellte, welche jetzt den Anblick derselben von außen verhüllen, und die wegzuschaffen, was geschehen muss und wird, neue Arbeit, Zeit und Geld kostet. Wie wenig sorgfältig man die Sache behandelte, zeigt unter Anderem der Umstand, dass noch vor wenigen Jahren in dem weggeworfenen Schutt eine der schönsten Gemmen, welche das Museum von Neapel besitzt, hat gefunden werden können. Mit abnehmender Anstrengung arbeitete man in dieser Weise bis um die Mitte der dreißiger Jahre fort, und brachte außer den kleineren Thermen (1824) und dem Tempel der Fortuna (1825) wesentlich nur Privathäuser zum Vorschein. Seit der Zeit bis auf die unsere erkaltete der Eifer immer mehr, und obwohl in der zweiten Hälfte der dreißiger und in den vierziger Jahren mancher hochwichtige Fund gemacht, manche Aufklärung über den Gesammtplan der Stadt gewonnen wurde, obgleich ferner jährlich 7000 Ducati = 24,600 M. angewiesen waren, so waren doch die Ausgrabungen fast nur zu Festlichkeiten geworden, mit denen man die Anwesenheit vornehmer Gäste zu feiern pflegte, so dass Reisende in den 30er bis 40er Jahren meistens nicht eine Hacke oder Schaufel in Thätigkeit fanden.

In neuester Zeit ist dies anders und unendlich besser geworden, und namentlich seit 1861 und seitdem Fiorelli an der Spitze der Ausgrabungen stand, ein Mann, der besser gar nicht gewählt werden konnte, datirt eine neue Epoche der Ausgrabungen, von denen in ihrem gegenwärtigen Betriebe die hier beigegebene, am 5. Mai 1873 eigens für diesen Zweck photographisch aufgenommene Ansicht auch demjenigen, der nie an Ort und Stelle war, eine in der Hauptsache klare und vollständige Anschauung wird vermitteln können. Nicht etwa als würden dieselben nun in Hast und Eile betrieben und gingen mit Riesenschritten vorwärts, im Gegentheil, sie werden mit eben so viel Besonnenheit und Vorsicht wie warmem Eifer fortgesetzt. Was die jetzige, in der Hauptsache übrigens schon seit 1852, unbekannt durch wen [17], eingeführte Methode vor der frühern auszeichnet, ist, dass durch sie möglichst Weniges zerstört, möglichst Vieles gewonnen und erhalten wird. Man gräbt nicht mehr in verticalen, sondern wie das auch in der Ansicht erkennbar ist, von der Oberfläche aus in horizontalen Schichten, und der Erfolg davon ist, dass Alles was man findet seine Unterlage und Unterstützung behält, bis man zu seiner Erhaltung oder Erneuerung (bei Holzwerk, Dächern, Balconen u. s. w.) gethan hat, was nöthig und möglich ist. So und nur so haben jene Balcone oder Erker conservirt werden können, auf die wir zurückkommen, so Treppen und anderes Holzwerk, Hausbedachungen, Fußböden u. s. w. So hat man schon 1852 einen Theil eines Daches wenigstens auf so lange Zeit zu erhalten vermocht, dass es hat gezeichnet werden können (s. unten Cap. IV), während es den Ausgrabungen des Jahres 1866 gelungen ist, die Eckpartie der Bedachung eines Peristyls (in der *domus C. Vibii*, Plan 72 s. unten a. a. O.) vollkommen zu retten und sein gesammtes Balkenwerk zu restauriren. Bei der frühern

Verfahrungsart sind so und so viele ähnliche zusammengebrochen und besten
Falls als Ziegeltrümmer und Stücken verkohlter Balken in die Protokolle aufgenommen worden. Schnell geht nun solche vorsichtige und conservative
Ausgrabung nicht von Statten, und wir müssen uns resigniren, die Vollendung
der Aufdeckung Pompejis nicht zu erleben; aber das ist in mehr als einer
Hinsicht sehr gut, es erhält das Interesse noch auf lange hin wach und wird
auch unseren Enkeln noch den Anblick frischer Monumente Pompejis ge-
währleisten, während die Methoden zur Conservirung des Ausgegrabenen von
Jahr zu Jahr verbessert werden und die fortschreitende Wissenschaft Zeit
behält, das allmählich Gewonnene immer gründlicher zu verarbeiten.

Durch diese kurze Vergegenwärtigung der Geschichte der Ausgrabungen
wird es begreiflich, wie bisher nicht mehr geschehen ist, als wirklich geschah. Thatsache ist, dass wir schon ein mäßiges Dritttheil der Stadt kennen[18],
abgesehn von der Vorstadt Augustus felix. Trotzdem dürfen wir annehmen,
dass theils oben erwähnte Umstände, theils der mit ihnen in Verbindung
stehende günstige Zufall uns die hauptsächlichsten und wichtigsten Theile der
Stadt hat finden lassen, was von den öffentlichen Gebäuden, abgesehen etwa
von Tempeln, Capellen und möglicherweise Bädern, mit großer Wahrscheinlichkeit gesagt werden kann. Was freilich von Privathäusern, was in ihnen
von Gemälden, Utensilien, Sculpturen und Kostbarkeiten noch für besten
Falls ein halbes Jahrhundert unter der mit Maulbeer- und Weinpflanzungen
und Feldern bestandenen Decke des Restes der Stadt liegt, wer könnte das
errathen oder voraussagen.

Wenden wir uns, ehe wir zur Einzelbetrachtung übergehn, zu einer
allgemeinen Übersicht über die bisher aufgegrabenen Theile der Stadt.

Fünftes Capitel.
Übersicht über den Plan und die Monumente Pompejis.

Auch hier sind noch ein paar vorgängige Worte über den Zustand der
pompejanischen Monumente im Allgemeinen zu sagen.

So reich die Funde sind und so vollständig sich die aufgegrabenen Theile
im Grundriss zeigen, so darf doch nicht übersehn werden, dass nur ein verhältnissmäßig geringer Theil der beweglichen Habe wirklich auf uns gekommen
ist, wovon die Gründe oben angegeben sind, und dass diese fast ohne Ausnahme sich nicht mehr an Ort und Stelle befindet, sondern in das größtentheils aus den Ausgrabungen der verschütteten Städte 1758 in Portici gegründete Museum, und seit dem Anfang unseres Jahrhunderts nach Neapel
in das frühere Museo Borbonico, jetzt Museo Nazionale, welchem das Museum
von Portici einverleibt wurde, gebracht worden ist. Die beweglichen Monumente aus Pompeji fortzuschaffen und sie in einem Museum zu vereinigen,
gab es verschiedene sehr triftige Gründe. Einerseits erforderte der Schutz
der Denkmäler, namentlich der Gemälde, gegen die Unbilden des Wetters
und verschiedener Aschenregen des Vesuv ihre Verpflanzung, andererseits

hatte man sehr dringende Veranlassung, sie gegen unberufene Liebhaber, besonders auch gegen die Custoden selbst und ihre Vorgesetzten (denn der organisirte Diebstahl soll sich unter dem Bourbonenrégime in sehr vornehme Kreise erstreckt haben) in Sicherheit zu bringen, durch deren Hände manches kleinere Stück in den Besitz von Vornehmen und Gelehrten anderer Länder, manches größere und werthvolle in die Sammlungen von allerlei vornehmen Leuten in Neapel selbst gekommen ist. Endlich glaubte man der Wissenschaft mehr durch eine systematische Zusammenstellung, als durch ein Belassen der Gegenstände an ihrem Fundorte zu nützen, worüber sich allerdings streiten lässt. Ob nicht der an sich ganz natürliche Wunsch, der Hauptstadt auch noch den Glanz dieser Monumente zuzuführen, zu der Übersiedelung von den Fundorten nach Neapel mitgewirkt habe, kann hier unerörtert bleiben. Genug, es ist Thatsache, dass Pompeji in den älter ausgegrabenen Theilen gründlich ausgeräumt ist, und dass abgesehn von unbedeutenden Decorationsmalereien fast nur die kahlen Häuser- und Tempelmauern zurückgeblieben sind. Neuerdings, und zwar schon seit etwa der Mitte der 50er Jahre, ist dies anders geworden; man lässt von den gefundenen Gegenständen, namentlich Decorationsstatuen und Gemälden, an Ort und Stelle, so viel man kann, und sucht es daselbst so gut es gehn will gegen Zerstörung zu sichern, während man nach Neapel in das Museum nur das schafft, was in Pompeji zu lassen Unverstand wäre, wie z. B. Kunstwerke ersten Ranges, leicht bewegliche und dem Verderb ausgesetzte Gegenstände u. s. w. Mag der endliche Erfolg dieser Methode sein welcher er will, wir jetzt Lebenden gewinnen durch dieselbe unendlich und können mit derselben nur höchst zufrieden sein. Zum Glück sind die Fundorte fast aller Gemälde und der meisten übrigen Gegenstände auch in älterer Zeit amtlich protokollirt und könnten genau genug bekannt sein, um sie in unserer Phantasie aus dem Museo Nazionale wieder an ihre alten Stellen zu schaffen, — was in den folgenden Theilen dieser Darstellung hie und da geschehen soll —, wenn die Angaben über die Fundorte in den alten Protokollen genauer und besonders wenn sie wissenschaftlicher wären, als sie es sind. Dass hiedurch einer durchgreifenden Arbeit der angedeuteten Art große Schwierigkeiten entgegenstehn, soll nicht geläugnet werden; dass die Schwierigkeiten unüberwindlich seien, kann nicht zugegeben werden; auch gehört eine solche Arbeit, die freilich nur ein in Neapel Angesiedelter oder längere Zeit daselbst Lebender machen kann, mit zu Fiorellis Plänen, während sie zum Theil wenigstens durch W. Helbigs Buch über die Wandgemälde der vom Vesuv verschütteten Städte Campaniens und namentlich durch dessen topographischen Index bereits gelöst ist. Durch Eintragung der Notizen über die in den verschiedenen Zimmern und sonstigen Räumen gefundenen Gemälde, Sculpturen, wichtigeren Geräthe, Gerippe u. s. w. in die leeren, jetzt nur die kahlen Mauern zeigenden Räume würde Fiorellis riesiger Stadtplan von Pompeji erst seinen vollen wissenschaftlichen Werth und ein unsäglich erhöhtes Interesse erhalten.

Was aber die unbeweglichen Monumente, die Bauwerke und Anlagen betrifft, so dürfen wir uns diese insgesammt nur als Ruinen denken. Zum kleinern Theile sind sie durch die Verschüttung und in gewissem, aber bisher

nicht genau festgestelltem Maße durch das Erdbeben während der Eruption
des Vesuv, von dem Plinius redet, zertrümmert, zum größern durch die
antiken und modernen Ausgrabungen und vor und nach ihrer Wiedergeburt
durch den nagenden Zahn der Zeit beschädigt, dem die verschleppende Habsucht nur zu sehr zu Hilfe gekommen ist. Von allen Privathäusern Pompejis
mit wenigen Ausnahmen stehn ungefähr nur die Erdgeschosse, welche in den
beiden älteren Perioden der Stadt theils aus Quadern, theils aus opus incertum
mit reichlichem Mörtel, in der römischen Zeit aus dem letztern, seltener aus
Ziegeln oder aus gemischtem Material erbaut sind, während die leichter und
dünner gebauten, zum Theil mit Fachwerk durchzogenen oberen Geschosse
fast durchweg, sowie die aus Holz construirten Dachstühle fehlen, und entweder unter der Wucht der Verschüttung zusammengestürzt, oder aus der
Verschüttung hervorragend, im Laufe der Jahrhunderte sei es durch Men-
schenhand, sei es durch natürliche Einflüsse verschwunden sind. Diese oberen
Geschosse, von denen erst den neuesten Ausgrabungen gelungen ist wenigstens einige Fußböden und die unteren Theile der Wände zu retten, diese
Obergeschosse zu restauriren, würde sehr schwer sein, da sich begreiflich von
den Holzbauten der Alten so gut wie nichts erhalten hat, wenn uns hier nicht
einerseits Herculaneums Ruinen zu Hilfe kämen, welche uns wenigstens
einige Muster des Zimmerhandwerks erhalten haben, und zwar zum Theil in
verkohlten Balken und Streben, zum Theil in Abdrücken der Holzconstruction
in den umgebenden und jetzt erharteten Schlammströmen, und wenn nicht
andererseits die neuesten Ausgrabungen in Pompeji diese Muster in der über-
raschendsten Weise vermehrt hätten. So wie seit dem Anfang der 50er Jahre
gegraben wird, wird ziemlich alles Holzwerk, wenngleich natürlich verkohlt,
gefunden; es wird gemessen und durch neu eingesetzte Stücke ersetzt, so
dass wir es an Ort und Stelle wie am Original studiren können. Und da, wo
dies nicht möglich, ist häufig ein Anderes möglich, der Ausguss in Gyps nämlich, in welchem eine ganze Reihe von Gegenständen, Haus- und Zimmer-
thüren, Ladenverschlüsse, Bettstellen, ja eine spanische Wand von Holz und
gewebtem Stoff und ein Korb von feinem Weidengeflecht in dem Localmuseum, wo sich auch die Leichenabgüsse und die Menschen- und Thiergerippe
finden, aufbewahrt und dem genauesten Studium zugänglich ist. Durch diese
Muster, auf welche später zurückgekommen werden soll, sind wir in den Stand
gesetzt, die fehlenden, an sich einfachen Gallerien, Dächer und sonstigen
Theile der oberen Geschosse mit Sicherheit zu reconstruiren, und in gezeichneter, wenn auch nicht ausgeführter Ergänzung die bedeutenderen Häuser uns
vorzuführen. Es ist übrigens hiebei nicht zu vergessen, dass bei weitem die
wichtigsten Räumlichkeiten des antiken Hauses im Erdgeschosse liegen, während das obere Stockwerk meistens nur kleine Schlaf- oder Esszimmer oder
Miethswohnungen enthält, die nicht selten zu den ebenfalls vermietheten
Läden im Erdgeschoss gehören. Da nun auch die Ornamente von Marmor
oder Stucco größtentheils, auch wo sie nicht mehr vorhanden, doch bekannt
sind, so vermögen wir uns ein ziemlich vollständiges Bild von dem architektonischen Gesammteindruck der pompejanischen Gebäude zu entwerfen. Von
den öffentlichen Gebäuden stehn ebenfalls meistens nur noch die zerbrochenen

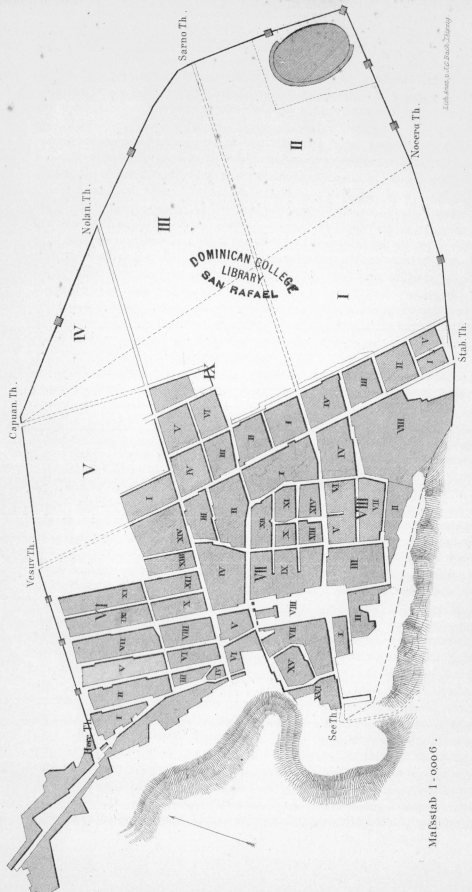

Lith.Anst.v.J.G.Bach.Leipzig

Maßstab 1 - 0006.

Gesammtplan der Stadt Pompeji mit dem Ergebniß der Ausgrabungen bis 1882.

Sarno Th.

Nocera Th.

Nolan.Th.

Capuan. Th.

Vesuv Th.

Herr.Th.

See Th.

Stab. Th.

Säulen und Mauern bis zu der durchschnittlichen Höhe der Erdgeschosse der Privathäuser. Aber auch für die öffentlichen Gebäude sind die Werkstücke noch bekannt oder am Platz, so dass wir fast überall die Reconstruction mit größerer oder geringerer Sicherheit vornehmen können. Und so werden wir es nicht versäumen, neben dem Bilde der Denkmäler in ihrem heutigen Zustand uns dasjenige ihrer ursprünglichen Gestalt zu vergegenwärtigen.

Nach dieser Einleitung beginnen wir mit einer Übersicht über die Anlage der Stadt.

Der beigegebene kleine Gesammtplan der Stadt Pompeji zeigt uns, dass dieselbe, im Allgemeinen der Form des von ihr besetzten Hügels folgend, ein etwas verschobenes Oval bildet. Nach der 1859 von Fiorelli geleiteten Vermessung beträgt dessen großer Durchmesser 3154 Fuß, der kleine 1992 Fuß und der Umfang 8767 Fuß, doch kann insbesondere diese letzte Zahl nicht als absolut genau gelten, da sich der ursprüngliche Zug der Mauerlinie vom Forum triangulare bis gegen das Herculaner Thor nicht mehr feststellen lässt. Da bloße Zahlen eine Anschauung von Größen weniger leicht vermitteln, als andere Angaben, so sei beiläufig bemerkt, dass der Umfang Pompejis einer reichlichen Drittelmeile oder $3/4$ Wegstunden ungefähr gleich kommt.

Betrachten wir nun auf unserem kleinen Übersichtsplan die Form der Stadt und das Straßennetz des bisher ausgegrabenen Theiles, so ergiebt sich uns eine wichtige Thatsache mit hinlänglicher Deutlichkeit: wir haben hier eine planmäßig angelegte, nicht eine durch allmähliche Ansiedlung entstandene Stadt vor uns. Besonders deutlich ist die planmäßige Anlage im nördlichen Stadttheil und östlich neben der großen Hauptstraße, welche vom Vesuvthor bis zum Stabianer Thor in grader Linie die Stadt durchschneidet. Aber auch in dem um das Forum gruppirten Quartier sind die Spuren einer durch spätere Umwandlungen verdunkelten, ursprünglich regelmäßigen Anlage nicht zu verkennen, welche mit der des nördlichen Stadttheils dadurch in Verbindung steht, dass das Forum in der Verlängerung der mittelsten und breitesten Nord-Südstraße desselben liegt.

Über das Straßennetz von Pompeji, über die Grundsätze, nach welchen dasselbe angelegt ist, über die Art, wie durch die Hauptstraßen die Stadt in Regionen getheilt ist, sind in neuerer Zeit verschiedene Ansichten ausgesprochen worden, und eine dieser Ansichten, die Fiorelli's, ist der jetzt durchgeführten officiellen Numerirung der *insulae*, d. h. der rings von Straßen umgebenen Häusercomplexe, zum Grunde gelegt worden. Fiorelli nimmt an, daß die Stadt durch vier sie durchschneidende Hauptstraßen in neun Regionen getheilt wurde. Diese vier Straßen sind: 1) die Stabianer Straße, vom Stabianer bis zum Vesuvthor; 2) eine von Fiorelli vermuthete, ihr parallel laufende Straße vom Nuceriner bis zum Capuaner Thor; 3) die Nolaner Straße, vom Nolaner Thor bis an den noch verschütteten Westrand der Stadt; 4) die *Strada dell'Abbondanza* mit ihren Verlängerungen, vom Sarno- bis zum Seethor. Die durch diese vier Hauptlinien getrennten Stadttheile sind in der auf unserm Plan ersichtlichen Weise als erste bis neunte Region bezeichnet worden; innerhalb jeder Region haben die einzelnen Insulae, innerhalb jeder Insula die einzelnen Hauseingänge — sowohl Haupt- wie Nebeneingänge —

fortlaufende Nummern erhalten: eine Einrichtung von größtem praktischen Werth, durch welche es ermöglicht wird, irgend ein Haus durch drei Zahlen, ohne weitläuftige und oft missverständliche Beschreibungen zu bezeichnen. Eine andere Frage freilich ist es, ob eine solche Theilung wirklich im alten Pompeji bestand. Vielmehr scheint aus den Ausgrabungen der letzten Jahre hervorzugehen, wie es auch auf unserem Plan angegeben ist, dass dies nicht der Fall war, dass nämlich die eine der vier Theilungslinien, die das Capuaner mit dem Nuceriner Thor verbindende Straße, nicht vorhanden, dass die durch das Capuaner Thor ausmündende Straße mit der Stabianer Straße nicht parallel ist, sondern nach Süden mit ihr convergirt und sich der Richtung des Forums und der Mercurstraße stark nähert. Es geht dies hervor aus der unregelmäßigen Form der östlichsten unter den auf der Südseite der Nolaner Straße ausgegrabenen Insulae, deren Ostfront, wie es scheint, in der Richtung der durch das Capuaner Thor ausmündenden Straße liegt.

Die Frage nach dem Gründungsplan Pompejis ist noch nicht spruchreif: wir müssen das weitere Fortschreiten der Ausgrabungen abwarten. Doch dürfen wir, namentlich auf Grund der eben erwähnten neuesten Entdeckungen, Folgendes als ziemlich sicher betrachten.

Die Richtung der ostwestlichen Straßen wird bestimmt durch die Linie der Nolaner Straße und die in ihrem östlichen Theil ihr parallele Straße zwischen Seethor und Sarnothor. Von dieser Richtung ist, so viel wir sehen, nur in dem südwestlichen Stadttheil abgewichen worden, wo auch der südlichen von den beiden genannten Hauptstraßen aus noch nicht erkennbaren Gründen eine etwas andere Richtung gegeben worden ist. Die bestimmende Linie für die nord-südlichen Straßen giebt die am Forum entlang bis an den Südrand der Stadt verlängerte Mercurstraße; denn eben die neuerdings festgestellte Richtung der durch das Capuaner Thor ausmündenden Straße lässt uns annehmen, dass auch die Straßen der östlichen Hälfte dem Forum und der Mercurstraße wenn nicht ganz so doch annähernd parallel sind. Dies von zwei Grundrichtungen beherrschte System wird aber durchbrochen durch die Stabianer Straße, welche nicht der Richtung des Forums, sondern einer Einsenkung des Bodens folgt, und offenbar angelegt wurde in der Absicht, mit möglichst allmählicher Steigung die Höhe des Stadthügels zu gewinnen. Um diese Differenz der Straßenrichtung auszugleichen, mussten einige Insulae eine unregelmäßige Gestalt erhalten: so die fünfzehnte der sechsten Region und die östlichste südlich der Nolaner Straße. Ebenfalls aus praktischen Gründen ist in der Nordwestecke der Stadt die Regelmäßigkeit des Straßennetzes durchbrochen worden. Sowohl die seltsame Lage des Herculaner Thors als der an dasselbe sich anschließende unregelmäßige Straßenzug erklärt sich nur daraus, dass hier die von Neapel über Herculaneum und Pompeji nach Nuceria führende Straße die Stadt erreichte, und man bestrebt war, eine möglichst directe Verbindung mit dem Centrum der Stadt und weiter mit dem Stabianer Thor, aus welchem die Straße weiter ging, herzustellen. So ist, wie es scheint, das Straßennetz Pompejis hervorgegangen aus einer Combination eines vielleicht auf sacraler Grundlage beruhenden Liniensystems mit anderen Linien, welche nur durch die praktischen Bedürfnisse des Verkehrs bedingt waren [19].

Wir unterlassen es, auf die Einzelheiten des bei Stadtgründungen und Anlage des Straßennetzes üblichen Verfahrens einzugehen, und bemerken nur, dass im technischen Sprachgebrauch die ostwestlichen Linien *decumani*, die in dieser Richtung zuerst gezogene Grundlinie *decumanus maximus*, die nordsüdlichen Linien *cardines*, die entsprechende Grundlinie *cardo maximus* genannt wird. Im Anschluss hieran ist nach der zugleich mit der Numerirung der Regionen und Insulae durchgeführten officiellen Bezeichnung die Nolaner Straße *decumanus major*, die *Strada dell' Abbondanza* mit ihren Fortsetzungen *decumanus minor*, die Stabianer Straße endlich *cardo* genannt worden. Die übrigen Straßen haben innerhalb jeder Region eine Nummer erhalten (*via prima, secunda* u. s. w.). Anlass zu dieser Numerirung hat eine in die Wand der Straße zwischen der ersten und zweiten Insula der ersten Region eingekratzte Inschrift gegeben: dieselbe lautet *via III*, und man hat hierin eine Bezeichnung der Straße gefunden, welche in der That die dritte von dem »*decumanus minor*« ist. Das Fundament ist also ein sehr schwaches; ohne Zweifel hatten die Straßen Namen, nicht Nummern, wie etwa in amerikanischen Städten. Auch für den praktischen Gebrauch hat diese Numerirung geringen Werth, und es ist weit zweckmäßiger sich zur Bezeichnung einer bestimmten Localität nur der Nummern der Regionen und Insulae zu bedienen.

Es darf hier nicht verschwiegen werden, dass die Annahme von einer planmäßigen Anlage Pompejis nicht unbestritten ist, dass vielmehr Fiorelli auf Grund wichtiger, von ihm beobachteter Thatsachen zu einem ganz andern Resultat gekommen ist. In seinem im Jahre 1873 herausgegebenen Bericht über die Ausgrabungen von 1861—1872 theilt er nämlich sämmtliche Gebäude Pompejis in drei aus verschiedenen Perioden stammende Classen, deren erste er der altoskischen Bevölkerung zuschreibt, während die zweite von den um 420 eingedrungenen Samniten, die dritte von den Römern herrühren soll. Jener ersten Classe gehört namentlich eine Reihe alter Privathäuser an, mit Fronten aus massiven Quadern des vom Sarnus abgelagerten Kalksteines (*pietra di Sarno*) und Innenmauern aus demselben Stein in eigenthümlicher fachwerkartiger Schichtung, ohne Kalkmörtel, mit Lehm als Bindemittel: Fiorelli zählt deren in dem bis 1872 ausgegrabenen Theil etwa 70. Es ist nun, nach Fiorelli, nicht denkbar, dass, wenn zur Zeit dieser alten Häuser die ganze jetzige Stadt bebaut gewesen wäre, dieselben bis auf diese geringen Reste sammt ihren Fundamenten hätten verschwinden können, und er schließt weiter, dass in jener ältesten Periode eben nur diese Häuser, keine zusammenhangenden Straßen und Insulae vorhanden waren, dass vielmehr diese erst später durch allmähliche Ansiedlung sich an jene vereinzelt liegenden Häuser angeschlossen haben. Doch ist diese Annahme unhaltbar. Jene alten Häuser liegen stets mit ihrer Front an den jetzigen Straßen, und setzen offenbar deren Existenz voraus. Sie finden sich stellenweise in ganzen Reihen, wie z. B. in der elften Insula der sechsten Region, mit gemeinsamen Zwischenmauern, also völlig städtischer Bauart. Sie haben durchaus ungemein feste Frontmauern aus Quadern, Seiten- und Innenmauern aus dem erwähnten fachwerkartigen Mauerwerk von geringer Festigkeit, sind also darauf berechnet nicht isolirt im Felde sondern zwischen anderen Häusern an den Straßen einer Stadt zu liegen. Und dies wird noch augenscheinlicher dadurch, dass ein solches Haus in der vierten Insula der ersten Region ausnahmsweise auch eine Seitenmauer aus Quadern hat: die Ausnahme erklärt sich einfach daraus, dass das Haus ein Eckhaus, jene Seitenmauer die Südmauer der Insula ist, also auch an der Straße lag; es wird also hier die Existenz der Insula vorausgesetzt. Und eben so setzen die Reste alter Häuser in der sechsten Insula der siebenten Region offenbar die ziemlich unregelmäßige Form des Westendes der Insula voraus. So dürfen wir also für sicher halten, dass schon zur Zeit jener alten Kalksteinhäuser der Grundplan der Stadt wesentlich derselbe war, welcher uns noch jetzt vorliegt.

Dagegen müssen wir uns ein anderes wichtiges Resultat von Fiorellis Forschungen aneignen, nämlich seine Eintheilung der Gebäude Pompejis in drei zeitlich auf einander gefolgte Gruppen, deren charakteristische Eigenthümlichkeiten im ersten Capitel des zweiten Theiles dargelegt werden sollen. Wir können Fiorelli nicht beistimmen, wenn er die Gebäude der ältesten Gruppe, die eben besprochenen Kalksteinhäuser, für älter hält, als die samnitische Eroberung um 420 — eher mögen sie bis ins dritte Jahrhundert hinabreichen —, auch nicht, wenn er den dorischen Tempel auf dem Forum triangulare dieser Gruppe zuzählt; er ist vermuthlich älter. Um die Zeit der Stadtmauer zu bestimmen, fehlt es an genügendem Anhalt.

Die Zeit der zweiten Gruppe nennen wir mit Nissen die Tuffperiode, und schreiben mit demselben Gelehrten (pompejan. Studien S. 48) den durch sie bezeichneten Aufschwung der langen Friedenszeit zwischen dem hannibalischen und dem Bundesgenossenkriege zu. Sie ist zugleich die Zeit des ersten pompejanischen Decorationsstils. In ihr wurde Pompeji durch eine lebhafte Bauthätigkeit vollständig umgestaltet: es entstanden die Säulenhallen des Forums mit den beiden anliegenden Tempeln: dem Juppiter- und Apollo- (s. g. Venus-) tempel, die Basilika, die größeren Thermen, das größere Theater mit den beiden großen ihm benachbarten Portiken, die kleinere Porticus, in der wir eine Palaestra erkennen werden, endlich eine ganze Anzahl großer Privathäuser mit Säulenhöfen (Peristylien).

Von der dritten Gruppe, den Bauten der römischen Zeit, sondern sich, wie wir weiterhin sehen werden, als Unterabtheilung einige der ersten Zeit der sullanischen Colonie angehörige Bauten ab: das kleinere Theater, das Amphitheater, der s. g. Aesculaptempel, die kleineren Thermen, der innere Theil der Porta marina. An diese Unterabtheilung knüpfen sich die Anfänge des zweiten Decorationsstils, während der letzte (vierte) hauptsächlich den meistens ziemlich kenntlichen Bauten aus der Zeit nach dem Erdbeben von 63 n. Chr. angehört [20].

Wir kommen noch einmal auf die schon erwähnte Heerstraße zurück, welche von Neapel über Herculaneum und Pompeji nach Nuceria führte. Da das Herculaner Thor offenbar mit Rücksicht auf diese Straße angelegt worden ist, so dürfen wir nicht zweifeln, dass der Durchgangsverkehr ursprünglich von hier aus den kürzesten Weg zum Stabianer Thor einschlug, indem er durch die *Via consulare*, den *Vicolo delle Terme* und weiter entweder durch die *Strada degli Augustali* oder über das Forum und die *Strada dell' Abbondanza* die Stabianer

Straße erreichte. Als dann später das Forum für Wagen gesperrt und der *Vicolo delle Terme* durch den Thermenbau so verengt wurde, dass das Fahren hier mindestens sehr erschwert war, scheint man den Weg durch die Nolaner Straße eingeschlagen zu haben. Außerdem aber wurde, wie es scheint, da die enge *Strada consolare* dem wachsenden Verkehr nicht mehr recht genügen mochte, eine neue Verbindung hergestellt, indem man vor dem Herculaner Thor eine Straße links abzweigte und an der Mauer entlang zum Vesuvthor führte, so dass nun die breite Stabianer Straße in ihrer ganzen Ausdehnung für den Durchgangsverkehr benutzt werden konnte. Außerdem werden wir mit größter Wahrscheinlichkeit annehmen dürfen, dass sich in größerer Entfernung vom Herculaner Thor, am Fuße des Stadthügels oder noch früher eine andere Straße rechts (für den von Neapel kommenden) abzweigte, welche sich dann, am West- und Südrande der Stadt hinlaufend, außerhalb des Stabianer Thors mit der Stabianer Straße vereinigte. So war es dem von Neapel und Herculaneum Kommenden ermöglicht, nach Stabiae oder Nuceria weiter zu fahren, ohne erst den Stadthügel ersteigen und durch die Stadt passiren zu müssen; und dies war um so wichtiger, weil der Wagenverkehr durch die Stadt nur Nachts gestattet war. Ob nun unmittelbar vor dem Stabianer Thor sich die Straßen nach Stabiae (Castellammare) und Nuceria theilten, oder ob sie etwa bis an den Sarnus zusammenfielen, so dass nur e i n e Brücke nöthig war, und erst jenseits derselben sich trennten, dies zu entscheiden sind wir nicht in der Lage [21].

Wegen einer topographischen Beschreibung der Stadt selbst muss der Leser auf den großen Plan der bisher ausgegrabenen Theile Pompejis verwiesen werden, welcher diesem Werke am Schlusse beigegeben ist; hier soll nur versucht werden, vorweg auf die bedeutendsten und interessantesten Punkte hinzuweisen, welche in den folgenden Theilen in systematischer Ordnung behandelt werden. Der heutige Reisende, welcher auf der Eisenbahn von Neapel nach Salerno Pompeji erreicht, betritt die Stadt gewöhnlich durch das s. g. Seethor und das Forum an der südlichen Ecke neben der Basilika; wir wählen zu dem raschen Gange durch die Straßen, welche mit nach verschiedenen Anlässen erfundenen Namen bezeichnet zu werden pflegen, einen andern Ausgangspunkt, nämlich die antike Hauptstraße von Neapel über Herculaneum, die heute so genannte Gräberstraße, welche mit Unrecht in manchen neuen Büchern als die Vorstadt Augustus felix bezeichnet wird, während uns doch die Lage der letzteren unbekannt ist. Mehre Straßen, deren Anfänge aufgedeckt sind, zweigen sich nördlich von der Hauptstraße ab. Die Gräberstraße führt in einer nicht ganz unbeträchtlichen, wenn auch sanften Steigung, bedingt durch die Hügellage Pompejis, zu dem stattlichsten, wenn auch jüngsten Thore, dem von Herculaneum. Der erste Gegenstand von Interesse, der uns auf unserer Wanderung begegnet, ist die rechts an der Gräberstraße, etwa 300 Schritte vom Thore belegene s. g. Villa des M. Arrius Diomedes, welche, wie sich das bei der Betrachtung der Privathäuser zeigen wird, weder die Norm eines großen Wohnhauses, noch selbst die einer ländlichen oder pseudo-urbanen Villa, wohl aber ein interessantes Beispiel der Anwendung normaler Anlage auf local gegebene Verhältnisse bietet. Gegenüber beginnen

die Grabmonumente, welche sich zu beiden Seiten der Straße fortsetzen und
einer eigenen Sonderbetrachtung vorbehalten bleiben. Sind wir etwa halbwegs zur Stadt gelangt, so finden wir links ein nur theilweise ausgegrabenes
ausgedehntes Gebäude. Es ist dies eine Villa, deren Eigenthümer die Lage
seines Besitzthums an der Landstraße der Art verwerthete, dass er in einem
Theil derselben eine mit einer Reihe von Schenklocalen (Tabernen) verbundene Herberge errichtete, welche den gewöhnlichen Bedürfnissen der Reisenden entsprach, und die wir vielleicht am treffendsten mit modernem Ausdruck als eine Fuhrmannseinkehr bezeichnen können. Zunächst an der Straße
liegt ein 1813 ausgegrabener Bogengang, der den Gästen und Käufern Schutz
gegen Sonne und Regen bot, hinter diesem die Schenkzimmer, deren geringe
Bauart und rohe Malereien den wenig vornehmen Zweck der Anlage darthun.
Jedes derselben hat zwei Hinterzimmer und eine Treppe zu oberen Kammern:
vermuthlich war hier auch Gelegenheit zum Übernachten. Durch den letzten
Bogen des erwähnten Bogenganges gelangt man zu der auch für Wagen bestimmten Einfahrt in einen Hof, an welchem ein Stall und eine steinerne
Tränke, so wie eine beträchtliche Anzahl kleiner Zimmer und zwei Treppen
zu oberen Zimmern liegen. Man fand hier außer dem Gerippe eines Maulesels
und den Fragmenten eines Karrens eine Fülle von Hausrath aller Art: bronzene Eimer, Mörser aus Kalkstein, Flaschen, Gläser, Schüsseln von Thon, Spin-
deln, Würfel, Wage, Töpfe und Kasserolen. Ein kleiner Herd an der Straße,
auf dem, wie noch heute in Neapel, für das gemeine Volk gekocht wurde,
vollendet das Bild dieser antiken Kneipe. Ein schräg ansteigender Gang führt
links zu höher gelegenen Räumen, welche vermuthlich die Wohnung des
Hausherrn enthielten. Zu demselben Gebäude gehören auch die weiter an der
Straße, gegen das Thor zu, folgenden Räume: vier Läden oder Tabernen, zwischen denen ein Gang in einen offenen Hof führt, in dessen Mitte ein von
vier mosaikbekleideten Säulen getragener laubenartiger Bau und an der
Rückwand eine gleichfalls mit buntem Mosaik bekleidete Brunnennische
stand. Von diesen Säulen hat dieser ganze 1837 und 1838 ausgegrabene Complex seinen Namen, *casa delle colonne a musaico*, erhalten. Auch gegenüber
rechts an der Straße sind die Reste eines von breiten Pfeilern gebildeten
Ganges und hinter demselben Läden. Vor einer Taberne am Südende dieses
Ganges stehn steinerne Bänke, und viereckige Löcher im Trottoir weisen
darauf hin, dass man diese Sitze durch ein Holz- oder Zeltdach zu beschatten
suchte. Diese Läden liegen an der Straßenfront der 1763 ausgegrabenen und
wieder verschütteten s. g. Villa Ciceros, deren Einfahrtsthor sich etwas weiter
nach der Stadt hin findet. Indem wir sodann rechts und links noch an einer
Reihe von Grabmonumenten vorbeigeschritten sind, stehn wir am Herculaner
Thore. Die erste Straße der Stadt, welche wir durch dies Thor betreten, trägt
die augenscheinlichsten Spuren lebhaften Verkehrs und des Handels, der sich
hier bewegte. Sie ist ausgezeichnet durch eine beträchtliche Zahl von Wirthshäusern und Schenken (Thermopolien), deren Gäste aus Inschriften an den
Wänden als Sackträger, Kärrner und Maulthiertreiber erscheinen. An ihrer
rechten Seite beginnen die großen, am Hügelabhange und auf der hier eingerissenen Stadtmauer erbauten, zum Theil dreistöckigen Häuser, welche

große Lagerräume enthalten und nicht mit Unrecht für Kaufmannshäuser gelten. In den kleinen Straßen, welche links im spitzen Winkel von der Hauptstraße abzweigen und bis an die Stadtmauer führen, sowie in dem ganzen Stadtviertel nördlich von der Hauptstraße, welche, die ganze Stadt durchschneidend, das Thor von Herculaneum und das von Nola verbindet, stehn nur Wohnhäuser, die hier nicht aufgezählt werden können; an den Ecken finden wir öffentliche Brunnen, welche man an Straßenscheiden und Dreiwegen (in triviis) anzulegen liebte. Die vierte dieser nördlich abzweigenden Straßen giebt sich als die vornehmste Pompejis zu erkennen, einmal durch ihre Breite, sodann durch den Umstand, dass die in ihr stehenden Häuser im Erdgeschoss nicht von Läden umgeben sind, endlich dadurch, dass an ihrem Anfang ein eigner Thorbogen steht, welcher einst die jetzt im Museum zu Neapel stehende Reiterstatue des Caligula trug. Diese Straße, welche nach einem mit dem Reliefkopf des Mercur geschmückten Brunnen den Namen *Strada di Mercurio* trägt, führt uns denn auch, wenngleich nicht durchaus gradlinig, auf das Forum, dessen Ruinen wir durch einen zweiten Bogen südlich vor uns liegen sehen. Indem wir auf diesen zuschreiten, lassen wir rechts die schon seit älterer Zeit bekannten Bäder, weder die einzigen, noch die größten und schönsten, welche die Stadt besaß, links den Tempel der Fortuna liegen. Das Forum, welches die bedeutendsten öffentlichen Gebäude umgeben, wird uns noch zu einem besondern Besuche nöthigen, und so durchschreiten wir die zertrümmerte Säulenhalle dieses in der That prächtigen Platzes ohne Aufenthalt in südlicher Richtung, um an der südöstlichen Ecke eine mit dem Namen der *Strada dell' Abbondanza* bezeichnete Straße und durch sie das am wenigsten regelmäßig gebaute Quartier Pompejis zu betreten, welches sich um das *Forum triangulare* gruppirt. In die vielen Wohnhäuser dieses Quartiers einzutreten, haben wir jetzt keine Zeit, wir begeben uns durch eine südlich abzweigende Straße auf den dreieckigen Platz am Südrande des Stadthügels, wo die Ruinen des griechischen Tempels stehn, und nachdem wir, auf der halbkreisförmigen Bank an seiner westlichen Ecke ausruhend, die köstliche Aussicht genossen haben, betreten wir von diesem Platze aus den mittlern Rang des größern Theaters. Vor uns liegen die Ruinen des Bühnengebäudes und hinter denselben sehen wir den viereckigen säulenumgebenen Hof der Gladiatorenkaserne, welche irrthümlich für den Wochenmarkt (*Forum nundinarium*) gehalten worden ist. Neben dem großen haben wir die Ruinen des kleinern Theaters und hinter den Theatern die Tempel, deren kleinerer an der Ecke dieses Viertels belegene (der s. g. Aesculaptempel) dem Juppiter, der Juno und der Minerva, deren größerer der Isis geweiht war. In dem Quartier östlich vom Forum und nördlich vom Theaterviertel stehn an verschiedenen Straßen, außer den in neuerer Zeit ausgegrabenen Thermen wieder nur Privathäuser. Getrennt von allen bisher genannten Gebäuden liegt im südöstlichen Winkel der Stadt an die Mauer gelehnt das Amphitheater, zu dem uns der Weg über unausgegrabene Stadttheile durch Kornfelder, Maulbeer-, Baumwollen- und Weinpflanzungen führt. Nördlich vom Amphitheater liegt ein freier, jetzt wieder verschütteter Platz, den man für den Viehmarkt (*Forum boarium*) hält, und neben diesem endlich die ebenfalls wieder verschütteten Ruinen eines großen, unter dem Namen »Villa der Julia Felix« bekannten Gebäudes, wahrscheinlich der Hauptsache nach einer Badeanlage.

Nach dieser kurzen orientirenden Wanderung beginnen wir unsere Einzelbetrachtung der Monumente Pompejis in systematischer Ordnung, durch welche freilich der Reiz der Mannigfaltigkeit verloren, jedoch Übersicht und Verständniss gewonnen wird. Zuvor mag aber der Leser sich aus der dieser Seite beigegebenen Zeichnung eine Gesammtanschauung von dem heutigen Zustande der Ruinen von Pompeji verschaffen, welche in keiner andern Weise besser vermittelt werden kann.

Diese Zeichnung ist die skrupulös genaue Wiedergabe einer besonders für diesen Zweck gemachten Photographie von einem Stück eines Modells der Stadt Pompeji, dessen Herstellung im Maßstabe von 1 : 100 zu den rühmenswerthesten Unternehmungen der neuen Aera gehört, wie Jeder zugeben wird, der da weiß, wie sehr die Ruinen selbst allmählichem Verderb entgegengehn. Schon deswegen ist die Herstellung eines Modells, welches die sämmtlichen Baulichkeiten so darstellt, wie sie sind oder wie man sie bei der Ausgrabung findet, nicht blos wünschenswerth, sondern nothwendig. Dazu kommt, dass man sich an einem Modell viel leichter, als am Original eine Übersicht über den Zusammenhang und die gegenseitige Lage aller einzelnen Räume und Gebäude, über den Lauf der Straßen, die Niveauverhältnisse u. dgl. m. verschaffen kann; und endlich ist dieses mit der höchsten Sauberkeit und Genauigkeit aus Kork, Gyps und Papier hergestellte Modell, in welchem auch die Malereien an den Wänden und die Mosaiken der Fußböden in feinster Malerei eingetragen werden, an sich ein höchst erfreuliches, ja bewunderungswürdiges Kunstwerk[22]). Unsere Zeichnung stellt das Stadtviertel um das Forum civile dar, freilich nur ein kleines Stück, aber ein sehr wichtiges, und giebt über dieses eine Übersicht, wie sie keine s. g. Totalansicht der Stadt selbst, dergleichen mehrere in Photographien unter dem Namen »Panorama von Pompeji« existiren, geben kann, weil es in der Stadt und in ihrer unmittelbaren Umgebung an freien Höhepunkten fehlt, von denen herab man eine Ansicht in einer Art von Vogelperspective gewinnen könnte, wie sie sich für das Modell hat gewinnen lassen. Die photographischen Panoramen von Pompeji, aufgenommen, wo es allein möglich ist, von einem Thurme der Stadtmauer in der Verlängerung der *Strada di Mercurio*, zeigen nichts als die oberen Enden zerbrochener Mauern und die Stümpfe von Säulen, die über jene emporragen, nebst einer Anzahl moderner Dächer, welche über wichtigeren Malereien und Mosaiken angebracht sind, während unsere Zeichnung uns in das Innere der Gebäude wenigstens zum Theil hineinblicken lässt, so wie wir in das Modell selbst hineinschauen können. Der Standpunkt ist ebenfalls in der Verlängerung der *Strada di Mercurio*. Im Vordergrunde haben wir von links nach rechts die Häuser: des großen Mosaiks oder des Fauns (Plan 46), sodann den Complex der zusammen eine Insula bildenden Häuser des Ankers und des Schiffes, des Pomponius und der fünf Geripe (41—44), ferner rechts von der Mercurstraße die Häuser des tragischen Dichters, des großen und des kleinen Mosaikbrunnens und die Fullonica (32—35), endlich rechts das Haus des Pansa (25); im Mittelgrunde, jenseits der Straße der Fortuna sehn wir links von der Mercurstraße den Complex folgender Häuser: das der Jagd, dasjenige der bemalten Capitelle, des Großherzogs von Toscana, der Figurencapitelle, der Bronzen, der Gypsformen und des Bacchus (57—64), sowie den Fortuna-tempel (VI), rechts die alten Thermen (XV). Im dritten Plane liegt das Forum mit seinen s. g. Triumphbögen und den dasselbe umgebenden öffentlichen Gebäuden, links dem s. g. Pantheon, dem Senaculum, dem Mercurtempel und dem Gebäude der Eumachia (XXIII, XXII, VIII, XXI), rechts der s. g. Lesche, den s. g. Gefängnissen, dem Apollo- (s. g. Venus-)tempel und der Basilika (XVII, XVI, IX, XVIII). In der Mitte des Vordergrundes des Forum zwischen den Triumphbögen steht der Juppitertempel (XII) und seinen Hintergrund bilden die Façadenmauern der s. g. drei Curien (XIX).

II.

Erster oder antiquarischer Haupttheil.

Erstes Capitel.

Die Befestigungswerke, Mauern, Thürme und Thore.

Der erste Gegenstand von Bedeutung und Interesse, den wir in's Auge zu fassen haben, sind die Befestigungswerke, die Mauern nebst den Thürmen und den Thoren der Stadt. Die vollständig aufgegrabene aber zum Theil von außen her wieder verschüttete Mauer Pompejis umgiebt die Stadt nicht in ihrem ganzen Umfange; sie reicht nur vom Herculaner Thor nördlich und östlich, dann südlich fortlaufend bis an die Theater; auf dem Stücke vom Forum triangulare bis zu dem Herculaner Thor ist die Mauer in antiker Zeit eingerissen und ihre Stelle nehmen die am Abhange des Stadthügels erbauten, großen terrassenförmig dreistöckigen Häuser ein, in deren unteren Räumen jedoch hinlängliche Reste der Mauer vorhanden sind, um den Gang derselben deutlich zu verfolgen. Pompeji war also in der letzten Zeit seiner Existenz eine offene Stadt.

Die Mauern bestehen aus zwei Steinwänden, einer äußern und einer innern, deren Zwischenraum mit Erde ausgefüllt ist. An ihnen sind zwei verschiedene Bauarten, und auf Grund derselben ältere und jüngere Bestandtheile auf das deutlichste zu unterscheiden. Die älteren Theile sind aus Quadern aufgeführt, und zwar meistens in den unteren Schichten aus Kalkstein, in den oberen aus Tuffquadern. Dieselben sind von mäßiger Größe, hoch etwa 0,35 bis 0,45, lang 0,68 bis 2,60 M., nicht etwa zu vergleichen mit den riesigen Werkstücken der kyklopischen Mauern Griechenlands, Latiums und Etruriens. Einen zeitlichen Unterschied zwischen den Kalkstein- und den Tuffschichten anzunehmen, liegt kein Grund vor. In der äußern Steinmauer sind die Quadern wohlbehauen und sorgfältig ohne Mörtel an einander gepasst; in der innern, von der freilich nur geringe Theile sichtbar sind, ist die Bearbeitung und Schichtung weit nachlässiger, und stellenweise sind Ungleichmäßigkeiten in den Dimensionen der einzelnen Stücke durch dicke Mörtelschichten ausgeglichen. Es ist auf Grund dieser Verschiedenheit vermuthet worden, dass ursprünglich die Mauer nur aus der äußern Steinwand

Restaurirte Ansicht des herculaner Thores von aussen.

Nach S. 42.

und einer Erdanschüttung auf der Innenseite bestand, und dass erst später, vielleicht als man gegen 420 den Angriff der Samniten fürchtete, die innere Steinwand hinzugefügt worden sei. Unmöglich ist dies nicht, doch kann es nicht als ein sicheres Resultat gelten. In den Quadern der Innenwand finden sich vielfach buchstabenähnliche Steinmetzzeichen eingehauen, welche in vielen Fällen, aber nicht immer, mit Buchstaben der altitalischen Alphabete übereinstimmen. Andere, einfachere Zeichen und in viel geringerer Anzahl zeigen die Steine der Außenwand.

Dem gegenüber bestehen die jüngeren Theile aus *opus incertum*, kleineren Bruchsteinen, fast ausschließlich Lava, welche durch Mörtel verbunden sind und nach außen mit stellenweise noch bemerkbarem Stuck überkleidet waren. Diese jüngere Bauart findet sich vorwiegend in der Außenwand; ihr gehören ferner die Thürme an, und an diesen sind besonders ausgedehnte Reste der Stuckbekleidung erhalten, welche zweifellos dem ersten pompejanischen Wanddecorationsstil angehört: es ist hier in Weiß die Schichtung von Quadern mit Fugenschnitt nachgeahmt. Der Ursprung dieser jüngeren Theile ist ein doppelter. Zum Theil sind es offenbar Wiederherstellungen zerstörter oder verfallener Strecken, zum Theil aber ist die alte Quadermauer absichtlich eingerissen worden, um an den betreffenden Stellen die Thürme einzusetzen. Wir dürfen also annehmen, dass die ursprüngliche, aus Quadern bestehende Mauer ohne Thürme war. Es fragt sich nun, aus welcher Zeit diese jüngeren Theile stammen. Man hat in ihnen die Ausbesserung der durch Sulla gelegten Breschen erkennen wollen; und es könnte hierfür geltend gemacht werden, dass sie sich ganz vorzugsweise auf der nördlichen, einem Angriff am leichtesten zugänglichen Seite finden. Dagegen spricht jedoch ihre große Ausdehnung: es ist kaum glaublich, dass Sulla einen so bedeutenden Theil der äußern Steinwand niedergeworfen haben sollte, ohne doch an irgend einer Stelle bis an die innere vorzudringen. Es sind hier aber noch andere Umstände zu erwägen. Zunächst der Charakter des Mauerwerkes und noch mehr derjenige der Stuckdecoration, welcher entschieden auf vorrömische Zeit weist. Ferner eine Anzahl merkwürdiger gemalter oskischer Inschriften, auf welche wir noch zurückkommen müssen, und welche mit Wahrscheinlichkeit auf die sullanische Belagerung bezogen worden sind, jedenfalls aber eine Erwähnung der Thürme enthalten. Es ist also durch diese Inschriften mindestens die Existenz der Thürme, und mit ihnen der jüngeren Mauertheile, in vorrömischer Zeit erwiesen: wollen wir sie dennoch mit den Breschen der sullanischen Belagerung in Beziehung setzen, so können wir nur an die Zwischenzeit zwischen eben dieser Belagerung und der Deduction der römischen Colonie denken, an die achtziger Jahre des letzten Jahrhunderts v. Chr., als Sulla, in Asien mit Mithridates kämpfend, den Samniten und den mit ihnen verbündeten römischen Demokraten Zeit ließ, sich für neue Kämpfe zu rüsten. Sind aber die Inschriften mit Recht auf die Belagerung bezogen worden, alsdann waren zur Zeit derselben, im Jahr 89 v. Chr., die Thürme und die jüngeren Mauertheile schon vorhanden. Wir haben dann in den Lücken, welche hier geschlossen wurden, nicht die Wirkung einer Belagerung, sondern die der langen Friedenszeit vom hannibalischen bis zum Bundesgenossenkrieg (201—90) zu erkennen. Nichts ist natürlicher, als dass man damals die Mauer in Verfall gerathen ließ, ja vielleicht gar dieselbe gelegentlich als Steinbruch für außerhalb ihrer entstehende Gebäude benutzte. Beim Herannahen des Bundesgenossenkrieges, als der Gedanke reifte, sich gegen Rom zu erheben, stellte man sie her und versah sie mit Thürmen. Und so wird es sich wohl in der That verhalten.

Die Mauern und Thürme Pompejis entsprechen nun keineswegs den Regeln der voll entwickelten antiken Befestigungskunst, wie sie uns namentlich durch Philon von Byzanz (um 100 v. Chr.), Vitruv und Vegetius überliefert sind. Nach diesen Regeln soll die Mauer in Krümmungen (*circumitionibus*) geführt werden, mit einspringenden und ausspringenden Winkeln, von welchen die letzteren durch starke Thürme geschützt, die einspringenden Theile aber dadurch gedeckt sein sollten, dass der Feind, hierher vorgedrungen, von mehreren Seiten beschossen werden konnte. Die Thore sollten so gelegt sein, dass der Anrückende von der rechten, vom Schild nicht bedeckten Seite beschossen wurde; für die Thürme wird runde oder polygone Form empfohlen. Dagegen sind die Mauern Pompejis in graden Linien geführt und folgen im Osten, Süden und Westen so ziemlich den Abhängen des alten Lavastromes, auf dem die Stadt erbaut ist, während sie im Norden quer über den Nacken des hier sich weiter fortsetzenden Hügels laufen. Die Thore sind einfach an den Endpunkten der Hauptstraßen angelegt und durchschneiden die Mauer in der Richtung eben dieser Straßen, woraus sich beim Nolaner Thor ergiebt, dass grade die linke, vom Schild gedeckte Seite des Angreifers den Geschossen der Vertheidiger am meisten ausgesetzt war. Was es mit den Vorbauten auf sich hat, welche die Pläne am Capuaner Thor angeben, kann bei dem jetzigen Stande der Ausgrabung nicht festgestellt werden. Die Nordseite war die von Natur schwächste, da hier keine Abhänge den Befestigungen zu Hilfe kamen; deshalb hat man der hier die Mauer erreichenden Hauptstraße, der *Strada di Mercurio*, kein Thor entsprechen lassen, was um so eher anging, als das der Stabianer Straße entsprechende Vesuvthor nicht weit entfernt war. Dagegen hat man die kurze Strecke zwischen dem Herculaner und Vesuvthor durch drei Thürme verstärkt, deren Distanzen der Vorschrift Vitruv's entsprechen, dass nämlich die Thürme nicht mehr als einen Pfeilschuss von einander entfernt sein sollen, während sie im übrigen in größeren Zwischenräumen angebracht sind. Die Thürme endlich sind viereckig, nicht rund oder polygon. Kurz, wir haben hier nicht eine nach allen Regeln der Kriegskunst angelegte Festung vor uns, sondern eine alte, kunstlose Umfassungsmauer, welche später verstärkt wurde, um den mittlerweile sehr vervollkommneten Belagerungsmitteln widerstehn zu können.

Die Bauart der Mauern erinnert an die Vorschriften, welche Vitruv (I, 5) für die Herstellung der stärksten, *agger* genannten Befestigungen giebt. Er schreibt vor, hinter einem breiten und tiefen Graben zwei Steinmauern aufzuführen, eine äußere und eine innere, und sowohl an diese als an jene Quermauern anzusetzen, der Art, dass die einen den Zwischenräumen der anderen entsprechen (*pectinatim*), und dann den Zwischenraum mit Erde auszufüllen; die Breite soll so groß sein, dass Cohorten auf der Mauer in Schlachtordnung aufmarschiren können. Pompejis Werke sind in geringeren Dimensionen, aber in ähnlicher Weise erbaut; freilich fehlte, wenigstens in der letzten Zeit, der äußere Wallgraben, wie an den Thoren deutlich zu erkennen ist, namentlich am Herculaner Thor. Doch steht nichts der Annahme entgegen, dass er ursprünglich vorhanden war und erst später verschüttet wurde, etwa in der Friedenszeit von 201 bis 90, als man auch die Mauer in Verfall gerathen ließ. Betrachten wir den Grundriss der Mauer (Fig. 7), so finden wir zwischen der äußern Steinwand *a*

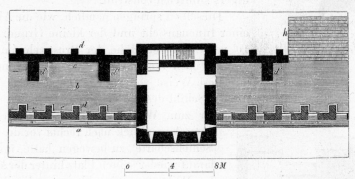

Fig. 7. Grundriss der Mauer.

und der innern *c*, welche beide durch nach innen gelegte Strebepfeiler *d* verstärkt sind, den aufgeschütteten Wall (*agger*) *b*. Die innere Mauer hat außer den nach der innern Seite vorspringenden Strebepfeilern *d* in größeren Intervallen auch noch solche, welche in den Agger eingreifen (*d′*), und demselben einen festern Halt geben. Die Mauer ist auf der Oberfläche (an einer gut messbaren Stelle) 6,07 M. dick, wovon je 0,70 auf die beiden Quadermauern kommen. Da die Außenseite nicht ganz senkrecht, sondern um etwa 0,50 nach oben eingezogen ist, so mag sich die untere Mauerstärke auf 6,50 bis 6,60 belaufen. Die Höhe beträgt 8 bis 8,50 M. Die obere Fläche ist ein wenig nach vorn geneigt, um dem Regenwasser einen Abfluss durch unter dem

Fig. 8. Durchschnitt der Mauer.

Zinnenkranz in Abständen von etwa 2,7 M. angebrachte steinerne Ausgussrohre von der in Fig. 9 gezeichneten Gestalt zu gewähren, welche jedoch nur auf den jüngeren Mauertheilen constatirt worden sind. Dasselbe gilt von den Brustwehren der vordern Mauer, welche sich um 1,3 M. über die obere Fläche

erheben, indem sie zwischen sich 1,25 M. breite und etwa 0,80 M. tiefe Schießscharten zum Abschleudern der Wurfgeschosse lassen, von welchen aber meh-

rere vermauert oder nicht geöffnet sind. Diese
Brustwehren, welche auf den Strebepfeilern der
Mauer sich in Distanzen von 3,2 M. erheben, sind
zum Schutze des hinter ihnen aufgestellten Verthei-
digers sinnreich construirt.

Dieselben springen nämlich, wie die Abbildung
einer Innenansicht und der kleine Grundriss (Fig.
10) zeigt, auf der Höhe der Brustwehr im rechten
Winkel nach innen um etwa 1 M. vor und bilden

Fig. 9. Ausgussrohr.

auf diese Weise von zwei Seiten einen festen steinernen Schild des hinter ihnen stehenden Postens,
der zum Wurfe seines Speeres sich nur auf
einen Augenblick nach rechts vor die Öffnung
(Schießscharte) zu bewegen hatte, und gleich
darauf wieder seinen Platz hinter der schützenden Wehr einnehmen konnte, die ihm grade
einen freien Blick auf die Angreifer gestattete.
Über das Plateau des Walles erhebt sich nun
die innere Mauer noch um mindestens 3 M.,
um die innere Stadt besser gegen Wurfgeschosse zu schützen, so dass das Ganze die Höhe
von im Mittel 11 M. erreichte.

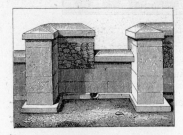

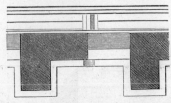

Fig. 10. Brustwehren der Mauer.

Alles bisher Gesagte wird durch die
nebenstehende Abbildung Fig. 11 klar werden. *a* äußere Mauer, *c* innere Mauer, *e* Brustwehr mit den Öffnungen zum Wurfe, *f* Ausgussrohre für das vom Walle abfließende Regenwasser, *g* Zinnen der innern Mauer. An
diese Mauer nun ist von innen gleich am Herculaner Thor eine breite, ziemlich steile Treppe
aus Tuffstein (*h* Fig. 7; vgl. den großen Plan)
angelehnt, welche ursprünglich ohne Zweifel
vom Thor bis dicht an den nächsten Thurm
reichte, in späterer Zeit aber durch das an die
Mauer hinangebaute Haus (*casa delle Vestali*)
unterbrochen wurde. Sie diente um den Ver-
theidigern die Besteigung der Mauer zu ermöglichen, und vertritt zugleich die Stelle der
innern Steinwand, welche auf dieser Strecke
fehlt. Eine eben solche Treppe, aber von viel
geringerer Ausdehnung, finden wir östlich am
Stabianer Thor, und wir dürfen wohl annehmen, dass dergleichen noch an mehr Stellen

Fig. 11. Ansicht der Mauer.

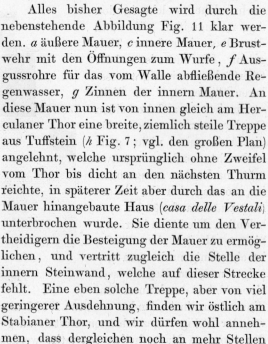

vorhanden waren. Ihre große Ausdehnung am Herculaner Thor erklärt sich daraus, dass die Nordseite, wie schon erwähnt, bei einem Angriff am meisten gefährdet war. Weiter nach Osten, wo die Treppe aufhört, ist die Mauer durch eine Erdanschüttung auf der Innenseite verstärkt; stellenweise finden sich Reste einer diese Anschüttung gegen die Stadtseite stützenden Futtermauer. Wir dürfen hier an die Anweisung des Vegetius (IV, 3) denken, die Mauer von innen durch zwei von Futtermauern gestützte Erdterrassen zu verstärken; freilich schreibt auch er wieder weit größere Dimensionen (20 Fuß für jede Terrasse) vor.

Zwischen der Mauer und den Häusern war natürlich ursprünglich überall ein freier Raum, auf welchem die Vertheidiger von einem Punkte zum andern gelangen konnten. Nur auf geringen Strecken kann dieser Streifen (*pomoerium*) constatirt werden, doch erkennen wir, dass die Breite an verschiedenen Stellen verschieden war. Auf der Nordseite, östlich vom Herculaner Thor, schwankt die Entfernung zwischen der innern Steinwand der Mauer und den Häusern von 8 bis 15 Meter; dagegen können wir auf der steil abfallenden Westseite, wo von der Mauer nur Reste erhalten sind, constatiren, dass schon die ältesten Häuser (Kalksteinatrien) sich der innern Steinwand bis auf höchstens 4 M. näherten. Dieser Unterschied erklärt sich dadurch, dass im Norden die Mauer durch die erwähnte Erdböschung und stellenweise durch Treppen verstärkt war, welche eine ziemliche Fläche einnahmen, während sie im Westen an den hinter ihr steil ansteigenden Abhang des Stadthügels angelehnt war und einer Böschung nicht bedurfte.

Es scheint nun, dass in derselben Zeit, welche die Befestigungen der Nordseite in Verfall gerathen ließ, die Westmauer von den Anwohnern occupirt, überbaut und zerstört wurde: die Untersuchung des Mauerwerks und der Reste von Malereien in den die Zerstörung der Mauer voraussetzenden Räumlichkeiten führt mit Wahrscheinlichkeit auf die Zeit vor der römischen Colonie, und somit, da man die Mauer gewiss nicht während des Bundesgenossenkrieges zerstört hat, auf die Zeit vor diesem Kriege, d. h. vor 90 v. Chr. Auch auf der Nordseite wurden wohl schon damals Theile des Pomoeriums von den Anwohnern überbaut; doch respectirte man noch die Mauer mit den Treppen und der Erdböschung. Erst später, etwa zur Zeit des Augustus oder etwas früher, ward das nördlichste Haus der ersten Insula der sechsten Region (*casa delle Vestali*) bis unmittelbar an die Mauer ausgedehnt. Noch später wurde in der sechsten Insula derselben Region die *casa d'Apollo* über die zwischen den Häusern und der Mauer hinlaufende gepflasterte Straße erweitert.

Am Südende des Forum triangulare bildete die Mauer eine vorspringende, wahrscheinlich durch einen Thurm verstärkte Ecke, welche, durch antike Steinbrüche unterhöhlt, eingestürzt ist. Irrthümlich geben einige Pläne einen Thurm am Südende der Osthalle des Forum triangulare an; das betreffende Mauerwerk erklärte La Vega (bei Mazois) für Wasserreservoirs.

Was nun die Thürme betrifft, so schreibt Vitruv vor, dieselben nicht mehr als einen Pfeilschuss von einander zu entfernen, damit die Angreifer der Mauer stets von zwei Thürmen aus wirksam beschossen werden können. Dies an sich sehr einleuchtende Princip ist in Pompeji nur auf der von Natur schwächsten Strecke, im Norden, eingehalten worden; im übrigen sind die

Thürme in sehr ungleichen Entfernungen von einander angebracht. Auf der bezeichneten Strecke stehn die drei Thürme nur etwa 85 M. von einander entfernt; beim Amphitheater etwa 100—135 M., auch dies Entfernungen, welche durch einen Pfeilschuss gewiss erreichbar waren. Der Thurm aber zwischen dem Nolaner und Capuaner Thor ist von beiden 275 M. entfernt, ebenso der nächste zwischen dem nolanischen Thor und dem des Sarnus. Diese Entfernungen sind für wirksame Pfeilschüsse offenbar zu groß und es ist klar,

Fig. 12. Ansicht eines Thurmes.

dass man sich hier auf die größere natürliche Festigkeit der Lage verließ. Es ward schon erwähnt, dass die Thürme auch in ihrer Bauart nicht den Vorschriften der alten Techniker entsprechen. Nach diesen sind sie entweder rund oder polygonal aus Hausteinen zu bauen, weil durch den von außen auf die keilförmig gehauenen Steine wirkenden Sturmbock diese schwer oder gar nicht aus ihrer Fügung zu treiben sind. Die Thürme Pompejis dagegen sind viereckig und bestehn aus mörtelgebundenen und mit Stucco überkleideten kleinen Tuff- und Lavastücken, s. g. *opus incertum* (s. Fig. 12).

Die innere Einrichtung dieser 8 M. ins Geviert haltenden und etwa 14 M. hohen Thürme ist die folgende.

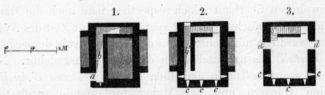

Fig. 13.   Grundriss der Thürme in drei Geschossen.

Sie bestanden aus zwei bedeckten Stockwerken, 2 und 3 Fig. 13, und einer offenen Terrasse, die nirgends erhalten ist. Aus dem untersten Stockwerk, 2, welches wenig höher liegt als das äußere Terrain, gelangt man durch eine der Stadt (auf dem Grundriss oben) zugewandte Thür und durch einen an der Stadtseite und an der von außen gesehen linken Seite entlang laufenden schräg absteigenden Gang (*b* in 1.) zu der Ausfallspforte *a* (in 1.); man vergleiche den Durchschnitt Fig. 14, welcher durch die Axe eben dieses Ganges genommen ist. Der Boden des überwölbten Hauptraumes ist grade; er hat Schießscharten, *c*, vorn und in den vor die Mauer vorspringenden Seitenwänden. Aus diesem Raum gelangt man durch den schräg ansteigenden gewölbten Gang b' und die an ihn sich im rechten Winkel anschließende Treppe (Figg. 13 und 14) in das zweite Geschoss (3 Fig. 13), das im Niveau der Oberfläche des Walles liegt und dessen grader Fußboden auf dem Tonnengewölbe des untern Stockwerks (siehe Fig. 12) ruht. Da wo der Gang b' umbiegt und zur Treppe wird, öffnet sich eine Thür gegen die Stadtseite, so hoch, dass nur durch die oben erwähnte Erdböschung der Zugang zu ihr ermöglicht wird. Auch im obern Stock hat der Thurm nach drei Seiten Schießscharten c (Figg. 13 und 14) und nach den beiden Seiten des anstoßenden Walles hin Thüren d (Figg. 13 und 14), durch welche eine freie Verbindung mit allen Theilen der Wälle aufrecht erhalten wurde. Endlich erhob sich über diesem ebenfalls überwölbten (casemattirten) Stockwerk noch ein oberstes, vermuthlich offenes und mit einem Zinnenkranz umgebenes, zu dem man auf der Treppe b'' (Figg. 13 u. 14) emporstieg.

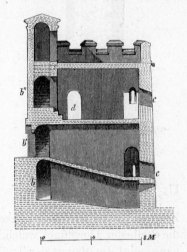

Fig. 14. Durchschnitt eines Thurms.

Wir bemerken noch, dass die Ausfallspforten alle auf der von außen gesehen linken Seite der Thürme liegen, so dass die aus ihnen Herauskommenden dem Feinde die linke, vom Schild gedeckte Seite zuwandten. Um nicht bei der Rückkehr ihm die unbedeckte Seite zeigen zu müssen, schreibt Philo vor, dass die aus einer Pforte Ausgefallenen nicht durch dieselbe, sondern durch eine weiter links liegende in die Stadt zurückkehren sollen [23].

Durch den Umfang der Mauern führen acht Thore, welche man (im NW. beginnend) mit folgenden Namen belegt hat (s. den kleinen Plan): 1 Herculaner Thor, 2 Vesuvthor, 3 Capuaner Thor, 4 Nolaner Thor, 5 Sarnusthor, 6 Nuceriner, 7 Stabianer und 8 Seethor.

Von diesen Thoren liegt uns begreiflicherweise keines in der Gestalt vor, welche es ursprünglich, bei der Erbauung der Stadtmauer, hatte. Vielmehr erhielten sie alle, mit Ausnahme des Herculaner Thors, ihre jetzige Gestalt durch einen erweiternden Umbau in der von uns als Tuffperiode bezeichneten Zeit. Und zwar wurde damals am Stabianer, Nolaner, Vesuv- und Sarnothor, und wie es scheint auch am Capuaner und Nuceriner Thor, welche jetzt nicht sichtbar sind, zu dem alten Durchgang ein neuer, innerer hinzugefügt. Am Seethor dagegen ward der alte Durchgang ganz beseitigt und durch einen jüngern ersetzt. Endlich das Herculaner Thor ist noch später, vermuthlich kurz vor der Zeit des Augustus, an der Stelle eines alten Thores neu erbaut worden.

Betrachten wir also zunächst die alterthümlichsten Thore, d. h., da von den übrigen wenig zu sehen ist, das Stabianer und Nolaner Thor. Am einfachsten und klarsten ist der Grundriss des Stabianer Thors (Fig. 15). Von außen (auf dem Plan unten) kommend gehen wir zuerst zwischen zwei gewaltigen, an den äußern Mauerrand sich anschließenden Pfosten aus Kalksteinquadern

durch: wir dürfen vermuthen, dass hier der alte und ursprüngliche Thorver-
schluss war. Von Überwölbung desselben ist keine Spur nachweisbar. Eine

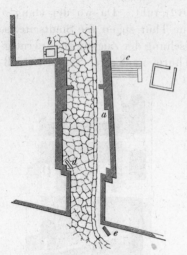

Einkerbung an der innern Ecke dieser
Pfosten bezeichnet wohl den Punkt, wo
sich die alten Thorflügel drehten; dass aber
dieselben schon in vorrömischer Zeit hier
nicht mehr vorhanden waren, geht daraus
hervor, dass an dem Punkte *d* ein Stein aufgestellt ist, der eine oskische, auf Wege-
bau bezügliche Inschrift enthält und die
Drehung der Thorflügel unmöglich machen
musste. Der zwischen diesen Pfosten 3,60
M. weite Durchgang erweitert sich innerhalb derselben auf 5,30 M.: wir kommen in
einen im Mittel 6,40 M. langen Gang, dessen Wände mit auf die schmale Kante gestellten Kalksteinquadern belegt sind. Wieder verengt sich dann der Weg auf 4,05
M.: es folgt der innerste Durchgang mit
(modern wiederhergestellter) Überwölbung.

Fig. 15. Grundriss des Stabianer Thors.

Zwei an die Seitenwände angesetzte Pfosten aus Kalksteinquadern bezeichnen
die Stelle der Thorflügel, welche sich nach innen öffneten. Dieser innere Durchgang zeigt die Bauart der Tuffperiode: Lava-Incertum mit Ecken aus Kalksteinquadern; er gehört offenbar mit der Quaderbekleidung des mittlern
Ganges zusammen, welche nur die Fortsetzung derjenigen ist, welche die
Außenseiten des innern Thorbaues schützt. Wir dürfen also annehmen, dass
diese beiden Theile des Thores zu dem alten, von den Kalksteinpfosten gebil-

Fig. 16. Grundriss des Nolaner Thors.

deten Durchgang in späterer, aber immer noch vorrömischer Zeit, bevor jene
Inschrift gesetzt wurde, hinzugefügt worden sind.

In der für den Eintretenden rechten Wand des mittlern Ganges ist eine mit Stuck bekleidete, 0,64 M. hohe und 0,45 M. breite Nische angebracht. Nach Analogie einer freilich viel größern Nische am Seethor können wir vermuthen, dass hier eine kleine Statue einer das Thor schützenden Gottheit, vielleicht auch hier der Minerva, aufgestellt war. Der Raum reichte nicht aus, um der Straße auch im Thor zwei Fußwege zu geben; daher hat man nur das östliche *a* in gleicher Linie wie in der Stadt fortgeführt, das andere aber fortgelassen. Östlich neben dem Thor bei *c* führen Treppen, wie am Herculaner Thor, aber in geringerer Ausdehnung, auf die Mauern. An den letzteren ist ein kleiner viereckiger bedeckter Raum abgetheilt: wir dürfen hier wohl den Platz des Thorwächters erkennen. *b* ist ein Brunnen: bei *e* steht eine zweite Wegebauinschrift aus der Kaiserzeit.

Fig. 17.   Innenansicht des Nolaner Thors.

Das Nolaner Thor, dessen Grundriss Fig. 16 zeigt, sieht etwas abweichend aus, hat aber im Wesentlichen dieselben Bestandtheile. Der wichtigste

4*

Unterschied gegenüber dem Stabianer Thor beruht theils darauf, dass es die
Mauer schiefwinkelig durchschneidet, theils darauf, dass die äußeren Kalksteinpfosten sich nicht an den äußern Mauerrand anschließen, sondern die ganze
Anlage weiter gegen die Innenseite zurückgezogen ist, so dass die Angreifer
nur in schmaler Colonne gegen das Thor anrücken konnten und hierbei den
Geschossen der Vertheidiger (vornehmlich freilich auf der linken, vom Schild
geschützten Seite) ausgesetzt waren. Damit hangt es zusammen, dass die Ein-
kerbungen für die Thorflügel sich hier an den der Stadt abgewandten Ecken
der Kalksteinpfosten finden. Dunkel bleibt die Bestimmung der auf unserem
Grundriss neben dem mittlern Gange angegebenen Räume; von denselben
ist jetzt nichts sichtbar; sie sind aber so von Mazois verzeichnet worden.
Die Abbildung Fig. 17 giebt die Innenansicht des Thores; wir sehn hier also die
der Stadt zugewandte Seite des innern, überwölbten Durchganges. Rechts sind
die ursprünglichen Quadern bei einer Ausbesserung in römischer Zeit durch
kleinere, ziegelförmige Tuffstücke ersetzt worden. Der Schlussstein des Stirn-
bogens (Tuff) ist mit einem weiblichen Kopf in Hochrelief geschmückt, nach
einer auch sonst bekannten italischen Sitte. Links neben dem Kopfe war die
nach der Ausgrabung geraubte und, wie es heißt, nach Paris gebrachte Inschrift
Fig. 18 angebracht. Sie lautet: *V . Popidiis V. med. tov. aamanaffed isidu pro-*

Fig. 18.
Oskische Inschrift.

fatted, d. h.: Der Medix tuticus Vibius Popidius, Sohn
des Vibius, hat (diesen Bau) errichten lassen, derselbe
hat ihn gebilligt (d. h. dem Bauunternehmer Décharge
ertheilt). Die letzten Worte, in denen man irrthümlich
die Erwähnung eines Propheten der Isis finden wollte,
gaben früher Anlass, das Thor als Isisthor zu bezeichnen, und in dem Kopf diese Göttin zu erkennen. In
Wahrheit scheint es trotz der schlechten Erhaltung
sicher zu sein, dass der Kopf einen Helm mit drei-
fachem Buckel trug und dass wir auch hier Minerva, die Schutzgöttin aller
Stadtthore, zu erkennen haben.

Endlich geben wir nebenstehend noch die Außenansicht des Thores. Wir
sehen hier deutlich den rechten, stark vorspringenden Kalksteinquaderpfosten
des äußern Durchganges mit der Einkerbung für den Thorflügel; vor demselben das schräg auslaufende Endstück der Mauer. Die Aufmauerung aus
Quadern am Fuß der Ecke bezeichnet die Ausmündung einer durch die Mauer
hindurchgehenden Wasserrinne, welche oberhalb jener Aufmauerung aus ihr
hervorkommt. Doch sollte ohne Zweifel diese solide Steinmasse zugleich die
Mauerwerke verstärken und die Annäherung erschweren. An der linken Seite
des Thors gehört die weit vorspringende Ecke zu den jüngeren Mauertheilen
und besteht aus Opus incertum von Lava; doch ist nicht zu zweifeln, dass die
Mauerlinie von Anfang an dieselbe war.

Anders verhält es sich mit dem s. g. Seethor (*Porta della Marina*), durch
welches man jetzt die Stadt zu betreten pflegt. Wir schreiten hier, von außen
kommend, gleich zuerst durch einen überwölbten Durchgang (*a* auf dem
Grundriss Fig. 19), der in seiner Bauart wesentlich den inneren Durchgängen der bisher besprochenen Thore gleicht, sich aber dadurch von ihnen unter-

Aussenansicht des nolaner Thores.

Nach S. 52.

scheidet, dass hier neben dem Fahrweg links noch ein von einer besondern, niedrigern Wölbung überdachter Zugang *b* für Fußgänger angebracht ist. Die Wölbung des Fahrweges ist eingestürzt; derselbe steigt steil an, während der Fußweg über vier Stufen erstiegen wird und dann mit viel geringerer Neigung weiter führt. Auch der Fußweg war verschließbar; am Fahrwege finden wir dieselben steinernen Thürpfosten wie in den gewölbten Durchgängen der oben besprochenen Thore. In der rechten Wand, außerhalb der Thorflügel *d*, ist eine Nische *c* angebracht, weit größer als die des Stabianer Thors: hier stand eine Thonstatue der Minerva, der Schutzgöttin der Thore, von welcher ein beträchtliches Fragment gefunden wurde und jetzt im Museum zu Neapel aufbewahrt wird. Links vom Eingange für Fußgänger ist der Ansatz der Stadtmauer sichtbar, etwas weiter zurück als die Front dieses Thorbaues, welcher also um ein weniges vor die Außenfläche der Mauer vorsprang.

Es ist nun klar, dass dies Vorspringen, dass ferner die Lage der Nische für die Thorgöttin außerhalb des Thorverschlusses, endlich doch auch wohl der besondere Eingang für Fußgänger, dass alles dies für ein eigentliches Befestigungsthor wenig passt. Dazu kommt noch, dass links von dem Eingang für Fußgänger nach sicheren Spuren einst eine Pforte in der Mauer vorhanden war, welche später vermauert worden, deren Anlage aber allem Anschein nach dem Bau des Thores gleichzeitig ist. Es ergiebt sich also, dass dies Thor weniger der Vertheidigung als vielmehr polizeilichen Zwecken dienen sollte, dass, als es erbaut wurde, Pompeji auf dieser Seite, militärisch betrachtet, eine offene Stadt war. Und da die Bauart so wie auch die Reste der Stuckdecoration ersten Stils auf vorrömische Zeit deuten, es auch in beiden Beziehungen den inneren Theilen des Stabianer und Nolaner Thors gleicht, welche, wie wir sahen, aus vorrömischer Zeit stammen, so werden wir zu dem Resultat geführt, dass schon vor dem Bundesgenossenkriege, unter dem Eindruck des langen Friedens von

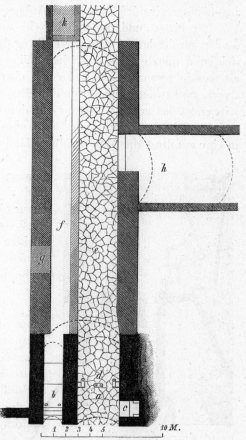

Fig. 19. Grundriss des Seethors.

201 bis 90, Pompeji auf dieser Seite seiner Befestigungen entkleidet wurde: ein Resultat, welches trefflich mit dem übereinstimmt, was auf S. 43 fg. über den Verfall der Mauer auf der Nordseite in eben dieser Zeit gesagt worden ist.

Der bisher besprochene Thorbau erfuhr aber in römischer Zeit eine auf
unserem Plane durch Schraffirung von den alten Theilen unterschiedene Erweiterung, indem nach der Stadtseite ein überwölbter Gang e, lang 22,63 M.,
an ihn angesetzt wurde. Sein Zweck ist dunkel; vielleicht sollte durch ihn
nur ermöglicht werden, oberhalb des tief in das Terrain eingeschnittenen
Fahrweges Räume herzustellen, welche öffentlichen Zwecken dienen mochten.
In der rechten (südlichen) Wand dieses Ganges führt eine Thür in eigenthümliche, langgestreckte, überwölbte, von oben durch einzelne Lichtöffnungen
erhellte Räume h, in denen wir Magazine, sei es öffentliche, sei es an Private
vermiethete, vermuthen dürfen. Die Fenster dem Eingang gegenüber sind
modern. — Eine entsprechende Thür g in der linken Wand des Ganges ist schon
in antiker Zeit vermauert worden; die Räume, zu welchen sie führte, mochten
ähnlichen Zwecken dienen. — Das Mauerwerk des Ganges und der beiden
Thüren gleicht dem des kleinern Theaters und des Amphitheaters: Gebäude,
welche sicher der ersten Zeit der römischen Colonie, bald nach 80 v. Chr.,
angehören; wir dürfen also diese Anlage etwa derselben Zeit zuschreiben.

Der düstere und fast unheimliche Eindruck, welchen dieser Zugang jetzt
macht, beruht darauf, dass der Fußweg der sich an ihn anschließenden Straße
sich bei k plötzlich bis zur Scheitelhöhe des gewölbten Ganges e erhebt und
als massiv vorspringende Ecke den obern Ausgang desselben fast zur Hälfte
sperrt. So hat der Eingang für Fußgänger bf keine Fortsetzung, und andererseits endet das erhöhte Trottoir k an dem Obergeschoss des Ganges e als Sackgasse, welche durch ein theils von Säulen, theils von Pfeilern getragenes Dach
in eine auf die Fahrstraße geöffnete Halle verwandelt war. Ohne Zweifel war

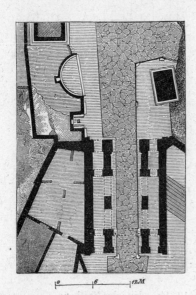

vor Erbauung des Ganges e dieser Zugang
Pompejis weit freundlicher und stattlicher:
nach sicheren Spuren setzte sich damals der
Gang für Fußgänger ununterbrochen als we-
nigstens theilweise von einer Säulenhalle be-
decktes Trottoir fort, auf dem man, theils über
Stufen, theils in allmählicher Steigung, die
Höhe des Apollotempels, der Basilika und des
Forums erreichte.

Wir haben noch von dem Herculaner
Thor, dem jüngsten und stattlichsten von
allen, zu reden. Es ist 14 M. breit und hat, wie
unser Grundriss (Fig. 20) zeigt, eine 4,40 M.
breite Einfahrt und zwei 1,35 M. breite und
am äußern Ende 4 M. hohe Nebeneingänge
für Fußgänger. Nur der vordere und hintere
Theil waren überwölbt, so dass wir auch hier,
dem Schema der älteren Thore entsprechend,

Fig. 20. Plan des Herculaner Thors.   einen äußern und einen innern Durchgang
und einen beide verbindenden Gang haben.
Der mittlere, offene Theil des Fahrweges war mit den Fußwegen durch je
zwei überwölbte Durchgänge verbunden. In den Seitenwänden der Fahrstraße,

Aussenansicht des herculaner Thores.

Nach S. 54.

Innenansicht des herculaner Thores.

etwa 1,80 M. von der äußern Front entfernt, findet sich auf jeder Seite ein mit weißem Stuck sorgfältig ausgestrichener Falz, von dem man anzunehmen pflegt, dass sich in ihm ein Fallgatter bewegte. Dies kann aber kaum je zur Anwendung gekommen sein, da sonst der Stuck nicht so unbeschädigt sein könnte. Überhaupt aber ist die Annahme nicht ohne Bedenken, dass man diese beschwerliche Art des Verschlusses hier angebracht haben sollte, während die beiden Eingänge für Fußgänger an dieser Stelle gänzlich unverschlossen blieben. Die Bestimmung der Falze ist dann unbekannt. Gegen die Stadt war der Fahrweg, am äußern Ende des innern Durchganges, durch eine Thür geschlossen, und Thüren, deren Angellöcher erhalten sind, schlossen auch die Fußwege. Auch dies Thor ist offenbar kein Befestigungsthor, sondern diente nur polizeilichen Zwecken und um der Stadt einen stattlichen Zugang zu geben.

Das Mauerwerk (Opus incertum mit Ecken, in denen immer drei Ziegel mit einem ziegelförmigen Haustein wechseln) kann nicht wohl viel älter sein als die Zeit des Augustus; die Stuckbekleidung, vermuthlich der Erbauung gleichzeitig, zeigt unten einen hohen schwarzen Sockel, oben ist durch plastische Stuckarbeit in Weiß eine Marmortäfelung nachgeahmt: letzteres ein jener Zeit sonst fremdes, hier im Anschluss an die Decoration der Thürme zur Anwendung gekommenes Motiv. Offenbar ist dies Thor an die Stelle eines ältern Thores getreten, welches etwas weiter westlich lag: gleich innerhalb des Thores finden wir noch einen Rest des Fußweges, wie es vor dem Neubau war; dasselbe liegt 0,85 M. westlich von der Westmauer des Thors. Diese Beobachtung ermöglicht es uns, mit Hilfe der für den Hinausgehenden links am Wege liegenden Gräber, die Zeit des Thorbaues näher zu bestimmen. Während nämlich das Grab des M. Porcius, des Erbauers des kleinen Theaters und des Amphitheaters (auf unserem Plane nur zur Hälfte sichtbar), offenbar an der aus dem alten Thor kommenden Straße lag, setzt die anstoßende halbrunde Bank und ebenso die gleich am Thor liegende Grabnische deutlich den Neubau voraus. Nun ist diese Bank älter als die nachträglich hinten an sie angesetzte Basis der Statue des M. Veius, welcher *tribubunus militum a populo* heißt, ein nach der Zeit des Augustus nicht mehr vorkommender Titel. Auf Grund dieser Daten dürfen wir den Thorbau schwerlich später ansetzen, als die erste Zeit des Augustus, und so ergiebt sich uns, mit Berücksichtigung des Mauerwerks, der Regierungsantritt dieses Kaisers als ungefähre Zeitbestimmung desselben.

Den heutigen Zustand dieses Hauptthores von Pompeji stellt die Abbildung nach S. 54 in Außenansicht dar. Die kleine Nische rechts ist es, in der man das Skelett eines Soldaten gefunden haben will (S. 21); in Wahrheit ist sie, wie wir unten sehen werden, ein Grabmal. Links sind die Reste eines andern Grabmales sichtbar. Die zweite, hierneben stehende Abbildung giebt die innere Ansicht, auf welcher die Seiteneingänge von den Nebenthoren in den innern Hof deutlich sichtbar sind. Das Gebäude gleich rechts ist eine Schenke (Thermopolium). Endlich die dritte, diesem Capitel vorgeheftete Ansicht giebt eine einfache und deshalb wahrscheinliche Restauration der Außenseite (nach Mazois)[24].

Die Befestigungswerke können nicht verlassen werden, ohne dass wir noch einiger schon oben S. 43 erwähnten oskischen Inschriften gedenken, welche nicht allein für die Topographie und die Baugeschichte der Mauer und ihrer Thürme wichtig sind, sondern auch deshalb ein ganz besonderes Interesse beanspruchen, weil sie uns einen wichtigen Vorgang aus der Geschichte Pompejis in lebendiger Weise vergegenwärtigen. Denn wenn sie auch nicht in allen Einzelheiten sicher erklärt sind, so ist doch ihre Bedeutung im Ganzen klar und es scheint zweifellos, dass sie sich auf die Belagerung Pompejis durch Sulla beziehn. Zwei dieser Inschriften, welche, fast genau übereinstimmend, auf den Tuffpfeilern der Façaden der unter dem Namen Haus des Sallust und Haus des Pansa bekannten Häuser stehn, besagen: »Durch diese Gasse geht der Weg zwischen den zwölften Thurm und das Salinen(?)-thor, wo Maras Adirius seinen Stand hat.« Sie beziehen sich offenbar auf die beiden Gassen zwischen der 1. und 2. und zwischen der 6. und 8. Insula der 6. Region. Es kann daher mit dem zweifelhaft bezeichneten Thor nur das s. g. Herculaner Thor gemeint sein, so wie mit dem 12. Thurm der diesem Thor zunächst liegende, welcher auch in der That, wenn man annimmt, dass ein Thurm an der Ecke des Forum triangulare und ein weiterer zwischen diesem und dem Seethor lag, von hier aus gezählt der zwölfte ist. Maras Adirius, und der in einer dritten, ganz ähnlichen Inschrift, auf welche wir noch zurückkommen, vorkommende T. Fisanius, waren, wie wir annehmen dürfen, die Befehlshaber auf bestimmten Abschnitten der Mauer, und die Inschriften hatten den Zweck, der vielleicht nicht durchweg ortskundigen Besatzungsmannschaft als Wegweiser zu ihren Posten zu dienen. Da aber die zweite der oben genannten Gassen nicht zwischen das Thor und den 12. Thurm, sondern zwischen den 11. und 12. Thurm führt, so ist wahrscheinlich anzunehmen, dass M. Adirius das Thor und den 12. Thurm, der nächste Commandant (T. Fisanius) den 10. und 11. Thurm unter sich hatte, während das Mauerstück zwischen dem 11. und 12. Thurm von Beiden gemeinsam geschützt werden musste: alsdann führte die an zweiter Stelle genannte Gasse an das äußerste rechte Ende des dem Adirius anvertrauten Abschnittes. Dass grade die bezeichneten Gassen als Zugänge zu dem unter Adirius' Befehl stehenden Mauerstück genannt werden, ist vermuthlich dadurch zu erklären, dass die übrigen auf das Pomerium mündenden Gassen verbarricadirt waren, damit der Feind, wenn er an irgend einem Punkte die Mauer eingenommen hatte, möglichst wenig Wege in das Innere der Stadt offen fände. Die schon erwähnte dritte Inschrift, welche den Weg dahin weist, wo T. Fisanius zwischen dem 10. und 11. Thurm commandirte, steht an der Südwestecke der *Casa del Fauno*, und bezieht sich offenbar auf die Gasse zwischen der 10. und 12. Insula der 6. Region (*Vico del Fauno*). Und in der That, wenn der letzte Thurm der 12. ist, so sind die beiden, zwischen denen diese Gasse ausmündet, der 10. und 11. Endlich besagt eine vierte verwandte Inschrift, welche an der Südseite des südöstlichen Eckpfeilers der 6. Insula der 7. Region (also dicht an der Nordwestecke des Forums) steht: »Durch diese Gasse kommt man zu dem Hause des Maius Castricius und des Maras Spurnius, wo der Feldherr Vibius Seius sein Quartier hat.« Nissen (Pomp. Stud. S. 508) erkennt das

Haus des Maius Castricius in dem südwestlichen Eckhaus (Nr. 1 und 2) der Insula VII, 15, und das des Maras Spurnius in einem benachbarten Hause (Nr. 10) der Insula VII, 7: hier also würde der uns sonst nicht bekannte Imperator (*imbrtr*) Vibius Seius sein Hauptquartier gehabt haben.

Zweites Capitel.

Die Straßen und Plätze Pompejis.

1. Die Straßen.

Die Straßen Pompejis bieten und boten bei weitem nicht den mannichfaltigen, lebendigen und freundlichen Anblick wie die einer mittelalterlichen oder modernen Stadt mit ihren mehr oder weniger bunten und reichen Façaden; der Gesammteindruck nähert sich viel mehr dem einer orientalischen Stadt. Das antike Haus blickt nicht, wie das moderne, auf die Straße hinaus; es ist nach innen gewandt und zeigt der Straße den Rücken; durch einen innern Hof, nicht von außen, erhalten die wichtigsten Räume Licht und Luft. So ist das belebendste Element der modernen Façade, das Fenster, an der Straßenseite des antiken Hauses nur schwach vertreten. Nicht als ob es ganz an Fenstern fehlte; sie sind vorhanden, namentlich in den oberen Räumen, wo sie vielfach noch erhalten sind. Aber sie sind wenig zahlreich und klein, namentlich in den Räumen des Erdgeschosses, wo sie aus begreiflichen Gründen so hoch angebracht sind, dass sie wohl zur Erhellung, nicht aber zum Hinausschauen dienen konnten. Von künstlerischer Ausbildung des Fensters und Verwendung desselben zur Belebung der Façade finden wir keine Spur.

Es zerfallen aber die Straßen Pompejis in zwei bestimmt geschiedene Classen: Verkehrsstraßen und stille Straßen. Zu den ersteren gehören namentlich die beiden großen, die Stadt in grader Linie durchschneidenden Straßen, die Nolaner und Stabianer, ferner die das Forum mit der Stabianer verbindende Abbondanzastraße. Fast nirgends zeigt hier das Erdgeschoss an der Straße eine fortlaufende Wand; dicht gereiht liegen hier die weit geöffneten Läden, so dass sie fast wie eine Erweiterung der Straße erscheinen. Zu den stillen Straßen ohne Läden gehört eine vornehme, die breite, stattliche Mercurstraße, die nördliche Fortsetzung des Forums, an welcher fast nur große und reiche Häuser liegen, und die große Menge der übrigen, engeren Straßen. Hier wurden die einförmigen Façaden nur durch die Hausthüren und die wenigen kleinen Fenster belebt, allenfalls auch noch dadurch, dass das obere Geschoss einiger Häuser erkerartig vorsprang.

Der malerische Schmuck der Außenseite der Häuser ist meist sehr einfach. Entweder sind sie ganz weiß, oder es ist zu unterst ein hoher schwärzlicher oder dunkelrother Sockel angebracht; selten sind Façaden wie die eines Hauses an der Mercurstraße (VI, 9, 6—7), wo über einem lebhaft rothen hohen

Sockel in weißem Stuck eine Bekleidung mit bunt und etwas kleinlich profilirten Marmorplatten nachgeahmt ist. Nicht ganz fehlt es an der Abwechselung, welche durch das Nebeneinanderstehen von Bauten aus verschiedenen
Zeiten hervorgebracht wird. Zwischen den nur durch die Farben wirkenden,
in den Formen ganz vernachlässigten und unkünstlerischen Stuckfaçaden der
Kaiserzeit begegnen wir den ernsten Quaderfaçaden aus dem grauen Tuff von
Nocera, wie sie in der spätoskischen Zeit beliebt waren. Der Reiz der Farbe
ist hier verschmäht; der Stein erscheint in seiner natürlichen, unscheinbaren
Farbe; dagegen finden wir hier schöne und reine griechische Formen, namentlich an den Thüren mit ihren durch korinthische Capitele gekrönten, durch
ionisches Gebälk verbundenen Pilastern; bisweilen, wie an der *casa del Fauno*,
ist die Thür durch einen einfach weißen Stucküberzug ausgezeichnet. Nur
einmal, an einem Hause der Mercurstraße (VI, 8, 20—22), finden wir eine
geschlossene Façade aus Tuffquadern: sonst ist überall die Façade aufgelöst
in Pfeiler von geringer Ausdehnung zwischen den Läden. Die nicht aus Tuffquadern bestehenden Façaden derselben Zeit waren einfach weiß.

Zu weiterer Belebung der Straßen trugen die zahlreichen Brunnen und
sonstigen kleinen Monumente bei, von denen weiterhin die Rede sein wird.

Ohne Zweifel hatten die Straßen ursprünglich eine gleichmäßigere Breite
als jetzt; dieselbe ist vielfach verändert worden, theils durch die Anlage öffentlicher Gebäude, theils durch das eigenmächtige Vorrücken der Privathäuser,
deren Besitzer ihr Grundstück auf Kosten der Stadt vergrößerten. Es scheint
aber, dass die großen, die ganze Stadt durchschneidenden Hauptstraßen auf
26 bis 29 oskische Fuß (à 0,275 M.) normirt waren. Die Nebenstraßen schwanken je nach ihrer Wichtigkeit von 11 bis 23 Fuß, so dass es unmöglich ist, für
sie ein Normalmaß aufzustellen. Der mit polygonen Lavaplatten gepflasterte
Fahrdamm pflegt die Hälfte, und nach Bedürfniss mehr, der gesammten Breite
einzunehmen; die andere Hälfte kommt auf die erhöhten Fußwege.

Pflasterung und Theilung in Fahrweg und Trottoir waren sicher nicht
von Anfang an vorhanden. Wenn auch in manchen Beziehungen die gräci-
sirten Osker ihren römischen Siegern an Cultur überlegen waren, so dürfen
wir doch dies nicht auf die specifisch römische Kunst des Wegebaues ausdehnen, müssen vielmehr annehmen, dass auf diesem Gebiete der Fortschritt von
Rom ausging. Und in Rom selbst ist die Pflasterung erst spät und allmählich
durchgeführt worden. Im Jahre 174 v. Chr. beschränkte man sich darauf, die
innerhalb der Stadt liegenden Strecken der großen Landstraßen und außerdem
den Aufgang zum Capitol zu pflastern, und als im Jahr 45 v. Chr. Cäsar seine
Städteordnung (*lex Iulia municipalis*) erließ, war offenbar die Pflasterung noch
keineswegs in der ganzen Stadt durchgeführt. Um die Zeit der Pflasterung
Pompejis zu bestimmen, haben wir nur einen Anhaltspunkt. Nämlich an zwei
Stellen, westlich der Insula IX, 4 (an der Stabianer Straße) und nördlich der
Insula IX, 2 finden wir in der senkrechten Fläche des Trottoirrandes die Inschrift **EX · K · QVI**, d. h. *ex kalendis Quinctilibus*, »vom ersten Juli an«; und
zwischen Ins. VII, 2 und 4 steht in einem Lavastein des Pflasters die offenbar
gleichbedeutende Inschrift **K · Q**. Diese vermuthlich auf die Pflasterung bezüglichen Inschriften beweisen jedenfalls, dass das Pflaster schon vorhanden

oder doch in Arbeit war, bevor der Monat Juli zu Ehren Cäsars im Jahre 44 v. Chr. seinen jetzigen Namen erhielt.

Straßenarbeiten freilich wurden schon in samnitischer Zeit betrieben. Dies bezeugt uns die schon auf S. 50 erwähnte, im Stabianer Thor aufgestellte samnitische Inschrift, welche besagt, dass die Aedilen Maius Sittius und Numerius Pontius die Straße bis zur Stabianer Brücke (also vor der Stadt) und die »Pompejanerstraße« bis zum Tempel des Juppiter Milichius (doch wohl in der Stadt) terminirt, d. h., wie man meint, den dort 10, hier 3 Schritt breiten Fahrdamm vom Fußwege geschieden haben, dass dieselben ferner eben diese Straßen, sowie die »Juppiterstraße« und eine andere unaufgeklärter Bezeichnung (*dekviarìm*) auf Anordnung des Medix von Pompeji haben herrichten lassen. Welche Straßen mit diesen Namen bezeichnet sind, können wir nicht feststellen. Weit jünger ist die außen am Stabianer Thor (*e* Fig. 15) stehende lateinische Wegebauinschrift, nach welcher die Duumvirn L. Avianius Flaccus Pontianus und Q. Spedius Firmus die Straße vom Meilenstein (der wohl dicht beim Thore stand) bis zur Station der Cabrioletkutscher, so weit das Gebiet Pompejis reichte (*a miliario usque ad cisiarios, qua territorium est Pompeianorum*) auf eigene Kosten gepflastert haben (*munierunt*).

Zur Zeit des Unterganges war die Pflasterung fast überall durchgeführt: nur einige abgelegene Gassen im nördlichen Stadttheil, außerdem im Süden die zwischen den Insulae I, 1 und I, 2 sind ungepflastert geblieben. Die Fahrstraßen sind sanft gewölbt und auf das sorgfältigste mit ziemlich großen polygonen Lavaplatten belegt, welche genau an einander gepaßt und nur hie und da durch zwischengetriebene Eisenkeile und kleine Steine an schadhaft gewordenen Stellen ausgebessert sind. Die Wagen haben bei einer Spurweite von 0,90 M. Rillen von zum Theil beträchtlicher Tiefe eingeschliffen, so dass das Pflaster in den frequenteren Straßen stark vernutzt ist und einen ziemlich holperigen Eindruck macht.

Für die Bequemlichkeit der Fußgänger, welche von einem Trottoir auf das andere überkreuzen wollten, ist durch große, oben flache Steinblöcke gesorgt, welche sich über das Niveau des Pflasters bis zu dem des Trottoirs erheben und auf welchen man ohne Beschmutzung der Füße und ohne von dem zum Theil recht hoch über der Fahrbahn, d. h. im Niveau des ursprünglichen Terrains liegenden Fußwege herabzusteigen, die Straße quer überschreiten konnte. Es giebt kaum eine Straße ohne diese Bequemlichkeit, welche zur Zeit der heftigen Winterregen mehr als nur dies sein mochte. In breiteren Straßen wurden mehre Steine, drei oder auch fünf, angebracht, welche jedoch immer so liegen, daß ihre Zwischenräume den richtigen Platz für die Wagenräder und die Zugthiere bieten; in den engen Gässchen

Fig. 21. Pflaster mit Trittsteinen.

liegt nur ein Stein in der Mitte, und es fragt sich, ob diese nach dessen Anbringung noch fahrbar geblieben sind. Allerdings finden sich auch hier vielfach die von den Rädern eingeschliffenen Rillen, diese aber können aus früherer

Zeit stammen, und gewiss ist, dass einige Gässchen durch später angebrachte
Trittsteine gesperrt worden sind. Auch die Straße vom Forum nach den Stabianer Thermen (*Strada dell' Abbondanza*) kann wenigstens in den letzten
Zeiten Pompejis gar nicht mehr befahren worden sein. Denn am Forum war
sie vergittert, an den Thermen aber zieht sich quer über den Fahrdamm eine
hohe Stufe, welche kein Wagen, weder auf- noch abwärts überschritten haben
kann. An ein rasches Fahren war begreiflich auch in den Hauptstraßen nicht
zu denken, ohnehin fuhr man im Alterthum lange nicht so viel wie bei uns;
schwere Lastwagen durften in Rom die Straßen bei Tage nicht passiren und
der persönliche Verkehr zu Wagen war auf eine geringe Anzahl bevorzugter
Personen der höheren Stände gesetzlich beschränkt. In Pompeji war die Station der *cisiarii* (Cabrioletkutscher), wie die oben erwähnte Inschrift zeigt,
vor der Stadt.

Zu beiden Seiten wird der Fahrweg durch ein Trottoir (*margo, margines*)
von sehr verschiedener Breite eingefasst. Dieses besteht nach dem Fahrdamm
zu aus 0,30—0,40 M. breiten Hausteinen, welche oftmals, namentlich vor
Läden, schräge durchbohrt sind. Man hat diese Löcher daraus erklären wollen,
dass man Pferde und anderes Vieh durch dieselben festgebunden habe; doch
dienten sie stellenweise wohl auch zur Befestigung von Zeltdächern, die man
vor den Läden wie noch jetzt in Neapel ausspannte. Innerhalb der Hausteine
besteht das bald bis zu fast einem Meter hoch über, bald fast im Niveau der
Fahrstraße liegende Trottoir aus fest-
gestampfter Erde, welche verschieden, bald mit Sand, bald mit Ziegeln,
mit Steinplatten, mit der *opus Signinum* genannten rohen Art von Ziegelmosaik, gelegentlich auch mit
Marmorplatten bedeckt ist, je nachdem ein Hauseigenthümer, dem die
Sorge für das Trottoir in der Breite
seines Grundstückes oblag, ein ge-
ringeres oder besseres Material zu
wählen für gut fand. An den Trottoirs entlang stehen in mehren
Straßen noch eigene Prellsteine,
welche wohl von den Aedilen vor
der Herstellung des Trottoirs aufgestellt wurden, um die Richtung zu
bezeichnen, in welcher es gelegt
werden sollte; sie finden sich vorwiegend an Stellen, wo nachträgliche
Veränderungen stattgefunden haben.

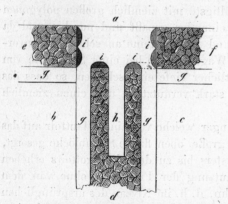

Fig. 22. Plan eines Emissars.

a Haus nach der Seeseite, unter dem hindurch der Abfluss
ist; *b* und *c* zwei andere Häuser an der Verlängerung der
Straße der Fortuna *d* und zwei kleineren Straßen *e* u. *f*;
g Trottoirs; *h* sanft aufsteigende Rampe von dem Pflaster
zu der Höhe der Platform des Emissars, welche unterwölbt
ist, und durch sechs Bogen *i* sich dem von den drei Straßen
dem Emissar zufließenden Wasser öffnet. Die schraffirten
Bogen schneiden nicht in die Platform ein, sondern erheben sich vertical über dem Pflaster; es sollte nur ihre Lage
durch die Zeichnung deutlich gemacht werden.

Das Regenwasser der Fahrstraße floss durch Abzugsöffnungen, die an verschiedenen Orten im Trottoir angebracht sind, in größere Canäle und wurde durch
diese unterirdisch und unter den Häusern durch aus der Stadt entfernt. Die
nebenstehende Figur 22 zeigt uns den Plan eines dieser Emissare (*F. G. b.* im

großen Plan), welcher das Wasser dreier Gassen aufnahm und daher ziemlich complicirt ist[25]).

2. Das Forum civile.

Der ausgegrabene Theil Pompejis hat drei größere öffentliche Plätze, das *Forum civile*, das s. g. *Forum triangulare*, innerhalb dessen die Ruinen des griechischen Tempels stehn, und das s. g. *Forum boarium*, den Ochsenmarkt, nahe beim Amphitheater. Von diesen Plätzen war das Forum civile mit Platten weißen Travertins belegt, welche aber, ausgenommen auf dem Stück östlich neben dem Juppitertempel, bis auf einzelne noch vorhandene schon im Alterthum ausgehoben und weggeschafft worden sind; außerdem hatte es eine umlaufende bedeckte Gosse. Über die Art, wie die beiden anderen Plätze gedeckt oder gepflastert waren, ist jetzt kein Urteil mehr möglich, das Forum triangulare zeigt das natürliche Erdreich, das Forum boarium ist, wie schon gesagt, wieder verschüttet.

Das ungleich größte Interesse nimmt das Forum civile als das eigentliche politische Centrum der Stadt in Anspruch, und zwar sowohl durch die Bedeutsamkeit der um dasselbe vereinigten öffentlichen Gebäude, als auch durch die architektonisch schöne Gesammtansicht, welche dieser nur von öffentlichen Gebäuden umgebene, wenn auch vielleicht nicht urprünglich nach einheitlichem Plan angelegte, so doch jedenfalls nach einem solchen umgemodelte Platz vor seiner Zerstörung dargeboten haben muss. So wenig wie einer mittelalterlichen fehlt einer antiken Stadt ihr Marktplatz, denn das ist die ursprüngliche Bedeutung des Forums; es ist der Platz für Handel und Wandel und für den ganzen bürgerlichen Verkehr sowie für die Gerichte, wie ja auch in unseren Städten die Gebäude der städtischen Verwaltung und der Gerichte am Marktplatze zu liegen pflegen. In Italien gesellte sich zu dieser Bestimmung des Forums noch diejenige für die Gladiatorenkämpfe, nachdem diese zu allgemeinen Volksfesten geworden waren, und deshalb sind die Fora meistens mit einer durch Gitterwerk abtrennbaren Colonnade umgeben, welche häufig eine obere Gallerie für die den Kämpfen zuschauenden Frauen trug. Später wurden Handel und bürgerlicher Verkehr getrennt und für erstern theils eigene Marktplätze, die *Fora venalia*, theils Verkaufshallen, Basiliken, geschaffen, so dass das ursprüngliche Hauptforum wesentlich den politischen Angelegenheiten vorbehalten blieb und demgemäß den Namen des *Forum civile* erhielt. Denn auch die Gladiatorenkämpfe wichen von dem Forum in die eigens für dieselben erbauten Amphitheater. Die *Fora venalia*, die Marktplätze für Kauf und Verkauf, wurden nun je nach der Größe der Städte und den Bedürfnissen des Verkehrs vervielfältigt und die Hauptgegenstände des Handels auf sie vertheilt, so dass sie als Viehmärkte, Gemüse-, Fisch-, Krammärkte u. s. w. unterschieden wurden. Für die politischen oder communalen Angelegenheiten aber erstand wieder um das Forum civile eine Reihe von Gebäuden, welche den verschiedenen Interessen der Verwaltung und der Rechtspflege gewidmet waren.

So auch in Pompeji, wo wir außer einer Reihe von Tempeln fast alle die

öffentlichen Gebäude wiederfinden, denen Vitruv am Forum ihren Platz anweist. Wir fassen zunächst das Forum in seiner Gesammtheit in's Auge und
werden auf die einzelnen jetzt zu nennenden Gebäude gehörigen Ortes zurückkommen.

Vitruv berichtet uns, dass nach griechischer Sitte das Forum ein Quadrat
bildete, schreibt aber für italische Städte, ohne Zweifel im Anschluss an das
von Alters her übliche, eine längliche Form vor. Als Grund giebt er an, dass
diese Form zum Zuschauen bei Gladiatorenspielen geeigneter sei; wir erinnern
uns dabei, dass ja auch die Amphitheater nicht rund, sondern oblong angelegt
wurden. Das von ihm vorgeschriebene Verhältniss von 2 : 3 ist freilich am
pompejanischen Forum nicht eingehalten: es ist lang (im Westen) 151,60 M.,
breit, einschließlich der Säulenhallen (im Süden) 47,66 M. Die von den Hallen
umgebene unbedeckte Fläche ist lang 142,51 M., breit 38,48 M., einschließlich
der den Hallen vorliegenden Stufe.

Das Forum Pompejis war zur Zeit des Unterganges keineswegs eine nach
einem einheitlichen Plane durchgeführte und vollendete Anlage. Vielmehr
standen neben einander Reste aus ganz verschiedenen Zeiten, welche nach
einander, ganz verschiedenen Geschmacksrichtungen folgend, an der Ausschmückung des Platzes gearbeitet hatten. Und zwar war die letzte Phase
dieser Entwickelung noch nicht zum Abschluss gekommen: in Folge des Erdbebens vom Jahre 63 n. Chr. hatte man eine durchgreifende Umgestaltung
begonnen und war im Jahre 79 noch in voller Arbeit begriffen. Wir werden
also die uns vorliegende Gestalt am besten verstehen, wenn wir uns ihre Entwickelung, so weit dies möglich, zu vergegenwärtigen suchen.

Von den vielen Säulenbauten Pompejis gehört keine der ältesten uns
erkennbaren Bauperiode (Zeit der Kalksteinatrien) an; die ältesten derselben
tragen den Stempel der folgenden Periode (Tuffperiode), der Zeit nach dem
hannibalischen Krieg und es ist wohl sicher, dass erst diese Zeit anfing, die
Stadt, und zwar in ausgedehnter Weise, mit Säulenhallen zu schmücken. So
müssen wir auch annehmen, dass das Forum nicht von Anfang an ein solcher
säulenumgebener, gegen Wagenverkehr abgeschlossener Platz, gleichsam ein
Festsaal unter freiem Himmel war, sondern dass sich hier ursprünglich ein
einfacher, von Fahrstraßen begrenzter und durchschnittener Platz, ein Haupt-
kreuzpunkt wichtiger Straßen befand. Das Straßennetz ist alt; und da sich
die Straßen durchaus nicht rechtwinkelig schneiden, so war die Form des
Platzes vermuthlich damals nicht eben sehr regelmäßig, und es mag wohl,
trotz aller späteren Umgestaltungen, hiermit zusammenhangen, dass noch jetzt
die meisten der anliegenden Gebäude eine von der Axe des Forums abweichende
Orientirung zeigen. Auch war das Forum damals schwerlich planirt, sondern
wird sich zu der es nördlich begrenzenden, jetzt über Stufen zugänglichen
Straße in allmählicher Steigung erhoben haben.

Die Tuffperiode, eine Zeit der lebhaftesten Bauthätigkeit, hat, wie die
ganze Stadt, so auch das Forum in durchgreifendster Weise umgestaltet.
Nachdem an die Stelle einfacher Kalksteinatrien große Paläste mit stattlichen
Peristylien getreten waren, nachdem die Tempelhöfe Säulenhallen erhalten
hatten, konnte auch das Forum nicht in seiner alten, einfachen Gestalt fort-

bestehn. Der Platz wurde planirt, und dann an seinem Nordende der stattliche, auf hohem Unterbau ihn ganz beherrschende Juppitertempel erbaut. An der Westseite entstand der Apollo- (s. g. Venus-)tempel mit seinen Säulenhallen. An die nördliche Umfassungsmauer dieses Tempels ward eine nach Norden geöffnete Säulenhalle angelehnt, vor welcher selbstverständlich ein freier Platz liegen musste, der vermuthlich keinen andern Zweck hatte, als dieser Säulenhalle Licht und Luft zu geben. Wie dieser Platz vom Forum getrennt war, wissen wir nicht; es ist sehr wohl denkbar, dass hier eine Reihe von Verkaufsläden angebracht war. Ebenso wissen wir auch nicht, ob die von dem *Vico dei Soprastanti* schräg auf das Forum zuführende Straße auf diesen Platz ausmündete, oder ob sie schon damals in eine Sackgasse verwandelt war. Die Säulenhalle reichte nicht ganz an das Forum hinan; auf dem übrig bleibenden Raume befand sich die vom Forum auf sie hinauf führende Treppe (sie hatte also ein oberes Geschoss), und neben derselben ein kleines, durch modernen Umbau unkenntlich gewordenes Local [26].

Die Abweichung der Axe des Apollotempels von derjenigen des Forums maskirte man, wie der Plan zeigt, durch eine Reihe nach Norden zu dicker werdender Pfeiler, zwischen welchen durch Thüren verschließbare Eingänge in den Tempelhof blieben. Ein weiterer Eingang, der Front des Tempels entsprechend, befand sich im Süden, an der *Strada della Marina*. Die südlichsten, dünnsten Pfeiler bestanden ganz aus Quadern grauen Tuffes, während die anderen nur auf der dem Forum zugewandten Seite mit solchen Quadern bekleidet wurden, im übrigen aber aus Kalkstein bestanden. Der nördlichste aber dieser Pfeiler ist nicht massiv, sondern gegen das Forum zu ausgehöhlt, so dass er hier eine Nische bildet (s. den Plan). Hier fand sich eines der merkwürdigsten Monumente Pompejis: der in das Museum zu Neapel gebrachte Aichungsblock oder das öffentliche Normalmaß (s. Fig. 23); am Fundort ist eine rohe Nachbildung aufgestellt. Dasselbe ist ein schwerer steinerner Tisch auf zwei durchgehenden und hinten verbundenen Füßen, dessen 2,25 zu 0,55 M. große Travertinplatte nach vorn folgende Inschrift (Mommsen *I. R. N.* 2195; *C. I. L.* X, 793) trägt: *A. Clodius A. f. Flaccus N. Arcaeus N. f. Arellian. Caledus d. v. i. d. mensuras exaequandas ex dec. decr.* Es haben also die beiden genannten richterlichen Zweimänner nach Decurionendecret die Ausgleichung der Maße,

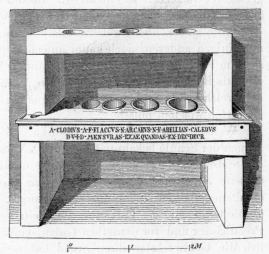

A · CLODIVS · A · F · FI ACCVS · N · ARCAEVS · N · F · ARELLIAN · CALEDVS
D · V · I · D · MENSVRAS · EXAE QVANDAS · EX · DEC · DECR

Fig. 23. Öffentliche Normalmaße.

d. h. die Einführung des römischen Maßsystems, besorgt. Eine neuere und genaue Untersuchung dieses Aichungstisches (von Mancini im *Giorn. d. scavi*

N. S. II S. 144 ff.) hat nämlich herausgestellt, dass hier die aus einer ältern Zeit stammenden Maßhöhlungen umgewandelt und zwar erweitert worden sind (s. Fig. 24). Diese auf der Mittellinie der Steinplatte angebrachten Maß-

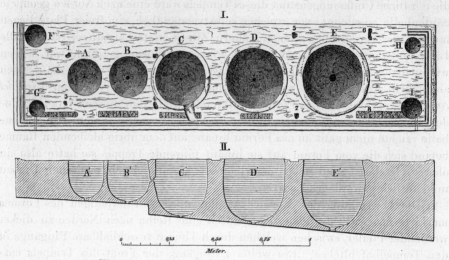

Fig. 24. Ansicht und Durchschnitt des Maßtisches.

höhlungen, von denen die 2. und 5. nach Ausweis des größern Loches im Boden zum Messen trockener, die 1. 3. und 4. nach Maßgabe des kleinern Loches zum Messen von Flüssigkeiten gedient haben, waren mit den Namen ihrer Maße in oskischer Schrift bezeichnet, welche bei der Umwandelung und Neubenennung der Maße ungiltig wurden und deshalb ausgemeißelt worden sind, jedoch nicht so, dass es nicht möglich wäre, dieselben mit größerer oder geringerer Sicherheit zu entziffern. Am unzweifelhaftesten ist der Name der zweiten Höhlung von links her als ϟΚΙΝΙVΚ, d. i. das griechische χοῖνιξ (Choinix), zu erkennen, welcher allein schon, noch mehr aber in Verbindung mit einigen anderen, auch kaum anfechtbaren Entzifferungen zeigt, dass es sich um ein griechisches, von den Samniten Pompejis adoptirtes und mit den samnitisch umgemodelten griechischen Namen bezeichnetes Maßsystem handelt, welches dem römischen, unter Augustus im ganzen römischen Reich durchgeführten weichen musste.

Weiter südlich folgte die Basilika, an der Südostecke das unter dem Namen der Schule bekannte Gebäude (XX auf dem Plan). Wie es damals auf der Südseite, wie es auf der Westseite nördlich vom Apollotempel, auf der Ostseite von der *Strada dell' Abbondanza* aussah, wissen wir nicht: die hier erhaltenen Bauten sind jüngern Ursprunges. Es ist aber wenigstens für die erwähnten Theile der Ost- und Westseite nicht unwahrscheinlich, dass hier Privathäuser und vor denselben Läden standen, in welchen letzteren namentlich die Geldwechsler ihren Stand haben mochten (*tabernae argentariae*). Läden öffneten sich auch auf die nördlich am Forum entlang führende Straße.

Damals nun ließ der Quästor Vibius Popidius die das Forum umgebenden Säulenhallen erbauen, wie die Inschrift (jetzt in Neapel) besagt:

V(ibius) Popidius Ep(idii) f(ilius) q(uaestor) porticus faciendas coeravit.

Ohne Zweifel bildeten die Portiken den letzten Abschluss der Neugestaltung des Forums und sind erst nach den vorhin erwähnten Bauten errichtet
worden. Schon die lateinische Sprache der Inschrift deutet auf relativ späte
Zeit. Ferner liegt es in der Natur der Sache, dass man erst die Gebäude
vollendete, an welche die Portiken sich anlehnen sollten. Endlich ist deutlich
sichtbar, dass die Treppe, durch welche man südlich der Basilika auf die Porticus stieg, an die Basilika angebaut worden ist, als dieselbe schon ganz fertig
und auch auf der Außenseite mit Stuck bekleidet war [27]).

Die damals erbauten Säulenhallen sind auf der Südseite und im südlichsten Stück der Ostseite theilweise erhalten; auf diesen Strecken, wo die Gebäude weiter zurücktreten, stehn die Säulen in doppelter Reihe, und noch
hinter diesen zwei Reihen stand eine Säule in der Ausmündung der *Via
delle Scuole*, und wahrscheinlich zwei Säulen in der Ausmündung der *Strada
dell' Abbondanza;* auch die Ausmündung der *Strada della Marina* wurde durch
zwei Säulen bezeichnet. Säulen und Gebälk, dorischer Ordnung, bestehn
aus dem grauen Tuff von Nocera. Es ist bemerkenswerth, dass die Gebälkstücke nicht von einer Säule zur andern reichen, auch nicht durch Keilschnitt (horizontale Wölbung) verbunden sind. Sondern man legte auf die
Säulen zunächst eine Holzbohle, welche auf der Innenseite noch durch
eine auf ihr stehende schmälere, auf die schmale Kante gestellte Bohle
verstärkt wurde, und stellte auf dieser Unterlage die Gebälkstücke, welche
für die letztgenannte Bohle eine Einkerbung haben, neben einander auf.
Ohne Zweifel waren, dem uns hinlänglich bekannten Geschmack jener
Zeit entsprechend, die Säulen und ihr Gebälk mit sorgfältig geglättetem
weißem Stuck bekleidet. Nur die Metopen waren vielleicht dunkelroth.
Außerdem lernen wir aus Stuckdecorationen in Privathäusern, welche Säulenbauten in Relief nachahmen, dass die das Gebälk

tragende Bohle gelb gemalt zu sein pflegte: man
verschmähte es, die unvollkommene Construction
durch eine gemeinsame Stuckdecke zu verhüllen, zog
es vielmehr vor, dieselbe, wie sie nun einmal war,
künstlerisch zu verwerthen. — Eine zweite, obere
Säulenstellung schreibt Vitruv vor; zu ihr führte die
schon erwähnte Treppe an der Südseite der Basilika
und eine zweite östlich von dem Gebäude XIX auf
der Südseite (Fig. 25); die in Figur 26 wiedergegebene
Restauration von Mazois ist uns auch durch einige,
zwar nur sehr wenig Fragmente des obern Gebälks
beglaubigt (dorische und ionische Ordnung sind
nicht selten in dieser Weise verbunden worden) und
sehr geeignet uns einen Begriff von dem heitern
und anmuthigen Charakter dieser Hallen zu geben.
Wir dürfen annehmen, dass dieselben das Forum auf

Fig. 25. Treppe am Forum.

zwei Seiten und in dem südlichsten Theil der dritten (Ost-)Seite umgaben:
auf der ganzen Westseite hat man auch bei dem spätern Umbau die Lava- und
Tuffblöcke, auf denen die Säulen standen, stehn lassen. Dagegen fehlt uns

jegliche Spur, aus der wir schließen könnten, wie es auf der Ostseite vor den
Bauten der Kaiserzeit aussah [28]. Sicher aber war auf der Nordseite weder eine
Säulenhalle noch sonst ein Abschluss vorhanden, sondern das Forum zu beiden

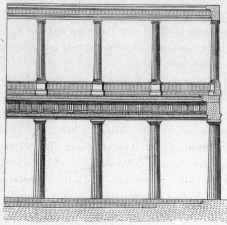

Fig. 26. Colonnade des Forums.

Seiten des Tempels frei auf die dort
vorüberführende Straße geöffnet.
Hingegen musste, wer aus der Ab-
bondanza- oder der Seestraße den
Markt betrat, unter der Säulenhalle, welche hier ein weiteres Intercolumnium hatte, durchgehn.

Die hinter den Portiken liegenden Gebäude erhielten vermuthlich alle die damals so beliebten Façaden aus Tuffquadern; dieselben sind erhalten an der s. g.
Schule (XX) und an der Basilika
(XVIII), an deutlichen Spuren
kenntlich an den massiven Pfeilern, welche damals den Hof des
Venustempels vom Forum trennten, also überall wo nicht neuere Bauten an
die Stelle der älteren getreten sind.

Und dieser Schmuck der Tufffaçaden wurde, ohne Zweifel durch eine
Anordnung der Baupolizei, auch auf die größeren der dem Forum benachbarten
und auf dasselbe mündenden Straßen ausgedehnt, wenngleich es zweifelhaft
ist, ob er hier je vollständig durchgeführt war. Wir finden sie, zum Theil
freilich durch spätere Bauten verdrängt, auf der dem Forum zunächst liegenden
Strecke der nördlich an demselben vorüberführenden Straße, an der von hier
aus schräg auf die *Strada delle Terme* führenden engen Gasse (*Vicolo delle
Terme*), an der ganzen *Strada dell' Abbondanza*, und im Anschluss hieran auch
an der von ihr aus zum *Forum triangulare* führenden *Strada dei Teatri* und auf
der zunächst liegenden Strecke der Stabianer Straße, an der das Forum südlich fortsetzenden *Strada delle Scuole*, und in einzelnen Resten sogar an den
engen, später durch die Bauten der Ostseite gesperrten Gassen. Wenn wir
an der *Strada della Marina* keine Tufffaçaden finden, so liegt das daran, dass
hier zunächst am Forum die geschlossenen Mauern des Venustempels und der
Basilika liegen, während die Tuffquadern fast ausschließlich (mit Ausnahme
eines Hauses an der Mercurstraße, VI, 8, 20—22) da verwandt wurden, wo es
sich nur um Pfeiler zwischen weiten Thüröffnungen (wie die Läden an den genannten Straßen) handelte. Hier trat die Stuckbekleidung an die Stelle des
natürlichen Steins; und zwar war südlich die Außenseite der Basilika so behandelt, dass ein hoher gelber Sockel durch einen etwas vorspringenden violett-
rothen Gurt begrenzt wurde, oberhalb des letztern aber die Wand einfach
weiß war. Vermuthlich war die Umfassungsmauer des Venustempels ähnlich
decorirt.

Sicher machte das Forum in dieser Periode, mit seinen schön geformten
weißen Portiken, die sich von dem dunkeln Tuff kräftig abhoben, einen un-

gemein harmonischen, heitern und freundlichen Eindruck. Wie überhaupt
für die Architektur Pompejis, so war auch für das Forum dies die schönste
Zeit: die Zeit, in welcher die reinen Formen der griechischen Architektur,
wenn auch in einer der spätesten Phasen ihrer Entwickelung, herrschten, frei
von dem Einflusse des zur Überladung neigenden, für Formenschönheit wenig
empfänglichen, dagegen derbe Farbenwirkungen liebenden römischen Geschmackes.

Bald nach der Deduction der römischen Colonie, noch in republikanischer
Zeit, sperrte man das Forum westlich vom Juppitertempel durch eine an diesen
sich anschließende Mauer gegen die hinter demselben vorbeiführende Straße
ab. Diese Mauer hat jetzt zwei Durchgänge, einen der Säulenhalle, einen der
unbedeckten Fläche des Forums entsprechenden; doch sind hier wiederholt
Veränderungen vorgenommen worden, und die Mauer mit ihren Durchgängen
liegt uns in ihrer dritten Gestalt vor [29]). Die Reste des ältesten noch erkennbaren Durchganges (0,42 M. vom Karnies des Tempelunterbaues) deuten auf
republikanische Zeit. Dagegen sind östlich vom Tempel keine Spuren einer
so frühen Absperrung erhalten; dass sie vorhanden war, können wir nur vermuthen; denn die Absperrung hatte doch sicher einen praktischen Zweck,
und dieser konnte nur erreicht werden, wenn sie vollständig war. Und wir
müssen annehmen, dass spätestens aus dieser Zeit die Thüren stammten, durch
welche alle auf das Forum führenden Zugänge gesperrt werden konnten.

Sonstige Veränderungen aus republikanischer Zeit sind nicht nachweisbar.
Desto lebhafter ward aber die Umgestaltung des Forums in der Kaiserzeit betrieben, wobei wir freilich die Zeit und Reihenfolge der einzelnen Bauten
nicht immer genau bestimmen können.

Das Forum erhielt ein Pflaster aus
Travertinplatten; dasselbe ist älter als der
weiterhin zu erwähnende, dem Augustus
nach dem J. 12 v. Chr. errichtete Bogen.
Dies Pflaster bildet rings an den Portiken
eine 2,1 M. breite Stufe, welche die Gosse
verbirgt, der das Regenwasser durch von
3 zu 3 M. angebrachte Löcher zugeführt
wurde (Fig. 27).

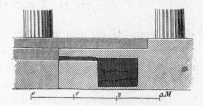

Fig. 27. Gosse am Forum.

Da wo die breite Fortsetzung der Mercurstraße einmündet, rechts vom
Juppitertempel, begnügte man sich nicht, wie links von demselben, mit einer
einfachen Trennungsmauer, sondern erbaute den auf unserer Fig. 28 abgebildeten s. g. Triumphbogen, vermuthlich zur Zeit des Tiberius: wenigstens bezieht man ein am Fuß des Bogens gefundenes Inschriftfragment (I. R. N. 2213;
C. I. L. X, 798) mit Wahrscheinlichkeit auf Nero, den Sohn des Germanicus, und
vermuthet, dass diesem der Bogen gewidmet war. Jetzt nur in seinem Ziegel-
kern erhalten, war er einst reicher verziert. Seitwärts angebrachte Nischen,
welche auf der Außenseite (Fig. 28), unterwärts als Bassins ausgetieft, als
Brunnen dienten, auf der Innenseite (Fig. 29) weniger tief sind und unzweifelhaft Statuen enthielten, ferner Reste von Marmorbekleidung und von
marmornen Halbsäulen bieten die nöthigen Elemente zur Reconstruction,

welche in Fig. 30 gewiss mit Glück versucht ist [30]. Ebenda sehen wir rechts
noch einen der rechten Umgangscolonnade entsprechenden Durchgang, welcher

Fig. 28. Äußere Ansicht des s. g. Triumphbogens.

durch seine Höhe und die jetzt fast ganz eingestürzte Wölbung vor dem entsprechenden links vom Tempel ausgezeichnet ist: er ist jüngern Ursprunges
als der Triumphbogen und gehört wohl der letzten Zeit Pompejis an; wie es
hier früher aussah, wissen wir nicht.

Nicht nur dieser letztere Eingang, sondern auch der durch den Triumphbogen war nur für Fußgänger bestimmt: es ergiebt sich dies theils aus den
beiden Stufen, welche innerhalb des Bogens selbst eine geneigte Ebene umfassen, theils aus den auf Fig. 28 sichtbaren, neuerdings wieder aufgerichteten Steinen, welche ihn für Wagen sperrten. Beide Durchgänge waren verschließbar.

Ferner trennte man noch, in nicht näher bestimmbarer Zeit, die beiden
schmalen Streifen der Forumsfläche neben dem Juppitertempel von der breiten
Fläche vor demselben ab, indem man an den Vorbau des Tempels auf jeder
Seite einen marmorbekleideten Backsteinbogen anlehnte. Der zur Linken
ist auf Figur 29 sichtbar und auch auf dem großen Plan angegeben; von dem
zur Rechten sind die Fundamente vollkommen deutlich: entweder ist er beim
Erdbeben des Jahres 63 eingestürzt und die Reste sind weggeräumt worden,
oder er war älter als der besprochene Triumphbogen, und ist weggeräumt
worden, um den Blick auf diesen, und durch ihn auf das Forum frei zu machen.

Endlich hat man neben dem untern Theil der Treppe des Tempels Treppenwangen ange-bracht, deren Bauart der des Bogens links gleichartig ist.

Damit war die Aus-schmückung der Nord-seite des Forums voll-endet; die auf Fig. 30 versuchte Restauration (von Mazois) giebt sie im wesentlichen richtig wieder, wie sie zur Zeit des Unterganges war, nur dass die Säulen-halle links nicht vor-handen war, sondern erst wieder neu auf-gebaut werden sollte. Wir sehen rechts vom Tempel den s. g. Tri-umphbogen, links den Bogen neben der Trep-pe, und durch ihn die Thür in der abschlie-ßenden Mauer mit der Treppe.

Zur Ergänzung und Berichtigung die-ser Restauration geben wir in Fig. 31 eine Ab-bildung eines Reliefs, welches offenbar eben diese Nordseite des Fo-rums darstellt, wenn auch mit einigen will-kürlichen Abweichun-gen von der Wirklich-keit. Es ist nach Art eines Frieses ange-bracht am obern Rande des Unterbaues der Hauscapelle eines rei-chen Pompejaners, des

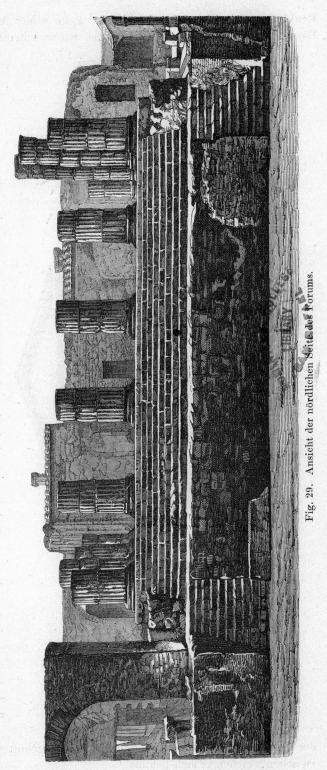

Fig. 29. Ansicht der nördlichen Seite des Forums.

Bankiers L. Caecilius Jucundus, in der Ecke seines Atriums (V, 1, 26). Die Darstellung ist äußerst ungeschickt und, wie es scheint, zum Theil absichtlich karikirt; die schräge Stellung der horizontalen Theile ist ein unglücklicher Versuch, die perspectivische Verschiebung wiederzugeben. Der Tempel hat 4 Säulen in der Front statt 6, und sie sind auch anders geformt als sie in Wahrheit waren. Nur links sehen wir den Bogen, mit dem Tempel, der Wirklichkeit entsprechend, durch ein Mauerstück verbunden. Der zur Rechten stand, als dies Relief gemacht wurde, nicht mehr, und der Triumphbogen ist als weiter zurückliegend fortgelassen. Wir lernen aus dieser Darstellung, dass auf den Treppenwangen je eine Reiterstatue, auf dem Vorbau in der Mitte aber ein Altar stand. Und da wir auf dem Forum eine Rednerbühne (*rostra*) nicht finden, so werden wir wohl anzunehmen haben, dass man von diesem Vorbau aus zum Volk zu sprechen pflegte. Der Altar rechts, zu welchem ein Opferthier herbeigeführt wird, hat wohl mit der Darstellung

Fig. 30. Restauration der nördlichen Seite des Forums.

der Forumsgebäude nichts zu thun, sondern gehört zu den Opfergeräthen, zwischen welchen er sich befindet.

Bestanden die Veränderungen der Kaiserzeit auf der Nordseite des Forums in Bauten rein decorativen Charakters, so erhob sich dagegen in derselben Zeit auf den anderen Seiten des Platzes eine Reihe großer und wichtiger Gebäude, welche weiterhin im einzelnen zu besprechen sein werden.

Betrachten wir zuerst die Ostseite. Hier entstand wohl am frühesten, 7—2 v. Chr., ziemlich genau in der Mitte dieser Langseite, der Tempel des Genius des Augustus (VIII auf dem Plan); dann, bald nach 14 n. Chr., das anstoßende, an der Ecke des Forums und der Abbondanzastraße liegende Gebäude der Eumachia (XXI). Etwa um dieselbe Zeit mit letzterem, ward an der Nordostecke das s. g. Pantheon (XXIII), eine Verkaufshalle für Victualien (*macellum*), erbaut. Endlich ward der Raum zwischen Pantheon und Augustustempel ausgefüllt durch die gewöhnlich für den Sitzungssaal der Decurionen (*senaculum*) gehaltene, nach vorn weit geöffnete, hinten durch eine halbrunde Nische abgeschlossene Halle (XXII). Gleichzeitig ward vor dem Pantheon eine Reihe von Läden (Wechslerbuden?) angelegt, durch deren ungleiche Tiefe der Winkel, welchen die Front des Pantheons mit dem Forum bildet, wenigstens annähernd ausgeglichen wurde. — Zwei Straßen, welche früher von Osten her auf das Forum mündeten, wurden durch diese Gebäude gesperrt und in Sackgassen verwandelt. Südlich von der *Strada dell' Abbondanza* erfuhr die s. g. Schule jetzt oder vielleicht schon früher einen vollständigen Umbau.

Auch die ganze Südseite des Forums wurde von neuen Gebäuden eingenommen: wir finden hier drei fast gleich große Gebäude (XIX), die je einen großen Saal mit einer geräumigen Nische im Hintergrund bilden, im übrigen aber keineswegs ganz gleichartig sind. Sie sind bekannt unter dem Namen der drei Curien; zwei derselben liegen ziemlich symmetrisch, der offenen Area des Forums entsprechend, die dritte bildet den südlichen Abschluss der westlichen Säulenhalle. In ihrer jüngsten Gestalt stammen diese Gebäude offenbar aus der letzten Zeit Pompejis; doch werden wir weiterhin sehen, dass sie nach sicheren Anzeichen wenigstens in ähnlicher Gestalt schon früher vorhanden waren. Eine Straße, welche von Süden her

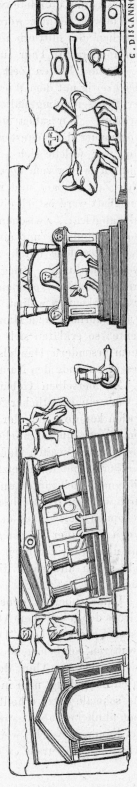

Fig. 31. Relief mit Darstellung der nördlichen Seite des Forums.

C. DISCANNO

auf das Forum mündete, wurde durch diese Bauten so verengt, dass sie nur noch als Fußweg benutzt werden konnte. Ihr Pflaster und westliches Trottoir ist zwischen der mittlern und westlichen Curie sichtbar; sie blieb durch eine hier angebrachte Thür zugänglich.

In der letzten Zeit Pompejis, nach dem Erdbeben von 63 und wohl gleichzeitig mit dem Wiederaufbau der Curien, ward auch der nördliche Theil der Westseite umgestaltet durch einen zusammenhangenden Complex neuer Gebäude. Wir sahen oben, dass in oskischer Zeit an die nördliche Umfassungsmauer des Venustempels eine nach Norden geöffnete Säulenhalle angelehnt war, welche sich auf einen Platz öffnete, von dem wir nicht bestimmen konnten, wie er vom Forum getrennt war. Diese Säulenhalle wurde in römischer Zeit verbaut und in Räume unbekannter Bestimmung verwandelt; an dem Platz ward östlich eine Pfeilerporticus, westlich eine geräumige Verkaufshalle angelegt. Zwischen diesem Platz nun und dem Forum errichtete man eine geräumige, mit einer Pfeilerstellung auf das Forum geöffnete Halle (XVII), welche durch zwei aus den Langseiten vorspringende Pilaster in zwei Abtheilungen zerlegt wird. Man hat in diesem Raum eine Gemäldegallerie (*stoa poikile*), oder einen Versammlungsort zu Unterhaltung und Gespräch (*lesche*) erkennen wollen. Doch ist wohl die Annahme wahrscheinlicher, dass er als Kaufhalle dem Handelsverkehr, etwa dem Frucht- und Gemüsehandel, diente; so erklären sich auch am besten die zwei Abtheilungen, deren jede einem besondern Handelszweige zugewiesen sein mochte. Wir mögen also diesem Gebäude den Namen einer Fruchthalle beilegen.

Zu derselben Gebäudegruppe gehört die nördlich anstoßende Anlage (XVIa), ein öffentlicher Abtritt, der hier am Forum am wenigsten entbehrt werden konnte, und der für den Anstand und Reinlichkeitssinn der alten Pompejaner ein rühmliches Zeugniss ablegt. Da die Thüren des schmalen Vor- und des weiten Hauptraumes nicht in einer Axe liegen, so konnten die Vorübergehenden in letztern nicht hineinsehen. Dieser ist an drei Seiten mit einem nach hinten unter der Mauer durch ausmündenden Canal versehen, durch welchen Wasser floss, und über welchem die steinernen Träger des überdeckenden Holzwerkes erhalten sind. Einer ähnlichen Anlage begegnen wir in den Stabianer Thermen, einer kleinern am großen Theater, während beschränkte Einrichtungen zu derartigen Zwecken überall an den Straßen nicht selten und meist discreter eingerichtet sind, als in unseren modernen Städten.

Immer noch in denselben Zusammenhang gehört das Gebäude (XVI), welches den nördlichen Abschluss dieser Seite des Forums bildet. Es besteht aus zwei Stockwerken. Das untere hat vom Forum aus einen sehr engen, aus gewaltigen, roh behauenen Lavablöcken gebildeten Eingang, welcher durch eine eisenbeschlagene Thür, deren Spuren noch kenntlich sind, geschlossen war. Durch ihn gelangt man in einen engen, gewölbten Raum, der von oben durch eine schmale Ritze erhellt wird, und aus diesem durch eine zweite Thür in einen ähnlichen aber ganz dunkeln Raum. Das obere Stockwerk besteht aus zwei Räumen, welche weite Öffnungen, nach Art der Läden, auf die nördlich vorbeiführende Straße (*Vico dei Soprastanti*) haben; sie liegen aber so hoch über dem Niveau der Straße, dass sie von ihr aus nicht unmittelbar, sondern nur über Treppen zugänglich sein konnten.

Zwei Benennungen hat man diesem Gebäude gegeben. Die althergebrachte Erklärung ist die, dass es das Gefängniss gewesen sei, und in der That sind die unteren Räume zu diesem Gebrauch wohl geeignet, wenn gleich es natürlicher gewesen wäre, die beiden Zellen so zu legen, dass man zu jeder derselben hätte gelangen können ohne die andere durchschreiten zu müssen. Neuerdings hat Fiorelli hier das städtische Schatzhaus (*aerarium*) erkennen wollen. Es spricht hierfür die Ähnlichkeit dieser Räume mit den doch gewiss zu ähnlichen Zwecken angelegten Räumen unter dem Juppitertempel. In Betreff der oberen Räume mögen wir alsdann vermuthen, dass sie zu Bureaux der Finanzverwaltung bestimmt waren.

Eine weitere Veränderung auf der Westseite des Forums lässt sich nicht genau zeitlich feststellen. Nämlich die Durchgänge zwischen den oben erwähnten, die Portiken des Venustempels vom Forum trennenden Pfeilern wurden zum größten Theil ganz oder bis zu einer gewissen Höhe vermauert. Zugleich wurden die Tufffaçaden der Pfeiler heruntergerissen, durch *opus incertum* ersetzt, und die Front der somit entstehenden Mauer etwas gegen den Venustempel zurückgedrängt. Die einfachen Tufffaçaden entsprachen nicht mehr dem Zeitgeschmack: man wollte hier ohne Zweifel eine moderne Malerei auf Stuck, oder gar Marmorbekleidung anbringen.

Beim Erdbeben des Jahres 63 n. Chr. stürzten wahrscheinlich die schönen alten Säulenhallen des Forums zum größten Theil ein. Sie in derselben Gestalt herzustellen, lag nicht im Geschmack der Zeit, vielmehr begann man den Bau neuer Portiken aus dem feinen weißen Kalkstein, den man in Neapel Travertin zu nennen pflegt, und war zur Zeit der Verschüttung noch in voller Arbeit begriffen. Eine Probe der neuen Portiken wird zum ersten Capitel des zweiten Abschnittes gegeben werden; sie stehn mit ihren derben, uneleganten Formen, ohne Cannellirung und ohne Gliederung des Frieses, künstlerisch weit unter den älteren. Dagegen sind sie constructiv vollkommener: die Anwendung eines Holzarchitravs ist hier vermieden worden, und die Gebälkstücke sind durch Keilschnitt (horizontale Wölbung) verbunden, der Art, dass je zwei auf je einer Säule ruhende Stücken ein drittes zwischen sich halten, wie auf der angeführten Figur sichtbar ist.

Auf der Ostseite, nördlich der Abbondanzastraße, bieten die Gebäude der Kaiserzeit, wie ein Blick auf den Plan zeigt, keine gemeinsame, in grader Linie fortlaufende Front. Bei ihrer Orientirung ist offenbar nicht die Richtung des Forums, sondern die der hier früher in etwas schiefem Winkel auf dasselbe ausmündenden Straßen maßgebend gewesen: so musste hier eine vielfach gebrochene Linie entstehen, zumal einige dieser Gebäude mehr, andere weniger vorspringen. Wir werden hieraus wohl schließen, was wir oben unentschieden lassen mussten, dass die Portiken des Vibius Popidius sich nicht hierher erstreckten, denn sonst würde doch wohl im Anschluss an sie hier, wie gegenüber, eine grade Front entstanden sein. Wenn also bei der Neugestaltung des Forums in der letzten Zeit Pompejis diese Seite anders behandelt wurde als die gegenüberliegende, so schloss man sich darin nur dem an, was früher gewesen war.

Man hat nämlich auch bei der letzten Umgestaltung nach dem Erdbeben darauf verzichtet, hier eine gleichmäßig durchgehende Säulenhalle herzustellen, und sich damit begnügt, vor den einzelnen Gebäuden Säulenhallen zu errichten, welche zu denselben gehörten und unter einander wohl eine gewisse Ähnlichkeit hatten (oder haben sollten; denn sie wurden nicht fertig), sich aber keineswegs vollkommen glichen. Das Gebäude der Eumachia (**XXI**) hatte, wie wir weiterhin sehn werden, vermuthlich von Anfang an eine Vorhalle, welche in der Bauinschrift mit dem Worte *Chalcidicum* bezeichnet ist. Zur Zeit des Unterganges war man beschäftigt, sie in Travertin, im Einklange mit der neuen Forumsporticus, zu erneuern. Die Säulen standen so weit von dem Körper des Gebäudes entfernt, dass man es für nöthig gehalten hat, zwischen die Südwestecke des letztern und die südlichste Säule noch eine Säule einzuschieben. An den Fuß einer jeden Säule, auch der zuletzt genannten, stellte man auf der dem Innern der Vorhalle zugewandten Seite eine Basis für eine Statue. — Wegen der großen Tiefe der Vorhalle hat man vermuthet, dieselbe habe noch eine zweite Säulenreihe erhalten sollen; offenbar mit Unrecht, wie aus der Basis am Fuße der erwähnten Seitensäule hervorgeht; denn dann würde ja die hier stehende Statue nicht dem freien Raum der Vorhalle, sondern einer Säulenreihe zugewandt gewesen sein, was doch nicht wohl denkbar ist. Außerdem hätte eine zweite Säulenreihe schwerlich so spurlos sammt ihrem Fundamente verschwinden können.

Vor dem Tempel des Genius des Augustus (s. g. Mercurtempel, **VIII**) sind keine Spuren einer Säulenhalle erhalten, doch geht der Travertinstylobat des Gebäudes der Eumachia hier unverändert weiter. Dagegen finden wir vor dem s. g. Senaculum (**XXII**) in regelmäßigen Entfernungen Lavaquadern, welche offenbar bestimmt waren, Säulen zu tragen; von der sich hier ergebenden constructiven Schwierigkeit wird weiterhin die Rede sein. Vor dem s. g. Pantheon (**XXIII**) standen schlanke Marmorsäulen, und an jeder, auf der Innenseite, wie beim Gebäude der Eumachia, eine Statuenbasis.

Diese Statuenbasen leiten uns hinüber zu einem weitern Schmuck des Forums, zu den zahlreichen, auf der offenen Fläche desselben errichteten Denkmälern, welche größtentheils in Reiterstatuen bestanden, wie aus der Form der auf unserm Plan angegebenen Basen hervorgeht. Es scheint, dass man seit der ersten Kaiserzeit mit der Errichtung dieser Monumente begann. Eines der ältesten derselben dürfte der in der Mitte der Südseite stehende, enge und niedrige Bogen sein: auf ihn hat Fiorelli mit Wahrscheinlichkeit eine trümmerhafte Inschrift (*I. R. N.* 2202 und 6377, 16; *C. I. L.* X, 805) bezogen, laut welcher er dem Augustus nach dem Jahr 12 v. Chr. gewidmet worden ist. Vermuthlich trug er, mit Marmorplatten und Säulen geschmückt (*cum ornamentis suis* sagt die Inschrift) die Reiterstatue des Kaisers. Zu jeder Seite erhebt sich eine gewaltige Basis; von beiden ist nur der Kern aus gelbem Tuff erhalten: sie waren ohne Zweifel mit Marmor bekleidet und trugen wohl jede mehrere Reiterstatuen. Dazwischen sind vier Basen für je eine Reiterstatue symmetrisch vertheilt; weitere vier, die sich am Südende der Ost- und

Westseite gegenüberstehen, und eine große, in der Axe des Forums, gegenüber der Abbondanzastraße, der eine ähnliche in dem nördlichen Theil, vor
dem Juppitertempel, entspricht, vollenden den Schmuck des südlichen Theils
des Forums.

Blicken wir nun weiter nach Norden, so zeigt sich uns eine auffallende
Erscheinung. Auf der westlichen Seite finden wir eine ganze Reihe Basen für
Reiterstatuen, dazwischen ziemlich genau in der Mitte (das Stück neben dem
Juppitertempel nicht mit gerechnet) eine größere Basis, auf der mehrere, etwa
drei, der gewöhnlichen Basen für Reiterstatuen neben einander gestanden zu
haben scheinen, endlich hinter den Reiterstatuen, auf der der Porticus vorgelegten Stufe, vier Basen für einfache Statuen. Dagegen standen auf der
Ostseite keine Statuen, und umgekehrt fehlen auf der Westseite die Statuen
im Innern der Portiken. Es ist also in dieser Beziehung die Anordnung gemacht worden für den Anblick aus dem östlichen Umgange. Wer sich z. B. in
der Vorhalle des Gebäudes der Eumachia befand, sah zunächst vor sich die
in dieser Vorhalle selbst an den Säulen stehenden Statuen, weiterhin die der
Westseite. Dagegen wer unter der gegenüberliegenden, westlichen Porticus
stand, sah die Statuen dieser Seite von hinten, die der Ostseite gar nicht, da sie
ihm durch die Säulen verdeckt wurden. Es ist dies dasselbe Verfahren, welches
in Bezug auf die Schmalseiten befolgt ist, nur dass es uns hier viel natürlicher
erscheint und nicht auffällt. Der höchste Gott ist gedacht als der ideale Be-
trachter des Forums: ihm zeigt keine Statue den Rücken, sondern alle sind
entweder ihm oder der Längenaxe zugewandt; besonders reich aber sind sie
an der ihm gegenüberliegenden Seite gruppirt. Es ist also die Ausschmückung
des Forums in gewissem Sinne keine centrale, auf einen in der Mitte stehenden Beschauer berechnete, sondern es ist eine zweiseitige Anordnung befolgt,
der Art, dass zwei Seiten vorzugsweise als sehend, die beiden anderen als gesehn behandelt sind. Und zwar müssen wir natürlich die sehenden, die Nord-
und Ostseite, als die bevorzugten, vornehmeren betrachten. Unter diesem
Gesichtspunkt wird uns die mangelnde Symmetrie der beiden Langseiten weniger auffallend erscheinen.

3. Das Forum triangulare.

Der zweite Hauptplatz der Stadt ist das nach seiner dem Dreieck sich
nähernden Gestalt so genannte *Forum triangulare* neben dem großen Theater,
welches es mit seiner westlichen Langseite begrenzt. Dasselbe liegt am südwestlichen Rande des Stadthügels, dessen Niveau jedoch hier bereits bedeutend niedriger ist, als am Forum civile (dieses hat 33,50, jenes nur 26 M. mittlere Höhe) [31]); sein Boden ist jetzt bloße Erde, der Platz aber sorgfältig geebnet.
Den künstlich steil gemachten Abhang (im S. und SW.) bekleidet eine etwa
6 M. hohe Futtermauer aus Lava-Incertum, welche hier die Stelle der Stadtmauer vertritt und durch in den letzten Jahren vorgenommene Ausgrabungen
wieder sichtbar geworden ist. Am Südende des durch die niedrige Mauer 5 (Fig.
32) abgetrennten schmalen Streifens war nach Mazois eine breite, nach Süden
führende Treppe: jetzt ist aber von derselben nichts zu sehn, und die Existenz

derselben ist wohl sehr zweifelhaft. Am Fuß des Abhanges sind antike Steinbrüche sichtbar (vgl. S. 47). An allen nicht an den Abhang stoßenden Seiten ist
der Platz von Säulengängen umgeben und von Mauern eingeschlossen, so dass

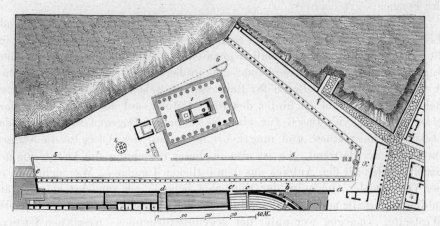

Fig. 32. Plan des Forum triangulare.

er nur durch die in diesen Mauern gelassenen Thüren betreten werden konnte.
In der Mitte liegen die dürftigen Reste eines dorischen Tempels, welcher alle
anderen Tempel Pompejis an Alter weit überragt.

Entstehung und Geschichte, Bedeutung und Bestimmung des Platzes werden uns klar werden, wenn wir seine Beziehung ins Auge fassen einerseits zu
dem Tempel, andererseits zum Theater. Ohne Zweifel war hier von Alters her
der geheiligte Platz, das Temenos des Tempels, und ist dies der Ursprung des
Platzes. Ebenso unzweifelhaft aber hatte derselbe nicht von Anfang an diese
Größe und seltsame Form. In dieser Form ist er das Resultat der benachbarten
Anlagen, namentlich des Theaters (XXV) und der zu ihm gehörigen, später
als Gladiatorenkaserne benutzten Porticus (XXVII): er entstand, indem man
den bei der Einfügung dieser Anlagen in das Straßensystem übrig bleibenden
Raum künstlerisch gestaltete. Zugleich aber wurde er in directe Beziehung
zum Theater gesetzt. Von den vier Eingängen, durch welche man zum mittlern Theil des Zuschauerraumes gelangt, sind zwei, von den beiden, welche
zum obern Theil führen, ist einer von hier aus zugänglich. Mit einem Theater
mussten, wie Vitruv (V, 9, 1) vorschreibt, Säulenhallen verbunden sein, um
bei plötzlich eintretendem Regen dem Publikum Zuflucht zu gewähren: sicher
sollte diesem Zweck nicht nur die spätere Gladiatorenkaserne, sondern auch
die Portiken des Forum triangulare dienen.

Außerdem aber bildete dieses mit seiner Vorhalle den stattlichsten, ja den
einzigen monumentalen, daher sicher den officiellen und festlichen Zugang
zum Theater. Freilich müssen wir, um dies zu verstehen, auf eine ältere Gestalt dieser Anlagen zurückgehen. Bei d führt eine (besser auf dem großen
Plan ersichtliche) breite, monumentale Treppe über den auch hier künstlich steil
gemachten Abhang hinunter. Ihr unterer Abschluss ist ihrer ganz unwürdig:
sie endigt vor einer Quermauer, und man gelangt dann seitwärts über zwei

Ansicht der Vorhalle des Forum triangulare.

kleine Treppen einerseits in die Gladiatorenkaserne, andererseits in den Raum
hinter der Bühne. Es ist nun aber neuerdings in unzweifelhafter Weise nachgewiesen worden, dass dies nicht immer so war, dass an der Stelle der aus der
nördlichen Porticus der Gladiatorenkaserne zugänglichen Kammern einst ein
zweiter, auf den Platz hinter der Bühne geöffneter Säulengang lag. Ob derselbe von der nördlichen Halle der Gladiatorenkaserne durch eine Mauer, oder
nur durch eine Säulenreihe getrennt war, lässt sich nicht entscheiden. Wie
dem aber auch sei, er bildete die directe Fortsetzung der Treppe, und es ist
klar (am besten sichtbar auf dem weiterhin zu gebenden Plan des großen Theaters), dass man von ihm aus, links umbiegend, unter einer weitern Säulenhalle (die ohne Zweifel auch schon vor dem Bau des kleinern Theaters vorhanden war) theils auf die Bühne, theils durch den östlichen Seiteneingang
(Parodos, 7 auf dem Plan des Theaters) in die Orchestra gelangte. Ziehen
wir nun ferner in Erwägung, dass, wie wir oben (S. 66) sahen, der Straßenzug
vom Forum bis zu den Propyläen des Forum triangulare im Anschluss an die
Ausschmückung des Forums in spätoskischer Zeit in seiner Bauflucht sorgfältig
geregelt und mit Tufffaçaden geschmückt, und so die beiden Plätze in Verbindung gesetzt wurden, so wird uns klar, dass ohne Zweifel bei festlichen Gelegenheiten der Zug der den Spielen vorsitzenden Behörden und andere feierliche Aufzüge auf diesem Wege sich vom Forum ins Theater bewegten. So
war also die Vorhalle des Tempelhofes zugleich der Haupteingang des Theaters. Und dem gemäß entsprechen die beiden (freilich in ihrer jetzigen Gestalt
aus römischer Zeit stammenden) Thüren der Vorhalle nicht den beiden langen
Säulengängen, sondern der eine liegt in der Mitte, der andere, und zwar der
breitere, links, d. h. eben auf der Seite des Theaters. Wir bemerken noch, dass
man auch noch in römischer Zeit, als das kleine Theater erbaut wurde, auf
diesem Wege ins Theater zog; denn das kleine Theater wurde so angelegt,
dass der westliche Zugang zur Orchestra der Treppe und der sie fortsetzenden
Säulenhalle gegenüber zu liegen kam [32]).

An dem abgestumpften spitzen Winkel der beiden langen Schenkel des
Platzes, vor dem aus zwei Thüren bestehenden Haupteingang, liegt eine Säulenhalle von sechs ionischen Säulen und zwei an die Anten gelehnten Dreiviertelsäulen, welche zu den besten Monumenten Pompejis gehört. Sie ist neuerdings
unter Ergänzung der fehlenden Stücke theilweise wieder aufgerichtet worden
und auf der beigehefteten Ansicht abgebildet. Die Rückwand dieser Vorhalle ist
weit jünger, als die der samnitischen Zeit angehörige Anlage des Platzes und der
Vorhalle selbst; sie besteht aus Ziegeln und dürfte der letzten Zeit Pompejis
nicht fern stehen. Von ihren beiden Thüren entspricht die linke, größere, der
östlichen Säulenhalle; sie war, wie an der Lavaschwelle kenntlich, durch eine
Flügelthür verschließbar. Die andere entspricht dem mittlern Intercolumnium der kurzen vordern (Nord-) Halle. Da aber die Travertinschwelle älter
ist als die Mauer, so erkennen wir deutlich an den für die Holzverkleidung der
Pfosten (antepagmenta) bestimmten Löchern, dass sie ursprünglich nicht, wie
jetzt, rechtwinklig durch die Mauer ging, sondern schräg nach links, und
dass sie so dem Streifen zwischen der Osthalle und der niedrigen Mauer 5 entsprach. Ferner finden wir in dieser Schwelle wohl Löcher für Riegel, aber

keine für Angeln: es war hier also nur eine leichte, an den *antepagmenta* hangende Gitterthür mit horizontalen Angeln. Diese Verschiedenheit der beiden Thüren bestätigt unsere Auffassung des Platzes und seiner Propyläen: der Platz selbst schien durch eine leichte, wohl meist geöffnete Gitterthür hinlänglich geschützt; dagegen war die große Thür links für Festzüge reservirt und für gewöhnlich mit einer soliden Thür verschlossen.

Treten wir durch die Thüren ein, so befinden wir uns unter dem sich an den beiden langen Schenkeln des Platzes hinziehenden Säulengange, welcher aus 100 dorischen Säulen bestand, von denen einige jetzt sammt dem leichten Gebälk wieder aufgerichtet sind. An der Seite des Theaters hat der Säulengang 117,80 M. Länge, an dem andern Schenkel 65 M., so dass er, die kleine Seite des Einganges von 16,60 M. eingerechnet, bei 5 M. Breite fast genau 200 M. Gesammtlänge hatte. Nach dem Abhang zu ist die Aussicht ganz frei gelassen. Auf den längern Schenkel öffnen sich mehre Eingänge. Der erste (a) führt in die ebenfalls der samnitischen Periode angehörende sogenannte *Curia isiaca*, von deren Bedeutung unten gehandelt werden soll; durch den zweiten und dritten (b, c) gelangte man zu ebener Erde in den überwölbten Umgang (*crypta*, 1 auf dem Plan des Theaters) und aus diesem auf die mittleren, durch b außerdem über eine Treppe zu den von der Crypta getragenen oberen Sitzreihen des Theaters, und über eine von der genannten sich abzweigende Treppe auf die oberste Platform desselben; der kleine vierte Eingang (c') führt unmittelbar über eine gleich hinter der Thür beginnende Treppe auf die obersten Sitzreihen. Von der Treppe bei d und der andern zweifelhaften, jedenfalls nicht mehr erkennbaren bei e war schon die Rede.

Die zum Tempel gehörigen Monumente werden besser weiterhin mit diesem zusammen besprochen. Parallel mit der Säulenhalle des längern Schenkels zieht sich über den ganzen Platz eine niedrige Mauer (5), von der man ein Stück in Fig. 43 sieht und welche von einem vergittert gewesenen Durchgange bei der Façade des Tempels durchbrochen ist. Dieselbe, jetzt nur in ihrem Kern erhalten, soll mit schwarzem Stucco überzogen gewesen sein, in welchen in ziemlich weiten Zwischenräumen weiße Marmorstücke incrustirt waren. Wahrscheinlich ist diese niedrige Mauer ursprünglich eine Schranke gewesen, welche den geweihten Boden des Platzes um den Tempel und seine Altäre von dem Profanterrain längs der Säulenhalle abgrenzte, ohne zugleich ihn abzuschließen und die Aussicht zu rauben, und gewiss ist, dass alle geheiligten Gegenstände jenseits, westlich, von dieser Schranke liegen und dass die Öffnung in derselben sich grade der Ecke des Tempels gegenüber befindet. Dass diese Mauer zugleich, wie man gemeint hat, als eine Bank zum Sitzen gedient haben mag, ist vielleicht möglich, nur ist sie gewisslich nicht zu diesem Zwecke auf den freien Platz hingebaut, wo keinerlei Schutz gegen die Sonnengluth ist oder war, und wo zu der Zeit, als der Tempel noch aufrecht stand, nicht viel von der Aussicht auf die Gebirge und das Meer zu genießen gewesen sein kann. Die damit zusammenhangende Ansicht, welche in den abgegrenzten Stücken zugleich eine Art von Stadium, eine Bahn für gymnastische Übungen erkennt, denen man auf der Bank sitzend zugeschaut hätte, lässt sich auch in keiner Beziehung erweisen.

Durchaus der von hier aus wahrhaft köstlichen Aussicht zu Liebe ist dagegen ein von zwei geflügelten Löwentatzen eingefasster halbrunder Sitz (*schola*, 6) an der nordwestlichen Ecke des Tempels erbaut. Er trägt auf seiner Lehne eine Sonnenuhr (*horologium*), von der weiterhin die Rede sein soll, und in die Lehne eingelassen eine Travertinplatte mit einer Inschrift (*I. R. N.* 2227 ; *C. I. L.* X, 831), welche besagt, dass zwei Rechtsduumvirn , L. Sepunius Sandilianus, M. Herennius Epidianus (nach der Schrift etwa um die Zeit des Augustus) den Sitz und die Sonnenuhr auf eigene Kosten machen ließen. Zwei ganz ähnliche Sitze finden sich an der Gräberstraße wieder, und ein dritter, erst halb ausgegrabener, kommt vor dem Stabianer Thor zum Vorschein. Von einer Schranke, welche von diesem Sitze gegen die vordere Ecke des Tempelfundaments lief, ist nur der Ansatz an dem Sitze erhalten.

An der Säulenhalle entlang finden sich mehre Cisternen zur Aufbewahrung des Regenwassers, während eine größere Rinne in der Mauer des kürzern Schenkels (7) das überflüssige Wasser aufzunehmen und abfließen zu lassen bestimmt war. Die Säule x dem Eingang gegenüber ist von einer Brunnenröhre durchbohrt, wie eine ähnliche den Brunnen an der Vorhalle dieses Platzes speiste; das Wasser fiel in eine Marmorschale, deren cannellirter Fuß noch am Platze steht; von diesem Brunnen wird weiter unten insbesondere zu reden sein. Endlich sehn wir an dem Ende der langen Schranke dem Eingange gegenüber (8) die Basis einer Ehrenstatue, welche nach ihrer Inschrift (*I. R. N.* 2228; *C. I. L.* X, 832) dem Patron der Colonie M. Claudius Marcellus, wahrscheinlich dem Neffen und Schwiegersohn des Augustus (starb 23 v. Chr.), gewidmet war.

Über den nördlich vom Amphitheater belegenen, *Forum boarium*, Ochsen- oder Viehmarkt benannten, wieder verschütteten Platz ist so wenig Einzelnes bekannt, dass derselbe nach dieser Erwähnung mit Stillschweigen übergangen werden kann.

Wir wenden deshalb unsere Aufmerksamkeit den einzelnen öffentlichen. Gebäuden Pompejis zu und beginnen mit den Tempeln, welche in mannigfachem Betracht ein überwiegendes Interesse in Anspruch nehmen.

Drittes Capitel.

Die öffentlichen Gebäude.

Erster Abschnitt.
Die Tempel und Capellen.

Der Betrachtung der pompejanischen Tempel und Capellen werden wenigstens einige allgemeine Bemerkungen über Zweck und Bedeutung, Anlage,
Raumvertheilung und bauliche Construction in den verschiedenen Erschei-
nungsformen der Tempel, sowie über den an sie geknüpften Cultus voranzu-
senden sein, durch welche der Betrachtung der einzelnen Monumente größeres
Interesse und Leben verliehen werden wird. Und zwar ist hier von der griechischen wie von der italischen Tempelanlage zu reden, weil wir neben der in
allen übrigen Tempeln von Pompeji hervortretenden italischen Bauform in
dem s. g. Tempel des Hercules, dessen Ruinen auf dem Forum triangulare
stehn, ein Beispiel des griechischen Tempelbaus haben.

Der antike Tempel, ausgenommen etwa den Weihetempel, in welchem die
Mysterien gefeiert wurden, war nicht, wie die christliche Kirche, Versammlungsort für die Gemeine, Bethaus für eine Menge Menschen, welche gemeinsamer Gottesdienst vereinigte, sondern seiner Grundbestimmung nach das
Haus des in seinem Bilde persönlich anwesend geglaubten Gottes und daher
sein Name im Griechischen »Naos« (das Haus), im Lateinischen *aedis*, gleich
dem griechischen Naos.

Aus dieser seiner Bestimmung folgt erstens, dass der eigentliche Tempel,
der Naos oder die Cella, selbst in den größten Gebäuden nie von einer solchen
Bedeutung im Maßstabe oder von einer solchen Anordnung der Räumlichkeiten war, dass er viele Menschen fassen sollte oder konnte; denn es gab bei
Griechen und Römern keinen Cultusact, welcher für die Theilnahme und
gleichzeitige Anwesenheit einer großen Menschenmenge im Tempel berechnet
gewesen wäre; auch da wo an großen Festtagen der Tempel offen stand und
von vielen tausend Menschen besucht wurde, geschah doch der Besuch nur im
Zu- und Abgang. Die großen Festopfer und Festschmäuse, an denen das Volk
gemeinsam Theil nahm, wurden nicht im Tempel, sondern vor demselben gehalten, wo, wie dies auch die pompejaner Tempel zeigen, mit noch nicht genau
übersehbaren und bestimmbaren Ausnahmen, die Brandopferaltäre standen,
während in der Cella sich nur Speiseopfertische oder Altäre für unblutige
Opfer, Früchte, Kuchen und Räucherwerk, befanden.

Aus demselben Grundprincip folgt zweitens, dass bei einer Erweiterung
und Vergrößerung des Heiligthums es nicht sowohl auf ein Hinausrücken der
Wände ankam, als vielmehr darauf, die zum äußern Schmuck der Cella bestimmten Bautheile zu erweitern und zu vermannigfachen.

Und drittens ergiebt sich aus demselben Grundprincip, was schon in dem
eben Gesagten mitenthalten ist, dass bei dem antiken Tempel der nach außen
gewendete Schmuck der Architektur und der mit ihr verbundenen Schwester-

Ansicht der Ruinen des Isistempels.

Nach S. 80.

künste den innern Schmuck des Tempels in demselben Maße überwiegt, wie umgekehrt bei der christlichen Kirche das Innere über das Äußere.

Es ist nicht dieses Ortes, auf die verschiedenen Formen und auf die allmählichen Erweiterungen des Tempelbaues in nähere Erörterungen einzugehn; vielmehr wird nur das hervorzuheben sein, was zum Verständniss der demnächst im Einzelnen zu durchmusternden pompejanischen Ruinen nothwendig erscheint.

Demgemäß sei in Beziehung auf die griechische Tempelanlage erwähnt, dass der einfachen Cella, welche den ursprünglichen Kern bildet und welche

Fig. 33.

a Cella, *b* Cultusbild, *c* Räucheraltar.

nichts enthielt, als das Cultusbild und den Speiseopfertisch oder den Räucheraltar, zuerst eine offene Vorhalle (Pronaos) vorgelegt wurde, welche durch die verlängerten und mit einem Stirnpfeiler (Ante, Parastas) abgeschlossenen Seitenwände und zwei zwischen den Anten stehende Säulen gebildet wird, wie Fig. 34 zeigt:

Fig. 34.

a Cella (Naos), *b* Vorhaus (Pronaos), *c* Säulen, *d* Anten.

So entsteht das *templum in antis*. Der Vorhalle folgt dann, um die hintere Façade des Tempels ähnlich zu gestalten, eine entsprechende Hinterhalle (Opisthodom, *e*),

Fig. 35.

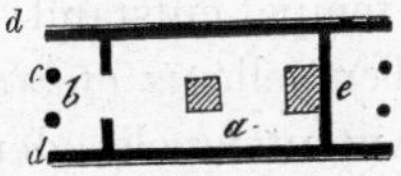

welche wie der Pronaos hauptsächlich zur Aufstellung von Weihgeschenken diente und durch diese ihren bedeutsamen Schmuck erhielt. Die Cella selbst aber wurde durch die Aufnahme des Cultusbildes ein geheiligter Raum, der nur von demjenigen betreten werden durfte, der sich einer symbolischen Reinigung durch Besprengung mit dem ähnlich wie in der katholischen Kirche vor dem Eingang aufgestellten Weihwasser, fließendem Quell- oder Salzwasser unterzogen hatte. Der Antentempel erweitert sich auf der nächsten Entwickelungsstufe durch eine vor die Flucht der Anten gestellte, freistehende Säulenreihe unter Beibehaltung oder Unterdrückung der zwischen den Anten stehenden Säulen zum »Prostylos«

Fig. 36.

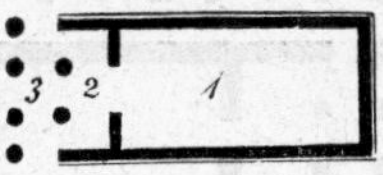

und durch die Wiederholung dieser offenen Säulenhalle auch an der Hinterseite zum »Amphiprostylos«, während durch die Herumführung der Säulenhalle rings um die ganze Cella die Form des »Peripteros«

Fig. 37.

gewonnen wurde, dessen Name von der Bezeichnung der seitlichen Säulenhallen als »Pteron« (Flügel) herstammt. Es ist von selbst einleuchtend, dass der
Peripteraltempel mindestens sechs Säulen in der Front haben musste, während
die gestreckte Figur der Cella es mit sich bringt, dass an den Langseiten die
doppelte Zahl der Säulen (die Ecksäulen mitgezählt) stehn musste, was indessen dahin abgewandelt erscheint, dass dieselben der Regel nach in ungrader
Zahl errichtet wurden, dass ihrer also, abgesehn von manchen bedeutenderen
Schwankungen, an den Langseiten entweder eine mehr oder (seltener) eine
weniger, als die Doppelzahl der Frontsäulen standen. Die so gewonnene Säulenhalle diente aber nicht, wie man nach Vitruv annehmen könnte, als Umgang für Menschen oder gar als Zufluchtsort bei plötzlichem Regen; einen so
äußerlichen Zweck verband man nicht mit der Anlage der Heiligthümer; vielmehr diente die rings umlaufende Säulenhalle wie die Vorhalle des Prostylos
hauptsächlich zur Aufstellung von Weihgeschenken, weswegen die Intercolumnien (der Raum zwischen den Säulen) vergittert und nicht selten auch die
Säulen mit der Langwand der Cella wie folgt:

Fig. 38.

durch leichte und niedrige Schranken verbunden wurden, wodurch ein Kranz
von Capellen um den Haupttempel entstand. Noch sei bemerkt, dass das von
der Säulenhalle umgebene Tempelhaus entweder die Form des einfachen oder
(wie in Fig. 37) doppelten Antentempels oder auch des Prostylos und Amphiprostylos haben konnte. Diese letzte Form stellt die höchste Vollendung des
Peripteros dar; wenn in ihr aber, wie das bei dem Parthenon der Fall ist, die
Vorhalle anstatt von nur 4 von 6 Säulen in der Front gebildet wurde, so musste
der äußere Säulenumgang auf die Zahl von 8 Säulen anwachsen, denen 17 an
den Langseiten entsprachen. Eine in Griechenland höchst seltene Nebenform
ist die des »Pseudoperipteros« (scheinbaren Peripteros), bei der die thatsächlich
den Tempel umgebende Säulenhalle an den Langseiten nur durch Halbsäulen
vertreten wurde, welche aus der Cellamauer vorsprangen. Wurde dagegen der
freie Säulenumgang verdoppelt,

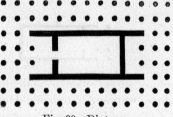

Fig. 39. Dipteros.

so entstand als größte Form des griechischen Tempels der »Dipteros«, welcher selbstverständlich wenigstens 8 wie der Peripteros 6 Säulen in der Front haben musste, aber auch zehnsäulig wie der Peripteros achtsäulig vorkommt, während, wenn die innere Säulenreihe des Dipteros unterdrückt, die äußere aber in dem Abstande zweier Intercolumnialweiten um das Tempelhaus geführt wurde, die Form des »Pseudodipteros«

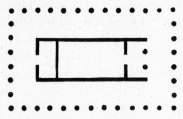

Fig. 40. Pseudodipteros.

entstand, welcher sich der griechische Tempel auf dem Forum triangulare Pompejis durch die Breite seiner Umgänge nähert, ohne sie doch in normaler Weise darzustellen.

Ehe nun der im Vorstehenden skizzirten Gestaltung des griechischen Tempels diejenige des italischen gegenübergestellt wird, sei, um diese wichtige Bauform nicht ganz mit Stillschweigen zu übergehn, mit einem Worte der Hypaethraltempel gedacht. Es war nämlich bei bestimmten Gottheiten ein Cultus unter freiem Himmel erfordert. Um jedoch das Tempelbild und was sonst im Innern der Cella aufgestellt war, nicht schutzlos den Unbilden des Wetters preiszugeben, wurde nicht die ganze Cella, sondern nur ein mittlerer Theil derselben unbedacht gelassen, das Tempelbild aber im Grunde der Cella und ein Umgang um diese überdacht. Bei kleineren Tempeln konnte die hypaethrale Öffnung des Daches und der Decke einfach mit Hilfe der querüber geführten Balken, ähnlich wie bei dem toscanischen Atrium geschaffen werden, bei größeren aber nur vermittels einer innern Säulenstellung, ähnlich wie bei dem tetrastylen oder korinthischen Atrium des Hauses (s. Cap. IV, Abschn. 1). Die innere Säulenstellung aber wurde, um leichtere Säulen anwenden zu können, in zwei Geschossen über einander mit einem Zwischengebälk construirt, mit welchem zugleich der Regel nach eine obere, an den Langseiten der Cella hinlaufende Gallerie verbunden war, zu welcher Treppen vorn oder hinten in der Cella empor führten. In Pompeji bot der Juppitertempel ein Beispiel einer solchen doppelten innern Säulenstellung, ohne dass er jedoch hypaethral gewesen wäre. Dass die Anordnung der hypaethralen Öffnung zugleich das einfachste und wirksamste Mittel bot, um dem Innern auch der größten Tempelcella volles und günstiges Licht zuzuführen, braucht kaum gesagt zu werden; es war dies um so wichtiger, als Fenster in den Cellawänden höchstens in ganz einzelnen Ausnahmefällen vorkamen und die Beleuchtung durch die Thür nur bei kleinen Cellen genügen konnte.

Endlich ist noch hervorzuheben, dass der griechische Tempel vom gemeinen Boden stets nur durch einen flachen Unterbau abgehoben wurde, welcher mit einer ungraden Zahl von Stufen profilirt wurde, die für die Beschreitung

6*

von Menschen nicht bestimmt und, namentlich bei großen Tempeln, auch viel zu hoch waren; dem Bedürfniss der Besucher des Tempels dienten niedere Stufen, welche dem Eingange gegenüber in die großen eingelegt wurden.

Orientirt war der griechische Tempel der Regel nach, wenn auch nicht ausnahmslos und keineswegs stets genau, von West nach Ost, d. h. sein Tempelbild stand im Westen und sein Eingang war im Osten, was bekanntlich bei der christlichen Kirche umgekehrt ist, wo der Eingang im Westen und der Hauptaltar im Osten liegt. Umgekehrt sollten die römischen (italischen) Tempel, wie mehre Schriftsteller lehren, der Theorie nach gegen Westen orientirt sein, so dass der vor ihnen Opfernde die aufgehende Sonne anblickte; so lehrt noch Vitruv. Später scheint die Orientirung nach Osten Eingang gefunden zu haben. Indess schreibt Vitruv gleichzeitig vor, dass häufig von der normalen Orientirung abzuweichen sei aus Rücksicht auf locale Umstände, z. B. auf die an dem Tempel vorbeiführenden Straßen. In der That lehrt eine Durchmusterung der erhaltenen römischen Tempel, oder auch nur derer in Pompeji, dass dieselben nach den allerverschiedensten Weltgegenden orientirt sind. Für Pompeji scheint durchaus der Straßenzug maßgebend gewesen zu sein; und zwar verfuhr man im Allgemeinen so, dass der an zwei Straßen liegende Tempel mit seiner Längenaxe der einen Straße parallel oder fast parallel zu liegen kam, während die Front von der Richtung der hier vorbeiführenden Straße so weit abwich, als es die Schiefwinkligkeit der Straßenkreuzung mit sich brachte [33].

Ein wichtiger Unterschied zwischen dem griechischen und dem römischen Tempel betrifft die Plananlage. Die griechische Tempelcella stellt ein mehr oder weniger langgestrecktes Viereck dar und dies Oblongum wird in allen Tempelformen von der kleinsten bis zur größten beibehalten. Der römische Tempel dagegen wird ursprünglich von einem dem Quadrat sich nähernden Rechteck eingeschlossen, dessen eine Hälfte von der Cella und dessen andere von einer dieser vorgebauten Säulenhalle eingenommen wird. Bei diesem Verhältniss blieb es auch dann, wenn, wie bei den meisten uns bekannten Tempeln, die ganze Anlage mehr in die Länge gezogen wurde: in demselben Maße wie die Vorhalle durch Vermehrung der vor den Anten stehenden Säulen und Vorlegung einer den Altar tragenden Platform wuchs, wurde auch die Cella vertieft, doch stets so, dass die Schwelle der Eingangsthür die ganze, nun oblong gewordene Anlage halbirte. Nur die so angelegten Heiligthümer führten im technischen Sprachgebrauch den Namen *templum*, alle übrigen, wie namentlich die Rundtempel, hießen *aedes sacrae*.

Ein letzter Unterschied zwischen griechischen und römischen Tempeln betrifft den Unterbau, welcher, wie oben gesagt, bei den griechischen Tempeln als eine ringsumlaufende Stufenreihe behandelt wurde, während er bei den römischen Tempeln als ein mehr oder weniger hohes Podium erscheint, dem nur an der Frontseite eine sei es einfache, sei es doppelte Treppe vorgelegt wurde, deren verschiedene Gestaltungen uns die pompejanischen Tempel zeigen.

Ein Wort muss endlich noch über die Umgebung des Tempels gesagt werden. Da der Tempel in seiner Gesammtheit ein Heiliges, also eigentlich

Unbetretbares ist, dem nur derjenige nahen durfte, der ohne Sünde und Makel war, und sich durch ein Bad physisch, durch die Besprengung mit Weihwasser symbolisch gereinigt hatte, da ferner der ebenfalls geweihte und deshalb unbetretbare Altar vor dem Tempel stand, so musste man streben, die ganze heilige Anlage durch irgend ein Mittel gegen die Außenwelt abzuschließen. In der Regel geschah dies durch eine Umzäunung oder Ummauerung eines größern Stückes Landes um den Tempel; dies nannte man den Peribolos (die Umfassung) des Tempels, und dieses zum Theil (wie z. B. in Olympia) sehr beträchtliche Stück Land, welches selbst von einer solchen Ausdehnung sein konnte, dass es mehre Nebenheiligthümer und Cultusgebäude mit umfasste, war profanem Gebrauche entzogen und diente höchstens um außer den heiligen Bauwerken die Priesterwohnungen aufzunehmen. Wir finden diesen heiligen Peribolos bei mehren pompejaner Tempeln, als hohe Mauer z. B. beim Tempel des Apollo und dem der Isis, als niedere Schranke (vgl. S. 78) bei dem griechischen Tempel auf dem Forum triangulare. Bei denjenigen Tempeln aber, welche, wie z. B. derjenige der Fortuna Augusta in Pompeji, unmittelbar an Straßen standen, also keinen Peribolos haben konnten, wurde die Unzugänglichkeit durch Vergitterung der Treppen hergestellt.

Nach diesen allgemeinen einleitenden Betrachtungen wenden wir uns unserem Hauptgegenstande, den Tempeln und Capellen von Pompeji zu. Wir beginnen billig mit dem ältesten dieser Gebäude, dem einzigen von rein griechischer Anlage.

1. Der Tempel auf dem Forum triangulare.

Von diesem Tempel ist nichts erhalten, als der Unterbau, der im Profil als fünf große Stufen behandelt ist, zwei Säulenstümpfe und eine Spur einer dritten Säule, alle drei neben einander an ihrem alten Platze, Reste der Cellamauer, die 0,55 M. hohe, 1 M. im Durchmesser starke runde Basis für das Tempelbild und vier Capitelle. Diese dürftigen Reste zeigt die Ansicht Fig. 41 zum größten Theil. Der Fußboden sowohl der Cella als des Umganges zwischen ihr und den Säulen war mit Ziegelmosaik (*opus Signinum*) belegt.

Die Geringfügigkeit dieser Reste wird in den Ausgrabungsberichten des Jahres 1767 daraus erklärt, dass der von nur sehr wenig Erde bedeckte Tempel durch die Bauern, welche hier ihre Pflanzungen anlegten, zerstört worden sei. Gewiss hat dies mitgewirkt. Es steht aber vollkommen fest, dass von dem alten dorischen Bau im Jahre 79 n. Chr. nur wenig mehr übrig war. Eine genaue Prüfung der Reste der Cella ergiebt nämlich, dass von denselben nur einige an ihrem alten Platz liegende Quadern der rechten und Rückmauer, sowie die beiden Schwellen, dem alten dorischen Tempel angehören, alles übrige einem später an der Stelle der alten Cella und mit Benutzung jener Reste erbauten bescheidenen und dürftigen Heiligthum, welches nicht genau in der Mitte des Unterbaues, sondern etwas mehr rechts lag (vgl. Fig. 32). Die Basis für das Götterbild, welche rechts von der Axe sowohl des ältern als des jüngern Tempels steht, scheint aus einer Säulentrommel des alten Baues zurecht gemacht zu sein[34]). Von einem Altar im Pronaos (Fig. 32) ist nichts erhalten; vielleicht

Fig. 41. Ruinen des griechischen Tempels auf dem Forum triangulare.

erschloss ihn Mazois aus jetzt nicht mehr sichtbaren Spuren im Fußboden.

Die Zerstörung des alten Tempels darf nicht auf das Erdbeben des Jahres 63 n. Chr. zurückgeführt werden, sondern fällt in weit frühere Zeit. Das gute und feste, dennoch aber stark vernutzte Ziegelmosaik des Fußbodens des jüngern Baues trägt keineswegs den Stempel der letzten Zeit; und dieser Fußboden setzt in der Nordecke eine ebenfalls alterthümliche Stuckbekleidung (0,011 grobe Unterlage, 0,009 Ziegelstuck) voraus, welche offenbar, als der Fußboden gemacht wurde, nicht mehr vollständig erhalten war, sondern auf der Nordwestwand fehlt, ihrerseits aber auch den Neubau voraussetzt, so dass wir diesen wohl sicher in republikanische Zeit hinaufdatiren müssen.

Wenn nun gleich von dem alten Tempel nicht viel mehr übrig ist, so genügt doch dies wenige, um über Grundriss, Bauart und Stil desselben einigermaßen zu urteilen. Der Grundriss, den wir mit dunklerer Schraffirung der erhaltenen Theile in Fig. 42 geben, und zu dem nur noch zu bemerken ist, dass der Säulendurchmesser ganz unten 1,185 beträgt, kann als fast ganz sicher gelten. Die elf Säulen der Langseiten ergeben sich mit Nothwendigkeit aus den erhaltenen Intercolumnien und dem hinlänglich feststehenden Vorderrande; die Eckintercolumnien müssen, gegen die Regel des dorischen Baustils, eben so weit, nicht enger gewesen sein, als die anderen. Für die Schmalseiten aber ist nur die Zahl von sechs $(\frac{11+1}{2}$; vgl. S. 82) möglich. Hierbei wird nun freilich die (übrigens nicht ausnahmslos beobachtete) Regel verletzt, dass die Centren zweier Frontsäulen den äußeren Fluchtlinien der Seitenwände der Cella entsprechen: eine zweite Abweichung von den Regeln der strengen dorischen Bauweise. Wegen eben dieser Abweichung können wir in unserem Tempel keinen eigentlichen Pseudodipteros (S. 83) erkennen; denn es ist wesentlich für diese Tempelform, dass die Seitenumgänge je zwei Frontintercolumnien entsprechen. Unser Tempel repräsentirt keines der bekannten Schemata; charakteristisch ist für ihn die Breite der Umgänge und das eben hierdurch weniger fühlbar gemachte Fehlen der Entsprechung von Cella und Säulen [35]. Die Cella ist getheilt in Naos und Pronaos: wo beide zusammenstoßen, war der rechten Seitenmauer von außen eine

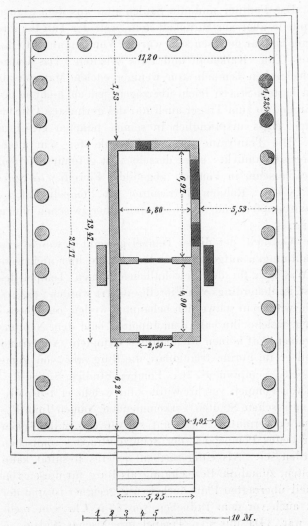

Fig. 42. Grundriss des griechischen Tempels.

ihr parallele, 0,28 M. von ihr entfernte, 2,78 lange, 0,75 dicke, bis zur Höhe von 0,81 erhaltene Quadermauer vorgelegt; später ist sie in der Länge verkürzt und von den oberen Steinen an der innern Seite abgehauen worden. Eine antike Verbindung zwischen ihr und der Cellamauer, auch der des Neubaues, ist nicht erweislich. Über ihre Bedeutung sind wir im Unklaren: vielleicht war es eine Basis für mehre Statuen; wir dürfen vermuthen, dass ihr auf der Westseite etwas ähnliches entsprach.

Die messbaren Verhältnisse der Säulen (unten 1,185, oben 0,95 M.), die schwere Profillinie des Capitells (Echinos) und die Mächtigkeit seines Plinthos (1,50 M. breit), in Verbindung mit der engen Stellung der Säulen lassen uns nicht zweifeln, dass wir es mit einem beträchtlich alten Monumente zu thun haben, das in seiner Gesammtheit etwa den Stil des großen Tempels von Paestum zeigen würde. Das Podium und die Säulen sind aus dem grauen Tuff von Nocera, die Capitelle aber aus Sarnokalkstein, weil der Tuff für ihre starke Ausladung zu wenig haltbar gewesen sein würde. Von den alten Cellamauern sind Quadern aus Tuff, Kalkstein und Lava erhalten. Das Ganze war, wie bei anderen griechischen Tempeln von weniger edelem Material als Marmor, mit feinem und hartem Stucco leicht überzogen, jedoch nicht so bekleidet, dass der Stucco irgendwo zum Träger auch nur des geringsten Gliedes benutzt wäre; der Tempel muss ursprünglich in seinen feineren Gliedern bemalt gedacht werden. Die Traufrinne war mit Löwenköpfen sehr alterthümlichen Stils aus Thon geschmückt: einer derselben ist gefunden worden und befindet sich im Localmuseum in Pompeji (abgebildet Fiorelli, *Gli Scavi di Pompei* 1861—72, Tf. XX; v. Rohden, Terracotten von Pompeji, Taf. I). In den erhaltenen Säulenstümpfen finden sich Spuren einer zwischen ihnen angebrachten Vergitterung.

Über den Namen der Gottheit, der dieser Tempel geweiht gewesen sein mag, sind vielerlei Vermuthungen aufgestellt worden, welche hier nicht vermehrt werden sollen. Was sich für den gewöhnlichen Namen, Tempel des Hercules, etwa sagen lässt, ist neuerdings von Fiorelli erörtert worden; dass es überzeugende Kraft hätte, wird man schwerlich behaupten wollen, und ebenso beruhen die Benennungen, welche ihn bald dem Juppiter, bald dem Neptun, bald dem Bacchus zuschreiben, auf keinen stichhaltigen Gründen. Auf Grund der Orientirung, und weil er im Forum triangulare die Burg (*arx*) von Pompeji erkennt, glaubt Nissen (Templum S. 204, Pompej. Studien S. 336 ff.), dass hier die Stadtgöttin von Pompeji verehrt wurde, für welche er beispielsweise den in anderen samnitischen Städten vorkommenden Namen Juno Populona vorschlägt, indem er vermuthet, dass auf sie von den sullanischen Colonisten der Name der Venus Pompejana, der Schutzgöttin des römischen Pompeji, übertragen worden sei. Als einigermaßen sicheres Resultat kann jedoch auch dies nicht gelten, zumal die Bezeichnung als Burg für diesen von dem anstoßenden Stadttheil überragten Platz doch wenig geeignet ist und der Tempel, wie wir sahen, auch vor dem Erdbeben von 63 n. Chr. von recht dürftiger Beschaffenheit war. Da nur ein Tempel griechischer Anlage in Pompeji steht oder stand, so genügt diese Bezeichnung zur Verständigung über denselben, und wird beizubehalten sein, bis sich einmal bestimmtere Argumente für eine nähere Benennung finden.

Die Stufen des Unterbaues sind zu hoch, um auf ihnen hinaufzugehn; es

ist daher auf der Frontseite eine Treppe von neun Stufen angebracht. Am
Fuße dieser Treppe steht vor dem Tempel ein räthselhaftes Monument: eine
niedrige Umfassungsmauer, innerhalb deren eine kleinere Fläche, in der Weise
wie es der Plan (2 auf Fig. 32) zeigt, durch eine zweite niedrige Mauer abgetheilt ist. Man hat hier einen Verschluss für Opferthiere vor dem Opfer, andere
einen Aufbewahrungsort für die Asche der Opfer erkennen wollen.   Auch hat
man vermuthet, es sei eine Umfassung des Brandaltars, nach Art der Ustrinen
bei Grabstätten. In der That ist es schwer zu glauben, dass an dieser Stelle
etwas anderes als der Hauptaltar gewesen sein sollte; aber die eigenthümliche
Form dieser Umfriedigung wird auch so nicht erklärt, und vor allem findet
sich von dem Altar keine Spur. Neuerdings hat Nissen (Pomp. Studien S. 340)
hier den Begräbnissplatz der Priesterinnen der Stadtgöttin erkennen wollen.
Wir bescheiden uns lieber, hier ein ungelöstes Räthsel zu sehen, indem wir
nur noch bemerken, dass dies Monument frühestens der Zeit des Augustus
angehören kann, und vermuthlich jünger ist, als der Neubau des Tempels [36]).

Neben dieser Umfriedigung stehen drei Altäre (3); weiter vorwärts bei 4
die auf Fig. 43 abgebildete Ruine eines nach der oskischen Inschrift des Epi-

Fig. 43.   Brunnenhaus.

styls vom Meddix tuticus Numerius Trebius erbauten Gebäudes. Auf einem
kreisförmigen Unterbau von 3,70 M. Durchmesser stehen acht dorische Säulen,
welche das Gebälk mit der erwähnten Inschrift trugen. Letzteres (Fig. 43 das
Stück rechts, und Fig. 44) war offen-
bar zur Aufnahme weitern Gebälkes
oder eines Daches hergerichtet. Dieser
kleine Rundbau ist ein Brunnenhaus.
Er umschließt nichts anderes als eine
0,78 M. in der Höhe, 0,65 M. im Durchmesser (im Lichten) messende Brunnenmündung aus Tuff, von der in
Pompeji gewöhnlichen cylindrischen
Form, auf einem aus mehren Quadern

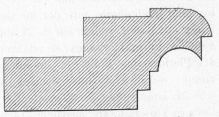

Fig. 44. Geison (Sims) des Brunnenhauses.

bestehenden viereckigen Unterbau. Merkwürdig ist es, dass sich keine deutliche
Spuren von Ausschleifung durch die Seile der Schöpfeimer zeigen, und man hat

deshalb vermuthet, es sei kein Brunnen, sondern eines jener Monumente, welche
man unter dem Namen *puteal* und in der Gestalt von Brunnenmündungen auf
Stellen errichtete, welche durch das Einschlagen des Blitzes geheiligt waren.
Es ist aber sicher eine wirkliche Brunnenmündung; denn in ihr findet sich,
auch unter dem Niveau der äußern Fläche, nicht der natürliche Erdboden,
sondern unverkennbar die Eruptionsmassen des Jahres 79 n. Chr., und zwar
Asche, unter der wir also noch die Lapilli voraussetzen müssen. Auch fehlen
die Spuren der Seile nicht ganz, wenn sie auch nicht so stark sind, wie man
in dem weichen Stein erwarten sollte. Wir können nicht entscheiden, ob man
durch den Fels gebohrt und eine Quelle gefunden hatte (wie dies an zwei
Stellen in Pompeji geschehen ist) oder ob hier eine Cisterne war. Sicher
schöpfte man hier das zum Gottesdienst und zur Reinigung des Tempels
nöthige Wasser[37]).

Die übrigen Tempel Pompejis tragen den Gesammtcharakter der eigentlich italisch-römischen Anlage, innerhalb dessen sie jedoch Verschiedenheiten
darbieten, welche sie einer Einzelbetrachtung durchaus würdig machen. Voran
sei bemerkt, dass sie sämmtlich in korinthischer Ordnung oder in jenem korinthisirenden Stil gebaut oder umgebaut sind, welcher die römische Mischgattung charakterisirt.

2. Der Tempel des Juppiter.

In dem am obern Ende des Forums liegenden und dasselbe beherrschenden
Tempel (VII auf dem großen Plan) waren die Restaurationsarbeiten nach den
Beschädigungen vom Jahre 63 noch keineswegs beendigt. Eine neue Wanddecoration war noch nicht gemacht worden: die theilweise erhaltene (Fig. 46)
kann nach ihrem Stile spätestens der ersten Zeit des Augustus angehören.
Allerlei Marmorarbeiten waren dort im Gange: man fand nach den Ausgrabungsberichten (21. Jan. 1817) ein Fragment einer Colossalstatue, aus dem
man eben beschäftigt war, eine kleinere Statue zu machen.

Mit Unrecht hat man gezweifelt, ob das Gebäude wirklich ein Tempel sei,
und hat man in demselben vielmehr einen Sitzungssaal des Stadtrathes (Curie,
Senaculum) erkennen wollen. Alles spricht dafür, dass es in der That ein
Tempel ist: die Lage auf dem hervorragendsten (nicht höchsten, wie auch gesagt
worden ist) Bauplatz der Stadt und die gesammte charakteristische Anlage:
die Cella mit dem Unterbau für das Cultusbild im Hintergrunde, die vor ihr
liegende Säulenhalle mit der zu ihr hinaufführenden Treppe. Haben wir
ferner mit Recht in dem auf S. 71 abgebildeten Relief eine Ansicht der Nordseite des Forums erkannt, so erfahren wir aus demselben auch noch, dass auf
der Platform am Fuße der Treppe ein Altar stand. Die gewölbten Kellerräume, welche sich unter dem ganzen Gebäude ausdehnen und durch acht
0,85 M. lange und 0,8 M. breite Löcher im Fußboden der Vorhalle und der
Cella (*a* Fig. 45 u. 48) spärliches Licht erhalten, können wir entweder *favissae*
nennen und annehmen, dass hier Tempelgeräth bewahrt wurde, oder wir können vermuthen, dass, wie in Rom das Aerarium im Tempel des Saturn war,
so auch hier, wenigstens in vorrömischer Zeit, der Stadtschatz aufbewahrt
wurde.

Die Zutheilung an Juppiter beruht auf einer Inschrift und einem Juppiterkopf, die man in der Cella gefunden hat. Die Inschrift (*I. R. N.* 2212 + 6321 ; *C. I. L.* X, 796) enthält eine im Jahre 37 — 38 zu Ehren des Kaisers Caligula an den *Juppiter optimus maximus*, den capitolinischen Juppiter, gemachte Dedication ; freilich wissen die Ausgrabungsberichte nur von dem Funde der einen Hälfte derselben ; die andere, über deren Auffindung nichts überliefert ist, fand Fiorelli im Nationalmuseum vor. Was den Kopf betrifft, so sagen die Berichte, man habe am 21. Jan. 1817 einen Colossalkopf des Juppiter aus Alabaster gefunden. Da nun das Museum in Neapel, wohin er doch gekommen sein muss. keinen Kopf aus Alabaster besitzt, so erkennt man den pompejanischen Kopf nicht ohne Wahrscheinlichkeit in der jetzt im Zimmer des colossalen Zeusfragments aus Cumae aufbewahrten Büste (No. 6266), einem der vorzüglichsten der auf uns gekommenen Bilder dieses Gottes. Außerdem besitzt das Museum nur noch einen Zeuskopf (No. 6260). Dies ist aber kein vollständiger Kopf, sondern nur das abgesägte Gesicht, gehört außerdem zusammen und ist ohne Zweifel zusammen gefunden worden mit einem ebenso behandelten Junokopf, beides Umstände, von denen die Ausgrabungsberichte nicht schweigen würden. — Außerdem heißt es, man habe im Tempel Votivgliedmaßen (wie sie noch jetzt in katholischen Kirchen zum Dank für wunderbare Heilungen aufgehängt werden) aus Erz und Stein gefunden. Allein dieselben sind jetzt nirgends nachzuweisen, und vermuthlich ist diese Nachricht, von der die Ausgrabungsberichte nichts wissen, unrichtig.

Sehr wohl denkbar ist es, dass hier nicht Juppiter allein, sondern mehre Götter, vielleicht drei, wie im capitolinischen Tempel Juppiter, Juno und Minerva, verehrt wurden, und es leitet darauf die Form des weiterhin zu erwähnenden großen Piedestals an der Rückseite der Cella, dessen Form (breit 7,83, tief 2,84 M.) weit eher für mehre als für eine Statue geeignet ist. Grade an die capitolinische Trias zu denken, ist nicht nöthig, zumal die Entstehung des Tempels vor die Zeit der römischen Colonie fällt. Nissen (Pompej. Studien S. 326) meint, dass neben Juppiter Ceres und Venus standen, welche beide Göttinnen allerdings in römischer Zeit in Pompeji besondere Verehrung genossen : nach der Venus nannte sich die Colonie (s. oben S. 12) und öffentliche Priesterinnen der Ceres kennen wir aus verschiedenen Inschriften. Nissen führt außerdem an, dass im Kellerraum des Tempels eine Hand mit Ähren und Mohnköpfen und eine andere mit einer Blume (Attribut eines gewissen Venustypus) gefunden sei. Doch führen diese Umstände keineswegs zu einem bündigen Schluss, da wir vom Venuscultus vor der Zeit der Colonie doch nichts sicheres wissen, und andrerseits es keineswegs als erwiesen gelten darf, dass alles im Kellerraum gefundene zum Tempel gehört hat. Zudem war die Hand der vermeintlichen Venus von natürlicher Größe, die der Ceres überlebensgroß[38]).

Der Tempel bildet im Plan (mit dem Unterbau) ein Rechteck von 16,98 × 37,0 M. Von der Länge kommen 5,91 M. auf die Treppe, 12,02 M. auf die Vorhalle, 18,43 M. auf die Cella (einschließlich der Mauern), 0,65 M. auf den hinten vorspringenden Theil des Unterbaues, so dass also eine die Länge halbirende Linie auf die Schwelle der Cella (deren Vordermauer 0,84 M. dick ist) fällt. Die Freitreppe, von schmalen Treppenwangen ein-

gefasst, besteht aus zwei Abtheilungen. Die unterste hat zwei schmale Stufen-
aufgänge, welche eine breite Platform umschließen. Letztere hat man, unter
der Voraussetzung, unser Gebäude sei das Senaculum, für die Rednerbühne

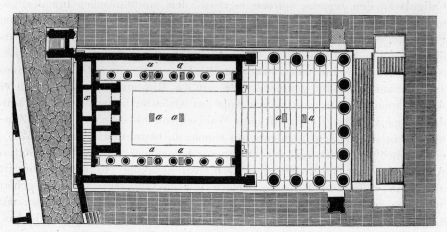

Fig. 45. Plan des Juppitertempels (Norden links).

gehalten, von der man zur Volksversammlung sprach, und in der That, da sich
andere Rostra nicht finden, ist es sehr wahrscheinlich, dass sie zu diesem
Zweck benutzt wurde. Ihr eigentlicher und nächster Zweck war aber ohne
Zweifel, den Opferaltar zu tragen, den an eben dieser Stelle auch der Fortuna-
tempel hat, und den uns eben hier das mehrfach erwähnte Relief (S. 71) zeigt.
Mit Unrecht hat man in der auf dem Forum vor der Front liegenden Aufmauerung den Altar des Tempels erkennen wollen: es ist eine aus später Zeit
stammende Basis für eine Statue, jünger als das Travertinpflaster des Forums.
Dagegen muss allerdings erwähnt werden, dass diese Platform nicht alt ist,
nicht älter als die gleich zu erwähnenden Treppenwangen; doch hindert uns
nichts, anzunehmen, dass hier auch schon früher eine ähnliche Anlage bestand.

Neben diese untere Abtheilung der Treppe wurden später nach Art von
breiteren Treppenwangen zwei auch auf dem Plan sichtbare Piedestale gebaut,
welche, wie das erwähnte Relief zeigt, Reiterstatuen trugen. Die zweite Abtheilung der Treppe erstreckt sich mit sieben Stufen durch die ganze Breite
des Baues.

Über diese Treppe gelangt man durch die Frontsäulen hindurch in den
Pronaos oder die Vorhalle des Tempels. Die Pracht dieses Platzes ist fast ganz
verschwunden; von den zwölf Säulen, welche ihn einst umgaben, sind nur
Reste übrig geblieben, darunter drei an ihrem Platze stehende Basen; die
übrigen Trommeln hat man nach der Ausgrabung so vertheilt, dass wenigstens
die Plätze der Säulen durch sie bezeichnet werden (s. Fig. 29). Nur in der
Phantasie können wir diese unten 1 M. dicken, aus Tuff gearbeiteten und
mit weißem Stuck bekleideten korinthischen Säulen etwa 12 M. emporschießen
lassen (s. Fig. 47 und 48) und nur in der Phantasie sehn wir die von ihnen
getragene leichte und farbig strahlende Decke über unseren Häuptern
schweben.

Aber einen andern prachtvollen Anblick genießen wir mit leiblichem Auge, ehe wir die heilige Schwelle der Cella überschreiten; noch einmal umgewandt, sehen wir das Forum mit allen seinen bedeutenden Ruinen vor uns, dann weiter hinaus die herrliche Gegend, in der über Stabiae und Castellammare das Schloss Quisisana liegt und als Abschluss das kühne Profil des Monte S. Angelo, der sich als mannigfaltig gestaltete Bergwand vor unseren Augen lang hinstreckt und sich allmählich, für unsere Blicke bis etwa in die Gegend von Sorrent verfolgbar, zum Meere hinabsenkt.

Jetzt betreten wir die Cella, deren Boden ringsum mit schwarzweißem Mosaik belegt war, während in der Mitte nur eine eigenthümlich in 0,09 M. breite Streifen getheilte Mörtelschicht erhalten ist, welche entweder einem feinern Mosaik oder einer Marmortäfelung als Unterlage gedient haben wird. An beiden Seitenwänden, und zwar nur 1,04 M. von denselben entfernt, bemerken wir zwei Reihen von je acht nur theilweise erhaltenen 4,50 M. hohen, aus Tuff gearbeiteten und mit weißem Stuck bekleideten ionischen Säulen, welche auf ihrem Gebälk eine zweite korinthische Säulenstellung getragen haben müssen, etwa 4 M. hoch, deren Capitelle gefunden sind. Dass an den Seitenwänden in der Höhe des Zwischengebälks eine Gallerie angebracht war, ist möglich; sie diente alsdann der Festigkeit und konnte außerdem zur Aufstellung von Statuen und Weihgeschenken benutzt werden; wie sie hätte zugänglich sein können, ist, wenigstens auf der linken Seite, durchaus nicht ersichtlich. Die korinthischen Säulen trugen die auch hier leicht aus Holz construirte und farbenstrahlende Felderdecke. Denn dass der Tempel hypaethral gewesen sei, kann wegen seiner ganzen Raumanordnung unmöglich angenommen werden. Die ganze Rückseite des breiten Mittelschiffs wird durch einen Einbau eingenommen, welcher drei kleine, dunkele, durch Thüren verschließbare Kammern enthält, zugleich aber zweifellos als Basis für ein wahrscheinlich sitzendes Cultusbild, oder noch wahrscheinlicher, wie schon oben angedeutet wurde, für mehre Cultusbilder diente. Die Ecken waren ursprünglich als Pilaster, der obere Rand als Architrav gebildet, zwei weitere Pilaster theilten die Vorderseite; doch ist bei einem spätern Umbau auf der Vorderseite diese architektonische Gliederung beseitigt und dafür eine Marmorbekleidung angebracht worden, deren dicke Mörtelunterlage noch theilweise erhalten ist; ursprünglich war die ganze Basis mit Stuck bekleidet. Durch eine hinter der eigentlichen Cella gelegene, von vorn nicht sichtbare Treppe stieg man aus dem linken Seitenschiff auf die Basis, eine Einrichtung, welche zu gottesdienstlichen Zwecken, z. B. zur Bekränzung der Götterbilder, nothwendig war. Was die Bestimmung der drei Kammern betrifft, so ist es das Wahrscheinlichste, dass in ihnen gottesdienstliches Geräth aufbewahrt wurde, z. B. der Schmuck, welcher den Götterbildern bei festlichen Gelegenheiten angelegt wurde. Eine dem Zugang zur Treppe entsprechende Thür am Ende des rechten Seitenschiffs ist antik vermauert, und wir wissen nicht, wohin sie führte.

In Anbetracht der Entstehungszeit des Tempels dürfen wir vermuthen, dass die Wände der Cella einst eine Stuckdecoration ersten Stils (Nachahmung von Marmorbekleidung durch plastische Arbeit) trugen. Ist das richtig, so ist

dieselbe in nicht näher bestimmbarer Zeit, spätestens in der ersten Zeit des
Augustus, erneuerungsbedürftig geworden; denn die erhaltene Decoration
(Fig. 46) zeigt den zweiten Stil, während der Sockel noch später im dritten
Stil (also spätestens etwa 50 n. Chr.) erneuert worden ist. Sie ist erhalten bis
etwa zur Höhe der untern Säulenstellung; der
Sockel ist schwarz, mit weißen Linien und kleinen blauen, gelben und rothen Feldern (die den
Fugenschnitt andeutenden Linien sind nicht vorhanden); dann folgt ein gelber Streif und dann
(zweiten Stils) eine Reihe violetter liegender
Rechtecke. Von den Feldern der Hauptfläche
sind die großen zinnoberroth mit weißlichem,
scheinbar profilirtem, die schmalen gelb mit grünem Rande; der Eierstab ist gelb, der Mäander
violett, gelb, grün und weiß. Weiter die größeren
Rechtecke grün mit gelbem Rande, die kleinen
violett. Der Fries zwischen dem weißlichen Epistyl und Gesims ist violett; oben folgen noch
liegende Rechtecke (gelb, grün). Auf unserer
Figur fehlen die gemalten Consolen, welche, auf
Vorsprüngen des Epistyls stehend, zum Gesims
hinaufreichen.

Fig. 46.
Wand aus dem Juppitertempel.

Die Säulen sind tief cannellirt und hatten
sicher ursprünglich nur einen feinen, sich den
Formen des Steines genau anschließenden Stuck-
überzug; später, vielleicht erst nach der Zeit
der Decoration zweiten Stils, erhielten sie eine
dicke, die feinen alten Formen ganz verbergende Stuckumhüllung. Und
einen ähnlichen Vorgang können wir auf der Außenseite des Tempels beobachten. Die weiße, durch plastische Arbeit in große Felder getheilte Stuckhülle derselben ist dem spätern Stuck der Säulen gleichartig. Doch sind auf der
Westseite, namentlich an der Nordwestecke, Reste eines frühern, sorgfältiger
bearbeiteten Stucks sichtbar, in welchem namentlich der später ganz formlose
Karnies des Unterbaues reicher und feiner profilirt war. Diese Reste sind älter
als die ältesten Theile der hier ansetzenden, das Forum nördlich abschließenden Mauer; und da diese Mauertheile, ihrer Bauart nach und in Anbetracht
der mehrfachen späteren Veränderungen der ganzen Mauer (s. oben S. 67),
schwerlich jünger sind als die Decoration zweiten Stils in der Cella, so folgt,
dass die erwähnten Stuckreste auch älter sind, als besagte Decoration, und
unsere Annahme, dass sie nicht die erste war, sondern ihr eine ersten Stils
vorherging, gewinnt auch von dieser Seite an Wahrscheinlichkeit.

Die folgenden Abbildungen geben den Tempel nach Mazois' Restauration
im wahrscheinlichen Aufriss von der Seite, wobei die durchgehende Linie
Erhaltenes und Ergänztes trennt (s. Fig. 47), und im Längendurchschnitt,
welcher die doppelte Säulenstellung im Innern zu vergegenwärtigen bestimmt
ist (s. Fig. 48). In letzterer Abbildung sehn wir zugleich, wie das 3,80 M.

hohe Basament als Kellergeschoss benutzt ist, dessen Eingang auf den Langseiten des Tempels liegt, und welches sich, wie schon erwähnt, unter dem

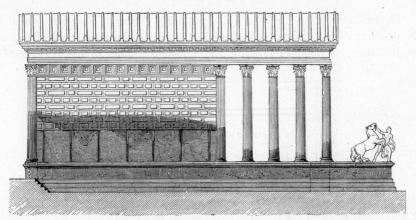

Fig. 47.   Seitenansicht des Juppitertempels.

ganzen Gebäude hin erstreckt. Doch ist zu bemerken, dass dieser Raum in
eine Anzahl kleiner gewölbter Kammern zerfällt, was in der Abbildung nicht

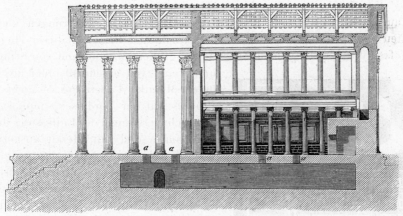

Fig. 48.   Durchschnitt des Juppitertempels.

ersichtlich ist. Die Frontansicht des Tempels in seinem gegenwärtigen Zustand
und in der Restauration ist bereits oben Fig. 29 u. 30 gegeben.

Die Bauart des Tempels weist ihn unwidersprechlich der spätoskischen
Zeit (Tuffperiode) zu, und zwar wahrscheinlich dem Ende derselben, der
zweiten Hälfte des 2. Jahrh. v. Chr. Er setzt die Planirung des Forums voraus. Dass an dieser hervorragenden Stelle schon früher, schon seit der Gründung der Stadt ein Tempel stand, können wir vielleicht vermuthen, ein bestimmter Beweis kann aber dafür nicht erbracht werden [39].

3. Der Tempel des Apollo
(s. g. Venustempel).

In der Cella (d) des großen und stattlichen Tempels westlich vom Forum
(IX auf dem Plan), dessen Grundriss Fig. 49 giebt, bestand der Fußboden an
den drei inneren Wänden entlang aus schwarzweißem Mosaik, in der Mitte,

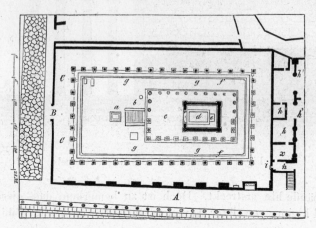

|Fig. 49.   Plan des Apollotempels.   (Norden rechts).

wie auch unser Plan andeutet, ist er getäfelt mit rautenförmigen kleinen
Platten von weißem Marmor, grünem Marmor und Schiefer; dieser Theil ist
eingefasst durch zwei schmale Streifen von grünem Marmor und von Schiefer,

Fig. 50.   Fußboden der Cella.

und weiter von einem Mäander aus farbigem Mosaik. Unsere Fig. 50 giebt eine
Probe. Auf der Vorderseite nun war in
dem Schieferstreifen der Einfassung durch
eingebohrte und mit Metall ausgefüllte
Löcher (sieben eine senkrechte, vier eine
wagerechte Linie bildend) in oskischen
Buchstaben eine bisher nicht bemerkte
Inschrift angebracht, welche, obgleich
sehr beschädigt, doch noch fast völig
gelesen oder ergänzt werden kann und
besagt, dass der Quästor O(ppius) Cam-
p(anius) auf Beschluss des Rathes aus dem Vermögen des Apollo etwas hat
machen lassen. Was er hat machen lassen, ist nicht mit Sicherheit zu ergänzen;
vielleicht war es der Fußboden [40]). Diese Inschrift, im Verein mit dem in der
Cella liegenden Omphalos, dem bekannten Symbol des Apollo (einem Tuffstein in Form eines halben Eies, hoch 0,50 M., Durchmesser 0,73 M.), lässt
uns nicht im Zweifel über die hier verehrte Gottheit; eine weitere Bestätigung
giebt ein auf dem ersten Pilaster rechts am Tempelhof gemalter colossaler Dreifuß. Die gewöhnliche Benennung als Venustempel stützte sich auf eine miss-
verstandene Inschrift, in welcher in Wahrheit von der *Colonia Venerea Cor-*

Ansicht der Ruinen des Apollotempels.

Nach S. 96.

nelia, dem Gemeinwesen Pompejis, die Rede ist, und auf eine im Peribolos aufgestellt gewesene Venusstatue in halber Lebensgröße.

Der nach Südost orientirte Tempel begrenzt das Forum (dessen Colonnade auf unserm Plan Fig. 49 mit *A* bezeichnet ist) in dem mittlern Theil der Westseite, hat aber seinen Eingang *B* von der vergitterten Straße, welche zwischen dem Tempel und der Basilika auf das Forum mündet. Von diesem Eingang aus ist die beiliegende Ansicht aufgenommen. Er führt zunächst in den durchschnittlich 4 M. breiten bedeckten Umgang von 48 Säulen, von dessen östlicher Seite Fig. 51 ein Stück darstellt. Derselbe ist vom Forum

Fig. 51. Peribolos im Apollotempel.

getrennt durch eine Mauer, aus welcher, wie der Plan zeigt, Pilaster vorspringen, die nach Norden zu immer stärker werden und deren nördlichster die Nische mit dem Maßtisch (Fig. 23) enthält. Die Längenaxe des Tempels weicht nämlich von der des Forums um etwa 3° ab, in Übereinstimmung mit einer Straße, welche an dieser Seite des Forums entlang führte, bevor die Säulenhallen des letztern erbaut und dabei seine Axe etwas verschoben wurde. Diese Abweichung hat man durch die erwähnten Pilaster verhüllt und es so möglich gemacht, jeden der beiden Plätze durch eine seiner Axe parallele Linie zu begrenzen [41]).

In der Anordnung der Säulen ist eine Besonderheit zu bemerken; auf
den Schmalseiten stehn dieselben in ungrader Zahl, nämlich neun, und
es ergiebt sich daraus, dass der Thür und der Treppe des Tempels kein Intercolumnium entspricht, sondern eine Säule grade davor steht. Und da man den
Eingang des Hofes lieber mit der Porticus, in die er zunächst führt, als mit
dem Tempel in Übereinstimmung bringen wollte, so ließ man ihn dem links
von der Mitte liegenden Intercolumnium entsprechen. Diese störende Nicht-
übereinstimmung zwischen dem Eingang des Hofes und dem des Tempels zeigt
auch unsere Ansicht.

Es ist noch deutlich zu erkennen, dass gegen das Forum zu ehemals keine
fortlaufende Mauer war, dass jene Pfeiler von ungleicher Dicke nicht durch
Mauern verbunden, sondern zwischen ihnen weite Durchgänge waren, durch
die man über eine Stufe in den etwas höher gelegenen Tempelhof gelangte.
Die Anordnung ist die, dass jeder der beiden kurzen Portiken und außerdem
jedem zweiten Intercolumnium ein Durchgang entsprach; nur am Südende
musste von dieser Anordnung etwas abgewichen werden, weil sonst ein Pfeiler
vor die Südporticus zu stehn gekommen wäre. Diese vielen und breiten
Durchgänge konnten als die Hauptzugänge des Tempelhofes gelten, so dass
dadurch die schiefe Lage des vordern Zugangs entschuldigt wurde. Und
wenn, wie gewisse Umstände vermuthen lassen, in noch früherer Zeit eine
einfache Mauer Tempelhof und Forum trennte, so steht nichts der Annahme
entgegen, dass auch in ihr ein Durchgang, der Hauptzugang zum Tempel, angebracht war.

In späterer, nicht näher bestimmbarer Zeit wurden die Durchgänge zwischen den Pfeilern geschlossen. Und zwar ist es ziemlich sicher, dass die vier
südlichsten (links auf dem Plan) ganz zugemauert wurden, ebenso der nördlichste, nur dass hier eine schmale Thür (1,82 M.) blieb, während die fünf
übrigen, welche dem Tempel selbst gegenüberliegen, nur durch eine niedrige
Brüstungsmauer gesperrt wurden, so dass der Tempel vom Forum aus sichtbar
blieb [42].

Ein so unvollkommener Verschluss gegen das Forum darf uns nicht Wunder nehmen; denn es ist vollkommen erkennbar, dass noch in keineswegs sehr
alter Zeit die Portiken des Tempelhofes zugleich als öffentlicher Durchgang
dienten. Es ward schon oben (S. 63) erwähnt, dass an die hintere (Nord-)
Wand des Tempelhofes eine nach Norden geöffnete dorische Porticus angelehnt
war. Dieselbe entsprach aber nicht der ganzen Breite des Hofes, sondern nur
dem mittlern, unbedeckten Theil. An der Seite nach dem Forum zu ist das
übrig bleibende, der Ostporticus entsprechende Stück eingenommen durch die
zum obern Geschoss der dorischen Porticus (und wohl auch der des Apollotempels) führende Treppe und durch das daneben liegende kleine Local. Am
entgegengesetzten (West-) Ende aber führte direct auf dies übrig bleibende
Stück zu die von Norden die Nordwestecke des Tempelhofes erreichende
Straße. Ihre Richtung ist offenbar nachträglich geändert und sie weiter nach
Westen gewendet worden; die natürliche Fortsetzung ihrer Westseite fällt
zusammen mit der Westmauer des seltsamen, engen, als Passage ganz un-
brauchbaren Ganges an der Westseite des Tempelhofes; die natürliche Fort-

setzung der Straße selbst ist also die Westporticus nebst jenem Gange, wie auf unserm Plan ersichtlich ist. Und ohne Zweifel hatte sie einst eben diese Fortsetzung, deren Ausmündung auf die *Strada della Marina* vermuthlich erst zur Zeit des Augustus geschlossen wurde, während zugleich die Porticus eine eigene, sie von den anliegenden Häusern trennende Rückmauer erhielt, wodurch jener schmale Gang entstand. Auf diese Veränderungen, und insbesondere auf den Bau der letztgenannten Mauer bezieht sich wahrscheinlich folgende im Tempelhof gefundene Inschrift: *M. Holconius Rufus d. v. i. d. tert. C. Egnatius Postumus d. v. i. d. iter. ex d. d. ius luminum opstruendorum IIS ∞ ∞ ∞ redemerunt, parietemque privatum col. Ven. Cor. usque ad tegulas faciundum coerarunt.* Es ist klar, dass dem Besitzer des anliegenden Hauses durch jene Mauer das Licht verbaut wurde, und das Recht hierzu erkauften die genannten Duumvirn von ihm für die gewiss nicht übertriebene Summe von 3000 Sesterzen (652 Mark). Da M. Holconius Rufus im Jahr 3/2 v. Chr. zum vierten Male das Amt des Duumvirn bekleidete, so wird sein drittes Duumvirat, in welchem er diesen Bau vornahm, etwa um das Jahr 10 v. Chr. anzusetzen sein [43].

Die ganze Anlage stammt ihrer Bauart nach aus der Tuffperiode [44]. Die Südmauer des Hofes besteht aus Incertum mit Thürpfosten und Eckpilaster aus Tuff, mit nach griechischer Weise einfacher und schöner Profilirung. Von den ungleichen Pfeilern sind die dünnsten, südlichsten, ganz aus Tuffquadern aufgesetzt, die anderen aus Incertum mit Ecken aus Kalksteinquadern und einer Tufffaçade gegen das Forum. Die Säulen sind aus Tuff gut und sorgfältig gearbeitet und waren mit weißem, feinem Stuck überzogen, die der Porticus ionisch mit dorischem Gebälk (Triglyphenfries), die des Tempels korinthischer Ordnung; auch die Bauart der Cella ist die der genannten Periode. Die Porticus war zweistöckig: nicht nur finden wir in den Blöcken des Gebälks die Balkenlöcher für die horizontale Zwischendecke, sondern auf eben diesen Blöcken ist die obere Säulenstellung durch Linien und einmal auch durch einen Kreis vorgezeichnet.

Der Tempel selbst (c) steht auf einer hohen, durch eine Freitreppe b zugänglichen Basis; sein Grundriss bildet den vollständigsten Gegensatz zu dem des Juppitertempels. Während dort die weite Cella die ganze Breite des Unterbaues einnimmt, im Innern aber durch zwei Säulenreihen in drei Schiffe getheilt ist, finden wir hier eine kleinere Cella, rings umgeben von 28 Säulen; die Decke der geräumigen Vorhalle wurde von sechs Säulen in der Front und vier auf jeder Seite getragen. Als er noch ganz erhalten war, muss dieser Tempel, der einzige periptere Pompejis (außer dem griechischen) einen ungemein prächtigen und eleganten Eindruck gemacht haben, den die nachstehende Restauration (Fig. 52) nicht völlig wiedergeben kann, da bei der geometrischen, nicht perspectivischen Ansicht die Seitensäulen nicht sichtbar werden, auch der obere Säulengang sowohl des Tempelhofes als des Forums weggelassen ist. Von den Säulen sind zwei neuerdings ganz wieder aufgerichtet, von anderen die Stümpfe an ihre Stelle gesetzt worden. — Wir überschreiten die Schwelle der Cella, in welcher nach hinten die Löcher der Angeln einer wahrscheinlich hölzernen doppelten Flügelthür, nach vorn aber diejenigen einer vermuthlich bronzenen ebenfalls doppelten Gitterthür nebst den mit Bronze eingefassten

Löchern der Riegel erhalten sind, mit denen diese verschlossen wurde, und zwar so, dass entweder das mittlere Drittheil allein, oder die ganze Thür geöffnet werden konnte. Die Basis für das Tempelbild e steht nicht ganz an der Hinterwand, so dass ein Umgang um dasselbe frei bleibt. Von dem Fußboden war schon oben (S. 96) die Rede. Die Wände sind weiß, durch nicht eben feine plastische Stuckarbeit in Felder getheilt; doch ist das erhaltene nur als ein freilich sehr hoher Sockel zu betrachten. Offenbar stammt diese Decoration aus der letzten Zeit Pompejis. Doch kommen unter derselben die Reste einer ältern Decoration zum Vorschein; wir erkennen deutlich, dass der Tempel einst im Stil der Tuffperiode decorirt war: es war auf seinen Wänden in Stuck eine Bekleidung mit bunten Marmorplatten nachgeahmt, welche durch ein auch in Stuck gearbeitetes Zahnschnittgesims unterbrochen war. Auch die Stuckdecoration der Außenseite der Cella gehört der letzten Zeit Pompejis an: in Weiß ist eine Incrustation nachgeahmt; doch sind die fugenschnittartigen Ränder der einzelnen Platten mit feinen gepressten Ornamenten verziert: ein der Zeit des ersten Stils fremdes Motiv. Links in der Cella liegt gänzlich unsymmetrisch der schon oben (S. 96) erwähnte Omphalos. Ein Tempelbild hat man hier nicht gefunden: es war wohl durch antike Nachgrabungen entfernt worden. Indem wir die Cella wieder verlassen und die Treppe hinuntersteigen, haben wir grade vor uns den großen Hauptaltar a aus Travertin mit Marmorbekrönung, oben mit Lavaplatten bedeckt; er wendet

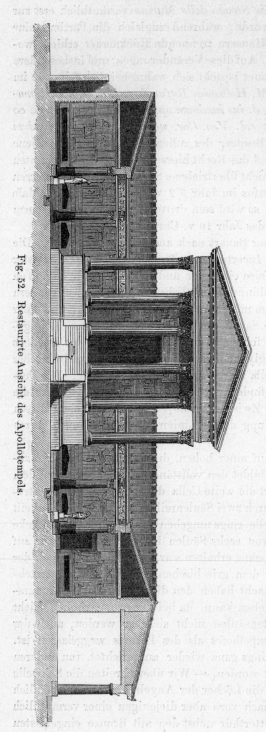

Fig. 52. Restaurirte Ansicht des Apollotempels.

dem Tempel eine Schmalseite zu und trägt auf beiden Langseiten die Inschrift:
*M. Porcius M. f. L. Sextilius L. f. Cn. Cornelius Cn. f. A. Cornelius A. f.
IIII vir. d. d. s. f. locar.*, welche besagt, dass diese vier Quattuorvirn auf Beschluss der Decurionen den Altar haben machen lassen, und zwar durch Ver-
dingung der Arbeit (*de decurionum sententia faciundam locarunt*). Die Namen
(ohne *cognomen*) und der Umstand, dass die Duumvirn und Aedilen zusammen
als Quattuorvirn bezeichnet sind, deuten auf republikanische Zeit. Links
neben der Treppe sehen wir ein niedriges, von Lavaplatten gebildetes
Rechteck, von dem wir nicht wissen, was es getragen haben mag, rechts
(s. die Ansicht) steht eine uncannellirte Säule aus grauem Marmor mit ioni-
schem Capitell, welche einst eine Sonnenuhr trug und deren Inschrift (*L. Sepunius L. f. Sandilianus, M. Herennius A. f. Epidianus duovir. i. d. d. s.
p. f. c.*) aussagt, dass die genannten Rechtsduumvirn die Säule aus eigenen
Mitteln haben herstellen lassen: es sind dieselben, welche die Bank mit der
Sonnenuhr auf dem Forum triangulare (S. 79) stifteten. Rund um den Hof
läuft eine Regenrinne *f*, an zehn Stellen durch viereckige Vertiefungen *g* unterbrochen, in welchen sich die Unreinigkeiten des Wassers niederschlagen
sollten; dies wurde dann in eine Cisterne abgeführt, aus der man es zur Reinigung des Tempels schöpfte. Die Regenrinne läuft nicht unmittelbar an den
Säulen entlang, sondern es ist dazwischen noch eine 0,65 M. breite Tuffstufe
und noch eine Reihe 0,85 bis 0,93 M. breiter Platten zu ebener Erde eingeschoben. Ohne Zweifel schützte ein vorspringendes Dach die auf der Stufe
an den Säulen stehenden Statuen. Diese standen nämlich am Fuß von sechs
Säulen, dem Hofe zugewandt: an der dritten und fünften (von Süden) der
beiden Langseiten, an der zweiten von Westen und der dritten von Osten auf
der Südseite; die beiden letzten also standen sym-
metrisch zum Eingange des Tempelhofes, nicht zum
Tempel. Von diesen Bildwerken steht nur eines
noch an seinem Platz an der fünften Säule der
rechten (östlichen) Langseite: es ist die Herme,
welche schon Fig. 51 an ihrer Stelle und die nebenstehende, nach einer Photographie gezeichnete Abbildung (Fig. 53) in etwas größerem Maßstabe in der
Vorderansicht zeigt. Sie ist ohne Zweifel männlich,
mit kurzem Athletenhaar und jugendlich heroischen,
obwohl sehr milden und fast etwas wehmüthigen
Zügen, übrigens von vortrefflicher Arbeit, die einen
griechischen Meißel verräth. Wen sie vorstellt,
ergiebt sich aus einer Stelle des Pausanias, welcher
uns berichtet, dass im Gymnasium zu Phigalia Hermes dargestellt war, in ein Gewand gehüllt und
unterwärts in einen viereckigen Pfeiler auslaufend.
Die Beschreibung passt genau auf unsere Herme;
und da wir nun eine eben solche in der Palaestra

Fig. 53. Herme im Peribolos.

der Stabianer Thermen finden werden, so kann es nicht zweifelhaft sein, dass
wir hier eine eigenthümliche Darstellung des Hermes, des Gottes der Pa-

laestra zu erkennen haben. Unter den übrigen Statuen befand sich nur noch eine jetzt verschollene Herme; sie wird von einigen Aphrodite, von anderen Maja genannt, und stand der eben besprochenen gegenüber; denn nur hier findet sich eine offenbar für eine Herme bestimmte, der des Hermes ganz gleiche Basis. Weiter stand an der dritten Säule der rechten Seite die jetzt in Neapel befindliche schöne Statue des bogenschießenden Apollon und ihm gegenüber die

Fig. 54. Wand aus den Gemächern im Peribolos des Apollotempels.

ebenda befindliche, nur im Obertheil erhaltene ebenfalls bogenschießende Artemis, wie aus den Löchern, in welchen sie auf den Basen befestigt waren, deutlich hervorgeht. Beide sind aus Bronze und offenbar als Gegenstücke gearbeitet. Endlich an den beiden genannten Säulen der Vorderhalle standen zwei ebenfalls als Gegenstücke zusammengehörige Marmorstatuen (unter Lebensgröße) der Aphrodite und des Hermaphroditen (Gerhard, Neap. ant. Bildw. 427. 433), namentlich letztere von guter Arbeit, jene durch antike Überarbei-

tung verdorben. Vor den beiden Basen in der Südwestecke stehen zwei
Altäre, ein größerer und ein kleinerer; wir werden also vermuthen, dass hier
neben der Artemis Aphrodite stand; denn dem Hermaphroditen hat man
schwerlich geopfert. Dass auch vor dem Apollo kein Altar steht, erklärt sich
einfach daraus, dass ihm ja auf dem großen Hauptaltar geopfert wurde [45]).
Endlich stand noch an jedem Ende der beiden Schmalseiten, dicht an der
Ecksäule, auf einer kleinen marmorbekleideten Basis eine Brunnenfigur, von
der das Wasser in eine auf der Stufe stehende Schale mit cannellirtem Mar-
morfuß fiel; von den vier Figuren ist keine erhalten; die Berichte erwähnen
eine große Muschel aus Thon, welche auf einem dieser Füße gestanden haben
kann, obgleich es etwas seltsam sein würde, eine Thonschale auf einen Mar-
morfuß zu stellen.

Sehr reich sind die malerischen Decorationen dieses Tempels. Die
Säulen sind in ihrem untern Theile gelb, weiter oben weiß. Die Art, wie
diese ursprünglich ionischen Säulen mit dorischem Gebälk mittels Tünche
in korinthische verwandelt worden sind, werden wir unten besonders zu
betrachten haben. Die Wände des bedeckten Umgangs, welche nach der
Seite des Forums hin Nischen von verschiedener Tiefe bilden, sind im Stil
der letzten Zeit Pompejis mit geschmackvollen architektonischen Perspectiven
bemalt, von denen Fig. 54 eine Probe aus der Zeit besserer Erhaltung bietet.
Das Viereck in der Mitte enthält ein noch zum Theil erhaltenes Fresco-
gemälde (Helbig No. 1306), in dem man den gegen Agamemnon losstürmen-
den, von Athena zurückgehaltenen Achill erkennt. Andere Gemälde aus
eben diesem Umgange, jetzt alle fast völlig zu Grunde gegangen (s. Helbig

No. 1324. 1325 und die Nachträge S. 461 f.), haben ebenfalls
heroische Scenen aus dem troischen Kreise zum Gegenstande
gehabt; man erkennt mit größerer oder geringerer Sicherheit
in älteren Publicationen Hektors
Schleifung (?), den vor Achill um
die Leiche seines Sohnes bitten-
den Priamos, die Gesandtschaft
der Griechen zu Achill (?) und
den Raub des troischen Palla-
diums.

Es ward schon oben (S. 98)
bemerkt, dass nördlich vom Tempelhofe ehemals eine aus der
Tuffperiode stammende, nach
Norden geöffnete Säulenhalle lag.
Später wurden Zimmer aus derselben gemacht, von denen we-

Fig. 55. Gemälde aus dem Zimmer *x*.

nigstens *x* zum Tempel gehörte und als Wohnung des *aedituus* (Küsters) betrachtet
werden kann. Man gelangte zu derselben durch die Thür *i*, welche zugleich

vermittels des Ganges *h* einen hintern Ausgang des Tempels bildet. Auch *x* ist im letzten pompejanischen Stil ausgemalt; von den Gemälden dieses kleinen Zimmers ist nur eins (Helbig No. 395), noch leidlich erhalten, und wird nach einer ältern Publication in Fig. 55 mitgetheilt. Es stellt den auf Silen gestützten jugendschönen Bakchos dar; während dieser auf seinen Panther den Weinbecher ausgießt, spielt Silen die Leier, so dass musikalische Begeisterung mit der bakchischen verbunden ist. Von diesem Bild ist vielfach angegeben worden, es sei auf einer eigenen, in die Wand eingesetzten und in derselben durch geschickt verborgene Eisen befestigten Tafel gemalt; doch beruht dies, wie Donner (Einleitung zu Helbigs Wandg. S. LXIX f.) genau und vollkommen richtig erwiesen hat, auf Täuschung; die tiefe und an mehren Stellen ziemlich klaffende Fuge, welche das Bild umgiebt, ist keine Einsatz- sondern eine Einputzfuge, wie sie sich auch bei manchen anderen Bildern wiederfindet, und die Nägel, deren Köpfe man außerhalb dieser Fuge sieht, dienen nicht zur Befestigung des Bildes, sondern großer Thonplatten, mit denen die Wand in einiger Entfernung vom Mauerwerk bekleidet ist, wie dies in Baderäumen geschah, um Wärme durchstreichen zu lassen, und in anderen Räumen, wo man sich gegen die Feuchtigkeit einer Mauer schützen wollte.

4. Der Tempel der Isis.

Neben den Göttern Griechenlands fanden auch die tiefsinnigen und fremdartigen Culte Aegyptens Aufnahme bei den Oskern Pompejis. Der nördlich vom großen Theater liegende, 1765 ausgegrabene Tempel wird als Tempel der Isis bezeichnet durch die außen über dem Haupteingange des Tempelhofes (Fig. 56; *B* im Plan Fig. 57) angebrachte Inschrift (Nationalmuseum 1208; *I. R. N.* 2243; *C. I. L.* X, 846; an Ort und Stelle eine Copie): *N. Popidius N. f. Celsinus aedem Isidis terrae motu conlapsam a fundamento p. s. restituit; hunc decuriones ob liberalitatem, cum esset annorum sexs, ordini suo gratis adlegerunt;* das heißt: »Numerius Popidius Celsinus, Numerius Sohn, hat den durch ein Erdbeben (63 n. Chr.) eingestürzten Tempel der Isis von Grund aus auf eigene Kosten wieder hergestellt; ihn haben die Decurionen wegen seiner Freigebigkeit, als er sechs Jahre alt war, kostenfrei ihrem Collegium zugewählt.« Das sehr jugendliche Alter des Wiedererbauers darf kein Bedenken erregen: in Wahrheit war es nicht dieser Knabe, sondern seine Eltern, welche den Bau betrieben. Wir werden weiterhin einem N. Popidius Ampliatus, dem Vater, als Stifter einer Statue in diesem Tempel begegnen, und in dem Mosaikfußboden eines zum Tempel gehörigen Zimmers (*H*) stand der Name des N. Popidius Celsinus nebst dem des N. Popidius Ampliatus (wohl seines Bruders, und Sohnes des Stifters der Statue) und dem der Corelia Celsa, in der wir ihre Mutter erkennen dürfen. Offenbar war N. Popidius Ampliatus ein reich gewordener Freigelassener; wäre er frei geboren gewesen, so hätte er nicht unterlassen, den Namen seines Vaters beizufügen. Durch diese große Leistung erkaufte er seinem Sohne die Erhebung in den Decurionenstand; für sich selbst konnte er, als Freigelassener, dies nicht erreichen. Für die Aufnahme von Kindern unter die Decurionen fehlt es nicht an inschriftlich beglaubigten Beispielen ; dagegen ist die Erklärung von *sexs* als *sexaginta* ganz unmöglich.

Es stammt also der Tempel in der uns vorliegenden Gestalt aus der letzten Zeit Pompejis; und dies wird sowohl durch die Bauart als durch den Stil der Malereien und Stuck-arbeiten bestätigt. Von dem ältern, durch das Erdbeben zerstörten Tem-pel ist nichts mehr übrig als geringe Reste der alten Säulen der Vorhalle, und wir können nicht einmal feststellen, ob er dieselbe Form hatte. Dagegen ge-hört offenbar der alte, aus Tuffblöcken bestehende Säulenstuhl mit seiner Regenrinne und Spuren der frühern Säulenstel-lung jenem ersten Bau an und bezeugt uns, dass der Tempelhof damals zwar dieselbe Form, aber auf den Langseiten 10 (jetzt 8), auf den Schmal-seiten 8 (jetzt 7) Säulen hatte. Er sieht ganz so aus, wie Säulenstühle in Bauten der Tuffperiode ;

Fig. 56. Der Tempel der Isis. Haupteingang.

und wenn wir ferner in Betracht ziehn, dass die Säulenreihen der Langseiten so ziemlich 60, die der Schmalseiten 50 Fuß oskisch (0,275 M.) messen, so dürfen wir wohl schließen, dass die Erbauung des alten Tempels und die Einführung des Isiscults schon in vorrömische Zeit, etwa in das zweite Jahrhundert v. Chr. fällt, während in Rom dieser Cultus noch bis in die Kaiserzeit nicht officiell anerkannt war und wiederholt gegen ihn eingeschritten wurde. Noch bemer-ken wir, dass der Tempel nach dem Erdbeben nicht einfach wieder aufgebaut, sondern auch erweitert wurde, indem das westlich anstoßende Gebäude (die Palaestra) zu seinen Gunsten beträchtlich verkürzt wurde, wie weiterhin ge-zeigt werden soll : dadurch erst entstanden die Räume H und I [46]).

Über den Plan des Gebäudes (Fig. 57 ; Norden ist unten) genügen wenige Worte. A Straße, B der in Figur 56 abgebildete Eingang ; die Thür — dreiflü-gelig, so dass der mittlere Theil allein geöffnet werden konnte — war bei der Verschüttung geschlossen und fand sich vollkommen in der Asche abgedrückt, so dass sie gezeichnet und bei Niccolini Taf. V abgebildet werden konnte ; C Säulenumgang um den Tempelhof ; die vordere Säulenreihe ist auf Fig. 56 sichtbar : das mittlere Intercolumnium, der Tempelfront gegenüber, ist breiter,

und es treten hier an die Stelle der Säulen Pfeiler mit Halbsäulen. *c* eine
1,58 M. vom Boden entfernte Nische, in deren Grunde eine Statue des Harpo-
krates und ein mit zwei brennenden Candelabern vor ihr stehender Isispriester
(jetzt im Nationalmuseum; Helbig No. 1) gemalt war. Vor der Nische befand
sich eine verkohlt aufgefundene Bank *d*. Am Westende der Südwand, der
westlichen Säulenhalle entsprechend, stand die Herme des Schauspielers C.
Norbanus Sorex (Niccolini Taf. X des betr. Abschnitts) mit der Inschrift:
*C. Norbani Soricis secundarum mag. pagi Aug. felicis suburbani ex d. d. l.
d. (ex decurionum decreto loco dato)*. Es kann zweifelhaft sein, ob dieser

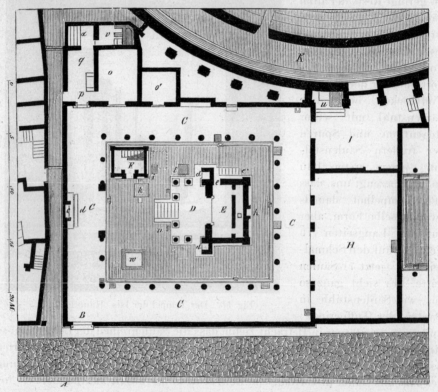

Fig. 57. Plan des Isistempels (Norden unten).

Schauspieler zweiter Rollen (*actor secundarum partium*) Magister der Vorstadt war, oder ob die Magistri sein Bild aufstellten; so wissen wir auch
nicht, wegen welcher Verdienste dieses hier und in dem weiterhin zu besprechenden Gebäude der Eumachia aufgestellt wurde; sowohl der Bronze-
kopf als der Marmorpfeiler sind im Nationalmuseum[47]. Dicht dabei fand sich
eine 0,77 M. hohe Venusstatue aus Marmor mit Vergoldung und Bemalung
(Niccolini Taf. VIII). Gegenüber an der Nordwand stand eine 1,09 M. hohe,
reich vergoldete und bemalte Isisstatue (Niccolini Taf. VI), gestiftet von dem
Freigelassenen L. Caecilius Phoebus (*L. C. Ph. posuit l. d. d. d.*). Eine
Treppe von sieben Stufen und der Schwelle führt aus dem Tempelhof in den
Pronaos *D*, welcher durch sechs korinthische, im Steinkern glatte, nur im

Stuccoüberzug cannellirte Säulen gebildet wird. Rechts und links neben dem Eingang in die Cella sehn wir eine Nische für ein Weihebild, *d d*, außerhalb der Ante angebaut; hinter dem linken Anbau sehn wir eine Nebentreppe *e'*, über welche die Priester durch den Seiteneingang *e* den Tempel betraten. Im Hintergrunde der Cella *E* findet man das über die ganze Breite derselben reichende Postament der Statue ganz ähnlich behandelt wie dasjenige im Juppitertempel, nämlich als einen Hohlraum; derselbe hat hier, von nur geringer Höhe, gewölbt und mit zwei niedrigen Öffnungen nach vorn versehn, wohl unzweifelhaft als Aufbewahrungsort heiliger Geräthschaften gedient, während das auf dem Postament erhaltene, nicht in der Mitte stehende Piedestal (die Ausgrabungsberichte wissen von zwei Piedestalen) dasselbe als Basis für mindestens zwei Tempelbilder charakterisirt. Dass dies Postament als Apparat des Priestertruges gebraucht worden wäre, indem sich derjenige in ihm verbarg, welcher im Namen der Gottheit Orakel verkündigte, ist schon der Niedrigkeit wegen und deshalb ganz unwahrscheinlich, weil Alles so ganz offen vor den Blicken Aller daliegt. Man fand in der Cella keine Statue, nur eine Hand aus Marmor; ohne genügenden Grund hat man das Tempelbild in einer weiblichen Statue erkennen wollen, welche in dem nördlichsten der gewölbten Durchgänge zwischen *C* und *H* gefunden wurde. An dieser Statue war von Marmor nur der Kopf (mit Haarbüschel über der Stirn), die Hände (in der rechten ein Sistrum aus Bronze) und die vorderen Theile der Füße; der übrige Körper, welcher ohne Zweifel durch Gewänder verhüllt wurde, bestand aus Holz und zerfiel bei der Auffindung in Staub. In der Cella aber fand man zwei verkohlte Holzkisten mit wenigem Tempelgeräth, darunter eine kleine goldene Schale, zwei bronzene Leuchter und ein kleines Götterbild, auch aus Bronze; außerdem lagen in der Cella zwei Todtenköpfe.

In der Hinterwand der Cella nach außen ist noch eine Nische *h*, in welcher eine von N. Popidius Ampliatus dem Vater geweihte marmorne Bacchusstatue (abgeb. Mus. Borb. IX, 11; Inschrift: *N. Popidius Ampliatus pater p(ecunia) (sua)* stand. Es ist bekannt, dass Osiris als Urbild des Bacchus betrachtet wurde.

Fast alle Räume des Isistempels waren mit jetzt entweder zerstörten oder in das Museum von Neapel geschafften Gemälden geschmückt, welche sich auf den Mythus der Isis oder auf Aegypten als das Land von dessen Herkunft bezogen. Von der Decoration des Peribolos giebt Niccolini auf Taf. XI des betr. Abschnitts eine Probe: über einem gelben Sockel ist die rothe Hauptfläche durch phantastische Architekturen (gelb) in große Felder getheilt, in deren Mitte einzelne Figuren von Isispriestern, Isispriesterinnen und aegyptischen Gottheiten gemalt waren (Helbig No. 1096, 1097, 1099, 1103); darüber ein breiter Fries, welcher auf schwarzem Grunde ein mäanderartig gewundenes Pflanzenornament enthält. Die Wände von *H* zeigten Landschaften aegyptischen Charakters (No. 1571), ein großes Bild, das Io's Ankunft bei Isis (No. 138) und ein anderes, welches dieselbe Heroine von Argos bewacht darstellt (No. 135). Weit geringer in der Ausführung waren die Malereien von *I*; hier waren auf weißem Grunde aegyptische Gottheiten, wie es scheint Isis,

Osiris und Typhon, nebst ihren Symbolen und den ihnen heiligen Thieren
dargestellt (No. 2—5).

Von den übrigen im Tempelhof befindlichen Gegenständen sind folgende
die interessantesten. Zumeist das kleine Gebäude, welches auf dem Plan mit
F bezeichnet ist und dessen Ansicht in Fig. 59 folgt. Dasselbe bildet einen
ungetrennten Raum, in dessen Hintergrunde eine Treppe angeblich zu einem

Fig. 58.   S. g. Purgatorium.

unterirdischen Wasserbehälter
führt, dessen Umfang auf dem
Plan durch eine punktirte Linie
angedeutet ist. Da jedoch der
Brunnen unter diesem Bauwerke
durchaus nicht sicher verbürgt
ist, so lässt sich auch über dessen
Bestimmung kaum absprechen,
und ist der ihm gegebene Name
eines Purgatoriums, das wäre ein
Waschungs- und Reinigungsort,
den der Cultus bedingt hätte,
nur problematisch. Bei *i* fand
man eine jetzt nicht mehr sichtbare Grube mit Resten verbrannter Früchte. Vor der Fa-
çade des Gebäudes befindet sich der große Hauptaltar *k*, auf dessen mit
einem starken Rande eingefasster vertiefter Fläche Asche und Knochen von
Brandopfern gefunden wurden (*Pomp. Ant. Hist.* 1765, 8 Juni, p. 172). Er
bezieht sich ohne Zweifel auf die Cella des Hauptgebäudes, ist aber, um in dem
nicht sehr weiten Tempelhofe Raum zu geben, zur Seite gerückt und vielleicht
aus demselben Grunde nicht dem Gebäude gegenüber, sondern von der Seite
zugänglich, wo ein erhöhter Stein im Boden den Standort des Priesters bezeichnet und eine Unterbrechung des die Oberfläche umgebenden Randes die
Hantierung beim Opfer erleichterte und die Reinigung durch einen geneigten
Abfluss ermöglichte.

Ein anderer Altar *l* scheint sich auf das Bild in dem linken Nischenbau
der Cella zu beziehen. Auf dem mit *n* bezeichneten Postament rechts neben
der Treppe, dem ein gleiches links entspricht, fand man eine Tafel mit Hiero-
glyphen, die im Museo Nazionale aufbewahrt wird, aber weder mit dem Isis-
cult im allgemeinen, noch im besondern mit dem pompejanischen zu thun haben
soll. Also ein echtes Scheinstück und Blendwerk. *w* ist eine ziemlich tiefe
viereckige Grube, eingefasst von einer Ummauerung, welche noch zu der Zeit,
als die Photographie aufgenommen wurde, welche der diesem Abschnitt vorgehefteten Abbildung zum Grunde liegt, nach zwei Seiten giebelförmig abgeschrägt
war, während sie jetzt grade abschließt. Dicht neben dieser Grube fließt jetzt
Fontana's Canal; nach den Ausgrabungsberichten (*Pomp. Ant. Hist.* I, p. 182 u.
189; 1765, 14 Decbr. u. 1766, 21 Juni) wurde dieselbe angefüllt gefunden von
einer Menge schwarzer Asche und von Resten verbrannter Früchte, unter denen
man Feigen, Pinienkerne, Kastanien, Baum- und Haselnüsse und Datteln

unterschied und für das Museum aushob; wir werden also hier wie in der schon erwähnten Grube *i* einen Behälter zur Aufbewahrung von Opferresten zu erkennen haben. Nach denselben Berichten (14. Dec. 1765) war die Ummauerung mit einem Dache bedeckt.

In der Nordwestecke des offenen Hofes stand ein cylinderförmiges Bleigefäß (hoch 0,56, Durchm. 0,45 M.), am Rande mit Ornamenten und aegyptischen Figuren verziert; eine an der Ecksäule in die Höhe gehende, mit einem Bronzehahn verschließbare Bleiröhre führte in dies Gefäß das zum Gottesdienst erforderliche Wasser. In den Räumen *o*, *o'*, *p*, *q* wohnten wahrscheinlich irgendwelche Tempelbediensteten; *q* ist mit einem überwölbten Heerde versehen. Irrig hat man *o'* als den Stall für die Opferthiere bezeichnet; es ist ein gemaltes Zimmer wie alle anderen. In dem Zimmer *o* will man das Gerippe des Priesters, der sich, wie bereits früher (S. 21) erwähnt, mittels eines Beiles einen Ausgang durch die Wand zu öffnen versucht hatte, gefunden haben; allein davon ist jetzt nichts mehr bemerklich, und da anderweitige Durchbrechungen von Wänden sehr deutlich sind, muss der erwähnte Versuch des Priesters, wenn er angestellt wurde, in seinen Anfängen stecken geblieben sein. Der große, nach vorn durch Bögen offene Saal *H* im Hintergrunde des Tempelhofes muss zu Cultuszwecken, die wir bestimmt nicht mehr nachweisen können, am wahrscheinlichsten aber als Versammlungsort des Collegiums der *Isiaci* gedient haben. Man fand daselbst einen Marmortisch, einige Flaschen und weniges andere Geräthe und Hühnerknochen. Auch der Saal *I* neben dem großen war, nach den Malereien (s. oben S. 107) und nach der überwölbten Nische mit dem Opfertisch davor zu schließen, zu Cultuszwecken bestimmt; zugleich scheint man hier Tempelgeräthe aufbewahrt zu haben, deren man mancherlei vorfand. Auch hier traf man auf Reste von Statuen, an denen nur der Kopf und die Extremitäten von Marmor, das übrige aber von Holz war (19. Juli 1766); gleich links neben der Thür vom Tempelhof her ist ein Wasserbehälter *u*, zu dem man auf drei Stufen emporsteigt. *K* ist die oberste Cavea des großen Theaters, zu der in dem mit *α v* bezeichneten Raum eine Treppe

Fig. 59. Stuccoreliefe an den Außenwänden des s. g. Purgatoriums.

von der Straße aus emporführt. Den Raum unter dieser Treppe, in welchen eine Thür aus *q* hineinführt, hat sich die Priesterschaft des Isistempels auch noch zu nutze gemacht; zu welchem Zwecke, ist aber nicht sicher nachweisbar.

Mit Unrecht hat man *v* als Küche bezeichnet; denn erstens war die Küche
zweifellos in *q*, zweitens ist die in *v* befindliche Aufmauerung kein Herd, sondern ein Wasserbassin.

Die diesem Abschnitt vorgeheftete Tafel bietet eine Ansicht der Ruinen
im gegenwärtigen Zustande; der Standpunkt ist gleich innerhalb des Haupt-
einganges; die vorstehende Abbildung (Fig. 59) ist eine Probe der etwas
schwerfälligen und jetzt stark beschädigten Stuccoreliefe von den Außenwänden des s. g. Purgatoriums, welche weiß auf blauem Grunde standen. Dies
Relief befindet sich an der rechten Nebenseite, ein ähnliches, in dem nur der
Mars voran ist, links; vorn neben dem Eingange sind aegyptisirende Figuren
angebracht. Auf den Stil des Tempels sowohl im Architektonischen wie im
Decorativen wird im artistischen Theil zurückzukommen sein.

5. Der Tempel des Juppiter, der Juno und der Minerva

(s. g. Aesculaptempel).

Dies Tempelchen (XIII auf dem Plan) liegt, östlich vom Isistempel und von
demselben durch den Zugang zum großen Theater getrennt, an der Ecke der Sta-
bianer- und der Isisstraße, mit Eingang von ersterer; Fig. 60 giebt den Plan. Zu-

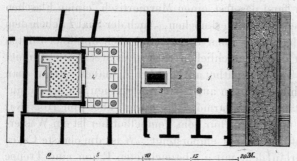

Fig. 60. Plan des Tempels des Juppiter, der Juno u. der Minerva
(Norden oben).

nächst an der Straße liegt
eine kleine, 3,45 M. tiefe
Halle (1); von den zwei
Säulen, welche ihr Dach
stützten, sind die ge-
mauerten Fundamente
und ein dorisches Lava-
capitell erhalten; auf sie
mündete rechts ein klei-
nes Gemach (des *aedi-
tuus?*). Auf dem 5,53 M.
tiefen Tempelhof (2), un-
mittelbar vor der in der ganzen Breite des Raumes zum Heiligthum hinaufführenden Treppe, steht, mit seiner Schmalseite dem Tempel zugewandt, der
Hauptaltar (3), welchen als ein gut gearbeitetes Stück, von dem im artistischen
Theile noch ein Mal die Rede sein wird, die Abbildung Fig. 63 zeigt. Die
Treppe (tief 2,78 M.) besteht aus neun Stufen; die Vorhalle (4) muss vier
Säulen in der Front, eine zu jeder Seite gehabt haben; der Boden der Cella
(5) war mit jetzt verschwundenem Ziegelmosaik belegt; das Piedestal für das
Tempelbild oder die Tempelbilder (6) steht, in geringen Resten erhalten, an
der Hinterwand.

Offenbar haben wir hier nicht etwa mit einer schon bei der Gründung
der Stadt vorgesehenen Anlage zu thun, sondern der Platz für den Tempel ist
erst in relativ später Zeit von den Privathäusern abgenommen worden. Und
damit stimmt der ganze Charakter des Baues. Das Mauerwerk besteht aus
kleinen Lavastücken und ist auf den Innenwänden und auf der Außenseite

der Vorderwand als grobes Netzwerk behandelt, die Thürpfosten sind aus ziegelförmigen Kalk- und Tuffsteinen gemacht: kurz, es ist das Mauerwerk der

Fig. 61. Ansicht des Tempels des Juppiter, der Juno und der Minerva.

Gebäude aus der ersten Zeit der sullanischen Colonie (Amphitheater, kleines Theater, kleine Thermen vgl. S. 36), und dieser Zeit, bald nach 80 v. Chr., muss zweifellos der Bau zugeschrieben werden. Leider ist keine Säule erhalten, wohl aber die Capitelle der Pilaster an beiden Enden der Front, und ein anderes, etwas niedrigeres Pilastercapitell (Fig. 62), welches wohl der Thür angehörte.

Diese Capitelle, aus Tuff mit feinem Stuck-überzug, sind ganz in der Art der vorher-gehenden Periode, der Tuffperiode oder der Zeit des ersten Decorationsstils gearbeitet. In diesem Stil war, wie es scheint, auch die Decoration der Wände gehalten, von der ein Theil noch erhalten war als Gau (vor 1837, Mazois IV, 4) den Tempel zeichnete; und es hat ja nichts auffallendes, dass der Decora-tionsstil einer Periode auch noch im Anfange der folgenden einmal zur Anwendung gekom-men ist. Den Motiven desselben Stils — In-

Fig. 62. Capitell.

crustation mit Fugenschnitt und Triglyphenfries — begegnen wir an dem großen Altar, welcher auch aus Tuff gearbeitet ist und mit Stuck überzogen war (Fig. 63) [48].

Auf der Basis an der Hinterwand wurden bei der Ausgrabung im Jahre 1766 die Cultusbilder an ihrem Platze gefunden: zwei Terracottastatuen, eine

männliche (hoch 1,85 M.) und eine weibliche (hoch 2,07 M.), und eine Büste
der Minerva aus demselben Material, charakterisirt durch den Helm mit drei-
fachem Busch, den Schild und das Medusenhaupt auf der Brust. Alle drei

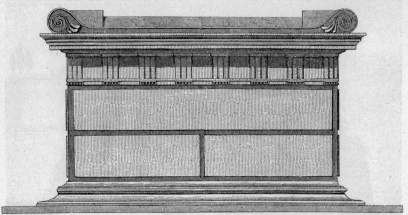

Fig. 63. Altar.

sind von geringem Kunstwerth; sie stehn in der Terracottensammlung des
Nationalmuseums in Neapel. Die beiden Statuen waren auf der Basis befestigt, und unter die männliche hatte man einige Kupfermünzen gelegt, deren
Gepräge leider nicht festgestellt und aufgezeichnet worden ist. Nun stammen
zwar diese Thonbilder keinenfalls aus der Zeit der Gründung des Tempels,
sondern können nach Stil und Arbeit sehr wohl nach dem
Erdbeben des Jahres 63 n. Chr. die damals zerstörten ursprünglichen Bilder ersetzt haben; dennoch aber haben wir
in ihnen zweifellos die hier verehrten Gottheiten zu erkennen. Über die Benennung der Statuen, deren Gewänder
Spuren rother Farbe zeigen, giebt es zwei Meinungen:
Juppiter und Juno oder Aesculap und Hygieia, Gottheiten,
die sich manchmal sehr ähnlich sehen. Nur die männliche
Statue (Fig. 64) kann Entscheidung geben: die Haltung
der rechten Hand ist entschieden die des blitztragenden
Juppiter; die linke hielt offenbar einen Stab, und so dürfen
wir hier wohl sicher den durch Blitz, Scepter und Eichenkranz charakterisirten Juppiter erkennen, für den auch
die aufrechte und selbstbewusste Haltung besser passt als
für den milden Arztgott. Bei Aesculap müssten wir in der
rechten Hand den Schlangenstab annehmen, wozu die Haltung der Finger durchaus nicht stimmt. Die weibliche Gestalt ist ohne Attribute und schlechter erhalten; sie ist
ganz bekleidet und trägt auf dem Kopfe ein Diadem (Ste-

Fig. 64. Juppiter.

phane): nichts hindert uns, in ihr ein schlechtes Bild der Juno zu erkennen.
Und es ist klar, dass die Minerva, welche keinerlei Attribute einer Heilgöttin
trägt, trefflich zu Juppiter und Juno passt, mit denen zusammen sie ja auch
im capitolinischen Juppitertempel verehrt wurde. Dass die Tempelbilder nicht

schöner sind, dass Juno größer ist als Juppiter, dass man neben die Statuen eine Büste stellte, alles dies erklärt sich daraus, dass man nach dem Erdbeben in aller Eile, um nur den Tempel wieder in Stand zu setzen, bei irgend einem Händler kaufte was grade gleich und billig zu haben war.

Die Benennung des Tempels als Neptuntempel gründet sich nur auf den Kopf an dem phantastisch korinthisirenden Capitell Fig. 62 S. 111; wenn wir aber demselben überhaupt eine Bedeutung beilegen wollen, so können wir in ihm eben so gut einen Juppiter wie einen Neptun erkennen. Dass eben jene Gottheiten hier verehrt wurden, wird uns auch durch ein inschriftliches Zeugniss bestätigt. Es ist nämlich so gut wie sicher, dass aus dem Vorhofe des Tempels zwei beim Bau von Fontana's Canal (S. 26) gefundene Inschriften stammen, deren eine lautet: *Imperio Veneris Fisicae Iovi o. m. Antistia Methe Antisti Primigeni ex d(ecurionum) d(ecreto)*. Auf den noch unerklärten Beinamen der *Venus Fisica* gehen wir hier nicht ein und heben nur hervor, dass es eben der capitolinische *Juppiter optimus maximus* ist, dem Antistia Methe auf Befehl jener Göttin hier irgend ein Weihgeschenk aufstellte [49].

Es haben also hier die sullanischen Veteranen bald nach ihrer Ansiedelung einen Tempel der capitolinischen Gottheiten erbaut; wahrscheinlich ward er, wie der capitolinische, als Juppitertempel bezeichnet. Es ist also nicht der in der oskischen Wegebauinschrift (S. 59) erwähnte Tempel des Zeus Meilichios. Man könnte vermuthen, dass letzterer vielleicht an derselben Stelle stand; unmöglich ist dies nicht, doch liegt wohl zu einer solchen Vermuthung kein genügender Grund vor

Wir wenden uns jetzt zur Betrachtung der beiden jüngsten Tempel Pompejis, welche als Tempel der Fortuna Augusta und des Genius Augusti der Verehrung des ersten Kaisers gewidmet waren. Die römischen Kaiser wurden nicht nur nach ihrem Tode von Staats wegen vergöttert und als Divus Augustus, Divus Claudius u. s. w. verehrt, sondern es war auch von Anfang an die Neigung vorhanden, ihnen schon bei ihren Lebzeiten göttliche Ehren zu erweisen. Es kam sogar vor, dass dem Augustus bei seinen Lebzeiten von Privatpersonen Tempel gestiftet wurden, z. B. in Puteoli. Von einem solchen Tempel ist uns in Pompeji nichts bekannt; aber von dem Cultus des Kaisers haben wir hinlängliche Kunde. Zu demselben gehörte ein jährlich gewähltes, aus Sclaven und Freigelassenen bestehendes, uns aus einer Reihe von Inschriften bekanntes Collegium, welches diesen Cultus pflegte unter der Leitung der Duumvirn und zweier Beamten, deren Titel uns nur in der Abkürzung *d. v. v. a. s. p. p.* (*duumviri votis augustalibus sacris publicis procurandis?*) erhalten ist. Dies Collegium, dessen älteste Inschrift aus dem Jahre 25 v. Chr. stammt, nennt sich bis mindestens zum Jahre 14 v. Chr. *ministri Mercurii (et) Maiae*, dann *ministri Augusti Mercurii Maiae*, endlich, spätestens seit dem Jahre 2 v. Chr. einfach *ministri Augusti*. Ihre Inschriften reichen bis zum Jahre 40 und wurden in der Stadt zerstreut gefunden, so dass wir nicht wissen, wo sie aufgestellt waren. Auch die Vorstadt *pagus Augustus felix suburbanus* hatte ihren besondern Augustuscult, dem die *magistri* und *ministri pagi* dienten; letztere wurden nach einer Inschrift (*I. R. N.* 2293;

C. I. L. X. 924) im Jahre 7 v. Chr. gestiftet. Vornehmern Ranges als diese Sclaven und Freigelassenen war der *sacerdos Augusti*, auch *flamen Augusti*, nach dem Tode des Kaisers *sacerdos divi Augusti* genannt; dies Priesterthum bekleideten nach einander die beiden Erneuerer des großen Theaters (s. 3. Abschnitt) M. Holconius Rufus, mindestens seit dem J. 2 v. Chr., und nach dessen Tode M. Holconius Celer.

Neben diesem unmittelbaren Kaisercultus gab es noch einen gewissermaßen mittelbaren: man verehrte nicht den Kaiser selbst, sondern die ihn beschützende Glücksgöttin, die *Fortuna Augusta;* man verehrte ferner den Genius des Kaisers. Genius ist der mit dem Menschen geborene und ihn durch das Leben geleitende Schutzgeist; auch Privatleute opferten ihrem eigenen Genius, namentlich am Geburtstage wurde er als *Genius natalis* verehrt. In jedem Hause genoss der Genius des Hausherrn besonderes Ansehn: er wurde mit den Hausgöttern, Laren, zusammen in der Hauscapelle, dem Lararium, verehrt, und wir finden in einem reichen pompejanischen Hause (IX, 1, 20) eine Hauscapelle, welche laut der Inschrift von zwei Freigelassenen dem Genius des Hausherrn und den Laren geweiht worden ist: *Genio M(arci) n(ostri) et Laribus duo Diadumeni liberti*. Und im Atrium des Bankiers L. Caecilius Jucundus (V, 1, 26) stellte sein Freigelassener Felix zwei Porträthermen desselben auf und widmete sie seinem Genius: *Genio L(ucii) n(ostri) Felix libertus*. — Wie das Haus unter dem Schutz der *Lares familiares*, so standen die Straßen unter dem Schutz der *Lares compitales* (*compitum*, Ort wo sich zwei Wege theilen). Der Dienst derselben wurde von Augustus im Jahre 7 n. Chr. neu geordnet: sie wurden fortan als *Lares Augusti*, Laren des kaiserlichen Hauses, bezeichnet, und ihnen (sie waren je zwei, wie auch die Hauslaren) als dritter der Genius des Kaisers zugesellt, welcher also dadurch zur Hauptstadt in das Verhältniß des Hausvaters trat. Wenn man nun auch in Municipien, Colonien und Provinzialstädten den Genius des Kaisers verehrte und ihm Tempel errichtete, so lag darin noch kein Versuch zur Vergötterung, sondern man trat dadurch nur zum Kaiser in das Verhältniss der Hausangehörigen zum Familienvater. Immerhin aber ist der Cultus des Genius eine directere Verehrung des Kaisers, als der der Fortuna Augusta; denn im Tempel der letztern stand als Haupt- und Cultusbild die Fortuna, in dem des Genius dieser selbst, d. h. der Kaiser in der Tracht des Genius, mit Füllhorn und Opferschale, wie ihn uns eine Statue im Vatican (Visconti *Mus. Pio-Cl.* 3, 2) zeigt.

Betrachten wir also jetzt die beiden dem Cult des Augustus gewidmeten Tempel.

6. Der Tempel der Fortuna Augusta.

Wenn wir vom Forum aus, östlich vom Juppitertempel, den großen Eingangsbogen durchschreitend uns nordwärts wenden, so gelangen wir in eine in derselben Richtung weiterführende, ungewöhnlich breite und stattliche Straße, welche auf der rechten Seite eine offenbar aus der letzten Zeit der Stadt stammende Säulenhalle, auf der linken die zu den weiterhin zu besprechenden Thermen gehörigen Läden hat. Wo diese Straße auf die *Strada*

Ansicht der Ruinen des Tempels der Fortuna Augusta.

di Nola trifft, liegt ein kleiner, aber nach den geringen Resten reich mit
Marmor geschmückter Tempel, dessen 1823 ausgegrabene Ruinen die beiliegende Ansicht darstellt.   Seine Orientirung ist bedingt durch die Richtung der Straße. Seine Raumanordnung ist, wie der Plan (Fig. 65) zeigt, der des
Juppitertempels sehr ähnlich.   *A* ist die Platform
mit dem Opferaltar; die punktirte Linie bezeichnet
die Reste eines nur in der halben Breite der Treppen
unterbrochenen, hier ohne Zweifel mit Pforten versehenen eisernen Gitters, welches die heilige Stätte
von der Straße absonderte; *B* Freitreppe, *b* Treppenwangen, vermuthlich zugleich Piedestale für Statuen, *C* Pronaos mit acht römisch-korinthischen Säulen, *c* Schwelle, *D* Cella, *E* Nische mit der Aedicula
für das Bild der Göttin: man fand die Capitelle
der beiden korinthischen Marmorsäulen und das Epistyl mit der Inschrift: *M. Tullius M. f. d. v. i. d.*
ter. quinq. augur tr. mil. a pop. aedem Fortunae
August. solo et peq. sua, zu deutsch: »Marcus Tullius,
des Marcus Sohn, zum dritten Mal richterlicher Zwei-
mann, Quinquennal, Augur und aus der Bürgerschaft
erwählter Kriegstribun hat den Tempel der Fortuna
Augusta auf seinem Grund und Boden und auf seine
Kosten erbaut.« Hierdurch ist der Name des Tem-
pels bestimmt.   Er wird bestätigt durch zwei andere, auch hier gefundene
Inschriften, zu denen sich weitere drei gesellen, die wohl in Folge des Erdbebens vom Jahr 63 aus dem Tempel abhanden gekommen waren und in und
bei der Basilika und im Apollotempel gefunden wurden (*I. R. N.* 2223 ff.;
C. I. L. X, 824 — 828).   Es sind dies Inschriften des Priestercollegiums der
ministri Fortunae Augustae, welches aus Sclaven und Freigelassenen bestand, und jedes Jahr vier Mann stark gewählt wurde.   Sie besorgten im
Auftrage der Duumvirn den Gottesdienst, und es gehörte zu ihren Statuten,
dass sie alljährlich eine kleine Statue (*signum*) im Tempel aufstellen mussten;
und auf diese Aufstellung beziehen sich die Inschriften.   Von besonderer
Wichtigkeit ist es, dass eine dieser Inschriften (*I. R. N.* 2223; *C. I. L.* X,
824) im Jahr 3 n. Chr. von den e r s t e n *ministri Fortunae Augustae* gesetzt ist;
wir lernen also aus ihr, dass in diesem Jahr das Priestercollegium gestiftet
wurde, und wir dürfen vermuthen, dass nicht viel früher der Tempel erbaut
sein wird.

    In den vier Nischen der Seitenwände standen sicher Statuen, und zwar
ist in einem Tempel der Fortuna Augusta zunächst zu vermuthen, dass es
Statuen des Augustus, der Livia und zweier anderer Mitglieder seiner Familie gewesen seien.   Nun fand sich im Tempel keine Statue des Augustus,
sondern nur eine auf eine solche bezügliche Inschrift: [*Augu*]*sto Caesari*
parenti patriae, nebst Fragmenten einer Statue; ferner eine aus der Nische 1
herabgefallene weibliche Statue mit über den Kopf gezogenem Mantel, der
man das Gesicht abgesägt und durch ein neues (nicht mitgefundenes) ersetzt

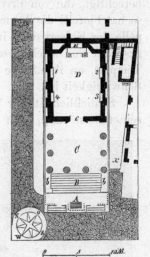

Fig. 65.
Plan des Fortunatempels.

8*

hatte, und eine männliche Statue, jedenfalls eines Privatmannes, die eine entfernte Ähnlichkeit mit Cicero hat; auch diese scheint im innersten Theil der
Cella (etwa bei 2) gefunden zu sein. Es könnte also scheinen, dass in einer
Nische die Statue des Augustus stand, in anderen, ihm gewissermaßen gleichberechtigt, die von Privatpersonen. Da nun dies sehr unwahrscheinlich ist,
so hat Fiorelli die Vermuthung aufgestellt, man habe bei Erbauung der Capelle des Kaiserhauses im s. g. Pantheon die Statuen dieses Tempels dorthin
geschafft und solche verdienter Privatmänner, darunter die des Stifters des
Tempels, an ihre Stelle gesetzt: eine Annahme, die freilich auch nicht ohne
Schwierigkeit ist.

Schließlich ist, zur Vermittlung einer Anschauung von dem Gebäude vor
seiner Zerstörung, noch in Fig. 66 eine Ansicht des Tempels nach der so viel

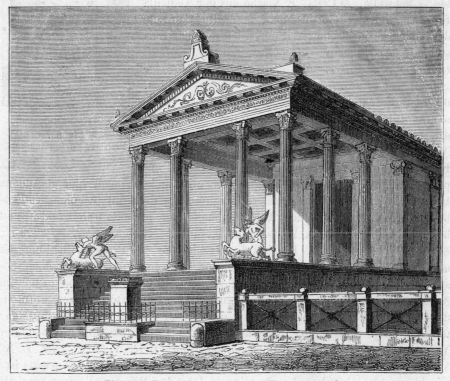

Fig. 66.   Restaurirte Ansicht des Fortunatempels.

wie thunlich berichtigten Wiederherstellung Gell's gegeben, ohne dass jedoch
für alle Einzelheiten derselben eingestanden werden soll.

Als M. Tullius nach Niederlegung der hier früher stehenden, ihm gehörigen Gebäude den Tempel errichtete, blieb der schmale Bodenstreifen x übrig.
Von der Straße zugänglich, konnte derselbe öffentlicher Boden scheinen:
M. Tullius wahrte sich aber sein Eigenthumsrecht durch einen am Eingange
errichteten niedrigen Lavastein mit der Inschrift: *M. Tullii area privata* (Pri-
vatbesitz des M. Tullius).

Zwei eigenthümliche Umstände sind bei diesem Tempel zu beachten,

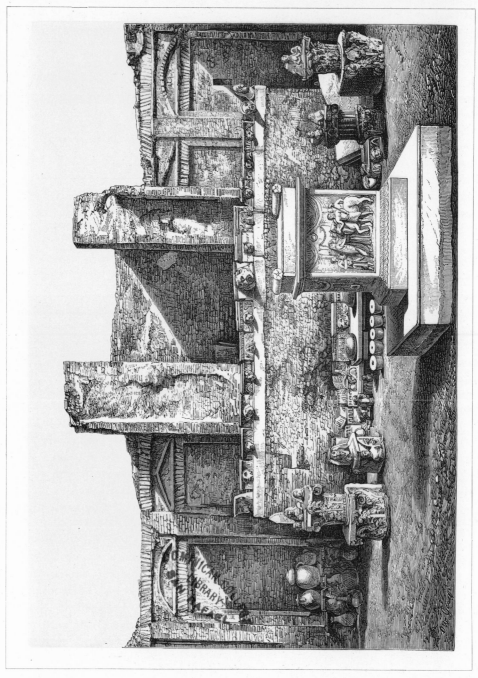

Ansicht der Ruinen des Tempels des Genius des Augustus.

Erstens dass der halbrunde Ausbau an der Rückseite auf einer nachträglichen Änderung beruht, auch nicht auf dem Boden steht, sondern von einem Bogen getragen wird, welcher an das Nachbarhaus angelehnt ist. Zweitens, dass die Stiftungsinschrift des Tempels gegen den sonstigen Gebrauch im Innern der Cella, an der Aedicula angebracht war. Eine genügende Erklärung dieser Umstände ist bis jetzt nicht gefunden [50].

7. Der Tempel des Genius des Augustus
(s. g. Tempel des Mercur).

Der Name Mercurtempel, welchen dies kleine Heiligthum (VIII auf dem Plan) gleich nach seiner Aufgrabung erhielt, beruht auf der Vorschrift Vitruvs, dass der Tempel des Mercur am Forum liegen soll, und darauf, dass die auf S. 113 erwähnten Inschriften auf einen Cult des Mercur und der Maja schließen lassen. Unter diesem wenig gerechtfertigten Namen ist der Tempel an Ort und Stelle bekannt. Tempel des Quirinus (Romulus) hat man ihn genannt nach einer Inschrift (*I. R. N.* 2189; *C. I. L.* X, 809), in der ein kurzer Abriss des Lebens und der Thaten des Romulus gegeben ist. Da aber diese Inschrift und die ähnliche auf Aeneas bezügliche (a. O. 2188; 808) vielmehr der Vorhalle des anstoßenden Gebäudes der Eumachia (XXI) angehören, so ist auch diese Benennung grundlos.

Mit mehr Glück hat Garrucci (*Quest. Pomp.* S. 74, auch *Bull. napol. N. S.* II, S. 4) die Reliefe des Altars zum Ausgangspunkt für die Bestimmung des Tempels gemacht. Die Rückseite nämlich desselben (Fig. 69 in der Mitte) zeigt den Eichen- oder Bürgerkranz zwischen zwei Lorbeerbäumen, also das Symbol des Augustus; denn nach Beschluss des Senats war über der Thür des Kaisers ein Eichenkranz aufgehangen, zu jeder Seite derselben aber ein Lorbeer gepflanzt worden. Vermuthungsweise hat ferner Fiorelli eine Inschrift mit diesem Tempel in Verbindung gebracht, über deren Fundort nichts bekannt ist, sie lautet: *M[am]ia P. f. sacerdos public. geni[o Aug. s]olo et pec[unia sua]*, »Mamia, Tochter des Publius, öffentliche Priesterin, dem Genius des Augustus auf ihrem Boden und auf ihre Kosten«. Sie kann über der Thür des Tempelhofes gestanden haben. In dem Relief der Vorderseite des Altars (Fig. 68) hat man wohl mit Recht das Opfer erkannt, welches bei der Stiftung des Tempels selbst dargebracht wurde. Der Tempel mit seinen vier Säulen ist im Hintergrunde angedeutet. Der Opfernde, bekränzt, mit über den Kopf gezogener Toga, ist dann wohl der *sacerdos Augusti*; ihn begleiten zwei Lictoren, ein Diener, ein Flötenbläser und zwei Opferknaben (*camilli*), welche ihm die Opfergeräthe nachtragen; rechts führt der *victimarius* mit seinem Gehilfen den Opferstier herbei: wir wissen, dass dem Genius des regierenden Kaisers immer ein Stier geopfert wurde. Auf den Seitenflächen (Fig. 69) sind Opfergeräthe dargestellt: links das Handtuch (*mantele*), das Weihrauchkästchen (*acerra*) und der Augurnstab (*lituus*), rechts die Opferschale (*patera*), der Schöpflöffel (*simpulum*) und die Weinkanne (*praefericulum*).

Es ist also dieser Tempel jedenfalls zu Ehren des Augustus erbaut, höchst wahrscheinlich seinem Genius geweiht gewesen. Wenn jene Inschrift hierher gehört, gründete ihn die Priesterin Mamia auf ihrem Boden, d. h. vermuthlich auf dem Boden eines von ihr zu diesem Zweck gekauften Hauses, wahrscheinlich bald nachdem im Jahr 7 v. Chr. in Rom der Cultus des Genius des Augustus eingeführt war, wohl sicher vor dem Jahr 2 v. Chr., in welchem M. Holconius Rufus schon das Amt des Augustuspriesters bekleidete (Nissen, Pomp. Studien S. 183, 273).

Das schiefwinklig oblonge Areal der Umfassungsmauer von 23×30 M. Flächenraum (s. den Plan Fig. 67) stößt mit seiner Hauptfront an das Forum A,

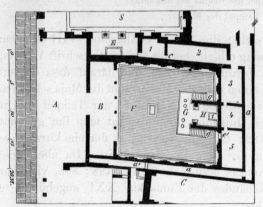

Fig. 67. Plan des Augustustempels (Norden oben).

dessen Colonnade vor diesem Gebäude erst noch gebaut oder wiederhergestellt werden sollte. Links ist es von dem s. g. Senaculum S begrenzt, aus dessen rechter Seitennische E durch c ein Verbindungsweg in unser Gebäude, durch fünf Zimmer desselben (1—5), die wahrscheinlich der Priesterschaft gehörten, bei e' in den Hof des Heiligthums gelangt. An dreien dieser Zimmer (3—5) vorbei kommt man durch einen wie geheimen zweiten Ausgang (a) auf die Gasse, welche einst südlich vom Tempel auf das Forum mündete, und auf welche auch das Gebäude der Eumachia einen Nebenausgang (a') hat. Der Haupteingang ist vom Forum aus durch eine Mauer, welche, nach schwachen Resten zu schließen, ganz mit Marmor bekleidet gewesen zu sein scheint. Ähnlich wie beim Tempel des Juppiter, der Juno und der Minerva (S. 110) gelangt man zunächst in eine vom Hofraum durch

Fig. 68. Altar. (Vorderseite.)

vorspringende Mauerpfeiler und durch vier Säulen getrennte bedeckte Vorhalle B, aus der die Ansicht der Ruinen vor S. 117 aufgenommen ist, sodann auf den unbedeckten Hof F, in dessen Mitte der schon erwähnte, wohlerhaltene Marmoraltar mit seinem reichlichen Reliefschmuck sich befindet. Unter diesem nimmt die Darstellung der Vorderseite (Fig. 68), das Stieropfer, auch abgesehn von seinem Gegenstand, als eines der früheren Reliefe mit malerischer Anordnung der Figuren in verschiedenen Plänen (Vorder- und Hintergrund) ein besonderes Interesse in Anspruch. Zu unserer Abbildung der halben Rückseite (Fig. 69 in der Mitte) ist noch zu bemerken, dass die Volute oben in Wahrheit nicht von der Rückseite, sondern von den Schmalseiten in dieser Weise sichtbar ist.

Fig. 69. Altar. (Rückseite und Nebenseiten.)

Im Hintergrunde des Tempelhofs liegt die Cella H auf einem breit vorliegenden Unterbau G, auf den zu beiden Seiten von hinten Treppen g g führen. Dies, die Platform vor dem Pronaos und die Lage der Treppen, ist die bemerkenswertheste Eigenthümlichkeit in der Anlage dieses Tempels. Dass derselbe eine von vier Säulen getragene Vorhalle hatte (so hat ihn Mazois restaurirt), muss wohl aus dem besprochenen Relief geschlossen werden. Denn an Halbsäulen zu denken, erlaubt weder das Relief, wo Vorhänge zwischen den Säulen hängen, noch die Form des Tempels, mit einer kleinen Ante an jedem Ende der Front, wie auf unserer Abbildung ersichtlich. In i sehn wir die Basis für das Tempelbild. Mit Geschick hat der Architekt die Schiefheit der Grundfläche seines Gebäudes auszugleichen und zu verbergen verstanden, dagegen hat er in der Decoration der Umfassungsmauern des Hofes durch abwechselnd mit flachen Giebeln und flachen Wölbungen abgeschlossene Mauerfelder (s. die Ansicht) wenig Geschmack bewiesen, obgleich wir diese Art von Ornamentirung in Pompeji noch einige Male und an vielen modernen Häuserfaçaden wiederzufinden Gelegenheit haben. Unerwähnt soll schließlich nicht bleiben, dass der Tempelhof, wie die Ansicht zeigt, neuerdings zur Aufbewahrung von mancherlei Fundstücken der Ausgrabungen, namentlich Architekturtheilen, benutzt und daher verschlossen gehalten wird[51]).

Zweiter Abschnitt.
Municipalgebäude.

Der folgende Abschnitt umfasst diejenigen öffentlichen Gebäude, welche der Verwaltung und Rechtspflege, dem Handel und Verkehr in Pompeji dienten; die ihnen gegebene Bezeichnung ist deshalb nicht im strengsten Wortsinne zu fassen, und ist nur gewählt, weil sich schwer eine andere finden läßt, welche erschöpfend und doch gleich kurz diese Classe öffentlicher Bauwerke von den anderen Classen unterscheidet.

Wir eröffnen unsere Betrachtung passend mit einem Gebäude, welches theils religiösen, theils weltlichen Zwecken diente, so dass es gleichsam auf der Grenze der heiligen und der profanen Bauwerke steht.

Fig. 70. Das Macellum (s. g. Pantheon).

1. Das Macellum
(s. g. Pantheon).

Dies seiner Bauweise nach ganz der römischen Kaiserzeit angehörende merkwürdige Gebäude (XXIII auf dem Plan), von dessen Ruinen in ihrem gegenwärtigen Zustande Fig. 70 eine Anschauung giebt, und welches sowohl wegen seiner Größe wie wegen seines eigenthümlichen Planes und seines Bilderschmuckes zu den bedeutendsten Monumenten Pompejis gehört, wurde 1818 entdeckt, aber erst 1821 und 1822 vollständig ausgegraben. Um diejenigen Bilder, welche nicht entfernt werden konnten, gegen die Einflüsse der Witterung thunlichst zu schützen, hat man hier wie sonst in Pompeji die Wände mit der kleinen Ziegelbedachung versehn, welche unsere Abbildung erkennen lässt, jedoch den Zweck nur sehr unvollkommen erreicht, so dass die glänzenden Farben der Gemälde bereits stark verblichen sind. Nur diejenigen an der Wand gegen das Forum sind durch ein breites Dach hinlänglich geschützt und meistens gut erhalten. Um uns über die Bestimmung dieses Gebäudes ein Urteil zu bilden, müssen wir zunächst seinen Plan im Ganzen überblicken und die Bedeutung der einzelnen Räumlichkeiten so viel wie möglich festzustellen suchen.

Das Gebäude steht, wie schon oben bemerkt, an der Nordostecke des Forums, unmittelbar am s. g. Triumphbogen, dessen einen Pfeiler der Plan Fig. 71 neben dem gewölbten Eingang 1 zeigt. Es liegt nicht rechtwinkelig gegen das Forum, sondern schließt sich mehr (freilich auch nicht genau) den an den Langseiten vorbeiführenden Straßen an. Die westliche Schmalseite, welche wir als Front bezeichnen können, stößt an das Forum, welches, wie schon oben (S. 74) bemerkt wurde, auf dieser Seite keine gleichmäßig fortlaufende Colonnade hat; dieselbe wird ersetzt durch die unter einander verschiedenen, den einzelnen Gebäuden vorgelegten Säulenhallen. Diejenige des in Rede stehenden Gebäudes wurde gebildet (oder sollte gebildet werden; denn wir wissen nicht ob sie fertig war) durch schlanke ionische Säulen aus weißem Marmor, welche auf viereckigen Basen standen; am Fuße einer jeden Säule stand, dem Innern der Halle zugewandt, ein Piede-

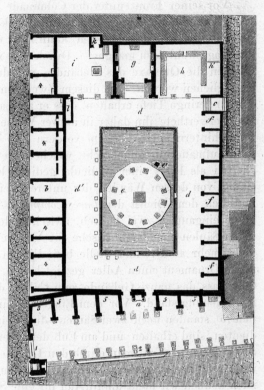

Fig. 71. Plan des Macellum (s. g. Pantheon).
(Norden links.)

stal für eine Statue; diese Piedestale (2 im Plan) sind 1,14 M. hoch und jetzt mit unregelmäßigen Marmorstücken belegt; die Krönungsplatten sind antik, aber nach der Ausgrabung wieder auf ihre Plätze gelegt worden. Auf zweien dieser Basen liegen marmorne Architravstücke ionischer Ordnung, welche nach beiden Seiten behauen sind und wahrscheinlich der Front dieser Vorhalle angehören. Eine zweite Reihe von Statuenbasen stand auf der Rückseite der Vorhalle, zwischen den dort sich auf dieselbe öffnenden Läden 5 und an den beiden Säulen des Eingangsraumes a. Auf ein oberes Geschoss der Vorhalle deutet die Treppe 3, welche nicht zum Innern des Gebäudes in Beziehung steht, sondern mit den früher erwähnten Aufgängen zur Gallerie des Forums zu vergleichen ist. Links führt die s. g. *Strada degli Augustali* (früher Straße der getrockneten Früchte) vorüber, und mit 4 sind jene Läden bezeichnet, von deren reichem Inhalt an allerlei Früchten die Straße den früher üblichen Namen erhalten hat. Von dieser Straße her führt ein mit zwei Erotenbildern (Hlbg. No. 777, 800) geschmückter Nebeneingang *b* auf den Hof unseres Gebäudes. Eben dahin führt durch ein kurzes Vestibül und über fünf Stufen ein zweiter Eingang *c* aus der durch das angrenzende s. g. Senaculum zur Sackgasse verbauten kleinen Straße, jetzt *Vicolo del balcone pensile*; an seiner linken Wand ist die Nische für die Larenbilder nebst den gewohnten zwei Schlangen angebracht. Nach hinten stößt unser Gebäude an Privathäuser.

Vor seiner Front unter der Colonnade liegen die mit 5 bezeichneten, als Wechslerbuden, *tabernae argentariae*, bekannten kleinen Läden; dass sie wirklich diesem Zweck dienten, kann zwar nicht erwiesen werden[52], doch ist ihre Lage wohl dazu geeignet. Durch ihre verschiedene Tiefe ist der Winkel, welchen die Queraxe des Gebäudes mit der Längenaxe des Forums bildet, ausgeglichen worden. Zu diesem Zweck musste der südlichste dieser Räume eine so geringe Tiefe erhalten, dass er als Laden nicht benutzt werden konnte. Man verwerthete ihn daher in andrer Weise: an der Rückwand ward eine in ihrem hintern Theil 1,77, im vordern 1,20 M. hohe, 1,60 breite und 1,20 M. tiefe Aufmauerung angebracht, welche, ihrer eigenthümlichen Form nach, am ehesten als Basis einer Aedicula gedient haben kann. Alsdann war dieser Raum, von dessen Wänden der untere Theil mit Marmor bekleidet war, vermuthlich dem Dienst der *Lares compitales* gewidmet. In der Mitte ist der Haupteingang *a*, zwei Thüren, zwischen denen sich eine von zwei korinthischen Säulen eingefasste Nische für eine verlorene Statue befindet. Die jetzt nicht mehr an Ort und Stelle befindlichen Capitelle dieser Säulen sollen in ihrem Ornament einen Adler gezeigt haben, was für die Ansicht ins Gewicht fällt, dass das ganze Gebäude zum Cultus des vergötterten Kaisers Augustus in Beziehung stand. Vor dem Eingangsraum *a*, in der Frontlinie der Tabernen (5) standen noch zwei Säulen (die Steine, welche ihnen als Fundament dienten, sind erhalten) und am Fuß derselben (wie schon erwähnt) zwei weitere Statuenbasen. Tritt man durch den Haupteingang ein, so befindet man sich in dem breiten, den Mittelraum umgebenden Umgang *d*. Seiner Bestimmung nach können wir nicht umhin, ihn für eine Säulenhalle zu halten; doch ist der Zustand, in welchem er gefunden wurde, merkwürdig. Nur an der Nord- und einem Theil der Westseite liegt ein solider Säulenstuhl aus Travertin, und an ihm eine Rinne aus demselben Stein. Im Säulenstuhl sind in regelmäßigen Entfernungen, wie auf dem Plan (Fig. 71) angegeben, kleine viereckige Löcher angebracht, in welche, von der Seite des Mittelraums her, je eine kleine Rinne einmündet: offenbar für den Bleiverguss zur Befestigung der hier aufzustellenden Säulen; viereckige Spuren zeigen, dass dieselben Basen hatten. Mit Ausnahme dieses Stückes aber hat der Umgang *d* statt des Säulenstuhls nur eine aus ziemlich kleinen Tuffsteinen bestehende Stufe mit kleinen Löchern, welche, ziemlich gleichmäßig von einander entfernt, zur Anbringung eines Gitters dienen konnten; von Säulen keine Spur, und offenbar war auch die Festigkeit dieser Stufe viel zu gering, um solche zu tragen. Kein Zweifel, diese dürftige, provisorische (zum Theil übrigens moderne) Stufe sollte überall durch den Travertinsäulenstuhl ersetzt werden.

In der Mitte jeder der vier Seiten bildet ein über die Rinne gelegter Travertinstein einen schmalen Zugang zu dem 16×25 M. großen mittlern Hofraum, von dessen gut gearbeitetem terrassirten Fußboden, bestehend aus in Stuck gelegten Stückchen weißen Marmors, nur wenig erhalten ist. Hier erheben sich auf einer zwölfeckigen, etwas erhöhten Fläche von 12,50 M. Durchmesser zwölf in ganz zerstörtem Zustande gefundene, jetzt restaurirte und mit modernem Stuck überzogene basenartige viereckige Aufmauerungen, welche zu der populären Benennung des Gebäudes als Pantheon Anlass gegeben haben, indem man sich auf ihnen die Statuen der zwölf Götter errichtet dachte. Neuerdings hat Nissen vermuthet, dass es vielmehr Altäre der zwölf Götter waren, denen zu Ehren hier nach seiner Meinung geschlachtet wurde. Eine andere Ansicht ist die, dass diese zwölf vermuthlich mit Marmor bekleideten Aufmauerungen einen mit einer leichten Kuppel gedeckten Säulenbau trugen, dessen Verschwinden uns weiter nicht wundern dürfte. Letztere Annahme wird sich uns weiterhin aus allgemeinen Gründen als wahrscheinlich ergeben, und es spricht für sie der bemerkenswerthe Umstand, dass die fraglichen Aufmauerungen auf einem gemeinsamen, fortlaufenden, zwölfeckigen Fundament stehen: ein Verfahren, welches bei Säulenbauten stets beobachtet wurde und nöthig war um ungleichmäßige Senkungen zu vermeiden, nicht aber bei Reihen von Statuenbasen, wie wir sie mehrfach auf der Ostseite des Forums finden. Gleich außerhalb der Basen finden sich Reste einer ebenfalls zwölfeckigen, mindestens 0,44 M. dicken, aus ziemlich großen Kalksteinen gut gefügten Mauer. Dieselbe muss schon im Alterthum entfernt worden sein: nur auf der Westseite finden sich diese Reste auf einer zusammenhangenden Strecke, doch befinden sich auch im Osten einzelne Steine genau an ihrem Platze. Es liegt nahe, hier einen Rest eines ältern, geschlossenen Gebäudes zu erkennen, welches später durch den Säulenbau ersetzt wurde. In der Mitte fand man ein marmorbekleidetes Brunnenbassin, welches jetzt nicht mehr sichtbar, aber auf den Plänen Fiorelli's und Niccolini's sowie auch auf dem unsrigen verzeichnet ist; das dahin führende Leitungsrohr ist in der Senkgrube e' gesehen worden. Ebenda sollen auch Fischgräten gefunden worden sein[53]). Rechts, dem Eingang b gegenüber, lehnen sich elf kleine

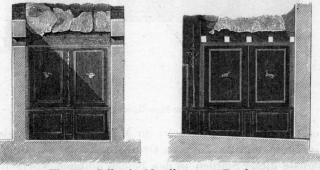

Fig. 72. Cellen im Macellum (s. g. Pantheon).

Cellen f von $2,75 \times 3,12$ M. an die Mauer des Gebäudes[54]). Die beiden Abbildungen Fig. 72 zeigen deren Hinter- und Seitenwand; man bemerkt den nach

hinten leise geneigten Fußboden, die durch die Rückwand hindurchgehende
Abflussrinne und die Löcher zur Aufnahme der Deckenbalken. Da sich die
Mauer über diese Löcher nicht unbeträchtlich erhebt, so müssen die Cellen
zweistöckig gewesen sein. Der Eingang in das obere Stockwerk konnte nur
durch eine äußere Gallerie vermittelt sein, wie eine solche in der unten zu
besprechenden Gladiatorenschule (dem s. g. Soldatenquartier) zum Theil
erhalten ist. Diese, sowie die Treppe, ist, als von Holz, gänzlich verschwunden, aber man kann viereckige Löcher in der Front der die Cellen trennenden
Wände auf die hier eingefügten Balken der Gallerie wahrscheinlich genug
beziehen. Die Form der Cellen ist durchaus die von Kaufläden, und auf einen
solchen Gebrauch deuten auch die vielen in die Wände eingekratzten Zahlen
(*C. I. L.* IV, 1960—1966[a]).

Im Hintergrunde des Gebäudes, dem Haupteingang gegenüber, liegen drei
größere Räumlichkeiten *g, h, i*, von denen Fig. 73 eine Gesammtansicht bietet.

Fig. 73. Hintergrund des Macellum (s. g. Pantheon).

Das mittlere dieser Zimmer, von 6,50 □ M., ist ein ganz unzweifelhaftes Heiligthum. Dasselbe ist auf fünf Stufen, die in einer eigenen Vorhalle liegen,
über den Boden des Gesammtbaus erhoben, hat im Hintergrunde eine große
Basis für das geweihte Bild und in seinen Seitenwänden je zwei Nischen für
andere Statuen. Zwei derselben fand man, wie Fig. 74 zeigt, an Ort und

Fig. 74. Sacellum im Macellum (s. g. Pantheon).

Stelle und erkennt in ihnen, die jetzt im Museum zu Neapel stehn, Livia,
Augustus' Gemahlin, und den jüngern Drusus, Sohn des Tiberius. Jetzt stehn
zwei Gypsabgüsse dieser Statuen in den beiden hinteren Nischen, rechts und
links, ob genau an ihrem Platze, muss dahinstehn; nach älteren Angaben
standen beide, wie es die Abbildung zeigt, rechts, und gegenüber werden
sich demnach die Statuen zweier anderen Glieder der Kaiserfamilie befunden

haben. Von dem Hauptbilde, welches an der Rückwand aufgestellt gewesen
sein muss, fand man nur einen die Weltkugel haltenden Arm, aus dem man
wohl mit Recht auf eine Kaiserstatue, und zwar die des Augustus, schließt,
welchem dies Sacellum geweiht gewesen.

Durch diese Statuenfunde wird festgestellt, dass das Heiligthum, und mit
ihm der ganze Bau, vor dem Jahre 23 n. Chr., dem Todesjahr des Drusus,
entstanden ist. Und wenn mit Recht in der Statue mit der Weltkugel Augustus erkannt wird, so ist es nach dessen Tode (14 n. Chr.) erbaut worden;
denn er ist alsdann als Gott dargestellt gewesen. Eine andere Möglichkeit
wäre freilich die, dass in der Hauptnische Juppiter mit der Weltkugel, Augustus aber in einer Seitennische der Livia gegenüber gestanden hätte; alsdann
fällt der Bau vor den Tod des Kaisers; denn als Gott, als Divus Augustus,
musste er einen hervorragenden Platz haben. Doch ist diese letztere Annahme
weniger wahrscheinlich: die Bauart deutet eher auf spätere Zeit, und wir
werden besser thun, den Bau nicht älter anzusetzen als durchaus nöthig ist;
ferner ist es nicht recht glaublich, dass hier noch ein dritter Juppitertempel
in augusteischer Zeit erbaut worden sein sollte[55]). Es war also dies ein dem
Kaisercultus gewidmetes Local, und nicht ohne Wahrscheinlichkeit hat man
in ihm schon gleich nach der Auffindung (so neuerdings auch Nissen, Pomp.
Stud. S. 274) das Cultuslocal der Augustalen erkannt, ein Heiligthum der *gens
Julia*, deren Cult diesem Collegium nach Tacitus (*Hist.* 2, 95) übertragen war.
Auch das mit einer Stellung von zwei Säulen, deren viereckige Marmorbasen
erhalten sind, gegen den Hof geöffnete Gemach links *i*, diente wahrscheinlich
Cultuszwecken. Es hat im Hintergrunde eine erhöhte und überwölbte Nische
k für ein Weihebild, und vor derselben zunächst ein breites, mit Marmor be-
legtes und durch eine seitliche Treppe von fünf Stufen zugängliches Podium,
so wie vor diesem einen ganz niedrigen, eigenthümlich geformten Altar: auf
zwei Marmorstufen (hoch 0,44 M.) liegt eine länglich viereckige (1,33 × 0,64 M.)
Platte aus schwarzem Sandstein, deren obere Fläche von einem niedrigen,
leicht profilirten Rande umgeben ist, welcher in der Südostecke durch ein
kleines Loch zum Abfluss von Flüssigkeit durchbohrt ist; die Form scheint
auf Libationen zu deuten und man könnte also vermuthen, dass hier Opfer-
schmäuse gehalten wurden. Endlich steht noch gleich rechts am Eingange ein
großes, 0,82 M. hohes marmorbekleidetes Podium. Die Nische *k* mit Zubehör
ist offenbar ein nachträglicher Einbau: es handelt sich also hier vielleicht um
den Cultus eines der auf Augustus gefolgten Kaiser.

Einen ganz andern Charakter hat das Gemach rechts *h*, welches ebenso
wie *i* sich mit zwei auf Basen stehenden Säulen auf die Ostporticus öffnet.
Die charakteristische Eigenthümlichkeit desselben ist die steinerne Bank,
welche an den drei inneren Wänden entlang läuft. Sie ist 1,18 M. von der
linken, 1,13 M. von der hintern, 2,74 M. von der rechten Wand entfernt
und hat in der Mitte ihrer Rückseite einen Durchgang. Ihre Oberfläche neigt
sich gegen die Mitte des Zimmers, und es ist deshalb nicht zulässig, sie mit
den in Pompeji nicht seltenen gemauerten Triclinien zu vergleichen und in
dem ganzen Raume ein Speisezimmer zu erkennen: die Tafelnden hätten alsdann entweder mit den Füßen höher als mit dem Kopfe, oder mit dem Gesicht

gegen die Wand liegen müssen, während die Speisetische doch nur in der
Mitte des Zimmers stehen konnten. Denken wir uns dagegen die obere Fläche
mit einer harten Masse bedeckt, so ist die ganze Vorrichtung zu keinem Gebrauch so vollkommen geeignet, wie zu einer Fleischbank; noch heutigen
Tags kann man in italienischen Städten sehen, wie das Fleisch auf gemauerten
Tischen verkauft wird, die mit einer nach der Seite des Käufers geneigten
Marmorplatte belegt sind: eine ganz ähnliche Vorrichtung, nur nicht hufeisenförmig, steht z. B. auf dem Markt von Torre Annunziata. Auch die an der
innern Seite des Hufeisens am Fuß des Tisches entlang geführte Rinne, mit
einem bedeckten Abfluss nach Süden, passt hierzu vortrefflich. Noch ist zu
bemerken, dass der linke (nördliche) Arm abweichend behandelt ist: der
Fußboden zwischen Tisch und Wand ist hier erhöht, mit Stuck bekleidet und
sehr stark gegen einen Punkt am Ostende geneigt, an welchem eine Rinne
durch den Tisch hindurch in jene andere Rinne führt. Dies deutet darauf, dass
hier besonders viel Wasser gebraucht wurde, und man könnte vermuthen, dass
auf dieser Seite Fische verkauft wurden [56]. Wir erwähnen noch den kleinen
$(4,75 \times 0,93$; hoch $2,10)$, von i aus zugänglichen Raum l, in welchem Gerippe
von kleineren Thieren, wie von Schafen, gefunden sein sollen (Nissen, Pomp.
Stud. S. 279). Es ist dies ein späterer Einbau, jünger als die Malerei der Wände.

Ehe wir nun versuchen, die Bedeutung und den Zweck des Baues zu
bestimmen, müssen wir noch einen Blick auf die Malereien seiner Wände
werfen, welche, namentlich die des Hauptraums, für jene Frage nicht un-
wichtig sind. Wir bemerken zunächst, dass sämmtliche Malereien den Stil
der letzten Zeit Pompejis zeigen. Die horizontale Theilung der Wand ist die
gewöhnliche, in Sockel, Hauptfläche und obern Wandtheil. Der Sockel ist in
spielend ornamentaler Weise als ein vorspringender und namentlich die leichten
Architekturen der Hauptfläche stützender Unterbau charakterisirt; und zwar
sind die architektonischen Glieder gelb, die von ihnen umrahmten ornamentirten
Flächen schwarz. Die Hauptfläche besteht aus großen schwarzen Feldern mit
breitem rothen Rande, welche getrennt werden durch architektonische Durchblicke mit weißem Hintergrund. Die schwarzen Felder haben in der Mitte theils
Gruppen schwebender Figuren (Hlbg. No. 1952, 1957), theils viereckige Bilder
mythologischen Inhalts; so an der Westwand (gut erhalten) Io und Argos
(Hlbg. No. 131), an der Nordwand (ebenfalls gut erhalten): Odysseus und
Penelope (No. 1332), Medea auf den Mord ihrer Kinder sinnend (noch ziemlich erkennbar, No. 1263), Thetis, welche Achill die Waffen bringt (sehr zerstört, No. 1322), Phrixos auf dem Widder (ziemlich zerstört, Nr. 1257). Die
phantastischen Architekturen der erwähnten Durchblicke sind vorwiegend
gelb, die scheinbar weiter zurück liegenden Theile auch roth und grün. Auch
in ihnen sind Figuren, einzeln und in Gruppen, angebracht (No. 940, 1780).
Am auffallendsten aber, und für die Bedeutung des ganzen Gebäudes am
wichtigsten ist die Behandlung des obern Wandtheils. Es ist sonst durchaus
Regel, dass derselbe von leichten, phantastischen Architekturen, in denen
häufig Figuren angebracht sind, daneben auch wohl von allerlei Ornamentstreifen eingenommen wird. Hier dagegen wird dieser Wandtheil fast ganz
ausgefüllt durch große, den schwarzen Feldern der Hauptfläche entsprechende

Bilder, die weitaus größten der gesammten Wände, welche die verschiedensten
Gattungen von Lebensmitteln nebst verwandten Gegenständen darstellen. Wir
finden daselbst allerlei Geflügel, Kalkuten, Enten, Gänse, Rebhühner, bestens
gerupft und gereinigt, einen Hahn mit gebundenen Füßen, Wild, Fische,
Früchte in verschiedenen Gefäßen, Eier in Glasschalen, Amphoren für Wein,
allerlei Fleisch, Schinken, Schweinsköpfe, Brod und Kuchen, verschiedene
Geräthe, z. B. Vorlegemesser und dergleichen mehr (*Mus. Borb*. VI, 38. VIII,
26 u. 57). Diese eigenthümlichen Malereien erstreckten sich durch den ganzen
Hauptraum und auf den nördlichen Eingang *b*. Auf den Hauptfeldern des letztern erwähnen wir noch zwei höchst anmuthige, leider jetzt sehr zerstörte Bildchen, deren eines Liebesgötter darstellt, welche das Mühlenfest *Vestalia* feiern
(Hlbg. No. 777), das andere dieselben, wie sie mit Kränzewinden beschäftigt
sind. An untergeordneten Stellen der Wände des Hauptraumes finden wir,
wie mehrfach sonst, Landschaften, Seestücke, Thierkämpfe, Jagden u. dgl.
mehr. Auf der Hinterwand des Raumes *h* sind in einem größern Bilde (No.
1019) vermuthlich pompejanische Localgottheiten dargestellt, Erotenscenen in
zwei Bildern des Raumes *i*.

Diese Decoration kann nicht diejenige sein, welche unser Gebäude gleich
nach seiner Erbauung erhielt; denn damals herrschte der dritte pompejanische
Decorationsstil. Außerdem ist sie jünger als die Nische *k* in *i*, welche wir als
einen spätern Einbau erkannt haben. Wir dürfen also annehmen, dass ihr
eine Decoration dritten Stils vorherging.

Fragen wir nun, was wir in diesem Gebäude zu erkennen haben, so fehlt es
uns nicht an Anhaltspunkten. Wir fanden eine Reihe von elf Localen, welche,
nach vorn weit offen, durchaus die Form von Läden haben, und in denen wir
daher Verkaufsräume vermuthen dürfen. Wir fanden ferner in dem Raume *h*
eine Vorrichtung, die vollkommen wie eine Fleischbank aussieht und uns zu der
Vermuthung berechtigt, dass dies Local dem Fleischverkauf diente. Endlich
die besprochenen Malereien: dieselben entsprechen weder dem was in der
pompejanischen Wandmalerei üblich ist, noch können sie als eine Verschönerung der üblichen Decorationsweise gelten. Dazu kommt der große Maßstab, welcher den Gedanken an ein decoratives Spiel ausschließt, die ungewöhnliche Ausdehnung, und der Umstand, dass, während auf den großen
Feldern der Hauptfläche die mythologischen Bilder mit Einzelfiguren wechseln, diese Darstellungen von Victualien sich über ihnen gleichmäßig durch
den ganzen Hauptraum mit dem Nordeingang erstrecken: offenbar sind sie
von den darstellenden (nicht ornamentalen) Bestandtheilen der Decoration derjenige, welcher am meisten in die Augen fallen und am meisten den Charakter
dieser gesammten Wände bestimmen musste. Wir können also kaum umhin,
anzunehmen, dass diese Malereien in enger Beziehung zu der Bestimmung des
Gebäudes stehn. Alle diese Umstände führen uns fast mit Nothwendigkeit auf
die Vermuthung, dass wir hier eine Verkaufshalle für Lebensmittel der verschiedensten Art, einen Victualienmarkt vor uns haben. Ein solches Gebäude, in welchem man jeglichen Bedarf für die Mahlzeit, namentlich auch
kostbare Speisen kaufen und sich außerdem noch einen Koch miethen konnte,
nannten die Römer mit einem griechischen Wort Macellum[57]; es gab deren

mehre in Rom, und sie fehlten auch nicht in den Municipien. Durch Inschriften und literarische Zeugnisse erfahren wir, dass zu ihnen sowohl Säulenhallen und ein freier Platz (*area*) als auch Verkaufsläden gehörten, ferner steinerne Tische: lauter Dinge, die wir auch in unserem Gebäude gefunden haben. Wir wissen aus einer gelegentlichen Erwähnung Varros, dass zu dem Macellum ein Kuppelbau (*tholus*) gehörte; und auf einer Münze, welche ein von Nero gebautes oder hergestelltes römisches Macellum darstellt, erscheint innerhalb eines zweistöckigen Säulenbaues eine säulengetragene Kuppel, unter welcher eine Statue steht. Wir sind also wohl nicht zu kühn, wenn wir annehmen, dass auch in unserm Gebäude in den zwölf Basen die Reste des Kuppelbaues (*tholus*) erhalten sind.

In Betreff des Letztern muss der Vermuthung begegnet werden, als sei er etwa ein Schlachthaus gewesen. Zwar geht aus einigen Andeutungen hervor, dass es Macella gab, in welchen auch geschlachtet wurde; da aber hier die Entfernung zwischen dem Bassin und den Basen nicht mehr als etwa 3 M. betragen konnte, so war der Raum für einen solchen Zweck durchaus ungenügend. Überhaupt ist in dem ganzen Gebäude kein zum Schlachten geeigneter Raum vorhanden; denn an die neben dem Zwölfeck übrig bleibenden Abschnitte des Mittelraumes zu denken verbietet nicht nur ihre hierfür doch kaum hinreichende Ausdehnung, sondern mehr noch die feine Fußbodenbedeckung, die schmalen Zugänge, so wie die Unzuträglichkeit, dass alsdann das Schlachtvieh durch das in den Umgängen sich bewegende kaufende Publikum hindurch geführt werden musste. Der Tholus war wohl nur ein den Brunnen umschließender Zierbau; wie wünschenswerth es war, an einem Ort, wo Lebensmittel verkauft wurden, Wasser zur Hand zu haben, bedarf keiner weitern Ausführung. So bleiben wir also dabei, in unserem Gebäude nicht ein Schlachthaus, sondern ein Macellum im Sinne eines Victualienmarktes zu erkennen, welchem man durch die in ihm angebrachte Capelle des kaiserlichen Hauses eine religiöse Weihe geben und ihm wohl auch den besondern Schutz des Herrschers zuwenden wollte.

2. Das s. g. Sitzungslocal der Decurionen (Senaculum).

Das Macellum und der Augustustempel liegen nicht senkrecht auf das Forum, sondern haben sich der Richtung der neben ihnen auf dasselbe mündenden Straßen anbequemen müssen. Als man nun aber die Lücke zwischen beiden durch das auf unserm großen Plan mit XXII bezeichnete Gebäude ausfüllte, wurde die südlich am Macellum entlang laufende Straße gesperrt, und da man auf keine Straße mehr Rücksicht zu nehmen hatte, legte man das neue Gebäude senkrecht auf das Forum, indem man da, wo es an jene beiden anstößt (bei *e*) zur Ausgleichung der Abweichung die Zwischenwände ungleichmäßig verstärkte. Die Mauern sind theils aus Ziegeln, theils aus netzförmig angeordneten Steinen verschiedenen Materials (vorwiegend Kalkstein) errichtet.

Das Gebäude besteht aus einem großen, 18,20 M. breiten, 19,90 M. tiefen Saal *b*, welcher um 3,45 M. vor die anstoßenden Gebäude vorspringt und auf das Forum in ganzer Breite geöffnet ist. Vor ihm sehen wir, in einer Linie mit

den Säulen der Vorhalle des Macellums, die Fundamentsteine von acht Säulen:
in jedem derselben sind vorn zwei Löcher, welche, wie vor dem Macellum
deutlicher zu sehen ist, dazu dienten, um mittels Eisenklammern die Marmorbekleidung zu befestigen. Eisenspuren in einem dieser Löcher beweisen, dass
diese Marmorbekleidung schon gelegt war, und es ist deshalb nicht unwahrscheinlich, dass auch die Säulen schon standen. Auf den Hauptsaal öffnet sich
von hinten die Apsis c von 11 M. Weite und 6,50 M. Tiefe, in welcher die
3,03 M. breite, 1,75 M. hohe Basis d steht. Hinter und über dieser ist in einer
viereckigen, wohl als Aedicula überdeckten Nische eine zweite, um 0,90 M.
höhere Basis von geringer Tiefe angebracht; ihre Form lässt schließen, dass
hier mehre Statuen standen. An den Wänden der Apsis zieht sich in der Höhe
der großen Basis eine etwa 0,85 M. breite Stufe hin, auf der an jeder Seite
die Fundamentquadern von zwei Säulen und zwei Halbsäulen erhalten sind.
Letztere Beobachtung leitet uns auch zur richtigen Beurteilung der großen
Basis d an: da die Seitenwände der Apsis mit vorgestellten Säulen verziert
waren, so war es eine decorative Nothwendigkeit, dass auch der Mittelpunkt,
die Aedicula, des Säulenschmucks nicht entbehrte. Ohne Zweifel standen auf
den Vorderecken der Basis zwei Säulen, welche mit Gebälk und Dach die
Vorhalle der Aedicula bildeten: dieselbe Anordnung, welche wir auch im Fortunatempel (Fig. 65) finden. — Die beiden großen viereckigen Nebenräume e
(M. 8×3,70) haben an ihrer Rückwand je eine 1,55 M. hohe Basis für eine
Statue, und waren vom Hauptraum durch je zwei Säulen, deren Fundamentquadern noch liegen, getrennt. — Im Hauptraum finden wir noch bei f, g
und h Nischen, etwa 1,70 M. vom Boden entfernt, jedenfalls auch für Statuen
bestimmt. Unter einer jeden derselben springt eine Art schmaler Basis aus
der Wand vor: offenbar der decorative Unterbau für Pilaster, welche neben
den Nischen durch die Marmorbekleidung der Wände ausgedrückt waren; bei
g sind diese Vorsprünge so breit, dass sie auch wohl auf jeder Seite eine Säule
getragen und so das Motiv der großen Aedicula d im Kleinen wiederholt haben
können. An den Seitenwänden ist je die hinterste Nische noch dadurch ausgezeichnet, dass sie innerhalb einer großen, bis auf den Boden hinabreichenden
überwölbten Nische angebracht ist. Es standen also hier im Ganzen mindestens 11, wahrscheinlich 12 oder 13 Statuen.

In der Mitte des ganzen Raumes steht das Fundament eines Altars i. Der
Fußboden ist mit verschiedenfarbigen Marmorplatten, wie sie der Plan angiebt, bedeckt gewesen, von denen nur ein Stück in der Ecke erhalten ist, wie
sich auch von dem Marmorschmuck der Wände nur geringe Reste vorfinden.
Schwierig ist die Frage nach der Bedachung. Für eine so colossale Wölbung
sind auch nicht im Entferntesten die nöthigen Widerlager vorhanden, und
auch eine Holzconstruction von solcher Spannweite ist nicht ohne Bedenken.
In der That aber zwingt uns nichts, den Mittelraum b als bedeckt anzunehmen,
und die Thatsache, dass e und c offenbar ihre eigene Bedeckung hatten, lässt
es nicht unglaublich erscheinen, dass er unbedeckt war. Eine Schwierigkeit
bleibt dann nur in Betreff der durch die erwähnten Fundamentsteine bezeugten
Säulenstellung am Forum, da es nun an einem Auflager für das obere Ende
des Daches der Porticus fehlt. Indess ein solches gewinnen wir auch nicht

durch die Annahme eines aus Holz construirten Dachstuhls. So werden wir
wohl entweder annehmen müssen, dass noch eine zweite Säulenreihe bei *a*
beabsichtigt war (was nicht wahrscheinlich ist, da doch die Fundamente wohl
schon da sein würden), oder dass hier keine bedeckte Porticus war, sondern

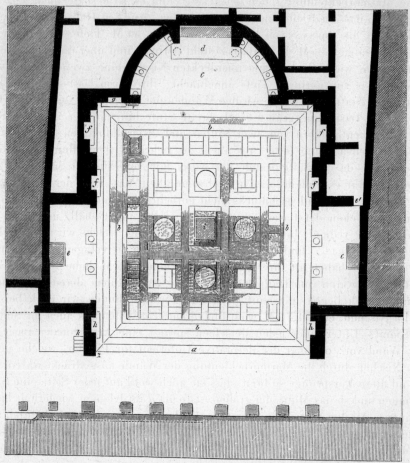

Fig. 75. Plan des s. g. Sitzungssaales der Decurionen (Norden links).

nur eine decorativ am Forum entlang geführte Säulenstellung. In beiden
Fällen müssen wir uns die Säulenstellung jünger als das Gebäude, und nicht
ursprünglich im Plane desselben liegend denken. Über den kleinen Verbindungsgang *e'*, durch welchen man in die Hinterzimmer des Augustustempels
gelangt, ist schon bei Gelegenheit dieses gesprochen worden.

Unser Gebäude ist bekannt unter dem Namen Curie, oder Senaculum,
und man vermuthet in ihm den Sitzungssaal der Decurionen; der Altar könnte
dann, nach dem Muster der römischen Curie, ein Altar der Victoria sein. Es
ist aber dagegen mit Recht angeführt worden, dass ein solcher Sitzungssaal
doch wohl ein geschlossenes Local sein musste. Fiorelli nennt es Atrium,
indem er vermuthet, dass es dem Kaisercultus gewidmet war; eine Annahme,
welche durch die erwähnte Verbindung mit dem Augustustempel sehr wahr-

scheinlich wird. Näheres lässt sich nicht feststellen. Fiorelli bezieht auf die Einweihung dieses Raumes und seines Altars eine gemalte Inschrift (*C. I. L.* IV, 1180), vermuthlich aus der Zeit des Tiberius, in welcher zu Ehren der kaiserlichen Familie und zur Einweihung eines Altars (*ob dedicationem arae*) Fechterspiele angekündigt werden: eine ansprechende Vermuthung, welche sich auch mit der muthmaßlichen Entstehungszeit des Gebäudes wohl verträgt. Denn keinenfalls stammt dasselbe aus der letzten Zeit Pompejis, da die zu ihm gehörigen, durch *e'* zugänglichen Räume im dritten Decorationsstil ausgemalt sind, wodurch wir bis über das Jahr 50 n. Chr. hinaufgeführt werden [58].

3. Das Gebäude der Eumachia.

Dieses nächst der grade gegenüberliegenden Basilika größte und bedeutendste, ganz der letzten, römischen Bauperiode der Stadt angehörende Gebäude am Forum wurde von 1817—1821 ausgegraben. Über dem Nebeneingang von der Abbondanzastraße steht eine Inschrift, welche über dem Haupteingang auf dem Architravbalken der Forumcolonnade wiederholt war und auf dessen Blöcken in Fragmenten erhalten ist; wir lernen aus ihr, dass die Stadtpriesterin Eumachia in ihrem Namen und demjenigen ihres Sohnes M. Numistrius Fronto das Chalcidicum, die Porticus und die Crypta auf eigene Kosten gebaut und der Pietas und Concordia Augusta geweiht hat (*Eumachia L. f. sacerd. publ. nomine suo et M. Numistri Frontonis fili chalcidicum cryptam porticus Concordiae Augustae Pietati sua pequnia fecit eademque dedicavit*). Dazu kommt eine andere auf dem Fußgestell der Statue der Stifterin, welche aussagt, dass die Tuchwalker die Statue gesetzt hatten (*Eumachiae L. f. sacerd. publ. fullones*). Obgleich wir aber aus der erstern Inschrift die Namen für Theile des Gebäudes kennen und aus der zweiten ersehen, dass die Tuchwalker bei der Errichtung desselben ein ganz besonderes Interesse hatten, so sind wir doch keineswegs über die Bedeutung und Bestimmung des ganzen Gebäudes und seiner Theile zweifellos aufgeklärt. Selbst die Zurückführung der in der Weihinschrift genannten drei Theile des Bauwerks auf die Räumlichkeiten der Ruinen hat zu Zweifeln Anlass gegeben. Doch darf als sicher gelten, dass unter Crypta der bedeckte Umgang *C*, unter Porticus der Säulengang *B*, unter Chalcidicum die Vorhalle *A* zu verstehen ist: es ergiebt sich dies namentlich aus einer Stelle des Vitruv (V, 1, 4), welcher vorschreibt, dass, wenn der für eine Basilika gegebene Raum zu lang ist, man an den Schmalseiten Chalcidiken, also Vorhallen, vorlegen soll.

Die Form des Gebäudes giebt uns keinen Anhalt, um seine Bestimmung zu erkennen: der offene und der geschlossene Umgang können zum Spazierengehen, zu beliebigem Aufenthalt bestimmt scheinen. Von einigen noch zu erwähnenden Vorrichtungen in dem unbedeckten Mittelraum lässt sich durchaus nicht feststellen, welchem Zweck sie gedient haben mögen, und da auch die Inschriften wenig weiter helfen, so sind wir auf's Rathen angewiesen. Da hat nun die Ansicht, es sei eine Art Börse, ein Gebäude für Handel und Verkehr, vielleicht ganz besonders für den Zeughandel gewesen, manches für sich, und mag in Ermangelung einer beweisbaren andern einstweilen fest-

gehalten werden. Unter dieser Voraussetzung erklären sich die Einzelheiten
ziemlich genügend.

Die große Vorhalle *A* von 39,50 M. Breite und 12,50 M. Tiefe mag für
Besprechungen der Handelsleute bestimmt gewesen sein. Sie scheint nach
den Seiten hin durch Gitterthüren verschließbar gewesen zu sein, welche
freilich mit Sicherheit nur nach der Seite der Straße hin nachweisbar sind.
Hier steht in der Mitte eine aus der Zeit des Gebäudes stammende Säule auf
einer Base hinter einer alten aus samnitischer Zeit, und in den erhaltenen
Marmorplatten des Fußbodens sieht man die Zapfenlöcher für zwei zweiflü-
gelige Gitterthüren. Nach der Seite des Augustustempels hin sind keine
Spuren einer ähnlichen Vergitterung erhalten. In den durch eine kleine
Treppe *a'* und zwei Thüren betretbaren Nischen *a a* mit einem 1,36 M. über

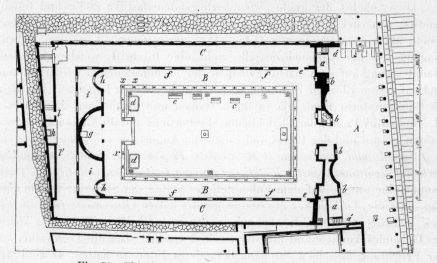

Fig. 76. Plan des Gebäudes der Eumachia (Norden unten).

dem Boden erhöhten Podium und einem noch erhaltenen Rest von Marmorbekleidung vermuthet man den Platz für Ausrufer von Bekanntmachungen
oder auch bei Auctionen, was freilich nicht zu erweisen, jedoch nicht unwahrscheinlich ist. Die kleinen Nischen *b* in der Hinterwand dieser Halle sind für
Statuen bestimmt gewesen: links vom Eingang standen Aeneas und Romulus,
rechts ohne Zweifel Caesar und Augustus; die Inschriften zu den Statuen der
beiden ersteren, mit kurzer Angabe ihrer Thaten, befinden sich im Nationalmuseum zu Neapel, an Ort und Stelle sind Copien angebracht. — Schwierig
ist die Frage nach der Bedachung dieser Vorhalle. Mit der für Portiken gewöhnlichen Überdeckung durch schräge Latten kam man hier nicht aus; die
Absicht, eine zweite Säulenreihe anzubringen, scheint durch die am Fuße der
einzigen Säule der Südseite stehende, der Vorhalle selbst zugewandte Statuenbasis ausgeschlossen; auch müssten, bei dem Stadium, in welchem sich die
Arbeiten befanden, die Fundamente sichtbar sein. So musste man also wohl
beabsichtigen, hier einen vollständigen Dachstuhl zu construiren[59].

Durch die doppelte Rückmauer der Vorhalle hat man den schiefen Winkel,
welchen das Gebäude mit dem Forum bildet, ausgeglichen. Von den so ent-

stehenden kleinen Räumen enthält der zur Rechten eine Treppe, eine durch
eben diese Treppe unzugänglich gewordene Cisternenmündung und einige
unklare Vorrichtungen, die zum Theil vielleicht als Abtritt gedient haben
können. Aus dem Raume links vom Eingange gelangte man durch einen
Nebenausgang auf die hier einst auf das Forum mündende Straße; man fand
hier viele Marmortafeln, mit denen die Wände bekleidet werden sollten, auf-
gespeichert: ein Zeichen, dass auch dies Gebäude bei der Katastrophe Pompejis noch unvollendet war. Zu diesem gesellt sich das andere, dass man im
Innern einen Marmorblock gefunden hat, auf dem mit Kohle eine Linie für
die Steinsäge oder den Meißel vorgezogen war. Der mit einer großen Flügelthür verschließbar gewesene Eingang in der Mitte der Vorderwand führt in die
Porticus, einen 4,40 M. breiten Säulenumgang von, wie man berechnet hat,
58 Säulen, von denen nur bei x einige marmorne Basen und Stümpfe erhalten sind. Auch die Marmorbekleidung des Säulenstuhls und der ihm vorgelegten Stufe ist nur auf der Rückseite und einem Theil der Langseiten
erhalten. Dieser Säulengang umgiebt einen offenen Hof von 37,70 M. Tiefe
und 19,16 M. Breite. Unter dem Boden dieses Hofes befindet sich eine oder
mehre Cisternen: eine Mündung, geschlossen durch eine Steinplatte mit
einem Eisenring, befindet sich in der Mitte, eine zweite, in einer großen Travertinplatte, an der Vorderseite, eine dritte, in einem Lavastein, bei der vierten
Säule rechts. An der rechten Seite fand man bei c fünf länglich viereckige,
jetzt vollkommen verschwundene Aufmauerungen: ihre Form war die von
niedrigen Giebeldächern. Zwei Vorrichtungen anderer Art sind bei d noch
theilweise erhalten: der Boden ist hier etwas erhöht, mit *opus Signinum* belegt
und mit einem niedrigen Rande umgeben, so jedoch, dass ein Abfluss in die
Traufrinne blieb. Dass alles dies die Füße steinerner Tische gewesen seien,
auf deren Platten man die feilgebotenen Waaren (Wollenstoffe) zum Verkauf
ausgelegt habe, ist wenig wahrscheinlich. Andere haben hiermit die Cisterne
und den öffentlichen Brunnen vor dem Südeingang verbunden, und unter
Hinweis darauf, dass noch heute in Italien vielfach, wie auch anderswo, die
Wäsche durch Ausklopfen auf flachen Steinen gereinigt wird, angenommen,
Eumachia habe diesen Mittelraum den Tuchwalkern zur Ausübung ihres Gewerbes überlassen, und es sei derselbe eine *fullonica* gewesen. Doch wird
der seltsame Gedanke, als sei in Mitten dieser höchst eleganten Hallen jenes
sicher sehr übelriechende Gewerbe betrieben worden, durch die Betrachtung
der erhaltenen und durch Malerei dargestellten Apparate in den beiden wirklichen Fulloniken Pompejis hinlänglich widerlegt [60]). Ringsum, am Fuß der
Säulen, läuft eine Traufrinne aus Tuffblöcken; dieselbe ist nicht, wie wohl
sonst, namentlich in den Bauten der Tuffperiode, durch kleine viereckige
Bassins zur Abklärung des Wassers unterbrochen, sondern es sind diese
kleinen Bassins, 0,60 M. im Quadrat, 0,50 M. tief, neben der Rinne angebracht, und zwar an sechs Stellen, in den Ecken und in der Mitte jeder
Langseite (s. den Plan Fig. 76).

In diesem offenen Säulengange und dem von ihm umschlossenen Hofraum
kann sich bei gutem Sommerwetter der Zeughandel bewegt haben, vielleicht
nebst anderen Geschäften; bei schlechtem und bei Winterwetter zog man sich

in die Crypta *C* zurück, in die man durch die Eingänge *e e* gelangt, und welche
durch Fenster *f* von dem Hofe aus ihr Licht empfing. In den Marmorschwellen
einiger von diesen Fenstern sind die Löcher für die Angeln erhalten.

Auf die Rückseite der Säulenhalle öffnete sich eine große halbrunde, ohne
Zweifel überwölbte Nische, mit zwei Backsteinpfeilern im Eingang. Sie musste
das Dach der Säulenhalle weit überragen, so dass ihre Front, deren Marmorbekleidung, wie aus den Fragmenten hervorgeht, giebelartig gebildet war, nur
aus der Vorderporticus und den Anfängen der Seitenporticus sichtbar war.
Hier steht eine große Statuenbasis *g*, und man fand daselbst im Jahre 1818
eine Statue ohne Kopf, mit einem reich verzierten Füllhorn im linken Arm;
das Gewand war bemalt und die Verbrämung vergoldet [61]. Ohne Zweifel mit
Recht hat man in ihr die Concordia Augusta erkannt; sie trug vermuthlich

Fig. 77.   Statue der Eumachia und blinde Thür.

die Züge der Livia. In den beiden Nischen neben der Basis werden die Statuen anderer Mitglieder des Kaiserhauses, vermuthlich des Tiberius und seines
Sohnes, des jüngern Drusus, gestanden haben. So hatte diese Nische für unser
Gebäude dieselbe Bedeutung, wie die Capelle *g* (Fig. 71) für das Macellum: sie
gab dem für praktische Zwecke bestimmten Bau eine religiöse Weihe und stellte
ihn unter den Schutz der kaiserlichen Familie. Die Bestimmung der kleineren
Nischen zu beiden Seiten *h h* ist so wenig auszumachen, wie die Verwendung
bestimmt werden kann, welche die beiden unregelmäßigen, durch zwei Fenster
aus dem Säulenumgang und vier aus der Crypta erleuchteten Räume *i i* zu den
Seiten der großen Nische gefunden haben; sie waren bei Anlage der Haupträume übrig geblieben, und man legte so wenig Werth auf sie, dass man ihnen
nicht einmal Thüren gab: es mögen hier irgend welche Gegenstände aufbewahrt
worden sein. Hinter der großen Nische, also im Hintergrunde der Crypta und
des ganzen Baus, steht (jetzt in einem Gypsabguss; s. Fig. 77) die Statue der
Stifterin in einer viereckigen Nische *k*. Rechts von derselben ist eine Thür *l*,
welche sich auf einen über Stufen und eine geneigte Ebene abwärts auf die
Straße führenden Gang öffnet. Um mit dieser die Symmetrie herzustellen, ist

links auf die Wand eine blinde Thür *l*, gelb, also in Holzfarbe, gemalt, welche uns in Verbindung mit den neuerdings gewonnenen Gypsabgüssen des ver-kohlten Holzwerkes bei der Reconstruction der Producte des pompejanischen Zimmerergewerkes wesentliche Dienste zu leisten im Stande ist. Sie ist drei-flügelig, eine Art von Thüren, welche öfter auf pompejanischen Wänden durch Malerei dargestellt ist und den Vortheil hatte, dass die Flügel, wenn sie ge-öffnet waren, wenig Platz einnahmen, und dass man den mittlern Flügel öffnen konnte, während die beiden anderen mit ihren Riegeln befestigt blieben. In der Mitte ist der kleine Ring zum Anziehn nicht vergessen.

Die im dritten Decorationsstil gehaltene Malerei der Wände war, wie aus den geringen Resten hervorgeht, ziemlich einfach: die abwechselnd gelben und rothen Wandfelder der Crypta enthielten in der Mitte je ein kleines, meist landschaftliches Bild; auf dem schwarzen Sockel sind Pflanzen dargestellt. Die Wände der Porticus waren am Sockel mit zum Theil noch erhaltenen bunten Marmortafeln bekleidet; die fehlenden sind wahrscheinlich von den Pompeja-nern bald nach der Verschüttung oder im Laufe der auf diese folgenden Jahr-hunderte ausgegraben und dabei denn auch wohl die korinthischen Marmor-säulen der Porticus entfernt worden, von denen man nur einzelne Reste an Ort und Stelle gefunden hat. Die Hauptthür hatte eine schöne Einfassung von Marmor in geistreicher Arabeskenmanier, von der noch unten die Rede sein wird, ebenso wie von dem Giebel der Nische, bei dem die Geschmack-losigkeit von Kragsteinen unter der Giebelschräge hervorgehoben werden muss.

Die äußere Mauer nach der Abbondanzastraße zu ist durch flache Pfeiler in eine Reihe von Feldern zerlegt, die wie die gleichen im Augustustempel abwechselnd flachdreieckig und flachgewölbt gekrönt sind. Diese Mauerfelder dienten als Album (s. Fig. 78), und es sind auf ihnen viele interessante

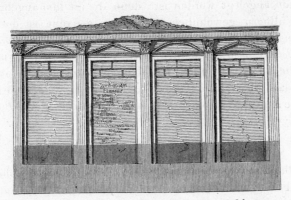

Fig. 78. Album am Gebäude der Eumachia.

Inschriften gefunden worden, welche mit anderen später zu besprechen sein werden.

Es ist von Nissen mit Recht hervorgehoben worden, dass die Weihung seitens einer Mutter mit ihrem Sohne an die Concordia Augusta und Pietas nicht wohl etwas anderes bedeuten kann, als eine Huldigung an die Kaiserin-mutter und den regierenden Kaiser. Da nun dies Gebäude im dritten Decorationsstil ausgemalt ist, mithin nicht wohl jünger als das Jahr 50 n. Chr. sein kann, in der Bauart aber dem Augustustempel gleicht, so kann diese Huldigung nur der Livia und dem Tiberius gegolten haben. In der That pflegte Livia den Cultus der Concordia Augusta, der sie einen neuen Tempel gründete und einen ältern herstellte; der Pietas Augusta weihte der Senat im Jahre 22 n. Chr. einen Altar auf Anlass einer schweren Krankheit der Livia, und auch auf den ihr zu Ehren geschlagenen Münzen erscheint die Pietas. Es wurde also dies Gebäude im ersten Theil der Regierungszeit des Tiberius erbaut[62]. — Durch das Erdbeben des Jahres 63 n. Chr. muss es schwer gelitten haben: die ganze Façade (d. h. die vordere der beiden Mauern) musste nachher neu aufgebaut werden, und zwar wurde sie, wie aus einigen Resten der alten Façade hervorgeht, genau in der frühern Form wieder hergestellt. Auf den Neubau nach dem Erdbeben geht ferner die Rückmauer des Mittelraumes mit den drei Nischen h und g zurück: hier können wir nicht feststellen, ob sich der Neubau genau an das Alte anschloss. Endlich stürzte damals auch die Nordostecke des ganzen Gebäudes ein und wurde wieder aufgebaut. Vermuthlich wollte man den Marmorschmuck der Hallen vervollständigen und war damit zur Zeit des Unterganges noch nicht fertig: die oben (S. 133) erwähnten Funde in dem Raum hinter A deuten darauf, und vielleicht ist es auch hierauf, nicht nur auf antike Nachgrabungen zurückzuführen, dass namentlich die Marmorbekleidung des Säulenstuhls sich nur so theilweise vorgefunden hat. Sicher war die Vorhalle noch im Bau begriffen: nur die eine oben erwähnte Säule fand sich an ihrem Platz; Theile der übrigen, durch ihre Form (mit Basen) von denen der Forumsporticus unterschieden, fanden sich, unfertig bearbeitet, an verschiedenen Stellen des Forums[63].

Wir bemerken noch, dass der Brunnen vor dem Südeingang mit Rücksicht auf dies Gebäude angelegt worden ist: denn die an ihm angebrachte Relieffigur mit dem Füllhorn, gewöhnlich Abundantia genannt, ist doch wieder die Concordia Augusta. Man könnte also die *Strada dell' Abbondanza* mit mehr Recht *Strada della Concordia* nennen. Auch durch sein Material (Travertin) unterscheidet sich dieser Brunnen von den gewöhnlichen Lavabrunnen. Er bestätigt uns, dass im Gebäude selbst kein Leitungswasser vorhanden war, was allein hätte hinreichen sollen, um den Gedanken an eine Fullonica fernzuhalten.

4. Die s. g. Schule.

Ein räthselhaftes Gebäude (XX auf dem Plan) liegt an der südlichen Ecke zwischen dem Forum und der Abbondanzastraße; wir geben in Fig. 79 den Grundriss desselben. Auf Grund zweier Inschriften, die sich auf dem Album des gegenüberliegenden Gebäudes der Eumachia befunden haben, und nach der Analogie orientalischer Schulen hat man es für eine öffentliche Schule gehalten. Doch ist diese Vermuthung wenig wahrscheinlich, da sie nicht die enge Verbindung des Gebäudes mit dem Forum und noch weniger seine weiterhin zu besprechende frühere Gestalt erklärt. Es war in seiner letzten Gestalt ein geräumiger Saal mit einer 1,25 M. hohen, durch eine Treppe zugänglichen Tribüne a in einer großen Nische der Südwand, mit einem Eingang

von der *Strada dell' Abbondanza,* und zweien (von denen man einen, nach
einigen Mauerresten zu urtheilen, vielleicht verengen wollte) vom Forum. An
der Nordseite folgt der Fußweg *e* der Abbondanzastraße nicht der Senkung der
Straße, sondern hält sich in der Höhe des Forums, was dann an der Nordostecke durch drei Stufen bei *g* ausgeglichen wird. Im Fußweg finden wir die

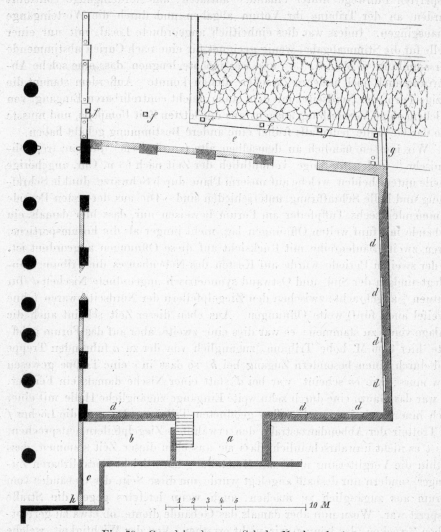

Fig. 79. Grundriss der s. g. Schule (Norden oben).

auf unserm Grundriss bei *f* angegebenen Steine mit viereckigen Löchern (0,15
bis 0,18 M.), in welche offenbar Pfähle gesteckt werden sollten, wodurch dann
eine Absperrung dieses Stückes des Fußweges gegen die Straße bewirkt wurde, so
dass man es vom Forum aus durch Öffnung der betreffenden Pforte zugänglich
machen konnte, ohne damit auch die Straße zu öffnen, wenn nur die Pforten
des Fahrdamms und des gegenüberliegenden Fußweges geschlossen blieben.
Ein sechstes Loch bei den drei Stufen ist undeutlich, doch ist es sicher, dass

hier (nach Osten) das erhöhte Stück des Fußweges durch eine Thür abgesperrt
werden konnte. Endlich konnte, wie es scheint, zwischen der Ecke am Forum
und der nächsten Säule eine Vergitterung angebracht werden.

Es ist nun auf Grund dieser Vorrichtungen vermuthet worden, dass das
Local zu Abstimmungen diente, dass die Stimmberechtigten auf dem ab-
gesperrten Fußwege hinter einander antraten, am Nordeingange controlirt
wurden, an der Tribüne ihr Votum abgaben und durch die Westeingänge
hinausgingen. Indess war dies einheitlich angeordnete Local, mit nur einer
Stelle für die Stimmabgabe, wenig geeignet für eine nach Curien abstimmende
Versammlung (s. oben S. 13); und wer möchte leugnen, dass eine solche Absperrung auch noch anderen Zwecken dienen konnte? Außerdem stammt die
jetzige Form der Nordseite, mit dem einen, leicht controlirbaren Eingang, von
welchem obige Vermuthung ausgeht, aus der letzten Zeit Pompejis, und müsste
also das Gebäude jedenfalls früher eine andere Bestimmung gehabt haben.

Wir müssen nämlich an demselben alte (vorrömische), jüngere (republikanische?) und ganz junge, vermuthlich der Zeit nach 63 n. Chr. angehörige
Theile unterscheiden, welche auf unserm Plane durch Schwärze, dunkle Schraffirung und helle Schraffirung unterschieden sind. Die aus der ersten Periode
stammenden sechs Tuffpfeiler am Forum beweisen nur, dass hier damals ein
Gebäude mit fünf weiten Öffnungen lag, nicht jünger als die Forumsporticus,
deren zweite Säulenreihe mit Rücksicht auf diese Öffnungen angeordnet ist.
In der zweiten Periode wurde auf Kosten des Nebenhauses die Tribüne a angelegt und in der Süd- und Ostwand symmetrisch angeordnete Nischen d (für
Statuen?) angebracht; zwischen den Ziegelpfeilern der Nordseite waren (ohne
Zweifel auch fünf) weite Öffnungen. Aus eben dieser Zeit scheint auch die
Anlage von b zu stammen: es war dies eine zweite, aber auf das Forum geöffnete, hier 1,06 M. hohe Tribüne, zugänglich von der zu a führenden Treppe
und durch einen besondern Zugang bei h, so dass in c eine Treppe gewesen
sein muss; wie es scheint, war bei d' statt einer Nische damals ein Fenster.
So war das Ganze eine durch zehn weite Eingänge zugängliche Halle, mit einer
nach innen und einer nach außen geöffneten Tribüne. Da nun die Löcher f
im Trottoir der Abbondanzastraße den erwähnten Ziegelpfeilern entsprechen,
so ist es nicht unwahrscheinlich, dass sie aus eben dieser Zeit stammen, dass
mithin die Vergitterung nicht zur Herstellung eines leicht controlirbaren Zuganges, sondern nur deshalb angelegt wurde, um diese Seite des Gebäudes vom
Forum aus zugänglich zu machen, auch wenn letzteres gegen die Straße
gesperrt war. Wozu nun aber damals das Gebäude diente, ob etwa zu gerichtlichen Zwecken, das können wir nicht errathen. Von der Wichtigkeit, welche
man ihm beimaß, zeugt die Marmorbekleidung, welche es damals erhielt, von
der aber nichts erhalten ist.

Erst in der letzten Periode wurden die Eingänge in der auf dem Plan
ersichtlichen Weise vermindert und der mittlere der Forumsseite,|wie es scheint,
verengt. Zugleich ward die Tribüne b gegen das Forum zu vermauert, ebenso
auch ihr Zugang h und das Fenster d'. Jedenfalls hangen diese Umgestaltungen mit einer veränderten Bestimmung des Gebäudes zusammen; sie geben
uns aber keinen Anhalt, um nähere Vermuthungen aufzustellen [64].

5. Die s. g. drei Curien oder Tribunalien.

An der Südseite des Forums liegen drei, wie der Grundriss Fig. 80 zeigt, unter einander ziemlich ähnliche Gebäude, welche hauptsächlich 1812 ausgegraben wurden und gewöhnlich als Curien oder Tribunalien bezeichnet

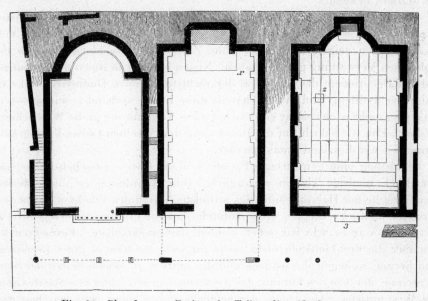

Fig. 80. Plan der s. g. Curien oder Tribunalien (Norden unten).

werden. Sie gehören ihrer Bauart nach zweifellos der letzten Zeit Pompejis, nach dem Jahr 63, an; doch können wir feststellen, dass hier schon früher öffentliche Gebäude standen. Am deutlichsten ist dies bei dem westlichsten der drei Gebäude: hier sind in beiden Seitenwänden die Reste des ältern Baues, dessen Front, wie es scheint, etwas weiter zurück lag, vollkommen deutlich erhalten: ihrer Bauart nach mögen sie etwa der Zeit des Augustus angehören. Weiteres ergiebt die Betrachtung der Forumsporticus. In oskischer Zeit stand hier eine doppelte Reihe von Tuffsäulen; von der hintern sind nur die beiden östlichsten erhalten; von den übrigen wissen wir nicht, wie sie angeordnet waren und ob ihre Anordnung auf irgend welche öffentliche Gebäude Rücksicht nahm. Dagegen ist ganz klar, dass die Ziegelsäulen, welche in römischer Zeit an die Stelle der Tuffsäulen der zweiten Reihe (mit Ausnahme jener beiden östlichsten) traten, angeordnet wurden mit Rücksicht auf zwei Gebäude, welche genau an der Stelle der beiden östlichen s. g. Curien lagen, mit besonderer Hervorhebung des mittlern Gebäudes, indem sowohl den Seitenwänden als dem Eingang desselben je zwei Säulen entsprachen; noch später wurden dann diese Säulen zum Theil abgetragen, wie unser Plan zeigt. Der Raum vor den beiden östlichsten Gebäuden konnte durch Vergitterungen (ähnlich der, welche wir an der Nordseite der s. g. Schule fanden) und durch Thüren abgesperrt und zu den Gebäuden gezogen werden, wie auf dem Plan durch punktirte Linien angedeutet ist. Mehrfache hier

wahrnehmbare Veränderungen können nicht innerhalb eines ganz kurzen Zeit-
raumes vorgegangen sein und wir dürfen daher annehmen, dass schon geraume
Zeit vor dem Erdbeben des Jahres 63 auch an der Stelle der mittlern s. g.
Curie ein öffentliches Gebäude lag. Alle drei Gebäude bestehen aus Incertum
mit Ecken und Façade aus Ziegeln; Fußboden, Wände und Façaden waren
mit Marmor bekleidet.

Die herkömmlichen Bezeichnungen als Curien oder Tribunalien dürfen
wir bei Seite lassen, schon deshalb weil die drei Räume bemerkenswerthe Verschiedenheiten zeigen und daher ohne Zweifel verschiedenen Zweigen der
städtischen Verwaltung gedient haben. Nissen erkennt in ihnen den Sitzungssaal der Decurionen, das Amtslocal der rechtsprechenden Duumvirn und dasjenige der Aedilen. Und in der That, da diese Locale vorhanden sein mussten,
sonst aber nicht nachweisbar sind, so hat diese Vermuthung große Wahrscheinlichkeit. Ehe wir jedoch auf die Benennung der einzelnen Gebäude eingehen,
betrachten wir dieselben etwas genauer.

Sie haben eine gemeinsame Façade, und die Gänge zwischen ihnen sind
nur durch niedrige Thüren zugänglich. Ihre Anordnung ist eine offenbar
symmetrische mit Hervorhebung des mittelsten durch den erhöhten Fußboden,
durch die kleine Freitreppe, sowie dadurch, dass die Frontmauer etwas zurück-
tritt; auch war es, wie wir sehen werden, das prachtvollste. Betrachten wir
nun aber die drei Gebäude nicht mehr für sich, sondern in ihrer Beziehung
zum Forum, so liegen das östliche und das mittlere zu beiden Seiten der Sym-
metrielinie, der Axe des Forums, das westliche dagegen bildet den Südabschluss
der Westporticus. Aus jedem der beiden ersteren blickt man zwischen dem
Augustusbogen und den colossalen Basen neben demselben auf den Juppitertempel, und hat, bei der geringen Entfernung von der Axe des langgestreckten
Platzes, den Eindruck, ihm gegenüber zu stehen. Wir müssen annehmen, dass
der obere Theil der Façade, welcher für den Gesammteindruck des Forums in
Betracht kommt, bei diesen beiden gleichartig, bei dem westlichsten Gebäude
bescheidener war. In der Betrachtung der einzelnen beginnen wir von Osten.

Für den ersten Saal ist charakteristisch die halbkreisförmige Apsis von
5,40 M. Öffnung, an deren Wand eine 1,20 M. hohe, 0,75 M. breite, in der
Mitte gradlinig abgeschnittene Stufe angemauert ist: sicher stand hier eine
Statue und war zu den Füßen derselben der Platz des vorsitzenden Magistrats.
Ohne die Apsis ist der Saal 12,45 M. tief, 9,40 M. breit; er war, außer durch
die 3,87 M. weite Hauptthür noch durch eine kleine Nebenthür aus dem Gange
zwischen diesem und dem nächsten Gebäude betretbar; auch der Gang war
durch eine Thür geschlossen. Der Haupteingang war sehr stark versichert,
wie aus der freilich nur rechts erhaltenen Marmorschwelle ersichtlich: vor der
auf starken Angeln sich drehenden Thür befand sich noch ein zweiter, durch
sehr starke Eisenriegel in der Schwelle befestigter Verschluss; und die Spuren
eines weitern, wie es scheint gitterartigen Verschlusses finden wir auf der
vorgelegten Stufe, über welche man das Gebäude betritt. Geringe Reste sind
von der Marmortäfelung des Fußbodens und der Wände erhalten. — Ob der
nun folgende enge Gang noch zu etwas anderem benutzt wurde, als um zu dem
erwähnten Nebeneingang zu gelangen, wissen wir nicht; durch die ihn theil-

weise überdeckenden Strebebogen wird bewirkt, dass die beiden Mauern sich gegenseitig stützen.

Der Fußboden des mittlern Gebäudes liegt um 0,70 M. höher als der der beiden anderen. Die 3,20 M. breite Thür ist nicht von vorn zugänglich, sondern von beiden Seiten über eine Freitreppe von 1,18 M. Breite, so dass mit Bequemlichkeit nur eine Person zur Zeit hinaufsteigen konnte: also ein vornehmer, aber nicht auf starken Verkehr berechneter Zugang. Die Schwelle fehlt, so dass uns die Art des Verschlusses unbekannt ist. Das Innere wird beherrscht durch die ungewöhnlich große Aedicula an der Hinterwand. Sie besteht aus einer etwa 3,75 M. breiten Nische, deren ganze Breite durch das 1 M. hohe Podium für eine oder mehre Statuen eingenommen wird. Diese Nische ist 2 M. vom Boden entfernt; unter ihr springt eine eben so hohe, 5 M. (ohne die Marmorbekleidung) breite Basis um 1,78 M. vor die Rückwand vor. Ohne Zweifel haben wir hier dieselbe Anordnung, welche wir oben (S. 129) in dem s. g. Senaculum fanden, dass nämlich auf der Basis zwei Säulen standen, welche die Vorhalle der Aedicula trugen: es ist wahrscheinlich, dass hierher zwei Säulenbasen von 0,83 M. im Quadrat gehören, welche in dem dritten Saal liegen, dort aber nicht verwandt sein konnten. Bei dieser Annahme ist nicht ausgeschlossen, dass auf eben jener Basis, in der Vorhalle der Aedicula, zu den Füßen der auf dem hintern Podium stehenden Statuen, ein Magistrat, etwa der Vorsitzende einer hier tagenden Versammlung, seinen Sitz hatte; ja die ungewöhnliche Größe der Basis scheint darauf zu deuten, dass sie auch einem praktischen Zweck diente. Dass aber in der That Säulen vor der Aedicula standen, wird bestätigt durch die Art, wie die Seitenwände behandelt waren. Dieselben sind nämlich bis zur Höhe von 1,60 M. durch eine 0,43 M. starke Anmauerung aus Ziegeln verstärkt, aus der wieder je sechs basenartige Vorsprünge, breit 0,58 M., und je zwei halb so breite in den Ecken um 0,295 M. vortreten. Am Fuß dieser Anmauerung lief eine niedrige Stufe, die auf der linken Seite von 0,48 M. später auf 0,59 M. verbreitert wurde, rechts etwa 0,80 M. breit war. Für diese ganze Vorrichtung lässt sich keine bessere Bestimmung denken, als dass jene Vorsprünge Säulen trugen, welche vor der Wand standen, und die vier halb so breiten in den Ecken je eine Halbsäule oder einen Pilaster, durch welche die Säulenreihe abgeschlossen wurde. Bei der bedeutenden Höhe der Mauern ist vielleicht noch eine zweite, obere Säulenstellung anzunehmen: es war also dieser Raum ungemein reich und prachtvoll decorirt. Er ist 14,46 M. tief, 9,50 M. breit. — Geringe Reste des Marmorfußbodens sind bei x erhalten; die Entfernung, in welcher er von der Wand bleibt, beweist, dass auch diese mit Marmor getäfelt war.

Für den dritten Saal ist es charakteristisch, dass der Raum vor ihm nicht abgesperrt werden konnte, und dass sein vorderster Theil (2,36 M.) im Niveau der Forumsporticus liegt; dann erst steigt man über zwei Stufen hinauf; doch war auch an den Seiten dieses vordern Raumes der Boden erhöht. In einer flachen Apsis an der Rückwand und in den Seitenwänden sind sieben Nischen für Statuen angebracht. Der Marmorfußboden des niedrigern Theils ist grau, der des höhern aus Cipollin, nur am Rande weiß. Der Saal ohne die Apsis ist 14,99 M. tief, 10,05 M. breit, der Eingang 3,84 M. weit.

Alle drei Sääle hatten, wie es scheint, keine Fenster, und erhielten ihr Licht nur durch die offene Thür. Sie waren flach gedeckt; denn Wölbungen würden bei ihrem Einsturz weit größere Zerstörungen angerichtet haben.

Offenbar ist das mittlere Gebäude das vornehmste; die Form seines Zuganges beweist, dass hier nur auserlesene Personen zugelassen waren. In der großen und hohen Aedicula, gegenüber dem Juppiter, konnte nur der Kaiser seinen Platz haben. Zu seinen Füßen tagte höchst wahrscheinlich der Senat der Colonie, die Decurionenversammlung. Schwieriger und unsicherer ist die Benennung der beiden anderen Räume. Da jedoch den Aedilen unter anderem die Marktpolizei oblag, und ohne Zweifel in Folge dessen zu ihrem Local ein größerer Zudrang des Publikums stattfand, so werden wir nicht ohne Wahrscheinlichkeit in dem westlichen Saal, ohne besondere Absperrung, mit einer Art Vorraum für solche, die warten mussten, das Amtslocal der Aedilen erkennen dürfen. Alsdann bleibt der östliche Saal für die Duumvirn; in der That ist die Apsis im Hintergrunde für den Sitz einer richtenden Behörde wohl geeignet, und ist es in der Ordnung, dass der höchste Magistrat dasjenige Gebäude inne hatte, welches nächst dem Decurionensaal als das hervorragendste und in Bezug auf die Symmetrie des Forums ihm gleichberechtigt erscheint [65].

6. Die Basilika.

Die Basiliken, wie auch der Name *basilike stoa* d. i. königliche Halle zeigt, griechischen Ursprungs, wurden in Rom erst nach der genauern Be-

Fig. 81. Ansicht der Basilika.

kanntschaft mit Griechenland eingeführt. Die erste Basilika in Rom baute M. Porcius Cato im Jahre 570 d. Stadt (184 v. Chr.), später wurden die Basi-

liken zu den ausgedehntesten selbst fünfschiffigen Prachtbauten, deren mehre
hochberühmte (B. Aemilia, B. Julia) am Forum in Rom standen. Ihrem Grundprincip nach waren sie nur bedeckte Hallen, welche Schutz gegen Sonne und
Regen boten und dem Handel und Verkehr bestimmt waren; später verband
man mit diesen antiken Börsen sehr zweckmäßig eine Gerichtstätte (Tribunal), welche am hintern Ende irgendwie erhöht und abgetrennt angebracht
wurde, häufig in einer eigenen herausgebauten Nische, der Apsis, in welcher
der Sitz des Prätors mit seinem Personal war, der von hier aus das ganze
Treiben des Verkehrs überblicken konnte. Die so eingerichtete Basilika
erschien den Christen zur Zeit der ersten öffentlichen Anerkennung ihrer Re-
ligion mit Recht als das geeignetste Gebäude für ihre Kirche; die mehrfachen
Schiffe fassten eine bedeutende Menschenmenge und die Nische oder Apsis
erschien in ihrer Auszeichnung und Abtrennung als ein natürlicher Platz der
Geistlichkeit; vor sie stellte man den Hochaltar und den s. g. Triumphbogen.
Ungeachtet einiger Veränderungen, namentlich der Erweiterung der Apsis

und der Durchlegung eines Kreuz-
schiffes, ist doch dieser Plan das
Grundschema aller originell abend-
ländischen kirchlichen Architektur
bis auf unsere Zeit geblieben.

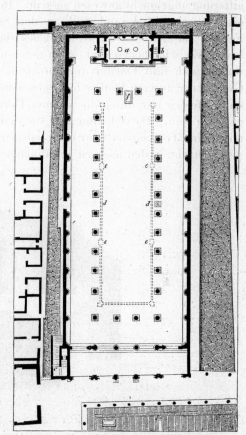

Da nur sehr wenige Reste antiker Basiliken auf uns gekommen
sind, so ist für unsere Kenntniss
des Basilikenbaues, neben den Regeln Vitruvs (V, 1) und seiner Beschreibung der von ihm in Fanum
errichteten Basilika, das pompejanische Gebäude, von dessen Ruinen
wir (Fig. 81) eine Ansicht vor uns
haben, von besonderer Wichtigkeit,
vorausgesetzt nämlich, dass dies
Gebäude wirklich eine Basilika ist.
Die allgemeine Anordnung des hie-
neben stehenden Planes und die fast
zur Gleichheit aller Theile gestei-
gerte Ähnlichkeit eines Gebäudes in
Herculaneum, das nur die Basilika
gewesen sein kann, spricht gewiss
dafür; mancherlei Einzelnes macht
Schwierigkeiten, während andererseits der Bezeichnung als Basilika
noch der Umstand zur Unterstützung
gereicht, dass unter den mancherlei

Fig. 82   Plan der Basilika (Norden rechts).

von müßigen Händen in die Wände eingekratzten Inschriften sich mehrmals
das Wort BASSILICA fand (*C. I. L.* IV, 1779), was doch ein seltsames Spiel

des Zufalls genannt werden müsste, wenn das Gebäude einen andern Zweck und Namen gehabt hätte.

Vitruv schreibt vor, dass die Basiliken am Forum und zwar in der wärmsten Lage errichtet werden sollen, Bedingungen, welche unser an der südwestlichen Ecke des Forums liegendes Gebäude so gut wie möglich erfüllt, sowie es auch die von Vitruv geforderte Grundform des oblongen Vierecks von einer Breite von nicht unter $1/3$ und nicht über $1/2$ der Länge in seinem Areal von $25,3 \times 67$ M. ($=$ c. $1 : 2^2/3$) bestens einhält. Das im Hintergrunde anzubringende erhöhte Tribunal sehn wir in unserm Gebäude in a; vor demselben war bis zur Säulenstellung ein freilich nicht großer, aber immerhin genügender Raum für das Auftreten der Parteien, so dass eine Apsis nicht angebaut zu werden brauchte.

Der Fußboden des Tribunals liegt 2 M. über dem der Basilika; es hat in der Front vier theilweise erhaltene korinthische Säulen und zwei mit den Seitenwänden verbundene Dreiviertelsäulen; zwischen ihnen scheint eine Vergitterung angebracht gewesen zu sein. Ihnen entsprechen Halbsäulen an der geschlossenen Rückwand und an den Seitenwänden, Viertelsäulen in den Ecken. Im zweiten Geschoss, welches, da kein Aufgang vorhanden ist, durch keinen Zwischenboden vom ersten getrennt gewesen sein kann, war die Rückwand durch fünf Fenster durchbrochen: in der Mitte ein großes, bis auf das Gebälk der unteren Säulen hinabgehendes, und vier kleinere. Das Tribunal kann offenbar nur durch die kleinen Thüren in den Seitenwänden zugänglich gewesen sein. Da sich nun aber vor denselben wohl je eine kleine Platform, aber keine Treppe oder Spur einer solchen findet, die bei b angegebenen Treppen vielmehr in den noch zu erwähnenden Raum unter dem Tribunal führen,

Fig. 83.   Raum unter der Tribüne.

so bleibt nur die Annahme übrig, dass man sich hier tragbarer Holztreppen bediente, durch deren zeitweilige Entfernung der Zugang zum Tribunal gesperrt, der zum Unterraum (den sie sonst verdeckten) eröffnet wurde. Wann dies geschah, ob wenn der Richter mit seinem Personal oben war, ob nur dann, wenn das Tribunal nicht benutzt wurde, das können wir nicht wissen.

Eine weitere Frage ist die nach der Bestimmung jenes Kellergelasses (Durchschnitt Fig. 83), welches durch zwei Thüren zugänglich, durch zwei kleine Fenster (a) in der Rückseite erleuchtet, und durch zwei runde Öffnungen b in der Wölbung mit dem Tribunal in Verbindung gesetzt ist. Ein Gefängniss kann es schon deshalb nicht sein, weil seine beiden Eingänge offenbar unverschließbar, ohne Thürflügel waren; nur die Thüren oberhalb der Treppe (bei b) konnten geschlossen werden, doch finden wir auch hier nur Spuren von Angeln, nicht von Riegeln, so dass der Verschluss wohl nicht sehr fest war. Es mag gedient haben, um jene hölzernen Treppen und anderes Geräth aufzubewahren; vielleicht hatte hier auch ein Sclave seinen Platz, welcher solches Geräth (z. B. Schreibmaterial) auf Verlangen durch die beiden Öffnungen hinaufreichen konnte. Dieser war, wenn die Treppen an ihrem Platze standen, eingesperrt; doch dem war in späterer Zeit abgeholfen; denn die südliche der beiden Thüren des Tribunals ist nachträglich, wir wissen nicht wann, vermauert und dann natürlich auch die entsprechende Treppe nicht mehr benutzt worden [66].

Der Haupteingang in die von 1806 an ausgegrabene Basilika ist vom Forum aus, durch fünf weite Thorwege zwischen sechs aus Tuffquadern aufgesetzten Pfeilern. Letztere haben den Schwellen zugewandte ziemlich tiefe Falze (auf unserm Plan Fig. 82 angedeutet), welche wohl sicher für Holzeinsätze bestimmt waren, an denen ein gitterartiger Verschluss befestigt war. Die genauere Beschaffenheit des letztern können wir nicht errathen: ein viereckiges Loch $(0,1 \times 0,06$ M.) in der Mitte der Schwelle diente zu seiner weitern Befestigung; mit zwei Eisenklammern wurden die Holzeinsätze an der Schwelle festgehalten. — Zuerst gelangt man in eine zur Herstellung der Rechtwinkligkeit des ganzen Baues gegen das Forum um ein geringes schiefwinklige offene Vorhalle, ein Chalcidicum (s. oben S. 131). Gegen das Innere öffnen sich wieder fünf Thorwege zwischen zwei Eckpfeilern, zwei an Pfeilern angelehnten und zwei freien Säulen in der Mitte (unsere Abbildung Fig. 81 ist in diesem Punkte nicht genau); über vier Lavastufen betrat man die eigentliche Basilika, in welche auch noch zwei Seiteneingänge in den Langwänden führen. Diese bestätigen das von uns über den Verschluss des Haupteingangs Vermuthete. Wir finden nämlich in ihren Schwellen wohl Löcher für die Holzverkleidungen (*antepagmenta*) der Thürpfosten und für zwei Riegel, aber keine Spur von Angeln (die antiken Thüren drehten sich um Zapfen, die in Schwelle und Sturz eingriffen); es scheint also, dass auch hier der Verschluss durch leichte, an den Antepagmenta hangende Gitterthüren bewirkt wurde. Da in der Basilika keine Werthgegenstände aufbewahrt wurden, sie vielmehr nur eine Erweiterung des Forums war, so mochte ein festerer Verschluss nicht nöthig erscheinen. — Eine um alle vier Seiten umlaufende Reihe von 28 starken und hohen

Ziegelsäulen zerlegt den ganzen Raum in einen innern Theil und einen Umgang.

Es scheint dass zu Vitruvs Zeit (s. namentlich auch VI, 5, 9) die gewöhnlichste Form der Basilika die war, dass die Seitenschiffe von dem Mittelschiffe überragt wurden, und dass hier, über den Seitenschiffen, die Lichtöffnungen waren. Indess banden sich die alten Baumeister nicht an Schablonen, und wir dürfen uns nicht wundern, wenn uns bei diesem, übrigens weit ältern Bau die Erwägung aller Umstände auf eine andere Disposition führt[67].

Mit Unrecht hat man bezweifelt, dass der Mittelraum überdacht war. Man führte gegen die Überdachung an, dass am Fuß der Säulen sich die auf dem Plan angegebene Rinne befindet. Allein dieselbe ist keine der gewöhnlichen Traufrinnen, sondern von quadratischem Durchschnitt (0,15 M.) und aus Incertum mit Stuckbekleidung hergestellt. Sie befindet sich nur an drei Seiten, ist an acht Stellen durch quadratische Bassins (e, c. 0,55 M.) zur Abklärung des Wassers unterbrochen, und ist wahrscheinlich bedeckt gewesen. Ihr Zweck ist unklar aber auf keinen Fall konnte sie bestimmt sein, das von einem so hohen und großen Dach herabfallende Wasser aufzufangen; vielleicht diente sie zur Reinigung des Gebäudes. Auch der Fund einzelner thönernen Stirnziegel und Traufkasten, wie sie den Rand des Daches zu umgeben pflegen, kann gegenüber entscheidenderen Erwägungen nicht in Betracht kommen: solche Angaben beruhen vielleicht nur auf einer ungenauen Fundnotiz, da man mit dem Namen Basilika anfangs häufig den ganzen südlichen Theil des Forums bezeichnete; es konnten aber auch sehr leicht Stücke von so geringem Gewicht in die Basilika gelangt sein, die ihr entweder gar nicht angehört oder sich auf der Außenseite befunden hatten. Entscheidend aber für die Bedachung ist die Erwägung, dass die ungemein festen Ziegelsäulen von über 1 M. Dicke und wohl nicht unter 10 M. Höhe, welche das Mittelschiff von den Umgängen trennen, zwecklos und sinnlos waren, wenn es sich nur um die Herstellung von Portiken an einem offenen Mittelraum handelte, welche Portiken ja bei viel geringerer Höhe ihrem Zweck, gegen Sonne und Regen zu schützen, weit besser entsprochen haben würden. Dagegen begreifen wir sofort die Höhe der Säulen, wenn sie zu dem Mittelraum im Verhältniss stehen sollten, ihre Festigkeit, wenn sie ein großes Dach zu tragen bestimmt waren.

Man hat ferner gefragt, ob über den eben besprochenen Säulen eine zweite Säulenstellung folgte, und ob über dem Umgang zu ebener Erde noch ein oberer Umgang vorhanden war. Die Frage muss verneint werden, namentlich deshalb, weil es an einer geeigneten Treppe fehlt. Die bei c angegebene Treppe gehört zur Forumsporticus und ist erweislich jünger als die Basilika und als die Stuckbekleidung ihrer Außenseite. Wenn aber der kleine Raum zwischen dieser Treppe und der Vorhalle auch eine Treppe enthielt, was sehr zweifelhaft ist, so konnte dieselbe nur in mehren Wendungen die Höhe der großen Säulen erreichen, war also sehr eng und unbequem. Außerdem war sie nicht von der ebenen Erde aus zugänglich, sondern man erreichte sie von der Vorhalle aus vermittelst einer Leiter durch ein 2,20 M. vom Boden entferntes Thürchen. Sie kann gedient haben, um, wenn es nöthig war, den Dachstuhl zu besteigen,

war aber sicher kein für den gewöhnlichen Gebrauch bestimmter Aufgang zu
oberen Räumen, welche mithin nicht vorhanden waren.

Den großen Säulen entsprechen an den Langwänden je zwölf Halbsäulen von
wesentlich geringerem Durchmesser (c. 0,80 M. mit dem Stuck) als die Säulen.
Denselben kleinern Durchmesser haben die beiden Säulen und die beiden mit
Mauerstücken verbundenen Dreiviertelsäulen im Haupteingang, ferner die
beiden Dreiviertelsäulen, durch welche die Vordermauern der Treppenräume
des Tribunals abgeschlossen werden, und die beiden ihnen am Eingang der
beiden Zimmer neben dem Tribunal gegenüberstehenden Halbsäulen, endlich
die mit diesen letzteren gekoppelten Viertelsäulen in den hinteren (West-)ecken
des Hauptraumes und die beiden eigenthümlichen, aus einem größern und
einem kleinern Segment gebildeten Combinationen in den Vorderecken desselben. Da nun alle diese Säulen, Halbsäulen u. s. w. in demselben oder in
ähnlichem Verhältniss wie sie dünner sind, auch kürzer gewesen sein müssen
als die 28 großen Säulen, so muss die Differenz durch eine zweite, obere
Säulen- und Halbsäulenstellung ausgeglichen worden sein. Nun finden
wir in der Basilika eine beträchtliche Anzahl von Fragmenten korinthischer
Säulen, Halb-, Viertel- und Dreiviertelsäulen, welche so ziemlich alle Formen
des untern Geschosses wiederholen: es liegt daher nahe, anzunehmen, dass
wir hier eben die Reste jener obern Stellung vor uns haben. Denn nur zum
kleinsten Theil können sie dem Tribunal angehören, dessen Säulen, Halbsäulen,
Viertelsäulen genau dieselben Formen und Verhältnisse haben. Weiter aber
lehren uns eben diese Fragmente, dass das obere Geschoss keineswegs genau
dem untern entsprach: wir finden hier erstens weit mehr Rundsäulen, als wir
bei genauer Entsprechung unterbringen können, zweitens eine eigenthümliche Art von Dreiviertelsäulen, welche ein Wandstück so abschlossen, dass
sie vor die eine Seite desselben (natürlich die innere) als Halbsäulen vorsprangen, während die andere Wandfläche in der Tangente liegt. Diese Dreiviertelsäulen bezeugen uns, dass die Wand, der sie angehörten, durchbrochen
war; die Rundsäulen, dass die Durchbrechungen mehre Intercolumnien um-
fassten, endlich die Halbsäulen, dass stellenweise auch zwei neben einander
liegende Intercolumnien geschlossen waren. So ergeben sich uns, unter Berücksichtigung der Zahl der durch die Fragmente bezeugten Säulen, diese
beiden Grundrisse des obern Theils einer Langwand als möglich:

Fig. 84.

Wenn jedoch, was auch möglich ist, die obere Säulenstellung der Seitenwände doppelt so eng war wie die untere, so dass nicht nur über den Halbsäulen, sondern auch über ihren Intercolumnien Säulen oder Halb- oder

Dreiviertelsäulen standen, alsdann waren natürlich außer den beiden genannten
noch andere Combinationen möglich, z. B. diese:

Fig. 85.

wobei wir uns freilich wundern müssten, dass von so vielen Halbsäulen nur so
wenig erhalten ist.

Schwierig ist die Frage nach der Bedachung; doch dürfen wir auch in
dieser Beziehung wenigstens eine Vermuthung aufstellen. Zwar können wir
nicht genau wissen, wie hoch die großen Säulen, wie hoch die zweigeschossi-
gen Seitenwände nebst der Façade waren; es ist aber sehr wahrscheinlich,
dass letztere die ersteren überragten. Dann aber werden wir zu der Annahme
gedrängt, dass der Mittelraum sein gesondertes, von den Säulen getragenes
Dach hatte (*mediana testudo*, Vitruv V, 1, 6), das Dach der Umgänge aber nach
innen geneigt war, so dass das Regenwasser zwischen den beiden Dächern
zusammenfloss und irgendwie in das Innere der Basilika gelangte. Hiermit
stimmt es gut, dass wahrscheinlich hier Cisternen vorhanden waren; auf dem
Stylobat der großen Säulen liegen nämlich zwei große Cisternenmündungen
aus Lava; da jedoch keine ihnen entsprechenden Öffnungen nachzuweisen
sind, so können wir hier zu keiner Gewissheit gelangen. Auch die Bedeutung der oben erwähnten Rinne ist zu wenig klar, um auf sie Vermuthungen
zu gründen.

Leider wissen wir nicht, wie die Gebäudeform der Basiliken sich entwickelt hat. Denken wir sie uns so entstanden, dass man den offenen Mittelraum einer vierseitigen Säulenhalle mit einem Dache versah, so ergiebt sich
sofort eine Form, welche der so eben von uns vorausgesetzten sehr nahe kommt.
Das Tribunal und die daneben liegenden Räume werden ihr eigenes, nach
hinten geneigtes Dach gehabt haben. Die Vorhalle kann sehr wohl auch unbedeckt gewesen sein.

Die Halbsäulen stehen auf einer sich um c. 0,18 M. über den Fußboden
der Umgänge erhebenden Stufe; und etwa eben so hoch lag der Fußboden
des Streifens, auf welchem die Säulen stehn, wie aus einem Fußbodenrest
gegenüber dem Nordeingang, bei *d*, hervorgeht, und der des Mittelraums, wie
an der Statuenbasis bei *f* zu erkennen ist. So waren also die Umgänge gegen
den Mittelraum vertieft. Auf jenem Rest *d* liegt, in der Fußbodenmasse befestigt, eine Brunnenöffnung aus Marmor; doch führte sie nicht etwa zu einer
Cisterne, wie der in ihr erhaltene Fußboden beweist, vielmehr scheint ein von
Südwest her in sie einmündendes Bleirohr auf eine Fontäne von Leitungswasser zu deuten. Wir erwähnen bei dieser Gelegenheit, dass an die Westmauer, hinter der Nordwand des Tribunals, ein Wasserleitungspfeiler, wesentlich jünger als die Basilika, angebaut ist (sichtbar auch in dem Durchschnitt
Fig. 83, das Stück aus ziegelförmigen Steinen), welcher bezeugt, dass ihr
Leitungswasser zugeführt wurde.

Die bei f angegebene Basis einer Reiterstatue ist viel jünger als die Basilika. Von der Statue selbst ist nichts gefunden worden [68]; drei weitere Basen für Statuen sind von außen an die Eingangspfeiler der Vorhalle angelehnt (s. den Plan Fig. 82).

Die Basilika gehört ihrer Bauart nach der von uns als Tuffperiode bezeichneten, dem Bundesgenossenkriege vorhergehenden Blütheperiode der oskischen Architektur an. Eine nähere Zeitbestimmung ist nicht möglich. Inschriftlich wissen wir, dass die Forumsporticus, welche jünger ist (s. oben S. 65) von einem Quaestor, also wahrscheinlich vor der Zeit der römischen Colonie, erbaut ist. Wir wissen ferner, dass im Jahre 78 v. Chr. am 5. October ein gewisser C. Pumidius Dipilus seinen Namen und den der Consuln jenes Jahres in die Stuckdecoration der Basilika einkratzte (*C. I. L.* IV, 1842: *C. Pumidius Dipilus heic fuit a d. V nonas octobreis M. Lepid. Q. Catul. cos.*). Wir dürfen den Bau dem 2. Jahrhundert v. Chr. zuschreiben. Die Mauern bestehen aus trefflichem Incertum aus Lava; und zwar sind aus demselben Stein auch die Ecken hergestellt, zu denen man sonst wohl Kalksteinquadern benutzte. Die Pfeiler der Vorhalle sind aus Tuffquadern aufgesetzt, aus solchen bestehen auch die Pfosten des Nordeinganges: sie waren an letzterer Stelle nicht künstlerisch gestaltet, auch nicht mit Stuck überzogen, sondern trugen Holzverkleidungen (*antepagmenta*). Die 28 großen Säulen sind nach einem eigenthümlichen System aus eigens dazu gebrannten Ziegeln mit großer Sorgfalt und Festigkeit aufgemauert worden. Sie waren mit feinem weißem Stuck bekleidet: ihre Capitelle waren ohne Zweifel aus Tuff und auch mit Stuck überzogen. Ebenso aus Ziegeln ist die ganze dem Forum zugewandte Front des eigentlichen Gebäudes gearbeitet, so wie auch die Säulen vorn an den Treppenräumen des Tribunals und die Halbsäulen: hier überall sind auch von den ionischen Capitellen einige erhalten; an den Halbsäulen ist auch die Basis aus Tuff. Aus letzterem Stein bestanden die Säulen des Tribunals und des obern Geschosses der Seitenwände, so wie das Zwischengebälk, von dem einzelnes erhalten zu sein scheint. Dagegen finden wir von dem Kranzgesims nichts: wir werden annehmen müssen, dass es auf einer Holzbohle aus Mauerwerk mit Stuckbekleidung hergestellt war. Ebenso ist zu vermuthen, dass auf den großen Säulen — deren Capitele, der obern Stellung der Seitenwände entsprechend, korinthisch gewesen sein werden — ein Holzarchitrav lag; denn der Tuff ist solcher Spannweite nicht fähig, und die horizontale Wölbung durch Keilschnitt ist dieser Periode fremd.

Die Wanddecoration ist im ersten Decorationsstil ausgeführt; sie ahmt in Stuck eine Bekleidung mit farbigem Marmor nach, in einfacher und würdiger Weise im Hauptraum, mit etwas reicheren Profilen im Tribunal. Ganz einfach sind die Räume neben letzterem, die Vorhalle und die Außenseite behandelt: ein gelber Sockel, ein violettrother vorspringender Gurt, darüber weiße Wandfläche, welche in den Räumen neben dem Tribunal durch plastische Stuckarbeit in liegende Rechtecke getheilt ist. Auf der Außenseite der nördlichen Langwand ist später der alte Stuck durch neuern ersetzt worden, auf dessen rothem Grunde ornamentale Malereien letzten Stils ausgeführt waren; es ist jedoch von diesen kaum noch etwas zu erkennen.

Außer dem Haupteingang war ursprünglich nur noch einer in der nördlichen Langseite vorhanden; erst in römischer, nicht näher bestimmbarer Zeit brach man den gegenüberliegenden in der Südmauer durch[69]). Wir wissen auch nicht, wann man begann, das Tribunal in Marmor zu restauriren, ob nach dem Erdbeben von 63 n. Chr., ob schon früher; auf eine solche Restaution müssen aber einige dort vorhandene Säulenbasen, Capitelle und Gebälkstücke aus Marmor zurückgehn[70]). Auch das können wir nicht sicher entscheiden, ob man im Jahre 79 die Restauration des Hauptraumes in Angriff genommen hatte. Wahrscheinlich war es nicht der Fall: man müsste sonst mehr Spuren davon finden, und namentlich dass von den großen Säulen so wenig stehen geblieben ist, erklärt sich am besten durch die Annahme, dass man nach 63 etwa nur die Trümmer fortgeräumt hatte, um den Raum, unbedeckt wie er war, benutzen zu können.

7. Die Palaestra
(s. g. *Curia Isiaca*).

Dies Gebäude (**XXIV** auf dem großen Plan) liegt in der Gruppe von Bauwerken, zu welcher auch die Theater gehören, hinter dem großen Theater,

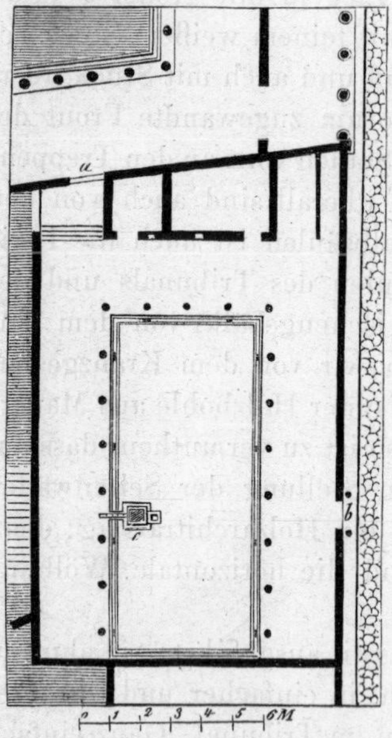

Fig. 86. Plan der Palaestra (Norden rechts).

zwischen dem Forum triangulare und dem Isistempel. Seine Bauart ist die der Tuffperiode. Der Plan des Gebäudes Fig. 86 ist einfach und mit wenig Worten zu erläutern. Es hat zwei Eingänge, einen *a* vom Forum triangulare, den andern *b* von der Straße des Isistempels aus. Der erstere bildet eine Art von kleiner Vorhalle zwischen den auf dem Plane sichtbaren Mauern; die Thür gegen das Forumtriangulare war verschließbar; an der Thür, welche zur Rechten des Eintretenden in den Raum hinter dem Theater führt, ist der Verschluss nicht deutlich nachzuweisen, wird aber doch wohl vorhanden gewesen sein. Übrigens ist es nicht unwahrscheinlich, dass diese Thür erst nachträglich angebracht worden ist, da sie mit den drei Stufen, über welche man in die Area des Gebäudes hinabsteigt, collidirt. Tritt man ein, so befindet man sich unter einer um drei Seiten eines offenen Hofes von $24,15 \times 17,52$ M. umlaufenden, 3,85 M. breiten Colonnade von 19 sehr schlanken dorischen Säulen (Durchmesser unten 0,40 M.), die größtentheils heutigen Tags noch in der Höhe von 3,29 M. unverletzt aufrecht stehn.

Eine genaue Prüfung lehrt unwidersprechlich, dass das Gebäude nicht immer diese unsymmetrische Form, mit Säulengängen nur auf drei Seiten,

Ansicht der Palaestra.

hatte, sondern dass es in verhältnissmäßig später Zeit, vielleicht erst als nach dem Erdbeben von 63 n. Chr. der Isistempel neu aufgeführt wurde, zu Gunsten eben dieses Tempels um einen beträchtlichen Theil seines Bestandes verkürzt wurde. Damals entstanden die Zimmer (*H* Fig. 58) auf der Westseite des Tempel- hofes, an welchen unser Gebäude früher unmittelbar hinanreichte. Ursprünglich waren also Säulengänge auf allen vier Seiten; die Langseiten hatten je zehn Säulen; der Eingang *b* und die gleich zu besprechende Vorrichtung bei *c* lagen genau in der Mitte der Langseiten des Hauptraumes. An der Westseite liegen zwei Zimmer und ein vorn ganz offener Raum, in welchem man Spuren einer Treppe gefunden haben will; doch sieht das, was jetzt davon sichtbar ist (eine dünne Mauer parallel der Nordmauer) nicht danach aus: eher möchte man an einen Abtritt denken. Erwähnung verdient noch, dass die eine der Säulen rechts vom Eingange *b* als Brunnen durchbohrt ist, und dass man beobachtet haben will, die benachbarten Stylobatsteine seien durch den vielfachen Ge- brauch dieses Brunnens stark abgenutzt.

Der merkwürdigste Gegenstand in dem Gebäude aber befindet sich dem genannten Eingange gegenüber bei *c* im Plane und ist auf der beiliegenden Abbildung deutlich zu sehn. Es ist dies ein mit einfachem, aber wohl- gegliedertem Carnies bekröntes 1,42 M. hohes Fußgestell von 1,10 M. oberer Fläche, in welcher sich eine 0,14 M. tiefe, 0,53 M. breite und 0,57 M. lange Vertiefung eingehauen findet. Hinten an diese Basis ist eine sie um 0,465 M. überragende, aus fünf Steinblöcken bestehende, sechs Stufen hohe, aber nur 0,38 M. breite Treppe angebaut, und vor derselben steht eine niedrige Basis von 1,20 M. Höhe, deren Oberfläche auffallend uneben ist; auch ist an den Seiten der Carnies abgehauen. Was nun die Bedeutung dieser ganzen Vor- richtung betrifft, so geht aus den Ausgrabungsberichten von 1797 (*Pomp. ant. hist.* vol. I, fasc. 2, p. 66 ff.) mit voller Gewissheit hervor, dass auf dieser Basis eine jugendliche männliche Statue gestanden hat, welche man von der- selben herabgestürzt fand, während ihre Füße an Ort und Stelle geblieben waren und erst später mit dem Plinthos entfernt worden sind. Und weiter ist durch eine glückliche Beobachtung R. Schönes festgestellt worden, dass diese Statue keine andere war als die im Nationalmuseum befindliche, unter dem Namen des Doryphoros bekannte und auf ein Original des Polyklet zurück- geführte Athletenstatue, welche einen Jüngling mit einem Speer über der linken Schulter darstellt. Denn wenn es auch sehr seltsam bleibt, und Be- denken erregen könnte, dass der länglich runde Plinthos der Statue zu groß ist, um in die viereckige Vertiefung in der Oberfläche der Basis zu passen, und diese letztere also zwecklos erscheint, so stimmen doch die Brüche der genann- ten Statue zu genau mit den in den Berichten angegebenen, als dass man an der Identität zweifeln dürfte; vielleicht hatte hier früher einmal eine andere Statue gestanden, für welche jene Vertiefung gemacht war. Stand aber hier nicht ein Gott, sondern ein Athlet oder Ephebe, das Vorbild des sich körperlich ausbildenden Jünglings, so werden wir uns auch den von Schöne und Nissen (Pomp. Stud. S. 163 ff.) gezogenen Folgerungen nicht entziehen können, dass nämlich das Gebäude eine Palaestra, ein Turnplatz war, die niedrigere Basis der Tisch, auf dem die Preise für die Sieger in den Wettkämpfen auf-

gestellt wurden, und dass vielleicht die siegreichen Knaben, auf die Treppe
steigend, der Statue ihren Kranz aufsetzten. Durch letztere Annahme erklärt
sich auch die Höhe der Treppe, welche für einen erwachsenen Mann zu einem
ähnlichen Zweck nicht nothwendig gewesen wäre. Merkwürdig bleibt dabei
freilich, dass man für einen solchen Gebrauch nicht vielmehr die Statue eines
Gottes aufstellte. Und auffällig ist auch die geringe Ausdehnung der Palaestra·
Für die Zimmer an der Westseite ist es leicht eine Verwendung zu finden : sie
konnten zum Auskleiden, Salben u. s. w. dienen.

Dass der Bau aus vorrömischer Zeit stammt, wird außer durch die Bauart
noch dadurch erwiesen, dass die Säulenreihen offenbar nach oskischem Maß
angelegt sind, indem die längere 90, die kürzere 36 oskische Fuß (24,764 und
9,913 M.) maß, und durch eine dort gefundene, wahrscheinlich auf den Bau
bezügliche Inschrift, welche übersetzt wird : »Welches Geld Vibius Adiranus,
Sohn des Vibius, der pompejanischen Jugend durch Testament geschenkt hat,
für dies Geld hat Vibius Vinicius, Sohn des Maras, pompejanischer Quaestor,
dies Gebäude nach Beschluss des Rathes in Arbeit gegeben und derselbe (den
Bau) approbirt«; wobei nur die Übersetzung eines Wortes (*vereiiai* »der Jugend«)
zweifelhaft ist. Eine in der Nähe gefundene lateinische Inschrift (*M. Faecius
Suavis M. Faecius Primogenes scholam de suo*) hat schwerlich mit unserm Gebäude zu thun.

Die früheren Vermuthungen, nach welchen es ein Local zur Einweihung
in die Isismysterien (*curia Isiaca*), oder ein Versammlungsort einer Tribus,
oder eine Markthalle gewesen sein soll, begnügen wir uns kurz zu erwähnen.
Für dieselbe spricht nichts; die Widerlegung liegt in der mit großer Wahrscheinlichkeit gefundenen richtigen Deutung [71]).

8. Das s. g. Zollhaus.

Als solches gilt ein in der Straße des Herculaner Thores, also in der lebhaftesten Geschäftslage Pompejis belegenes Gebäude (XIV im großen Plane),
welches nur einen geräumigen Saal mit sehr breitem, nur durch ein Eisengitter
verschlossenem Eingange von der Straße enthält [72]). Im Hintergrunde des
Saales ist die mit Marmor bekleidet gewesene Basis für eine Statue angebracht,
während sein Fußboden mit weißem, schwarzumrändertem Mosaik belegt ist.
Nach der Angabe mehrer neueren Schriftsteller hätte man in diesem Saale eine
große Zahl von meistens marmornen, aber auch aus Serpentinstein gefertigten
Gewichten nebst einigen Maßen aus Basalt, ferner Wagen verschiedener Art,
namentlich Schnellwagen nach dem System der Decimalwagen, dergleichen
später genauer betrachtet werden sollen, gefunden. Es wird sogar angegeben,
eine dieser Wagen, welche aber nicht in Pompeji, sondern in Herculaneum
gefunden worden ist (s. Mommsen, *I. R. N.* 6303, 3), habe auf dem langen
Schenkel des Wagebalkens in punktirten Buchstaben die Inschrift:

IMP · VESP · AVG · IIX · T · IMP · AVG · F · COS · EXACTA · IN · CAPITO ·

getragen, durch welche sie sich als eine auf dem römischen Capitol officiell
geaichte Normalwage zu erkennen giebt. Gestützt auf diese angeblichen That-

Ansicht der Ruinen

Lith. Anst. v. J. G. Bach, Leipzig.

sachen, und da keine Spur von Verkaufsgegenständen oder Waaren in diesem
Gebäude gefunden worden ist, hat man dasselbe zum Zollhause (*telonium*)
von Pompeji gestempelt, in welchem die durch das Herculaner Thor kommenden Händler, Bauern und Höker ihre Waaren zu verzollen gehabt hätten.
Das wäre an sich gewiss nicht unmöglich, allein von allen jenen Funden
wissen die Tagebücher der Ausgrabung nichts. Wohl aber geben dieselben
ganz richtig an, dass hinter diesem Saale und mit ihm durch eine Thür verbunden ein zweiter, etwa eben so großer Raum, mit dem Haupteingange von
der ersten kleinen Querstraße (*Vicolo di Narcisso*) aus liegt. Es ist dies offenbar
ein Stall mit Wagenremise. In dem Hauptraum konnten die Karren stehn,
rechts von demselben ist unverkennbar der Stall für die Zugthiere und eine
Kammer. Und in der That fand man hier zwei Pferdegerippe und einen freilich sehr fragmentirten zweiräderigen Karren. Um aus dem sogenannten Zollhause in den Stall zu kommen, durchschreitet man eine kleine Localität, welche
sich in zweifelloser Weise als Abtritt zu erkennen giebt.

Neuerdings hat Fiorelli (*Descriz.* S. 81) die Ansicht ausgesprochen, dass
das Gebäude vielmehr einen religiösen Charakter gehabt habe und dem Dienst
der *Lares compitales*, der Schutzgötter der Straßen, gewidmet gewesen sei.
An diesen Cultushandlungen hätten auch die zu Wagen hereingekommenen
Bewohner der Vorstadt Theil genommen, und ihre Wagen seien in dem Stalle
untergebracht worden.

Wir enthalten uns, dem Gebäude einen Namen zu geben. Nur so viel
erscheint allerdings nach seinem ganzen Charakter sehr wahrscheinlich, dass
es in der That ein öffentliches, nicht ein Privatgebäude war. Für den religiösen Charakter desselben dürfte die Statuenbasis kein hinlänglicher Beweis
sein, zumal keine Spur eines Altars vorhanden ist, und die unmittelbare Verbindung mit dem Abtritt, sowie die auffallende Schmucklosigkeit der Wände
scheinen doch eher dagegen zu sprechen.

Dritter Abschnitt.

Die Theater.

Fig. 87. Eine Reihe Masken.

Pompeji besitzt zwei neben einander, nahe dem südlichsten Stadtthor, dem
Stabianer Thor, gelegene Theater, ein größeres, an den Abhang östlich vom
Forum triangulare, südlich vom Isistempel und der Palaestra, angelehntes, und

ein kleineres, freistehendes, welches letztere nach der weiterhin zu besprechenden Bauinschrift mit einem Dache versehn (*theatrum tectum*) war. Es scheint,
dass häufig ein bedecktes Theater mit dem offenen verbunden war; ein dem
Untergang Pompejis etwa gleichzeitiges und der nächsten Nachbarschaft an-
gehöriges Beispiel liefert uns der Dichter Statius, welcher unter den Herrlichkeiten Neapels »den Doppelbau des offenen und des bedeckten Theaters«
(*geminam molem nudi tectique theatri: Silv*. III, 3, 91) aufführt. Vermuthlich
war das größere Theater für dramatische, das bedeckte für musikalische und
kleinere Aufführungen bestimmt; ganz grundlos ist die Auffassung, als habe
jenes der Tragoedie, dieses der Komoedie gedient. Wie wir weiterhin sehen
werden, sind die beiden pompejanischen Theater nicht gleichzeitig, vielmehr
ist das bedeckte erst später hinzugefügt worden. Beide Gebäude sind gut
erhalten und sehr geeignet, um uns an ihnen die bauliche und scenische Einrichtung der antiken Theater und die wesentlichen Eigenthümlichkeiten thea-
tralischer Aufführung bei den Alten zu vergegenwärtigen.

Bei Besprechung derselben müssen gewisse Grundverhältnisse des antiken
Drama und Theaterwesens als bekannt vorausgesetzt werden, und können hier
nur mit Hinweglassung alles dessen, was nicht zum nächsten Zweck, der
Erklärung der pompejanischen Theater gehört, in der gedrängtesten Kürze
angedeutet werden.

Das griechische Drama, Tragoedie sowohl wie Komoedie, ist aus einer
religiösen Festfeier im Culte des Dionysos hervorgegangen und hat durch die
ganze Zeit seiner Entwickelung den Charakter einer religiösen Festlichkeit
bewahrt. Der Träger dieser ursprünglich ländlichen Feier war ein beim
Weinlesefest umherschweifender Chor, der tanzbegleitete Chorlieder zu Ehren
des Gottes sang, welche wir uns nach der wechselnden Stimmung der Weinlese bald ernster in Bezug auf den Segen des Gottes, bald heiter und ausgelassen denken dürfen, wenn es galt der berauschten Lust Ausdruck zu
leihen und dieselbe an Unbetheiligten auszulassen. Erst später trat dem
Chor ein Einzelner als Redner gegenüber, indem er von den Thaten und
Erlebnissen des Dionysos erzählte, welche der Chor in seinen die Erzählungen unterbrechenden Tanzliedern feierte. Schon wenn man diesen
ersten Keim des Drama betrachtet, kann man sich vorstellen, wie seine Bedürfnisse einen Raum schufen, der etwa ebenso die Elemente des spätern
Theaterbaus enthielt, wie jene von Rede unterbrochenen Tanzlieder eines
bakchisch schwärmenden Chores die Elemente einer vollendeten Tragoedie.
Den Redenden, Erzählenden auf ein Gerüst, die Urbühne, zu stellen, damit
er besser gesehn und gehört werden möge, lag zu nahe, als dass nicht anzunehmen wäre, dies sei fast von Anfang an gethan worden. Der Chor dagegen brauchte weder einen erhöhten Standort, noch wäre derselbe für eine
irgendwie zahlreiche Menge von Choreuten so leicht zu beschaffen gewesen;
für ihn ist der natürliche Boden ein zureichender Tanzplatz. Dass sich die
Tänze des Chores, sobald sie zu der Erzählung des Redenden in der leisesten
Beziehung standen, wie von selbst in einem Verhältniss zu der Urbühne bewegten, begreift sich; denkt man sich aber die zuschauende Menge in der
natürlichen Kreisstellung um Redenden und Chor versammelt und diesen

Menschenkreis an der einen Seite durch das Bühnengerüst abgeschnitten, so hat man das Grundschema des griechischen Theaters in seinen drei Theilen, der Skene (Bühne), der Orchestra (Tanzplatz des Chores) und dem um diesen Halbkreis geschlossenen Theatron (Zuschauerraum) vor sich und sieht, wie diese Form des Raumes mit den Bedürfnissen der Darstellung zusammen entstanden ist. Man braucht eigentlich nur das Bühnengerüst für die Aufnahme mehrer Schauspieler, welche nach und nach dem ursprünglich einen Redner gegenüber oder zur Seite traten, erweitert, den Tanzplatz des Chores, um seine Bewegungen zu erleichtern, gedielt oder mit einer niedrigen Bühne ausgestattet und den Zuschauerraum, wie wir zu sagen pflegen, amphi-theatralisch erhoben zu denken, und das Theatergebäude ist in seinen bestimmenden Elementen und Formen fertig bis auf die Decorationen, die nie eine so große Rolle im Alterthum gespielt haben wie bei uns.

Als öffentliche religiöse Festlichkeiten fanden die Theateraufführungen keineswegs allabendlich, wie bei uns, statt, sondern in Griechenland nur an den Festen des Gottes, dem sie ursprünglich galten, in Rom an unbestimmten Festen, welche meistens beim Amtsantritt oder um sich zu einer Wahl zu empfehlen, aber auch bei Leichenfeiern reiche und ehrgeizige Bürger dem Volke gaben. An den Bakchosfesten aber füllten dafür auch die dramatischen Aufführungen nicht ein paar Abendstunden, sondern den ganzen Tag; eine ganze Reihe von Dramen wurde nach einander aufgeführt, und zwar im Wettkampf mit einander um drei Ehrenpreise, welche eigens verordnete obrigkeitliche Preisrichter zuerkannten. Dieser Umstände und besonders auch der Tagesaufführungen, die aus anderen Gründen auch in Rom Sitte waren, mußte hier gedacht werden, weil ihre Folgen viel weiter in das ganze Theaterbauwesen eingreifen, als man auf den ersten Blick glauben sollte. Aus dem religiösen und festlich-öffentlichen Charakter der dramatischen Aufführungen erklärt sich zunächst, um nur dies vorweg zu erwähnen, das Bedürfniss weit größerer Theater, als wir sie kennen. Griechenland hat Theater, welche 60—80,000 Menschen fassten, und selbst das Theater eines Städtchens wie Pompeji fasste etwa 5000 Zuschauer. Aus dieser Größe der Theater und aus den Tagesaufführungen ergiebt sich aber weiter die Unthunlichkeit der Bedeckung der Theatergebäude; dieselben waren also offen oder doch nur, nach einer in Campanien gemachten Erfindung, durch ein an aufgerichteten Masten übergespanntes Zeltdach (velum, vela) gegen den Brand der Sonne und einen plötzlichen nicht zu starken Regenguss geschützt.

Es ist bekannt, welche wichtige Rolle im griechischen Drama der Chor spielt, welcher, durch die Seiteneingänge (πάροδοι) der Orchestra eintretend, in dieser, um einen Altar (thymele) gruppirt, unter Tanzbegleitung seine Lieder sang, gelegentlich auch, auf Treppen die Bühne besteigend, in die Handlung eingriff. Die Römer beseitigten ihn, eine Neuerung, welche nicht ohne Einfluss auf den Bau der Theater blieb; aus ihr ergeben sich nämlich die beiden wesentlichen Eigenthümlichkeiten, welche nach der Angabe Vitruvs das römische Theater vom griechischen unterscheiden. Da die Orchestra dem Zweck, für welchen sie ursprünglich bestimmt war, nicht mehr zu dienen hatte, und nur noch benutzt wurde, um die Sitze bevorzugter Zuschauer zu

stellen, so konnte sie bedeutend kleiner gehalten werden: sie soll nach Vitruv
einen Halbkreis nicht überschreiten, während die griechische Orchestra einen
weit größern Kreisabschnitt darstellt. Und um zweitens eben diesen bevorzugten Zuschauern einen ungehinderten Blick auf die Bühne zu schaffen,
musste diese niedriger gemacht werden: nach Vitruv soll die römische Bühne
nicht über 5 Fuß (1,48 M.), die griechische zwischen 10 und 12 Fuß (2,96—
3,55 M.) hoch sein. Die Vorschrift in Betreff der Orchestra findet sich in
den erhaltenen römischen Theatern insofern nicht immer befolgt, als dieselben
nicht selten mehr als einen Halbkreis umfassen. Andererseits führt die Beobachtung der Monumente auf zwei weitere, von Vitruv nicht erwähnte Unterschiede. In römischen Theatern nämlich werden die Sitze an der der Scene
zugewandten Seite durch eine der Scenawand parallele Linie abgeschnitten.
Dagegen finden wir in griechischen Theatern häufig, dass die Linien, mit
denen die beiden Flügel der Sitzreihen abschließen, nicht in einer Flucht
liegen, sondern der Art convergiren, dass ihre Verlängerungen sich in einem
in der Orchestra liegenden Punkt schneiden. Ferner scheint es, dass nach der
ältesten, rein griechischen Bauart die Sitzreihen nicht bis an das Bühnengebäude verlängert wurden, sondern hier ein Zwischenraum blieb, welcher
nur durch eine von einer Thür durchbrochene Mauer geschlossen war, so dass
der hier eintretende und abziehende Chor nicht unter einem Theil der Zu-
schauersitze hindurch zu gehen brauchte. Dagegen reichen die Sitzreihen der
römischen Theater durchaus bis an das Bühnengebäude hinan.

a. Das große Theater.

Wenden wir uns nun zuerst zur Betrachtung des großen Theaters, so
drängt sich uns vor allen Dingen die Frage auf, in welcher Zeit es entstanden
sein mag, ob zur Zeit der römischen Colonie, ob früher, als die autonome
oskische Stadtgemeinde unter dem Einfluss der griechischen Cultur stand. Es
leuchtet ein, wie wichtig diese Frage ist für die Beurteilung der Culturstufe
des vorrömischen Pompeji.

Um einen vorläufigen Anhalt zu haben, halten wir uns zunächst an eine
Inschrift, welche in großen Buchstaben, in Marmor, wiederholt angebracht
war, und sich jedenfalls auf einen Bau oder Umbau bezieht. Sie lautet: *M. M.
Holconii Rufus et Celer cryptam tribunalia theatrum s*(*ua*) *p*(*ecunia*). Beide
Männer, namentlich aber Rufus, werden noch durch mehre im Theater gefundene Inschriften gefeiert. Glücklicherweise sind wir nun im Stande, die Zeit
dieser beiden Holconier ziemlich genau festzustellen. Wir wissen nämlich
durch eine andere Inschrift, dass M. Holconius Rufus im Jahr der Stadt 752
(3/2 v. Chr.) zum vierten Mal die Würde des Duumvirn bekleidete. Da nun
eine der ihm im Theater gesetzten Inschriften ebenfalls sein viertes Duumvirat
erwähnt, so dürfen wir den Bau der Holconier kurz vor dem genannten Jahr
ansetzen. M. Holconius Celer war jünger: es geht aus anderen Inschriften
hervor, dass er erst im Todesjahr des Augustus, 14 n. Chr., zur Würde des
duumvir quinquennalis gelangte. Vermuthlich bezieht sich auf denselben Bau
oder Umbau die Inschrift, welche in die Südwand des östlichen Flügels,

zwischen den beiden Ausgängen aus dem hier unter den Sitzreihen hinfüh-
renden Ganges, eingelassen ist: *M. Artorius Primus architectus.*

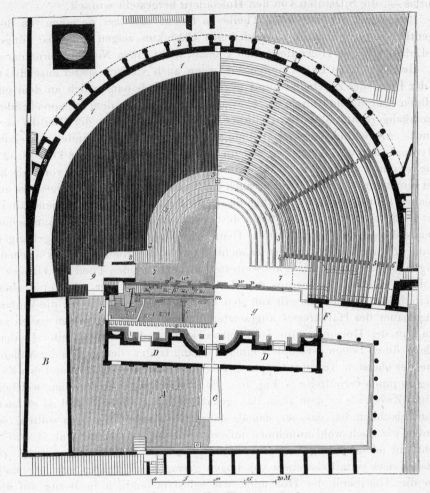

Fig. 88. Plan des großen Theaters (Norden oben).

(Der Plan ist in zwei Hälften getheilt, diejenige rechts zeigt alle Sitzreihen und die Bühne mit dem Fußboden bedeckt, diejenige links durch Hinwegnahme der zweiten und der *summa cavea* die Gänge und Treppen
im Innern und die Substructionen der Bühne.)

Also in augusteischer Zeit, kurz vor Christi Geburt, haben die beiden
Holconier wahrscheinlich durch den freigelassenen Architekten M. Artorius
Primus die Crypta, die Tribunalien und das *theatrum* bauen lassen. Die Bedeutung der drei hier genannten Theile des Theaters kann nicht zweifelhaft
sein. Crypta ist ohne allen Zweifel der auf unserm Plan mit 1 bezeichnete
überwölbte Gang, welcher den Halbkreis der Sitzreihen abschloss und die
obersten Reihen (*summa cavea*) trug. Tribunal heißt im römischen Theater
der besondere, für den vorsitzenden Beamten bestimmte Platz: die hier in der
Mehrzahl genannten Tribunalien können nichts anderes sein, als die beiden
Platformen über den Eingängen der Orchestra. Wenn endlich an dritter Stelle

das *theatrum* genannt wird, so kann dies nicht wohl anders verstanden werden, als dass auch der Zuschauerraum — denn dies ist die engere Bedeutung des Wortes —, die Sitzstufen von den Holconiern hergestellt wurden.

Betrachten wir nun diese Theile, so finden wir, dass sie einen von den eigentlichen Grundbauten verschiedenen Charakter zeigen, offenbar jünger sind, dass also die Holconier einen Umbau, nicht einen Neubau vornahmen.

Reste des alten Baues finden wir, wenn auch vielfach später ausgeflickt, an der Front des Zuschauerraums gegen den Hof A, namentlich an dem gewölbten Durchgang von 9 zu A, weniger deutlich an dem entsprechenden Durchgang rechts: die Bauart dieser Theile ist derjenigen der Basilika verwandt. Als Schlussstein der Wölbung des Zuganges von 9 finden wir einen Satyrkopf aus Tuff. Ähnliches begegnet uns nur noch am Nolaner Thor (S. 52), welches durch seine oskische Inschrift auf das unzweifelhafteste in vorrömische Zeit hinaufgerückt wird. Und da auch die Arbeit des Kopfes derjenigen des am Nolaner Thor befindlichen ähnlich ist, so dürfen wir auch hier auf jene ältere Zeit schließen. Wir können ferner feststellen, dass der Zuschauerraum schon damals denselben Umfang hatte. Denn von einem zum Isistempel gehörigen Raum (I auf Fig. 58) aus ist es sichtbar, dass die Rückwand der nischenartigen Erweiterung in dem am weitesten zurückliegenden Theil des Ganges 1 in ihren unteren Theilen aus dem Lavabruchsteinwerk der erwähnten alten Theile besteht. Dasselbe gilt von den kurzen, strahlenförmig an die Umfassungsmauer des Halbkreises angesetzten Mauerstücken. Dieselben haben an dem Bau der Holconier eine vollkommen klare Bedeutung: es sind Pfeiler, welche, durch Bogen verbunden, einen Umgang trugen, der sich an der Außenseite der obersten, von der Crypta getragenen Sitzreihen hinzog und den Zugang zu ihnen vermittelte (s. Fig. 90). Es ist nun schwer zu ersinnen, welchen andern Zweck sie an dem alten Bau gehabt haben könnten. Und da es auch kaum glaublich ist, dass sie damals ganz zwecklos gewesen sein sollten, so werden wir doch wohl annehmen müssen, dass schon an dem alten Bau 1 nicht ein offener Gang, sondern eine Crypta war und Sitzreihen trug, zu welchen man vermittelst eines von Bogen getragenen Umgangs gelangte, dass also die Thätigkeit der Holconier, wie selbstverständlich in Bezug auf die Sitzreihen, so auch in Bezug auf die Crypta in einem Wiederaufbau, nicht in einem Neubau bestand.

Vergleichen wir nun mit den alten Theilen die von den Holconiern herstammenden. Die Crypta ist fast ganz erst nach der Aufgrabung wieder aufgemauert worden; doch sind am Boden hinlängliche Reste erhalten, um die Bauart zu erkennen. Wir würden geneigt sein, diese aus regelmäßig wechselnden Ziegeln und ziegelförmigen Hausteinen gebildeten Thürpfosten, deren rechtwinklige Verzahnungen mit Netzwerk ausgefüllt waren, den letzten Zeiten Pompejis zuzuschreiben, wenn nicht die besprochenen Inschriften uns eines bessern belehrten.

Zur Crypta gehören die schon erwähnten, an die Außenseite derselben angelehnten, durch Bögen verbundenen Pfeiler. Auch hier hat ein ausgedehnter, moderner Wiederaufbau stattgefunden; doch genügen die erhaltenen antiken Theile, um zu zeigen, dass die Pfeiler, und vermuthlich auch die Bögen aus ziegelförmigen Tuffstücken hergestellt waren, eine Bauart, welche für die Zeit des Augustus sehr gut passt, nicht wohl aber jenen alten Theilen gleichzeitig sein kann.

Und auf dieselbe Zeit passt auch ganz vorzüglich die Bauart der Tribunalien: Netzwerk aus Tuff, mit Ecken theils aus ziegelförmigen Stücken desselben Steins, theils aus Ziegeln, mit ziemlich dicken Mörtelschichten. Das Netzwerk war in Rom nach dem Zeugniss des Vitruv zu seiner Zeit, der Zeit des Augustus eben üblich geworden, und ganz ähnliches Mauerwerk wie dieses hier können wir auch sonst in Pompeji mit Hilfe der Wandmalereien ungefähr auf dieselbe Zeit zurückführen.

Was endlich das *theatrum*, die Sitzstufen betrifft, so genügt es zu bemerken, dass sie aus weißem Marmor bestehen. Sie können also keinenfalls der vorrömischen Zeit angehören, welche vom Marmor den allerspärlichsten Gebrauch machte, und auch für Säulen und Gebälke sich begnügte, den Tuff mit Stuck zu bekleiden; unzweifelhaft bestanden die Stufen ursprünglich aus Tuff, wie im kleinen Theater und im Amphitheater [73]).

So ergiebt sich uns also aus der Vergleichung der Holconierinschrift mit dem Thatbestande, dass ein vermuthlich aus vorrömischer Zeit stammendes Theater kurz vor Christi Geburt umgebaut und den römischen Gewohnheiten angepasst wurde. Das alte Theater gehörte der spätoskischen Blüthezeit Pompejis, der Tuffperiode an, und zwar wird es durch die Ähnlichkeit mit der Basilika und dem Nolaner Thor einer Gruppe von Gebäuden zugewiesen, welche namentlich gegen das Ende der genannten Periode entstanden ist.

Also nicht mit römischen Dramen ist diese Bühne eröffnet worden, sondern es ist hier wahrscheinlich zuerst in oskischer Sprache gespielt worden. Wir wissen, dass die Osker Campaniens eine einheimische Posse, die Stammmutter der Pulcinellakomödie, besaßen, die Atellana, in der die stehenden Masken des Pappus, Dossennus, Bucco und Maccus ihr Wesen trieben. Ob sie auch eine eigene Tragoedie hatten, ob sie, wie die Römer, sich die griechische Tragoedie und Komoedie durch freie Übertragungen zu eigen gemacht hatten, davon wissen wir nichts; war es der Fall, so ist in dem gänzlichen Untergang der oskischen Cultur jede Spur davon verloren gegangen. Es zu leugnen liegt aber kein Grund vor: die Osker waren an geistiger Cultur den Römern wahrscheinlich überlegen und standen mit dem Griechenthum in unmittelbarerer Berührung. Auch das können wir nicht entscheiden, ob zur Zeit der Selbständigkeit die Kenntniss der griechischen Sprache so verbreitet war, dass griechische Dramen in der Ursprache hätten aufgeführt werden können. Nach der Besiedelung Pompejis durch die sullanischen Veteranen wird hier das römische Drama, daneben der Mimus und Pantomimus, geherrscht haben.

Wir haben also hier weder ein einfach griechisches, noch ein römisches Theater vor uns, sondern ein unter griechischem Einfluss entstandenes, in römischer Zeit umgebautes. In der That finden wir hier verschiedene Eigenthümlichkeiten des griechischen Theaters. So die weit mehr als einen Halbkreis umfassende Orchestra, welche vermuthlich ursprünglich noch größer war; denn wir werden annehmen dürfen, dass die vier untersten, breiten und niedrigen Stufen erst in römischer Zeit an die Stelle von etwa drei gewöhnlichen

Stufen getreten sind. Griechisch ist ferner das hier freilich nur schwache
Convergiren der die beiden Flügel der Sitzreihen abschließenden Linien;
endlich auch die Anlehnung des Zuschauerraums an den Hügel. Dagegen
freilich befanden sich die Seiteneingänge (*parodoi*) der Orchestra niemals in
einem zwischen Zuschauerraum und Bühnengebäude frei gelassenen, nur durch
eine Mauer mit einer Thür geschlossenen Zwischenraum; vielmehr sahen wir,
dass grade hier durch Reste des ältesten Baues die jetzige Form uns auch als
die ursprüngliche verbürgt wird. Da jedoch grade diese Besonderheit des
griechischen Theaterbaues durch keinerlei Eigenthümlichkeit des griechischen
Dramas und der griechischen Sitte im Gegensatz zum römischen bedingt war,
so können wir wohl annehmen, dass eine Bauart wie die hier vorliegende etwa
im zweiten Jahrhundert v. Chr. bei den Griechen aufgekommen war, und dass
sich die Römer in dieser Beziehung nur der damals neuesten griechischen Ge-
wohnheit anschlossen. Keinenfalls ist es zulässig, an römischen Einfluss zu
denken, bei einem Theater welches mindestens 50 Jahre, vielleicht noch um
weit mehr, älter ist als das erste steinerne Theater Roms, das des Pompejus.

Der römischen Sitte entspricht ferner die geringe Höhe (etwa 1 M.) der
Bühne. Nun ist zwar ohne Zweifel die Bühne, wie sie uns vorliegt, im Ganzen
jüngern Ursprungs. Wann sie umgebaut worden ist, wissen wir nicht: wegen
des Charakters des Mauerwerks würde nichts im Wege stehen, ihre Erneuerung
mit der Thätigkeit der Holconier in Verbindung zu setzen. Es kann aber kein
Zweifel obwalten, dass die Seiteneingänge der Bühne, *F*, mit Pfosten aus
sorgfältig gefügten Tuffquadern, dem ursprünglichen Bau angehören, und
sie beweisen unwidersprechlich, dass die Höhe der Bühne schon damals die
gleiche war wie später. Und da diese Abweichung von der griechischen Sitte
bei den Römern aus einem bestimmten praktischen Bedürfniss hervorging, so
dürfen wir wohl schließen, dass hier niemals Aufführungen nach griechischer
Art mit Chören stattgefunden haben, sondern die Orchestra von Anfang an
nur diente, um die Sitze bevorzugter Zuschauer zu stellen.

Nachdem wir nun die Erbauungszeit und den ursprünglichen Charakter
des Theaters, sowie die wichtigsten Veränderungen, welche es im Laufe der
Zeit erfahren, festgestellt haben, wenden wir uns zur Betrachtung der einzelnen Theile; es sind dies 1) der Zuschauerraum, das Theatron im engern
Sinne, griechisch auch das Koilon, römisch die Cavea; 2) der Platz des Chores,
die Orchestra; 3) der Platz der Schauspieler, die Bühne, Scena.

Der Zuschauerraum ist, wie ein Blick auf den Plan zeigt, von nicht ganz
regelmäßiger Form. Fassen wir den westlichen Theil seines äußern Umfanges
ins Auge, so finden wir, griechischer Sitte entsprechend, einen Kreisabschnitt,
welcher größer ist als ein Halbkreis. Ebenso war es ursprünglich im Osten;
doch sind hier die Holconier von dem noch deutlich sichtbaren Zuge der alten
Mauer abgewichen, und es erscheint jetzt der Halbkreis tangential verlängert.
Und ein tangential verlängerter Halbkreis ist auch die den Zuschauerraum von
der Orchestra trennende Linie. Wir werden wohl nicht irren, wenn wir auch
dies auf eine Veränderung in römischer Zeit zurückführen. Denn diese Linie
beruht auf den vier untersten, breiten und flachen, für die Sitze (Bisellien)
der Decurionen bestimmten Stufen, während man doch höchst wahrscheinlich

ursprünglich bis unten hin nach griechischer Sitte unmittelbar auf den Stufen saß; und es ist recht wahrscheinlich, dass damals die etwas größere Orchestra, dem äußern Umfang entsprechend, ihre größte Breite an der Stelle des der Bühne parallelen Kreisdurchmessers hatte, gegen die Bühne hin sich aber verengerte, wie wir das in verschiedenen griechischen Theatern finden.

Der Zuschauerraum ist in eine Folge ganz umlaufender Sitzstufen zerfällt, welche, wie schon bemerkt, bei griechischen Theatern an den Abhang eines Hügels angelehnt werden, während das römische Theater dieselben auf Bögen und Gewölbconstructionen, wie wir sie bei dem Amphitheater kennen lernen werden, über den ebenen Boden zu erheben pflegt. Hier finden wir beide Bauweisen vereinigt. Die Stufen der untern und mittlern Cavea (soweit die linke Seite des Planes Fig. 88 schraffirt ist) lehnen sich an den Abhang des Stadthügels; dagegen erheben sich die obersten, von der Crypta (1) getragenen, durch einen auf Bögen ruhenden Corridor (2; vgl. Figur 90) zugänglichen Sitzreihen über die obere Fläche des Hügels.

Die sämmtlichen Sitzstufen werden nun in doppelter Weise eingetheilt. Erstens durch eine Anzahl breiterer Umgänge (*diazomata*, *praecinctiones*) im Sinne unserer Ränge, und zweitens durch eine Anzahl kleiner Treppen, welche von der Orchestra (hier genauer von der obersten der vier breiten untersten Stufen) bis zu der Höhe der Sitzreihen emporlaufend dieselben in Keile (*kerkides*, *cunei*) theilen. Das pompejanische Theater wird durch eine Praecinction (3) hinter den ersten vier Sitzreihen und durch den gewölbten Gang 1 in drei Ränge (*caveae*) und durch sechs Treppen (4) in sieben Keile getheilt.

Der Zweck dieser Eintheilung ist ein doppelter. Zunächst und hauptsächlich diente sie, um die Zuschauer zu ihren Plätzen zu leiten und die versammelte Menge selbst bei eiligem Verlassen des Theaters, z. B. bei plötzlichem Regen, ohne starkes Gedränge rasch hinauszuführen. Jede der erwähnten sechs Treppen entspricht nämlich einer Ausgangsthür (*vomitorium*) 5 auf den gewölbten Umgang 1 (vgl. Fig. 93 und 94); aus diesem führt dann weiter eine Thür auf das Forum triangulare, eine zweite auf den winkligen Raum zwischen diesem und der beginnenden Rundung des Theaters, eine dritte, am Ostende (links auf dem Plan) zu einem Gange, der zuerst über sechs Stufen, dann in allmählicher Neigung auf die Stabianerstraße hinabführt. Von diesen Thüren ist die auf das Forum triangulare führende auf unserem Plan (Fig. 88) nicht angegeben, weil sie dort mit der auf den obersten Rang führenden engen Treppe zusammenfallen würde. So gelangten die Zuschauer der von der Crypta 1 abwärts liegenden Stufen durch sechs Thüren in die Crypta, durch drei von hier, wo sie sich schon freier bewegen konnten, ins Freie. Außerdem aber konnten die Zuschauer der mittleren Sitzreihen über die Praecinction 3 und die Treppen 8 in die Seitenausgänge der Orchestra gelangen. — Wir dürfen annehmen, dass die oberen, von der Crypta 1 getragenen Sitzreihen von eben so vielen Treppen durchschnitten und durch entsprechende Vomitorien mit dem hinter ihnen entlang gehenden, von den Pfeilern und Bögen getragenen Umgang 2 verbunden waren. Dieser Umgang aber reichte westlich (links) nur bis an den Winkel, wo die Rundung mit dem Forum triangulare zusammenstößt; und so führt die letzte Thür auf dieser Seite durch eine in der Dicke

der sehr starken Mauer angebrachte Treppe direct auf das Forum triangulare
hinunter. Der Umgang war von außen zugänglich durch eine in dem erwähnten Winkel und eine zweite nahe dem entgegengesetzten Ende des Halbrundes
angebrachte Treppe, zu welcher man durch eine Straße zwischen dem Isistempel und demjenigen der capitolinischen Gottheiten gelangte. Endlich führte
eben dahin eine dritte, auf unserem Plan nur zum Theil sichtbare Treppe, welche
an die südliche Außenmauer der Palaestra angebaut ist und den Umgang ziemlich in der Mitte der Rückseite erreicht haben muss. Unter der erstgenannten
dieser drei Treppen war an wenig in die Augen fallender Stelle im Niveau des
Forum triangulare ein Abtritt angebracht. Eine verwandten Zwecken dienende
Rinne ist an die Innenseite eines Theils der Außenwand der Crypta und an die
Nordwand des von der Stabianer Straße in die Orchestra führenden Ganges
(*C* auf Fig. 97) angemauert. — Der unterste Rang (*ima cavea*) entleerte sich
durch die Orchestra und deren Ausgänge (*parodoi*) 7.

Der zweite Zweck der Eintheilung der Sitzplätze entspricht dem der Rang-
theilung in unseren Theatern. Die untersten Reihen, der Bühne am nächsten
gelegen, waren bevorzugten Zuschauern vorbehalten. Im Dionysostheater zu
Athen, dem Ur- und Vorbild aller Theater, bestanden die untersten Reihen
statt einfacher Stufen aus steinernen Lehnsesseln, welche nach den Inschriften,
dem religiösen Charakter der griechischen Theateraufführungen entsprechend,
fast ausschließlich von Priestern eingenommen wurden; zwischen ihnen saßen
nur wenige weltliche Beamte und einige Personen, denen dies Recht als besondere Ehre durch Volksbeschluss zuerkannt war. Der Mittelplatz der ersten
Reihe, ein etwas in die Orchestra vorstehender Lehnsessel, gehörte dem Vorsitzenden der ganzen Feier, dem Priester des Dionysos von Eleutherae, des
Gottes, an dessen Cultus sich die Entstehung des Dramas knüpft, und als
dessen Fest diese Feier bei den Griechen stets betrachtet wurde. Und in der
Orchestra, vor dem Platz des Priesters, stand die aus dem Tempel herbeigeholte
Bildsäule des idealen Vorsitzenden, des gefeierten Gottes Dionysos selbst. So
war er gewissermaßen der erste und vornehmste Zuschauer, und konnte deshalb in den Fröschen des Aristophanes als scherzhafte Personification des
athenischen Theaterpublikums auftreten. Weiter waren auch die folgenden
Sitzreihen, bis zur zwanzigsten, reservirte Plätze: sie gehörten einer großen
Zahl von Priesterinnen, wenigen Priestern und einigen durch Bewilligung eines
solchen Platzes geehrten Personen. Außerdem wissen wir, dass in Athen
die Mitglieder des Rathes, und in der Kaiserzeit die Epheben besondere Plätze
hatten.

In Rom gab es anfangs keine derartige Unterscheidung; und da hier die
Theaterspiele nie einen so ausgesprochen gottesdienstlichen Charakter hatten,
so wurden auch später, als dieselbe ein- und von Augustus strenge durchgeführt wurde, nicht die Priester, sondern andere Classen bevorzugt. Im Jahre
67 v. Chr. wurde durch die *lex Roscia* bestimmt, dass die vierzehn ersten Reihen
den Rittern vorbehalten sein sollten, d. h. denen die ein Vermögen von mehr
als 400,000 Sesterzen (c. 70,000 Mark) besaßen. Weiter wurde durch die
Theaterordnung des Augustus die unterste Stufe den Senatoren angewiesen,
welche außerdem noch in der Orchestra zu sitzen berechtigt waren. Der mitt-

lere Rang (*media cavea*) gehörte den Bürgern, der oberste (*summa cavea*) dem gemeinen Volk und den Frauen.

In unserem Theater können wir sehr deutlich die Ränge unterscheiden. Der unterste, die *infima cavea*, hat vier Stufen. Diese sind jedoch nicht Sitzstufen der Art wie die weiterhin zu besprechenden der *media cavea*, sondern sie sind beträchtlich breiter und nur von der halben Höhe dieser, dienten also offenbar nur, um die Ehrensessel, die Bisellien, der hier sitzenden bevorzugten Zuschauer zu tragen. Wir werden hier den Platz des Stadtraths, der Decurionen zu erkennen haben, unter denen noch einzelne Begünstigte Platz finden mochten. Vermuthlich standen einige der Decurionensessel auch in der Orchestra, wo man den Mitgliedern des römischen Senats, wenn solche zugegen waren, die besten Plätze eingeräumt haben wird.

Hinter diesem ersten Range folgt eine höhere und breitere Stufe 3, in deren Oberfläche wir den ersten Umgang, Praecinction, erkennen. Sie war von den Decurionenplätzen durch eine niedrige Marmorbrüstung (nicht erhalten) getrennt und zugänglich durch drei kleine Treppen von je drei Stufen, denen Öffnungen in der Brüstung entsprachen. Den Enden der Praecinction entsprachen die gewölbten Ausgänge 8.

Der zweite Rang enthielt 20 Sitzreihen, von denen sicher auch hier die unteren für die Ritter, die oberen für die übrige Bürgerschaft bestimmt waren. Gesetzlich kamen, wie schon bemerkt, den Rittern 14 Reihen zu: ob dies in Pompeji durchgeführt war, dürfte wohl davon abgegangen haben, wie zahlreich dort die Zahl derjenigen war, die den Rittercensus besaßen. Die Stufen sind aus Marmor, nicht ganz glatt gearbeitet, einfach rechtwinklig, ohne Profilirung der Vorderseite und ohne die sonst häufig auf der Oberfläche angebrachte Vertiefung für die Füße des Hintermanns. Stellenweise waren in der *media cavea* die einzelnen Plätze durch senkrechte Linien von einander getrennt und numerirt, doch war dies nur für einen kleinen Theil durchgeführt: was es damit für eine Bewandtniss hatte, entzieht sich unserer Kenntniss, und es ergiebt sich aus den wenigen erhaltenen Zahlen kein System der Numerirung. Die Sitze waren 0,39 M. breit. Die Stufen der Treppen haben die halbe Höhe der Sitzstufen; es müssten ihrer also bei zwanzig Sitzstufen vierzig sein, von denen aber zwei in Abzug kommen, da die oberste Sitzreihe (vgl. Fig. 93) höher lag als die Schwellen der Vomitorien, und deshalb, anstatt in Treppenstufen zerlegt zu sein, den Vomitorien gegenüber ganz durchbrochen war. In der Mitte der untersten Stufe der *media cavea* stand eine Statue, welche auf Decret der Decurionen dem einen der Hersteller des Theaters, M. Holconius Rufus, zum fünften Mal Rechtsduumvirn, Militärtribunen, Flamen des Augustus und Patron der Colonie errichtet war. Die vier Löcher, in denen das Postament der Erzstatue befestigt war, sind erhalten, und neben ihnen steht die durch die Statue unterbrochene, in Erzbuchstaben eingelegt gewesene Dedicationsinschrift (*I. R. N.* 2232; *C. I. L.* X, 838). Die Stufe hat hier doppelte Breite, so dass die nächst höhere auf der betreffenden Strecke unterbrochen ist; hinter den erwähnten vier Löchern, etwas weiter links, finden sich noch vier andere, deren Bestimmung jedoch nicht mehr auszumachen ist.

Endlich der dritte Rang, die *summa cavea*, mochte etwa vier Sitzreihen

haben. Näheres lässt sich nicht sagen, da dieser ganze Theil modern aufgemauert ist, und wir nicht wissen, in wie weit man sich dabei an etwa vorhandene alte Spuren gehalten hat. An seinem untern Rande schloss dieser
Rang ab mit einem Marmorkarnies, von dem hinlängliche Fragmente vorhanden sind und welcher nach sicheren Spuren ein Eisengitter trug.

Oberhalb des die *summa cavea* umkreisenden, von Bögen getragenen Umganges (2 auf Fig. 88 u. 93) hat die moderne Restauration noch eine schmale, von
einer zweiten Bogenreihe getragene Platform angenommen (s. Fig. 93), ohne
Zweifel mit Recht, da sie sich auf der kurzen Strecke am Forum triangulare
aus der Dicke der Mauer ergiebt; sie ist jetzt zugänglich durch eine schmale
Treppe, welche sich von derjenigen abzweigt, die in der Ecke zwischen Forum
triangulare und Theater auf den erwähnten Umgang führt. Wahrscheinlich
hielten sich auf dieser Platform die Arbeiter auf, welche das *velum*, das Zeltdach, aufzuziehen hatten. Denn dass dem Theater Pompejis das in Campanien
erfundene, in Rom erst später aufgenommene, dann aber mit unglaublichem
Luxus hergestellte Zeltdach nicht gefehlt hat, dürfen wir wohl für sicher halten.
Dagegen müssen wir es dahin gestellt sein lassen, ob es so angebracht war, wie
die moderne Restauration angenommen hat, nämlich an viereckigen Balken,
welche an der Rückwand der *summa cavea* mit ihrem untern Ende in Löchern
zwischen den Sitzen und der Mauer standen, weiter oben aber durch viereckig
durchlöcherte Lavaringe gingen (s. Fig. 89, 93, 94). Anderswo, z. B. am

Theater zu Orange und am Colosseum in Rom, waren diese
Balken oder Masten an der Außenseite der Umfassungsmauer angebracht und standen mit ihren unteren Enden
auf aus der Mauer vorspringenden Consolen. Über die Art,
wie an diesen Balken (die am Theater zu Orange auch an
der Rückwand des Bühnengebäudes angebracht waren) das
Zeltdach aufgezogen wurde, sind wir nicht unterrichtet:
es bedurfte dazu jedenfalls eines künstlichen Systems von
Stricken. Das Aufziehen und Ausspannen des Zeltdachs
über dem Amphitheater in Rom besorgten Matrosen, und
wir dürfen annehmen, dass auch in Pompeji Seeleute
hiezu verwendet wurden.

Fig. 89. Steinring
und Balken darin.

Gegen die Bühne zu bildete eine schräg herablaufende Mauer (β Fig. 93)
den Abschluss der Sitzplätze.

Die beiden von den Holconiern erbauten Tribunalien, über den Seiteneingängen der Orchestra, wurden schon erwähnt; sie sind zugänglich durch
Treppen, welche sich von eben diesen Seiteneingängen auf der der Bühne
zugewandten Seite abzweigen. Die eigentliche Bedeutung des Tribunal ist
die, dass hier die das Spiel gebende Behörde Platz nimmt. Es ist mit Wahrscheinlichkeit vermuthet worden, dass, wie Augustus in Rom den Vestalinnen
einen Platz gegenüber dem Tribunal des Praetors anwies, so hier das zweite
Tribunal den öffentlichen Priesterinnen bestimmt war, deren wir verschiedene
(Eumachia, Mamia u. A.) aus Inschriften kennen.

Den äußern Anblick des Zuschauerraums zeigt, freilich auf Grund der
modernen aber wahrscheinlich richtigen Restauration, die Abbildung Fig. 90.

Den Vordergrund bilden die Propyläen des Forum triangulare sowie ein Theil von diesem selbst; im Mittelgrunde sieht man das starke Wasserreservoir, welches auch auf dem Plane (Fig. 88) angegeben ist; rechts davon erhebt sich der obere Theil des Theaters, von der Crypta an aufwärts, mit der doppelten Arkadenreihe, deren untere den Umgang hinter der *summa cavea*, die obere die

Fig. 90. Äußere Ansicht des großen Theaters.

oberste Platform trägt. Unter dem einen Bogen ist ein Zugang zur Crypta sichtbar; eben dahin führt die erste (größere) der beiden Thüren in der Mauer gegen das Forum triangulare. Durch die kleinere daneben gelangt man über eine enge Treppe zur *summa cavea*. Der Zugang der Treppe, welche auf den Umgang hinter letzterer führt, ist in dem Winkel zwischen dem Halbrund und der graden Mauer versteckt; ihre Ausmündung auf den Umgang ist rechts unter dem obern Bogen sichtbar. Das Haus links im weitern Mittelgrunde ist ein modernes, dicht vor dem Stabianer Thor stehendes; weiter hinaus sieht man in die Landschaft, durch welche der Sarno fließt, und die Profillinie des Monte Santangelo schließt den Hintergrund ab.

In Betreff der Orchestra ward schon oben bemerkt, dass sie vielleicht in vorrömischer Zeit noch etwas größer war und eine etwas abweichende, sich gegen die Bühne wieder verengernde Form hatte, während sie jetzt durch einen gradlinig verlängerten Halbkreis begrenzt wird. Sie ist ein durchaus ebener, mit Marmorplatten gepflastert gewesener Raum. Die kleinen Treppen bei w (Fig. 88) ermöglichten einen Verkehr zwischen der Orchestra und der Bühne.

Was endlich drittens die Bühne selbst anbelangt, so gilt es hier, die stärksten Abweichungen von den Vorstellungen zu bemerken, welche uns von modernen Bühnen her geläufig sind. Der erste Blick auf den Plan zeigt einen wesentlichen Unterschied: die Bühne ist ungleich weniger tief und im Verhältniss viel breiter als unsere Bühnen. Bei der geringen Zahl von Schauspielern, welche im antiken Drama zugleich auftraten, und bei der Gemessenheit der Handlung wäre eine große Tiefe der Bühne hinderlich, sie wäre außerdem akustisch schädlich gewesen. Die Bühne in Pompeji, von $33 \times$ 6,60 M. Größe erscheint als ein schmaler Streifen, und doch hat sie, mit anderen Bühnen des Alterthums verglichen, noch eine verhältnissmäßig nicht unbedeutende Tiefe. Wir werden annehmen dürfen, dass sie von einem nach hinten sich senkenden Dache bedeckt war. Erhalten ist davon nichts, doch sind die Spuren solcher Decken an den besterhaltenen Theatern, denen von Aspendos in Kleinasien und Orange, deutlich zu erkennen.

Da der bis vor Kurzem verschüttete Raum unter der Bühne neuerdings wieder aufgedeckt worden ist, so geben wir in Fig. 92 den Grundriss dieses Theils des Theaters, wie er jetzt ist, in größerem Maßstabe. Der hölzerne Fußboden ruhte hinten auf den vorspringenden Fundamenten der Scenawand S, wo früher die Löcher für die Balken sichtbar gewesen sein sollen, vorn auf einer mit dem Proscenium p parallel laufenden niedrigen Mauer m, in der Mitte auf der Verbindungsmauer v und dem überwölbten Abzugscanal r.

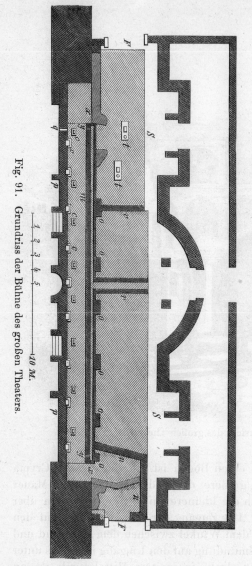

Fig. 91. Grundriss der Bühne des großen Theaters.

Links von v ist der Raum unter der Bühne beträchtlich tiefer (1,80 M.) als
rechts (0,95 M.): es wäre möglich, dass aus diesem tiefern Raume Geister-
erscheinungen aufgestiegen wären. Eben hier finden wir bei t in den Boden
eingelassen zwei massive Steinblöcke, welche in ihrer Oberfläche (1,20 × 0,50 M).
eine flache viereckige Vertiefung (0,22 × 0,15 M.) und ein mindestens 7 Centim.
tiefes, rundes, stark mit Eisen gefüttertes Loch haben:
ihre Gestalt wird durch nebenstehende Figur deutlich.
In den runden Löchern will man bei der Entdeckung
die mit einem eisernen Zapfen endenden Reste starker
Balken aufrecht stehend gefunden haben, und hat
deshalb vermuthet, dass hier die unten bei Besprechung
der Decoration näher zu erwähnenden, unseren Coulissen

Fig. 92. Stein unter der
Scena.

entsprechenden prismatischen Trigonen standen, welche auf jenem Zapfen
gedreht den Decorationswechsel bewirkten. Wie dies mit der eigenthümlichen
Stellung dieser Steine, und damit, dass sie nur auf einer Seite der Bühne vorhanden sind, sich vereinigen lässt, muss dahin gestellt bleiben; für sicher
dürfen wir obige Erklärung nicht halten, und müssen uns daran erinnern, dass
die Alten ohne Zweifel noch manche Maschinerien hatten, von denen wir
nichts wissen. Man gelangte zu diesen Maschinen bei x, wo Mazois Treppen
angiebt, von denen jetzt nichts zu sehen ist: man sieht nur allerlei unklare
Mauerreste, wie sie auf unserm Plane angedeutet sind. Die Mauer n senkt
sich allmählich vom rechten Ende gegen die Mitte und weiter gegen m. In
den Raum zwischen m und p mündet bei q (und wahrscheinlich auch am
entgegengesetzten Ende) von der Orchestra aus eine Wasserrinne, die in der
Orchestra unter der Erde liegt, aber irgendwie das in den Zuschauerraum gefallene Wasser gesammelt haben muss. Dasselbe gelangte dann bei
y in eine an der Innenseite von m entlang laufende Rinne und wurde endlich aus der Mitte derselben durch den weiten, gewölbten Canal r unter
der Scena hindurch abgeführt. An die Innenseite der genannten Rinne sind
bei o kleine Pfeiler angemauert, die zur Stützung des Fußbodens mitwirkten.

Bekanntlich wurde der Vorhang bei Beginn des Spiels nicht aufgezogen
sondern niedergelassen, und es ist wohl klar, dass der Raum zwischen m und
p bestimmt war, ihn aufzunehmen, und dass die hier sich findenden Vorrichtungen damit in Verbindung stehen müssen. Es erstreckt sich nun unterhalb
dieses nur wenig unter das Niveau der Orchestra vertieften Raumes ein jetzt
verschütteter, aber auf dem Durchschnitt Fig. 93 nach Mazois angegebener
und mit p bezeichneter gewölbter Gang. Beide Räume sind verbunden durch
zwei Reihen ausgemauerter viereckiger Löcher, 0,36 bis 0,37 M. im Quadrat,
deren obern Rand je ein viereckig durchbohrter Lavastein bildet. Von diesen
Reihen muss die eine der Scheitellinie der Wölbung des untern Raumes, die
andere etwa seiner nördlichen Wand entsprechen. Mazois' Annahme, es sei
hier eine Maschinerie angebracht gewesen, durch welche an fernrohrartig in
einander geschobenen hohlen Balken der Vorhang gehoben und gesenkt worden
sei, hat wenig Wahrscheinlichkeit und erklärt keineswegs die doppelte Reihe
von im Ganzen 17 Löchern. Wahrscheinlicher ist es, dass für den Vorhang
das Bühnendach benutzt wurde; vielleicht gingen durch jene Löcher Stricke,

an welchen ziehend in dem untern Raum befindliche Personen die Hebung und Senkung bewirkten.

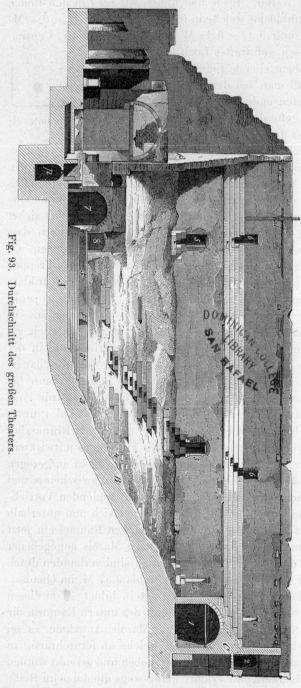

Fig. 93. Durchschnitt des großen Theaters.

Figur 93 stellt einen wesentlich architektonisch gezeichneten Durchschnitt des großen Theaters dar, auf welchem die Buchstaben und Zahlen den im Plane gebrauchten größtentheils entsprechen, während Figur 94 dieselbe Ansicht der Ruinen in ihrem heutigen Zustande, nach einer Photographie gezeichnet, wiederholt. Es ist demnach bezeichnet mit A die *infima*, B die *media*, C die *summa cavea*, mit 1 der gewölbte Gang (*crypta*) hinter der *media cavea*, auf dem die vier Sitzreihen der *summa cavea* ruhen, mit 2 der von Bogen getragene, durch die Pfeiler der oberen Bogen hindurch gehende Umgang hinter der *summa cavea*, mit 3 die erste Praecinction hinter der *infima cavea*, mit 3′ die Mauer vor derselben, mit 4 sind die Treppen, welche die *cunei* trennen, mit 5 die Vomitorien der *media cavea* bezeichnet, welche in den Corridor 1 führen; 6 sind die Vomitorien der *summa cavea*, 7 ist die eine Parodos der Orchestra, bei 8 sieht man eine der aus den Parodoi auf die erste Praecinction führenden Thüren; mit β ist die schräg herablaufende Mauer, welche den Zuschauerraum von der Bühne trennt, bezeichnet, und d steht neben dem ersten Steinring (s. Fig. 89) nebst dem in ihm steckenden Balken für das *velum*; weiter rechts sieht man auf gleicher Höhe eine Reihe dieser Steinringe. An dem Bühnengebäude ist mit *p* der oben besprochene, vermuthlich für den Vorhang dienende gewölbte Gang bezeichnet. Im Übrigen kann sich jeder nach dem Plane leicht selbst orientiren.

Schon Aeschylus gab der griechischen Bühne ein ziemlich entwickeltes Decorations- und Maschinenwesen; die Decorationsmalerei beschäftigte schon früh namhafte Künstler. Auch hier aber ist der Unterschied von der modernen Bühne beträchtlich. In der überwiegenden Mehrzahl aller Tragoedien war der Ort der Handlung vor dem Palast des Fürsten. Und da nun die reich architektonisch ausgebildete Hinterwand der Bühne (Fig. 95 zeigt die des Theaters von Herculaneum nach Mazois' Restauration) sehr wohl die Façade dieses Palastes darstellen konnte, so war in allen diesen Fällen eine weitere Decorirung der Rückwand nicht nöthig. Verschiedene Erwägungen aber, auf die wir hier nicht weiter eingehen können, führen darauf, dass dennoch auch die Façade des Königspalastes nicht durch die gemauerte Bühnenwand, sondern durch gemalte Decorationen dargestellt wurde. Ein Scenenwechsel wurde in der Weise

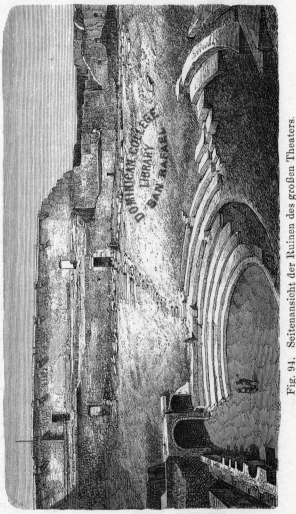

Fig. 94. Seitenansicht der Ruinen des großen Theaters.

bewirkt, dass die Decoration nach beiden Seiten fortgezogen wurde und so eine dahinter befindliche zum Vorschein kam. Dass ein solcher Decorationswechsel auch innerhalb desselben Stücks, bei offener Bühne, vorkam, beweist der Aias des Sophokles, dessen Schauplatz anfangs das Griechenlager, dann der einsame Meeresstrand am Hellespont ist. Diese Decorationen hießen bei den Römern *scena ductilis*, die ziehbare Scenerie; auch sie hatte, wie das Bühnengebäude, drei Thüren. Die mittlere Thür war die vornehmste; aus ihr

170 Drittes Capitel.

betrat der erste Schauspieler, Protagonist, die Bühne; demnächst die zweite, durch die der zweite Schauspieler, Deuteragonist, auftrat. Spielte das Stück vor dem Königspalast, so führte die Mittelthür in die Hauptwohnung desselben, die rechte Thür in irgend ein Nebengebäude, z. B. die Fremdenwohnung, die Frauenwohnung, die linke je nach den Umständen in irgend eine Localität geringerer Bedeutung.

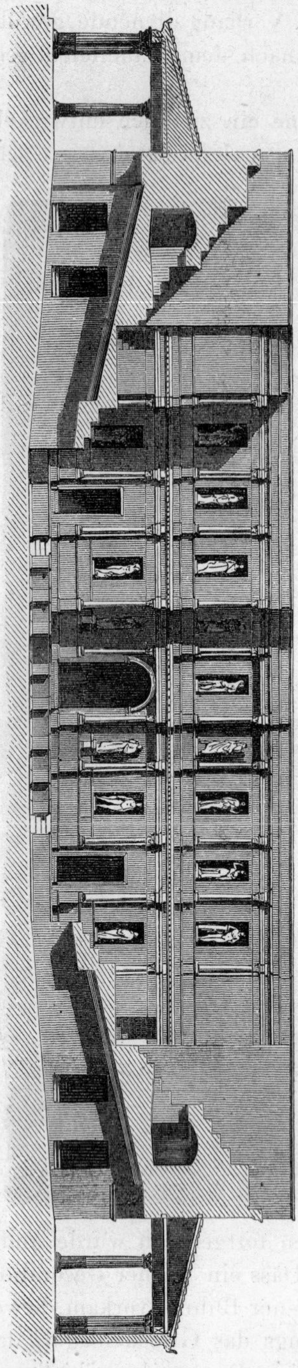

Die Seitendecorationen wurden bei den Römern, im Gegensatz zur *scena ductilis*, als *scena versilis*, die drehbare Scenerie, bezeichnet. Sie bestanden aus prismatischen Maschinen (Periakten) Fig. 96, auf deren drei Flächen *a b c* drei coulissenartige Decorationen — auf Stoffe oder Holztafeln (*katablemata*) gemalt — angebracht waren, und welche, oben und unten eingezapft (*d*) durch eine Drehung von 120° auf die leichteste Art einen Decorationswechsel bewirkten, während die *scena ductilis* eben so rasch zur Seite gezogen wurde. Ganz irrig würde es sein, anzunehmen, als hätten die drei Seiten der Periakten die Decorationen der Tragoedie, der Komoedie und des Satyrspiels enthalten. Vielmehr diente diese Vorrichtung ohne Zweifel namentlich auch dem Scenenwechsel innerhalb des einzelnen Stücks, und konnten je nach den Erfordernissen desselben die Katablemata gewechselt werden. Von der zweifelhaften Beziehung gewisser Vorrichtungen der pompejanischen Bühne auf diese Periakten war schon S. 167 die Rede.

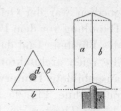

Fig. 96. Eine Periakte.

Nur wenige Punkte bleiben noch zu erledigen. Dass der Verkehr zwischen der Bühne und der Orchestra durch die kleinen fünfstufigen Treppen, *w* im Plan, ermöglicht wurde, ist schon bemerkt. Da der Bühnenbau zweifellos aus römischer Zeit stammt, so dürfen wir nicht an den Chor und sein im griechischen Theater gelegentlich vorkommendes Hinaufsteigen auf die Bühne denken. Ob mitunter Schauspieler, welche aus der Ferne kommende Personen darstellten, nicht neben den Periakten eintraten, sondern durch die Parodoi und die Orchestra auf die

Fig. 95. Restaurirte Ansicht der Scena des Theaters von Herculaneum.

Bühne stiegen, ist eine offene Frage sowohl für das griechische als für das römische Theater. In Abrede stellen können wir es nicht und dürfen vielleicht die fraglichen Treppen des pompejanischen Theaters dafür geltend machen.

Durch die drei Thüren der Bühnenrückwand betritt man über zwei Stufen das Postscenium *D*, den Raum in welchem die Schauspieler ihren Auftritt erwarteten. Im Plane sehen wir außer der Mittelthür, in welche die Rampe *C* leitet, zu den Seiten in der Hinterwand noch zwei Thüren; dieselben sind jedoch schon im Alterthum vermauert worden. Die Rampe bei *C* kann schwerlich nur dazu gedient haben, dem einzelnen Schauspieler Zugang zur Bühne zu schaffen; sie wird vielmehr den Zweck gehabt haben, allerlei chorartigen Aufzügen, die aus irgend einem Grunde durch die Mittelthür eintreten sollten, ein wohlgeordnetes und effectvolles Auftreten zu ermöglichen. Häufiger freilich mochten hierfür die großen Seitenthüren *F* benutzt werden; wir haben oben (S. 77) gesehen, dass der feierlichste Zugang zum Theater, über die Treppe vom Forum triangulare, direct auf den linken dieser Eingänge zu führte. Im griechischen Theater zogen dergleichen Aufzüge (wie der Siegeszug Agamemnons beim Aeschylus) durch die Parodos in die Orchestra ein. Es sind also diese Zugänge zur Bühne ein Beweis mehr dafür, dass Aufführungen nach griechischer Art hier nie stattgefunden haben.

Die dem Zuschauerraum zugewandten viereckigen Nischen *p* in der Prosceniumsmauer waren nicht sowohl, wie man angenommen hat, für Statuen, als zum Aufenthalt der Theaterpolizei bestimmt, welche an diesen Orten sitzend, wie sie uns eine bildliche Darstellung zeigt, die ganze Zuschauermasse auf das bequemste überblicken konnte.

Es ward schon oben (S. 77) erwähnt, dass an der Stelle der Cellen an der Nordseite der Gladiatorenkaserne, in der Fortsetzung der vom Forum triangulare herabkommenden Freitreppe, einst ein Säulengang lag, und dass so der Hof *A* an der Süd-, Ost- und am Ostende der Nordseite von Säulenhallen umgeben war, welche mit jener Treppe den feierlichen und officiellen Zugang zur Bühne (durch *F*) und zur Orchestra bildeten. Dass eben dies, und nicht der den Zuschauern bei Regenwetter zu bietende Schutz, die eigentliche Bedeutung dieser Hallen war, wird eindringlich und gleichsam absichtlich dadurch klar gemacht, dass sie am westlichen Ende des Platzes fehlen. Wenn nun Vitruv V, 9, 1 vorschreibt, dass zu jenem andern Zweck Portiken anzulegen sind, so ist kürzlich mit Recht hervorgehoben worden, dass dies offenbar die ursprüngliche Bedeutung der unter dem Namen Gladiatorenkaserne bekannten und zu solchem Zweck in der Kaiserzeit benutzten großen Porticus (XXVII auf dem großen Plan) gewesen ist. Hierauf wird bei Besprechung derselben noch zurückzukommen sein.

b. Das kleine Theater.

Das kleinere, nach der Bauinschrift überdachte Theater (*theatrum tectum*) liegt östlich (auf dem Plan Figur 88 rechts) von dem hinter dem Bühnengebäude des großen Theaters befindlichen Hofe *A*, zwischen diesem und der Stabianer Straße. Es ist jünger als das große Theater. Die erwähnte Bau-

inschrift besagt: *C. Quinctius C. f. Valg. M. Porcius M. f. duovir. dec. decr.*
theatrum tectum fac. locar. eidemq. prob. Es haben also die Zweimänner
C. Quinctius Valgus und M. Porcius, welche uns noch als Begründer des
Amphitheaters wieder begegnen werden, auf Beschluss des Stadtraths den
Bau verdungen und nach seiner Vollendung approbirt. Die Inschrift genügt,
um ungefähr die Zeit des Baues zu bestimmen. Da wir nämlich aus einer
andern Inschrift wissen, dass eben dieser Valgus als Patron des Municipiums
Aeclanum bald nach dem Bundesgenossenkriege bei dem Wiederaufbau der
von Sulla zerstörten Mauern dieser Stadt witwirkte, so dürfen wir in ihm und
M. Porcius Häupter der sullanischen Veteranencolonie erkennen, welche nicht
allzu lange nach der Deduction derselben das bedeckte Theater und das Amphitheater bauten [74]).

Die Bedachung konnte nur durch einen hölzernen Dachstuhl bewirkt sein,
da für ein Gewölbe die Umfassungsmauern zu schwach sind. Man hat auf
letzterer Reste kleiner Säulen sehen wollen, welche den Dachstuhl getragen
hätten. Doch muss diese Nachricht dringend bezweifelt werden; denn einen
so großen Dachstuhl zu tragen, waren wohl die sehr starken Seitenmauern,
nicht aber eine Säulenstellung im Stande. Wie Licht und Luft in den Raum
kam, wissen wir nicht.

Aus den der Bedachung halber nothwendigen, den ganzen Bau viereckig
umschließenden Mauern ergiebt sich eine Form, welche von der gewöhnlichen,

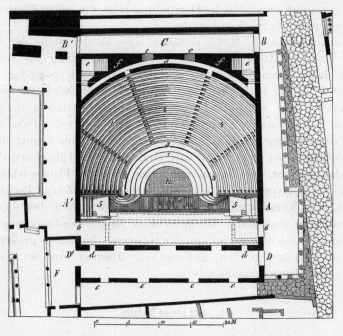

Fig. 97. Plan des kleinen Theaters (Norden oben).

der Rundung der Sitzreihen entsprechenden, abweicht: der Abschluss ist
gradlinig, hinten sowohl als an den Seiten, wo die Flügel der Sitzreihen der-

gestalt abgeschnitten sind, dass nur die vier Stufen der *infima cavea* und die neun untersten der *media cavea* einen vollen Halbkreis bilden.

Zur Erläuterung des Planes werden unter Verweisung auf die Beschreibung des großen Theaters wenige Worte genügen. Die Straße rechts ist die die Stadt von Norden nach Süden durchschneidende, südlich in geringer Entfernung an das Stabianer Thor führende Stabianer Straße. Sie ist auf beiden Seiten von einer ununterbrochenen Reihe von Läden, zum Theil Schenken (Thermopolien) eingefasst. Von dieser Straße führten zwei Eingänge in das kleine Theater. Zuerst, von Süden beginnend, der auf Fig. 98 dargestellte,

Fig. 98. Ansicht des kleinen Theaters.

auf dem Plan mit *A* bezeichnete. Er führt in die Orchestra, zur *infima cavea*, zur ersten Praecinction und so zu den die Sitze durchschneidenden Treppen, von denen an jedem Ende die den Halbkreis abschließende und die nächste nur von hier aus, nicht auch von oben zugänglich sind. Es ist klar, dass dieser erste Eingang, dem bei *A′* ein gegenüberliegender Eingang oder Ausgang auf den Säulenhof hinter dem großen Theater entspricht, für die Zuschauer der *infima cavea* und der beiden äußersten *cunei* bestimmt war, welche von dem andern, jetzt zu besprechenden Eingang nicht gut zugänglich waren.

Dieser zweite Eingang bei *B* ist beiden Theatern gemeinsam. Durch den gewölbten Gang *C*[75]) (rechts an demselben die S. 162 angedeutete Vorrichtung)

gelangt man grade ausgehend in die Parodos und weiter in die Orchestra des
großen Theaters, links aber durch zwei Thüren *c c* zu zwei zum Theil überwölbten Treppen, welche in den Ecken bei *e* umbiegend in den hinter der
obersten Sitzreihe sich hinziehenden Umgang *d* führen; aus diesem gelangt
man durch zwei Vomitorien (bei *f*) zu den beiden mittelsten der die *cunei*
theilenden Treppen. Es ist klar, dass durch diesen zweiten Eingang (*B*) die
Zuschauer der drei mittleren *cunei* eintreten sollten.

Die Einrichtung des Zuschauerraumes unterscheidet sich von der des
großen Theaters noch durch das Fehlen der *summa cavea*. Die *infima cavea*
besteht auch hier aus vier breiten und niedrigen Stufen für die Bisellien der
Decurionen. Die Praecinction 3 ist an jedem Ende aus der Parodos über vier
Stufen in Gestalt concentrischer Halbkreise zugänglich (s. Fig. 98) und ist
durch eine auf der linken Seite (von der Bühne aus) erhaltene Brüstung
aus Tuffquadern, mit drei Durchgängen, von der *infima cavea* abgetrennt.
Diese Brüstung wird an ihren Enden von den kräftig aus Tuff gehauenen geflügelten Löwenfüßen (Fig. 99) gestützt und abgeschlossen, während die an

den Sitzreihen, parallel der Bühne, schräg herablaufende Mauer an ihrer Stirn in eine knieende
Atlantenfigur endet, welche auf den Ellbogen
eine Platte trägt, auf der eine Vase oder eine
sonstige Decoration gestanden haben mag (Fig.
100). Die Arbeit an dieser Figur, die mit der
Erbauung des Theaters gleichzeitig zu setzen ist,
gehört zum Bessern, wenigstens zum Kräftigsten, was Pompeji an derartigen nur ornamentalen
Sculpturen aufzuweisen hat, und stimmt, worauf

Fig. 99.   Fig. 100.

zurückzukommen sein wird, im Stile mit den Atlanten im Tepidarium der
kleineren Thermen überein.

Außer den Sitzreihen der zweiten Cavea 4 finden wir hier noch einige,
links von der Bühne besser erhaltene Zuschauerplätze, welche unseren Pro-
sceniumslogen verglichen werden können, über den Eingängen zur Orchestra,
5 5 auf dem Plan, zugänglich durch eigene Treppen vom Proscenium aus. Es
mussten also die Zuschauer, denen diese Plätze vorbehalten waren, durch 6 oder
durch *D* (resp. *D'*) und *d* eintretend die Bühne überschreiten, so dass ihr Weg von
dem des übrigen Publikums ganz getrennt war. Wir erkennen hier sofort die
uns schon vom großen Theater her bekannten Tribunalien. Nur sind dieselben
hier nicht nachträglich angebracht, sondern gehören zur ursprünglichen Anlage. Ferner setzen sich hier die oberen Reihen der mittlern Cavea nicht über
den Tribunalien fort, sondern es ist von oben bis unten vollständige Trennung
hergestellt durch die schon erwähnte, in einen Atlanten endigende, schräg
herablaufende Mauer (s. Fig. 98), während die entsprechende Mauer im großen
Theater (Fig. 93, *β*) in einer Linie mit der Vordermauer des Prosceniums
liegt. So erscheinen im kleinen Theater die Sitzstufen oberhalb der Tribunalien als ein Anhang derselben, und nur von ihnen aus zugänglich, Plätze, über
welche die Inhaber der Tribunalien vermuthlich zu Gunsten ihres Gefolges
und ihrer Freunde verfügten. Die bei Besprechung des großen Theaters

erwähnte Annahme, dass das eine Tribunal dem spielgebenden Beamten, das andere aber den öffentlichen Priesterinnen reservirt war, wird durch den ganz gesonderten Eingang noch wahrscheinlicher.

Die in der Mitte und links von der Bühne fast vollständig erhaltenen Sitzstufen unterscheiden sich von denen des großen Theaters durch Material und Form. Sie bestehen aus Mauerwerk, nur oben mit einer 0,21 M. dicken Tuffplatte bedeckt. Trotz diesem bescheidenern Material sind sie so gut wie die Marmorstufen des großen Theaters lange vor der Aufdeckung großentheils fortgeholt worden. Der nebenstehende Querdurchschnitt zweier Stufen, mit Angabe der Maße, zeigt, wie der Platz für die Füße des Hintermannes gegen den eigentlichen Sitz etwas vertieft ist, wodurch die Kleider vor Beschmutzung geschützt wurden, was um so nothwendiger war, da man das Theater durchaus in weißem Anzuge zu besuchen pflegte, mit Ausnahme des niedern Volkes der

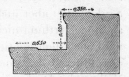

Fig. 101. Sitzstufen.

summa cavea. Übrigens brachte man sich entweder Sitzkissen mit oder faltete einen Mantel als Polster zusammen; denn bloße Steinstufen würden bei der Dauer der Aufführungen auch dem eifrigsten Theaterbesucher die Lust verdorben haben. Auch das vordere Profil diente nicht nur dem gefälligern Anblick, sondern zugleich der Bequemlichkeit, indem es ermöglichte, die Füße etwas zurück zu setzen. Die Zahl der Zuschauer, welche hier Platz finden konnten, hat man auf 1500 berechnet. Die Treppen und die untersten, breiten Stufen sind aus Lava.

Die Orchestra ist, der römischen Sitte entsprechend, nicht unbeträchtlich kleiner als die des großen Theaters, wenn sie auch den von Vitruv vorgeschriebenen Halbkreis nicht unbeträchtlich überschreitet. Durch den Duumvirn M. Oculatius Verus wurde sie mit mehrfarbigen Marmorplatten (Giallo und Africano) belegt; die bezügliche, mit großen Bronzebuchstaben in den Streifen, welcher die Sehne der untersten Cavea bildet, eingelegte Inschrift (*M. Ocula-latius M. f. Verus IIvir pro ludis*) ist im Jahre 1816 theilweise geraubt und falsch hergestellt worden, so dass jetzt Olconius statt Oculatius dasteht. *Pro ludis* bedeutet, dass M. Oculatius statt der von ihm zu veranstaltenden Spiele diese Verschönerung ausführen ließ.

Die Mauer der Scena ist, im Gegensatz zu der reichen architektonischen Entwickelung des großen Theaters, ganz glatt und war nur durch Malerei, von der Reste gefunden sein sollen, decorirt; außer den gewöhnlichen drei Thüren hatte sie noch zwei kleinere (*d*), welche jedoch schon im Alterthum vermauert wurden. Auch hier ist die Bühne außerdem durch zwei weite Seitenthüren 6 zugänglich, deren eine vergittert auf Fig. 98 sichtbar ist. Auffallend ist es, dass das Postscenium nicht weniger als sechs Thüren hat: eine (*D*) aus der das Theater von der Stabianer Straße trennenden Säulenhalle, vier (*e*) aus dem von dieser Straße zur Gladiatorenkaserne führenden Wege, eine (*D'*) aus der kleinen Säulenhalle *F*, welche übrigens zur Gladiatorenkaserne gehört und älter ist als das Theater.

Die Substructionen des Bühnengebäudes sind hier sehr einfach; auf den vorspringenden Fundamenten der Scenawand sieht man hier deutlich die

Auflager der Balken des Bretterfußbodens. In dem sehr flachen Raum unter
diesem tritt der natürliche Lavafels zu Tage; an den Enden sind kleine Räume
abgetheilt zu uns unbekannten Zwecken.

Die an den Außenwänden des Gebäudes, namentlich in dem gewölbten
Gang theilweise erhaltene Malerei ist sehr einfach im zweiten Decorationsstil
ausgeführt. Eine in diesen Stuck eingekratzte Inschrift (*C. I. L.* IV, 2437)
nennt die Consuln des Jahres 37 v. Chr.

Erwähnt werde endlich noch die Säulenhalle an der Ostseite, über dem
sehr verbreiterten Fußweg der Stabianer Straße. Mazois allein hat diese
Säulenhalle, aber nicht nur giebt er dieselbe auf das bestimmteste an, so dass
an einen Irrthum nicht zu denken ist, sondern ihr einstmaliges Vorhandensein
wird auch dem heutigen Besucher von Pompeji dadurch bewiesen, dass sich in
der Mauer *B A D* eine Reihe von viereckigen Löchern findet, in welche nur die
Balken der Decke dieser Vorhalle eingegriffen haben können. Und dass der
Raum eine Säulenhalle beinahe fordert, leuchtet ohne Weiteres ein. Ihre
größere Breite bei *A D* erklärt sich vielleicht dadurch, dass feierliche Aufzüge,
welche durch die Thüren 6 ein- und austretend, über die Bühne gezogen
waren, hier umwendeten und durch *D* und das Postscenium ihren Rückweg
nahmen.

Vierter Abschnitt.

1. Das Amphitheater [76].

Von den Schauplätzen edeler musischer Kunst führt unser Weg zu dem
Schauplatze jener blutigen und grausamen Spiele, vor denen selbst das ab-
gehärtetste moderne Gemüth schaudernd zurückbebt, und welche uns in ihrer
Ausbildung eine der dunkelsten Nachtseiten des sinkenden Heidenthums
zeigen, zum Amphitheater, in welchem die Thierhetzen und die Gladiatorenkämpfe stattfanden. Auch diese sind nicht in Rom heimisch; sowie die dramatischen Spiele größtentheils aus Griechenland, kamen die Gladiatorenkämpfe
den Römern aus Etrurien zu, in welchem Lande des finstern Aberglaubens und
blutiger Cultusübung sie in ihrem Keime, aber auch nur in diesem, mit religiösen Anschauungen zusammenhingen, deren Analoga wir freilich auch bei
anderen Völkern, namentlich bei den Griechen wiederfinden. Aus Menschen-
opfern auf dem Grabe der Edeln zur Verherrlichung des Todten und zur
Sühnung der Manen gingen die Gladiatorenkämpfe hervor, indem man die
Schlachtopfer, zunächst gefangene Feinde, anstatt sie von Priesterhand erwürgen zu lassen, paarweise mit einander um Tod und Leben kämpfen ließ. Dass
diese Kämpfe zu einem Schauspiel wurden, welches sich den übrigen Schau-
spielen zur Ehre des Bestatteten einreihte, begreift sich, und ebenso leicht
verständlich ist es, dass dieses einer weiten Entwickelung Thür und Thor
öffnete, in der das anfängliche religiöse Element mehr und mehr zurück, das
des Schauspiels mehr und mehr in den Vordergrund trat. — Aus Rom werden
die ersten Gladiatorenkämpfe vom Jahre 490 d. Stadt (264 v. u. Z.) gemeldet;
Marcus und Decius Brutus gaben sie zu Ehren der Manen ihres Vaters, indem

Ansicht der Ruinen des Amphitheaters von aussen.

Nach S. 176.

sie drei Paare mit einander kämpfen ließen. Aber schon im Jahre 538 d. Stadt (216 v. u. Z.) gaben die drei Söhne des M. Aemilius Lepidus zu Ehren ihres Vaters dem Volke das Schauspiel von 22 Einzelkämpfen, welche drei Tage auf dem Forum dauerten, und bald darauf 554 d. St. (200 v. u. Z.) ließen die Söhne des Valerius Laevinus bereits 25 Paare gegen einander kämpfen. Seit dieser Zeit war der Geschmack an diesen blutigen Spielen so allgemein geworden, dass nach und nach ziemlich jede Verbindung mit der ursprünglichen Veranlassung zerrissen ward, und man dieselben wie andere Volksbelustigungen mit Triumphen, Gebäudeeinweihungen und anderen Gelegenheiten verband, und dass ehrgeizige und reiche Männer dem Volke diese Schauspiele wie andere gaben, um sich für eine Wahl zu empfehlen oder um für eine solche ihre Dankbarkeit zu bezeigen. Ja in Campanien ging man so weit, bei Gastmählern wie Tänzer und andere Kunststückmacher auch Gladiatoren einzuführen, die auf Tod und Leben kämpften, während die Gäste schmausten, und deren Blut nach des Dichters Silius Italicus Ausdruck die Tische besudelte.

Ein verwandtes Vergnügen waren die Thierhetzen (*venationes*), d. h. die Kämpfe wilder Thiere theils unter einander, theils mit Menschen, namentlich verurtheilten Verbrechern. Auch die Anfänge dieser grausamen Sitte sind als Leichenspiel bei den Etruskern nachweisbar und wahrscheinlich von ihnen zu den Römern gekommen.

Die Thierhetzen fanden in Rom ursprünglich in der Rennbahn (*circus*) statt. Für die Gladiatorenkämpfe war der altherkömmliche Schauplatz das Forum, und noch Vitruv (V, 1, 1) schreibt vor, dasselbe mit Rücksicht darauf einzurichten. Die häufige Wiederholung dieser Spiele und der massenhafte Zudrang des Volkes nöthigte später zur Errichtung eigner Gebäude, der Amphitheater, in welche dann auch die Thierhetzen verlegt wurden. Dennoch blieb Rom lange ohne Amphitheater; erst Julius Caesar ließ im Jahr 46 v. Chr. ein solches Gebäude aus Holz auf dem *campus Martius* errichten. Bald nachher stellte sich auch der Name fest; da, wie bereits früher bemerkt, im engern Sinne die Zuschauerräume allein den Namen Theatron führten, so bezeichnet Amphitheatron eine ringsum von Zuschauerplätzen umgebene Anlage. Um aber für die Bewegung der Kämpfe und Jagden mehr Raum zu gewinnen, baute man die Amphitheater nicht kreisrund, sondern als ziemlich gedehnte Ovale, und es ist wohl möglich, dass nicht sowohl das Theater als der Circus das Vorbild für diese neue Gebäudeform lieferte. Das erste bleibende, zum Theil aus Stein, zum Theil aus Holz bestehende Amphitheater baute in Rom unter August Statilius Taurus; dasselbe brannte unter Nero ab und wurde von diesem restaurirt. Der Folgezeit aber erschien dasselbe nicht groß und prachtvoll genug; Vespasian unternahm und Titus vollendete das *Amphitheatrum Flavium*, das heute Colosseum oder Coliseo genannte gewaltige Gebäude, welches über 80,000 Zuschauer fasste. Die auf dasselbe verwendete Summe soll so gewaltig gewesen sein, dass sie zum Bau einer ansehnlichen Stadt genügt haben würde; 12,000 Juden arbeiteten an demselben, und bei seiner Einweihung sollen nach der geringsten Angabe 5000 wilde Thiere getödtet worden sein, worauf der Schauplatz durch hineingeleitetes Wasser in einen See verwandelt wurde, auf welchem man ein Schiffsgefecht, eine sogenannte Naumachie veranstaltete.

Die Municipien und Colonien folgten dem Beispiele der Hauptstadt,
wenn sie nicht, wie dies grade in Pompeji der Fall war (s. u.), in der Erbauung
stehender Amphitheater der Hauptstadt vorangegangen waren. Wenngleich
in einem zum Theil sehr verjüngten Maßstab im Vergleich zum Colosseum,
sind daher an vielen Orten Amphitheater erbaut worden, deren Ruinen vielfach noch vorhanden sind [77], unter denen aber an Größe unser pompejanisches
Amphitheater mit seinen Durchmessern von 130 $\times$ 102 M. einen nicht geringen, an Erhaltung einen ziemlich hohen Rang einnimmt. Es ist schon
früher bemerkt, dass dasselbe, wie es sich äußerlich am leichtesten erkennen
ließ, zu den ersten Entdeckungen in Pompeji gehört; schon 1748 vom
26. October bis zum 16. November deckte man mit 12 Arbeitern die *summa
cavea* so weit auf, dass man deren 40 Vomitorien zählen konnte, aber auch
nichts mehr; nachdem man die Maße genommen und berechnet hatte, dass

Fig. 102. Das Amphitheater, innere Ansicht.

wenigstens 12,000 Menschen in demselben Platz gefunden haben mochten (in
Wahrheit mochte wohl für 20,000 Menschen Platz sein), verließ man diese
viel versprechende Ausgrabung gänzlich, und erst in den Jahren 1813 bis 1816
wurde dieselbe vollendet und das Gebäude in zum Theil wenigstens ziemlich unversehrtem Zustande wieder an das Tageslicht gebracht. Ein Blick auf
den kleinen Stadtplan vor S. 33 genügt, um über dessen Lage sich zu orientiren. Wir finden es im östlichen Winkel der Stadt, und zwar so hart an die
Stadtmauer gelehnt, dass die äußere Platform auf der Höhe der dritten Cavea
nur um $^3/_5$ des Gebäudes umlaufen kann, und auf dem Reste seines Umfangs

von der Stadtmauer unterbrochen wird. Wenn man auf der Straße von den
Theatern her dem Amphitheater naht, so zeigt sich dasselbe in der Ansicht,
welche diesem Abschnitt vorgeheftet ist, nach außen von einer Reihe Bogen
getragen, während wir in der Mitte eine der vier Treppen sehn, auf denen man
zu der auf der Höhe der dritten Cavea umlaufenden Gallerie oder Platform
gelangt. Über diese erheben sich die Substructionen der obersten Platform,
durchbrochen von Wölbungen, welche theils zu den Vomitorien der dritten
Cavea, theils zu den Treppen der obersten Platform führen. In dieser Ansicht
erscheint das Gebäude, obwohl von bedeutendem Umfang, so doch von verhältnissmäßig geringer Höhe. Der Grund hievon ist, dass dasselbe fast eben
so tief in die Erde eingegraben wie über den Boden erhoben ist. Erst wenn
wir durch einen der beiden stark geneigten Haupteingänge das Innere betreten, sehn wir das Gebäude in seiner ganzen Höhe vor uns, wie es die zweite
Ansicht (Fig. 102) zeigt; und da zugleich die geringere Weite des Innern die
Höhendimensionen scheinbar wachsen lässt, macht das Amphitheater einen
wirklich bedeutenden Eindruck, selbst auf den, welcher das Colosseum kennt.
Das Auge überfliegt den weiten ebenen Platz der Arena, auf welchem jene
grausen Kämpfe ausgefochten wurden, jene wilden Thierhetzen und Thiergefechte stattfanden, und steigt an den zahlreichen, freilich ihrer Tuffstufen
zum größten Theile beraubten Sitzreihen empor, auf denen Tausende in blut-
dürstiger Aufregung den Scenen wilder Tapferkeit und Geschicklichkeit, den
Scenen blutiger Niederlagen und gefassten Sterbens zuschauten.

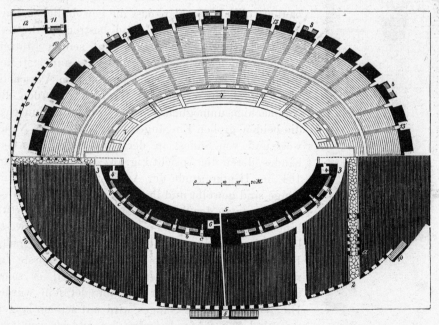

Fig. 103. Plan des Amphitheaters.
(Obere Hälfte: alle Sitzreihen, untere Hälfte: die Substructionen.)

Die beiden Haupttheile sind hier die Arena, der Kampfplatz 1 — 1 Fig.
104, und die Cavea, der Zuschauerraum 1 — 2 Fig. 104. Betrachten wir uns

zuerst die 69 × 37 M. große Arena in ihren Einzelheiten. Über den Kampfplatz an sich, der seinen Namen von der Sanddecke hatte, mit welcher man
ihn belegte, und welche die Blutströme aufsog, wie
das heute noch bei den spanischen Stiergefechten geschieht, ist freilich nichts zu sagen, als dass in Pompeji,
so weit die Untersuchung bis jetzt gediehen ist, der
Arena jene tiefen und weitläuftigen Substructionen
fehlen, die in manchen anderen Amphitheatern nachgewiesen, in denjenigen von Pozzuoli und Capua von
besonderem Interesse, aber nach Zweck und Bedeutung noch nicht in allen Einzelheiten erklärt sind,
obwohl man wohl begreift, dass sie für mancherlei
Maschinerien, Versenkungen u. dgl., welche bei
amphitheatralischen Darstellungen zur Anwendung
kamen, erforderlich waren[78]). In Pompeji wird die
Arena von dem natürlichen Boden der gewachsenen
Erde gebildet, und es ist daher klar, dass Darstellungen von Seekämpfen unter den hier gegebenen Spielen
nicht vorgekommen sind. Denn der Gedanke, als
hätte man die Arena bis an den Rand der Brüstung mit Wasser gefüllt, wird durch die an der Brüstung gefundenen Gemälde ausgeschlossen. Dagegen
ist es im Colosseum zu Rom trotz der späteren Einbauten vollkommen klar, dass die gewöhnlichen Darstellungen auf einem mit Sand bestreuten Bretter-
boden stattfanden, welcher sammt seinen Stützen
weggenommen werden konnte, so dass nun statt der
bisherigen Fläche ein tiefes Bassin zum Vorschein
kam; durch die erwähnten Einbauten wurden die
Naumachien unmöglich. — Wir bemerken zunächst
die beiden großen Eingänge in die Arena von Nordwest und von Südost in der Längenachse des Gebäudes, deren die Ansicht Fig. 102 den erstern (3 Fig.
104) im Hintergrunde der Arena zeigt. Beide Eingänge sind gewölbt und ihr stark geneigter Boden ist
gepflastert; an den Seiten nimmt eine Gosse das etwa
hineinlaufende Regenwasser auf. — Der nordwest-
liche Eingang, 1 im Plane Fig. 103, führt in grader
Linie in die Arena; der südöstliche 2 musste im
rechten Winkel gebrochen werden, weil er sonst
außerhalb der Stadtmauer ausgemündet sein würde.
Die Wölbung dieses Ganges wird auf seinem langen
Schenkel von fünf, diejenige des andern von vier
Bogen, welche der Plan bei a zeigt, verstärkt, um die
Last der Sitzreihen, welche auf der Wölbung ruhen,
sicherer zu tragen. Die beiden ersten Bogen des

Fig. 104. Querdurchschnitt des Amphitheaters.

graden Eingangs sind durch Einbau einer Basis und Decke zu Nischen gemacht, in denen, und zwar durch Gitter geschützt, die Statuen des C. Cuspius
Pansa und seines gleichnamigen Sohnes standen, deren Inschriften sich noch
an Ort und Stelle befinden. Diese Eingänge führen, wie gesagt, in die Arena,
nachdem sie den gewölbten Umgang 3 durchschnitten haben, welchen der
Durchschnitt Fig. 104 bei 4 zeigt. Durch diese 5 M. weiten Thore zogen zu
Anfang der Spiele die Gladiatoren, zum Theil beritten, zum Theil zu Fuß in
ihrem vollen und mannichfaltigen Waffenschmuck in geschaarten Gliedern
unter kriegerischer Musik feierlich in die Arena ein, oft in bedeutender Zahl,
wie z. B. ein Anschlag am Album des Gebäudes der Eumachia dreißig Gladiatoren anzeigt. Nach vollendetem Umzug zogen sie sich wieder zurück, um
dann nach der Kampfordnung in einzelnen Paaren oder in größerer Anzahl den
Kampfplatz wieder zu betreten, der mittlerweile gegen die Eingangsthore mit
Gitterthüren abgeschlossen war. In das Pflaster des nordwestlichen Eingangs
sind nahe der linken Wand Steine mit viereckigen Löchern eingelassen, welche
offenbar den Zweck hatten, hier durch eine Vergitterung einen schmalen Gang
an der Wand entlang abzutrennen. Vermuthlich wurde während der Vorstellung dieser Eingang für das Aus- und Einziehen der Gladiatoren benutzt und
war nur jener schmale Gang dem Theil des Publikums reservirt, welcher dem
östlichen Abschnitt des gewölbten Umganges (3 auf dem Plan, 4 Fig. 104) zu-
strebte; der westliche Theil hatte ja seine eigenen Eingänge. In dem Plan
Fig. 103 bemerkt man rechts neben dem nordwestlichen und links neben dem
südöstlichen Eingange noch je eine Thür nahe an der Arena. Diese öffnet sich auf
kleine, viereckige, ganz niedrige Räume (4), ihrer zwei am südöstlichen, einen
am nordwestlichen Eingange; man nimmt an, dass in ihnen die wilden Bestien
eingeschlossen gehalten wurden, bis man sie in die Arena losließ. Endlich
sehn wir auf dem Plane noch einen Eingang in die Arena bei 5; er ist eng
und führt auf einen langen Gang, an dem links ein kleines Kämmerchen
(6) mit ganz niedrigem Eingange liegt, welches offenbar den kleinen Räumen
neben den anderen Eingängen gleichartig ist und demselben Zweck gedient
haben wird.

Die Arena ist gegen die Sitzplätze durch eine etwa 2 Meter hohe Brüstungsmauer (5 Fig. 104) abgeschlossen, auf deren oberer Kante wir uns ein

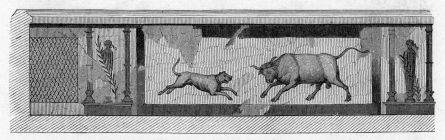

Fig. 105. Gemälde an der Brüstungsmauer. Thierkampf.

Gitter oder ein Netzwerk von starkem Draht errichtet denken müssen, welches
die Zuschauer gegen das etwaige Überspringen der Tiger oder Panther schützte

und von welchem noch Spuren erhalten sind. Die Brüstungsmauer ist mit
Gemälden (Helbig No. 1514, 1515, 1519) bedeckt gewesen, die freilich jetzt
vollständig verschwunden sind, aber vor ihrer Zerstörung copirt wurden und
in diesen Copien im Nationalmuseum ausgestellt sind. Es waren abwechselnd
breite und schmale Felder; die schmalen enthielten jedesmal eine bekränzte
Herme zwischen zwei Säulen, die breiten abwechselnd eine Scene aus den
Spielen der Arena und ein einfaches schuppenartiges Muster. Eine Probe giebt
Fig. 105; es ist die Darstellung eines der Kämpfe von Thieren gegen einander,
hier eines Stieres mit einer gewaltigen Molosserdogge oder (nach Helbig No.
1519) einer Löwin. Dagegen ist die Darstellung von Fig. 106 den Gladiatoren-

Fig. 106. Gemälde an der Brüstungsmauer. Gladiatorenkampf.

kämpfen entnommen. Wir sehen hier den Augenblick der grausen Entscheidung: der rechts stehende Gladiator ist im linken Arm verwundet, der
Schild ist ihm entfallen, sein Leben hangt von der Gnade des Volkes ab; aber
nur dann darf er hoffen dasselbe zu retten, wenn es ihm gleichgiltig und er bei

Fig. 107. Gemälde an der Brüstungsmauer. Waffnung.

dem drohenden Tode ganz unbewegt erscheint. Deshalb steht er ruhig da,
indem er mit erhobenem Daumen der linken Hand die Menge stumm um

Gnade anfleht; denn der emporgerichtete Daumen war das Gnaden-, der ge-
senkte das Verdammungszeichen. Seine Bitte scheint nicht erhört zu werden,
wir dürfen uns das Volk mit der Geberde der Verurteilung sitzend denken;
denn der siegreiche Gegner tritt heran, um seinem wehrlosen Schlachtopfer
den Todesstoß zu geben.

Fig. 107 (Helbig No. 1515) zeigt uns eine andere Scene, die offenbar dem
Beginne des Kampfes, der Waffnung der Gladiatoren angehört. In der Mitte
der Kampfordner, mit langem Stabe den Kreis des Kampfes bezeichnend,
rechts ein Gladiator, der halb gerüstet dasteht, und dem zwei andere Schwert
und Helm bringen, gegenüber ein ebenfalls halb gerüsteter, der das Schlacht-
horn bläst (nicht der bei den Kämpfen unbetheiligte Tubicen, der wie der
Kampfordner ungerüstet sein würde), während zwei hinter ihm an einem der
Victorienbilder, die die Scenen einfassen, hockende Genossen auch für ihn
Helm und Schild bereit halten.

Was nun den Zuschauerraum, das eigentliche Amphitheatrum anlangt, so
sieht Jeder bei einem Blick auf den Plan wie auf den Durchschnitt Fig. 104,
dass derselbe durch zwei Praecinctionen (*a b* Fig. 104) in drei Ränge oder
Caveen getheilt ist, welche wieder durch Treppen in Cunei zerfällt werden.
Der Sitzreihen sind im Ganzen 35, nämlich *infima cavea* (ausgenommen zwei
große Mittellogen an den Langseiten mit nur vier breiten Stufen für bewegliche Ehrensitze der Vornehmsten) 5 (6 Fig. 104), *media cavea* 12 (7 Fig. 104),
summa cavea 18 (8 Fig. 104); die unterste Cavea ist nicht in eigentliche Cunei
getheilt, doch können wir auch bei ihr vermöge der Eingänge und kleinen
Treppen aus dem großen Umgang (4 Fig. 104) eine Zerfällung in 18 Logen
von verschiedener Breite (7 auf dem Plan) wahrnehmen; außerdem trennen
Brüstungsmauern die beiden großen Mittellogen mit den breiten Stufen von
den seitlichen mit den gewöhnlichen Steinsitzen ab. In Betreff dieser breiten
Stufen ist noch zu bemerken, dass an der Ostseite die unterste derselben auf
eine Strecke von 3 M. doppelte Breite hat, indem hier die nächst höhere Stufe
unterbrochen ist. Ohne Zweifel haben wir hier den Platz des den Spielen vorsitzenden Beamten zu erkennen. Der mittlere Rang ist durch 20 Treppen in
Cunei zerlegt, der oberste durch ihrer 40: die Verdoppelung war wegen des
nach oben immer größer werdenden Umfanges der Sitzreihen nothwendig. Die
Einrichtung der Sitzstufen ist durchaus die, welche bei dem kleinen Theater
beschrieben worden ist, nur dass sie ganz von Tuff sind. Nur in einem Theil
der Westseite sind durch eingeritzte Linien die einzelnen Plätze, 0,37 M. breit,
abgetheilt. Hinter der obersten Cavea läuft eine von überwölbten Vomitorien
durchbrochene doppelte, durch Wölbung verbundene Umfassungsmauer um
das ganze Amphitheater; sie bildet eine Platform von 5 M. Breite, auf welche
eine Anzahl von Treppen (8 im Plan, 9 im Durchschnitt Fig. 104) führen, und
welche folgendermaßen eingerichtet ist. Ringsum läuft zu äußerst ein 1,40 M.
breiter, nach außen durch eine Brüstung geschützter Umgang, an den sich
nach innen eine Reihe kleiner viereckiger, gegen die Arena geöffneter Cellen
von 1,30 M. Tiefe anreiht, von denen je drei zwischen zwei Vomitorien liegen,
aber nur je die dritte von dem äußern Umgang aus zugänglich ist. Die beiden
anderen öffnen sich lediglich gegen einen nur 0,80 M. breiten innern Umgang,

der steil gegen die *summa cavea* abfällt, so dass man, um zu ihnen zu gelangen, durch eine jener mit Thüren versehenen Cellen hindurchgehen musste. Eine solche Eintheilung des obersten Ranges in eine Art geschlossener Logen erklärt sich durch die Annahme, dass dieser Theil des Amphitheaters den Frauen angewiesen war, während sie sinnlos ist unter der Voraussetzung, dass hier das niedere Volk seinen Platz hatte. Die Frauen müssen hier auf hölzernen Bänken oder Sesseln gesessen haben. Die mit der Bedienung des Zeltdaches betraute Mannschaft wird auf dem äußern Umgange gestanden haben. Das einstige Vorhandensein eines solchen Daches wird, außer durch das in Fig. 3 wiedergegebene Bild, in welchem es dargestellt ist, erwiesen durch hie und da im Boden des äußern Umganges, also außerhalb der kleinen Cellen, an der innern Wand angebrachte durchlöcherte Steine, welche die Balkenenden des Zeltdaches aufzunehmen bestimmt waren, und durch einzeln zerstreut umherliegende Steinringe, durch welche die Balken wie bei dem großen Theater gehalten wurden. Die ganze Einrichtung kann nur an der südlichen Ecke studirt werden; auf dem größten Theile des Umfanges des Amphitheaters ist nichts mehr von ihr erhalten. Übrigens geht aus eben jenem Bilde hervor, dass das Zeltdach an den Thürmen der Stadtmauer befestigt war, und vom Amphitheater aus nur gestützt wurde.

Von besonderem Interesse ist die Einrichtung der Eingänge und der Zugänge zu den verschiedenen Rängen. Es ist schon bemerkt, dass die *infima* und der größte Theil der *media cavea* unterhalb des äußern Bodens liegen (s. Fig. 104). Zu beiden gelangte man aus dem weiten gewölbten Umgang 3, dessen Zugänge theils mit den großen Eingängen in die Arena zusammenfallen, theils in zwei eigenen gewölbten und stark geneigten, von Stufen unterbrochenen Gängen bestehn, welche die untere Hälfte des Planes darstellt. Dieser Umgang umgiebt mit Ausnahme eines kleinen Stückes an der westlichen Langseite, wo er durch den bei 5 in die Arena mündenden schmalen Gang unterbrochen wird, das ganze Amphitheater im Niveau der Arena (s. Fig. 104 bei 4); an seinen Wänden hat man eine Reihe von gemalten und eingekratzten Inschriften gefunden, die sich zum großen Theil auf Scenen der Schauspiele beziehn. Gegen die Cavea ist er durch eine Reihe von Bogen (*b* im Plan) geöffnet, durch welche er sein Licht empfängt, und in welchen die Zugänge zur ersten und zweiten Cavea angebracht sind. In die erste gelangt man auf den im Plan mit *c* bezeichneten kleinen Treppen, welche, da das Niveau nicht ganz gleich ist, bald 9, bald 10 Stufen hoch, auf die Höhe der zweiten Sitzreihe führen. Eine eben solche Treppe zu den Bisellienstufen der Westseite zweigt sich von dem schmalen Gange 5 ab. Zwischen diesen Treppen zur ersten Cavea liegen die zur zweiten (*b* auf dem Plan); man schreitet über zwei Stufen durch den Bogen und findet sowohl rechts wie links eine Treppe von elf Stufen, welche auf die Höhe der ersten Praecinction, also an die unterste Sitzstufe der *media cavea*, hinter die Brüstung führt, welche sie von der untersten trennt. Ist man oben angelangt, so steht man auf einer viereckigen Platte (*e* im obern Theile des Planes) und hat vor sich die Treppe, welche die Sitzstufen durchschneidend bis zur Brüstung der zweiten Praecinction, durch diese hindurch zur zweiten Praecinction und grade aus zur Hälfte der Treppen der *summa cavea* empor-

führt. Die Hauptzugänge aber zur *summa cavea* sind von der auf der Höhe
derselben außen um das Gebäude, bis auf den Theil, der an die Stadtmauer
stößt, herumlaufenden breiten, nach außen von einer 1,30 M. hohen, nur theilweise erhaltenen Brüstung umgebenen Gallerie, 9 im Plan (vgl. Fig. 104, 10).
Man besteigt sie vermöge zweier Doppeltreppen (11 Fig. 104), deren eine die
Ansicht bei S. 176 zeigt, und zweier einfachen in den Winkeln zwischen der
Rundung des Amphitheaters und der Stadtmauer, 10 auf dem Plan, der zugleich bei 11 einen der Thürme der Stadtmauer und in 12 die äußere und
innere Linie dieser selbst zeigt. Auf diese Gallerie und auf die sie fortsetzende
obere Fläche der Stadtmauer münden die 40, den 40 Treppen der *summa
cavea* entsprechenden Vomitorien, 13 im Plan; und in je dem vierten der Abschnitte, welche durch die Vomitorien in der Außenseite des höchsten Theils
des Baues gebildet werden (s. die Ansicht bei S. 176), findet sich der Zugang zu
einer Doppeltreppe, d. h. zwei Treppen, welche von einem Punkt in entgegenge-
setzter Richtung auf die oberste Platform mit ihren kleinen Cellen führen. Man
wird bei genauer Erwägung dieser ganzen Einrichtung begreifen, wie vortrefflich für freie Bewegung gesorgt ist, selbst wenn das Volk zu Tausenden her-
anfluthete oder wenn es nach Schluss des Schauspiels in grausamer Aufregung
wogend das Amphitheater verließ. — Es ist ferner bemerkenswerth, dass bei der
Anlage des Baues offenbar der Gedanke maßgebend war, eine spätere Vergrößerung zu ermöglichen; denn durch Überwölbung des breiten Umganges
auf der Höhe der *summa cavea* (10 Fig. 104) konnte noch für eine beträchtliche
Anzahl Zuschauer Platz gewonnen werden.

Wir erwähnen noch, dass, wie das mehrfach erwähnte Gemälde Fig. 3
zeigt, um das Gebäude sich ein mit Bäumen und Verkaufständen besetzter
Platz befand.

Eine in zwei Exemplaren in zweien der Eingänge gefundene Inschrift
lautet: *C. Quinctius C. f. Valgus M. Porcius M. f. duovir. quinq. coloniai
honoris caussa spectacula de sua peq. fac. coer. et coloneis locum in perpetuom
deder.* Sie nennt also, mit bemerkenswerthen Archaismen in der Sprache, als
Erbauer aus eigenen Mitteln zwei Quinquennalen (S. 12), welche uns schon
bekannt sind, da sie als Duumvirn auch das kleinere Theater haben erbauen
lassen (s. S. 172). Es steht damit fest, dass auch das Amphitheater in der
ersten Zeit der römischen Colonie erbaut worden ist; und in der That ist die
Bauart der des kleinen Theaters sehr ähnlich: namentlich charakteristisch ist
das netzwerkartige Mauerwerk aus Lava. Daraus nun ergiebt sich, dass das
pompejanische Amphitheater nicht nur älter ist, als das des Statilius Taurus
in Rom, sondern überhaupt als alle uns bekannten derartigen Bauten, höchst
wahrscheinlich auch älter als das Kunststück des C. Curio, der im Jahr 53
v. Chr. in zwei hölzernen Theatern spielen und diese dann umdrehen ließ,
so dass ein Amphitheater entstand, was gewöhnlich für den Ursprung des
Amphitheaters gilt. Nicht ohne Grund ist daher vermuthet worden, dass in
Campanien, wo ja von je her die Fechterspiele sehr im Schwunge waren, diese
Gebäudeform erfunden worden sei.

Vier andere Inschriften (*I. R. N.* 2252; *C. I. L.* X, 853—857) sind in
die Travertinbekrönung der Brüstung der Arena eingehauen. Sie besagen,

dass die *magistri* der Vorstadt *Augustus felix* und zwei Duumvirn je einen *cuneus* (d. h. die Sitze desselben), desgleichen vier andere Duumvirn zusammen drei *cunei* haben machen lassen, und zwar *pro lud.* oder auch *pro lud. lum.,* d. h. »statt der zu gebenden Spiele« und »statt der Spiele und der Beleuchtung« (*pro ludis luminibus*), wobei wir dahin gestellt sein lassen müssen, ob die Beleuchtung mit den Spielen verbunden oder von ihnen unabhängig war. Es scheint demnach, dass man sich eine ziemliche Zeit mit provisorischen Sitzreihen behalf, und dass noch in der spätern Zeit des Augustus (denn die Organisation des *pagus Augustus felix* fällt ins Jahr 7 v. Chr.: s. oben S. 113 f.) die Herstellung der Sitzstufen nicht beendigt war. Die Inschriften stehn jede vor dem Cuneus oder den Cunei, auf welche sie sich bezieht, und es sind dies die sechs ersten östlich vom nördlichen Haupteingang. Zur Zeit des Unterganges hatte das ganze Amphitheater seine Sitzstufen und waren dieselben schon ziemlich viel benutzt worden [79]).

Über die Kämpfe und Spiele des Amphitheaters ist Viel und Vielerlei geschrieben; die schriftlichen Quellen sind reichlich genug, und auch nicht wenige Kunstdenkmäler, freilich an Kunstwerth gering, sind auf uns gekommen, welche uns die schriftlichen Überlieferungen erläutern und manche Einzelheit der Kämpfe und der Rüstungen der Gladiatoren auf's klarste anschaulich machen. Je ausgedehnter aber hier der Stoff ist, um so mehr muss sich die gegenwärtige Darstellung auf das Nöthigste und Nächste beschränken, wobei das eigentliche Thema, die Erklärung der pompejanischen Monumente, den Anhalt bietet und zugleich die Grenze weist. Eine der wichtigsten bildlichen Darstellungen von Gladiatoren- und Thierkämpfen findet sich in den Reliefen eines pompejanischen Grabmals, welches freilich jetzt größtentheils zu Grunde gegangen, aber in der Zeit der Auffindung fast unverletzt von Mazois und von Millin gezeichnet worden ist [80]). Der Erklärung dieser Reliefe sind nur einige allgemeine Bemerkungen voranzustellen.

Kriegsgefangene und nach antiker Sitte in Sclaverei gefallene Feinde waren die ersten Opfer auf den Gräbern und in Folge dessen die ersten gezwungenen Gladiatoren. Aus Kriegsgefangenen, Sclaven und verurteilten Verbrechern bestand auch in der Folgezeit die eine Hälfte der Kämpfer des Amphitheaters, nämlich die gezwungenen, denen durch ausgezeichnete Tapferkeit und Geschicklichkeit die Möglichkeit gegeben wurde, Entlassung von den Kämpfen und selbst die Freilassung zu erringen. Es wird überflüssig sein, ausführlicher über die tiefe Barbarei zu reden, welche sich darin ausspricht, dass man den Verbrecher dem strafenden Arme der Gerechtigkeit entzog, um ihn zur Lust des Volkes für sein verwirktes Leben kämpfen zu lassen, oder dass man den im ehrlichen Kampfe Gefangenen und den schuldlosen Sclaven jenem gleich behandelte. Ist doch hiermit die Grenze der Schändlichkeit nicht erreicht; wissen wir doch, dass man Verurteilte, unter denen mancher der ersten Christen gewesen ist, der für seinen Glauben dulden musste, in der Arena den reißenden Thieren entweder schwach oder gar nicht gewaffnet entgegenstellte, oder sie selbst gefesselt und an Pfähle gebunden von den Bestien zur Lust des Pöbels zerfleischen ließ; wissen wir doch, dass schon vor der Zeit der Kaiser römische Schlemmer ihre Fische mit Menschenfleisch, dem Fleische geschlachteter Sclaven fütterten, um sie zarter und wohlschmeckender zu machen. Wo dergleichen bestand, musste es ja als ein Geringes erscheinen, Verbrecher, Gefangene, Sclaven wohlgerüstet mit einander kämpfen zu lassen. Und wie sollte sich hiegegen das Gewissen eines Volkes empört haben, aus dessen Mitte freiwillige Klopffechter in großer Zahl hervorgingen, und zwar nicht allein aus den niedersten Classen, die Mangel und Habsucht und ein bestialischer Ehrgeiz treiben mochte (denn die Gladiatoren wurden gut bezahlt, konnten in schönen Kleidern und Rüstungen prangen, und es fehlte ihnen, obgleich ihr Stand als unehrlich galt, nicht an mancherlei Auszeichnungen und Gunst), sondern aus dem Ritter- und Senatorenstande, ja bei dem selbst Frauen in der Arena erschienen. So finden wir neben den gezwungenen freiwillige Gladiatoren, welche ihre Kunst gewerbmäßig trieben und ihr Leben um Geld und um den Beifall des Pöbels feilboten, und wohl verdient es besonders hervorgehoben zu werden, dass während einerseits Gesetze nöthig wurden, welche dem Senatorenstande Roms die Arena verboten, andererseits ein Gesetz, das petronische, erlassen wurde, und zwar unter Neros Regierung, welches verbot, den Sclaven ohne richterlichen Spruch zum Kampfe zu zwingen. Beiläufig mag erwähnt werden, dass der dem C. Cuspius Pansa Vater, dessen Statue im Nordeingang des Amphitheaters stand, beigelegte Titel *praefectus ex lege Petronia* (*I. R. N.* 2250; *C. I. L.* X, 858) hiermit nicht zusammenhangt (s. oben S. 13).

Die zunftmäßigen Gladiatoren lebten in Truppen (*familia*) zusammen, vielfach, wie auch in Pompeji, in eigenen Kasernen, und erlernten die Hand- und Kunstgriffe der Klopffechterei in eigenen Gladiatorenschulen unter einem Vogt (*lanista*). Sie gehörten Vornehmen und Reichen, die sie vermietheten und nach denen sie genannt wurden, wie z. B. in einer pompejanischen Mauerinschrift, der Anzeige von Kämpfen im Amphitheater, *A. Suettii Certi familia gladiatoria* erscheint, in einer andern die Truppe des N. Festius Ampliatus [81]). Die Kämpfe selbst waren sehr verschieden, theils indem die Gladiatoren entweder paarweise oder in größerer Zahl gegen einander fochten, theils durch die Verschiedenartigkeit der Bewaffnung und die dadurch bedingte Verschiedenartigkeit der Kampfweisen. Das pompejanische Grabrelief wird uns Gelegenheit geben, eine Reihe der verschiedenen Rüstungen und Kämpfe kennen zu lernen, obwohl immerhin nur eine beschränkte Zahl derselben. Man focht zu Ross und zu Fuß, mit Lanzen und mit Schwertern, in schwerer und in leichter Rüstung, deren manche nationaler Sitte unterworfener Völker entsprach und demgemäß bezeichnet wurde, so dass z. B. eine Art von Gladiatoren (die schwergerüsteten) den Namen der Samniten trugen, eine andere als Gallier, wieder eine andere als Thraker bezeichnet wurde; zu den Waffen, welche aus der Kriegführung civilisirter Völker entnommen wurden, gesellten sich andere, welche man fernen, halbbarbarischen Stämmen entlehnte, so namentlich das Fangnetz, welches der Schlinge des amerikanischen Gaucho, der Kirgisen und mancher Kosakenstämme ungefähr entspricht, und das nach vielfachen Spuren auch unter die auf dem Schlachtfelde gebrauchten Waffen aufgenommen wurde. Im Amphitheater handhabe es der außerdem mit einem Dolche und einem der Harpune nachgebildeten Dreizack bewaffnete Retiarius

(Netzmann) gegenüber dem Mirmillo oder dem Gallier, auf dessen Helme ein
Fisch gebildet war. Wenn der Retiarius den Mirmillo verfolgte, so rief er ihm
zu: ich will ja dich nicht, ich will nur deinen Fisch, was fliehst du mich! —
Genug um wenigstens angedeutet zu haben, wie mannichfaltiger Art die Kämpfe
der Arena waren, die mit stumpfen Waffen eröffnet und, nachdem die Kämpfer
sich erhitzt hatten, mit schneidenden ausgefochten wurden, und zwar entweder »bis zum ersten Blut«, oder, und zwar meistens, bis zum vollständigen
Unterliegen der einen Partei, deren Leben von der Gnade des Volks abhing.
Schon aus dem wenigen hier Gesagten wird man sich eine Vorstellung davon
bilden können, welche Fülle von Kraft und Muth und Gewandtheit sich in
der Arena entwickelte, welcher Reichthum der verschiedensten Scenen und
Stadien der Kämpfe von dem Scheingefecht am Anfange bis zum Unterliegen
und zu der Tödtung des Besiegten vor den Augen der Menge sich entfaltete,
wie tief alle die verschiedenen Momente kunstvoller Kampfübung, wilden
Muthes, verzweifelter Gegenwehr, gefassten Sterbens die Herzen des blut-
dürstigen Pöbels bewegen mussten. Vergegenwärtigen wir uns einige dieser
Scenen nach der Anleitung unseres Grabreliefs, welches die Kämpfe darstellt,
die zu Ehren des hier Bestatteten die Gladiatorenfamilie des N. Festius Ampliatus gefochten hat, dieselbe, deren abermaliges Auftreten in Verbindung
mit Thierhetzen bei ausgespanntem Zeltdach eine Mauerinschrift an der Basilika ankündigt, die also lautet: *N. Festi Ampliati familia gladiatoria pugnabit
iterum, pugnabit XVII (Kal.) Iunias, venatio, vela.*

Die erste Gruppe Fig. 108 links stellt den noch nicht entschiedenen Kampf
zweier berittenen Gladiatoren (*equites*) dar, welche, wie alle Übrigen bis auf
die Netzkämpfer, mit dem geschlossenen Visirhelm, mit der Lanze (*hasta*) und
dem runden Schilde (*parma*) bewaffnet, im Übrigen leicht gerüstet sind, so
dass besonders nur der rechte Arm, der die Lanze führt, mit Binden oder
glatten Metallringen umgeben ist. Die Namen *Bebrix* und *Nobilior* sind den
Kämpfern mit rohen schwarzen Buchstaben beigeschrieben, und auf die Namen
folgt nach vier, TVL. V. d. h. *tulit* mit abgekürztem *victorias* zu lesenden
Buchstaben eine Ziffer, welche die Zahl der Siege angiebt, die ein jeder
derselben davon trug. *Bebrix*, ein barbarischer Sclavenname, der an die
Bebryker erinnert, mit denen die Argonauten kämpften, hat nach der Zeichnung Millins 15 Siege erfochten; jetzt erscheint er im Nachtheil gegen Nobilior
mit 11 Siegen; wenigstens ist dieser offenbar der Angreifer, und es ist fraglich,
ob Bebrix sich seiner wird erwehren können. Alle folgenden Gruppen zeigen
die Kämpfe verschiedener Paare in dem Augenblick der Entscheidung, den
einen Gladiator wie er, so oder so besiegt, sich an das Volk um Gnade
wendet, seinen Gegner in Erwartung des Befehls ihn zu tödten. Die erste
Gruppe stellt zwei ungefähr, wenn auch nicht ganz gleich Gerüstete dar,
wahrscheinlich Samniten; der Besiegte, dessen Name verloren ist, der
aber 16 frühere Siege zählt, ist etwas leichter gerüstet als sein Gegner, dagegen mit einem größern Schilde versehn, hinter den sich der Mann ganz
zusammen kauern kann; er ist entwaffnet und blutet aus einer Brustwunde;
aber mit der äußersten Ruhe, auf den Rand seines Schildes gestützt, erwartet
er den Entscheid der Menge über sein Leben, so ruhig, dass andere Erklärer,

die Wunde übersehend, ihn für einen Zuschauer des Reitergefechts ausgaben. Die Zahl der Siege seines Gegners, der mit gleicher Ruhe den Befehl zur Tödtung erwartet, ist unsicher; Binden oder Metallringe um die Oberschenkel und Beinschienen (*ocreae*) zeichnen seine Rüstung aus. Bewegter ist die folgende Gruppe. Ein wahrscheinlich als Thraker zu bezeichnender Kämpfer, dessen Name verwischt ist, der aber 15 frühere Siege zählt, hat gegen seinen schwergerüsteten Gegner, den man wohl wiederum als Samniten bezeichnen darf, Lanze und Schild verloren; er scheint gestürzt zu sein, und hat von dem Gegner einen breiten Schwerthieb über die Brust erhalten. Auf dem Knie liegend, richtet er weniger ruhig als der erste Besiegte seine Bitte an das Volk, indem er zugleich an seine schmerzende Wunde zu greifen scheint und ziemlich ängstlich auf den Sieger zurückblickt, der freilich auch schon zum Todesstreiche ausholt. Dieser scheint ein alter ausgedienter Fechter zu sein, denn 31 Siege sind neben seinem Kopfe verzeichnet. Hinter der Siegeszahl des hier Besiegten stehn noch zwei Buchstaben, ein *M* und ein griechisches *Θ*; wahrscheinlich ist der erstere die Initiale von *mors* und der zweite der Anfangsbuchstabe von *θάνατος*, so dass beide den Besiegten als dem Tode verfallen bezeichnen.

Die folgende Gruppe von vier Personen ist etwas reicher zusammengesetzt. Sie bezieht sich auf die Kämpfe der *retiarii* und *secutores*. Der Netzfechter, Retiarius, war ganz leicht gerüstet; seine Waffen bestanden in dem Netze, in das er seinen Gegner zu verwickeln suchte und in einem leichten Dreizack; der *secutor*, mit glattem Helm, kleinem Schild und dem Schwert bewaffnet, hat seinen Namen daher, dass er den Retiarius, der sein Netz fehl geworfen hatte, verfolgte. In der Gruppe unseres Reliefs scheint der Retiarius *Nepimus*, der 5 Siege zählt, allerdings sein Netz vergebens geworfen zu haben, denn sein *secutor*, dessen Name beschädigt ist, der aber 6 Siege zählt, ist nicht in ein solches verstrickt; bei der Verfolgung aber hat ihm sein gewandterer und durch keine Rüstung gehemmter Gegner verschiedene Wunden beigebracht: er blutet aus zweien am Bein und einer am Unterarm, und der Blutverlust mag ihn ermattet auf's Knie gestürzt haben. In dieser Lage hält ihn Nepimus fest, indem er ihm auf den Fuß tritt und ihn in der Leibbinde ergriffen hat; das Verdammungs-

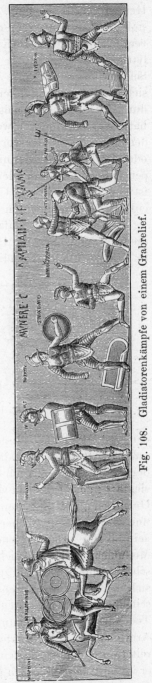

Fig. 108. Gladiatorenkämpfe von einem Grabrelief.

zeichen des Volkes ist erfolgt, aber der leichte Dreizack ist keine tödtliche
Waffe, deshalb ist ein zweiter *secutor* Hippolytus, fünf Mal Sieger, herbeigeeilt,
Henkerdienste zu thun; indem er ihm die linke Hand auf den Kopf legt,
stößt er sein Schwert in den Hals seines gleich gerüsteten Cameraden, der in
vergeblicher Bitte sein Knie umfasst. Im Hintergrunde erwartet den Hippolytus der Retiarius, der mit ihm kämpfen und ihm vielleicht ein gleiches
Schicksal bereiten wird. Bei den Kämpfen der fünften Gruppe wiederholt
sich die Bewaffnung derer der zweiten, das Motiv der Handlung aber ist nicht
durchaus klar, es ist möglich, dass der Besiegte, der seinen Schild verloren
hat, flieht; warum und wonach aber sein siegreicher Gegner umblickt, ob nach
der Execution in der vorigen Gruppe oder etwa nach einem Zuruf des Volks
oder des Festgebers, ist nicht zu entscheiden. Die bisher beschriebenen Gruppen befinden sich auf der Umfassungsmauer des Grabmals; ihre Fortsetzung
ist über der Thür dieser Umfassungsmauer eingelassen, zum Theil erhalten, und
enthält Einzelheiten, um derentwillen auch diese noch kurz zu betrachten. ist.

Die Darstellung umfasst zwei Paare ziemlich gleich gerüsteter, nur durch
die Verschiedenheit der Helme unterschiedener Gladiatoren in zwei Gruppen,
in deren erster der Gladiator mit dem Buschhelm der Sieger, derjenige mit

Fig. 109. Fortsetzung des vorigen Reliefs.

dem glatten Flügelhelm der Überwundene ist, was sich in der zweiten Gruppe
umkehrt. Buschhelme haben nämlich nach der vorliegenden Zeichnung Mazois',
der den Helm noch groß eigens abbildet, der erste Sieger und der zweite Besiegte [82]; doch soll nicht verschwiegen werden, dass diese Kämpfer von mehren
Gelehrten als Mirmillonen bezeichnet werden, wonach der Busch ihres Helmes
nur scheinbar ein solcher, in der That aber ein von Mazois verkannter Fisch
sein müsste. Dem ist jedoch nicht so, und überhaupt sind die Mirmillonen in
Monumenten bis jetzt nicht sicher nachzuweisen gewesen. Der erste Besiegte
scheint tapfer gestritten zu haben, obwohl er entwaffnet ist; ruhig wendet er
sich an das Volk, während sein Gegner so erbittert scheint, dass er die Entscheidung nicht abwarten will. Ehe er jedoch gegen die Kampfordnung den
Todesstreich führen kann, ist ein Lanista oder Herold (*praeco*) ihm in den
Arm gefallen. Wir dürfen annehmen, dass hier ein Gnadenact sich vorbereitet. Bei dem Besiegten der letzten Gruppe würde Gnade zu spät kommen;
er ist im Kampfe tödtlich getroffen und es bleibt ihm nichts, als mit Anstand
zu sterben, wie das in jener ergreifenden Scene des »Fechters von Ravenna«
der Vogt dem Thumelicus empfiehlt. Unser Gladiator hält seinen Schild hinter
sich, um auf denselben zurückzufallen.

Den zweiten Theil der Spiele des Amphitheaters bildeten die sogenannten Jagden, *venationes*, Thierhetzen und Kämpfe entweder von Thieren unter einander oder mit mehr oder weniger bewaffneten Menschen (*bestiarii*). Der-

Fig. 110. Fortsetzung desselben Reliefs. Übung eines Bestiarius.

gleichen liegt unserm Verständniss vermöge der spanischen Stiergefechte näher, und in der That werden wir sogleich durch einzelne Umstände in der Darstellung der Reliefe von demselben Grabmal, welche *venationes* darstellen, an Gebräuche des Stiergefechts erinnert werden. Freilich, so begeistert der Spanier für Stiergefechte ist, einen so großen Aufwand er an Schlacht-opfern, Stieren und Pferden macht, dem alten Römer muss er in der einen wie in der andern Rücksicht weichen. Nament-

Fig. 111. Fortsetzung. Kampf mit dem Bären.

lich ist die Mannichfaltigkeit der Jagden und Kämpfe hervorzuheben; denn nicht blos Stiere wurden getödtet, sondern alles jagdbare Wild wurde gehetzt, und mit allen streitbaren Thieren, selbst mit Elephanten, wurde gekämpft.

Fig. 112. Fortsetzung. Thierkampf.

So weit wird man nun wohl in Pompeji mit dem Luxus nicht gegangen sein, und auch die Reliefe, die wir zu betrachten haben, und welche sich zum Theil an der Umfassungsmauer des besprochenen Grabmals, zum Theil an dem

Fig. 113. Fortsetzung. Thierkampf.

Stufenuntersatz befanden, der den Inschriftstein trägt, wie wir es bei Betrach-tung der Gräberstraße sehn werden, bieten uns eine verhältnissmäßig be-schränkte Auswahl von Scenen der Venationen; aber auch diese haben Man-nichfaltigkeit genug.

Der erste Reliefstreifen (Fig. 110) scheint die Einübung eines Bestiarius zu enthalten. Es gilt, einen Panther oder ein sonstiges katzenartiges Raubthier zu bekämpfen, dem der leicht aufgeschürzte Lehrling, mit zwei Wurfspießen bewaffnet, zu Leibe geht. Der Panther ist an einen Strick, aber dieser nicht an einen festen Gegenstand befestigt, was alle Gefahr des Bestiarius aufheben

Fig. 114. Schluss desselben Reliefs. Jagdscenen.

würde, sondern an den Gurt, der einem frei laufenden Stier um den Leib gelegt ist. Ihre gefährlichsten Sprünge kann so die wilde Katze nicht machen, aber der Bestiarius kann eben so wenig berechnen, wie schnell der Stier dieser nachgeben oder selbst gegen ihn heranstürmen wird. Er muss also bestens auf der Hut sein, und seine Übung ist keineswegs gefahrlos. Hinter dem Stier, der nicht recht vorwärts zu wollen scheint, sehn wir einen Treiber, der aber nicht mit einer bloßen Gerte oder einem Knittel, sondern für alle Fälle ebenfalls mit einer Lanze bewaffnet ist, mit der er den Stier antreibt vorzugehn und dem wild anrennenden Panther Raum zu geben.

Das zweite kleine Relief (Fig. 111) zeigt einen ernstlichen Kampf eines Menschen gegen einen Bären[83]). Der Bestiarius bekämpft das Thier wie der spanische Matador mit vorgehaltenem Tuch. In diesem Umstand liegt zugleich ein ungefähres Datum unserer Reliefe, denn nach Plinius VIII, 16 wurden die Kämpfe mit dem Tuch erst unter Claudius eingeführt; da nun die Spiele in Pompeji von 59—69 u. Z. verboten waren (s. S. 14), und auch von 69 bis 79 wohl schwerlich stattgefunden haben, so können diese Reliefe nur zwischen 41 (Claudius' Regierungsantritt) und 59 gemacht sein[84]).

Das Relief Fig. 112 zeigt uns einen ganz nackten und wehrlosen Mann zwischen einem Löwen und einem Tiger, doch ist die dargestellte Scene sehr unklar, da beide Thiere in der größten Eile zu entfliehn scheinen, wovon man das Motiv nicht einzusehn vermag.

In dem Relief Fig. 113 sieht man wieder einen Nackten, der seinen Speer gegen einen fliehenden Wolf verschossen zu haben scheint, und der jetzt, gestürzt, von einem Eber angegriffen und hart bedrängt wird. Weiter rechts ist eine Scene aus den Kämpfen von Thieren gegen einander oder eine Jagd dargestellt.

Ein Hirsch oder vielleicht richtiger eine Antilope ist von zwei wolfsartigen Hunden ereilt und niedergeworfen; ein Strick an den Hörnern des gejagten

Thieres zeigt, dass dasselbe gegen seine Angreifer in Nachtheil gesetzt gewesen war, und sich erst losreißen musste, um jene zu fliehn.

Am reichhaltigsten ist das Relief an der Umfassungsmauer des Grabes Fig. 114. Zunächst bemerkt man in seinen oberen Theilen ein Zeugniss, dass man die blutigen Kämpfe auch mit heiteren Zwischenscenen zu unterbrechen liebte. Schon die Jagd eines Rehes durch Hunde könnte man dazu rechnen, sicher aber muss es sehr komisch gewirkt haben, wenn man in die Arena, in der sich Löwen, Tiger, Panther, Bären, Eber, Stiere tummelten, ein paar Hasen losließ, von welchen der eine auf unserm Bilde nicht übel Lust zu haben scheint, Männchen zu machen. Im Übrigen geht es ernster zu: links wird ein Eber von Hunden gejagt, in der Mitte hat ein Bestiarius einen Bären niedergestreckt, und rechts ein anderer, ein wahrer Matador, einem Stier seine Lanze durch den Hals gerannt, so dass es um diesen gethan ist, mag er auch im gesprengten Galopp an dem verwunderten Kämpfer vorüber geeilt sein·

Die betrachteten Bildwerke werden und müssen hier genügen, uns einen Begriff der Kämpfe und Jagden zu geben, welche in Pompeji stattfanden.

2. Die Gladiatorenkaserne (*ludus gladiatorius*).

Das Gebäude, welches hier, der jetzt wohl allgemein [85]) angenommenen Benennung Garruccis im *Nuovo Bullettino Napolitano* gemäß, als Gladiatorenkaserne bezeichnet wird, wurde 1766 entdeckt, 1794 ganz ausgegraben und wie das große und das Amphitheater zum Theil restaurirt. Bei der Ausgrabung erhielt dasselbe den Namen Soldatenquartier oder Kaserne, und obgleich zu dieser Nomenclatur wesentlich ein nur halbwegs richtig beobachteter Umstand, nämlich die Auffindung zahlreicher Waffen, den Anlass gegeben hat, so wird sich doch ergeben, dass dieselbe begründeter war, als diejenige, welche man sich längere Zeit hindurch gewöhnt hatte an die Stelle zu setzen. In neuerer Zeit nämlich betrachtete man dieses neben dem Forum triangulare und hinter dem großen Theater belegene Gebäude als einen Marktplatz, als das Forum nundinarium, den Wochen- oder Krammarkt, ohne freilich im Grunde nur ein einziges wirklich durchschlagendes Argument hiefür aufzustellen oder aufstellen zu können, so dass es überflüssig ist, diese falsche Bezeichnung jetzt noch ausdrücklich zu bestreiten, und genügt, die Momente hervorzuheben, welche die richtige augenscheinlich machen. Zu diesen gehört eine genauere Betrachtung der aufgefundenen Waffen und der an mehren Wänden befindlichen Malereien, sowie die schärfere Prüfung der ganzen Baulichkeit an sich, welche Garrucci auf den neuen Namen geführt, den die Überschrift angiebt und welcher trotz den gegen denselben erhobenen in der That sehr unerheblichen Bedenken für den allein richtigen erklärt werden muss. Die aufgefundenen Waffenstücke sind nämlich ohne Ausnahme 'die augenscheinlichsten Gladiatorenwaffen; es ist kein einziges Soldatenwaffenstück unter denselben; die erwähnten Malereien beziehn sich, wie mancherlei gemalte und eingekratzte Inschriften, auf das Amphitheater, und eine genauere Betrachtung des Gebäudes selbst wird lehren, dass dasselbe alle Zeichen einer Kaserne und keines von einem Marktplatz an sich trägt; ist es aber eine Kaserne, so kann es nach den angegebenen Umständen nicht die der pompejanischen Besatzung, sondern nur die der Gladiatoren gewesen sein, zumal in der Kaiserzeit die Städte Italiens im Allgemeinen keine Besatzung hatten.

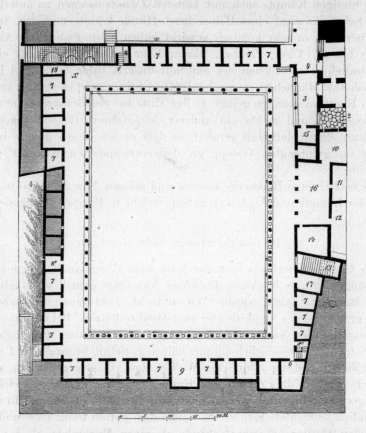

Fig. 115.   Plan der Gladiatorenkaserne (Norden oben).

Das fragliche Gebäude ist ein großer offener, von Säulengängen umgebener Hof von 56 × 45 M. mit Einrechnung der 4,40 bis 4,80 M. breiten Säulengänge, hinter denen eine Reihe von Cellen in zwei Stockwerken und einige größere Räumlichkeiten liegen, von denen im Einzelnen zu handeln sein wird. Im Westen begrenzt dasselbe das Forum triangulare, von dem die schon früher (S. 76) besprochene Treppe 1 herabführt, die zugleich auf den offenen Hof hinter dem das Gebäude im Norden begrenzenden großen Theater einen Zugang bietet, während ein zweiter zum großen, und, wenn man sich nach seiner Durchschreitung rechts wendet, zum kleinen Theater führender Durchgang an der rechten Ecke dieser Seite angebracht ist. Östlich liegt eine Gruppe von Privatgebäuden an der Straße, die am kleinen Theater vorüber nach dem Thor von Stabiae führt. Von dieser Straße zweigt sich eine Gasse ab, welche bei 2 zu dem Haupteingang in unser Gebäude führt; man gelangt

Ansicht des Hofes der Gladiatorencaserne.

aus ihr, über eine Stufe hinabsteigend, in die von drei ionischen Säulen gebildete Säulenhalle 3, aus welcher auch das Postscenium des kleinen Theaters
zugänglich ist, und aus ihr über weitere drei Stufen in den Umgang. Im
Süden endlich lief die Stadtmauer an unserm Gebäude vorbei, doch ist
die Beschaffenheit dieser Stelle in den letzten Zeiten Pompejis, unvollendeter
Ausgrabung wegen, gegenwärtig nicht sicher festzustellen. Um den Säulengang liegt, wie gesagt, eine zweistöckige Reihe von gleichgroßen Cellen 7,
und zwar sind auf der nördlichen Seite, außer zwei großen überwölbten
Nischen unter der großen Treppe, ihrer $2 \times 8 = 16$ (in beiden Geschossen)
und eine Treppencella 8 : in letzterer biegt die große Treppe rechtwinklig
um und mündet in viel geringerer Breite bei 1 in die Säulenhalle ein.
Von dem Treppenabsatz führte ein schräg aufsteigender Gang (aus Holz)
zu der noch zu besprechenden Holzgallerie, welche, vor den Cellen des obern
Geschosses hinlaufend den Zugang zu denselben vermittelte. Auf der westlichen Seite finden wir, außer einer zweiten Treppencella 8' und einer Cella
unter der großen Treppe 18, zu ebener Erde zehn Cellen, in deren Mitte ein
breiter, von fester Erde erfüllter Raum sich befindet, dessen Zweck unklar ist.
Im obern Geschoss gehen die Cellen auch über diesen und die Cella unter der
großen Treppe hinweg, so dass hier 14 sind : also im Ganzen 25; auf der südlichen Seite sind zu ebener Erde, und ebenso auch im obern Geschoss zehn
Cellen zu beiden Seiten eines größern, jetzt verbauten Mittelraums 9. Endlich
finden wir auf der östlichen Seite im Erdgeschoss außer einem Treppenraum
8'' an der Ecke, dessen Treppe recht augenscheinlich auf die gleich zu besprechende Gallerie führte, und außer mehren größeren Räumen noch sechs
Cellen, die sich im obern Geschoss wiederholen : also 12, oder, da für zwei
sich uns eine besondere Verwendung ergeben wird, 10. Dieser Cellen sind
also im Ganzen 71, welche alle unter einander keine Verbindung, sondern
nur einen Eingang nach vorn haben, welcher im obern Geschoss auf eine rings
umlaufende Gallerie führte, deren Balkenlager in den Wänden unverkennbar,
und welche zum Theil aus antiken Elementen, im Übrigen nach Maßgabe
solcher auf der einen Ecke, welche die beiliegende Abbildung zeigt, recon-
struirt ist. Diese Cellen von durchschnittlich 4 M. Größe können nur e i n e n
Zweck gehabt haben : zu Verkaufsbuden sind sie, sind namentlich diejenigen
im obern Geschoss nicht geeignet, wohl aber auf's beste zu Schlafzimmern für
die Bewohner der Kaserne. Dass man keine festen Betten in ihnen gefunden
hat, widerspricht nicht im geringsten, denn Gladiatoren genügte ein Stroh-
lager mit etlichen Decken. Wahrscheinlich haben wir uns jede Celle von zwei
Mann bewohnt zu denken, was bei gänzlicher Besetzung eine Zahl von 142
Bewohnern dieses Gebäudes ohne die etwaigen Vorgesetzten ergeben würde.
Dass eine Stadt, welche ein Amphitheater für etwa 20,000 Zuschauer[86]) besaß,
auch das Bedürfniss empfand, ein eigenes Gebäude für die Unterbringung der,
wenn auch nicht ständig, so doch häufig vorhandenen Gladiatorenbanden zu
besitzen, darf uns nicht Wunder nehmen. Und was die Zahl anbetrifft, für
welche dies Gebäude eingerichtet ist, so genügt es, auf die an die Wände gemalten Ankündigungen von Gladiatorenkämpfen zu verweisen, in welchen
dem Volke bis zu 30 Paaren in Aussicht gestellt werden, die von Sonnenauf-

gang an kämpfen sollten (*C. I. L.* IV, 1200. 1204); ferner auf die Grabschrift
des A. Clodius (*I. R. N.* 2378; *C. I. L.* X, 1074), welcher an einem Tage
40 Paare und dazu noch Thierkämpfer auftreten ließ. Hienach wird die Zahl
von 142 Gladiatoren, die in unserer Kaserne hausten, wahrlich nicht zu groß
erscheinen, da wir ja gar nicht berechnen können, wie oft man Kämpfe vielleicht einer gleich großen und größern Zahl veranstaltete. Zurück also zum
Plane des Gebäudes selbst, welches sich als Kaserne noch weiter deutlich
erweisen wird. Die bezeichnendsten Räumlichkeiten liegen auf der östlichen
Seite. Hier ist namentlich das Vorhandensein einer großen Küche (12) hervorzuheben, die vermöge der wohl erhaltenen gemauerten Heerde ganz unverkennbar bezeichnet und von Magazinräumen 10 und 11 begrenzt ist. Dass
eine solche große Küche an einem Markte gar keinen Zweck hatte, während
sie in einer Kaserne nothwendig war, ergiebt sich von selbst. Neben derselben
führt bei 13 eine Treppe, breiter als die Treppen zur Gallerie, in einige größere
Zimmer über den entsprechenden größeren Räumen im Erdgeschoss, in denen
wir die Wohnung des Lanista oder der Lanisten füglich erkennen können.
Neben der Treppe ist in 17 ein Gefängniss, in welchem man ein für zehn
zu fesselnde Personen eingerichtetes Fußeisen auffand, welches in das Museo
nazionale geschafft und daselbst im obern Geschoss im Bronzezimmer zu sehn
ist; man fand in demselben Raume die Gebeine von vier Personen, vermuthlich Gefangenen; die Einrichtung des Eisens ist der Art, dass der Gefangene
nur liegen oder sitzen, nicht aber sich erheben konnte [87]. Auch ein solches
Gefängniss, eine solche Strafkammer passt nicht an einen Markt, aber wohl
in eine Kaserne, zumal eine Gladiatorenkaserne. Die übrigen Räume sind
nicht entscheidend und zum Theil ihrem Zwecke nach nicht zu benennen. In
15 ist das Kämmerchen des Thürhüters oder des Wachpostens, 16 bildet einen
geräumigen Vorsaal der Küche, vielleicht den Esssaal, 9 ist ein großes Zimmer
in Form des Tablinums von Privathäusern, eine Exedra, in der man die Wände
mit Tropäen aus Gladiatorenwaffen bemalt [88] und derselben viele, zum Theil
kostbare in Natura fand, welche in einem spätern Theile dieses Werkes besprochen und in einer Auswahl abgebildet werden sollen. 18 scheint ein
Pferdestall gewesen zu sein: man fand dort ein menschliches und ein Pferde-
skelett. Dass bei Gladiatorenkämpfen auch Pferde zur Verwendung kamen, ist
bekannt genug (vgl. Figur 108) [89].

Vier und siebzig 3,60 M. hohe dorische Tuffsäulen (unterer Durchmesser
ursprünglich 0,48) trugen das Dach der Porticus. Sie sind nur in den oberen
zwei Drittheilen cannellirt, unten gekantet, schlank und gut geformt, stammen
unzweifelhaft aus der Tuffperiode und waren ursprünglich sicher nur mit einer
dünnen weißen Stuckschicht bekleidet. Später gab man ihnen, wie in so
vielen Fällen, eine dickere Stuckhülle, ließ ihnen aber so ziemlich die alte
Form; nur wurden sie unten gerundet und das Capitell erhielt eine etwas
buntere (nur durch die Abbildung bei Mazois erhaltene) Gestalt. Der untere
Theil ward jetzt dunkelroth, der obere gelb, nur an vier Säulen, den je zwei
mittelsten der Ost- und Westseite, blau: vielleicht sollten hierdurch bei den
Übungen verschiedenen Abtheilungen ihre Plätze angewiesen werden. An
den Säulen entlang läuft eine Regenrinne mit mehrfachen, im Plan angegebe-

nen Cisternen und kleineren Vertiefungen, in denen sich der Schmutz aus dem Wasser niederschlug.

Die beiliegende Ansicht ist von der Terrasse neben der großen Treppe vom Forum triangulare (B Fig. 88) aufgenommen; man sieht in der südlichen Porticus die factisch ausgeführte Restauration eines Theils der Gallerie oder des Balkons der oberen Cellen.

Es ist nun aber schon an sich wenig glaublich, dass diese Säulenhallen von Anfang an zu dem dargelegten Zweck gebaut worden sein sollten, dass an der ganzen Anlage die verhältnissmäßig kleinen umliegenden Räume, von zum Theil recht dürftiger Bauart, die Hauptsache, die schönen, solide gebauten Hallen und der weite Platz dagegen nur ein eigentlich überflüssiger Anhang gewesen sein sollten. Denn wenn auch der Platz als Übungsplatz dienen konnte, so war doch eine Gladiatoren s c h u l e hier gewiss nie vorhanden. Es ward daher schon oben (S. 76 f.) angedeutet, dass sowohl die Form als der Zweck der Anlage ursprünglich andere waren. An der Stelle der nördlichen Cellenreihe lag eine die große Freitreppe vom Forum triangulare fortsetzende, nach Norden geöffnete Säulenhalle. Sie lag auf etwas höherem Terrain, als die der Gladiatorenkaserne, doch war der Unterschied durch geringere Höhe der Säulen ausgeglichen. Ob die beiden hier an einander stoßenden Hallen durch eine Mauer oder nur durch eine dritte Säulenreihe getrennt waren, wissen wir nicht. Ferner sind sowohl die Cellen der Nordseite als die Räume an den anderen drei Seiten ihrer Bauart nach offenbar weit jünger als die Säulenhallen; ganz besonders gilt dies von den kleinen Cellen (regelmäßig wechselnde Ziegel und ziegelförmige Hausteine), von denen nur die am Nordende der Westseite etwas älter aussehen. Im übrigen stammen die verschiedenen Räume aus verschiedenen Zeiten und kann ihre Entstehung im einzelnen nicht verfolgt werden. Wie bemerkt wurde, war der Hauptzugang von der Stabianerstraße her bei 2 durch die sehr anmuthige kleine ionische Säulenhalle 3, welche nach Stil und Bauart den großen Säulenhallen gleichzeitig ist. Auch sie ist viel zu schön für eine Gladiatorenkaserne. Besonders bemerkenswerth aber ist der Umstand, dass die Mauer, durch welche sie bei 4 von der Osthalle des Hofes hinter dem großen Theater getrennt wird, jungen Ursprunges ist, dass noch zu einer Zeit, wo dàs kleine Theater schon stand und seine Stuckbekleidung (zweiten Stils) hatte, die beiden Hallen nicht von einander getrennt waren. Es fehlte hier also der für die Gladiatorenkaserne so wichtige sichere Verschluss. Die spätere Gladiatorenkaserne stand ohne Zweifel ursprünglich in Beziehung zum großen Theater und war bestimmt, bei plötzlichem Regen den Zuschauern Schutz zu gewähren. Vitruv (V, 9, 1) schreibt vor, zu diesem Zweck hinter der Bühne Portiken zu errichten, und in der That finden wir sie in eben dieser Lage bei anderen antiken Theatern. Ihrer Bauart nach können diese Hallen sehr wohl dem großen Theater gleichzeitig sein. Freilich müssen an ihnen, wenigstens im Westen, von Anfang an irgend welche Räume gelegen haben; denn die Rückwand der Cellen ist die alte Futtermauer des Hügels, auf dem das Forum triangulare liegt. Es ist selbstverständlich, dass eine solche Anlage nicht nur an Spieltagen geöffnet war, sondern auch sonst als Spaziergang diente. Demgemäß mündeten in die Eingangshalle 3 zwei Wege: der

von der Stabianer Straße und der Säulengang, welcher die Verbindung mit
dem großen Theater herstellte [90]).

Aber genug von dem Amphitheater und dem Gladiatorenwesen, wir verlassen die für dasselbe errichteten Gebäude, um Ruinen aufzusuchen, in denen
friedlichere Scenen römischer Üppigkeit spielten und welche von nicht geringerem Interesse sind, als irgend welche andere in den Mauern Pompejis,
nämlich:

Fünfter Abschnitt.

Die Thermen

oder öffentlichen Badehäuser, deren man bis jetzt drei kennt, ein 1824 ausgegrabenes, ein größeres, welches den Ausgrabungen der 50er Jahre unseres
Jahrhunderts verdankt wird, und eines, welches zur Zeit der Verschüttung
noch im Bau begriffen war; es wurde im Jahr 1877 ausgegraben. Die beiden
zuerst erwähnten Thermen gehören zu den am besten erhaltenen, in ihrer
Ausschmückung reichsten und schönsten, in ihrer Bestimmung unzweifelhaftesten und zu den lehrreichsten aller Ruinen der antiken Stadt; sie verdienen an dieser Stelle eine ganz besondere Aufmerksamkeit wie im Original
einen besonders eingehend prüfenden Besuch.

Häufige Waschungen und Bäder sind ein Bedürfniss aller Völker in südlichen Klimaten, und so finden wir denn auch bei den verschiedenen Völkern
des Alterthums mehr oder weniger bedeutende Einrichtungen, welche diesem
Bedürfniss entsprachen; aber bei keinem Volke des Alterthums oder der Neuzeit ist das Baden so sehr zu einer förmlichen Leidenschaft geworden, wie,
aber freilich erst in der spätern Periode, bei den Römern, und kein Volk hat
so viel gethan, so Großes geschaffen und gebaut, um diese Leidenschaft zu
befriedigen, wie eben die Römer. In Rom badete in der Kaiserzeit Jeder, arm
und reich, vornehm und gering, alt und jung wenigstens einmal täglich, oft
auch mehrmals, ja wir wissen, dass ein guter Theil der feinen Welt in den
Bädern, wo sie freilich außer den Waschungen noch sonst allerlei Nennbares
und Unnennbares suchte und fand, fast den ganzen Tag und einen Theil der
Nacht zubrachte. Flussbäder sind natürlich das Anfängliche; eigene Badeanlagen in geschlossenen Räumen folgten, und sollen aus Griechenland entlehnt sein; aber bis zum Ende der Republik waren derartige öffentliche und
private Einrichtungen noch keineswegs zahlreich in Rom und von allem Luxus
und aller Großartigkeit weit entfernt. Luxus und Großartigkeit brachte auch
hier die Kaiserzeit; an Zahl wie an Umfang nahmen die öffentlichen Badehäuser, welche man, weil sie neben kalten auch warme und Dampf- oder
Schwitzbäder enthielten, mit dem Namen Thermen, d. h. Warmbäder bezeichnete, schnell zu, so dass im vierten Jahrhundert ihrer 856 in Rom gezählt
wurden. Agrippa baute unter August die ersten ausgedehnten Thermen,
welche aber an Glanz und Größe von den Thermen der Kaiser in späterer
Zeit vollkommen in Schatten gestellt wurden. Diese Kaiserbäder, eigentlich

für die ärmere Classe bestimmt, da Wohlhabendere eigene Bäder in ihren
Häusern besaßen, aber doch auch von den höheren Classen der Gesellschaft
als allgemeine Sammelplätze der feinen und geistreichen Welt stark besucht,
waren von einer derartigen Größe, dass z. B. in den Thermen des Caracalla
3000 Menschen zugleich baden konnten, waren von einer solchen Ausdehnung, dass sie außer den eigentlichen Baderäumen nicht allein Bibliotheks-
und Unterhaltungszimmer, sondern Ringplätze, Spaziergänge, Parks, kleine
Theater, Schauplätze für Gladiatorenkämpfe und dergleichen mehr umschlossen, waren dabei endlich von der fabelhaftesten Pracht und mit dem
überschwänglichsten Luxus ausgestattet. Stammt doch eine Reihe der berühmtesten Bildhauerwerke, der Laokoon, der Farnesische Stier, der Farnesische
Hercules, die s. g. Flora (Hebe) in Neapel, der Torso von Belvedere und vieles
andere aus den Thermen des Titus und denen des Caracalla.

Es begreift sich, dass bei der Wichtigkeit des Badewesens sehr Vieles
überliefert und dass dieses in mannichfachen Schriften behandelt worden ist[91];
da aber die Einrichtung der öffentlichen Bäder in der römischen Welt selbst
in ihren eigentlichen und wesentlichen Theilen eine ziemlich mannichfaltige
und von derjenigen der modernen Welt abweichende ist, so musste in den
Überlieferungen ohne monumentalen Anhalt, ohne die Anschauung der Denkmäler selbst Manches unklar bleiben. Die monumentale Anschauung hat nun
freilich schon lange vor der Entdeckung Pompejis keineswegs gefehlt; stehn
doch, um nur das Bekannteste zu erwähnen, von den funfzehn großen Bade-
häusern, die Rom unter Constantin zählte, die Ruinen der Thermen des Caracalla in imposantester Großartigkeit da, während das große Schwimmbassin
der Thermen des Diocletian in die Kirche Sta. Maria degli angeli umgebaut
ist, um von anderem zu schweigen. Aber vermöge der gewaltigen Ausdehnung dieser Gebäude und vermöge der überschwänglichen Fülle der Nebenräume, welche sie umschlossen, war es keineswegs leicht, sich in ihnen
zurechtzufinden und die einzelnen, namentlich die wesentlichen Theile zu
bestimmen. Auf der andern Seite haben wir freilich auch von kleinen mehr
oder weniger grade auf die nothwendigsten Theile beschränkten Badeanlagen
Ruinen in verschiedenen Theilen das weiten Römerreichs. Und endlich wurde
die monumentale Grundlage unserer Anschauung noch durch ein angeblich
aus den Thermen des Titus stammendes Gemälde vollendet (abgebildet u. a.
in Winckelmanns Werken Taf. 9 No. 19 und mehrmals in anderen Werken
wiederholt), welches ein römisches Bad in seinen wesentlichen Räumen selbst
mit Namensbeischrift darstellt, dasselbe ist jedoch nicht antik, sondern von
dem Architekten Giovanni Antonio Rusconi 1553 erfunden, um einem Compendium über Bäder als Titelkupfer zu dienen[92]. Mögen aber die Grundlagen
unserer Kenntniss antiker Bäder sein welche sie wollen, immer stehn die
Thermen von Pompeji an Erhaltung und Klarheit der Bestimmung aller
Räume, die weder auf das allgemeine Bedürfniss beschränkt, noch mit Ne-
bensächlichem überladen sind, in der allerersten Linie und bilden eine durchaus sichere Grundlage für das Verständniss aller derartigen Anlagen, welches
auch bereits nicht unwesentlich durch sie gefördert worden ist. Wir können
also nicht besser thun, als dieselben nach Anlage und Einrichtung des Ganzen

wie des Einzelnen zu erläutern, indem wir die weitergehenden Bemerkungen
an diesen Stamm anlehnen.

Ehe wir zur Besprechung der erhaltenen Thermenanlagen übergehen,
bemerken wir in der Kürze, dass das unter dem Namen der Villa der Julia
Felix bekannte, in der Nähe des Amphitheaters ausgegrabene Gebäude nichts
anderes war, als eine doppelte Badeanstalt, für Männer und Frauen. Ferner
wissen wir noch von einer weitern Badeanstalt, welche wesentlich anders
gewesen sein muss als die erhaltenen. Nämlich im Jahr 1749 fand man vor
dem Herculaner Thor, in der sogenannten Villa des Cicero, folgende Inschrift,
nicht an ihrem Ort, sondern als Baumaterial verwandt: *Thermae M. Crassi
Frugi aqua marina et baln. aqua dulci. Ianuárius l(ibertus)*; das heißt: »Badeanstalt des M. Crassus Frugi mit warmen Seebädern und Süßwasserbädern,
verwaltet vom Freigelassenen Januarius.« Die Inschrift wird trefflich erläutert
durch eine Stelle des ältern Plinius (*Nat. hist.* 31, 5), wo von einer im Meere
aufsteigenden warmen Heilquelle berichtet wird, welche früher dem Licinius
Crassus gehörte. Es ist kaum zweifelhaft, dass sowohl die Inschrift als Plinius
von M. Licinius Crassus Frugi reden, Consul 64 n. Chr., dann im Jahr 68 von
Nero getödtet. Der Stein war vermuthlich da aufgestellt, wo sich der Weg
zur Badeanstalt von der Gräberstraße abzweigte, und mochte entfernt worden
sein, als dieselbe nach dem Tode des Besitzers in andere Hände überging. —
Nach einer offenbar falschen Nachricht soll ein Exemplar dieser Inschrift bei
den gleich zu besprechenden kleineren Thermen gefunden sein, mit denen
man sie deshalb irrthümlicher Weise in Verbindung gebracht hat[93].

a. Die kleineren Thermen.

Beginnen wir mit den kleineren, 1824 ausgegrabenen Thermen, welche
allerdings ihrer Erbauungszeit nach die jüngeren sind, deren Plan sich aber
als der einfachere leichter zum Verständniss bringen lässt. Dieselben bilden
eine von vier Straßen umgebene Gebäudegruppe (*insula*) für sich; sie liegen
unmittelbar hinter (nördlich von) dem Forum, einerseits an der nach ihnen
benannten *Strada delle Terme* im Norden, andererseits an der Verlängerung
der Straße des Mercur (*Strada del Foro*) im Osten, von welchen beiden Straßen
die Haupteingänge sind, während die dritte Straße mit einem dritten Eingang
und die vierte, westlich und südlich (*Vicolo delle Terme* und *Vico dei Soprastanti* genannt), nur unbedeutend erscheinen. Diese Thermen bedecken in
ihrer Gesammtheit ein unregelmäßig viereckiges Areal von 49,50 M. Breite
an der *Strada delle Terme*, 28,30 M. Breite an der kleinen südlichen Straße
und 53 M. mittlerer Tiefe.

Bevor auf den Plan dieses Gebäudes eingegangen wird, muss wenigstens
mit ein paar Worten von einer Inschrift gesprochen werden, welche sich auf
diese Thermen bezieht und in zwei Exemplaren in der Nähe derselben gefunden worden ist. Sie lautet: *L. Caesius C. f. d. v. i. d. C. Occius M. f. L.
Niraemius A. f. II v. d. d. s. ex peq. publ. fac. curar. prob. q.* Sie nennt also
diejenigen Beamten, vermuthlich einen Rechtsduumvirn und zwei Aedilen,
unter denen dieselben aus öffentlichen Mitteln, also von vorn herein als

öffentliche Anlage, gebaut und der Benutzung anheim gegeben worden sind. Wann dies geschehen ist, ergiebt sich theils daraus, dass L. Niraemius in einem der ältesten, der ersten Zeit der römischen Colonie angehörigen Wahl- programm vorkommt, theils aus der Bauart des Gebäudes, welche in auffal- lender Weise mit der des Amphitheaters und des kleinen Theaters überein- stimmt. Wir werden also nicht zweifeln dürfen, dass, wie die genannten Gebäude, so auch diese Thermen bald nach der Deduction der sullanischen Colonie entstanden sind.

Sieht man sich nun den Plan an, so mag auf den ersten Blick die nicht unbeträchtliche Zahl von einzelnen Räumlichkeiten auf demselben verwirren, doch werden wir uns leicht zurechtfinden, wenn wir alles Nebensächliche weg- denken. Es sind dies besonders die vielen Läden, welche ohne jede Verbin- dung mit dem Innern des Gebäudes, wie dies auch bei Privathäusern das Ge- wöhnliche ist, bald aus einem Zimmer, bald aus mehren bestehend, fast das ganze Erdgeschoss der Thermen umgeben. Sie sind zur leichten Absonderung auf dem Plane hell durchschraffirt. Ausgedehnte und zusammenhangende Räume, deren Bestimmung wir nicht errathen können, lagen über den Läden der Ostseite und erstreckten sich auch über die östliche Halle des Hofes A; sie waren zugänglich durch die breite und stattliche Treppe neben a 3. Sodann vereinfachen wir uns die Übersicht, wenn wir die beiden Abtheilungen der Thermen, das Männerbad und das Frauenbad, getrennt betrachten, wie sie denn thatsächlich getrennt und auch auf dem Plane Fig. 116 unterschieden sind, indem die Mauern der Frauenabtheilung (F—J) nur dunkel schraffirt, die Mauern des Männerbades (A—E) ganz schwarz erscheinen.

Wie schon bemerkt, haben die Thermen drei Eingänge, abgesehn von demjenigen in die Frauenabtheilung b und dem zu den Heerden führenden c, welcher übrigens erst später aus einem Laden gleich den anstoßenden in einen Zugang verwandelt worden ist. Die Eingänge zum Männerbade sind mit a 1, 2, 3 bezeichnet. Der Eingang a 1 liegt an der westlichen Gasse (*Vicolo delle Terme*) und führt unmittelbar auf den innern Hofraum A; ein kleines Gemach links an demselben d ließ sich früher, denn jetzt ist es unzugänglich, auf das bestimmteste als Abtritt erkennen, und muss im Kleinen gezeigt haben, was wir größer in den größeren Thermen wiederfinden werden und noch größer am Forum neben der Fruchthalle getroffen haben. Der Eingang a 2 von der Straße des Forum aus ist überwölbt wie die umliegenden Läden, um dem obern Stockwerk und den großen Wölbungen der eigentlichen Baderäume einen festen Halt entgegen zu setzen. Auch dieser Eingang führt durch einen Gang e links in den Hofraum, rechts in das Auskleidezimmer B. Der dritte Eingang a 3 dagegen an der Thermenstraße, der einzige heute zugängliche, leitet mittels eines zweiten gewölbten Ganges, dessen Wölbung auf weißem Grunde mit rothen und gelben Sternen bemalt ist, direct in das Auskleide- zimmer B. Neben diesem Eingang, zunächst der Nordostecke des ganzen Ge- bäudes ist eine steinerne Bank angebracht; vermuthlich warteten hier die Sclaven, welche ihre Herren ins Bad begleitet hatten. Der Hofraum A, der jetzt anmuthig genug in einen kleinen Garten verwandelt ist, wird an zwei Seiten von einem dorischen Säulengange, an der dritten, im Osten, von einer

Crypte, einem durch ein Gewölbe·bedeckten Gange mit Bogenfenstern, umgeben und lehnt sich mit der vierten an die Hinterwand der Läden. Eine
Gosse ist rings herumgeführt, um das Regenwasser aufzufangen und zu ent-

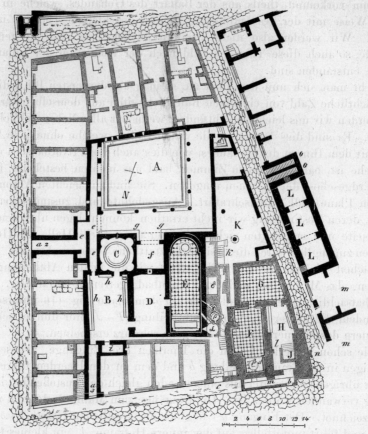

Fig. 116. Plan der kleineren Bäder.

fernen. Über der eingestürzten Wölbung der Crypte sind die Ruinen eines
obern Geschosses deutlich sichtbar. Diesen Hof von 21,80 M. Breite und
16,30 M. Tiefe mit Einschluss des Umganges kann man als die *ambulatio*, den
Ort betrachten, an welchem sich die Badenden versammelten, um das Bad
abzuwarten. Er vertritt also, freilich sehr im Kleinen, jene großen Anlagen
der Kaiserbäder, welche ähnlichen Zwecken dienten, die Ambulationen,
Xysten u. s. w., und wir dürfen ihn uns mit schattigen Bäumen bepflanzt als
einen anmuthigen Aufenthaltsort für müßige Stunden denken. Zwar der Hof
der größeren Thermen wird in der ihres Orts zu besprechenden Inschrift als Palaestra bezeichnet, und man könnte deshalb auf die Vermuthung kommen, dass
auch dieser Hof zu Leibesübungen bestimmt war; allein seine Ausdehnung
ist doch wohl für einen solchen Gebrauch zu gering. Da hier täglich viele
Menschen ihre müßigen Stunden zubrachten, so musste der Ort für Bekanntmachungen aller Art als sehr geeignet erscheinen, auch hat man solche in
nicht unbedeutender Zahl, aber kaum noch lesbar, auf den Wänden der Por-

ticus gefunden, unter anderen an der Südwand eine ebenfalls fragmentirte
Anzeige von Amphitheaterspielen. In dem Umgange dieses Hofes fand man
auch ein Schwert und die Büchse, in welche der thürhütende Badewärter das
für die Bäder empfangene Geld sammelte. Es war dies ein äußerst geringer
Betrag, ein *quadrans* nämlich, d. h. $1/4$ As oder $1/40$, und nachdem man 16 As
auf den Denar rechnete, $1/64$ Denàrius, nach unserem Gelde ungefähr $1\frac{1}{2}$ Pfen-
nig. Für einen Quadrans gebadet, gehst du wie ein König einher, sagt der
Dichter; in den großen öffentlichen Badeanstalten Roms wurden aber oft
genug der ärmern Classe aus Schenkungen Großer und Reicher unentgeltliche
Bäder gegeben.

An diesen Hof stößt das offene überwölbte Gemach *f*, die Exedra mit
Sitzen, das eigentliche $4,75 \times 5,90$ M. große Unterhaltungszimmer für die,
welche ausruhen und sich zum Gebrauche des kalten Wassers abkühlen wollten.
Auch zu beiden Seiten der Exedra finden wir an den Wänden des Umgangs
steinerne Sitze *g*; bei der Lage des Gebäudes wird in diesem Theile des
Ganges, der sich nach Südost öffnet, eine angenehm gemäßigte Temperatur
geherrscht haben, die man in der Exedra selbst noch kühler fand. — Hatte
man sich nun in diesem Hofe, seinen Gängen und der Exedra gehörig vorbereitet, so begab man sich durch den erwähnten Gang *e*, dessen Wölbung
blau mit goldenen Sternen gemalt gewesen sein soll, in das Apodyterium, das
Auskleidezimmer *B*, in welches man, wie bemerkt, durch den Eingang *a* 3
unmittelbar gelangt. Durch letztern konnten diejenigen, welche nur die
Erquickung des Bades suchten, zu ihrem Ziele gelangen, ohne mit der Versammlung im Hofe in Berührung zu kommen, während diejenigen, welchen
das Bad selbst vielleicht Nebensache, ein angenehm verbrachtes Plauder-
stündchen, Austausch von Stadtneuigkeiten oder geistreichere Unterhaltung
die Hauptsache war, den Weg durch den Hof vorgezogen haben werden. Denn
das Bad war die Vereinigung der feinen Welt, und in der Exedra trugen die
Poëten die jüngsten Kinder ihrer Laune vor. In dem kleinen Gange *e* fand
man nicht weniger als 500 Lampen (in diesen Thermen überhaupt über 1000),
die meisten von gewöhnlichem gebranntem Thon. Man sieht also, wie bedacht
die Pompejaner auf eine genügende Erleuchtung der an und für sich nicht gar
zu hellen Baderäume waren. Die besten dieser Lampen hat man für das
Museum in Neapel ausgesucht, die übrigen in lächerlicher Eifersucht zerschla-
gen und vernichtet; die erhaltenen besseren Lampen zeigen sehr mäßig ausgeführte Reliefe meist mythologischen Inhalts.

Durch diesen Gang also gelangte man in das erste eigentliche Bade-
gemach, das *Apodyterium*, d. h. das Auskleidezimmer, *B* auf dem Plan. Dieses
$11,50 \times 6,80$ M. große Gemach ist wie die nebenliegenden Zimmer mit einem
Tonnengewölbe bedeckt, welches aus einem ziemlich schwerfälligen, mit
Greifen, Amphoren und Lyren in bunten Stuccoreliefen und dazwischen liegenden gemalten Arabesken verzierten Carnies entspringt. Die Wände sind
gelb bemalt, von der gewölbten Decke mit weißen Feldern in rother Umsäu-
mung ist nur wenig erhalten. Der Fußboden besteht aus einem groben weißen
Mosaik mit schwarzem Rande; eine mit Marmor eingefasste viereckige Vertiefung in der Ecke neben dem Eingang zu *C* diente wohl zum Abfluss des zur

Reinigung des Fußbodens gebrauchten Wassers. Steinerne Bänke, *h* im Plan,
auf einer niedrigen steinernen Stufe laufen rings an den Wänden hin, in
welchen man Löcher sieht, die von hölzernen, zum Theil verkohlt aufgefundenen Pflöcken herrühren. Sichere Spuren im Stuck der Wand beweisen, dass

Fig. 117. Ansicht des Apodyterium.

auf ihnen ein Brett ruhte, welches offenbar bestimmt war, die abgelegten Kleidungsstücke aufzunehmen. Diese blieben unter der Obhut eines *capsarius* genannten Badesclaven, der in einer *capsa* (einem Schrein) die Werthsachen der
Badenden gegen ein kleines Trinkgeld verwahrte. Als den Aufenthaltsort des
Capsarius wird man wahrscheinlich das kleine, jetzt durch Aufführung einer
neuen Schlussmauer ganz verschwundene Zimmer *i* am Ende des Apodyterium
zu betrachten haben, in welchem zugleich allerlei Badegeräthe nebst Salben und
Ölen aufbewahrt worden sein mögen, dem man also den antiken Namen des
elaeothesium beilegen kann, während es als *tonstrina*, d.h. als Barbierstube, wie
man auch gemeint hat, schon deshalb nicht gedient haben kann, weil es fast
ganz dunkel war. Sein Licht erhält das Apodyterium durch ein großes Fenster
in der Südwand hart unter der Wölbung, die es sogar etwas unterbricht (s.
Fig. 117); ein ähnliches wird ihm an der zerstörten Nordwand entsprochen
haben. Das erhaltene Fenster auf der Südseite von 1 M. Breite und 0,70 M.
Höhe öffnet sich über der Kuppel des anstoßenden Schwimmbassins *C*; es war
mit Glas geschlossen, und zwar mit einer großen, 0,013 M. dicken, guten,
flachen Fensterscheibe, welche in einem ehernen Rahmen haftete und sich in
demselben um zwei Zapfen in der Mitte drehend bewegte. Die bei der Ausgrabung in Fragmenten gefundene und in das Museum in Neapel gebrachte
Scheibe gilt als auf der einen Seite matt geschliffen, und dafür giebt man als
Grund an, es solle dadurch das Hereinsehen in das Apodyterium von dem
Dache des Schwimmbassins verhindert werden. Allein dies Alles ist höchst
zweifelhaft, schon deswegen, weil die Erklimmung des Daches des Schwimmbassins bei seiner Steilheit ziemlich halsbrechend sein musste, und weil die

Lust, Badende zu belauschen, sehr wenig antik ist. Bemerkenswerth aber ist
diese Fensterscheibe deswegen, weil sie nebst mehren ähnlichen, an verschiedenen Orten, z. B. in der Villa suburbana gefundenen diejenigen widerlegt,
welche den Gebrauch von Fensterscheiben in dieser Zeit bezweifelt haben.
Das Relief zu beiden Seiten des Fensters, welches bei der Reparatur der Wölbung stark gelitten hat, stellt in großartiger Composition Tritonen mit großen
Gefäßen auf den Schultern umgeben von Delphinen dar; in der Fensternische
selbst sieht man eine colossale Okeanos- oder Flussgottmaske. Unter diesem
Fenster ist in der Wand noch eine kleine Öffnung, welche, wie der Ölruß
zeigt, mit dem man bei der Ausgrabung ihr Inneres bedeckt fand, diente um
durch hingestellte Lampen das Apodyterium bei Nacht zu erhellen.

Aus dem Apodyterium betritt man am zweckmäßigsten zuerst das Frigidarium oder die *frigida lavatio*, d. h. das kalte Bad *C*. Dieser Raum ist vollständig erhalten; es fehlt nur das Wasser in dem Bassin, welches durch die
1,20 M. vom Boden des Um-
ganges der Eingangsthür gegenüber angebrachte flach
gedrückte, 0,13 M. breite
Mündung einer kupfernen
Röhre sich in einem Strahle
von oben her in die Piscina
ergoss; das Gemach ist nach
außen viereckig, innen kreisrund von 5,74 M. Durchmesser; den vier Ecken nach
außen entsprechend sind im
Innern vier halbrunde Ni-
schen von 1,60 M. Durch-
messer und 2,20 M. Höhe,
die s. g. *scholae*, Ruheplätze,
angebracht; in der Mitte befindet sich die *piscina*, die
Wanne oder das Bassin, von
4,31 M. oberem Durchmes-
ser, umgeben von einem
0,48 M. unter der Fläche des
Bodens befindlichen 0,28 M.
breiten Sitz, innerhalb dessen an der einen Seite (links
auf der Ansicht Figur 118)
noch ein niedriger Tritt angebracht ist, um das Her-

Fig. 118. Ansicht des Frigidarium.

aussteigen aus dem Wasser zu erleichtern. Dicht neben diesem Tritt ist auf
dem Grunde die viereckige Öffnung des Abzugsrohres, das natürlich verschließbar gewesen ist und nur zu Reinigungszwecken geöffnet wurde, während eine zweite, nahe dem Rand angebrachte Öffnung das Wasser im Maße

seines Zuflusses ablaufen ließ. Das wohlerhaltene und wie die Plattung des
Umgangs und der Nischen aus weißem Marmor bestehende Bassin ist im
Ganzen nur 1,30 M. tief. Die Bedeckung des Gemachs besteht in einer
uneigentlichen Kuppel, d. h. in einer solchen in Form eines abgestumpften
Kegels, und ist jetzt im Gipfel offen; daß dies ursprünglich so gewesen sei,
ist nicht glaublich, vielmehr rührt es von der Zerstörung her, die hier eintreten musste, weil die Spitze über die verschüttende Asche herausragte; den
Beweis für den ursprünglich vollständigen Gipfelschluss der innen blau gemalten Kuppel liefert eine durch dieselbe nach Südwest gebrochene Fenster-
öffnung, welche die Ansicht Fig. 118 zeigt, und die überflüssig gewesen wäre,
wenn der Gipfel nicht verschlossen war. Sie scheint ohne Scheiben gewesen
zu sein, weil es für dies Gemach zum Kaltbaden nicht auf einen Abschluss
gegen die freie Luft ankam. Die Wände waren hier mit grünen Pflanzen auf
gelbem Grunde bemalt; die Nischen sind hellblau, wieder mit Pflanzen und je
einem Brunnenbecken, ihre Wölbungen roth gemalt und mit einem hübschen
Stuccorahmen eingefasst. Die Ornamentation, welche ähnlich in dem Frigidarium der größeren Thermen wiederkehrt, sollte offenbar an die freie Natur
erinnern. Auch der etwa 3 M. vom Boden umlaufende Carnies, aus der die
Kuppel entspringt, ist mit Stuccoreliefen geziert, welche gut gearbeitete
Rennen von Eroten zu Ross, zu Wagen und zu Fuß darstellen, die auf rothen
Grund aufgesetzt sind.

Kehrt man aus diesem Frigidarium zurück und schreitet durch die auf
der Abbildung Fig. 117 sichtbare Thür in der rechten Wand des Apodyterium,
so befindet man sich in dem 10,40 × 5,60 M. großen Tepidarium, *D* auf dem
Plane, dem Gemach für die Entkleidung derer, welche die heißen Bäder in
dem Caldarium *E* gebrauchen wollten, und zur Abkühlung derer, welche diese
gebraucht hatten, sowie für die mit dem Gebrauche der Schwitzbäder in Verbindung stehenden Reibungen und Salbungen und alle die anderen Operationen nach dem Schwitzbad, für welche eigene Sclaven, *unctores*, Salber,
angestellt waren. Zu diesem Zwecke wurde das Gemach durch einen beweglichen Heerd von Bronze mäßig erwärmt, während es einen unterhöhlten
Fußboden, wie das benachbarte Caldarium, nicht gehabt zu haben scheint.
Die folgende Abbildung Fig. 119 zeigt, dass dies Gemach sehr reich decorirt ist, und in der That übertrifft es in dieser Beziehung alle anderen Abtheilungen dieser Thermen. Der Fußboden mit grobem weißen, schwarzum-
randeten Marmormosaik geplattet, die Wölbung der Decke reich mit Stuccaturarbeit auf farbigem Grunde verziert, die Wände roth gefärbt, der Carnies
von Statuen getragen: Alles dies wirkt zusammen, um das Gemach sehr elegant
und prachtvoll erscheinen zu lassen. Die Statuen, welche den Carnies der
Deckenwölbung tragen und die mit dem technischen Ausdruck als Atlanten
oder Telamonen zu bezeichnen sind, stehn auf einer rings um das Gemach in
der Höhe von 1,70 M. aus der Wand allerdings ziemlich unorganisch und schwer
vorspringenden Platte (die übrigens in einer frühern Periode besser profilirt
war, wie in der Nordostecke sichtbar) auf kleinen Basen und vor flachen Pfei-
lerchen, welche Nischen (*loculi*) zwischen sich lassen, von denen nur diejenigen
zwischen dem 2. und 3. und dem 7. und 8. Atlanten der linken Seite aus

einem uns nicht verständlichen Grunde ausgefüllt und mit rothbemaltem Stucco geschlossen sind. Diese Nischen haben als Aufbewahrungsorte der, wenn man sich zum Gebrauche des Schwitzbades eben hier im Tepidarium vollständig entkleidete, gesondert abgelegten Kleider gedient, und wiederholen sich mit gleicher Bestimmung in den beiden Apodyterien der größeren Thermen. Die Telamonen selbst, 0,61 M. hoch und aus gebranntem, mit feinem

Fig. 119. Ansicht des Tepidarium.

Stucco überzogenem und bemaltem Thon, scheinen nach einem guten Motiv die Last des Carnieses mit den über das Haupt erhobenen Ellenbogen zu stützen; sie sind zum Theil ganz nackt, zum Theil mit einem schuppigen Schurz bekleidet, in kräftiger Naturwahrheit, jedoch etwas schwerfällig modellirt, und ähneln den knienden Atlanten im kleinen Theater, mit welchen sie die Entstehungszeit theilen.

Die überaus reiche Stuccaturarbeit und Malerei der Deckenwölbung wird sich am besten aus der Probe Fig. 120 beurteilen lassen, obgleich in dieser, dem Werke Gells entlehnten Abbildung die Anordnung der einzelnen Felder eine willkürliche ist. Der Grund ist theils weiß, theils violett, theils blau, die Figuren, sowohl die größeren, unter denen der vom Adler geraubte Ganymedes, Eros (Amor) in Jünglingsgestalt auf seinen Bogen gestützt, der von einem Greifen getragene Apollon beispielsweise hervorgehoben werden mögen, als auch die kleineren und die Ornamente sind weiße Reliefe. Den Rand bildet eine reiche und geschmackvolle Stuccoarabeske, ebenfalls weiß auf rothem Grunde.

Das Tageslicht empfing das Tepidarium auf dieselbe Weise wie das Apodyterium. Das große Fenster an der Südseite, dessen Scheiben in einem bronzenen Rahmen gefasst waren, ist erhalten und auf der Abbildung Fig. 119

sichtbar, nebst der kleinern Öffnung für die Lampen, welche hinterwärts zugleich die Exedra erhellten.

Im Tepidarium sind drei Bänke von Bronze und ein ehernes Kohlenbecken gefunden worden, welche die Abbildung Fig. 119 an Ort und Stelle zeigt. Auf den Sitzen fand man den Namen des Schenkgebers M · NIGIDIVS · VACCVLA · P · S · (*pecunia sua*) »M. Nigidius Vaccula aus eigenen Mitteln«, und eine Anspielung auf seinen Namen (Kühlein, kleine Kuh) wird man in den Ornamenten der von ihm geschenkten Gegenstände nicht verkennen dürfen. Die Füße der 1,80 M. langen Bänke sind Kuhfüße, welche oben in einen Kuhkopf enden, und an dem 2,12 × 0,77 M. großen Kohlenbecken ist an der Vorderseite das Thier als redendes Emblem in der Mitte des obern Randes in ganzer Gestalt und in Hochrelief angebracht. Dieses im Wesentlichen den noch heutzutage in Neapel gebräuchlichen entsprechende Kohlenbecken ruht vorn auf zwei in geflügelte Sphinxe endenden Löwentatzen, hinten auf drei graden Beinen und hat außer der Kuh ein umlaufendes zacken- oder zinnenförmiges Ornament, welches an den Ecken in ein Blatt endet und ähnlich an anderen Kohlenbecken in Pompeji, von denen später zu reden sein wird, sich wiederholt. Innerhalb des Zackenornaments ist ein eiserner Rand eingeschoben, den Boden bildet ein Rost von bronzenen Stangen, auf dem Ziegel lagen, die ihrerseits Bimsstein trugen, auf welchen erst die glühenden Holzkohlen geschüttet wurden.

Fig. 120.   Deckenwölbung des Tepidarium.

Aus dem Tepidarium gelangt man in das Caldarium, *E* auf dem Plane, von 16,25 × 5,35 M. Grundfläche. Die Pfosten der Thüren, welche aus dem Apodyterium in das Tepidarium und aus diesem in das Caldarium führen, sind geneigt, so dass die an ihnen hangenden Thürflügel sich durch ihr eigenes Gewicht schlossen, und dass nicht durch nachlässiges Offenlassen der Thüren Zugluft entstehen oder Hitze entweichen konnte. Caldarium nennen wir zunächst das ganze Gemach nach seinem Hauptzweck, dem warmen Bade;

wir können aber in dem Durchschnitt drei Theile unterscheiden, *a* die *schola labri*, eine große halbrunde Nische mit dem großen Becken (*labrum*) für Abwaschungen nach dem Schwitzbade, *b* in der Mitte das eigentliche Calda-

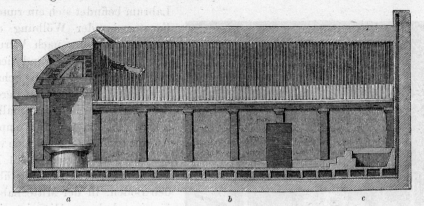

Fig. 121. Durchschnitt des Caldarium.

rium, den Raum für das trockene Schwitzbad mit unterhöhltem Fußboden (*suspensura*) und hohlen Wänden, durch welche die heiße Luft strich, endlich rechts am Ende *c* die viereckige Wanne für das warme Wasserbad (*lavatio calda*), alles dies in wesentlicher Übereinstimmung mit den Vorschriften Vitruvs (V, 10). Nach einer sehr ungenauen Auslegung eben dieses Capitels des Vitruv ist vielfach behauptet worden, nach seinen Vorschriften sei mit dem Caldarium das »Laconicum« verbunden gewesen, während er doch nur sagt, ein solches solle neben dem Tepidarium angelegt werden. Und weiter hat man demgemäß eben dies »Laconicum« in der Nische mit dem Labrum gesucht. Nach der einzig richtigen Ansicht über die Natur dieses Baderaumes ist es jedoch gewiss, dass in den kleineren Thermen überhaupt gar kein Laconicum gewesen ist und dass am wenigsten die Nische mit dem Labrum, deren sehr verschiedenen Zweck wir demnächst kennen lernen werden, als solches gelten kann. Denn das Laconicum war ohne Zweifel ein eigenes, zur Hervorbringung einer besonders starken Hitze eingerichtetes, von den gewöhnlichen drei Baderäumen gänzlich abgetrenntes, mit dem Tepidarium als Vorraum auf's natürlichste verbundenes und mit einer Kuppel überwölbtes Gemach. Dagegen dient die halbrunde Nische am einen Ende des Caldarium nur als architektonisch höchst angemessen gestalteter Ort zur Aufnahme des runden Labrum, um welches sie einen überall gleich (1,30 M.) weiten Umgang herstellt. Unmittelbar vor dem Bogen, der die Nische von dem Caldarium sondert, findet man in der Ansicht Fig. 122 das größte Fenster in der Mitte der Deckenwölbung, zu beiden Seiten sind kleinere angebracht, so dass man sieht, wie eifrig bedacht die Pompejaner waren, in diesen heißen Räumen volles Licht und zugleich die nöthigen Öffnungen zum Ablassen des Dampfes und zum Einlassen frischer Luft herzustellen. Diese Fenster sind übrigens in so auffallendem Maße unorganisch durch die Wölbung gebrochen, dass man sie für modern halten könnte, und, um sich von dem Alterthum dieser Fenster zu überzeugen, erst darauf aufmerksam werden muss, dass die Ornamentirung durch die Öffnungen nicht unterbrochen wird, sondern sich bis in dieselben hineinzieht. Die Ornamentirung besteht in Stuccoreliefen, welche in den Hauptfeldern schwebende weibliche Figuren darstellen. Grade über dem

Fig. 122. Ansicht des Caldarium.

Labrum befindet sich ein rundes Fenster in der Wölbung der Nische, auch dies nach Vitruvs Vorschrift, der als Grund dieser Stellung angiebt, dass die Schatten der sich waschenden Personen nicht in die Wanne fallen sollen. Das Labrum in Pompeji ist eine große flache Kumme von 2,34 M. Durchmesser, 0,21 M. Tiefe und 1 M. Erhebung über den Boden, in der Mitte nabelförmig erhoben. Hier ist eine bronzene Röhre durchgetrieben, durch welche das Wasser emporstieg. Dies Wasser war wahrscheinlich von gemäßigter Temperatur; in den größeren Thermen ist es zwar ganz unzweifelhaft, dass das zum Labrum des Frauenbades leitende Wasserrohr aus dem Heizraum kommt, doch kam es sicher aus dem am höchsten gelegenen und am wenigsten erwärmten der drei weiterhin zu besprechenden Wasserbehälter. Nur von diesem aus hatte es den nöthigen Druck, um in einem Strahl emporzusteigen, und es ist beachtenswerth, dass in beiden Thermen die Wasserbehälter so angeordnet sind, dass der wärmste dem Alveus, der kühlste dem Labrum zunächst liegt. Das Becken ruht auf einem nicht eben zierlichen Fuße von Lava, welcher aber aus dem besondern Grunde so schwerfällig genommen scheint, um einigen kleinen Rissen im Marmor eine um so festere Unterstützung des Ganzen entgegen zu setzen. Es war nach Decurionendecret von den Rechtsduumvirn des Jahres 3/4 n. Chr. (*I. R. N.* 2223. 2264; *C. I. L.* X, 824. 893) Gnaeus Melissaeus Aper und Marcus Staius Rufus aus öffentlichen Mitteln besorgt worden, wie uns die folgende mit Bronzebuchstaben in den Rand eingelegte Inschrift lehrt:

CN · MELISSAEO · CN · F · APRO · M · STAIO · M · F · RVFO II · VIR · ITER · ID · LABRVM · EX · D · D · EX · P · P · F · C · CONSTAT · HS · ↀCCL ·

aus der wir zugleich den Preis erfahren, der für dieselbe bezahlt wurde und der sich auf 5250 Sestertien, nach unserem Gelde 1140 Mark belief, eine

Summe, die jetzt wohl ungenügend sein würde, um eine solche Marmorwanne zu bezahlen.

Am entgegengesetzten Ende des Caldarium (c Fig. 121, im Vordergrunde Fig. 122) ist die viereckige Wanne (*alveus*) für das warme Bad. Auf zwei Stufen stieg man zu derselben hinauf und setzte sich auf die dritte oder die Wand der Wanne von weißem Marmor und 0,41 M. Breite. Die Füße ruhten auf einer innern Stufe von halber Höhe der Wanne, vermittelst deren man sich allmählich in das warme Wasser tauchen konnte. Die ganze Länge der Wanne ist 5,05 M., die Breite 1,59 M. und die Tiefe beträgt nur 0,60 M. Zehn Personen können neben einander auf dem Boden des Bassins gesessen haben; denn sitzend wird man, nach der geringen Tiefe der Wanne zu schließen, das Bad genommen haben, weshalb auch die hintere Wand derselben wie die Lehne eines Stuhles geneigt ist. Das heiße Wasser kam vermuthlich aus einer über der linken Seite der Wanne in der hier nicht erhaltenen Wand angebrachten Röhre. Ein Kupferrohr, welches in der linken vordern Ecke, am obern Rande, in die Wanne selbst einmündet, ist, nach der Form seiner Öffnung zu schließen, eher ein Abflussrohr, durch welches das Wasser in demselben Maße, wie es zufloss, entfernt wurde. Durch eine Öffnung im Boden, welche mit einem beweglichen Stein geschlossen wurde, konnte die ganze Wanne, der Reinigung halber, ausgeleert werden; das Wasser floss dann auf den Fußboden und diente zugleich zur Reinigung desselben.

Zwischen dem Labrum und diesem Alveus ist nun endlich das eigentliche Caldarium, das trockene, d. h. nicht durch Dampf, wie in unseren russischen Bädern, vermittelte Schwitzbad, dessen Sitze von Holz gewesen sein werden, weil außer diesem Material nur Stein der dauernden warmen Feuchtigkeit widerstanden haben würde. Der Boden ist nach dem Alveus hin leise geneigt, es muss also in seiner Nähe ein Abfluss für das niedergeschlagene Wasser gewesen sein. Aus Rücksicht auf die in diesem Gemach stätig aus dem Alveus aufsteigenden warmen Dämpfe sind seine Decorationen ungleich einfacher als die des Tepidarium; Malerei fehlt ganz, weil sie nicht Stand gehalten hätte; die Wölbung ist nach einem sehr guten Motiv querüber von Carnies zu Carnies gleichsam cannellirt, wodurch die Form des Tonnengewölbes nachdrücklich hervorgehoben und zugleich dem an der Decke in Tropfen condensirten Dampf eine Reihe von Rinnen zum Abfluss geschaffen wird; im ganzen Raume treten flach cannellirte Wandpfeiler hervor und die Kuppel über dem Labrum enthält die auf der Ansicht Fig. 122 erkennbaren, schon erwähnten Stuccoornamente. Unterhalb der Kuppel ist, wie in den vorhin besprochenen Räumen, eine Öffnung für die Lampen angebracht; sie muss durch eine Glasscheibe geschlossen gewesen sein, und Glasscheiben werden wir auch in den Fenstern der Decke anzunehmen haben, nicht geöltes Leinen, welches sonst in derartigen Räumen auch verwandt wurde; denn das Bestreben, viel Licht zu schaffen, ist hier augenfällig. Der Fußboden ist von Mosaik und durch kleine Ziegelpfeiler, *suspensurae*, unter den Ecken der einzelnen das Mosaik tragenden großen Thonplatten unterhöhlt. In ähnlicher Weise ist die Höhlung der Wände hergestellt. Dieselben sind nämlich nicht, wie in manchen anderen Beispielen solcher Anlagen, von denen dasjenige des Caldarium der größeren

14*

Thermen (s. unten) am nächsten liegt, von einem System von Thonröhren durchsetzt, durch welche die heiße Luft circulirte, sondern sie bilden gleichsam eine große Röhre, indem 0,07 M. von der Mauer eine Verkleidung von Thonplatten gebildet ist, welche mit jener durch an ihren Ecken angebrachte thönerne Zapfen verbunden sind [94]).

Unmittelbar neben dem Caldarium liegt der Heizapparat, zu dem ein eigener, jedoch, wie schon bemerkt, erst nachträglich eingerichteter Eingang c von der *Strada delle Terme*, ferner der Gang vom Apodyterium und ein zweiter Gang aus dem Hofe K führt, in welchem letztern wahrscheinlich das Brennmaterial aufbewahrt wurde. Der Heizapparat bestand aus der Feuerstelle und drei eingemauerten großen cylindrischen Kesseln. Zu der Feuerstelle gelangte man, um das Feuer zu schüren, zu ebener Erde, zu den Kesseln seitwärts über eine kleine Treppe. Aus der Feuerstelle α leitete ein gemauerter Gang die heiße Luft unter den Fußboden und in die hohlen Wände des Caldariums. Über ihr (also auch mit α bezeichnet) stand der erste und größte Kessel von 2,20 M. Durchmesser, aus dem sich ohne Zweifel das heiße Wasser in die Wanne des Caldariums ergoss. Der zweite Kessel β stand über einem runden hohlen Raum, welcher mit der Feuerstelle in unmittelbarer Verbindung steht, so dass das Wasser hier noch einen ziemlich hohen Wärmegrad erreichen musste. Auch unter dem dritten Kessel γ war ein solcher hohler Raum; doch steht derselbe mit dem unter β, und also auch mit der Feuerstelle in keiner Verbindung, wohl aber mit dem hohlen Raum unter dem Fußboden des Caldariums. Er wurde also nur durch die von dort zurückströmende heiße Luft erwärmt, so dass hier das Wasser nur eine sehr gemäßigte Temperatur erreichen konnte; von hier aus wurde vermuthlich, wie schon bemerkt, das Labrum gespeist. So hatte man stets Wasser von drei verschiedenen Temperaturen zur Verfügung, und es ist klar, dass α, wie sein Inhalt verbraucht wurde, aus β, dies wieder aus γ gefüllt wurde. In geringer Entfernung liegt dann der große, tiefe, viereckige Brunnen δ, welcher theils durch das auf die flachen Dächer der Baderäume fallende Regenwasser, theils durch Leitungswasser gespeist wurde, wovon noch weiter die Rede sein wird. In dem Vorraume des Heerdes, dem *praefurnium*, in welchem sich der Heizer, *furnacarius* oder *fornacator*, aufhielt, fand man eine beträchtliche Menge Pech, welches zur lebhaften Anfachung des Feuers gedient haben mag.

Der schon erwähnte Hof K war durch eine Thür vom *Vicolo delle Terme* und in einer frühern Zeit durch eine zweite aus dem südlich anstoßenden Laden zugänglich. In ihm befinden sich zwei Säulen. Von diesen war die eine mindestens 5,60 M. hoch; ihr Mauerwerk ist Netzwerk aus Cruma (Lavaschaum), wechselnd mit Ziegelschichten; ihr unterer Theil, bis zu 1,48 M., ist umgeben von einem dicken Ziegelmantel (Durchmesser c. 1,21 M.). Die andere Säule besteht aus Ziegeln und war sicher viel niedriger. Hieraus und aus ihrer ganz unsymmetrischen Stellung geht hervor, dass sie kein Dach trugen. Ihr Zweck ist also dunkel; man hat vermuthet, dass die erstgenannte Säule eine Sonnenuhr trug, wie wir sie auf einer Säule am Apollotempel fanden. In der That würde die Form der Säule dazu wohl passen; zwar wäre der dafür gewählte Raum seltsam, doch werden wir bei den weiterhin zu besprechenden

Centralthermen etwas ähnliches zu vermuthen Anlass haben; die Bauart der
Säulen passt zu der des ganzen Gebäudes. — Bei *k* sind zwei Treppen angegeben: eine derselben führt auf das flache Dach der Baderäume, die andere
abwärts zu einem Gange unbekannter Bestimmung, der sich unter das Männercaldarium richtet; er theilt sich in zwei Arme, deren einer sich gleich links
wendet, der andere unter der Mauer der *schola labri* vermauert ist.

Getrennt von dem beschriebenen Männerbad liegt das jetzt in der Regel
verschlossene und als Magazin benutzte Frauenbad, welches, im Plane durch
dunkle Schraffirung unterschieden, dieselben Räumlichkeiten wie das Männerbad, nur kleiner und mit weniger eleganter Ausstattung enthält. *F* ist das
Caldarium mit unterhöhltem Fußboden, mit Labrum β. Derselbe Heerd und
Kessel, welcher das Caldarium des Männerbades versorgte, brachte auch in
das Caldarium der Frauen heiße Luft und heißes Wasser; der Canal ist auf
dem Plane punktirt. Vor dem Caldarium liegt das Tepidarium *G*, ebenfalls
mit hohem Fußboden, unter den sich die Luft aus der *suspensura* des Caldarium verbreitete, so dass hier eine eigene Feuerpfanne bei der geringern

Größe und Entfernung vom
Heerde überflüssig wurde. Der
Umstand, dass das Tepidarium
in der Frauenabtheilung mit
einer *suspensura* versehn ist,
während diese in demjenigen
der Männerabtheilung, wie wenigstens allgemein angenommen
wird, fehlt[95], ist sehr auffallend,
da ja sonst die Männerabtheilung
offenbar die bevorzugte ist, und
sicher waren beide ursprünglich
in dieser Beziehung gleichge-
stellt. Wir können aber auch aus
anderen Umständen nachweisen,
dass die Frauenabtheilung nachträgliche Veränderungen erfahren hat. Zu denselben gehört der
auf dem Plan sichtbare östliche
Ausbau des Caldariums *F*; und
auch die nördliche Façade an der
Strada delle Terme scheint umgestaltet worden zu sein. *H* ist
das Apodyterium, auf welches
das Frigidarium mit der Piscina
J wie eine Art Alkoven weit geöffnet ist. Von diesem Raume

Fig. 123. Ansicht des Frauenbades.

giebt Fig. 123 eine Ansicht. Rechts am Frigidarium vorbei führt der Ausgang
durch die Thür *l* und einen kurzen, rechtwinkelig gebrochenen Gang zunächst
in einen Vorhof *m* mit einer steinernen Bank, gleich denen im Apodyterium,

und dann durch den Eingang *b* auf die *Strada delle Terme*. Dieser Vorhof
war nicht immer vorhanden, sondern ist offenbar erst später angelegt worden,
während früher die Bank frei an der Straße lag; ohne Zweifel war er, so wie
auch die gemauerte Bank am Ostende der Nordfront neben dem Eingang *a*[3],
für die wartende Dienerschaft bestimmt. Der schon erwähnte Umstand,
dass alle genannten Räumlichkeiten dieser streng abgetrennten Abtheilung
der Thermen von ungleich einfacherer Ornamentirung als die der größern
Abtheilung sind, hat auf den Gedanken geführt, in dieser Abtheilung, welche
als die Frauenabtheilung bezeichnet worden ist, die Badezimmer für die ärmere
Classe zu finden. Eine bündige Widerlegung dieser Auffassung ergiebt sich
erst aus der Betrachtung der gleich zu besprechenden größeren Thermen, wo
in der Frauenabtheilung die zur Aufbewahrung der Kleider bestimmten Nischen
niedriger sind als in der Männerabtheilung, entsprechend dem durchgängigen
Größenunterschied der Geschlechter. Da es aber reine Willkür sein würde,
die ganz entsprechende Verdoppelung der Räume hier anders als dort zu
erklären, so werden wir ohne Bedenken auch hier das Frauenbad erkennen
dürfen. Bei der Zurücksetzung der Frauen ist die geringe Ausschmückung
der für sie bestimmten Baderäume erklärbar genug.

Eine andere Ansicht hat Breton (*Pompeia décrite*, 3. Ausg. Paris 1870) aufgestellt: nach ihm wäre die Frauenabtheilung das ältere Badehaus, die Männerabtheilung ein neues und erweitertes. Umgekehrt sind Nissen und Schöne
(Pomp. Stud. S. 128 ff.), welche die beiden Abtheilungen als Männer- und
Frauenbad unterscheiden, der Ansicht, dass das Frauenbad erst später hinzugefügt worden sei. Beide Meinungen widerlegen sich durch eine sorgfältige
Prüfung des Mauerwerks, welche ergiebt, dass dasselbe gleichartig und offenbar
zu gleicher Zeit entstanden ist, mit Ausnahme einiger Reste älterer Gebäude,
die man stehn gelassen und für den Neubau benutzt hat, und einiger, schon
erwähnter Veränderungen am Frauenbad. Jene älteren Reste sind die Westmauer des Frauencaldariums und die Läden der Südseite mit ihren ersten
Hinterzimmern: sie beweisen, dass die Insula schon vor dem Bau der Thermen
wesentlich ihre jetzige Form hatte[96].

Zu bemerken ist noch, dass die ganze Nord- und Ostseite des Gebäudes,
an der Thermen- und Forumstraße, mit einem vorspringenden Dach zum Schutz
gegen Regen versehen war, wie aus den Löchern für die Dachbalken und ihre
schrägen Stützen deutlich hervorgeht.

Was endlich die Zuleitung des für diese Thermen nöthigen Wassers
anlangt, so kann dasselbe nur durch die städtische Wasserleitung geliefert
worden sein. Ein Pfeiler derselben findet sich in *n* auf dem Plane, und hinter
diesem Pfeiler, welcher ohne Zweifel, grade so wie die übrigen, ein offenes
Bassin getragen hat (s. unten) ist eine überwölbte Öffnung schräge durch die
Mauer in den Raum *J* des Planes gebrochen, und zwar in einer Richtung,
dass ihre Verlängerung auf den Brunnen *δ* trifft. Dagegen hat die große
Cisterne, *L L L* auf dem Plane, welche erst in der allerjüngsten Zeit völlig
ausgeräumt und dabei als in der Ausbesserung (Abputzen der Wände) begriffen
gefunden worden ist, mit den Thermen keinen Zusammenhang. Diese Cisterne
bildet einen durch nach innen vorspringende Pfeiler in drei Abtheilungen

getrennten, von starken, nur hoch oben von einigen (zum Theil modernen) Licht- und Luftöffnungen durchbrochenen Mauern umgebenen, überwölbten Raum, der, gegen zwei Stockwerke über die Straße erhoben und tief unter ihr Niveau hinabgehend, eine große Wassermasse zu enthalten bestimmt gewesen ist. Dieses Wasser wurde durch ein rundes Rohr weiter geleitet, welches etwa 1 M. vom Boden die Wand gegen *o*, eine zu einem Fenster emporführende Treppe, durchsetzt, während eine in derselben Wand dicht am Boden angebrachte viereckige und mit Bronze verkleidete Öffnung offenbar zur Reinigung der Cisterne gedient hat und den am Grund angesammelten Rückständen des Wassers von Zeit zu Zeit einen unterirdischen Abfluss verschaffte. Diese Öffnung ist nämlich in dem Raume, zu welchem die Treppe *o* hinabführt, mit einer bronzenen Schiebeklappe verschlossen gewesen; wurde diese gezogen, so floss der unreine Rest des Wassers ab und man konnte, über die Treppe *o* empor und durch das Fenster über eine Leiter hinabsteigend, die Reinigung gründlich bewerkstelligen. Durch die Leitungsöffnung ist, weil sie höher lag, offenbar stets nur reines Wasser abgeflossen, während sich der Bodensatz unterhalb derselben sammelte.

b. Die größeren Thermen [97].

Schon seit langer Zeit hatte man aus der Kleinheit der früher bekannten Thermen in ihrer Gesammtheit und in ihren einzelnen Räumen geschlossen, dass sie schwerlich das einzige öffentliche Badehaus Pompejis gewesen seien. Es konnte daher die Auffindung eines zweiten Badehauses im Jahre 1857, dessen Ausgrabung bis 1860 im Wesentlichen vollendet wurde, nicht unerwartet sein; wohl aber gehört trotzdem und obgleich die neuen Thermen in manchem Betracht als eine Wiederholung der früher bekannten gelten müssen, diese Entdeckung zu den bedeutendsten und erfreulichsten der Neuzeit. Denn die neuentdeckten Thermen sind nicht allein größer als die alten, sondern sie zeigen auch eine ganze Reihe neuer und interessanter Räume und bieten starke und lehrreiche Eigenthümlichkeiten, welche zu einer nähern Betrachtung auch dann auffordern würden, wenn es sich nicht zugleich um reichen, merkwürdigen und schönen künstlerischen Schmuck handelte. Indem nun diejenigen Stücke, in welchen die neuen Thermen die alten wesentlich wiederholen, so kurz wie möglich behandelt werden, wird die Aufmerksamkeit besonders auf dasjenige zu lenken sein, was sie Neues und Eigenthümliches darbieten.

Auch hier müssen wir eine Inschrift an die Spitze der Besprechung stellen. Sie wurde, angelehnt an die Mauer, also nicht an Ort und Stelle, in dem kleinen Flur *g* im Plane Fig. 124 gefunden, wohin sie, beim Umbau der nach dem Erdbeben vom Jahre 63 neu hergestellten Thermen von ihrem Platze entfernt, einstweilen abseits gestellt worden sein muss. Diese Inschrift (jetzt in Neapel) besagt:

C. Uulius C. f. P. Aninius C. f. II v. i. d. Laconicum et destrictarium faciund. et porticus et palaestr. reficiunda locarunt ex d(ecurionum) d(ecreto) ex ea pequnia quod eos e lege in ludos aut in monumento consumere oportuit faciun coerarunt eidemque probaru(nt)

also nach dem wesentlichen Inhalte, dass die Rechtsduumvirn C. Ulius und
P. Aninius nach Decret der Decurionen die Herstellung eines Laconicum und
Destrictarium und die Wiederherstellung einer Palaestra und einer Porticus in Accord gegeben, und zwar aus dem Gelde, welches sie nach dem Gesetze
auf Spiele oder ein Monument verwenden sollten, und dass dieselben den Bau
nach der Vollendung geprüft und gebilligt haben.

Wichtig ist die Inschrift besonders dadurch, dass sie (ähnlich wie diejenige
am Gebäude der Eumachia, s. oben S. 131) vier Theile des zu betrachtenden
Gebäudes, Laconicum, Destrictarium, Palaestra und Porticus, bestimmt nennt.
Diese werden also in den zu durchwandernden Räumen aufzusuchen sein, wobei
jedoch gleich hier mit Nachdruck hervorgehoben werden muss, dass die Inschrift aus entscheidenden sprachlichen und epigraphischen Gründen trotz
einigen entgegenstehenden Schwierigkeiten etwa in das Jahr 70 vor u. Z. zu
setzen ist, dass folglich die in ihr erwähnte Wiederherstellung von Porticus
und Palaestra nicht durch das Erdbeben von 63 n. Chr. veranlasst worden
sein kann, und dass es demgemäß von vorn herein fraglich ist, ob sich die
genannten Räume alle in den Ruinen unserer Thermen werden nachweisen lassen, ob nicht vielmehr ihrer einige durch die neueste Restauration
beseitigt oder in ihrer Bestimmung geändert worden sind. In der That
werden wir finden, dass auch noch nach der Zeit des Ulius und Aninius,
und nicht nur in Folge des Erdbebens vom Jahre 63 n. Chr., mancherlei Veränderungen vorgenommen worden sind. Andererseits aber ist klar, dass eine
schon um 70 v. Chr. erneuerungsbedürftige Anlage geraume Zeit vor der
Deduction der sullanischen Colonie erbaut sein muss. Damit verträgt es sich
vortrefflich, dass die Bauart — Bruchsteinmauern (*opus incertum*) mit Ecken
und Thürpfosten aus Kalksteinquadern, Façaden aus Tuffquadern — ganz entschieden die der samnitischen Zeit, der Tuffperiode ist, so wie auch, dass man
hier eine Sonnenuhr mit oskischer Inschrift fand. Dass die unter griechischem
Einfluss stehende Stadt schon damals eine Palaestra hatte, während dieselben
in der römischen Welt erst unter Augustus gewöhnlich wurden, kann uns nicht
Wunder nehmen, nachdem wir bereits (oben S. 150) eine solche, aus vorrömischer Zeit stammende Anlage gefunden haben. — Doch gehn wir zur
Betrachtung des Gebäudes selbst über, welches nördlich von dem Theaterviertel liegt und im S. von der Straße der Holconier (der verlängerten Abbondanzastraße), im W. von der Theaterstraße, im O. von der Stabianer, nördlich
dagegen von einem Privathause, demjenigen des Siricus, begrenzt wird und,
die im W. angrenzenden Läden mitgerechnet, einen Flächenraum von etwa 60
M. mittlerer Breite (v. O. n. W.) und 55 M. Tiefe (v. S. n. N.) bedeckt. Der
Plan (Fig. 124) ist in ähnlicher Weise wie derjenige der früher gefundenen
Thermen behandelt, um dem Leser die Übersicht über dessen einzelne Theile
und eine schnelle Orientirung in denselben zu erleichtern. Und zwar sind die
Mauern der Haupträumlichkeiten, welche sich als das Männerbad erweisen
werden, schwarz gezeichnet, diejenigen einer zweiten Abtheilung, welche das
Frauenbad darstellt, dunkel schraffirt, der Hof, wie sich zeigen wird die Palaestra, und Alles was zu dieser zu gehören scheint, heller schraffirt, eine
abgesonderte, im Norden hinter diesem Hofe und den ihn begrenzenden

Räumen an einem eigenen gewölbten Gange liegende Abtheilung mit ganz feiner Strichlage bezeichnet, während die Mauern der umgebenden Läden, welche nicht zu den Thermen selbst gehören, weiß gelassen sind. Für die erste Abtheilung sind zugleich zur Bezeichnung der einzelnen Räume römische Ziffern, für die zweite arabische Ziffern, für die dritte große Buchstaben, für

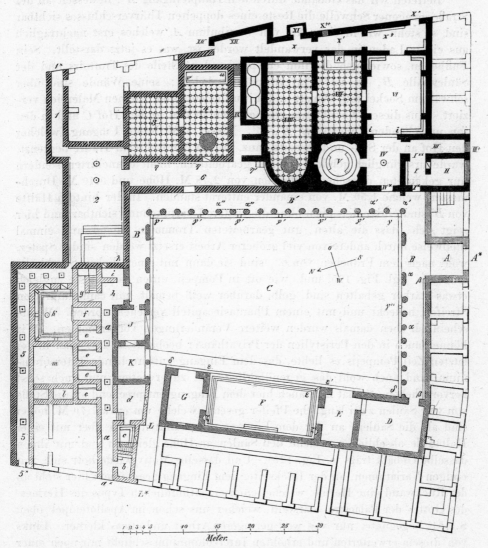

Fig. 124. Plan der größeren Thermen.

die vierte kleine Buchstaben und zur Bezeichnung von Einzelheiten und besonders bemerkenswerthen Punkten das griechische Alphabet angewendet.

Nicht weniger als sieben Eingänge führen von den drei begrenzenden Straßen in die Thermen, und von diesen zwei, A^* der Haupteingang des ganzen Gebäudes von der Straße der Holconier und L^* von der Theaterstraße, in den

großen Hof C; einer X^* von der Straße von Stabiae in die Hauptbadeabthei-
lung; zwei, 1^* von derselben und 5^* von der Theaterstraße in die zweite Abtheilung der Bäder; einer a^* von der Theaterstraße in die hinter dem Hofe
gelegene Sonderabtheilung, und endlich einer XII^* von der Straße von Stabiae
zu den Heizräumen.

Betreten wir das Gebäude durch den Haupteingang A^*, in dessen an der
Straße gelegener Schwelle die Reste eines doppelten Thürverschlusses sichtbar
sind, so stehn wir in einer Art von Vestibulum A, welches erst nachträglich
aus einem Laden in das verwandelt worden ist, was es jetzt darstellt. Sein
Fußboden, sowie auch die ihm entsprechenden Theile des Trottoirs und der
Säulenhalle B, ist mit Travertinplatten belegt; seine Wände sind über
schwarzem Sockel roth bemalt und mit unbedeutenden kleinen Malereien verziert. Aus diesem Vestibulum gelangt man in den großen Hof C und in den
ihn umgebenden Umgang B, B', B''. Dieser 3 M. breite Umgang, welcher
den Hof an der Süd- und Ostseite ganz, an der Nordseite zur Hälfte begrenzt,
wurde ursprünglich gebildet von gut gearbeiteten, nicht cannellirten sondern
nur gekanteten dorischen Tuffsäulen von 2,78 M. Höhe und 0,40 M. Durchmesser, welche 1,50 M. von einander entfernt standen. In der hintern Hälfte
von B' sind einige derselben ohne die spätere Übertünchung sichtbar, und hier
zeigt sich, dass die alten, gut gearbeiteten Trommeln irgendwann einmal
theilweise durch andere von viel gröberer Arbeit ersetzt worden sind. Später,
wohl nach dem Erdbeben von 63, sind sie dann mit einer dicken Stuckhülle
umgeben (vgl. Fig. 125) und, wie oft in Pompeji, unten, soweit sie zugleich
etwas stärker gehalten sind, gelb, darüber weiß bemalt, mit cannelurartigen
Streifen bedeckt und mit einem Phantasiecapitell versehen worden. Wahrscheinlich eben damals wurden weitere Veränderungen vorgenommen. Wir
können auch in den Peristylien der Privathäuser beobachten, dass man in der
letzten Zeit Pompejis es liebte, das dem Eingang entsprechende Intercolumnium, und auch wohl das gegenüberliegende, zu erweitern und auch sonst
hervorzuheben. So hat man auch hier dem Eingang entsprechend an die Stelle
von vier Säulen zwei längliche Pfeiler gesetzt, welche um etwa 1,70 M. höher
sind als die Säulen, an der dem Eingang abgewandten Seite aber mit einer
Halbsäule abschließen, welche den Säulen an Höhe gleich ist und mit ihnen
dasselbe Gebälk trägt (s. Fig. 125). Und dasselbe Motiv wiederholt sich, mit
einigen Variationen, an der Rückseite, dem Eingang gegenüber; hier steht an
der Rückwand eine Herme, welche jenen eigenthümlichen Typus des Hermes,
des Gottes der Palaestra, darstellt, welcher uns schon im Apollotempel (oben
S. 101) begegnete, nur von weit geringerer Arbeit und etwas kleiner. Links
von diesem erweiterten und erhöhten Intercolumnium schließt mit noch einer
Säule und einer Halbsäule die nördliche Halle ab, und es folgen andere Räume
(J, K), von denen noch weiter die Rede sein wird. Am Westende der vordern
Halle sind zwei Säulen durch eine ersetzt worden, um dem noch zu besprechenden Streifen δ δ ein weiteres Intercolumnium entsprechen zu lassen.

Von dem alten Tuffgebälk ist nichts an seinem Platz geblieben; einige
Blöcke (mit Zahnschnittgesims, von geringer Ausdehnung, so dass sie auf
einer Holzbohle ruhen mussten) liegen im Vestibul A. Der spätere, auf einer

Holzbohle aufgemauerte Architrav, schwerfällig, mit Stuccoornamenten und
rother und blauer Malerei auf weißem Grunde, ist bei $\alpha'\,\alpha'$ und $\alpha''\,\alpha'''$ erhalten,
so wie auch Reste des gegen C geneigten Daches, welches bei der Ausgrabung
fast ganz erhalten gefunden wurde, aber bald bis auf einzelne Reste zusam-
menstürzte. Oberhalb desselben ist die Wand mit wilden Thieren, den so
beliebten Venationen der Arena, bemalt. Dagegen befanden sich über dem
vordern Umgange B obere Räume, welche aber zu den anstoßenden Läden
gehörten; denn nur hier finden sich Spuren von Treppen; ein Mauerrest ist
bei $\alpha\,\alpha$ erhalten (vgl. Fig. 125). Die Pfeiler sind mit den Säulen übereinstimmend bemalt. Der Umgang selbst ist, ausgenommen das Stück am Eingange, wo sich das Travertinpflaster fortsetzt, mit *opus Signinum* geplattet,
seine Wände sind wie die des Vestibuls gemalt. In dem Umgange befindet
sich an der Südseite hinter den Säulen eine Steinbank $\beta\,\beta$, welche, solange
hier die Decke des obern Geschosses vorhanden war, den ganzen Tag im
Schatten lag und offenbar für diejenigen bestimmt war, welche hier in Muße
dem Leben und Treiben auf dem Hofe zusehn wollten. In dem Boden des
Umgangs B' liegen mehre Bleiröhren, welche sich in die Wände der angrenzenden Baderäume ziehn und zu der diesen das Wasser zuführenden Leitung
gehören. Innerhalb der Säulen umgiebt den ganzen Hof eine Rinne, dergleichen wir schon aus dem Apollotempel und anderen Gebäuden kennen,
bestimmt, das vom Dach abfließende Regenwasser aufzufangen. Bei γ und $\gamma'\,\gamma'$
ist dieselbe durch viereckige Bassins zur Abklärung des Wassers unterbrochen,
welches aus γ einen Abfluss in eine Kloake hatte. Wurde dieser, etwa durch
einen Stein, geschlossen, so floss es weiter bis γ'', wo die Rinne durch eine
Cisternenöffnung unterbrochen wird, welche das Wasser aufnahm.

Die schon erwähnte Sonnenuhr fand sich, gut erhalten, bei $\alpha'\,\alpha'$; ihre
Inschrift besagt, dass der Quästor Maras Atinius sie aus Strafgeldern nach
Beschluss des Convents hat machen lassen. An den Säulen und Wänden des
Umganges sind viele eingekritzelte und angemalte Inschriften, auch etliche
rohe Griffelzeichnungen gefunden worden, auf die hier nicht weiter einge-
gangen werden kann.

Der im Mittel 21 M. breite und 33 M. tiefe Hofplatz C hat einen Boden
von gestampfter Erde; nur an der Westseite zieht sich ein etwa 2,48 M. breiter
Streifen $\delta\,\delta$ von glattem grauem Tuffpflaster mit erhöhter Kante hin. Auf
diesem lagen bei der Ausgrabung zwei große und schwere steinerne Kugeln,
welche gewiss nicht zum Ballspiel, sondern, auf der gepflasterten Bahn gerollt,
zur Erprobung der Kräfte dienten, wofür eine schriftliche Analogie beigebracht
worden ist. Ob man nun hiernach die in Rede stehende Bahn mit Recht ein
Sphaeristerium genannt hat (was einen Raum zum Ballspiel bezeichnet), mag
dahingestellt bleiben; dagegen kann es keinem Zweifel unterliegen, dass wir
in diesem Hofe, mit Vorrichtungen zu gymnastischen Übungen, mit der Herme
des Gottes der Palaestra, die Palaestra der an die Spitze dieser Besprechung
gestellten Inschrift, in dem Säulengange die ebenda erwähnte Porticus vor uns
haben. In oskischer Zeit war sie, griechischer Sitte gemäß, dem Treiben der
Straße entrückt; es gab keinen breiten Eingang (A^*), durch den man hinein
blicken konnte. Man betrat sie durch eine nur 1,13 M. breite, später ver-

mauerte Thür und einen rechtwinklig gebrochenen Gang bei *III*, *I**, *I*. Dass
ein ähnlich enger Eingang schon damals bei *L** vorhanden war, können wir
nur vermuthen, da die ganze Façade von *L** bis zu dem stumpfen Winkel auf
der Südseite später umgebaut worden ist. Sicher stammt aus dieser Zeit die
Sonnenuhr, deren Inschrift uns die oskischen Behörden in Thätigkeit zeigt und
in der Erwähnung der Strafgelder auf die in dieser Palaestra giltigen Regeln

Fig. 125. Hof der größeren Thermen, die Palaestra gegen Südost.

und Gesetze hinweist, so wie auch die älteren Theile der Säulen (s. oben
S. 218). Die jüngeren, gröber gearbeiteten Trommeln dürfen wir sicher auf
die Wiederherstellung durch Ulius und Aninius zurückführen. Auch der
Säulenstuhl, die Regenrinne und die Bahn δ δ scheinen größtentheils von
diesen Duumvirn erneuert worden zu sein.

In unmittelbarer Verbindung mit der Palaestra stehn zunächst diejenigen
Räume, welche im Plane mit *D*, *E*, *F*, *G* bezeichnet sind. Von diesen ist
ganz unzweifelhafter Bestimmung der Raum *F*; derselbe ist ein offenes Bade-
oder Schwimmbassin von beträchtlicher Größe (12,7 × 8 M.) und 1,50 M.

Tiefe, ohne Zweifel zu kalten Bädern unter freiem Himmel und in Verbindung mit den Leibesübungen der Palaestra bestimmt. Dieses unbedeckt gewesene Bassin öffnet sich in seiner ganzen Breite auf den Hof, und ist gegen denselben durch eine niedrige, stufenförmige Brüstungsmauer abgeschlossen. Innerhalb dieser führen vorn drei über die ganze Breite fortlaufende Stufen sowie an beiden Seiten von E und G ihrer je vier in die Tiefe hinab, während an der Rückseite und in der Mitte zwei Stufen angebracht sind, die sicher nur zum Sitzen gebraucht wurden. Die ganze Piscina oder Natatio war im Alterthum mit weißen Marmorplatten ausgekleidet, von denen jetzt nur einige noch vorhanden sind, und muss in der That ein verlockend schönes Badebassin gewesen sein; das Wasser wurde ihr durch ein Bleirohr in der einen Ecke bei ε zugeführt, während es durch eine große Öffnung bei ε' abfloss. Rechts und links in der Wand über diesem Bassin sind Nischen ζ ζ angebracht, welche in eigenthümlicher Weise mit Kalksteinstücken, die viele Pflanzenabdrücke enthalten, ausgekleidet sind, und in welchen einstmals Statuen gestanden haben mögen.

Begrenzt wird das Bassin zu beiden Seiten durch die ursprünglich ganz gleichen Räume E und G, welche sich gegen dasselbe mit zwei weiten, im Bogen geschlossenen Thüren öffnen, während sie durch eben solche Thüren mit der Palaestra in Verbindung stehn (s. die Ansicht nach S. 222). Beide Räume waren ursprünglich flache Nebenbassins, und ein solches ist E bis zuletzt geblieben. Alle Eingänge liegen 0,65 M. über dem Boden, so dass das Wasser nicht durch sie abfließen konnte. Dasselbe fiel in das Bassin aus einer Röhre in einer kleinen Nische der Westwand und floss aus E ab durch eine Öffnung bei ε'; der Boden ist in E terrassirt, mit Resten von Mosaikverzierungen. Die Wände waren bis zur Höhe von 2 M. mit Marmor bekleidet, oben mit weiterhin zu besprechenden Malereien bedeckt, welche für ein Wasserbassin trefflich passen; die Marmorstufe, über welche man aus der Palaestra zu F hinaufsteigt, erstreckt sich ebenso auch vor E und G. In G aber ist in späterer Zeit der Fußboden bis zur Höhe der Eingänge erhöht worden; der Raum hat also eine andere Bestimmung erhalten.

D ist ein großer Raum mit einfach weißen Wänden, an welchen ringsum Schränke von 1,65 M. Höhe deutliche Spuren zurückgelassen haben; auch von den Eisen, mit denen sie befestigt waren, sind Reste geblieben. Ohne Zweifel ist D ein Auskleidezimmer, und die Schränke dienten zur Aufbewahrung der Kleider. Hier entkleidete und salbte man sich und ging dann in die Palaestra, um gymnastischen Übungen obzuliegen; hierher kehrte man nach Beendigung derselben zurück, entfernte mittels des Schabeisens (*stlengis, strigilis*) Öl und Staub (ἀποξύεσθαι, *destringere se*), und begab sich dann zunächst in das flache Bassin E, um sich vollends abzuwaschen. Von hier mochte dann, wer wollte, noch in das größere und tiefere Bassin, die Natatio F übergehn. Es ist nun klar, dass zu solchem Gebrauch E vollkommen bequem liegt, nicht aber G, weil es mit keinem Auskleidezimmer in Verbindung steht. Offenbar ist G mehr nur der Symmetrie halber angelegt und wenig benutzt worden; und dies war der Grund, weshalb man diesen Raum später durch Erhöhung des Fußbodens für eine andere, uns unbekannte Bestimmung einrichtete.

Aus dem Gesagten geht mit hinlänglicher Klarheit hervor, dass wir wahrscheinlich in *D* das in der Inschrift genannte *destrictarium* zu erkennen haben,
d. h. den Ort, wo man sich Staub und Öl abschabte, und der außerdem zum
Aus- und Ankleiden diente. Ebenso klar ist nun freilich, dass alle die eben
besprochenen Räume, so wie sie uns vorliegen, ihrer Bauart nach nicht aus
der ersten Zeit der römischen Colonie stammen, nicht von Ulius und Aninius
erbaut sein können, vielmehr der Kaiserzeit angehören. Ist also unsere Erklärung richtig, so müssen wir annehmen, dass das damals erbaute Destrictarium später umgebaut worden ist: eine Annahme, der ja auch nichts im Wege
steht. Wir haben also nur noch das Laconicum zu suchen.

Bevor aber weiter gegangen wird, ist noch ein Wort über den Wandschmuck der besprochenen Räume zu sagen. Die beiden einander entsprechenden Räume *E* und *G* waren, so viel wir sehen, ganz gleich decorirt; sie haben
im Hintergrunde, dem Eingange von der Palaestra gegenüber, in der Wand eine
viereckige flache Nische, welche mit einer Mosaikborde umgeben und mit
Muscheln verziert ist. Unter diesen Nischen ist noch je eine kleinere angebracht
(s. die beiliegende Abbildung): aus dieser kam das Wasser. Im übrigen ist der
blaue Grund durch pflanzenumrankte Pfähle, zwei auf jeder Wand, getheilt. Vor
diesen Pfählen steht auf der Rückwand je eine Nymphe auf einem Postament,
farbig gemalt, also als bemalte Statue gedacht, welche mit beiden Händen eine
große Muschel, aus der Wasser sprudelt, vor sich hält (Hlbg. No. 1057). Auf der
Südwand von *E* finden wir an gleicher Stelle einen ähnlich behandelten tanzenden Satyr (Hlbg. No. 432); ferner war an jedem Ende jeder Wand eine auf einem
Piedestal ruhende Sphinx in Weiß gemalt. Dazwischen sind auf dem blauen
Grunde Pflanzen und Vögel dargestellt, so dass es scheint, als sähe man in einen
Garten (Hlbg. No. 1545). Unter dem Hauptgemälde läuft ein schmaler Sockelstreifen hin; derselbe enthält in der Mitte jeder Wand eine aegyptische Landschaft mit Pygmaeenscenen, Krokodilen und anderen Flussthieren, die zum
Theil mit einander kämpfen; an den Seiten ist er als gelbe Tafel behandelt.
Unter diesem Streifen ist auf 2 M. Höhe die Wand nicht bemalt, sondern
war mit jetzt fehlenden Marmorplatten bekleidet, ähnlich wie dies auch auf
der Außenseite der Eingangswand dieser Zimmer der Fall ist, wo einige
Marmorplatten erhalten sind (s. die dieser Seite gegenüberstehende Ansicht).
Die Wände des Destrictarium *D* sind einfach weiß. Desto reicher verziert
zeigen sich dagegen die Mauern aller dieser Räume gegen den Hof, wie dies
aus der Nachbildung der einen Hälfte derselben in der eben erwähnten Ansicht
ersichtlich ist. Hier ist die ganze Wandfläche mit einer jener phantastischen
Architekturen bedeckt, welche wir aus so vielen anderen Beispielen in öffentlichen, besonders aber in Privatgebäuden kennen. Über gemeinsame Sockel
erheben sich schlanke Säulchen mit Simsen verbunden, welche hier runde, da
viereckige, bald offene, bald gradlinig oder mit flachen Wölbungen gedeckte
Räume einfassen; zweistöckig bauen sich diese über einander, Treppen führen
hinein, Thüren weisen auf dahinterliegende Gemächer hin, Draperien hangen
von den Simschen, Balcönchen springen vor, Guirlanden schweben von Säule
zu Säule; das Ganze ist überaus luftig, leicht, zierlich, perspectivisch symmetrisch gegliedert und doch überaus reich und launig zu gleicher Zeit, sehr

Ansicht des Hofes der grösseren Thermen gegen Nordwest.

Nach S. 222.

wenig classisch und sehr heiter. Diese gesammten architektonischen Glieder und Ornamente sind aber nicht, wie in anderen Fällen, gemalt, sondern in Stucco sauber ausgeführt und durch Stuccoreliefe weiter belebt und bereichert; nur die Gründe sind farbig, roth und blau, und an untergeordneten Stellen sind kleine Bilder in die Stuckornamente eingefasst; in Relief ist auf der einen Treppe ein Jüngling mit einem Tambourin, auf der andern ein kleiner Satyr mit einer Fackel, der gegen einen Silen mit Trinkhorn und Stab die Hand ausstreckt, und was dergleichen meist dem bakchischen Kreise entnommene Gegenstände mehr sind. Über der Wölbung aber des Eingangs zum Zimmer *E* sitzt, nach einem auch sonst noch nachweisbaren Motive [98]) gut ausgeführt und trefflich erhalten, Zeus unterwärts bekleidet auf einem glattbehauenen Steine, auf den er auch die Linke aufstützt, während er in hoch erhobener Rechten sein Scepter hält und sein Adler seitwärts auf einem Pfeiler sitzt. Auch die breiteren Wandflächen zwischen den Stuccosäulchen sind theils mit Reliefen bedeckt, theils mit Gemälden, meist Landschaften und einer jetzt fast unkenntlich gewordenen Darstellung des Hylasraubes (Hlbg. No. 1260 b) geschmückt, so dass, wenn man alles nennen und beschreiben wollte, kaum ein Ende abzusehn sein würde. Ganz ähnlich ist die Wand von *G* verziert, wo unter den, freilich viel schlechter erhaltenen und vielfach ganz abgefallenen, nur in den Umrissen erkennbaren Reliefen zwei als besonders interessant hervorzuheben sind, welche sich auf die Geschichte von Daedalos und Ikaros beziehn. Die ganze Decoration aber ist so reich und schmuck wie man sich nur Etwas denken kann, ein Abbild des üppigen und heitern Treibens, das sich durch diese Räume bewegt hat. Doch kann auf das Einzelne hier nicht näher eingegangen werden.

Es ist schon oben erwähnt worden, dass der Säulenumgang der Palaestra auf deren Nordseite in mehre loggienartige Gemächer, *J* und *K* im Plane, übergeht, welche zu der Palaestra ebenfalls in unzweifelhafter Beziehung stehn. In das erstere dieser Zimmer führt nur ein nicht breiter Eingang aus dem Flügel *B''* der Porticus, während es mit einem sehr breiten aber verschließbar gewesenen Fenster über einer niedrigen Brüstungsmauer gegen den Hof und mit einem gleichen gegen das Zimmer *K* geöffnet ist. Seine Decoration ist überaus einfach, der Boden von schlechtem *opus Signinum*, die Wand weiß über schwarzem Sockel bemalt. In diesem Zimmer fand man ein elegantes Kohlenbecken von Bronze, demjenigen im Tepidarium der kleineren Thermen (oben S. 208) genau entsprechend und wie jenes mit der Inschrift M · NIGIDIVS · P · S· und dem redenden Symbol der kleinen Kuh verziert [99]). Dass dieser Heerd nicht ursprünglich für dieses durch die zwei großen Fenster weit offene Zimmer bestimmt gewesen sein kann, ist fast augenscheinlich; aus ihm also dürfen wir für die Bestimmung dieses Raumes keine Schlüsse ziehn; aber auch sonst fehlt es an jedem Anhalt, um die Bedeutung dieses Zimmers festzustellen. Unmittelbar ergiebt sich, dass man aus demselben in aller Ruhe eine vortreffliche Aussicht auf das Leben und Treiben der Palaestra hatte; allein ob wir darin den Zweck der Herstellung dieses Locales erkennen sollen, ist doch zweifelhaft. Der angrenzende Raum *K* bildet eine nach vorn ganz offene Loggia, in deren Öffnung nur eine Säule zwischen zwei Halbsäulen steht, welche aber nicht als Fortsetzung der Porticus erscheinen, sondern höher sind als dieselbe. Die Wände sind einfach weiß bemalt, der Bewurf fehlt am untern Drittheil; doch scheint dies nur zufällig zu sein. Da nun das rechte Intercolumnium dieses Raumes sich grade auf das Nordende der mit Tuffplatten gepflasterten Bahn $\delta\,\delta$ öffnet, so werden wir hier am natürlichsten den Standort derjenigen erblicken, welche auf dieser Bahn die oben (S. 219) erwähnten Steinkugeln entlang schoben. — Die links auf dem Plane anstoßenden Gemächer stehn mit der Palaestra in keiner Verbindung, und auch den Raum rechts 6, obwohl in ihn eine Thür aus der Palaestra führt, werden wir nicht zu dieser, sondern zu der Abtheilung der Frauenbäder zu rechnen haben.

Lassen wir diese zweite Badeabtheilung einstweilen bei Seite und wenden uns derjenigen zu, welche im Plan mit römischen Ziffern bezeichnet ist und deren Beschreibung sich wegen ihrer großen Übereinstimmung mit den kleineren Thermen am schnellsten wird erledigen lassen. Man gelangt und gelangte in der letzten Zeit Pompejis in diese Abtheilung entweder von der Palaestra aus durch die beiden Eingänge IV* und I*, I**, oder von der Stabianer Straße aus durch X*: ganz wie wir es in den kleineren Bädern fanden. Von der Stabianer Straße aus kam man zuerst in einen kleinen Vorraum X², mit Bänken für die ihre Herren begleitenden Sclaven, und von da in das Apodyterium VI. In älteren Zeiten war die Anordnung hier eine etwas andere. Man trat damals durch die Thür X** in den Raum X¹, welcher zusammen mit X² als Vorraum diente. Dies musste geändert werden, als man in dem Tepidarium VII eine Badewanne anbrachte, nebst einer Vorrichtung k um unter ihr von X¹ aus ein besonderes Feuer anzuzünden: da X¹ nicht zugleich Vorzimmer und Heizraum sein konnte, schloss man die Thür X** und öffnete eine neue X* [100]). Welchen Zweck der erst in später Zeit angelegte unbedeckte kleine Ausbau XI haben konnte, ist ganz unklar. — Es ward schon oben erwähnt, dass der Eingang III* nachträglich vermauert worden ist: früher gelangte man durch ihn von der Straße der Holconier sowohl in die Palaestra als in das Bad. — Betreten wir die Baderäume durch den Eingang I* von dem südlichen Säulenumgange der Palaestra aus, so befinden wir uns in einem Gange I, welcher ebenso bemalt ist wie das Vestibul A und die Säulengänge, und in welchem zu unserer linken Hand wie in einer Nische zwischen den Pfeilern der Thüren I* und I** eine steinerne Bank für die wartenden Diener angebracht ist. Dieser Gang und der Gang III umgeben das schmucklose Gemach II, welches, aus einem ursprünglichen Laden in seine jetzige Gestalt gebracht, sich gegen den erstern Gang mit einem ziemlich großen Fenster öffnet und von demselben aus seinen Eingang hat. Wir lassen es unentschieden, ob dieses Zimmer für die Wächter und Capsarii bestimmt war, oder ob es als Elaeothesium, d. h. als Kammer für das Salböl diente, oder ob es noch eine andere, uns unbekannte Bestimmung hatte. Aus dem Gange I und III betreten wir in IV ein, wie wir gesehn haben, auch direct von der Palaestra her zugängliches Zimmer, welches sowohl zu der Cella frigidaria V, als auch zu dem Apodyterium VI, von dem es durch keine Thür getrennt war, im Verhältniss eines Vorzimmers steht. Es ist der am reichsten und prachtvollsten decorirte von allen Räumen der größeren Thermen und übertrifft selbst das angrenzende Apodyterium an Schmuck; es ist

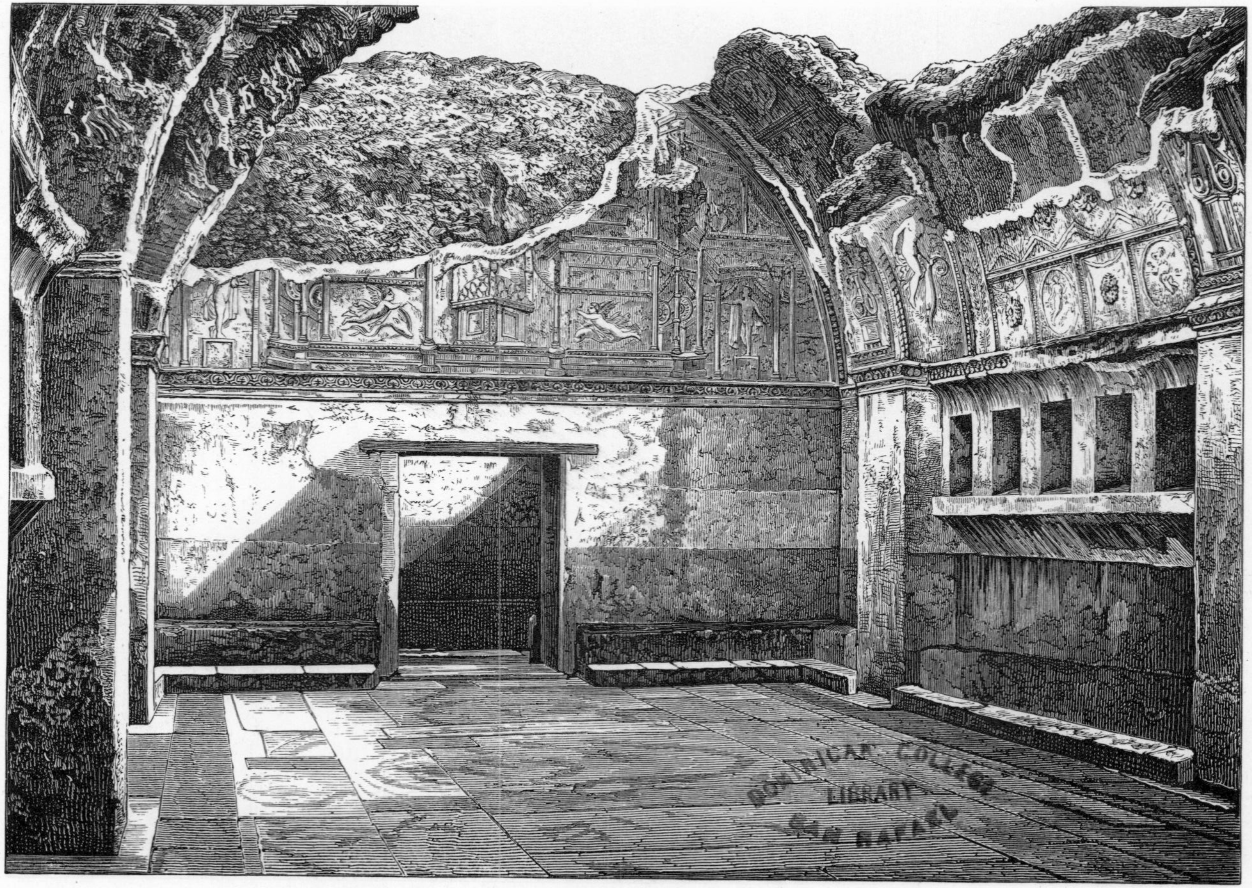

überwölbt, aber etwas niedriger als das Apodyterium, während umgekehrt der
Boden hier um eine Stufe höher liegt als dort. Die Decoration gehört, wie in
allen diesen Räumen, der letzten Periode an. Die Wände sind roth, mit
bunten Verzierungen bemalt, das vollkommen erhaltene Tonnengewölbe der
Decke dagegen mit der reichsten Stuccaturarbeit bedeckt. Das Ornament
gliedert sich hauptsächlich in theils runden, theils achteckigen Cassetten, in
denen wieder buntfarbige Stuccoreliefe angebracht sind, und zwar in den
runden Feldern auf blauem, in den achteckigen auf schwarzem Grunde. In
vier größeren Feldern sind halbnackte weibliche Figuren gebildet, deren drei
Blumen in Füllhörnern, die vierte ein rundes Bild trägt; in den kleineren
Feldern finden wir theils Thiere, namentlich Seethiere, theils Amoretten. In
dem großen Halbkreisbogen der Eingangswand unter dem Ansatz der Wölbung
ist ein kreisförmiges Fenster in die Palaestra hinausgebrochen (welches man in
Fig. 125 sieht), durch welches namentlich die Wölbung Licht erhält; unter
diesem Fenster ist der Stichbogen mit einem Relief geschmückt, welches eine
auf einem Meerungeheuer von Amoretten umgebene durch die Wellen schwimmende Nymphe, Galatea etwa, darstellt.

Ehe wir von diesem Zimmer aus weiterschreitend das Apodyterium VI
betreten, wenden wir uns auf einen Augenblick zu der *Cella frigidaria* V, um
uns zu überzeugen, dass diese in allen Stücken, in der Einrichtung der *piscina*,
der *scholae*, der Zu- und Ableitung des Wassers, — jener durch eine Röhre in
einer kleinen Nische, welche dem Eingange gegenüber sich hoch in der Wand
befindet, dieser durch eine Öffnung am Boden der Piscina auf der Seite
der Thür, — vollkommen der *Cella frigidaria* der kleineren Thermen entspricht. Und nicht minder in der hier allerdings etwas reichern aber schlecht
erhaltenen Decoration der Wände, welche in den Nischen zu den Seiten einer
Vase mit sprudelndem Wasser Büsche und Sträucher mit Vögeln zeigt, während auf die Wandflächen zwischen den Nischen unter Guirlanden Bäume
und Sträucher gemalt sind, welche über eine Mauer emporragen; auch hier
fehlt es nicht an wassersprudelnden, kelchartig gestalteten Brunnen. Der
Grundgedanke ist also auch hier wie in der entsprechenden Örtlichkeit der
kleineren Thermen die Nachahmung der freien Natur, und mit diesem stimmt
es überein, dass die hier allerdings fast ganz eingestürzte kegelförmige Bedachung blau gefärbt und mit Sternen verziert war.

Das Apodyterium VI, ein Saal von 11,50 M. zu 9 M. Größe ist der nächst
dem Vorzimmer IV am elegantesten und reichsten geschmückte Raum dieser
Thermen und übertrifft das Apodyterium der kleineren Thermen in diesem
Betracht weit (s. die beiliegende Ansicht). Vier starke Pfeiler, welche aus
seinen Langwänden vorspringen, und auf welche zwei Gurtbogen des Gewölbes
aufsetzen, theilen ihn in drei ungleiche Abtheilungen. Zur rechten Hand
des Eintretenden beginnen von der Thür an den Wänden fortlaufende steinerne
Bänke mit einer vor ihnen liegenden Stufe, welche sich rechts zwischen den
Pfeilern und auch an der Wand des Ausgangs, links nur an dieser und bis zum
ersten Pfeiler der Langwand fortsetzen (s. den Plan Fig. 124). Über derselben
sind, aber ebenfalls nicht den ganzen Saal umgebend, zwischen den Pfeilern
und weiter bis zur Eingangswand jene Nischen zur Kleideraufbewahrung an-

gebracht, welche wir aus dem Tepidarium der kleineren Thermen schon kennen, und welche hier wie dort auf einem schwer aus der Wand vorspringenden Abacus stehn und den Carnies tragen, nur dass hier die Telamonen fehlen, welche sich in den kleineren Thermen finden. Der Boden ist mit grauem Marmor gedeckt, in den hie und da, wohl von einer Restauration herrührend eine weiße Platte eingelassen ist; ringsum läuft eine Borde von Lava; in den beiden Ecken zunächst dem Eingang sind bei ι ι Löcher angebracht, welche ohne Zweifel zum Abfluss des Wassers dienten, mit welchem man den Boden reinigte. Die Wände sind nur einfach, unten roth, oben weiß abgestrichen; dagegen ist das freilich zum großen Theil eingestürzte Gewölbe nebst den Gurtbogen sehr reich und geschmackvoll mit Stuckornamenten verziert. Das Ornament besteht aus Cassetten, welche in der ersten Abtheilung achteckig sind und zwischen schwebenden Figuren bakchischen Charakters Waffentropäen enthalten, während in der zweiten in unten viereckigen, oben sechseckigen Cassetten Rosetten und schwebende Eroten angebracht sind. Die Gurtbogen sind auf ihrer untern Fläche mit phantastischen Ornamenten verziert, dagegen zeigen sie auf ihren Seitenflächen schwebende, fast nackte weibliche Figuren, welche in Arabesken übergehende Delphine in den Händen halten. Nicht minder reich sind die oberen, durch die Wölbung halbkreisförmig abgeschnittenen Theile der Eingangs- und Ausgangswand in Stucco ornamentirt; phantastische Architekturen, wie wir sie als Decoration der breiten Wandflächen im Hofe kennen gelernt haben, bedecken, theilen und beleben auch diese Flächen, und auf den innerhalb der Säulchen dieser Architektur entstehenden Feldern sind theils auf Delphinen dahin schwimmende Amoretten, theils auf leichten Postamenten stehende, fast nackte Figuren bakchischen Charakters angebracht.

Eigenthümlich ist in dieser Abtheilung des Bades die Anordnung des Apodyteriums und Frigidariums. Die Erweiterung des Apodyteriums durch den Vorraum IV ist nicht nur zwecklos, sondern es ist auch unbequem, dass sich die von der Palaestra her eintretenden und die aus dem Frigidarium V kommenden und dahin gehenden Personen in diesem engen Raume begegnen mussten. Es lässt sich aber noch nachweisen, dass die Bedeutung von IV ursprünglich eine ganz andere war, dass nämlich sein ganzer westlicher (der Palaestra zunächst liegender) Theil, bis dicht an die Thür von III, durch ein Wasserbassin eingenommen wurde. Offenbar konnte die Thür IV* nicht vorhanden sein, so lange dies Bassin in Gebrauch war. Wie aber letzteres benutzt wurde, ob etwa als ein flaches Nebenbassin, wie die, welche wir an der Palaestra fanden (E, G; s. oben S. 221), das würde nur durch Nachgrabung vielleicht festgestellt werden können. Auch die Thür aus III musste damals unbequem sein; sie trägt kein Zeichen hohen Alters, und nichts hindert uns anzunehmen, dass sie jüngern Ursprungs ist, und dass man damals am Ende von III, rechts umbiegend, wenn man von III* kam, direct in das Apodyterium gelangte; der vollkommen erhaltene Stuck macht es unmöglich, zu untersuchen, ob etwa hier eine Thür vermauert worden ist. So ist also IV erst später aus einem Theil des Frigidariums zu einem Vorzimmer geworden.

Eine Thür in der linken Langwand des Apodyteriums führt uns in das

Tepidarium VII, welches namentlich in einem Punkte von der Einrichtung des Tepidariums der kleineren Thermen abweicht und uns hierin etwas Neues kennen lehrt. An seiner kurzen Wand rechts von der Thür, durch welche man eintritt, enthält es nämlich eine große Badewanne, welche einst mit Marmorplatten ausgekleidet gewesen ist, unter denen sich einige befanden, auf denen eine Inschrift aus der Regierungszeit des Augustus eingehauen war. Die Tafeln selbst sind verschwunden, aber da sie mit der Inschriftseite in den Mörtel eingelegt waren, sind die Buchstaben in diesem abgedrückt, und aus diesen Abdrücken hat wenigstens der für die Zeitbestimmung (9/8 v. Chr.) wichtige Anfang der Inschrift zusammengelesen werden können. In dieser Wanne, welche als ein Zusatz der letzten Restauration der Thermen nach dem Erdbeben zu betrachten ist, wurden lauwarme Bäder genommen und zu diesem Zwecke das Wasser in derselben durch einen eigenen kleinen unter ihrem Boden befindlichen Ofen k erwärmt, der von dem Gange X' aus geheizt wurde. Die Thatsache, dass in diesem Tepidarium, allerdings ungewöhnlicher Weise, gebadet wurde, während, wie wir gesehn haben, die Tepidarien sonst nur den auf den Genuss des Schwitzbades vorbereitenden Operationen dienten, diese Thatsache erklärt auch, warum unser Tepidarium weniger reich als dasjenige der kleineren Thermen, obgleich nach Maßgabe der wenigen erhaltenen Reste immerhin reich genug in Stuccoreliefs ornamentirt war; denn die in allen Baderäumen herrschenden feuchten Dämpfe konnten der Ornamentirung nur nachtheilig sein. Die Verzierungen stellen in dem rings umlaufenden Friese Schiffe dar, in den Stichbögen leichte Laubengerüste, ähnlich wie wir sie an der Palaestra fanden, und zwischen denselben Figuren, welche Schriftrollen in den Händen halten und lesen: vielleicht dürfen wir hier eine Andeutung der bekannten Sitte finden, dass Dichter, die ja auch Pompeji besessen haben wird, in den Bädern ihre neuesten Producte zum Besten gaben. Die Wölbung ist fast gänzlich eingestürzt und die Wände sind stark beschädigt; der ebenfalls fast gänzlich eingestürzte Fußboden ruhte, wie derjenige im Caldarium der kleineren Thermen, auf Ziegelpfeilerchen, war also hohl um die heiße Luft aufzunehmen, welche ihm aus dem ebenfalls hohlen Raume unter dem Fußboden des angrenzenden Caldariums VIII durch eine unter der Schwelle der beide Räume verbindenden Thür befindliche Öffnung zuströmte. Die Wände sind mit Thonplatten belegt, welche die Wand nur mit vier warzenartigen Vorsprüngen berühren (*tegulae mammatae*) und so hinter sich einen hohlen Raum zum Durchstreichen heißer Luft frei lassen.

Das sehr zerstörte Caldarium VIII entspricht fast genau demjenigen der kleineren Thermen. Es zeigt dieselben drei Abtheilungen: erstens die Nische mit dem Labrum, von dessen Schale hier nichts mehr vorhanden ist, während der ebenfalls zum Theil zerstörte Fuß in der Mitte durchbohrt ist, um das Wasser zuzuleiten. In der Mitte zweitens das eigentliche Sudatorium mit Suspensurae und Wänden, welche nicht, wie im Tepidarium, mit Platten, sondern mit viereckigen Thonröhren belegt sind, und drittens am andern Ende der Alveus für das heiße Bad, über welchem in der Wand drei, ohne Zweifel für Statuen bestimmt gewesene Nischen angebracht sind. Der Wandschmuck ist gänzlich verschwunden, die Wand über dem Alveus zeigt jetzt nur einfachen

Abstrich, das Gewölbe fehlt fast ganz. Die Beleuchtung wird ähnlich wie in
dem Caldarium der kleineren Thermen hergestellt worden sein und ebenso
entspricht die Einrichtung der Wanne, soweit man nach den dürftigen Resten
urteilen kann, demjenigen, was wir bereits aus den kleineren Thermen kennen.

Ganz dasselbe gilt von der mit IX bezeichneten Heizeinrichtung in ihrer
Gesammtheit. Das Praefurnium bildet einen schmalen Gang, der in den Vorplatz 6 sowie in den auch von der Straße zugänglichen, durch einen Ausbau
erweiterten Vorraum XII mündet. An diesem Gange liegen zwei kammerartige
Räumlichkeiten, eine größere, welche etwa zur Aufbewahrung des Brenn-
materials gedient haben kann, und eine kleinere unmittelbar neben dem Heerde
gelegene, deren Bestimmung sich nicht nachweisen lässt. Den Heerd mit
seinen drei in verschiedener Höhe angebrachten und unter einander in Verbindung stehenden Kesseln brauchen wir mit Verweisung auf die Beschreibung des in den kleineren Thermen befindlichen hier nicht näher zu erörtern;
wir bemerken nur, dass der dritte Kessel nicht, wie dort, durch die aus dem
Caldarium zurückströmende Luft erwärmt ward, sondern der Raum unter ihm
höher lag als der Raum unter dem zweiten Kessel und mit demselben in Verbindung stand. Neben dem Heerde verwandelt sich der Gang in eine Treppe,
welche über das Zuleitungsrohr für die heiße Luft zum Caldarium 4 hinweg
und dann über sieben steile Stufen in XII hinabführt. In IX ist das ziemlich
starke Bleirohr sichtbar, welches von den Kesseln, und zwar ohne Zweifel
aus dem dritten, am höchsten gelegenen und am wenigsten erwärmten, zum
Labrum des Frauencaldariums führt.

Größeres Interesse als diese Nebenräume nimmt eine vollständige zweite
Abtheilung dieser Bäder in Anspruch, welche gleich bei dem ersten Anblick
an die Frauenabtheilung der kleineren Thermen erinnert, und auch, nachdem einige, dieser Annahme scheinbar entgegenstehende Thatsachen richtiger,
als dies früher geschehn war, beleuchtet worden sind, mit Gewissheit als
solche betrachtet werden darf. Außer der Thür von dem Vorplatz 6, der
lediglich ein Verbindungsgang zwischen dem Praefurnium und dem Apodyterium 2 gewesen zu sein scheint und dessen Thür in das Apodyterium auch
erst nachträglich eingebrochen worden ist, führen zwei eigentliche Eingänge
von außen in diese Abtheilung. Diese Eingänge 1* und 5* führen durch die
Gänge 1 und 5 in das Apodyterium. Sie waren beide gewölbt, doch ist die
Wölbung desjenigen, der von der Straße von Stabiae herkommt, 1, eingestürzt,
während diejenige des ungleich längern 5, welcher rechtwinkelig gebrochen
von der Theaterstraße herkommt, vollkommen erhalten ist. Derselbe erhält auf
seinem längern Schenkel durch sechs, auf dem kürzern durch drei viereckige
Öffnungen im Scheitel seiner Wölbung, welche im Plane angegeben sind, sein
Licht. Er trifft nicht auf irgend eine der Wände des Apodyteriums, sondern
durchbricht schräg dessen Ecke, was ursprünglich auch in Betreff der Thür
zwischen Apodyterium und Caldarium der Fall war. Das Apodyterium 2, an
dessen Wänden gemauerte Bänke und über denselben die bekannten aber hier
zur Bequemlichkeit der kleiner gewachsenen Frauen etwas niedriger (1,50
statt 1,75 M. vom Boden) als in der Männerabtheilung angebrachten Nischen
(*loculi*) sich hinziehn, ist merkwürdig nur dadurch, dass sich in ihm, wie

übrigens auch in der Frauenabtheilung der kleineren Thermen, an einem Ende
eine große, hier über den Boden erhobene Wanne für das kalte Bad befindet,
in welche vier Stufen von der Langseite hinaufführen, während ihr das Wasser
durch ein in dem Gange 5 liegendes Rohr zugeführt wurde und durch einen
Canal in ihrer einen Ecke bei λ abfloss. Übrigens ist diese Wanne erst
nachträglich hier angebracht worden, was unter anderem auch daraus hervorgeht, dass die erwähnten Nischen sich ursprünglich auch hier fortsetzten.
Wie früher für das kalte Bad der Frauen gesorgt war, wissen wir nicht, können
aber bei dieser Gelegenheit auch noch feststellen, dass im Frauenapodyterium nicht nur die gleichen Nischen waren, wie in dem der Männer, sondern
unter denselben noch eine zweite Reihe niedriger Nischen, von denen einige
neben der Wanne erhalten, die anderen bei Gelegenheit der Neudecorirung
des Raumes ausgefüllt worden sind.

In Betreff der Decoration ist dieser übrigens sehr gut erhaltene Saal
der alterthümlichste von allen: die einfach glatte und weiße Wölbung nebst
dem einfachen Gesims der Stichbögen stammt sicher aus der Zeit des ersten
Decorationsstils und wird wohl der Erbauung gleichzeitig sein. Und dasselbe
gilt von einem Theile des Fußbodens, welcher mit eigenthümlichen, sonst in
Pompeji nicht vorkommenden glasirten Ziegeln in Rautenform, getrennt durch
Reihen von Mosaiksteinchen, belegt ist. Dieser Fußboden hatte offenbar sehr
durch den Gebrauch gelitten; statt ihn aber ganz zu erneuern, hat man
sich begnügt, die zerstörten Theile durch einen schlechten Stuckboden zu
ersetzen; ein Streifen an der Ostwand war von Anfang an mit Lavaplatten
belegt. Die Wände sind in der letzten Zeit Pompejis neu decorirt und bei
dieser Gelegenheit wohl die unteren Nischen ausgefüllt worden: sie sind nebst
den Bänken bis zum Abacus der Nischen roth bemalt, während diese und der
über ihnen liegende Stuccosims weiß sind wie die Decke. Zwei runde Öffnungen in dieser letztern und eine dritte im Stichbogen der kurzen Wand über
der Wanne geben eine mäßige Erleuchtung.

Aus diesem Apodyterium führt eine mit Unterdrückung zweier Nischen
nachträglich eingebrochene Thür zu dem Vorplatz 6, eine zweite in ein eben so
einfach geschmücktes Tepidarium 3, dessen mit grobem weißen Mosaik bedeckter Fußboden auf *suspensurae* ruht. Auch seine Wände sind hohl; vom
Gewölbe ist die querüber cannellirte Stuccobekleidung fast ganz herabgestürzt;
man sieht aber, dass auch sie einen Hohlraum hinter sich ließ. Die Thür zum
Tepidarium durchbricht rechtwinkelig die Mauer; ursprünglich aber war sie,
wie die Lavaplatten des Fußbodens beweisen, schräg durch die Ecke gebrochen.

Das angrenzende Caldarium 4 entspricht den Caldarien in der andern
Abtheilung und in den kleineren Thermen wiederum genau bis auf den einen
Umstand, dass ihm an seinem einen Ende dem Alveus gegenüber die halb-
runde Nische für das Labrum fehlt; letzteres selbst ist vorhanden, vollkom-
men erhalten, aber grade nicht elegant. Auch in diesem Caldarium ist der
Fußboden hohl, die Wände und die zum größten Theil eingestürzte wiederum
querüber cannellirte Decke wie im Tepidarium mit Thonplatten belegt; die
Decoration ist weit eleganter als diejenige der beiden bisher betrachteten Säle.

Aus den Wänden springen über einem niedrigen weißen Marmorsockel flache, gelb bemalte und cannellirte Pilaster vor, welche die roth bemalten Wandflächen einfassen und einen Stuccofries mit einfachen Ornamenten tragen. In dem Stichbogen über dem Labrum ist ein reicheres Ornament von Stucco angebracht, und hier ist das Fenster durchgebrochen, welches dem Saale von dem Vorplatz 6 aus Licht zuführt. Der Fußboden ist wie in dem vorigen Saale von weißem Mosaik gebildet und der Alveus sowie die Stufe vor demselben mit vollkommen erhaltenen und ganz wie neu erscheinenden weißen Marmorplatten bekleidet. Eine große unverschlossene halbkreisförmige Öffnung in der linken Schmalseite bei μ führt zu einer sich 2 M. in die Wand hinein erstreckenden Höhlung, deren Boden etwas tiefer liegt als der der Wanne. Nur eine dünne, wie es scheint metallene Platte trennt diese Höhlung von der unter ihr hindurchgehenden Leitung für die heiße Luft, so dass das in der Wanne befindliche Wasser, indem es natürlich auch die Höhlung füllte, hier stets neue Wärme erhielt. — Die Zuflussröhre ist nicht erhalten: sie war ohne Zweifel in der rechten Wand oberhalb der Wanne angebracht; eine kupferne Röhre, welche in der rechten vordern Ecke, am obern Rande, in die Wanne einmündet, ist nach ihrer Form und ihrem Orte eher für eine Abflussröhre zu halten. Wollte man die ganze Wanne ausleeren, so öffnete man eine in der linken vordern Ecke am Boden derselben angebrachte, für gewöhnlich wohl mit einem Stein verschlossene Öffnung, worauf das Wasser auf den Fußboden strömte und zur Reinigung desselben benutzt werden konnte.

Bei Besprechung der einzelnen Räumlichkeiten haben wir einen Punkt bei Seite gelassen, weil er sich besser für alle gemeinsam erledigen lässt, nämlich die Frage nach der Entstehungszeit und allmählichen Vervollkommnung der Heizeinrichtungen. Die hohlen Fußböden sind erst zu Anfang des letzten Jahrhunderts v. Chr. von C. Sergius Orata erfunden worden; es ist also nicht wahrscheinlich, dass sie in dieser, aus vorrömischer Zeit stammenden Anlage von Anfang an vorhanden waren, und in der That ergiebt eine genaue Untersuchung der Suspensuren des Männercaldariums, welche älter sind, als die des Tepidariums, dass sie auch hier nicht den Anfängen des Baues angehören, sondern gewisse nachträgliche Veränderungen ihnen zeitlich vorausgegangen sind. Vor Anlage des Heizapparats waren die Baderäume einfache Säle, welche durch Kohlenbecken geheizt wurden, während der in der Mitte zwischen beiden Abtheilungen liegende Ofen nur das heiße Wasser lieferte. An den Wänden der Tepidarien und Caldarien waren zwei Reihen von Nischen, die untere von geringer Höhe, angebracht; dieselben sind besonders deutlich noch in der Männerabtheilung zu erkennen. Mit dem Bau der hohlen Fußböden in den Caldarien beginnt nun eine ganze Reihe von Veränderungen dieser Räume, welche uns zeigen, dass die Ansprüche, welche man in Beziehung auf Wärme an die Baderäume machte, stets im Wachsen begriffen waren, dass man ferner auch immer mehr Gewicht darauf legte, dieselben durch größere Fenster zu erleuchten, und dass man endlich auch immer prachtvollere Decorationen verlangte. Wir können diese Veränderungen, Dank dem Zustande der Zerstörung, welcher uns einen Einblick nicht nur unter die suspendirten Fußböden und hinter die Hohlwände, sondern auch in das Innere der Mauern gestattet, ziemlich genau verfolgen, und somit eine Geschichte der Anlage aufstellen, indem wir folgende vier Gruppen von Veränderungen unterscheiden:

1. In den Caldarien werden hohle Fußböden angelegt. Die Nischen werden im Männercaldarium mit Ziegelstuck, bald nachher im Männertepidarium die obere Reihe mit weißem, die untere mit rothem Stuck ausgeputzt.

2. In den Caldarien werden hohle Wände, in den Tepidarien suspendirte Fußböden und hohle Wände angelegt, hier jedoch mit Ausschluss der Wölbungen und Lünetten, welche, wenigstens im Frauentepidarium, eine neue Decoration (Gesims mit Eierstab) erhalten. Gleichzeitig erfahren die Ostwände beider Caldarien und des Männertepidariums einen Neubau; in der des Frauentepidariums wird ein kleines Fenster geschlossen. Die Thüren werden erweitert und mit Ziegelpfosten versehen, die schräg durch die Ecke gehende zum Frauentepidarium rechtwinkelig gemacht.

3. Die Hohlwände werden im Frauen- und vielleicht auch im Männertepidarium auf Wölbung und Lünetten ausgedehnt. Im Frauentepidarium und Caldarium wird die Westwand neu gebaut, mit 0,90 M. breiten Fenstern in den Lünetten.

4. Im Männertepidarium werden die Hohlwände von Wölbung und Lünetten (wenn sie hier vorhanden waren) wieder entfernt. Ebenda wird eine Wanne, im Frauenapodyterium das kalte Bad gebaut. Die Wannen in den Caldarien werden erneuert, im Männercaldarium gleichzeitig auch der suspendirte Fußboden. Die Wände werden neu decorirt mit theilweiser Marmorbekleidung. Wieder wird im Frauenbad die Westwand neu gebaut, diesmal mit größeren, 1,05 M. breiten, oben über die Lünetten hinausreichenden Fenstern.

Es bedarf nun keines großen Scharfsinns, um zu vermuthen, dass die unter 1 zusammengefassten Veränderungen in die erste Zeit der römischen Colonie, bald nach Erfindung der Suspensuren fallen müssen. Ferner ist es ganz klar, dass die mit 4 bezeichneten der Zeit nach dem Erdbeben von 63 n. Chr. angehören: damals konnte es begegnen, dass eine dem Augustus gewidmete Inschrift (oben S. 227) als Baumaterial benutzt wurde; und auch der Charakter der Decoration stimmt dazu. Dagegen müssen wir darauf verzichten, auch für die mit 2 und 3 bezeichneten Vorgänge eine genauere Zeitbestimmung zu finden. Den einzigen Anhalt dafür bietet das von M. Nigidius Vaccula geschenkte Kohlenbecken, wenn wir annehmen, dass dies zur Erwärmung eines Tepidariums diente, bevor dasselbe seinen Heizapparat erhielt. Die Erben eines Nasennius Nigidius Vaccula kommen in einer der Quittungstafeln des L. Caecilius Jucundus (S. 12) vor, welche im Jahre 54 n. Chr. geschrieben ist; ist also dies der Schenker des Kohlenbeckens, so ist derselbe kurz vor dem Jahr 54 gestorben, und wenn er auch die Schenkung geraume Zeit vor seinem Tode gemacht haben kann, so kann dieselbe doch frühestens in die letzte Zeit des Augustus, die Umgestaltung der Tepidarien (2) frühestens in die Zeit des Tiberius fallen. Aber freilich ist die Identität der beiden Persönlichkeiten nicht sicher [101].

Wo aber, so müssen wir jetzt fragen, bleibt das Laconicum der Inschrift?
Einen runden, kuppelförmig bedeckten Schwitzraum, wie man ihn mit diesem
Worte bezeichnete und wie wir ihn in einer andern Badeanstalt Pompejis
kennen lernen werden, finden wir hier nicht, und es ist auch ganz sicher, dass
er nie vorhanden war [102]. Es scheint aber, dass jenes Wort auch in weiterem
Sinne gebraucht wurde, und wenn uns von M. Agrippa berichtet wird, dass er in
Rom »ein Bad, ein sogenanntes Laconicum« erbaute (Dio Cass. LIII, 27), so
müssen wir doch wohl an eine ganze Badeanstalt mit Heizapparaten, nicht nur
an ein Laconicum im engern Sinne denken. Da nun, wie wir sahen, eben um
die Zeit des Ulius und Aninius, der ersten Zeit der Colonie, die Caldarien mit
den neu erfundenen Heizvorrichtungen versehen wurden, so werden wir annehmen müssen, dass dies mit *Laconicum facere* gemeint ist : sie gestalteten
die alte Anlage so um, dass sie nun zu einem Laconicum im weitern Sinne
wurde. Somit haben wir also alles das, was die Inschrift jenen Duumvirn zuschreibt, an dem Gebäude selbst wenigstens mit großer Wahrscheinlichkeit
wiedergefunden.

Der unbedeckte Vorplatz 6 , welcher bei $\eta\,\eta$ und η' die Reste mehrer
Treppen in obere Räume enthält, ist völlig schmucklos, ja roh, mit mehr be-
rappten als abgeputzten Wänden. Gleichwohl ist auf seiner östlichen Wand
über einer Öffnung, durch welche dem Labrum des Caldariums sein Wasser
zugeführt wurde , wenn auch nur höchst roh , ein Tempelchen mit Giebel-
dach gemalt, innerhalb dessen sich eine große Schlange auf einen Altar mit
Früchten zu ringelt (Hlbg. S. 11). In ihr wird entweder einfach der *Genius
loci* oder der *custos fontis*, genauer der die Wasserleitung schützende Genius
zu erkennen sein.

Ehe wir die Thermen verlassen, haben wir noch eine ganze Abtheilung
zu betrachten, welche allerdings unscheinbar in ihren Räumen, aber deswegen
nicht uninteressant und zugleich die am meisten noch in ihrem Urzustande
befindliche des ganzen Gebäudes ist. Es ist die mit kleinen Buchstaben von
a—k bezeichnete. Ihren äußern Eingang hat sie in a^* von der Theaterstraße ;
derselbe führt in einen gewölbten Gang *a* mit Lichtöffnungen gleich denen im
Gange 5 der zweiten Badeabtheilung. Allein auch mit der Palaestra steht
diese Abtheilung durch die verschließbar gewesene Thür aus *h* mit erhöhter,
über einer Stufe zu betretender Schwelle in Verbindung. Lassen wir die
Räume *b c d* rechts am Gange *a* zunächst bei Seite, so finden wir links etwas
weiterhin an demselben in *e* vier ganz gleiche, kleine und schmucklose, von
ihrer Wölbung aus nothdürftig erleuchtete Zellen von ungefähr 2×2 M.
Größe, jede mit einer gemauerten Wanne, die aber ohne Zufluss - oder Ab-
flussrohre für das Wasser und in sehr zerstörtem Zustande aufgefunden worden
sind. Es sind dies Einzelbadezellen, für welche der antike Name *solia* mit
Glück aufgefunden ist. An diesen und dem Gange *f* vorbei gelangt man auf
das in die Palaestra ausmündende Vorzimmer *h*, an dem ein kleines schmuckloses Cabinet *i* liegt, welches keinen andern Eindruck als den einer Rumpel-
kammer oder eines Aufbewahrungsortes für uns unnachweisbare Gegenstände
macht, vielleicht aber ursprünglich auch eine Badezelle war. Vor demselben biegt
der Gang links ab in den Zweig *g*, der zu einer steilen Treppe auf das flache

Dach führt, welche modern vermauert ist. Aus der linken Wand dieses Ganges ragt, abwärts gerichtet, eine starke Bleiröhre hervor, welche ganz den Eindruck macht, als hätte sie, mit einem Hahn verschließbar, zum Wasserschöpfen gedient. Hier wurde auch die mehrerwähnte Inschrift an die Wand gelehnt, d. h. offenbar einstweilen bei Seite gestellt aufgefunden. Kehren wir hier um, so führt uns der abzweigende Gang f in das ziemlich geräumige und überwölbte Zimmer k, in welchem Michaelis mit überzeugender Genauigkeit die Latrina mit ringsumlaufendem Canal nachgewiesen hat [103]), dergleichen wir eine kleinere in den kleinen Thermen in d und eine größere am Forum neben der Fruchthalle gefunden haben. Da hier die nöthigsten Andeutungen über die Beschaffenheit solcher durch fließendes Wasser stets rein erhaltenen, überaus sinnreich angelegten Räume gegeben sind, mag es mit einer Verweisung auf die genaue und correcte Beschreibung von Michaelis hier sein Bewenden haben; nur sei bemerkt, dass diejenigen, welche in diesem Raum ein Waschhaus erkennen wollten, sowie diejenigen, welche hier das in der Inschrift erwähnte *destrictarium* suchten, sich im augenscheinlichsten Irrthum befanden. l ist ein großer, viereckiger Brunnen, ganz ähnlich dem der kleineren Thermen (δ auf dem Plan Fig. 116), welcher vermuthlich theils durch das auf die flachen Dächer fallende Regenwasser, theils durch Leitungswasser gefüllt wurde. m ist ein von allen Seiten geschlossener, unzugänglicher Raum.

Mit wenigen Worten ist noch die Bedeutung der am Anfange des Ganges a von der Theaterstraße her befindlichen Räume b, c und d festzustellen, von denen b als die *cella ostiarii* durch eine gemauerte Lagerstätte an ihrem linken Ende bezeichnet wird. In c führt eine Treppe in einen jetzt wegen starker Kohlensäureausdünstung unbetretbaren Keller hinab, d endlich, in welchem Gemach der Anfang der aus Ziegeln erbauten Treppe in c liegt, ist nichts als ein Vorzimmer zu c.

Die auch diese wie die kleineren Thermen an drei Seiten umgebenden Läden verdienen keine nähere Beschreibung. Dieselben sind zum Theil mit der Errichtung des Gebäudes gleichzeitig und zu diesen älteren Läden gehörte auch derjenige, welcher später, wie seines Ortes bemerkt, in den Eingangsraum A verwandelt worden ist. Dagegen zeigen die Läden der Westseite jüngere Bauart; freilich aber ist zu vermuthen, dass schon vor den Umbauten, welche mit den Thermen vorgenommen wurden, auch hier Läden vorhanden waren.

c. Die Centralthermen [104]).

Eine dritte große Thermenanlage wurde im Jahre 1877 ausgegraben; sie ist nicht nur weit jünger als die beiden besprochenen, sondern war zur Zeit der Verschüttung noch im Bau begriffen und ihrer Vollendung ziemlich fern, ist also trefflich geeignet uns über die Anforderungen zu unterrichten, welche man um's Jahr 79 n. Chr. an eine solche Anstalt stellte. Nach ihrer Lage an dem Kreuzpunkt der beiden die Stadt in grader Linie durchschneidenden Hauptstraßen nennen wir sie Centralthermen.

Der große Hof d, den wir nach Analogie der eben besprochenen Thermen als Palaestra bezeichnen dürfen, ist auf zwei Seiten von Läden umgeben; t scheint

ein öffentlicher Abtritt zu sein; die Bestimmung von *u* ist unbekannt. Man
betritt die Palaestra durch zwei große und einen kleinen Eingang, *a*, *a'*, *a''*. Nur
neben *a* finden wir die zwei kleinen Räume *b* und *c*, und da gleich in der Nähe
der einzige Zugang zu den Baderäumen ist, und alle die aus der Palaestra dorthin

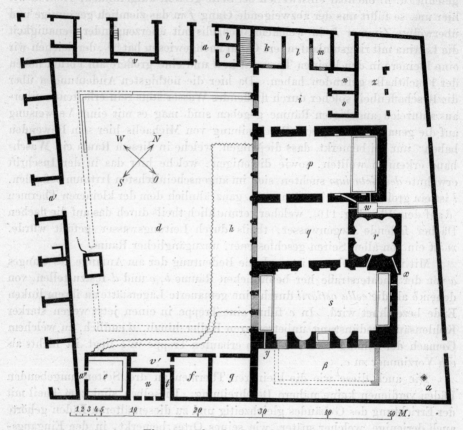

Fig. 126. Plan der Centralthermen.

gingen, hier vorbeikommen mussten, so gingen offenbar diese beiden Räume
nur die Besucher des Bades, nicht die der Palaestra an. Vielleicht war das
eine der Sitz des Capsarius und wurden in dem andern Einlassmarken aus-
gegeben. Neben *a''* fehlt auch hier der Abtritt nicht. Die Palaestra ist in
ganz unfertigem Zustande. Man war eben beschäftigt, den nur ganz roh bearbeiteten Stylobat für die Säulengänge zu legen; derselbe liegt nur auf der
Hälfte der Nordseite. Etwas weiter war man mit der Traufrinne gekommen:
sie liegt auf der ganzen Nordseite und auf dem Nordende der Westseite, ist
aber auch nur erst aus dem Groben gearbeitet. Im Übrigen liegen nur die
Fundamente; sie werden auf der Westseite unterbrochen durch einen Brunnen,
d. h. eine impluviumartige, terrassirte, mit einer niedrigen Mauer umgebene
Vertiefung, in welche, von Westen kommend und sich bis zur Höhe dieser
Mauer erhebend, ein mit einem Hahn verschließbares Wasserleitungsrohr ein-

mündet. Vermuthlich ist dieser Brunnen nur provisorisch, mit Benutzung des Impluviums eines früher hier befindlichen Hauses eingerichtet worden, um beim Bau das nöthige Wasser zur Hand zu haben. Andere Reste früherer Bauten liegen noch vielfach zu Tage, sollten aber sicher entfernt werden. Daneben fehlt es auch nicht an Materialien für den Neubau: Säulentrommeln, ganze Säulen, Basen und Capitelle, so wie auch Marmorplatten, darunter zwei sehr schöne von Cipollin. An der Ostseite war man beschäftigt, das geräumige Schwimmbassin (*natatio*) *h* anzulegen, war aber noch nicht weit damit gekommen: es ist nur die Vertiefung ausgegraben und der Boden mit mäßig großen Lavasteinen gepflastert. Aus der Südwestecke der Natatio sollte ein nur erst gegrabener Canal das Wasser, wenn man es ablassen wollte, in den Abtritt *e* leiten, so dass es zur Reinigung desselben verwerthet wurde.

Nur wenig Räumlichkeiten liegen an der Palaestra: zwei Exedren von geringer Tiefe, *v v'*, und zwei Zimmer, von denen das aus *v'* zugängliche, *f*, zwei große Fenster, das andere, *g*, keine Fenster hat. Sie sollten ohne Zweifel zum Aus- und Ankleiden, sowie zum Salben und zum Abstreichen des Öls dienen; wir mögen sie also etwa als Apodyterium und Destrictarium bezeichnen.

Aus der Palaestra gelangen wir durch eine Thür am Nordwestende der beabsichtigten Säulenhalle in einen Vorraum der eigentlichen Baderäume, *i*, an welchem zwei ladenartige Räume *n*, *o* und zwei Zimmer *k*, *m* mit je zwei großen und niedrigen Fenstern, deren Brüstung auch als Ladentisch dienen konnte, gelegen sind. Wir können nur vermuthen, dass hier irgend welche zum Baden nöthige Gegenstände zu haben waren. *i* war bedeckt, denn es erhielt sein Licht durch mindestens drei Fenster auf die Palaestra, ebenso *k* und *m* und der zwischen ihnen übrig bleibende Raum *l* durch Fenster auf die Nolaner Straße.

Gehen wir nun zur Betrachtung der eigentlichen Baderäume über, so bemerken wir zunächst, dass hier nicht gesonderte Abtheilungen für Männer und Frauen, sondern alle Räume nur einmal vorhanden sind. Ob hier nur für Männer gesorgt war, ob den beiden Geschlechtern verschiedene Stunden angewiesen waren, ob endlich wir hier an die unter Nero eingerissene Unsitte des gemeinsamen Badens zu denken haben, das können wir nicht entscheiden; doch dürfte die letzte Möglichkeit am ehesten auszuschließen sein, da wir hier allem Anschein nach kein Luxusbad vor uns haben.

Die einzelnen Räume sind sehr groß und jeder durch zwei Thüren zugänglich. Ein besonderes Frigidarium ist nicht vorhanden, sondern diesem Zweck sollte die sehr große Wanne am Ostende des Apodyteriums *p* dienen. In sie sollte das Wasser aus drei Nischen fallen, deren in jeder Wand eine angebracht ist. Ferner ist unmittelbar über dem rechten Rande die Wand durch ein viereckiges Loch durchbohrt, welches mit leiser Senkung zu dem Ausgussbassin *w* führt. Wenn, wie zu vermuthen ist, hier das Wasser im Maße des Zuflusses ablaufen sollte, so musste der Rand der Wanne noch erhöht und in dieser Erhöhung ein Einschnitt oder ein Abflussrohr angebracht werden, welches jetzt fehlt. Da die Wanne nur mit *opus Signinum* bekleidet ist, so können wir vermuthen, dass sie noch mit Marmor getäfelt werden und dann die noch fehlende Vorrichtung erhalten sollte. Wollte man sie ganz ausleeren, so geschah dies durch ein Bleirohr, welches an eben dieser Stelle vom Boden derselben in dasselbe Ausgussbassin führte. Die Wanne ist 1,40 M. tief; man stieg hinein über drei Stufen, deren oberste durch die Umfassungsmauern, die zweite durch den Fußboden gebildet wird, während die dritte nur auf der Vorderseite angebracht ist. Noch bemerken wir, dass aus einer Nische zwischen der Wanne und der nächsten Thür zum Tepidarium ein Loch schräg durch die Wand auch zu w führt, offenbar um irgend welches schmutzige Wasser auszugießen. Aus w führt eine gemauerte Rinne auf die Straße.

Das Tepidarium q ist ein einfacher viereckiger Raum, geheizt durch den von stuckbekleideten Ziegelpfeilerchen getragenen suspendirten Fußboden und Thonröhren $(0,13 \times 0,075)$ an den Wänden; die Wärme gelangte hierher aus dem Raum unter dem Caldarium und unter dem noch zu besprechenden Laconicum r durch Verbindungsgänge unter den Thüren. Nahe der Nordecke führt ein Ausgussloch zu w, wohl für das zum Reinigen des Fußbodens gebrauchte Wasser. Eine Wanne, wie im Männerbad der größeren Thermen, ist hier nicht vorhanden.

Dagegen hat das Caldarium s nicht weniger als drei Wannen, zwei große an den Schmalseiten und eine kleine, die als Labrum dienen mochte, in der Mitte der südlichen Langwand. Die Heizungsvorrichtungen sind wie im Tepidarium; nach einem hier liegenden Fragment der Stuckbekleidung des Gewölbes zu schließen, erstreckten sich die Hohlwände nicht auf dieses und also auch wohl nicht auf die Lünetten, was also auch im Tepidarium nicht der Fall gewesen sein wird. Ein Ofen genügte aber nicht für den großen Raum: man wollte ihrer zwei anlegen, bei x und y, doch war mit ihrer Erbauung noch gar nicht der Anfang gemacht worden. Wohl aber sind an beiden Stellen die Öffnungen in der Wand vorhanden, durch welche die heiße Luft unter den Fußboden gelangen sollte. Diese Öffnungen nun führen nicht nur unter den Fußboden, sondern sie haben oben eine gewölbte, halbkreisförmige Erweiterung, welche über denselben hervorragt, so dass das Ganze das Aussehen eines gewölbten Durchganges hat. Wozu diese halbkreisförmigen Öffnungen oberhalb des Fußbodens dienen sollten, kann uns nicht zweifelhaft sein, wenn wir uns an dasjenige erinnern, was wir im Frauencaldarium der größeren Thermen beobachtet haben (S. 230). Offenbar beziehen sie sich auf die Wannen. Diese sollten hier eine ebensolche halbkreisfömige Öffnung und eine ebensolche höhlenartige Erweiterung bekommen, wie wir sie dort fanden, in welcher das Wasser, von der Leitung für die heiße Luft nur durch eine dünne, vielleicht metallene Platte getrennt, stets von neuem erwärmt wurde.

Das Wasser sollte in die Wannen fallen aus Nischen, die über ihren Langseiten angebracht sind: über der östlichen Wanne sind ihrer drei, eine halbrunde und gewölbte und zwei viereckige, über der westlichen zwei in den beiden Pfeilern zwischen den Fenstern; in die kleine sollte es durch eine Röhre unter dem Fenster geleitet werden. Alle drei konnten ausgeleert werden durch kurze Bleiröhren, welche nahe dem Boden in die dem Caldarium zugewandte Mauer eingesetzt sind: das Wasser floss dann auf den Fußboden und diente zur Reinigung desselben. Dagegen vermissen wir Vorrichtungen

zum allmählichen Ablaufen im Maße des Zuflusses; dieselben sollten wohl bei
der Bekleidung mit Marmor angebracht werden.

Jeder der drei bis jetzt besprochenen Räume hat drei große, gewölbte
Fenster auf die Palaestra. Letztere sollte offenbar auf dieser Seite keine Porticus erhalten, um diesen nach Südwest gerichteten Fenstern nicht die Sonne
wegzunehmen, welche also mindestens vom Mittag an mit ihren Strahlen der
Heizung zu Hülfe kam. Dazu kamen im Caldarium noch fünf etwas kleinere,
nach Südost gewandte Fenster, denen freilich die Sonne zum großen Theil
weggenommen wurde durch eine eben im Bau begriffene Mauer. Alle diese
Fenster bilden eine treffliche Illustration zu der Vorschrift Vitruv's (V, 10, 1),
dass die Tepidarien und Caldarien Fenster haben sollen wo möglich nach
Südwest, sonst nach Süden, weil man namentlich Nachmittags zu baden
pflegte, und zu der Bemerkung Seneca's (*Ep.* 86, 11), dass man zu seiner Zeit
verlangte, in hellem Lichte abgebrüht zu werden (*in multa luce decoqui*).

Zu diesen uns auch aus den beiden anderen Badeanstalten bekannten
Räumen kommt nun noch ein vierter, *r*, ein runder, durch vier halbrunde
Nischen (*scholae*) erweiterter, mit einer flachen Kuppel (von der nur sehr
wenig erhalten ist) bedeckter Raum, mit suspendirtem Fußboden und Hohl-
wänden, welcher von *x* aus durch die auf dem Plan angegebene Leitung geheizt
werden sollte; der Raum unter dem Fußboden stand auch mit dem unter dem
Tepidarium und Caldarium durch Öffnungen unter den Thüren in Verbindung.
Eine solche Schwitzkammer nannten die Alten, wie namentlich aus einigen
Stellen Vitruv's (besonders V, 10, 5) hervorgeht, Laconicum; sie war der heißeste
Theil des Bades und wurde namentlich von denjenigen benutzt, welche nicht
eigentlich warm baden, sondern nur schwitzen wollten. Seine Lage, in Verbindung mit Tepidarium und Caldarium ist durchaus zweckmäßig. Zwar
scheint es Regel gewesen zu sein, dass nur das Tepidarium von allen Badenden gemeinsam benutzt wurde, dann aber sie sich theilten, indem die einen
zum warmen Bade ins Caldarium, die anderen in das Laconicum, den Schwitzraum gingen; und daher war in der als Villa der Julia Felix bekannten Badeanstalt (S. 200) das Laconicum nur aus dem Tepidarium zugänglich. Es
mochte aber theils manche geben, die, um einen allmählichern Übergang zu
haben, durch das Caldarium ins Laconicum gingen, theils mochte es vorkommen, dass man nach dem Schwitzbad im Laconicum noch ein warmes Wasserbad
nahm [105]. Wo die Kuppel ansetzt, sind drei kleine runde Fenster sichtbar,
welche wohl, durch Glasscheiben geschlossen, Licht gaben. Wir müssen annehmen, dass, der Vorschrift Vitruv's (a. O.) gemäß, im Scheitelpunkt der Kuppel
eine Öffnung gelassen war, welche durch einen an Ketten hängenden kupfernen
Schild bald mehr bald weniger geschlossen werden konnte, um so die Hitze zu
mäßigen. Vitruv's Vorschrift, dass die Höhe bis zum Ansatz der Wölbung
gleich dem Durchmesser sein soll, ist nicht befolgt: die Höhe kann wenig
über 4,50 M., der Durchmesser zwischen den Hohlwänden wenig unter 6 M.
betragen haben.

Was die Decoration dieser vier Räume betrifft, so war wohl nur die der
Wölbungen und Lünetten vollendet Geringe Reste sind am untern Rande
der innern Lünette des Apodyteriums erhalten; ferner liegt ein Fragment aus

der Wölbung im Caldarium: an beiden Stellen erkennen wir nur ziemlich grob in weißem Stuck ausgeführte Ornamente. Fußboden und Wannen waren mit *opus Signinum*, die Wände mit hellröthlichem Ziegelstuck bekleidet, so dass das Ganze ungemein einförmig aussehen musste. Schwerlich sollte dies so bleiben: wir dürfen sicher annehmen, dass dies nur die Unterlage für weitere Decorationen sein sollte, dass man die Wannen mit Marmor, die Wände vielleicht auch theilweise mit Marmor, im übrigen mit gemaltem Stuck bekleiden wollte.

Über den östlich und südlich von den Badesälen übrig gebliebenen, durch zwei Eingänge von der östlichen Straße (*vico di Tesmo*) zugänglichen Raum ist wenig zu sagen. Mit der östlichen Umfassungsmauer ist man ein beträchtliches Stück über die frühere Grenze der Insula hinausgegangen und hat so die Straße verengt. Am Nordende des bezeichneten Raumes hatte man eine Pfeilerporticus *z*, wie es scheint mit Benutzung schon früher vorhandener Pfeiler, errichtet, welche aus *i*, dem Vorraum der Badeanstalt, zugänglich war. Der massive Pfeiler *α*, welcher in ganz anderer Richtung steht, als die Mauern des Gebäudes, kann keinen constructiven Zweck gehabt haben; da er genau nach Süden orientirt ist, so liegt die Vermuthung sehr nahe, dass er eine Sonnenuhr tragen sollte: wir erinnern uns, dass eine solche in den größeren Thermen gefunden wurde, und dass wir in den kleineren Thermen, an einer ganz ähnlichen Stelle, einer Säule begegneten, für die wir den gleichen Zweck vermutheten (S. 212). Zu welchem Zweck man den Raum *β* mit einer Mauer umgeben wollte (auf der punktirten Strecke sind nur erst die Fundamente gelegt), können wir nicht errathen.

Sechster Abschnitt.

Brunnen, Altäre und sonstige kleine Bauwerke.

Gutes Trinkwasser galt im Alterthum für ebenso wichtig wie bei uns, ja, wenn wir von den ungeheuern Bauten, welche die Römer in viele Meilen langen riesigen Aquaeducten anlegten, um sich dasselbe zu verschaffen, auf den Werth schließen, den das Wasser hatte, für noch ungleich wichtiger. Für den Bedarf des Haushaltes, für Küche und Wäsche hatte man das in den Impluvien gesammelte, in tiefgegrabene Brunnen geleitete und in ihnen geklärte Regenwasser in jedem Hause bei der Hand, zum Trinken aber zog man, obgleich das Wasser der Cisternen namentlich in älterer Zeit gebraucht wurde, Quellwasser begreiflicher Weise vor, welches oft sehr weither geschafft werden musste.

So auch in Pompeji. Denn die Stadt hatte vermöge ihrer schon früher dargestellten Lage auf einem Lavahügel im Alterthum jedenfalls nur sehr wenige lebendige Quellen oder Brunnen von Quellwasser; wir kennen deren nur zwei: einen von 28 M. Tiefe in dem Keller der s. g. *casa dei marmi*, jetzt *domus N. Popidii Prisci* genannt (VII, 2, 20), den andern, ähnlich tiefen, in dem anliegenden Hause, *domus C. Vibi* (VII, 2, 18). Das Wasser des Sarnus, der

übrigens im Alterthum schwerlich unmittelbar an der Stadt vorbeifloss (s. oben
S. 6), in Eimern oder Hydrien (Wasserkannen) herbeizuschaffen, konnte besten
Falls für die nächsten Häuser am Flussufer und für sehr primitive Culturzustände
genügen. Pumpwerke aber, durch welche man das Flusswasser hätte heben
können, sind dem Alterthume fremd gewesen. Pompeji war also für seinen
Bedarf an Trinkwasser auf eine Wasserleitung angewiesen, an deren einst-
maligem Vorhandensein man schon gegenüber den an nicht wenigen Stellen der
Stadt noch jetzt sichtbaren Pfeilern und den vielfach auf den Straßen und in den
Gebäuden sichtbaren Bleiröhren, sowie den zahlreichen Brunnen nie hat zwei-
feln können, welche letztere sich nicht allein in den Straßen und an fast allen
Straßenecken (*in biviis* oder *triviis*) finden, sondern auch in nicht wenigen
Häusern, zum Theil sehr reich und eigenthümlich verziert, wiederkehren.
Woher das Wasser kam, ob aus dem Sarnus, worauf die starke Ablagerung
von Kalksinter führt, ob vom Vesuv, das ist noch nicht sicher festgestellt.
Jedenfalls lag der Ausgangspunkt der Leitung viel höher als der von Fontana's
Canal (oben S. 26): es geht dies theils aus der Höhe der erwähnten Pfeiler
hervor, auf welche das Wasser durch seinen eigenen Druck hinaufgetrieben
wurde, theils aus dem vor kurzem nördlich von der Stadt aufgefundenen Zu-
leitungscanal[106]. Die Leitung war sowohl außerhalb als innerhalb der Stadt
unterirdisch, und die schon erwähnten Pfeiler bildeten ihre Knotenpunkte.
Sie bargen in den beiden Vertiefungen, die sie charakterisiren, Röhren; in
einer derselben stieg das zugeleitete Wasser in auf der Höhe des Pfeilers befindliche offene Bassins, welche, obgleich selbst zerstört, doch sicher nachgewiesen sind; in der zweiten Vertiefung wurde es durch mehrfach sich ver-
zweigende Röhren an seine Bestimmungsorte weiter geleitet. Der Zweck
dieser örtlichen Erhebungen ist ohne Zweifel, den gar zu großen Fall und
Druck des Wassers auf die Röhren abzuschwächen, indem aus den offenen
Bassins das überschüssige Wasser abfloss, während andere Knotenpunkte der
Leitung unter dem Niveau der Straßen lagen und durch s. g. *castella aquae*,
für deren eines man das auf Fig. 128 hinter
dem Brunnen sichtbare kleine Gebäude hält,
geborgen wurden, ohne gleichwohl unzugänglich zu sein. So ist das Wasser dieser Leitung
durch alle Quartiere und auch in viele Häuser
vertheilt gewesen, und zwar allen Anzeichen
nach reichliches Wasser.

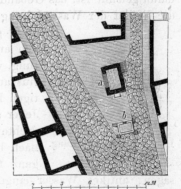

Fig. 127. Plan eines Brunnens.

Von den sichtbaren Monumenten der pompejaner Wasserleitung fassen wir zunächst die
Brunnen in den Straßen und an den Straßenecken ins Auge.

In den beiden Abbildungen Fig. 127 und
Fig. 128 finden wir den Plan und die Ansicht
einer Straßenecke, eines *bivium* mit dem eben
erwähnten *castellum a* und einem Brunnen *b*; es ist der erste an der Hauptstraße vom Herculaner Thor, welche man mit ihrem Pflaster und ihren Trottoirs ebenfalls auf dem Plan erkennt. Die Gestalt des Brunnens selbst ist, wie

die der meisten Brunnen in Pompeji, die einfachste, die man sich denken kann. Aus einem kleinen, aus einem Lavastein bestehenden Pfeiler, welcher zur Aufnahme des Rohres der Leitung durchbohrt und in den meisten Fällen mit einem Figurenornament am Ausguss verziert ist (in diesem Beispiel ist es

verloren gegangen), fällt das Wasser in einen s. g. Cantharus oder ein viereckiges Bassin, welches aus mit eisernen Klammern verbundenen Lavaquadern erbaut ist, um der Last des Wassers sicher zu widerstehn. Hinter dem Brunnen sieht man das ververmeintliche *castellum*, d. h. ein kleines gewölbtes Gebäude mit einer fensterartigen Öffnung; eine gleiche Öffnung auf der gegenüberliegenden Seite ist schon im Alterthum zugemauert worden. Dagegen ist eine Thür nie vor-

Fig. 128. Ansicht eines Brunnens.

handen gewesen. Die Façade dieses kleinen Bauwerks nach dem Brunnen hin war mit einem jetzt ganz verschwundenen, vielleicht den Larendarstellungen angehörenden Gemälde (Hlbg. No. 88) geschmückt, und vor demselben steht ein kleiner, wohl den *lares compitales*, den Schutzgöttern der Straßen, deren Cult Augustus erneuerte, geweihter Altar. Ob es wirklich ein Castellum der Wasserleitung ist, kann jetzt, wo der Boden nicht sichtbar ist, nicht untersucht werden : es wird erlaubt sein, daran zu zweifeln, da auf der Ostseite (auch auf dem Plan Fig. 127 sichtbar) einer der gewöhnlichen Wasserleitungspfeiler daran gelehnt ist, das Gebäude selbst aber alterthümlichere Bauart zeigt, als die Pfeiler der Wasserleitung. Der Hahn der Leitung ist an diesem Orte

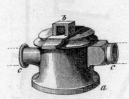

nicht gefunden worden, wohl aber zeigen diejenigen von anderen Knotenpunkten wesentlich die Einrichtung, welche uns der Hahn aus dem Palast des Tiberius auf Capri im Museum von Neapel vergegenwärtigen kann, den die nebenstehende Figur 129 zeigt. Jeder sieht, dass der Theil *b* sich in demjenigen *a* drehte und so die Rohre *c* öffnete oder schloss, welche nach beiden Seiten führen. Jetzt sind diese Stücke ganz fest in einander gerostet und sollen, so zu

Fig. 129.
Hahn einer Wasserleitung.

sagen, antikes Wasser eingeschlossen enthalten, welches man, wenn der Hahn geschüttelt wird — versucht habe ich es nicht — in dessen Innerem deutlich plätschern hören soll. Die meisten Brunnen sind dem hier beschriebenen und abgebildeten sehr ähnlich, nur dass der Cippus, aus welchem das Wasser in das Becken floss, wie schon gesagt, bei den meisten auf eine verschiedenartige Weise mit Reliefen geschmückt ist. Beispielsweise bringen wir

die Abbildung eines ebenfalls an einer Straßenecke belegenen Brunnens (Fig.
130). Der Cippus ist mit einem Relief geschmückt, darstellend einen Adler,
der einen Hasen im Schnabel hält, aus dessen Maul das Wasser floss. In dem
Laden, in dessen Thür hinter dem Brunnen wir hineinsehen, wurden Esswaaren
verkauft, von denen man Reste in demselben gefunden haben soll. Der Reliefschmuck der meisten, stets in gleicher Weise eingerichteten Brunnen ist zu
wenig bedeutend, um hier einzeln erwähnt zu werden; Auszeichnung verdient

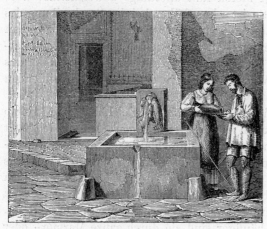

nur ein solches Relief an einem
in der Nähe des Apollontempels
und des Seethors (Reg. VII,
Ins. 15) neuerdings ausgegrabenen Brunnen von schönem
weißem Marmor, da dasselbe
nicht ohne Laune ist. Es stellt

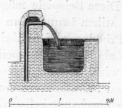

Fig. 130. Ansicht eines zweiten Brunnens.

Fig. 131. Durchschnitt
eines Brunnens.

nämlich einen schönen Haushahn vor, der in eiligem Lauf ein Gefäß umgeworfen
hat, dem nun der Wasserstrahl entspringt. An eben diesem Brunnen sieht man

besonders deutlich die Spuren der Ab-
nutzung durch den Gebrauch; neben
dem Cippus ist der Brunnenrand durch
die aufgestützten Hände und in dem
Relief ist die Mündung des Gefäßes
durch die darangelegten Lippen der
Trinkenden ziemlich beträchtlich aus-
geschliffen. Noch stärker ist diese an
allen Brunnen wahrnehmbare Ab-
nutzung an demjenigen an der *Strada
dell' Abbondanza* an der hintern Ecke
des Gebäudes der Eumachia. Der
Durchschnitt eines derartigen an den
Propylaeen des Forum triangulare belegenen Brunnens (Fig. 131) mag die
Art verdeutlichen, wie das Wasser
durch ein Rohr in dem durchbohrten
Cippus bis zum Ausfluss geleitet
wurde, die Ansicht noch eines Brun-

Fig. 132. Ansicht eines dritten Brunnens.

nens (Fig. 132) eine Besonderheit vergegenwärtigen. Derselbe, dessen Cippus mit
einem Stierkopf in Relief geschmückt ist, ist in den Fußweg der ziemlich engen

Straße hineingebaut, und augenscheinlich deshalb an zwei Seiten mit einem
eisernen Geländer umgeben gewesen, um Fußgänger vor dem Hineinstürzen
zu bewahren. Dies bereits bei der Entdeckung ganz verrostete Geländer ist
bis auf ein paar Stümpfe im Stein verschwunden. Das Material ist fast überall
Lava. Nur der Brunnen mit dem Hahn ist aus Marmor; der neben dem Gebäude der Eumachia und ein anderer am Kreuzpunkt der Nolaner und Stabianer Straße aus Travertin; nur einer, am Stabianer Thor, ist aus Tuff.

Andere Brunnen in Pompeji bieten nun allerdings abweichende, aber
nicht minder einfache Formen. So ist schon früher bei der Beschreibung des
Forum triangulare sowie der Palaestra dúrchbohrter Säulen Erwähnung gethan
worden, welche als Brunnen dienten; ein Brunnen in demselben Stadtquar-
tier hat ungefähr die Form eines Sitzes mit sehr niedriger Lehne, aus der aus
vier kleinen Löwenköpfen die Wasserstrahlen in den das Bassin bildenden
Sitz fielen.

Diese Beispiele mögen genügen, um das immer gleichbleibende Princip
der antiken Brunnen an den Straßen zu vergegenwärtigen. Diese Gleichheit
des Princips schließt übrigens eine größere Mannichfaltigkeit der Erscheinungen, als sie uns Pompeji in seinen öffentlichen Brunnen bietet, keineswegs
aus, wie dies, ganz abgesehn von den Monumenten anderer Orte, die Brunnen
in den Privathäusern Pompejis beweisen; hier finden wir die Cippen, wenn
diese überhaupt beibehalten wurden, was nur ausnahmsweise der Fall ist,
ungleich reicher decorirt; noch häufiger sind sie durch ganze Marmor- oder
Bronzestatuen ersetzt, durch welche das Brunnenrohr bis zu irgend einem
mehr oder weniger sinnreich construirten Ausguss geführt wurde. Diese Brunnenfiguren, deren Herculaneum eine ganze Reihe und auch Pompeji nicht
ganz wenige aufzuweisen hat, boten der Plastik ein fruchtbares Feld und gehören zu den anmuthigsten Erfindungen derselben; von ihnen soll im artistischen Theile ausführlicher gesprochen werden.

Es wäre nun interessant zu wissen, wann Pompeji seine Wasserleitung
erhielt. Betrachten wir daraufhin die Monumente derselben, so finden wir,
dass keines derselben auf vorrömische Zeit deutet. Am alterthümlichsten sehen
noch die Brunnen aus; doch liegt dies an der Rohheit der Arbeit, welche in
der Lava durch die Beschaffenheit des Steines bedingt ist. Aber auch das
Medusenhaupt des aus Tuff, einem leicht zu bearbeitenden Stein, bestehenden
Brunnens am Stabianer Thor, zeigt nicht im entferntesten den künstlerischen
Charakter der Tuffköpfe des großen Theaters und des Nolaner Thors (S. 52,
158). Die Pfeiler bestehn theils (und vorwiegend) aus ziegelförmigen Tuffsteinen, theils aus Ziegeln: ihre Bauart zwingt uns nicht, sie auch nur in republikanische Zeit hinaufzurücken. Ohne also den Zeitpunkt näher bestimmen zu
wollen, können wir doch sagen, dass allem Anschein nach die Wasserleitung
Pompejis der römischen Zeit, und zwar schwerlich den Anfängen derselben
angehört.

Von öffentlichen Monumenten sind außer den Brunnen besonders noch
die, wie in katholischen Ländern die Heiligenhäuschen, vielfach in den Straßen
aufgestellten Altäre der Schutzgottheiten der Wege und Straßen zu erwähnen.
Ein solches kleines Heiligthum haben wir bereits an dem Brunnenhause bei

dem ersten Brunnen kennen gelernt, bestehend aus einem Altar vor dem Bilde der Straßenlaren, auf welchem diesen Daemonen von den Vorübergehenden ein wohlfeiles Opfer und ein flüchtiges Gebet dargebracht wurde. Ganz ähnlich ist ein zweites derartiges Heiligthum in der *Strada stabiana* ebenfalls mit einem Brunnen verbunden. Ohne Verbindung mit einem Brunnen ist ein Altar in der Straße hinter dem s. g. Gefängniss am Forum, angelehnt an eine Wand; hinter demselben erscheint auf einem von Pilastern eingefaßten und von einem Giebel gekrönten Felde die bekannte Opfercaeremonie anstatt gemalt in Stuccorelief. In dem Giebel ist ein Adler in Relief gebildet, welcher zu der unrichtigen Annahme den Anlass gegeben hat, dieser Altar sei dem Juppiter geweiht gewesen; er erscheint vielmehr nur als ein sehr passender Schmuck des flachen Giebeldreiecks, welches er mit seinen ausgebreiteten Schwingen erfüllt, und welches eben wegen der Ähnlichkeit seiner allgemeinen Form mit den ausgebreiteten Flügeln eines Adlers in Griechenland den Namen »Adler« (ἀετός) erhalten hat. Ein anderes Beispiel (Fig. 133) wird genügen, um nebst dem zuerst betrachteten den durchschnittlichen Charakter dieser Cultusstätten der *dii populares* oder *patellarii* uns zu vergegenwärtigen. Es ist dies ein ziemlich ansehnlicher Altar, welcher, um den Verkehr auf dem ohnehin nicht allzu breiten Fußweg nicht zu versperren oder zu beengen, bescheidentlich in einer Mauernische steht, in welcher über demselben eine Opferdarstellung, ähnlich den besprochenen, gemalt oder in Relief angebracht gewesen sein wird, welche uns verloren gegangen ist. Statt der Larendarstellung erscheinen gelegentlich auch nur die beiden Schlangen, die Vertreter

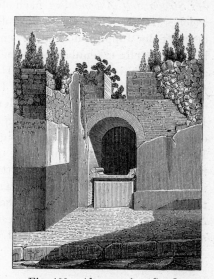

Fig. 133. Altar an einer Straße.

des männlichen und weiblichen Genius; so gleich rechts am Stabianer Thor, und an der Südwestecke der Insula IX, 2, wo statt des Altars nur eine Nische für die Opfergaben angebracht ist.

Ein wahrscheinlich den Straßenlaren geweihtes Heiligthum in Form einer Aedicula begegnete uns am Forum in einer Nische an der Außenseite des Macellums (oben S. 122). Hierher gehört ferner ein Sacellum an der Stabianer Straße, auf der Ostseite der vierten Insula der achten Region. In einem nach Art eines kleinen Ladens auf die Straße geöffneten Raume finden wir nicht weit von der Rückwand und ihr parallel einen länglichen Altar, in der rechten Wand eine kleine Nische, in welcher ohne Zweifel die Larenbilder standen, und an derselben Wand, gleich am Eingang, eine niedrige Bank. Und wohl im Hinblick auf die Ähnlichkeit mit diesem Heiligthum hat Fiorelli vermuthet, dass auch das als Barbierstube bekannte Local an der Mercurstraße (VI, 8, 14) den Straßenlaren geweiht war. Wir finden hier in der Mitte einen viereckigen

Travertinstein, der sehr wohl, mit Stuck bekleidet, ein einfacher Altar sein konnte, in der rechten Wand zwei kleine Nischen und unter denselben wiederum eine niedrige Bank. Durch eine Thür in der Rückwand gelangt man in ein kleines Hinterzimmer unbekannter Bestimmung.

Als verwandt mit diesen volksthümlichen Straßenheiligthümern müssen endlich die mehrfach an Ecken und Mauern vorkommenden religiösen Malereien hier erwähnt werden, die, weil kein Altar vor denselben angebracht ist, mehr einen talismanischen als einen Cultcharakter tragen. Sie sind, wie man sich aus der Zusammenstellung in Helbigs Wandgemälden (No. 7—94, zu denen noch manche hinzugekommen sind) überzeugen kann, zahlreich genug, bieten aber nur in einzelnen Fällen ein hinlängliches Interesse, um auf ihren Gegenstand auch nur flüchtig einzugehn. Dies ist besonders der Fall bei einem Gemälde an der Ecke der kleinen Straße (*Vicolo dei dodici dei*), welche von der *Strada dell' Abbondanza* nach dem *Vicolo dei teatri* führt (Plan CD—de), welches (Hlbg. No. 7) die zwölf großen Götter darstellt, unter denen, beiläufig bemerkt, der Juppiter doch auch heute noch ziemlich unzweifelhaft als jugendlich dargestellt erkennbar ist. Andere dieser Bilder zeigen uns einzelne der griechisch-römischen Gottheiten (Hlbg. No. 8—26); wieder andere den *Genius familiaris* (31 ff.), die Laren und Larenopfer (35—45) oder den Genius und die Laren verbunden (46—59) oder Laren und Penaten (60—66) u. dgl. m. Endlich müssen noch die vielfältigen Schlangenbilder (29 f.) erwähnt werden, darstellend meistens zwei gewaltige Schlangen, welche sich auf einen mit Früchten, meistens Pinienzapfen und daneben mit Eiern belegten Altar zu ringeln und dazu dienten, den Ort religiös zu weihen, gelegentlich nur, um ihn vor Verunreinigung zu schützen. Eines der gewaltigsten und interessantesten dieser Schlangenpaare ist dasjenige an der Wand gegenüber der *domus Sirici* (Plan 91, DE—fg), welchem die Inschrift *otiosis locus hic non est, discede morator* (vgl. Cap. 6) beigefügt ist.

Viertes Capitel.

Die Privatgebäude.

Erster Abschnitt.

Die Wohnhäuser [107].

So groß in manchem Betracht das Interesse der öffentlichen Gebäude Pompejis für den Alterthumsfreund theils durch ihre Erhaltung, theils und besonders durch ihre gegenseitige Lage, welche sie als ein Gesammtes erscheinen lässt, sein mag, so kann man doch nicht läugnen, dass die Privatgebäude ein bei Weitem größeres Interesse für sich in Anspruch nehmen und von höherer Bedeutung für unser Studium des Alterthums sind, als jene. Denn so wie überhaupt das öffentliche Leben der Alten, welches gewissermaßen als der Geschichte angehörend betrachtet werden kann, uns ungleich bekannter und in zahlreicheren und zusammenhangenderen Zeugnissen überliefert ist, als ihr Privatleben, so sind auch die Monumente des öffentlichen Lebens, Tempel und Hallen, Basiliken, Theater und Amphitheater, Straßen, Wasserleitungen und Bäder u. a. aus fast allen Theilen der alten Welt in viel größerer Zahl auf uns gekommen; sie sind in ihren mehr oder weniger erhaltenen Ruinen lange bekannt, gemessen, gezeichnet und studirt worden, ehe der erste Spatenstich zu Pompejis Ausgrabung gethan wurde, und zugleich sind gegen viele dieser Reste alter Tempel, Theater und sonstiger Bauten die pompejanischen öffentlichen Gebäude klein, unbedeutend und stehn namentlich in künstlerischem Betracht mit wenigen Ausnahmen auf einer nicht allzu hohen Stufe. Von den Privathäusern der Alten aber war vor Pompejis und Herculaneums Entdeckung monumental sehr Weniges vorhanden; denn die Trümmer einiger Paläste und Villen der Großen und Gewaltigen, welche wir außer den beiden verschütteten Städten haben, können hier nicht mitzählen, weil sie von der Norm bürgerlicher Wohnhäuser weiter entfernt sind, als irgend ein Privatgebäude Pompejis. Und auch die einzeln erhaltenen Fundamentruinen und die allerdings in der antiken Litteratur vorhandenen Beschreibungen ländlicher Villen bringen uns der Kenntniss des gewöhnlichen bürgerlichen Wohnhauses etwa und kaum so nahe, wie die Ruinen der s. g. Villa des Diomedes in Pompeji. Von dem Normalhause, namentlich von dem Hause in der Stadt ist kaum anderswo die Rede, als in Vitruvs Architektur, wenigstens nirgend im Zusammenhang und anders als in gelegentlicher Erwähnung einzelner Räumlichkeiten. Abgesehn aber davon, dass Vitruvs Beschreibungen durch die Bank nicht die klarsten und für uns doppelt schwierig zu verstehn sind, weil sie sich auf Abbildungen beziehn, die uns verloren gegangen, abgesehn ferner von der Unklarheit, welche mit dem Mangel monumentaler Anschauung unausbleiblich verbunden ist, haben wir bei Vitruv nichts, als die starre mittlere Norm, das Gesetz schlechthin, und zwar für das, was er bei seinen Lesern als bekannt voraussetzen mußte. Diese Norm aber ist nach hundert verschiedenen Umständen hundertfach verschieden angewendet worden, und erst die Kenntniss dieser verschiedenen Anwendungen des Gesetzes verschafft uns ein lebendiges und anschauliches Bild von der Stätte, in welcher sich das nach den Umständen und Verhältnissen mannichfaltig gestaltete Privatleben der Alten bewegte. Eine solche Kenntniss ist aber, und zwar nur, durch Pompejis Häuser und die wenigen vermittelt, die man in Herculaneum hat bloßlegen können; und welches der Gewinn dieser Anschauung sei, das lernen wir recht würdigen, wenn wir unsere auf die Wohnungen Pompejis gegründete Kenntniss des römischen Hauses mit der Kenntniss von dem griechischen Hause vergleichen, die nur auf einer unklaren Normalbeschreibung Vitruvs und auf zerstreuten Stellen der alten Schriftsteller beruht.

Wir haben den pompejanischen Wohnhäusern gegenüber eine doppelte und nicht leichte Aufgabe zu lösen. Einerseits nämlich sind die unsäglich reichen Einzelheiten der uns vorliegenden Monumente, wenn auch natürlich nur in einer Auswahl, zu beschreiben und zu erklären; wir müssen die Mannichfaltig-

keit der Pläne einer Reihe von kleineren, mittleren und großen Wohnungen,
d. h. von relativ großen, denn wirklich große Häuser, wie sie in Rom die
Nobilität hatte, bietet uns Pompeji nicht, und zwar in ihrer bald durch locale,
bald durch anderweitige Verhältnisse begründeten Modification zu verstehn
suchen, haben uns vorzuführen, was man in diesen verschiedenen Wohnungen
an Resten baulicher und decorativer Einzelheiten und an Spuren des täglichen
Lebens vorfand, und zu versuchen, nach der Anleitung dieser die Häuser in
ihrer Gesammtheit zu reconstruiren und aus den Spuren des Lebens ein Bild
desselben zu entwerfen; andererseits darf nicht versäumt werden zu untersuchen, was in dieser Verschiedenheit das Gemeinsame, was in den Variationen
und Modificationen das Gesetz und die Norm sei. Ein solches Gemeinsame,
eine Norm und ein Gesetz aber ist wirklich vorhanden und ist durch die sorgfältige Erforschung der gegebenen Mannichfaltigkeit als ein Maßstab zur Beurteilung und als eine Leuchte der Erklärung gewonnen und festgestellt worden,
weshalb wir damit zu beginnen haben, uns diese Norm klar zu machen.

Fragen wir uns zuerst, worin wohl der durchschlagende Unterschied des
antiken Hauses und des modernen gelegen sein möge, so werden wir nach
einer ziemlich allgemein verbreiteten Anschauung zu antworten geneigt sein:
in der Ausdehnung des Grundrisses im antiken und der Beschränkung desselben im modernen Hause, ferner darin, dass mit dieser Ausdehnung in
der Längen- und Breitendimension des antiken Hauses eine Beschränkung in
seiner Höhe, mit der Beschränkung des Grundareals im modernen Hause eine
größere Zahl von Stockwerken verbunden ist. Diese Antwort ist in gewissem
Betracht richtig, aber in einem andern ist sie es nicht. Richtig ist die Anschauung von der Ausdehnung des Grundareals beim antiken Hause in so
fern, als sich in demselben im Erdgeschoss eine viel größere Zahl von Räumlichkeiten befindet, als im modernen Hause, unrichtig aber ist diese Ansicht,
wenn von Maßvergleichung schlechthin die Rede ist. Eines der größten Häuser
Pompejis z. B., das s. g. Haus des Pansa, enthält im Erdgeschoss, Alles in
Allem gerechnet, etwa 60 verschiedene Räumlichkeiten. Um diese Zahl von
Zimmern, Kammern, Gängen u. s. w. anzulegen, gebrauchte aber der antike
Baumeister nicht mehr als 35 M. Front und gegen 65 M. Tiefe des Areals.
Fragen wir uns doch einmal, wie viele Höfe, Säle, Zimmer, Kammern,
Gänge, Vorplätze und andere Räumlichkeiten des wohnlichen Bedürfnisses
wir auf dies Areal bauen würden, und wir werden etwa den vierten bis höch-
stens den dritten Theil nennen müssen. Der Grund liegt darin, dass der Alte
sein Areal viel stärker theilte, dass er seine einzelnen Wohnräumlichkeiten im
Allgemeinen viel kleiner machte, als wir es thun können. Ein Unterschied wäre
also allerdings hierin gefunden; dass dieser aber ein durchgreifender, für das
Ganze charakteristischer sei, kann man kaum behaupten, und zugleich sehn
wir, dass es mit der bequem breiten Ausdehnung des antiken Hauses nicht so
weit her ist, wie wir gewöhnlich glauben. In einer ganzen Zahl kleiner, ja
selbst mittlerer Häuser Pompejis würden wir uns thatsächlich nicht zu bewegen, noch den nothdürftigsten modernen Hausrath unterzubringen wissen.
Auch die Annahme der mit der größern Flächenausdehnung in Verbindung stehenden geringern Höhe des antiken Hauses ist nur zum Theil

richtig. Es ist wahr, dass der Alte nicht so thurmartig baute wie wir in einigen unserer größten Städte mit unseren sechs bis sieben Stockwerken und
himmelanstrebenden Dächern; es ist richtig, dass die ältesten Häuser in Rom,
die nur $1^1/_2$ füßige Mauern haben durften, die Last hoher Geschosse nicht zu
tragen vermochten; aber es ist auch bekannt, dass Augustus verbot, über 70 Fuß
römisch $=$ 66 Fuß unseres Maßes hoch zu bauen, was Hadrian auf 60 Fuß
($=$ etwa 56 F.) herabsetzte, eine Höhe, die sich mit der gewöhnlichen moderner Häuser messen kann, welche ja selten die Höhe von 70 Fuß übersteigen.
Einen durchschlagenden Gegensatz können wir also in den Maßverhältnissen
antiker und moderner Häuser nicht finden. In ähnlicher Weise könnte man
eine ganze Reihe von Unterschieden anführen, welche alle ihr Richtiges
haben, ohne jedoch den bestimmenden Gesammtcharakter zu treffen. Einen
solchen durchschlagenden Gegensatz und bestimmenden Gesammtcharakter,
und zwar den mit dem innersten Wesen und Bedürfniss des Lebens zusammenhangenden, finden wir in einem Umstande der Anlage, welcher diese im
Ganzen beherrscht und bedingt.

Wir haben für den antiken Tempel im Gegensatze gegen unsere Kirchen,
welche ihrem Wesen nach durchaus Innenbauten sind, den Charakter des
Außenbaues in Anspruch genommen; der entgegengesetzte Charakter ist der
des antiken Hauses: dies ist von außen im Princip so gut wie völlig abgeschlossen und ganz nach innen gewendet. Hierin liegt der charakteristische
Unterschied zwischen ihm und unserem, auch dem südlichen, modernen
Hause, welches sich nach außen in vielen und breiten Fenstern öffnet und
in seiner ganzen Anlage eine entschiedene Beziehung zur Straße zeigt. Für
das antike Haus in seiner wesentlichen Anlage aber ist die Straße nichts als
der Weg, der am Eingang vorüberführt; weder in der Öffnung der Fenster,
deren Vorhandensein als bloße Lichtöffnungen hiemit natürlich nicht geläugnet
werden soll, noch in der Ausstattung der Façade ist auf die Straße Rücksicht
genommen; das Erdgeschoss, der ursprüngliche Theil des Hauses, bildet nach
außen wesentlich nur vier abschließende, vom Eingang durchbrochene Umfassungsmauern; die ganze Anlage wendet sich nach innen und schließt sich um
den innern Hof, auf den, oder in späterer Entwickelung auf deren zwei hinter
einander liegende, die Zimmer ausgehn und von dem sie ihr Licht empfangen.
Die Entwickelung unserer modernen Bauweise wurde ermöglicht durch den
Gebrauch der Fensterscheiben aus Glas, welche zwar dem spätern Alterthum
nicht fremd waren und auch in Pompeji vorkommen, deren Verwendung aber
noch nicht so allgemein geworden war, dass sie hätte auf die Gestaltung des
Hausbaues Einfluss gewinnen können. Nur durch die Glasscheiben wurde es
möglich, an die Stelle des Licht und Luft vermittelnden Binnenhofes die
Façade mit ihren Fensterreihen zu setzen und so den Innenbau in gewissem
Sinne in einen Außenbau zu verwandeln [108]).

Obige Eigenthümlichkeit ist bei verschiedener Benennung, modificirten
Zwecken und danach veränderter baulicher Beschaffenheit der Theile zugleich
das Gemeinsame des griechischen und des römischen Hauses. Eine weitere
Ähnlichkeit findet sich darin, dass das normale, wenn auch nicht das ursprüngliche römische wie das normale griechische Haus aus zwei hinter einander

liegenden Hälften besteht, die sich in dem Wesentlichen ihrer Anlage wiederholen, die aber freilich im griechischen und im römischen Hause eine verschiedene, wenngleich im letzten Grunde verwandte Bestimmung haben. Im
griechischen Hause gehört die vordere Hälfte dem Manne und dem Verkehr
mit der Außenwelt, die hintere Hälfte der Frau und der Wirthschaft des Hauses;
auch im römischen Hause ist der vordere und ursprünglich einzige Theil der
Öffentlichkeit, der hintere dem Familienleben bestimmt.

     Auch die ältesten Häuser Pompejis zeigen uns nicht den Typus des ur-
sprünglichen römischen, richtiger altitalischen Hauses, des Bauernhauses, aus
welchem, dem natürlichen Gange der Entwickelung gemäß, das städtische
Wohnhaus hervorgegangen ist. Dasselbe ist uns aus einer ganz andern Quelle
bekannt geworden: durch Aschenkisten aus verschiedenen uralten, in Latium
und Etrurien gefundenen Begräbnissplätzen [109]. Jene alte Bevölkerung gab
ihren Aschenkisten die Form ihrer Häuser, und so lernen wir aus denselben,
dass diese Häuser über niedrigen Wänden ein hohes Strohdach, über der an
der Schmalseite liegenden Thür eine fensterartige Öffnung hatten. Statt
dieser alten Bauweise ist aber schon in früher, nicht näher bestimmbarer
Zeit, wahrscheinlich durch fremden, vielleicht griechischen Einfluss, eine
andere aufgekommen, deren älteste uns bekannte Form durch die ältesten
pompejanischen Häuser (Kalksteinhäuser) vertreten wird. Es mag ferner
hier erwähnt werden, dass im alten Rom, zur Zeit als die Zwölftafelgesetze
gegeben wurden, die Häuser, alle oder doch großentheils, durch einen Zwischenraum (*ambitus*) von $2^1/_2$ Fuß getrennt waren, während in Pompeji keine
Spur einer ältern Bauart als der mit gemeinsamen Zwischenwänden nachweisbar
ist [110]. Aus dieser ältesten pompejanischen Hausform entwickelte sich dann,
etwa im 2. Jahrhundert v. Chr., durch Hinzufügung weiterer, dem spätern
griechischen Hausbau entnommener Bestandtheile, diejenige Bauweise, welche
uns einerseits aus den stattlichen pompejanischen
Häusern der Tuffperiode, andererseits aus der Beschreibung Vitruvs (VI, 3 ff.) bekannt ist.

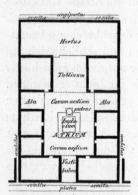

Fig. 134. Ursprünglicher
Plan des röm. Hauses.

     Das italische städtische Wohnhaus bildete in der
Zeit der pompejanischen Kalksteinhäuser, d. h. etwa
bis in das 3. Jahrhundert v. Chr., ein Rechteck, dessen
schmälere Seite als Front der Straße zugekehrt war.
Nach hinten stößt ein Garten (*hortus*) an dasselbe,
während die Mitte seiner Wohnräume der Innenhof,
das Atrium oder Cavaedium (*cavum aedium*) einnimmt,
dessen nach Innen geneigtes Dach in der Mitte eine
rechtwinklige Öffnung, das Compluvium (s. Näheres
unten) hat. Diesem entspricht im Fußboden das
Impluvium, in welchem sich das Regenwasser sammelte, um aus ihm in eine darunter befindliche Cisterne

geleitet zu werden. Im Atrium war der Sammelplatz der Familie, hier, am
hintern Rande des Impluviums, stand der Heerd, dessen Rauch durch die
Dachöffnung abzog, hier der Geldkasten, hier verrichtete die Frau ihre häuslichen Geschäfte des Spinnens und Webens, während die zwölf das Atrium

umgebenden und von ihm in der Hauptsache ihr Licht empfangenden Zimmer,
ihrer drei an jeder Seite, von denen aber eines den Eingang darstellte, den
Zwecken der Familie als Schlafzimmer (*cubicula*), Vorrathskammern (*cellae
penariae*), Speisezimmer (*cenacula*) dienten, ohne dass über die Lage und Bestimmung jedes einzelnen dieser Räume sich Genaueres feststellen lässt. Die
beiden letzten Räume rechts und links sind keine eigentlichen Zimmer, sondern unverschlossene Erweiterungen des Atriums, und werden Flügel (*alae*)
genannt. Ebenso ist das Mittelzimmer der Rückseite, das Tablinum, in allen
uns erhaltenen Häusern der ältesten Zeit Pompejis nach vorn wie nach hinten
in ganzer Breite geöffnet und bildet die Verbindung zwischen Atrium und
Garten [111]). Auf der Vorderseite des letztern war wohl häufig durch ein von
Pfeilern getragenes Dach eine bedeckte Halle gebildet. Die Wohnungen dieser
Art haben wir uns in der ältesten Zeit in Anlage und Ausstattung äußerst einfach zu denken, so wie sie auch nur klein, sehr leicht gebaut und mit Holz,
Brettern oder Schindeln gedeckt waren. Das Material war jedenfalls nach den
örtlichen Bedingungen verschieden; stellenweise waren es Ziegel aus mit Stroh
gemischtem, nicht gebranntem, sondern an der Sonne getrocknetem Thon, mit
denen das Fachwerk von Holz ausgefüllt wurde; erst später traten gebrannte
Ziegel an die Stelle. Von dem Material und der Bauart der pompejanischen
Kalksteinhäuser, mit Lehm als Bindemittel, wird im ersten Capitel des zweiten
Theiles die Rede sein. Da nun das Gesetz verbot, die Mauern mehr als $1\frac{1}{2}$
Fuß stark zu bauen, so ist es klar, dass die Häuser nur einstöckig sein konnten;
und in der That ist dies bei den ältesten Häusern Pompejis offenbar der Fall
gewesen. Bei wachsender Bevölkerung stellte sich freilich das Bedürfniss
oberer Geschosse als unabweislich heraus, und man musste die Mauern,
um ihnen die nöthige Stärke zu geben, entweder aus Quadern herstellen,
oder den Ziegeln, falls man diese verwandte, durch sorgfältige Bearbeitung
und Brennen, namentlich aber ihnen sowohl als den kleineren Bruchsteinen
durch guten Mörtel eine größere Festigkeit geben. Das als Terrasse gestaltete
flache Dach des untern Geschosses nannte man *solarium*, indem man dort in
der kühlern Jahreszeit den Sonnenschein aufsuchte, und aus den Solarien
gingen durch Bedachung luftige obere Gemächer (*pergulae*) hervor. Da man
nun auch häufig das obere Stockwerk für die Mahlzeiten benutzte, erhielten
seine Gemächer den Namen *cenacula*: im Allgemeinen aber dienten die oberen
Stockwerke (*tabulata*) zu Miethwohnungen. Nachdem durch Einrichtung oberer
Geschosse einmal ein zweckmäßiger Weg zur Gewinnung von Raum auf beschränktem Areal gezeigt war, fuhr man — wofür Vitruv (II, 8, 17) ausdrücklich als Grund angiebt, dass bei wachsendem Raumbedarf das Areal des Erdgeschosses nicht ausreichte, so dass man die Höhendimension zu Hilfe nehmen
musste, — mit der Hinzufügung von Stockwerken fort, bis allmählich die
Häuser eine solche Höhe erreichten, dass sie die Straßen dunkel machten, bei
Erdbeben, Feuersbrünsten und den Überschwemmungen, von denen Rom viel
zu leiden hatte, die Gefahr vermehrten, und jene Beschränkungen der Höhe
durch kaiserliche Gesetze hervorriefen, von denen oben gesprochen wurde.
Indess alles dies fällt in spätere Zeit; die pompejanischen Kalksteinhäuser
hatten, so weit wir erkennen können, keine oberen Räume.

Eine neue Periode der römischen häuslichen Architektur können wir vom letzten Jahrhundert der Republik an datiren, als Rom den Einflüssen Griechenlands in Kunst und Sitte sich öffnete; für Pompeji beginnt sie wohl noch etwas früher. Dieser Periode gehört die Erweiterung des römischen Hauses durch vom griechischen Hause entlehnte Räumlichkeiten mit griechischen Namen, sowie der Beginn einer reichern architektonischen und decorativen Gestaltung der alten Theile an. Der hierdurch angebahnte Luxus, der sich mehr und mehr geltend machte, leitet bald in die letzte Periode hinüber, welche mit dem Ende der Republik beginnt, und deren wesentlicher Charakter der des Luxusbaus ist. Die Häuser wuchsen zu Palästen nach und nach von fabelhafter Ausdehnung, und gleichzeitig nahm die Pracht und Kostbarkeit des Materials und der Ausschmückung zu, obgleich das Grundschema des Planes der vorigen Periode auch in dieser noch festgehalten wurde. Wie rasch Luxus und Pracht zunahmen, können ein paar sehr bekannte Beispiele klar machen. Lucius Crassus war der erste, welcher in seinem Hause Säulen von fremdem Marmor anwendete; doch waren ihrer nur sechs von zwölf Fuß Höhe. Aber schon Marcus Scaurus zierte das Atrium seiner Wohnung mit monolithen schwarzen Marmorsäulen von 38 Fuß Höhe, während Mamurra, Zeitgenoss Julius Caesars, sich nicht mehr mit Marmorsäulen allein begnügte, sondern der erste war, welcher die Wände seines ganzen Hauses mit Marmortafeln bekleidete. Den besten Maßstab für die reißende Zunahme des Luxus finden wir in der Angabe des Plinius, dass Lepidus' Haus, im Jahre 676 der Stadt (78 v. Chr.) in jeder Weise das schönste in Rom, fünfunddreißig Jahre später kaum das hundertste an Pracht und Glanz war. In dieser Zeit wurde das Angebot der Kaufsumme von nach unserem Gelde fast einer Million Mark, welches Ahenobarbus dem Crassus für sein Haus that, als zu gering abgelehnt. Von ähnlicher Pracht und Größe wie die Häuser in der Stadt waren die Villen und Landhäuser der Großen und Begüterten; wir brauchen nur die Nachrichten über Ciceros Tusculanum, über die Häuser und Gärten des Sallust und Varros Ausspruch, »sonst baute man dem Zwecke gemäß, jetzt baut man, um allen erdenklichen ausschweifenden Launen zu genügen«, zu vergleichen, um uns hiervon zu überzeugen. Augustus' Reaction gegen den übertriebenen Luxus blieb wirkungslos, obwohl er selbst immer in einem verhältnissmäßig sehr einfachen Hause lebte und gar zu üppige Bauten seiner Tochter Julia einreißen ließ. Nach seinem Tode schritt der Luxus um so gewaltiger fort, und zwar in dem Grade, dass unter Claudius ein reich gewordener freigelassener Sclave seinen Speisesaal mit 32 Onyxsäulen zierte und, um gleich das höchste Beispiel zu nennen, Neros sogenanntes goldenes Haus, dessen Porticus von 1000 Schritten Länge von drei Säulenreihen umgeben war, den Umfang einer mehr als mäßigen Stadt hatte, während gleichzeitig nach dem berühmten Brande Rom nach einem gemeinsamen Plan mit der größten Herrlichkeit wieder aufgebaut wurde. Dies war der Gipfelpunkt der Pracht und des Luxus der Privatbauten; von dieser Zeit an beginnt der Verfall, der zuerst allmählich, dann immer rascher fortschreitet, aber den weiter zu verfolgen über unsere Zwecke hinausgehn würde; wir kehren deshalb zu einer Betrachtung der normalen Anlage eines bürgerlichen römischen Wohnhauses mittlerer Größe

aus der Zeit zurück, welche schon die oben erwähnte Erweiterung aus dem
griechischen Hause aufgenommen hatte, wobei wir bemerken, dass natürlich
manche Modification im Einzelnen des Planes, z. B. in der Zahl der Zimmer,
durch die Größe der ganzen Wohnung bedingt wird, ohne dass der Grundplan
im Wesentlichen geändert erscheint.

Es ist schon erwähnt, dass das römische Haus auf dieser Entwickelungsstufe wie das griechische in zwei Haupthälften zerfällt, von denen die vordere
der Öffentlichkeit angehörte, die hintere die für die Familie vorbehaltene
eigentliche Wohnung war. In den vordern Theil hatte in vornehmen Häusern
zu gewissen Stunden Jeder Zutritt; hier versammelten sich die Clienten, um
dem Patron aufzuwarten und um seine Unterstützung zu bitten, und in diesen
Theil verlegte der Römer diejenigen Gemächer und Gegenstände, durch welche
er seinen Rang oder Reichthum vor den Blicken der Welt zur Schau stellen
wollte. Es begreift sich, dass bei kleinen Häusern armer Leute auch jetzt die
Unterscheidung der beiden Theile fortfiel; was hätten sie auch mit einem
öffentlichen Vorhause anfangen sollen, sie, denen Niemand aufwartete, die
außer ihren Freunden Niemand besuchte, und die froh sein mussten, auf
ihrem kleinen Areal die nöthigen Räumlichkeiten für die Familie und etwa
für ihr Geschäft unterzubringen. Wir werden einige charakteristische Beispiele solcher kleinen Häuser in Pompeji kennen lernen, und sehn, dass dieselben nicht einmal immer die Einrichtung des Atrium festhalten konnten,
während wir zugleich bemerken werden, dass bei nur einigermaßen wachsendem Wohlstand und Raum eben dieses Atrium der erste Theil der Anlage
ist, für den man Sorge trägt. Von diesen kleinen Wohnungen sehn wir ab
und construiren uns den Normalplan eines gewöhnlichen Mittelhauses, in
welchen wir aber nur die wesentlichen Räumlichkeiten aufnehmen.

Vor großen Häusern und Palästen befand sich zunächst eine s. g. *area*
oder *area privata*, welche bei Mittelwohnungen wegfällt. Diese Area wurde
mit einer Porticus umgeben oder mit einer Säulenreihe geziert oder auch mit

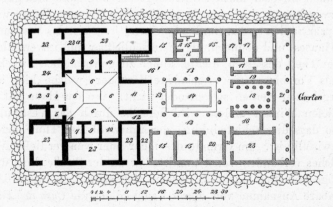

Fig. 135. Plan des römischen Normalhauses.

Bäumen bepflanzt. Derartiges ist in Pompeji nicht zu suchen, aber als eine
Art von *area privata* werden wir die nach vorn vergittert gewesene, über eine

Treppe an jedem Ende zugängliche breite Rampe vor dem Hause des Epidius
Rufus (Plan No. 116 ; s. unten) zu betrachten haben. Hinter derselben beginnt
die Wohnung mit einem Raume, dem Vestibulum [112]), der auch seinerseits in so
fern noch nicht zu den eigentlichen Theilen des Hauses gerechnet werden darf,
als er außerhalb der Hausthür lag, dennoch aber zum Hause gehörte, in so
fern er in den Bereich der Umfassungsmauern fällt. Das Vestibulum ist nämlich
ein gegen die Straße unverschlossener Flur, in dessen Grunde die Hausthür
(*ianua*) sich befindet, begrenzt zu beiden Seiten von den vorspringenden Flügeln des Gebäudes, 2 in dem Plane Fig. 135. Dieser Flur kann nun von sehr
verschiedener Größe und Ausstattung sein; er kann fast auf ein Nichts zusammen schrumpfen, oder gradezu fehlen; und davon sind die Beispiele in
Pompeji auch in großen Häusern keineswegs selten. In anderen Fällen wird
er zu einem Gange von verschiedener Tiefe, wächst auch in die Breite und
kann die Größe eines Gemaches annehmen, wie wir dieses auch, wenngleich
in bescheidenem Maßstab, in einigen Häuserplänen Pompejis finden werden.
In ganz großen Privathäusern und in Palästen kann das Vestibulum zu einem
weiten, saalartigen, mit Säulenhallen umgebenen Raum anwachsen, der mit
Statuen, auch Reiterstatuen und Viergespannen geschmückt wird, große
Wasserbassins einschließt; wie dies z. B. in Neros Palast der Fall war, Verhältnisse, die uns nicht berühren. Immer aber ist das Vestibulum eingeschlossen
von den Flügeln des Hauses, mögen diese groß oder klein sein und enthalten
was es immer sein mag, Läden, Wohnräume oder Hallen, und stets liegt
das Vestibulum hinter der Straßenflucht des Hauses. In einigen Fällen, die
uns angeführt werden, war es unbedacht; in anderen, und dies ist in Pompeji durchaus die Regel, ist es sicher mit unter das Dach des Hauses gefasst
worden [113]). Auf das Vestibulum öffnet sich in einigen Fällen der Raum für
die Treppe in das, in diesem Falle wohl immer als getrennte Miethwohnung
zu betrachtende Obergeschoss. Gegen die Straße wird es in manchen Fällen
gar nicht, in anderen durch eine einfache Schwelle, in noch anderen durch
eine oder auch ein paar flache Stufen begrenzt und öffnet sich gegen dieselbe
meistens zwischen zwei antenartig gegliederten Mauerpfeilern, welche auch
durch ein paar Säulen ersetzt werden konnten [114]. So ist das Vestibulum innerhalb des Hauses, und dennoch, als unverschließbar und unverschlossen, kein
eigentlicher Theil desselben, diente, außer zu gewerblichen Zwecken, hauptsächlich als Vorzimmer für ungeladene Besucher, welche hier abwarteten,
ob sie vorgelassen werden sollten oder nicht. Wo das Haus mit der Straße
einen schiefen Winkel bildet, wird derselbe durch das Vestibulum ausgeglichen, so dass dies schiefwinklig, der innerhalb der Thür liegende Gang
aber rechtwinklig ist. Im Grunde des mehr oder weniger tiefen Vestibulum,
wo ein solches vorhanden, sonst unmittelbar an der Straße, liegt die meistens
zweiflügelige Hausthür (*ianua*) 3, welche sich stets nach innen öffnet. Eine
nur scheinbare Ausnahme von dieser Regel bildet die *Casa del Fauno*; denn
in Wahrheit hat dieselbe zwei Thüren, von denen nur die innere sich nach
außen öffnet. Ein solcher doppelter Verschluss begegnet nur selten: wir
finden ihn außerdem noch im Hause des Epidius Rufus (IX, 1, 20). In beiden
Fällen war, wie die Löcher für die Riegel beweisen, die äußere Thür drei-

flügelig, wie die gemalte Thür im Gebäude der Eumachia (Fig. 77), indem zwei Flügel durch horizontale Angeln nach Art unserer Thüren verbunden waren: man konnte so den mittlern Flügel öffnen, während die beiden anderen verriegelt blieben.

Die Thüren befinden sich zwischen zweien aus den Wänden des Flurs vorspringenden Mauerpfeilern oder Pfosten (*postes*), welche, wie die Oberschwelle, mit in der Regel hölzernen Verschalungen (*antepagmenta*) bekleidet wurden; die zur Aufnahme letzterer bestimmten, in die Schwelle eingehauenen Vertiefungen findet man noch heut in Pompeji fast überall. Die Flügel der Thüren hingen nicht wie bei uns in an den Thürpfosten befestigten Angeln, sondern waren in die Unter- und Oberschwelle (Schwelle und Sturz) mit Zapfen (*cardines*) eingelassen, und zwar meistens in bronzenen Kapseln, welche vielfach erhalten sind, und wurden am häufigsten durch in die Schwelle sich senkende und in den Sturz emporzuschiebende Riegel (*pessuli*) geschlossen. Nicht selten ist jedoch der Verschluss verstärkt durch einen innerhalb der Thür quer vorgelegten Balken (*sera*), zu dessen Aufnahme rechts und links in die Pfosten eingehauene, nicht selten mit vier Thonplatten ausgesetzte Löcher sich finden, oder durch eine schräge Stütze, welche von der Mitte der Thür hinterwärts auf den Fußboden des Hausganges hinabging, wo durch einen eigenen über den Boden etwas erhobenen viereckigen Stein oder auch nur durch ein Loch im Fußboden für die Aufnahme ihres untern Endes gesorgt ist; manche Thüren waren sowohl durch die *sera* als durch den schrägen Balken gesichert. Endlich finden sich in Pompeji auch eigentliche Schlösser,

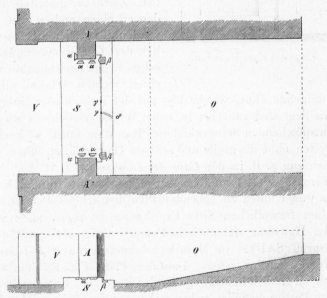

Fig. 136. Hausflur der *Casa di Pansa*.

und zwar nicht selten von beträchtlicher Größe, aber meistens, da sie von Eisen sind, in durch den Rost sehr zerstörtem Zustande, so dass es erst neuerdings möglich geworden ist, ihre Construction näher zu ergründen. Diese, eben

so einfach wie sinnreich, kann an dem Modell einer pompejaner Thür, welche
der dirigirende Architekt M. Ruggiero nach antiken Resten hat anfertigen
und in dem Localmuseum an der *Porta della marina* aufstellen lassen, genau
nachgewiesen werden, lässt sich aber mit Worten und selbst mit Hilfe einer
Abbildung nur schwer recht verständlich machen[115]). Was über die Pfosten und
ihre Verkleidung, über die Thürangeln und Riegel gesagt ist, wird durch die
vorstehende Figur 136 klar werden. Sie stellt in Grundriss und Durchschnitt
den Eingang des s. g. Hauses des Pansa dar und es bezeichnet in ihr *V* das
Vestibulum, *O* das Ostium, auf welches wir gleich kommen werden, *A* die
Pfosten, *S* die Schwelle und in ihr *α* die Vertiefungen für die Verkleidung der
Pfosten, *β* die Thürangellöcher, *γ* die Riegellöcher und *δ* endlich eine flache
Rille, welche der eine mangelhaft emporgezogene Riegel bei vielmaligem Öffnen
der Thür in die Schwelle und den Fußboden des Ostium eingeschliffen hat.
Auch von einer pompejanischen Flügelthür mit ihren Angelzapfen und einem
mächtigen, aber sehr verrosteten Schlosse kann Fig. 137 wenigstens einigermaßen eine Vorstellung geben. Die-
selbe stellt in einer von dem Verfasser
selbst so gut es gehn wollte gemachten
Zeichnung einen der schon früher
erwähnten, im kleinen Localmuseum
von Pompeji aufbewahrten Gypsabgüsse
einer hölzernen, verkohlt gefundenen
Thür, und zwar deren innere Ansicht
dar. Zierlicher gestaltete Thüren werden an einem andern Orte beigebracht
werden. In größeren Häusern, namentlich der Tuffperiode, finden wir nicht
selten neben der Hausthür und mit ihr
einen rechten Winkel bildend, eine

Fig. 137.   Fragment einer Hausthür.

kleine, einflügelige Thür, welche also auf der rechten oder linken Seite des
Vestibulums liegt und zunächst in einen Winkel zwischen eben dieser Thür
und der entsprechenden Seitenwand des Hausflurs führt; so konnte man in
das Haus treten, ohne die große und schwere Hauptthür zu öffnen. Wir finden
diese Einrichtung z. B. in der *Casa del Laberinto* (VI, 11, 20), in der *Casa
del Toro di bronzo* (V, 1, 7) und im Hause des Epidius Rufus (IX, 1, 20), wo
sie auf dem weiter unten zu gebenden Plan deutlich sichtbar ist. Vergessen
sei nicht, der freundlichen Sitte Erwähnung zu thun, nach welcher die
Schwelle der Hausthür oft, auch in Pompeji einige Male, mit dem Bewill-
kommnungsgruß SALVE in Mosaik geschmückt war. Auf die Hausthür
folgt der innere Hausflur, *ostium*, 4 auf dem Plane Fig. 135, zur Seite dessen
sich, in Pompeji freilich keineswegs in der Regel, ein Kämmerchen 5 für den
ostiarius, den Portier, befindet, neben welchem man oft einen Hund ankettete,
oder ihn nur malte oder von Mosaik in den Fußboden einlegte, wie dies in
Pompeji in der *Casa del poeta* der Fall ist. Eine Inschrift »*Cave canem!*« nimm
dich vor dem Hunde in Acht! warnte vor der allzu großen Annäherung an
den vierfüßigen Wächter und findet sich auch neben dem erwähnten Mosaik-

hund, den unsere Abbildung (Fig. 138) darstellt [116]. Das Ostium, welches in ganz einzelnen Fällen so gut wie das Vestibulum gänzlich fehlt, so dass man durch die Hausthür unmittelbar das Atrium betritt (s. z. B. unten Fig. 156 und in dem Hause I, 3, 23), steigt in der Regel nach einer kurzen Strecke, welche der einwärts schlagenden Thür wegen horizontal liegt (s. Fig. 136), gegen das Atrium etwas an, um den Abfluss des etwa in's Atrium eingedrungenen Regenwassers und doch wahrscheinlich auch des beim Reinigen gebrauchten Wassers zu erleichtern. Demselben Zwecke dienten wohl auch die

Fig. 138. Mosaikhund.

häufig in diesem Gange angebrachten, durch runde Steine geschlossenen Öffnungen der weiterhin zu erwähnenden, aus dem Impluvium auf die Straße führenden bedeckten Rinne; wenngleich Hauptzweck derselben wohl die gelegentliche Reinigung dieser Rinne selbst war. Es sei noch bemerkt, dass der Name *ostium* für den Hausflur hinter der Thür zweifelhaft ist. Vitruv, wo er die Größenverhältnisse des Atriums und der umliegenden Räume vorschreibt (VI, 4, 5), nennt ihn *fauces*; an einer andern Stelle (VI, 10, 5, vgl. VI, 10, 1) scheint er zu sagen, dass ihn die Römer, nicht die Griechen, *prothyron* nannten. Eine zweite Thür am innern Ende des Ostium, gegen das Atrium, ist ungewöhnlich; zwei sichere Beispiele bieten die *Casa d'Adone* (oder *della toletta dell' Ermafrodita*, jetzt *domus M. Asellini*, VI, 7, 18) und das Haus des L. Caecilius Jucundus (V, 1, 26). Wo sich keine solche zweite Thür fand, also in der Regel, wurde das Ostium gegen das Atrium entweder durch einen Vorhang (*velum*) oder auch gar nicht abgeschlossen.

Auf das Ostium folgt unmittelbar das *Atrium*, der, wie schon zu Fig. 134 bemerkt, bei weitem am meisten charakteristische Theil des römischen Hauses. Der Name ist wahrscheinlich von *ater*, schwarz, abgeleitet, und es ist, wie auch das griechische μέλαθρον, so genannt worden, weil seine Decke vom Rauche des Heerdes geschwärzt wurde, was natürlich in noch viel höherem Grade der Fall war bei den alten Häusern mit Giebeldächern, deren Hauptraum vermuthlich schon denselben Namen führte. Hier hatte ein zweiter, *atriensis* genannter Sclave den Dienst und die Wache, als dessen Aufenthalt (*cella atriensis*) wir etwa das Zimmer 7 neben der Treppe 8 bezeichnen können.

Vitruv unterscheidet fünf Arten von Atrien, das tuscanische, das tetrastyle, das korinthische, das *displuviatum* und das *testudinatum*. Wenige Worte werden genügen, um diese Benennungen, von denen wir die drei ersten in Pompeji mit Beispielen belegen können, klar zu machen. Die ersten vier Arten waren theilweise, das *testudinatum* allein war ganz bedeckt. Das *Atrium tuscanicum* ist das einfachste von allen. Es ist ein viereckiger Hof, dessen nach innen geneigtes Dach von zwei mit ihren Enden in die Langwände eingelassenen Hauptbalken und zwei in dieselben eingebundenen oder auf ihnen liegenden Querbalken getragen wurde. Die folgenden beiden Abbildungen, ideale aber wahrscheinlich im Ganzen richtige Reconstructionen Mazois' werden Alles leicht verständlich machen. *a* sind die Mauern, *b* die Hauptbalken (*trabes*), *c* die auf den Hauptbalken aufliegenden Querbalken (*interpensiva*), durch welche die

viereckige innere Öffnung, *d* die Zwischenbalken, durch welche die gleiche
Höhe dieses ganzen Balkenwerks hergestellt wird; sie waren unnöthig, wenn
die Querbalken nicht auf den Hauptbalken lagen, sondern in sie eingefugt

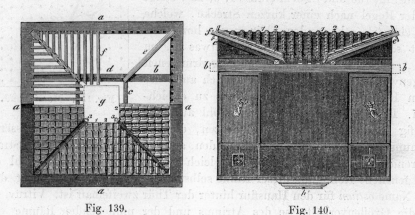

Fig. 139.   Fig. 140.

Plan und Durchschnitt eines tuscanischen Atrium.

waren, eine Annahme, welche Mazois wohl vermieden hat, um nicht durch die
Einfugung die sehr langen und schwer belasteten Hauptbalken zu schwächen;
e sind die geneigten Streben (*tigni colliciarum*), *f* die Latten (*capreoli*). Gedeckt wurde das Dach durch zweierlei Ziegel, Plattziegel (*tegulae*) 1 und
Hohlziegel (*imbrices*) 2, welche letzteren über die zusammenstoßenden Plattziegel gelegt wurden, um die Fugen zu schließen; von ihnen unterscheidet
man noch, 3, unter dem Namen der *tegulae colliciarum* die eigenthümlichen
Flachziegel, mit denen die zusammenstoßenden Kanten zweier nach innen
gegen einander geneigten Dachschrägen gedeckt wurden, eine offenbar vortreffliche Erfindung, um sowohl den raschen Ablauf des Wassers wie auch die
Dichtigkeit der Bedachung an dem Punkte zu sichern, welchem das Wasser
von beiden Dachschrägen zulief. Die richtige Anschauung der Gestalt und
Anwendung der verschiedenen Ziegel und die Art der Dachbedeckung ver-
danken wir schon früher erwähnten neueren Ausgrabungen in Pompeji. Ein
Beispiel bietet das nur theilweise und auch nur eine Zeit lang erhaltene, jetzt
zusammengebrochene und verschwundene Dach des Peristyls in der *Casa di
Sirico*, ausgegraben 1852 (s. Fig. 141), welches aber hinreichen wird, um die
Arten der Ziegel und ihre Verwendung klar zu machen. *A* sind die Plattziegel, *B* die über ihre Fugen gestürzten Hohlziegel, *C* die *tegulae colliciarum*.
Einige der gewöhnlichen Plattziegel 1, 2, 3 sind mit eigenen Lichtöffnungen
von etwas verschiedener Gestalt versehn, die möglicher Weise, obgleich nichts
dergleichen aufgefunden worden, mit irgend einem durchsichtigen Material
geschlossen gewesen sind, um ihren Zweck, den Regen abzuhalten, zu erfüllen, und dennoch Licht in den unter ihnen belegenen Raum zu lassen. Ganz
sicher sind wir übrigens über diese Einzelheit noch nicht. Beigegeben sind
der Fig. 141 Abbildungen der einzelnen Ziegel in größerem Maßstabe, mit
denselben Buchstaben und Zahlen wie in der Gesammtzeichnung versehen;

C' ist eine Profilansicht der Eckziegel, welche deren Biegung und aufstehende Ränder zeigt, über welche die Hohlziegel gelegt wurden.

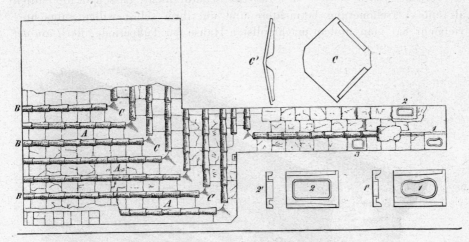

Fig. 141. Dach im Peristyl der *Casa di Sirico*.

Die in Fig. 139 und 140 wohl etwas zu klein angegebene viereckige Öffnung in der Mitte des vierseitig nach ihr abfallenden Daches, der natürlich das Regenwasser zufloss, heißt das *compluvium g*, und eine im Boden unter derselben angebrachte, meist mit Tuffplatten belegte und eingefasste Vertiefung, in welcher das Regenwasser sich sammelte, *h* Fig. 140, das *impluvium*. Aus diesem wurde das Wasser in eine Cisterne geleitet, aus der man es zum häuslichen Gebrauche schöpfte, und welche sich oft unter einen großen Theil des Atriums erstreckt. Außerdem aber hat das Impluvium regelmäßig einen zweiten Abfluss durch eine bedeckte Rinne, welche unter dem Ostium hindurch auf die Straße führt. Vermuthlich kam dieselbe nur dann zur Anwendung, wenn unreines, zu häuslichen Zwecken gebrauchtes Wasser entfernt werden sollte, oder wenn man das Atrium reinigte. Alsdann wurde das Abflussloch zur Cisterne durch einen Stein geschlossen.

Ein zweites, besser erhaltenes und jetzt vollständig restaurirtes Dach findet sich im Peristyl des Hauses des C. Vibius (Plan No. 72) in der rechten hintern Ecke. Dasselbe stellt Fig. 142 nach einer photographischen Aufnahme dar. Bemerkenswerth ist an ihm die Art, wie die Streben von der Wand in einer Richtung schräg herab auf das Epistyl der Säulen und an der Ecke selbst auf einen in dies eingelassenen Balken gelegt, und wie auf ihnen, mit den Enden über einander greifend, die großen Flachziegel ohne Latten durch Nägel befestigt sind.

Das *Atrium tetrastylum* oder das viersäulige Atrium gleicht ganz dem *tuscanicum*, mit der einzigen Ausnahme, dass die Hauptbalken an den vier Punkten, wo die Nebenbalken aufliegen, von vier Säulen unterstützt werden. Ein Beispiel hierfür bietet unter anderen die s. g. *Casa di Championnet* südlich vom Forum in Pompeji (Plan No. 92ª), ein zweites und drittes das östliche (Neben-)

Atrium der *Casa del Fauno* (VI, 12, 7; Plan No. 46) und das östliche (Haupt-) Atrium der *Casa del Laberinto* (VI, 11, 10; Plan No. 45), ein viertes die *Casa del Toro di bronzo* (V, 1, 7) u. a. m. Es scheint nicht, dass man die Säulen als eine Verschönerung betrachtete und um ihrer selbst willen anbrachte; vielmehr hat man in dem prachtvollsten Hause der Tuffperiode, der *Casa del*

Fig. 142.   Dach im Peristyl der *domus C. Vibii*.

Fauno, für das Hauptatrium die tuscanische Construction vorgezogen, welche in der That sowohl wegen des ungestörtern Verkehrs als wegen der großartigen Raumwirkung den Vorzug verdiente, während im Nebenatrium die tetrastyle Bauart angewandt ist. Letztere scheint vielmehr ihre Verbreitung dem Umstande zu verdanken, dass bei der zunehmenden Entwaldung Italiens es immer schwerer wurde, sich so große und starke Balken zu verschaffen, wie sie für das tuscanische Atrium erforderlich waren [117]).

Auch das *Atrium corinthium* ist ganz verwandt, und unterscheidet sich wesentlich nur durch eine größere Öffnung des Compluvium und eine größere Zahl von Säulen um dasselbe, sowie durch die Lage der Balken, welche nur von der Wand bis zum Epistyl der Säulen reichten. Ein Beispiel ist in dem zu der Fullonica gehörigen Atrium (VI, 8, 21), ein zweites in der *Casa dei Dioscuri* (VI, 9, 6; Plan No. 39), ein drittes in dem Hause des Epidius Rufus (IX, 1, 20; Plan No. 116) mit 6, 12 und 16 Säulen um das Compluvium. Wir sehen ab von solchen Fällen, wo Peristylien von ihren Atrien getrennt und so gewissermaßen selbst zu Atrien geworden sind.

Abweichender ist das *Atrium displuviatum*, obwohl es noch zu den mit innerer Öffnung versehenen gehört, indem bei ihm das Dach nicht nach innen, sondern nach außen geneigt ist, so dass der Regen nicht in das Impluvium zusammenfloss, sondern in Rinnen gesammelt wurde, welche, an der äußern Dachkante angebracht, ihren Inhalt in Röhren ergossen, die das Wasser in die Cisterne führten. Vitruv nennt diese Art der Bedachung bequem wegen der größern Helligkeit, indem das Dach mit dem höher gelegenen Compluvium den am Atrium liegenden Triclinien nicht das Licht wegnahm, hebt aber den Nachtheil für die umgebenden Wände hervor, der dadurch entstand, dass das Wasser aus der horizontalen Rinne am untern Dachrand nicht schnell genug durch die senkrechten Röhren abgeführt wurde und daher überlief. Irrthümlich hat man als Beispiel hiervon die s. g. *Casa di Modesto* (Plan No. 24, s. unten S. 273) angeführt.

Endlich war das *Atrium testudinatum* mit dem *displuviatum* in so fern verwandt, als auch bei ihm das Dach sich nach außen neigte, unterschied sich aber von allen anderen Atrien dadurch, dass es, ganz bedeckt, keine Compluvialöffnung hatte. Der Name stammt von dem Vergleich des Daches mit der Schale einer Schildkröte (*testudo*); aber irrig ist es, anzunehmen, die *Atria testudinata* seien g e w ö l b t gewesen; vielmehr hat man sie sich als mit einem vierseitig abfallenden und in der Mitte in eine Spitze zusammenlaufenden Dache gedeckt zu denken. Es scheint aber, dass Vitruv unter diesem Namen auch solche Atrien begreift, über welchen sich von einem Balkengerüst getragene Wohnräume befanden. Für die Erleuchtung musste natürlich durch Fenster gesorgt werden. Pompeji bietet uns kein Beispiel eines derartigen Hauses.

Bei den ersten drei Arten des Atriums, deren Dach nach innen geneigt ist, wurde in größeren und stattlicheren Häusern, namentlich der Tuffperiode, der Rand des Compluviums durch Traufkasten gebildet, aus welchen, wie aus einer Art Dachrinne, das Wasser sich durch Wasserspeier in Form von Thierköpfen in das Impluvium ergoss. Über diese Wasserkasten ragten dann noch, wo die Verzierung des Dachrandes vollständig war, Stirnziegel (Antefixen) hervor, welche den Abschluss der Hohlziegel bildeten und meistens entweder als Palmetten oder als menschliche Köpfe gebildet waren. Ein sehr schönes Beispiel einer solchen Vorrichtung zum Wasserausguss, welches aus einem der Häuser in der Nähe der Porta Marina (VII, 15, 2) stammt und in einem Laden an der Ecke der *Strada del Foro* und der *Strada degli Augustali* (Südwestecke der Insula VII, 4) aufgestellt ist, giebt Fig. 143 wieder. Hier sind die Wasserspeier nicht bloße Köpfe, sondern ganze Vordertheile von Hunden, unter deren Füßen das Wasser durch ein mit einem Akanthusblatt ornamentirtes halbes Rohr abfloss. In den Ecken, wo der Abfluss natürlich am stärksten war, ragte je ein Löwe mit einem größern Rohr über die Hunde empor [118].

Ob unter dem Dache des Atriums noch eine horizontale Felderdecke angebracht zu sein pflegte, kann nicht mit Sicherheit ausgemacht werden, da die Wände fast nie bis über die Höhe des Compluviums erhalten sind. In

Säulenhallen können wir eine solche Decke mit ziemlicher Sicherheit nachweisen, nämlich in der Porticus und in der Vorhalle des Forum triangulare;
ähnliche, freilich weniger sichere Spuren zeigt das erste Peristyl der *Casa del
Fauno*, während in dem
der *Casa del Laberinto*
allem Anschein nach das
Dach bloß lag. Unsicher
sind auch die in zwei
Atrien, dem des Epidius
Rufus und der *Casa del
Naviglio* (VI, 10, 11) sichtbaren Spuren. Schwerlich
stimmten in dieser Bezie-
hung alle Atrien überein:
wir dürfen vermuthen,
dass sie in eleganteren
Häusern manchmal eine
Felderdecke hatten [119].
Die Größe des Complu-
viums schwankt nach
Vitruv zwischen $1/4$ und $1/3$
der Breitendimension des
Atriums, von welchen
Maßen sich das erstere
nur in wenigen Fällen,
das letztere als Regel in
Pompeji findet. Über die
Öffnung des Compluvium
wurde ein, oft gefärbtes
oder bunt gewirktes, Zeltdach ausgespannt, um die
Strahlen der heißen Sonne
zu brechen und im Atrium
ein angenehmes, schatti-
ges und kühles Helldun-
kel zu erzeugen. In einem
Falle (I, 2, 28) fand sich
das Compluvium durch
ein (nach der Ausgrabung neu hergestelltes) Eisengitter geschlossen, um das
Einsteigen von Dieben zu verhindern.

Die Bedeutung des Atriums wurde eine wesentlich andere, als das Haus
durch das Peristyl erweitert wurde, und noch mehr, als sich in der Kaiserzeit
das häusliche Leben immer mehr in diese hinteren Räume zurückzog. Aus
dem Mittelpunkt wurde es nun zu einem Vorraum der eigentlichen Wohnung,
und so kommt es, dass es gelegentlich von den Schriftstellern mit dem Namen
Vestibulum bezeichnet wird. In Pompeji äußert sich dieser Vorgang durch

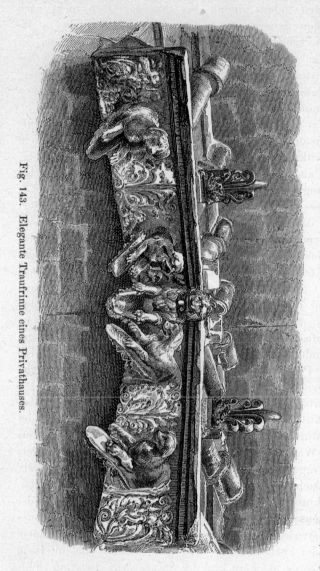

Fig. 143. Elegante Traufrinne eines Privathauses.

die augenscheinlich immer mehr zunehmende Vernachlässigung nicht grade des Atriums selbst, welches nebst Alae und Tablinum immer der stattliche, der Repräsentation dienende Eingangsraum blieb, wohl aber der anliegenden Zimmer. Abgesehn von kleineren Häusern ohne hintere Räume, dienten sie in der letzten Zeit größtentheils als Schlafzimmer für Sclaven, als Vorrathskammern, vielfach, wie aus den dort gefundenen Gegenständen hervorgeht, gradezu als Rumpelkammern. Dies gilt auch in Betreff des Hauses des Epidius Rufus, welches, offenbar ein reiches Haus, doch keine hinteren Räume hat: hier waren offenbar die besseren Zimmer im obern Stock[120].

In manchen großen Häusern begnügte man sich nicht mit einem Atrium, sondern legte deren zwei an, von denen das eine als prachtvolle Eintrittshalle diente, das andere einen mehr privaten Charakter hatte und namentlich auch den Zugang zu den Wirthschaftsräumen vermittelte. Dies letztere ist kleiner und hat nicht immer die vollständige und regelmäßige Gestalt mit Alae und Tablinum; es ist bisweilen nur ein einfacher viereckiger Raum. In der Regel liegen die beiden Atrien neben einander: so in der *Casa del Fauno, del Laberinto, del Toro di bronzo* (V, 1, 7) und öfter. Ausnahmsweise hatte das Haus des Pansa sein kleines Atrium neben dem Peristyl, in welches eine Thür in der Rückwand des Atriums führte. Später ist dann diese Thür vermauert und das Atrium mit den anliegenden Räumen getrennt vermiethet worden[121].

Über die Gemächer, welche sich um diesen Hauptraum des vordern Theiles des Hauses gruppirten und von ihm ihr Licht empfingen, 9 auf dem Plane Fig. 135, ist schon oben gesprochen worden: hier ist nur auf diejenigen zurückzukommen, welche ihren festen Platz und ihre nachweisbare Bedeutung haben, die drei Erweiterungen des Atriums, die *alae* und das *tablinum. Alae,* Flügel, heißen die beiden letzten, der Regel nach in ihrer ganzen Breite offen gelassenen Gemächer der Langseiten, 10 im Plan Fig. 135, welche zwischen Mauerpfeilern eingefasst oder in prächtigeren Wohnungen mit Säulen zwischen den Anten verziert wurden und in Pompeji fast immer durch sorgfältigere und schönere Bedeckung des Fußbodens, seltener durch reichern Schmuck der Wände ausgezeichnet sind. Nicht ganz selten sind sie aus ihrer Lage am Ende in die Mitte der Langseiten des Atriums verrückt. Auch kommt es in kleinen oder mittleren Häusern manchmal vor, dass sich die Ala nebst den übrigen Seitenzimmern nur auf einer Seite des Atriums findet, oder auch, wo der Raum sehr beschränkt war, dass sie ganz fehlen. In den Alae verwahrte in Rom die Nobilität ihre Ahnenbilder in eigenen Schränken; außerdem mögen sie als Empfangs- und Sprechzimmer benutzt worden sein. In Pompeji können wir jedoch beobachten, dass sie in der letzten Zeit mehr wirthschaftlichen Zwecken dienstbar gemacht wurden, indem man große Schränke in ihnen anbrachte, deren steinerne Untersätze in zahlreichen Fällen erhalten sind. Ihnen entspricht im Hintergrunde des Atriums das Tablinum, 11 im Plane Fig. 135, ein größeres, wie die Alae nach dem Atrium zu ganz offenes, nur durch ein *velum* zu schließendes Gemach, welches nach hinten in den ältesten Häusern Pompejis (Kalksteinatrien), so oft wir seine ursprüngliche Gestalt erkennen können, ganz offen war. Erst in den folgenden Perioden finden wir es bisweilen durch eine Brüstung vom Peristyl getrennt, wie im Hause des Sallust, oder auch ganz durch eine Mauer geschlossen. Seine Bedeutung ist sicher in verschiedenen Zeiten eine verschiedene gewesen. In den ältesten pompejanischen Häusern bildet es die Verbindung zwischen Haus und Garten; es diente als Durchgang zu dem letztern, und mochte überdies als kühles und luftiges Sommerzimmer benutzt werden: in der That berichtet uns Varro, dass man im Sommer im Tablinum zu speisen pflegte. Eine ganz andere Stellung erhielt es in den großen palastartigen Häusern der Tuffperiode und der spätern Zeit. Hier liegt es auf der Grenze des privaten und des gewissermaßen öffentlichen Theiles des Hauses: wir dürfen annehmen, dass hier der vornehme Hausherr unter die ihn erwartenden Clienten trat, dass hier sein eigentliches und officielles Empfangszimmer war. Am einleuchtendsten ist dies da, wo es hinten offen ist. Wie sehr aber dies die Regel war, wie sehr man die Verbindung zwischen den beiden Theilen des Hauses als das eigentliche Wesen des Tablinums betrachtete, geht daraus hervor, dass man da, wo die Raumverhältnisse die Anlage eines Tablinums nicht gestatteten, stets einen in der Breite ihm entsprechenden Durchgang zwischen Atrium und Peristyl anbrachte, wie z. B. an dem nördlichen Atrium der *Casa del Citarista* (I, 4, 25, *domus L. Optati Rapiani*) und in den Häusern VI, 14, 12 und VII, 7, 5.

Der Name *tablinum* oder *tabulinum* ist natürlich von *tabula* abzuleiten; doch kennen wir damit noch nicht seine Bedeutung, da *tabula* Verschiedenes bezeichnen kann. Schon die Alten waren im Zweifel über die Erklärung des Wortes. Festus sagt, die alten Magistrate hätten hier ihre amtlichen Documente (*tabulae*) aufbewahrt, so dass also das Tablinum für den Einzelnen dasjenige gewesen wäre, was das Tabularium für das Gemeinwesen war. Es ist aber undenkbar, dass ein alter und regelmäßiger Theil des Hauses seinen Namen von einem Gebrauch erhalten haben sollte, der nur in sehr wenigen Fällen stattfinden konnte. Ungleich glaublicher ist daher die Ableitung des Namens von den Bretterverschlägen, mit denen es, wie auch in Pompeji vielfach nachgewiesen werden kann, gegen das Peristyl oder den Garten geschlossen werden konnte. Sehr ansprechend ist endlich die neuerdings von Nissen gegebene Erklärung, dass nämlich Tablinum ursprünglich nicht einen Theil des Hauses selbst bezeichnete, sondern eine im Garten aufgeschlagene Laube aus Brettern (*tabulae*; Varro a. a. O.: *in tabulino, quod maenianum possumus intellegere tabulis fabricatum*), und dass man dann später diese Laube als stehenden Bestandtheil dem Hause einverleibt, sie in ein vorn und hinten offenes Sommerzimmer verwandelt, den alten Namen aber beibehalten habe[122]. Vorher war dann an dieser Stelle ein geschlossenes Zimmer, und hier stand vermuthlich das Bett des Hausherrn.

Da das Tablinum Wohnzimmer, später Staatszimmer war, so musste es wünschenswerth sein, noch eine zweite, namentlich für die Dienerschaft bestimmte Verbindung zwischen Atrium und Garten oder Peristyl zu haben. Wir finden daher schon in den alten Kalksteinatrien Pompejis bisweilen neben dem Tablinum einen engen Verbindungsgang, der freilich damals noch sehr häufig gefehlt zu haben scheint. In den Peristylhäusern der Tuffperiode wird das Vorhandensein dieses Ganges, 12 auf dem Plan Fig. 135, zur Regel; man pflegt ihn Fauces zu nennen, ein Name, den wir, obgleich seine Berechtigung zweifelhaft ist (vgl. oben S. 255), doch in Ermangelung eines andern beibehalten. Ein ursprünglicher und wesentlicher Theil des uns in Pompeji vorliegenden Haustypus war dieser Gang wohl nicht. Er fehlt auch in großen und stattlichen Häusern der Tuffperiode nicht selten; in einigen besonders alterthümlichen ist er erst später von einem der neben dem Tablinum liegenden Zimmer abgetrennt worden: so in der *Casa di Sallustio* (ferner in den Häusern VI, 13, No. 2 u. 6). Namentlich ließ man ihn aber da gern fort, wo durch ein Nebenatrium eine zweite Verbindung mit den hinteren Räumen ermöglicht war, wie in zwei großen Häusern in der Nähe des Brunnens mit dem Hahn (S. 241): VII, 15, 2 und *insula occidentalis* 11. Nur ganz ausnahmsweise wurden, der Symmetrie halber, zwei solche Gänge, einer auf jeder Seite des Tablinums, angelegt; in Pompeji finden wir dies in der *Casa dei Capitelli figurati* (oder *d'Arianna*, VII, 4, 31).

Mit der Anlage der Fauces hängt eine weitere Veränderung zusammen: das auf der betreffenden Seite neben dem Tablinum liegende Zimmer verlor jetzt seine Verbindung mit dem Atrium. Überhaupt aber musste es wünschenswerth sein, die beiden großen Zimmer neben dem Tablinum nicht mehr zum Atrium, sondern zu dem neuen Centrum des Hauses, dem Peristyl, in Beziehung zu setzen. Daher finden wir durchweg in den Häusern der Tuffperiode diese beiden meist als Triclinien benutzten Zimmer mit einer breiten Thür auf das Peristyl geöffnet, auch in den Häusern, welche keine Fauces haben. Sehr häufig sind die Thüren, mit welchen sie früher auf das Atrium, neben dem Tablinum, geöffnet waren, vermauert und in blinde Thüren verwandelt.

Durch die Fauces also betreten wir den privaten Theil des Hauses, dessen Mittelpunkt wiederum ein dem Atrium entsprechender offener, säulenumgebener Hof, 13 auf dem Plane Fig. 135, bildet, welcher den Namen des entsprechenden Theiles des griechischen Hauses, Peristylium, lateinisch Porticus erhalten hat. Das Peristylium ist jedoch bedeutend weiter offen, als das Atrium, immer von Säulen umgeben, welche oft einen obern Umgang trugen, und häufig in der mittlern Öffnung unter freiem Himmel als Garten, *xystus*, behandelt, wohl auch dann, wenn die Häuser einen eigenen Garten hinter sich hatten; häufig auch ist im Innern des Säulenumgangs ein Wasserbassin mit einem Springbrunnen oder einer Nische mit Wasserwerk, die *piscina* 14, angebracht, und diese wiederum nicht selten mit Blumenbeeten umgeben. Heiterkeit und Luftigkeit war hier der Hauptzweck der Anlage, weshalb wir auch die Säulen von leichter, meist korinthischer Ordnung und weit gestellt finden. In der Kaiserzeit, vermuthlich etwa seit der Zeit Neros, liebte man es, das dem Tablinum entsprechende Intercolumnium, und auch wohl das gegenüberliegende auf der Rückseite, dadurch auszuzeichnen, dass man sie weiter und höher machte als die übrigen. Wir finden daher häufig, dass mit den früher in gleichmäßigen Zwischenräumen stehenden Säulen ähnliche Veränderungen vorgenommen sind, wie die, welche wir im Hofe des Isistempels und in der Palaestra der größeren Thermen (S. 105 u. 218) beobachten konnten. Noch muss bemerkt werden, dass die Anlage des Peristyls bald mehr bald

weniger vollständig ist, indem manche, auch recht ansehnliche Häuser sich
begnügen, die Säulengänge an drei Seiten herumzuführen, wie z. B. das Haus
der schwarzen Wand (VII, 4, 59), das der *capitelli figurati* (VII, 4, 57) und
noch viele andere. Hier wird die vierte Seite durch die oft mit Halbsäulen
oder Pilastern verzierte Außenwand des Hauses gebildet. Auch an Häusern
die nur auf zwei Seiten des Peristyls Säulengänge haben, fehlt es nicht; wir
nennen als Beispiel die unten zu besprechende *casa d'Adone* (oder *della toletta
dell' Ermafrodita*, VI, 7, 18). Und es kam auch in der Blüthezeit des Peristyl-
baues noch vor, dass man sich in einem reichen Hause, wie das des Epidius
Rufus (IX, 1, 20), nach alter Weise mit einer quer vor dem Garten liegenden
Säulenhalle begnügte. Um diesen Hof des Peristyls und seinen bedeckten
Säulengang gruppiren sich nun die Privatgemächer der Familie, ähnlich wie die
Zimmer des Vorderhauses um das Atrium. Hier finden wir zunächst die Schlafzimmer (*cubicula*) 15, in größeren Häusern bisweilen mit einem Vorzimmer, *procoeton* 15 α, verbunden, in welchem ein Diener schlafen konnte. Im eigentlichen
Schlafzimmer ist manchmal noch der Platz für das Bett als Nische oder Alkoven γ von dem Hauptraum β abgetheilt. Doch ist diese letztere Sitte schon seit
der ersten Zeit der römischen Colonie, der Zeit des zweiten Decorationsstils
abgekommen: man begnügte sich seitdem, die Stelle des Bettes durch die
Malerei der Wände und durch das Mosaikmuster des Fußbodens zu charakterisiren. Die Zahl der *cubicula* ändert sich natürlich nach dem Bedürfniss der
Familie. Ferner begegnen wir den Speisezimmern, *triclinia* (16), so genannt
von den drei Speisesophas oder Bänken, welche das Zimmer an drei Seiten
umgeben, während die vordere vierte frei blieb, um der aufwartenden Dienerschaft Zugang zu dem in die Mitte gestellten Speisetisch zu gewähren. Gewöhnlich unterscheidet man ein Sommer- und ein Wintertriclinium (16 u. 16′
auf dem Plane Fig. 135), deren ersteres in einer möglichst wenig sonnigen
Lage angebracht wurde und gegen das Peristyl ganz offen war, wie die Alae
und das Tablinum gegen das Atrium, um frische Luft einzulassen und die
Aussicht auf das Peristyl mit seinen Blumen, Springbrunnen und sonstigen
Decorationen zu gestatten. Das Wintertriclinium dagegen legte man an den
sonnigsten Ort und öffnete es weniger weit, um den Zutritt der Luft abzuhalten.
In großen Häusern steigt übrigens die Zahl der Speisezimmer auf eine bedeutende Höhe, und dieselben unterscheiden sich nicht allein in der angegebenen Art nach den Jahreszeiten, sondern sowohl nach der Größe wie nach
der Pracht der Decoration, welche dem Aufwand der in ihnen gefeierten Mahle
sich anpasste, und noch sonst in mancherlei Art. Die gewöhnlichen Triclinien
fassten neun Personen. Für ganz große Gastmähler konnten, falls kein
großes Speisezimmer (*oecus*) vorhanden war — ein besonders großes hat das
Haus des Popidius Secundus — die Hallen des Peristyls und das Atrium benutzt werden. Näheres über die Einrichtung der Triclinien wird sich bei der
Beschreibung einiger Häuser in Pompeji beibringen lassen. Ferner verdienen
als das Peristylium umgebende Gemächer außer der Küche nebst Vorrathskammer, 17 auf dem Plane Fig. 135, besonders noch Erwähnung die *oeci* und *exedrae*,
indem sie mehr als die später anzuführenden der Norm eines Mittelhauses angehören. Die *oeci*, von οἶχος, waren weite Säle, die größten Gemächer des

Privathauses, die eigentlichen Gesellschaftszimmer und deshalb so groß genommen, dass man zwei Triclinien in ihnen stellen konnte; ihre Lage ist nicht
fest bestimmt.   Unterschieden werden tetrastyle Oeci mit vier Säulen zum
Tragen der Decke, korinthische mit doppelter Säulenreihe unbestimmter Zahl
und aegyptische mit einer eigenen Einrichtung.   Diese hatten nämlich eine
untere und obere Säulenstellung; die Intercolumnien der letztern dienten als
Fenster des erhöhten Mittelschiffs, während die Seitenschiffe in der Höhe der
unteren Säulen einen äußern Umgang, einen erweiterten Balcon trugen. Endlich
werden noch kyzikenische Oeci erwähnt, welche seltener im Gebrauch und
besonders für den Sommer bestimmt waren, deshalb nach Norden sich öffneten
und die Aussicht auf den Garten boten.   Verwandt mit den Oeci waren die
exedrae (20 auf dem Plan), zu deren Charakteristik es gehört, dass sie nach vorn
ganz oder fast ganz offen waren; sie dienten zu beliebigem Aufenthalt, konnten
aber auch als Speisezimmer benutzt werden. Häufig ist eine geräumige Exedra
dem Tablinum gegenüber auf der Rückseite des Peristyls angebracht.   Die
Wirthschaftsräume, Küche mit Vorrathskammern, zu denen in größeren
Häusern manchmal noch ein Backofen nebst Zubehör und auch wohl ein Bad
hinzukommt, bilden nicht selten eine gesonderte dritte, meist neben dem
Peristyl gelegene Abtheilung des Hauses.   Ein besonders deutliches Beispiel
bietet die *Casa del Laberinto*, mit Bad, Bäckerei und Stallung; aber auch das
Haus des Faun ist so angelegt, ferner das größte der kürzlich ausgegrabenen
Häuser, die *Casa del Fauno ubbriaco* (oder *del Centenario*) u. a. m.

Dies sind die Gemächer des normalen Mittelhauses.   Das obere Geschoss
enthielt außer den *cenacula* die Zimmer für die Sclaven, *ergastula*, Arbeitszimmer genannt.   Manche Häuser haben hinter der Wohnung, andere seitlich
neben den Wohnräumen einen Garten, auf den sich bei der erstern Anlage an
der hintern Façade des Hauses ein Säulengang, *porticus*, 21, öffnet und der
eine Piscina, Brunnen und Springbrunnen und eine künstliche Gruppirung
von Bäumen und Sträuchern, Büschen und Blumen enthielt, falls er nicht wie
in Pompeji z. B. der Garten im Hause des Pansa und ganz ähnlich derjenige
im Hause des Epidius Rufus (Plan No. 116), sowie derjenige in einem dritten,
namenlosen Privathause (Plan No. 86), bei denen noch heute die Art der
antiken Bestellung völlig erkennbar ist, zu Gemüsebau verwendet wurde.
Manche Häuser mit sehr kleinem Gartenraum halfen durch auf die Hinterwand gemalte Bäume, Sträucher und Blumen aus, und hatten den Xystus im
Peristyl.   In mehren Fällen, deren zwei als Beispiele ausgehoben werden
mögen (Fig. 144), kann man die durchaus architektonisch symmetrische Anlage der Beete noch erkennen, indem dieselben mit hochkantig gestellten Ziegeln eingefasst sind.   Der Geschmack solcher Anlagen ist in der modernen
italienischen Gartenkunst ein ganz ähnlicher geblieben, so sehr die Anlagen
selbst gewachsen sein mögen.   Das erste Beispiel (*a*) ist aus dem hintern
Peristyl der *Casa dei capitelli colorati*, das zweite (*b*, jetzt nicht mehr erhalten)
aus derjenigen der *capitelli figurati*, welche beide (Plan No. 63 u. 61) dicht bei
einander unter Nr. 31 und 57 in der Insula VII, 4 liegen.   In einem Falle,
soviel bisher bekannt, ist ein von jeder Wohnung abgesonderter, offenbarer
Gemüsegarten mit gut erhaltener Beetanlage, eine Handelsgärtnerei, gefun-

den worden, in welchem nur in der einen Ecke eine Zelle als Wohnung des Gärtners angebracht ist (Plan No. 84; vergl. unten im zweiten Abschnitte dieses Capitels).

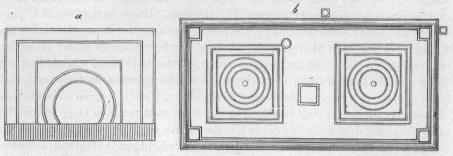

Fig. 144. Beetanlage in den Xysten zweier pompejanischen Häuser.

Grenzte ein Haus mit mehren Seiten an Straßen, wie in dem Plane Fig. 135 angenommen ist, so sorgte man für eigene Ausgänge aus dem Hinterhause 22, welche den Namen *posticum* führten und dem Wirthschaftsverkehr einen kürzern oder zweckmäßigern Weg öffneten, als derjenige durch das Vorderhaus war, und zugleich dem Hausherrn gestatteten, den im Vorderhause wartenden Clienten auszuweichen, *postico fallere clientem.* Endlich ist noch zu erwähnen, dass meistens, und so auch in dem Plane Fig. 135, die Häuser von einer Reihe von Läden 23 umgeben sind, die aus einem oder ein paar größeren oder kleineren Räumen bestehen, und von denen oft einer (24 im Plane Fig. 135) mit dem Innern des Hauses in Verbindung stand, so dass in ihm offenbar der Besitzer des Hauses sein Gewerbe trieb und seine Waaren feil hatte oder durch Sclaven feil halten ließ. Die übrigen Läden wurden vermiethet, oft mit Beigabe eines kleinen Zimmers im ersten Stock, einem *cenaculum, maenianum* oder einer *pergula,* wie dies in einer unten beizubringenden Vermiethungsanzeige ausdrücklich gesagt ist. Auch wurden *cenacula, maeniana* und *pergulae* allein vermiethet, und es sind außer vielfachen Eingängen und Treppen zu abgetrennten Miethwohnungen seit den neueren vorsichtigen und conservativen Ausgrabungen mehre solche kleine Miethwohnungen im obern Stockwerk, zum Theil mit vorspringenden Erkern, aufgefunden worden. Namentlich ist dies der Fall in der kleinen Gasse *del balcone pensile,* in welcher mehre Häuser neben einander, wie dies die verkohlt aufgefundenen und jetzt erneuerten Balken beweisen, ziemlich weit über die Straße vorspringende Erker (*maeniana*) gehabt haben. Von diesen hat einer, von dem Fig. 145 eine Ansicht bietet, durch Erneuerung des Holzwerkes vollkommen erhalten werden können. Er findet sich in dem nach ihm benannten Hause *del balcone pensile* (Plan No. 79), einem an sich weder großen, noch besonders ausgezeichneten oder merkwürdigen Hause, obgleich dasselbe in seinen privaten Theilen anmuthig genug erscheint. Von diesen sticht das vermiethete Maenianum gewaltig ab. An dem ziemlich tiefen aber wenig breiten Hausflur liegt rechts ein von der Wohnung wahrscheinlich unabhängiges ganz schmuckloses und von der Straße aus durch zwei vergitterte Fenster nothdürftig erleuch-

tetes Zimmer, wenn es ein solches und nicht vielmehr ein Stall war; links ist
ein ähnlicher noch unansehnlicherer, wüster Raum. Unmittelbar hinter der

Fig. 145. Maenianum der *Casa del balcone pensile*.

Thür, die vom Hausflur in diese Räume führt, liegt die jetzt wiederher-
gestellte hölzerne Treppe, über die man in die kleine Miethwohnung hinaufsteigt. Dieselbe besteht aus drei wenig geräumigen, durch Thüren verbundenen
Zimmern, welche zum größten Theile freilich über dem Hausflur und dem
stallartigen Zimmer liegen, zum Theil aber als Erker über die Straße vorspringen, auf welche sie sich mit nicht allzu kleinen Fenstern öffnen. Ihr
Fußboden ist von *opus Signinum* hergestellt, die Wände sind ganz einfach
bemalt. Der Umstand, dass man in einem dieser Zimmer einen Gladiatorenhelm fand, legt den Gedanken nahe, dass sie von einem, wahrscheinlich ausgedienten Gladiator bewohnt gewesen sind. Die Thür des Privathauses, zu
dem diese kleine Miethwohnung gehört, lag im Hintergrunde des Ostium;
schloss sie der Hausherr, so war er von der Miethwohnung abgetrennt, mit
der er freilich einen gemeinsamen Hauseingang zu benutzen hatte.

    Das Vermiethen solcher überflüssigen Räumlichkeiten der Häuser war
ein nicht unbedeutender Erwerbszweig, und andererseits lässt uns die Masse
der Läden dieser Art in Pompeji, deren in jener Vermiethungsanzeige allein
mehre Hundert einer Besitzerin gehörende angeboten werden, auf die Lebhaftigkeit des Verkehrs schließen.

    Außer den genannten Gemächern enthalten große Häuser deren noch
eine ganze Reihe zu den verschiedensten Zwecken: ein Bibliothekzimmer,
ein Gemäldezimmer (*pinacotheca*), ein *sphaeristerium* zum Ballspiel, ein *alea-
torium* für sonstige Spiele, und viele andere, welche der Luxus dem Bedürfniss hinzufügte, die uns aber größtentheils für Pompeji nicht interessiren

oder, wo sie sich finden, gelegentlich besprochen werden können. Vielfach
findet man auch noch eine kleine Hauscapelle (*sacellum, sacrarium*), am häufigsten in einer Ecke des Atriums, bisweilen auch am Peristyl, wie z. B. im Hause
des tragischen Dichters. An die Stelle derselben tritt häufig eine bisweilen als
Aedicula gestaltete Nische in der Wand, in welcher die kleinen Bronzefiguren
der Laren aufgestellt wurden, oder auch nur eine die Laren und den Genius
familiaris darstellende Wandmalerei. Unter dieser Nische oder dieser Malerei
ist manchmal, aber nicht immer, ein kleiner Altar angebracht; vielfach half
man sich mit kleinen tragbaren Altären aus Stein oder Thon. Diese einfacheren

Fig. 146. Sacrarium in dem Hause No. 117 im Plane.

Heiligthümer finden sich besonders häufig in der Küche. Ein Beispiel einer im Stil der letzten Zeit Pompejis besonders reich mit Stuckornamenten verzierten Hauscapelle stellt Fig. 146 nach photographischer Aufnahme dar; es befindet sich im Atrium des im großen Plane mit No. 117 bezeichneten, neben demjenigen des Epidius Rufus an der *Strada della casina dell' aquila* liegenden Hauses des Epidius Sabinus (IX, 1, 22).

Keller (*hypogaea* oder *apogaea*) im eigentlichen Sinne, wie wir sie bauen, sind in Pompeji nicht häufig, denn die nur halb unterirdischen Räume, welche sich vielfach aus der Unebenheit des Terrains ergeben, können nicht eigentliche Keller genannt werden. Solche halb unterirdische Räume finden sich namentlich unter den großen Kaufmannshäusern am Südwestabhange des Stadthügels, unter der *Casa dell' Ancora*, unter der *Casa di Marte e Venere* (Plan No. 66) und noch öfter. Als wirklichen Keller müssen wir dagegen die Kryptoporticus der *Villa suburbana* bezeichnen, welche, nach den dort gefundenen Amphoren zu urtheilen, auch zu ähnlichen Zwecken wie unsere Keller gebraucht wurde. Ein wirklicher Keller findet sich ferner unter dem Hause des Caecilius Jucundus (V, 1, 26), unter der *Casa del Fauno ubbriaco* (*del Centenario*), unter der *Casa del Centauro* (VI, 9, 5; Plan No. 38), wo im Keller die Küche mit dem Larenheiligthum war, über ihm aber, auf jetzt eingestürzten Wölbungen, der Garten. Der merkwürdigste aber ist derjenige in dem Hause des N. Popidius Priscus, früher *Casa dei marmi*, am *Vicolo del panattiere* (VII, 2, 20; Plan No. 71), welcher sich seitwärts am Peristyl und zum Theil unterhalb desselben befindet. Aus diesem steigt man auf einer gradeaus geführten Treppe von zwölf Stufen in denselben hinab und befindet sich dann zunächst der Hauscapelle oder dem *sacellum* des *custos fontis* gegenüber, d. h. zwei Nischen mit davorstehendem Altar. Links erstreckt sich der Keller in zwei Abtheilungen, in deren erster sich der früher (S. 238) schon erwähnte tiefe Brunnen befindet. Der Keller ist mit einem spitzbogigen Tonnengewölbe bedeckt, durch welches Lichtöffnungen nach dem Peristyl hin gebrochen sind, während er sich gegen die Treppe mit zwei rundbogigen Eingängen öffnet; in seinem Grunde ist eine wie eine große Badewanne gestaltete Abtheilung, in welcher bei der Ausgrabung Kalk gefunden wurde.

Schließlich muss hier noch ein Wort über die gangbare Nomenclatur der Häuser in Pompeji gesagt werden, der man, weil dies zur Verständigung nothwendig ist, folgen muss, obgleich die Namen nur selten gut gewählt sind. Einen Theil der Häuser hat man nach den Namen genannt, welche in den auf die Wände gemalten Wahlempfehlungen vorkommen, und welche man, abgesehn von wenigen Ausnahmen, mit Unrecht auf die Besitzer oder Bewohner bezog; so sind getauft worden z. B. die Häuser des Modestus, Pansa, Fuscus, Sallustius, Pomponius u. a. Zweitens entnahm man Häusernamen den Titeln der hohen Herrschaften, in deren Gegenwart und zu deren Ehre die Häuser oder einige Räume derselben ausgegraben wurden; so sind benannt die Häuser des Königs von Preußen, des Kaisers von Russland, der Königin von England, des Großherzogs von Toscana u. a. Drittens benannte man die Häuser nach auffallenden Eigenthümlichkeiten der Decoration oder des Hausraths oder nach Hauptbildern oder irgend einem sonstigen Merkmal; von der

Art sind z. B. die Namen der Häuser der bemalten und der Figurencapitelle,
der schwarzen Wand, der Mosaikbrunnen, des Centauren, des Apollo, der
Jagd; ferner der Silbergeschirre, der Glasvasen, des eisernen Heerdes, oder
des Labyrinths, des Schiffes, des Ankers, des Bären, der fünf Gerippe. Endlich
viertens hat der erkennbare oder vermuthete Stand des frühern Eigners zur
Benennung der Häuser geführt, was z. B. von denen des Bildhauers, des Chirurgen, des tragischen Dichters u. A. gilt. Erst in der neuesten Zeit sind die
Häuser, meistens nach sicheren Merkmalen und Zeugnissen, besonders häufig
auf Grund der dort gefundenen Petschafte, mit dem Namen ihrer einstmaligen
letzten Besitzer belegt, und sind diese Namen auf Marmortafeln eingehauen
neben den Hauptthüren angebracht worden; so bei den Häusern des Siricus,
des L. Clodius Varus, des P. Paquius Proculus, des M. Lucretius, des M. Ga-
vius Rufus, des N. Popidius Priscus, des L. Caecilius Jucundus u. m. a. — Nach
diesen Bemerkungen wird jede Polemik gegen die früher gangbare Nomenclatur und selbst das »sogenannt« vor den älteren Namen überflüssig erscheinen.
Die wenigen richtigen sollen als solche bemerkt werden und sind in dem angehängten Verzeichniss und im Register zum Plane dadurch kenntlich gemacht, dass ihre Bezeichnung in lateinischer Sprache gegeben ist, so z. B.
domus M. Gavii Rufi, domus M. Epidii Rufi u. s. w.

Unsere Musterung einer Auswahl charakteristischer Häuser Pompejis
beginnen wir nach dieser Einleitung mit ein paar der kleinsten Häuser, die
eben nur dem nackten Bedürfniss eines wenig begüterten Einwohners entsprechen.

(No. 1.) Das erste dieser Häuser am *Vico di Modesto*, 16 im Plan (VI, 2,
29), enthält eben nur die Theile, die durchaus nothwendig sind. Vor dem
Hause befindet sich eine Bank *a*, auf welcher die Familie die freie Luft genoss,
da das Haus weder Atrium noch Peri-
styl enthält. Durch die Hausthür gelangt man auf einen bedeckten Hausflur 1, von dem sogleich links die
Treppe 2 in das obere Geschoss führt
und von dem man ebenfalls links in
das Zimmer des Sclaven 3 gelangt.
4 ist das am sorgfältigsten ausgemalte Zimmer des Hauses, also wohl
ein Speisezimmer, 6 vielleicht ein
Schlafzimmer; alle diese drei Zimmer

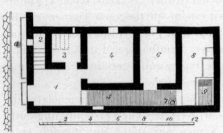

Fig. 147. Plan eines kleinen Hauses.

erhalten ihr Licht durch Fenster, welche auf den Garten des Hauses des Sallust (s. unten) gehen. Der durch den bedeckten Gang 5 zugängliche Raum 8
diente zugleich als Garten und Küche: das Dach senkte sich gegen die rechte
hintere Ecke und hatte hier ein Compluvium; zwischen den Umfassungsmauern
des gemauerten Impluvium 9 und den Wänden ist ein etwa 0,15 M. breiter
Zwischenraum gelassen, welcher mit Erde gefüllt war und in welchem man
Blumen zog: eine Vorrichtung, die in ähnlicher Weise nicht selten gefunden
wird. Links daneben liegt der Heerd und der Abtritt. Eine Cisterne ist nicht
vorhanden, das Regenwasser konnte durch eine bedeckte Rinne auf die Straße

abgelassen werden; bei 7 ist ein kleines rundes gemauertes Bassin unbekannter Bestimmung. Weitere Wohnräume haben wir uns im obern Geschoss zu denken. Es ist interessant zu beobachten, wie die Anordnung um eine Art Atrium (1) und etwas dem Garten und Peristyl Ähnliches auch in den kleinsten Wohnungen so viel wie möglich durchgeführt wird.

(Nr. 2.) [123]) Das zweite Haus, 51 a im Plan, liegt am nördlichen Theil der Stabianer Straße (V, 1, 28). Es mag, seiner Bauart nach, aus den früheren Zeiten der römischen Colonie stammen und gehörte, wie wir aus einer noch zu erwähnenden Inschrift entnehmen, dem M. Tofelanus Valens. In der linken Wand des gleich an der Straße verschlossenen Ostiums 1 ist die als Aedicula geformte Nische für die Larenbilder angebracht, welche, aus Bronze, in den Boden derselben eingelassen waren. Weiter gelangen wir in das kleine Atrium 2, welches nicht die gewöhnliche Bedachung mit dem Compluvium in der Mitte hatte. Vielmehr neigte sich das Dach gegen die Rückseite, und hatte eine Öffnung nur in der linken hintern Ecke, über dem dort befindlichen aufgemauerten Bassin, in welches das Regenwasser fiel und aus welchem es durch eine Öffnung am Boden und eine bedeckte Rinne

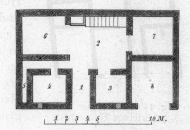

Fig. 148. Haus des M. Tofelanus Valens.

auf die Straße geleitet werden konnte. Über den Mangel eines Gartens hat sich der Hausherr in sinniger Weise dadurch zu trösten gewusst, dass er auf die Wände der linken hintern Ecke des Atriums, so weit sie dem erwähnten Impluvium entsprechen, über einem hohen rothen Sockel auf gelbem Grunde Pflanzen und Vögel malen ließ, so dass es scheinen sollte, als sähe man hier in einen Garten. 3 ist offenbar das Schlafzimmer des Sclaven (schwerlich hatte diese Familie mehr als einen); die Wände haben einen hohen Sockel aus Ziegelstuck, weiter oben groben weißen Stuck; in der rechten hintern Ecke ist die Wand durchbohrt, um von hier aus den Querbalken (sera) vor die Hausthür schieben und wieder fortziehen zu können. 7 war das Schlafzimmer des Hausherrn und seiner Familie: seine Thür konnte von Innen durch einen Querbalken geschlossen werden. 6, mit weiter Öffnung auf das Atrium, war wohl ein Speisezimmer. Die Bestimmung von 4 können wir nicht feststellen: es konnte als Wohnzimmer oder Schlafzimmer dienen; in einer frühern Periode wird es wohl die Küche gewesen sein, denn wir finden gleich daneben den gewöhnlich mit der Küche verbundenen Abtritt 5. In späterer Zeit, wohl nach der Zeit des Augustus, gab man dem Hause ein oberes Geschoss, welches sich über alle unteren Räume mit Ausnahme des Atriums erstreckte und durch die in das Zimmer über 7 einmündende Treppe an der Rückseite des Atriums zugänglich war. Hierher wird man dann auch wohl die Küche verlegt haben, da wir eine solche im Erdgeschoss nicht finden. Im übrigen scheinen die oberen Räume sehr bescheiden gewesen zu sein; sie hatten auf die Straße enge Schlitzfenster, nur der über 4 und 5 liegende Raum ein etwas größeres. Links am Atrium, zwischen 6 und dem Gange zu 4 und 5, ist eine kleine Marmortafel eingemauert mit der Inschrift: *M. Tofelano M. f. Valenti*, *quod amico*

donavi IIS n. I, welche so erklärt wird, dass ein Freund dem Hausherrn diese
Inschrift nebst einem dabei aufgestellten Gegenstand, etwa dem Hermen-
bildniss desselben, schenkte, und zwar in der Form, dass er ihm beides um
einen Sesterz (22 Pfennige) verkaufte.

(No. 3.) Endlich das dritte Beispiel dieser kleinsten Häuser (103 *a* im
Plan) liegt hinter dem Hause des M. Holconius an der Straße des Isistempels,

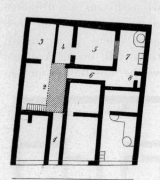

ist allerdings ziemlich stark zerstört, aber in der
Bestimmung seiner Räume doch noch mit hinlänglicher Sicherheit zu erkennen. Ein ziemlich
langer Hausflur 1 zwischen zwei nicht zum Hause
gehörenden Läden führt in einen atriumartigen
Hof 2, an welchem im Hintergrund eine Cella 3
und, von einem kleinen Corridor 4 her zugänglich, ein ziemlich geräumiges Triclinium 5 liegt,
welches sich mit einem breiten Fenster auf einen
rechts abzweigenden Gang 6 öffnet. Dieser führt
gradaus in die Küche 7, in welcher neben dem
Heerd in der linken Ecke sich ein großer ein-
gemauerter Kübel findet, während rechts, aber
von der Küche abgetrennt, der Abtritt 8 an-

Fig. 149. Plan eines dritten
kleinen Hauses.

gebracht ist. Die Schlafzimmer werden, wie bei No. 1, im Obergeschoss
gelegen haben und die Treppe, welche nicht mehr nachweisbar ist, wird
ähnlich wie bei No. 2, in dem atriumartigen Hofe 2 gewesen sein.

(No. 4.) Bei nur wenig größerer Ausdehnung zeigt das folgende Haus,
welches neben dem unter No. 3 besprochenen an der Straße des Isistempels

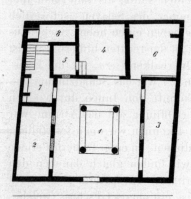

liegt (VIII, 4, 34; Plan No. 104 *a*), nicht
allein ein tetrastyles Atrium, sondern in einigen seiner wenigen Gemächer namhafte Bilder.
Die Hausthür führt ohne jede Art von Ostium
unmittelbar in das, wie schon gesagt, tetrastyle
Atrium 1 mit einem ungewöhnlich großen
Impluvium in der Mitte. Rechts und links
umgeben dies Atrium zwei schmucklose
Räume 2, 3, von denen 2 eine Thür und
zwei große Fenster, 3 zwei Thüren und ein
großes Fenster hat. Von dem Stuck der
Wände ist hier und im Atrium nichts erhalten. Offenbar sind dies Arbeitsräume, Werkstätten, und hat man das Compluvium nur
deshalb so groß gemacht, um ihnen das nöthige
Licht zuzuführen. In 3 liegt an der Straßen-

Fig. 150. Kleines Haus mit tetra-
stylem Atrium.

wand ein Haufe zerstoßener Ziegel, wie man sie zum *opus Signinum* brauchte;
an der linken Wand des Atriums liegt ein Haufe Kalk, und links vom Eingange eine Lavaschwelle und eine große neue Travertinschwelle, aus drei
Stücken bestehend, lang zwischen den Antepagmenta 4,52 M. Wir dürfen
aus diesen Funden, namentlich aus der Schwelle, welche in diesem Hause

nicht zur Verwendung kommen konnte, auf das von dem Hausherrn betriebene Gewerbe schließen; er wird ein Unternehmer (*redemptor*) von Bauarbeiten gewesen sein. Im Hintergrunde, an der Stelle des Tablinums, liegt ein über zwei Stufen zugängliches großes Speisezimmer (Triclinium oder Oecus), 4. Dasselbe ist stattlich geschmückt; es hat rothe und gelbe Wände mit reichen, phantastischen Architekturmalereien letzten Stils, und in denselben als Mittelbilder auf der Hinterwand Herakles bei Omphale (Hlbg. No. 1136), rechts eine der unerklärten Darstellungen aus dem Kreise der Lichtgottheiten (Hlbg. No. 971), während dasjenige links die vom Stier geschleifte Dirke darzustellen scheint. Auf den Seitenfeldern der Wände sind außerdem noch in schwebenden Figuren die Jahreszeiten (Hlbg. No. 978, 982, 988, 1002), Nike (910) und Eroten (686. 675) gemalt. In der linken vordern Ecke dieses Tablinum führen drei Stufen zu der Thür eines angrenzenden, auch im letzten Stil ausgemalten Cubiculum 5, in dem wir an der Eingangswand eine Darstellung von Phaedra und Hippolytos (Hlbg. No. 1245), gegenüber eine solche des Endymion (956) finden, während auch hier das dritte Bild an der Wand rechts vom Eingange zerstört ist. Die linke ist von einem Fenster durchbrochen, welches diesem Gemache vom Atrium her Licht schafft. In dem Raum 6 rechts vom Tablinum, welcher durch zwei kurze Wandstücke in zwei Theile getheilt wird, sind die Wände unten mit Ziegelstuck, oben mit rohem weißen Stuck bekleidet. Ohne Zweifel diente dieser Raum in nicht näher bestimmbarer Weise dem Gewerbsbetrieb: jene beiden Wandstücke sollen nur ermöglichen, den entsprechenden Raum des Oberstocks in mehre Zimmer zu theilen. Links am Atrium liegt die Küche 7 mit Heerd und Abtritt und der Treppe zum Obergeschoss. An dieser Treppe vorbei gelangt man endlich in die dunkle Speisekammer (*cella penaria*) 8. — Die eigentlichen Wohnräume der Familie waren im Oberstock. 4 wurde sicher nur benutzt, wenn man Gäste hatte, 5 war entweder ein Gastzimmer oder das Schlafzimmer des Hausherrn, der seinen Werkstätten nahe bleiben wollte. Oben war ein Gang

über 8, an welchem ein Cubiculum über 5 lag, und durch welchen man zu einem Speisezimmer über 4 gelangte. Von da kam man in ein größeres Zimmer über dem vordern Theil von 6; aus diesem in ein Schlafzimmer mit erhöhtem Platz für das Bett über dem hintern Theil von 6 und in eine

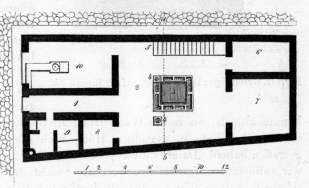

Fig. 151. Plan der *Casa di Modesto.*

Kammer mit nur roh gemalten Wänden über der rechten hintern Ecke desselben Raumes.

(No. 5.) Das Haus, dessen Plan die obenstehende Fig. 151 zeigt, kaum ausgedehnter, als das vorige, und bekannt unter dem Namen der *Casa di*

Modesto, liegt an der Ecke des *Vicoletto di Mercurio* und dessen *di Modesto* (VI, 5, 13; im Plan No. 24). Es ward in der ersten Zeit der römischen Colonie mit Benutzung von Theilen eines ältern Hauses erbaut und ist durch zwei Umstände besonders interessant. Erstens nämlich enthielt es vorzügliche Gemälde zum Theil mythologischen Inhalts, so namentlich nach einigen Angaben in dem Gemache 6, nach anderen, weniger wahrscheinlich, im Atrium, jetzt völlig zerstört und spurlos verschwunden (Hlbg. No. 1329), die bekannte Scene aus der Odyssee (X, 315 ff.), wo Kirke dem Odysseus das zauberische Weinmuß gemengt hat, und eben ihm, auf dessen Verwandelung sie hofft, gebietet, zu den Genossen in den Kofen zu wandern, als Odysseus

> ...... das Schwert von der Hüfte sich reißend,
> Rannt' auf Kirke hinan wie voller Begier zu ermorden;
> Doch laut schrie sie und eilte gebückt ihm die Kniee zu fassen.

Das ist genau dem Dichter folgend und doch in trefflicher malerischer Auffassung wiedergegeben (abgeb. bei Mazois II, pl. 43). Ein zweites Gemälde, Achill auf Skyros darstellend (Hlbg. No. 1299), ist gleicherweise zerstört und nur in älteren Zeichnungen überliefert. Zweitens ist dieses Haus zur Besprechung geeignet, weil wir dabei Gelegenheit haben werden, einen durch die Autorität Mazois' verbreiteten Irrthum zu berichtigen, als ob wir nämlich hier ein Beispiel des *Atrium displuviatum* (s. oben S. 259) hätten. Indem wir also in Fig. 152 den von Mazois restaurirten Durchschnitt geben, müssen wir bemer-

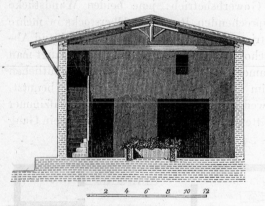

Fig. 152. Restaurirter Durchschnitt auf der Linie *a—b.*

ken, dass die Restauration des Daches falsch, dasselbe vielmehr, wie gewöhnlich, nach innen geneigt zu denken ist. Jene Meinung nämlich stützt sich ausschließlich auf die in der That vorhandenen Löcher für einige schräg aufstehende Latten oder dünne Balken, wie sie auf dem Durchschnitt links den Dachvorsprung unterstützen. Diese Löcher aber liegen nicht mehr als 2,30 M. über dem Fußboden des Atriums (der Durchschnitt giebt sie zu hoch an), das Dach könnte also da, wo es die Wand trifft, allerhöchstens 3,50 M. hoch gewesen sein, und müsste in derselben Höhe auch die gegenüber liegende Wand getroffen haben. Da aber diese bis zu 5 M. unversehrt erhalten ist, so können wir vollkommen feststellen, dass dies nicht der Fall war, dass also jene schrägen Balken eine andere Bedeutung hatten, etwa ein kleines Dach, unabhängig von dem des Hauses, zum Schutze des Fußweges trugen. Auch findet sich von den bei Vitruv erwähnten Röhrenleitungen keine Spur; das Wasser müsste also, wie auch Mazois annimmt, nach außen abgeflossen sein, das heißt nach rechts in den Garten des Nachbarn, was doch schwerlich zulässig war. Dagegen sieht man in der rechten Wand in der Höhe von 5 M.,

genau der Vorder- und Rückseite des Impluviums entsprechend, zwei größere
Kalksteine, oberhalb deren die Mauer nicht erhalten ist: wahrscheinlich lagen
auf ihnen die gewöhnlichen Querbalken des tuscanischen Atriums. Falsch
ist ferner in dem Durchschnitt das Impluvium, welches in Wahrheit nicht nur
durch die es umfassenden Mauern, sondern auch, wie gewöhnlich, durch eine
Vertiefung im Fußboden gebildet wird; die erwähnte Mauer enthält, wie Plan
und Durchschnitt zeigen, eine rinnenartige Vertiefung, welche diente, um
Erde zur Zucht einiger Blumen aufzunehmen. Zwei Mündungen der Cisterne
sehn wir in 4 neben dem Impluvium. Links im Atrium ist die Treppe 5,
welche zu zwei Gemächern im obern Geschoss führt, deren allerdings lediglich
vermuthete Fenster der Durchschnitt zeigt. Die Treppe ist aus ihren untersten
Steinstufen deutlich zu erkennen, und soll der Symmetrie wegen auf der entgegengesetzten Wand in Malerei wiederholt gewesen sein, was aber schwerlich
in der That der Fall war. Von den sorgfältig im Stil der letzten Zeit Pompejis
ausgemalten Zimmern auf der Rückseite des Atriums können wir in 6 das
Schlafzimmer des Hausherrn vermuthen; für 7, an dessen Hinterwand eine
Darstellung von Phrixos und Helle (Hlbg. No. 1252) gemalt und, wenngleich
ziemlich zerstört, noch an Ort und Stelle ist, während ein Adonis (Hlbg.
No. 343) an der Wand rechts jetzt gar nicht mehr erkannt werden kann, wird
der Name Oecus am ehesten passen. 8 ist das Zimmer des Sclaven, 9 die
Küche mit Heerd, Abtritt und einer Thonröhrenleitung aus dem Oberstock;
10 ist ein mit dem Innern des Hauses in Verbindung stehender Laden mit
einer gemauerten Ladenbank, an deren Ende eine auch sonst häufig begeg-
nende Vorrichtung angebracht ist, um ein Gefäß über Feuer zu halten: es
wurden hier also warme Speisen verkauft.

Doch genug dieser kleinen Häuser; die gegebenen Beispiele, die sich
bedeutend vermehren ließen, werden genügen, um klar zu machen, wie man
die regelmäßige Grundanlage möglichst festzuhalten strebte, wie dieselbe aber
doch nach den Bedürfnissen und den räumlichen Bedingungen vielfach abgeändert werden musste. Wenden wir uns zu der Betrachtung einiger Häuser
mittlerer Größe, um auch bei ihnen die Entfaltung und die oft geistreiche
Modification des Princips zu beobachten.

(No. 6.) Als ein erstes Beispiel wählen wir die nach ihren
Hauptbildern sogenannte *Casa
della toletta dell' Erma-
frodito* oder *di Adone ferito*, jetzt *domus M. Asellini*, an der Mercurstraße, VI, 7,
18 (No. 29 im Plan), ausgegraben
1835—1836. Das Haus stammt
in seinen wesentlichen Bestandtheilen, einschließlich des Peristyls, aus der Tuffperiode;

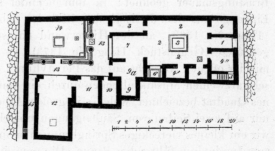

Fig. 153. Plan der *Casa della toletta dell' Ermafrodito.*

einem ältern Umbau verdanken die Zimmer 9, 10, 11 ihre Entstehung; durch
einen spätern, in der letzten Zeit Pompejis, ward 12 vergrößert und das Haus

18*

mit dem Nachbarhause durch 15 verbunden. Decorationsreste ersten Stils bewahrt 4 rechts vom Eingang. Einfache Decorationen dritten Stils, aus der Zeit
nach dem frühern Umbau, sind in demselben Cubiculum 4, im Atrium und
in 9 erhalten; alle übrigen Malereien zeigen den Stil der letzten Zeit.

Zur Verständigung über die Räumlichkeiten und deren Bestimmung
werden hier wie bei den folgenden Plänen wenige Worte nebst dem Verweis
auf die Zahlen des Planes genügen, denen andere Notizen hinzugefügt werden
sollen, wo die aufgefundenen Gemälde, Sculpturen oder Mobilien dazu ver-
anlassen. Die Façade ist schmucklos; ursprünglich traten die Thürpfosten als
Pilaster vor, später aber ist alles gleichmäßig mit grobem weißen Stuck überzogen worden. Auf den Pfosten der 4,20 M. hohen Thür liegen statt der
Capitelle einfache rechteckige Tuffblöcke, wie häufig in Häusern der Tuffperiode. 1 Eingang oder Ostium mit der Thür unmittelbar an der Straße und
einer zweiten Thür bei der Einmündung ins Atrium; 2 Atrium; 3 marmorbekleidetes Impluvium; 4 Cubicula, von welchen das rechts vom Eingang,
durch einen schwarzweißen Mosaikfußboden ausgezeichnet, vielleicht vom
Hausherrn selbst benutzt wurde; das zweite links am Atrium 4', dessen Wände
nur mit Ziegelstuck bekleidet sind, war wohl für einen Sclaven bestimmt;
4" Durchgangsraum zur Treppe 5: sowohl 4" als 5 waren früher von der Straße
zugänglich; 6 Platz eines großen Schrankes, dessen gemauerter Untersatz
erhalten ist: wie schon oben (S. 261) bemerkt, ist in vielen Häusern eine
der Alae ganz oder zum Theil, je nach ihrer Größe, durch einen solchen
Schrank ausgefüllt worden, wie es scheint, nicht vor der Zeit des dritten
Decorationstils; für eine zweite Ala gegenüber war bei dem beschränkten
Areal kein Raum; 7 Tablinum, aus dem man über eine Stufe in das höher
liegende Peristyl 13 gelangt; 8 Fauces; links am Tablinum, wo das Areal
breiter zu werden beginnt, liegt an einem gangartigen Vorraum 9a ein Gemach 9, welches wir als die hierher verschobene Ala betrachten können,
angelegt als man die eigentliche Ala in einen Schrank verwandelte; 10 Cubiculum mit einigen weniger bedeutenden und schlechterhaltenen Gemälden
bakchischen Inhalts, deren eines ausgehoben ist (Hlbg. No. 547, 548);
11 *triclinium fenestratum*, gegen das Peristyl mit einer Thür und niedriger
Brüstungsmauer geöffnet; in ihm befindet sich an der Wand links vom
Eingange aus dem Peristyl das Bild der Schmückung des Hermaphroditen
(Hlbg. No. 1369), an der Hinterwand ein sehr zerstörtes und nicht sicher
gedeutetes Gegenstück (Hlbg. No. 1373); 12 Triclinium oder, besser, Oecus
mit der offenen Aussicht auf das Peristylium; der Platz des Tisches ist in dem
schwarzweißen Mosaikfußboden durch ein von einem Bandornament umgebenes Quadrat bezeichnet, welches in grober Arbeit vier Tauben enthält. In dem
nur auf zwei Seiten von Säulengängen umgebenen Viridarium 14 bemerken
wir ein kleines viereckiges Springbrunnenbassin und ein Luftloch der von dort
zum Impluvium führenden Rinne. Die ursprünglich ziemlich schlanken, nicht
cannellirten, sondern nur gekanteten dorischen Tuffsäulen erhielten in der
letzten Zeit eine dicke, unten gelbe, oben weiße Stuckhülle; die Intercolumnien sind bis auf zwei Eingänge mit niedrigen Brüstungsmauern geschlossen;
in einem derselben sehn wir die Mündung der Cisterne, ohne Puteal, mit

einem Marmordeckel geschlossen. Ein hinterer Ausgang, *posticum*, 15 neben dem Oecus, führt in ein ursprünglich selbständiges, dann mit dem unsrigen verbundenes Haus, welches seinen Eingang von der Straße der Fullonica hat. Eine Küche können wir nicht nachweisen; denn auch in dem erwähnten Nebenhause finden wir nur eine sehr dürftige, keinenfalls für ein so offenbar wohlhabendes Haus genügende Kochvorrichtung. Wir müssen also wohl annehmen, dass sich die Küche im Oberstock befand. An der Wand des Peristyls 14, dem Triclinium gegenüber, befindet sich das große Gemälde, welches dem Haus den zweiten Namen der *Casa di Adone ferito* gegeben hat, der verwundete Adonis von Aphrodite und Liebesgöttern beklagt, eines der bedeutendsten und durch die an ihm besonders deutlich nachweisbare Frescotechnik (auf die zurückgekommen werden soll) interessantesten Bilder in Pompeji (Hlbg. No. 340); zu beiden Seiten ist zwei Mal mit hübschen Varianten, als Marmorgruppe weiß vor den rothen Pfeilern Achills Unterweisung im Lyraspiel durch Cheiron (Hlbg. No. 1295) gemalt (links schlecht erhalten), rechts davon, ungleich roher, ein über einem Brunnenbassin auf einer runden Marmorbank schlafend liegender Satyr, mit dem linken Arm auf einen Schlauch gestützt (Hlbg. No. 436), im Hintergrund ein Garten.

(No. 7.) *Casa della caccia antica* oder *di Dedalo e Pasifae*, an der Ecke der Fortunastraße und des *Vico storto*, VII, 4, 48 (im Plan No. 64), ausgegraben 1832 und die folgenden Jahre. Auch dies Haus stammt aus der Tuffperiode; auf einen ersten Umbau (Anfang der Kaiserzeit?) gehn die Räume links am Peristyl, von 15 an, zurück; durch einen spätern, wahrscheinlich nach dem Jahr 63, erhielten 10 und 11 ihre jetzige Gestalt; das Tablinum 10 war vorher wahrscheinlich auch nach hinten in ganzer Breite geöffnet; ferner wurde damals die linke Ala getheilt in einen zur Küche 7 führenden Gang und einen fast ganz offenen Raum 5', der vielleicht als Schrank diente oder einen solchen enthielt. Die Malereien stammen alle aus der letzten Zeit Pompejis. Die Façade an der Fortunastraße (rechts auf dem Plan) und am *Vico storto* (unten) bis jenseits der Ladenthür besteht aus Tuffquadern; die Pfosten der 4,07 M. hohen Hausthür sind als Pilaster behandelt, mit Tuffwürfeln statt der Capitelle. Die Eingänge der Läden sind noch höher.

1 Eingang mit Thür gleich an der Straße; 2 Atrium; 3 sehr kleines Impluvium, hinter dem das Puteal steht; 4 und 5 Cubicula, von denen das zweite rechts (4) ziemlich sorgfältig ausgemalt ist und vielleicht vom Hausherrn benutzt wurde; die

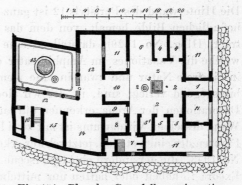

Fig. 154. Plan der *Casa della caccia antica.*

beiden links mochten, ihrem Aussehn nach, für Sclaven bestimmt sein; das erste rechts dient jetzt zu Verwaltungszwecken. Auch der fensterlose Raum 8 war wohl eine Sclavencelle; in der linken Wand ist eine von Rauch

geschwärzte Nische für eine Lampe; 6 Ala; von der Umgestaltung der
linken Ala war schon die Rede; 7 Küche mit Heerd, Abtritt und einem
Tisch auf drei gemauerten Füßen; 9 Fauces; 10 Tablinum; 11 Winterspeise-
zimmer; 12 Peristylium, welches den Garten mit der 2,60 M. großen und
1,35 M. tiefen Piscina 13 nur an zwei Seiten mit dorischen, unten roth bemalten und durch eine Brüstungswand (*pluteus*) verbundenen Säulen umgiebt.
Die Säulen glichen ursprünglich denen der *Casa di Adone* und sind auch in
ähnlicher Weise umgestaltet worden: unten glatt und roth, oben weiß mit
dorischen Canneluren.   Über einer dieser Säulen steht noch ein Stumpf einer
zweiten leichterer Ordnung, zum Beweise, dass oben eine Gallerie um den
Hof führte, auf welche die Zimmer des obern Geschosses ausmündeten. 14 Sommertriclinium; 15 Exedra; 16 Posticum, an dem die Treppe zu dem obern
Stockwerk und ein Abtritt liegt; 17 Kaufläden ohne Zusammenhang mit dem
Hause.   Die malerische Decoration ist reich.   Im Atrium finden wir rechts
schwebende Figuren der Horen (Hlbg. No. 987, 998); das erste Cubiculum 4
zeigte auf seinen drei Wänden Danaë, auf welche Eros den goldenen Regen
ausgießt (Hlbg. No. 116, ausgehoben), Leda (Hlbg. No. 145) und ein angelndes
Mädchen, nach gewöhnlicher Benennung Aphrodite (Hlbg. No. 346), eine der
in Pompeji oft wiederholten Darstellungen; in dem zweiten Zimmer 4 finden
wir auf der Hinterwand eine reiche Architektur und in derselben, sehr stark
verblichen, in ungewöhnlicher Art mit der Architektur verbunden, Achill auf
Skyros unter den Töchtern des Lykomedes von Odysseus erkannt und entlarvt
(Hlbg. No. 1301), ein ebenfalls in Pompeji mehrfach wiederholter Gegenstand.
Auf den Wänden des Tablinum war rechts Daedalos dargestellt, welcher der
Pasiphaë die von ihm gefertigte Kuh bringt (Hlbg. No. 1206), und links The-
seus, der von Ariadne den Knäuel empfängt, vermöge dessen er den Ausgang
aus dem Labyrinth finden wird (Hlbg. No. 1211, beide ausgehoben), außerdem
zwei Mal Nike (Hlbg. No. 904, 918) und schwebende Gruppen nicht sicherer
Bedeutung (Hlbg. No. 1953); schwebende Gruppen bakchischen Charakters
(Hlbg. No. 519, 521) schmücken auch die Wände des Wintertriclinium 11.
Die Hinterwand des Peristyls 12 ist ganz mit dem noch jetzt an Ort und Stelle
befindlichen Bilde bemalt, von dem das Haus seinen gewöhnlichsten Namen
trägt (Hlbg. No. 1520), darstellend eine Jagd und Thierkämpfe, in Scenen,
welche die Venationes im Amphitheater darbieten mochten, welche aber hier
in die freie Natur und zwar in eine ziemlich bedeutend gehaltene wilde Ge-
birgsgegend verlegt sind, in der wir doch wohl schwerlich ein Muster der
Decorationen der Arena erkennen dürfen; die der Exedra gegenüberliegende
Wand desselben Viridariums ist mit zwei Landschaften mit Staffage geziert; die
Figuren der einen stellen, jetzt schwer erkennbar, Polyphem und Galatea (Hlbg.
No. 1043), die der andern eine Opferscene (Hlbg. No. 1555) dar.   Die Wände der
Exedra 15 haben oder hatten nur mittelmäßige Bilder; eines, welches angeb-
lich Apollons Aufenthalt bei Admet, richtiger wohl den Gott mit einem nicht
bestimmbaren Geliebten (Hlbg. No. 221), und ein zweites, welches Artemis im
Bade von Aktaeon belauscht (Hlbg. No. 250) darstellt, sind, das letztere stark
zerstört, an Ort und Stelle, während das dritte, seiner Obscönität wegen in
ein besonderes Zimmer des Museums in Neapel versetzte, sich wahrscheinlich

auf Polyphem und Galatea bezieht (Hlbg. No. 1052), ein viertes endlich (Hlbg. No. 1393) unerklärt ist. In dieses Gemach ist man bei Nachgrabungen wahrscheinlich bald nach der Verschüttung durch ein Loch in der rechten Wand gedrungen, welches man jetzt, wie manche andere dergleichen an verschiedenen Stellen der Stadt, als besondere Merkwürdigkeit zeigt; möglich, dass grade in diesem Hause mancherlei Kostbarkeiten begraben lagen; auf recht reichlichen Hausrath lassen wenigstens eine nicht unbeträchtliche Reihe von Gegenständen aus Bronze, Thon und Glas schließen, die man hier nebst Esswaren, namentlich vielen Eiern, ausgegraben hat. In dem Fußboden des Atrium hinter dem Brunnen und vor dem Tablinum lag ein jetzt in das Museum geschafftes Mosaik, welches eine Maske darstellt und zu den besseren von Pompeji gehört.

Wir geben hiernächst den Plan eines dritten etwa gleich geräumigen Hauses und lassen den eines vierten und fünften folgen, um eine möglichst genaue Vorstellung von der Mannichfaltigkeit der Hausanlagen Pompejis zu geben, die immer nach dem Bedürfniss und dem Raum variiren, der zu bebauen war, und doch fast immer nach antiken Begriffen sehr bequeme Wohnungen darstellen.

(No. 8.) Dieses Haus, das s. g. *del chirurgo* an der *Via consolare* (VI, 1, 10; No. 7 im Plan), ausgegraben 1770 und 71, war wohl eine der ansehnlichsten Wohnungen der ersten uns bekannten Bauperiode, der Zeit der Kalksteinatrien, und seine Façade (s. unten) bietet eines der besten Muster jener Bauweise [124]. Der wohl erhaltene alte Theil, die Räume 1—10, den letzten zur Hälfte, umfassend, ist wenig ausgedehnt, aber fast vollkommen regelmäßig und symmetrisch in der Anlage; die Unregelmäßigkeit des Gesammtplanes rührt von einem theilweisen Umbau in der römischen Periode her. Das Ostium 1 mit der Thür unmittelbar an der Straße, ist von mehr als der gewöhnlichen Breite; der daneben links liegende Laden 2 steht im Zusammenhange mit dem Hause; in ihm wurden also die Waaren des Hausherrn feilgehalten, seien dies Producte des Ackerbaus, seien es solche eines Gewerbes gewesen. Sollte wirklich der Bewohner dieses Hauses ein Chirurg gewesen sein, wie man nach Maßgabe der Auffindung von

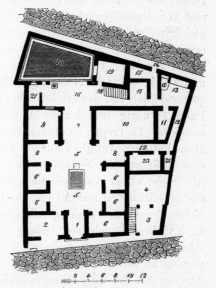

Fig. 155.   Plan der *Casa del chirurgo*.

allerlei chirurgischen Instrumenten in einem Zimmer (wahrscheinlich No. 9 oder 10) im Innern des Hauses annimmt [125]), so würde man vielleicht sogar daran denken können, dass derselbe oder ein Gehülfe, wie mehr als einer seiner Berufsgenossen im heutigen Neapel, in diesem Zimmer an der Straße manche der weniger tief eingreifenden Verrichtungen seiner Kunst vorgenommen habe. Wie freilich damit die hier zerbrochen aufgefundenen

thönernen Gefäße (Hydrien nennt sie der Fundbericht) übereinstimmen, muss
dahingestellt bleiben. Im Atrium fand man 38 Gewichte von Blei, zum Theil
mit der auch sonst noch vorkommenden Inschrift EME auf der einen und
HABEBIS auf der andern Seite (d. h. »kaufe« und »du wirst haben«, natürlich :
die mit diesen Gewichten gewogenen Waaren). Im Übrigen ist unter dem
Hausrath außer den chirurgischen Instrumenten nichts besonders Interessantes
gefunden worden. Der Laden 3 mit dem Hinterzimmer 4 an der rechten
Ecke des Hauses hat wenigstens in der letzten Zeit nicht zu diesem gehört,
sondern stellt mit ein paar Oberzimmern, zu denen die Treppe in 3 führte,
eine Miethwohnung für sich dar. 5 Atrium mit dem Impluvium von Tuff;
hinter demselben die Mündung der Cisterne ; 6 verschiedene Zimmer, von
denen dasjenige an der Straße, mit einem viereckigen Fenster, in seinem vom
Hauseingang entferntesten Theil einen Zwischenboden hatte, zu dem man auf
einer hölzernen Treppe hinaufsteigen musste ; die Wände sind hier nur ganz
roh verputzt ; am Boden liegt ein doch wohl hier gefundener kleiner Mühlstein : vermuthlich diente das Zimmer zu wirthschaftlichen Zwecken und zugleich als Sclavenwohnung. Die übrigen sind Cubicula von verschiedener
Größe. 7 Tablinum ; 8 Alae : aus der rechten führt eine Thür zu den Nebenräumen ; 9 Sommertriclinium (?); 10 Wintertriclinium, welches seine jetzige
Form dem oben erwähnten Umbau verdankt, früher aber nicht größer war als 9.
Hinter diesem alten und regelmäßigen Theil des Hauses lag noch ein Garten,
und vor demselben eine von Pfeilern getragene Porticus : wenigstens ist der
gleich neben der Brunnenmündung sichtbare Pfeiler aus Kalksteinquadern
erbaut. Erst in römischer Zeit wurde die Porticus beseitigt durch den Bau
zweier Zimmer : 19 kleines Sommertriclinium mit Fenster auf den Garten 20,
und 21 kleines, sehr einfach gemaltes Schlafzimmer, vielleicht für einen Sclaven. So blieb von der Pfeilerhalle nur ein auf den Garten geöffneter, bedeckter
Raum 16 übrig, und der erwähnte stehen gebliebene Pfeiler erscheint ziemlich
zwecklos. 18 Treppe zu oberen Räumen, natürlich nicht älter als 19 : das alte
Haus hatte ursprünglich nur ein Erdgeschoss. Aus 16 führt neben der Treppe
eine Thür zu den Nebenräumen ; sowohl diese Thür als die in der rechten
Ala (8) ist allem Anschein nach alt, aus der Zeit der Kalksteinatrien. Und
aus derselben Zeit stammt ein Theil (bei 22) der Trennungsmauer zwischen den
Nebenräumen und dem anstoßenden Gebäude. Wenn also diese Nebenräume
auch vielleicht nicht von Anfang an zum Hause gehörten, so scheinen sie doch
schon in jener alten Periode mit demselben vereinigt, dann aber ganz umgebaut
worden zu sein ; denn in ihnen selbst finden wir nur jüngeres Mauerwerk.
Aus der Ala führt der stumpfwinklig gebrochene Gang 12 in die Küche 13 mit
Heerd und Abtritt α. An dem Gange liegt rechts zuerst ein wie es scheint
fensterloser Raum 23, unbekannter Bestimmung, dann der kleine unbedeckte
Raum 22, in welchen das auf das Dach der Nebenräume fallende Regenwasser
zusammenfloss ; der Boden ist mit *opus Signinum* belegt und gegen den Eingang
geneigt ; eine Rinne führt auf die hinter dem Hause entlang gehende Straße.
An der Küche vorbei gelangt man zu einem hintern Ausgange (*posticum*) 14,
neben welchem ein zweiter Abtritt 15 liegt. Das der Küche gegenüberliegende
Gelass 11 ist wohl eine Vorrathskammer, *apotheca*, 17 ein Raum unbekannter

Bestimmung. Die Malereien dieses Hauses stammen alle aus der letzten Zeit Pompejis. Im vordern Theil des Hauses ist wenig erhalten, recht gut dagegen das Triclinium 19; hier stellt ein nicht sicher gedeutetes Bild (Hlbg. No. 1459) einen Mann mit einem geöffneten Diptychon (einen Dichter?) und zwei mit ihm im Gespräch begriffene Mädchen dar; ebenda fand sich die jetzt im Museum zu Neapel befindliche Darstellung einer Malerin in ihrem Atelier (Hlbg. No. 1443).

(No. 9.) Der Baumeister des nachstehenden, im wesentlichen aus der Tuffperiode stammenden, nahe am kleinen Theater in der *Strada stabiana* gelegenen, 1795 ausgegrabenen Hauses (VIII, 8, 22; No. 108 im Plane) fand eine andere Aufgabe. Der Baugrund ist ein sehr gestrecktes Viereck und an drei Seiten (oben, rechts und links im Plane) von anderen Gebäuden begrenzt, so dass die Hausthür nicht, wie dies gewöhnlich geschah, an die Schmalseite verlegt werden konnte. Außerdem ist das Terrain ungleich, indem es zunächst links in Fig. 156 ziemlich stark fällt, noch weiter links aber schon früher, vielleicht beim Bau des großen Theaters, bedeutend erhöht worden war. Um nun diese Ungleichheit des Niveaus nutzbar auszugleichen, hat der Baumeister an der tiefern Stelle den in Fig. 156 nicht schraffirt dargestellten Theil des Hauses unterkellert und um 2,20 M. über den schraffirten rechts, bis zum Niveau des früher

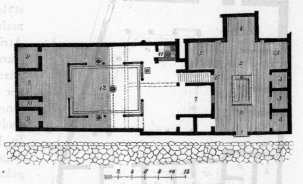

Fig. 156. Plan eines andern mittelgroßen Hauses.

aufgehöhten Terrains erhöht, während er den Rest der Bedingungen, welche ihm sein Areal vorschrieb, dadurch erfüllte, dass er die beiden durch eine Treppe verbundenen Theile der Wohnung neben einander anstatt hinter einander legte. Demnach finden wir in 1 die Eingangsthür ohne Vestibulum, in 2 das Atrium, in 3 Cubicula, in 4 das Tablinum, in 5 die Alae, in 6 die Treppe von fünfzehn Stufen in den privaten Theil der Wohnung, zunächst in das Peristyl,

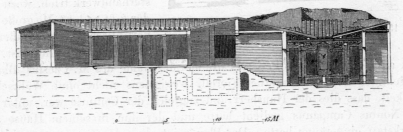

Fig. 157. Restaurirter Durchschnitt.

an dem ein vorn offenes Triclinium 7, gegenüber eine ebenfalls offene Exedra 8 und ihr zur Seite zwei Cubicula 9 liegen. In dem Raume 10 führte die

Treppe zu einem obern Geschoss, während wir in 11 die Treppe in den Keller finden. In einem der Kellerräume befindet sich eine Nische, auf deren Rückwand eine Fortuna gemalt ist: offenbar haben wir hier das Lararium zu erkennen, und in der Nähe wird auch die Küche gewesen sein. Der restaurirte Durchschnitt Fig. 157 macht sowohl die besprochene Einrichtung klar, wie er den jetzt verschütteten Brunnen in der Mitte des Peristylhofes 12 und eine Andeutung der Kellergewölbe sehn lässt.

(No. 10.) Auch das folgende kleine Haus, gelegen an der Ecke der *Strada degli Augustali* und des *Vico delle terme Stabiane*, genannt *domus M. Caesi Blandi* (VII, 1, 40; No. 89 im Plane), stammt im Wesentlichen aus der Tuffperiode, und hat in seinem vordern Theil den alten Grundriss so ziemlich bewahrt[126]. Es wurde nach einem gründlichen Umbau, namentlich des Peristyls, im zweiten Stil ausgemalt; in einigen Zimmern am Atrium und in diesem selbst ward die Malerei zur Zeit des letzten Stils erneuert. Das an der Straße verschlossen gewesene Ostium 1 liegt neben einem Laden mit Hinterzimmer 2, 2a. In die Wand des Ladens sind folgende zwei Inschriften eingekratzt: *M. Nonius Campanus mil. coh. VIIII pr. 7 Caesi*, und *Pr. idus Iulias refeci scalpro anglato et subla nerviaria;* man fand hier ferner Schustergeräth und schließt aus alle dem, dass jener ausgediente Prätorianer der 9. Cohorte, aus der Centurie des Caesius hier das Schusterhandwerk trieb, wozu auch der 0,68 × 1,03 M. große Travertintisch auf vier Füßen aus Tuff wohl geeignet ist. Da

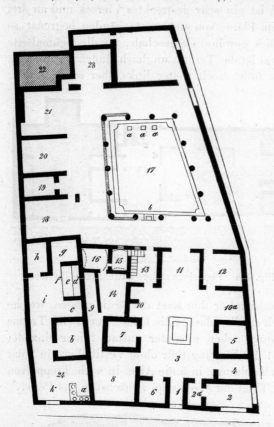

Fig. 158.   Plan des Hauses des M. Caesius Blandus.

nun auf den Säulen des Peristyls dreimal der Name des M. Caesius Blandus eingekratzt ist, so vermuthet Fiorelli wenigstens nicht ohne Wahrscheinlichkeit, dass dies der Hausherr und zugleich der Centurio war, unter dem M. Nonius Campanus gedient hatte und der ihm in seinem Hause diese Werkstatt eingeräumt hatte. Der Plan zeigt, dass das Zimmer 2ª verkleinert worden ist, um den Laden geräumig zu machen. An der Rückwand des letztern sieht man Spuren eines großen Schrankes, in dem M. Nonius seine Arbeiten und sein Geräth bewahren mochte. Das tuscanische Atrium 3 mit einem Impluvium von Tuff, hinter dem zwei gemauerte Tischfüße stehn, und einer Cisternenmündung, hat theils rothe, theils gelbe Wände, welche außer mit weiblichen schwebenden Figuren von nicht sicher bestimmbarem Charakter (Sogliano No. 803, 821, 830) mit einem doppelten Brustbilde geschmückt sind (Hlbg. No. 1247), in welchem man Hippolytos mit Phaedra erkennen zu dürfen glaubt. Der Fußboden des Atriums besteht aus schwarzem Mosaik mit weißem Rande und unregelmäßig vertheilten bunten Marmorstückchen; das des Ostiums stellt auf weißem Grunde in Schwarz ein großes Steuerruder und einen Dreizack zwischen zwei Delphinen und einem Meerungeheuer dar, ferner auf der Schwelle gegen das Atrium eine Stadtmauer mit einem Thor und zwei Thürmen nebst zwei Schilden. An diesem Atrium liegen vier Cubicula, von denen 6, neben dem Ostium, eine reiche architektonische Decoration zweiten Stils bewahrt hat, deren Mittelbilder aber bis auf geringe Reste zerstört sind. Die anderen sind, wie das Atrium selbst, im letzten Stil ausgemalt. Zwei liegen rechts, 4 und 5, von denen das erste auf rothen Wänden kleine Darstellungen aus dem s. g. Stillleben, das zweite auf gelben Wänden mit leichten Architekturen schwebende Eroten zeigt; 7, links 5 gegenüber, hat auf weißem Grunde zwischen gelben Feldern leichte Architekturen und in den Mittelfeldern kleine Rundbilder, unter denen eins der nicht seltenen Brustbilder des von Eros begleiteten und umschmeichelten Paris (Hlbg. No. 1274) hervorzuheben ist. 8 war früher ein Laden; später schloss man den Eingang von der Straße und benutzte das Local zu irgend welchen wirthschaftlichen Zwecken und zugleich als Durchgangsraum zu dem Gange 9, welcher zu dem unter dem hintern Theil des Hauses befindlichen Keller führt. In der Mauer links neben der Thür zu diesem Raum war in früherer Zeit eine 0,40 M. vom Boden entfernte, mit einem Muster von kleinen bunten Quadern, nach Art des ersten oder zweiten Decorationsstils bemalte Nische, wohl ohne Zweifel für die Larenbilder bestimmt. Als nun das Atrium im letzten Stil neu decorirt wurde, hat man die Nische nicht ausgefüllt, wohl aber, wir wissen nicht recht wie, die neue Stuckschicht über sie hinweggeführt, so dass sie als eine Höhlung bestehn blieb, welche nun von dem Thürpfosten aus durch eine nur 0,175 M. breite Spalte zugänglich gemacht wurde, in welche man grade bequem die Hand einführen kann. Was man in dieser Art Schrank verwahrt haben mag (Fiorelli denkt an Wachstafeln oder Schriftrollen), das wird wohl schwer zu errathen sein. Von den Alae 10, 10 a ist die erstere in jüngerer Zeit durch eine Wand in zwei Theile getheilt und jeder derselben als Schrank, wohl zur Aufbewahrung von Geräthen und Gefäßen der Haushaltung, verwendet worden, ähnlich wie wir es im Hause des Holconius (s. unten No. 13) finden werden. Die rechte Ala 10 a, hat weiße Wände mit leichten Architekturen; ihr Mosaikfußboden ist schwarz wie der des Atriums, aber ohne die farbigen Marmorstücke, und hat in der Mitte ein quadratisches Ornament, welches, wenn hier gespeist wurde, den Platz des Tisches bezeichnen konnte; ein schwarzes Ornament mit wenigen farbigen Zuthaten auf weißem Grunde bildet die Schwelle. Das Tablinum 11 hat gegen das Atrium eine farbige Mosaikborde; sein hinterer Ausgang ist nachträglich durch Ziegelmauerstücken verengt worden. Das mit zwei Thüren nach dem Atrium und dem Peristyl geöffnete oecusartige Gemach

12 hat eine reiche Decoration zweiten Stils bewahrt. An seinen drei Wänden, diejenige gegen das Tablinum ausgenommen, finden wir, an derjenigen rechts am besten erhalten, sechs hermenartig aus Blattkelchen emporsteigende große geflügelte weibliche Gestalten, welche Guirlanden von Blumen und Früchten in den Händen halten (Sogliano No. 757); die Bilder am obern Theile der Wand sind zerstört; in den Resten eines derselben (Hlbg. No 574) glaubt man einen orgiastischen Tanz vor einer Priaposherme zu erkennen. Links vom Tablinum ist der Faucesdurchgang durch eine Art von Vorplatz 13 ersetzt, aus welchem man links in die Küche 14 gelangt und in welchem eine steinerne Treppe liegt, die links, von Holz fortgesetzt, in den Oberstock führte, in dem erhaltenen Stück aber den Zugang zu einem kleinen Bade bildet, deren es in mehren pompejanischen Häusern ähnliche oder etwas ausgedehntere giebt. Das gegenwärtige besteht aus zwei kleinen, mit Tonnengewölben überdeckten Cellen, welche ein Tepidarium 15 und ein Caldarium 16 darstellen. Das letztere, welches seine Hitze von der Küche durch heiße Luft erhielt, die in seine *suspensurae* und Hohlwände eingeführt wurde, hat mit farbiger Steinnachahmung decorirte Wände in unechtem, zur Zeit des dritten Stils imitirtem zweiten Stil, während das Tepidarium, mit einer monochromen Decoration echten zweiten Stils in gelb, übrigens von geringem Werth, seine Wärme von dem Caldarium aus durch ein 1,60 M. über dem Boden befindliches rundes Loch neben der mit einem Bogen überspannten engen Thür erhielt, welche beide Räume verbindet. Beide Räume haben einen schwarzweißen Mosaikfußboden; außer Ornamenten stellt der des Tepidariums Gladiatorenwaffen, Vögel und Delphine, der des Caldariums tanzende Satyrn dar. Im Caldarium ist außerdem durch das Mosaik und durch die Wandmalerei der Platz eines Ruhebettes angegeben, auf welchem ausgestreckt man sich dem Genuss des Schwitzens hingab. Den Xystus 17, von nicht ganz regelmäßiger Form, umgiebt eine Porticus von weißen, gekanteten, links durch eine roth gemalte Brüstungsmauer verbundenen Säulen. Im Hintergrunde ist der Xystus mit drei kleinen Hermen bakchischen Charakters *a a a* geschmückt, während vorn ein marmorner Tisch *b* und eine dreieckige Basis von schwarzem Granit stand, welche einen Candelaber oder auch eine Blumenvase getragen haben mag. Im Peristyl ist die eine Marmorbekleidung nachahmende Decoration zweiten Stils bewahrt geblieben, und so auch in allen anliegenden Zimmern außer 23. Diese Zimmer dienten theils als Speiseräume, theils zu beliebigem Aufenthalt. Wir verzichten darauf, ihnen besondere Namen als Oeci, Exedren u. s. w. zu geben, und bemerken nur, dass 19 ein Cubiculum mit Vorzimmerchen (*procoetum*), und dass in der linken hintern Ecke von 21 eine große Nische angebracht war, deren Bestimmung nicht klar ist; vielleicht war sie als Aedicula gestaltet. Die hinteren Gemächer lagen über dem anstoßenden Hospitium »Zum Elephanten«; ihr Fußboden ist eingestürzt, so dass die Gestalt von 24, welches gewiss mehre Zimmer umfasste, nicht mehr zu erkennen ist; 23 ist im letzten Stil ausgemalt. Die Thür rechts hinten in der Porticus führt von der Straße in den auch durch 8, 9 zugänglichen Keller, welcher sich unter dem ganzen Complex 17 — 21 hinzieht und zu dem auch 22 gehört, welcher Raum aber höher ist als die anderen Kellerräume, so dass über ihm kein Zimmer am

Peristyl liegt. Der anstoßende Laden mit seinen Hinterzimmern 24 gehört nicht zum Hause; er wird nach einigen, aber kaum entscheidenden Anzeichen einem Gemüsehändler zugeschrieben, hat uns aber hier nicht zu beschäftigen.

(No. 11.) Die durchweg der römischen Periode angehörende und deshalb den alten Typus in etwas modificirter Gestalt zeigende *Casa del poeta tragico* oder *Casa omerica*, gegenüber den älteren Thermen an der *Strada delle terme* belegen und 1824—1825 ausgegraben (VI, 8, 5; No. 35 im Plane), verdankt ihren erstern Namen insbesondere einem Gemälde, in welchem man irrthümlich eine Leseprobe erkannte (s. unten), und einem Mosaik im Tablinum, welches auf das Theater Bezug hat, den letztern den zahlreichen Gemälden aus den homerischen Gedichten (namentlich der Ilias), mit denen fast alle Wände bedeckt waren. Durch diesen Bilderschmuck, der, wenigstens theilweise, zu dem Vorzüglichsten zählt, was Pompeji aufzuweisen hat, und durch die edle Eleganz der Einrichtung ist dies Haus eines der berühmtesten der Stadt geworden und ist dasjenige, welches Bulwer in seinem Roman als die Wohnung seines feingebildeten Atheners Glaukos betrachtet. Die Annahme nun freilich, der Bewohner dieses Hauses sei ein tragischer Dichter gewesen, lässt sich nicht rechtfertigen; aber auch die, dass er Goldschmied gewesen sei, welche von Gell ausgegangen ist, ist unhaltbar. Diese Vermuthung stützt sich auf die Behauptung, in den mit dem Hause zusammenhangenden Läden sei eine Menge Goldschmiedewaaren nebst Geräthen der Goldschmiedekunst gefunden worden; allein die Ausgrabungsberichte [127] zeigen, dass der allerdings nicht unbeträchtliche in diesem Hause ausgegrabene Goldschmuck zu

Fig. 159. Restaurirte Ansicht der *Casa del poeta tragico.*

den Läden in keiner nähern Beziehung stand, sondern vielmehr aus dem obern Stockwerk mit dessen Mosaikfußboden herabgestürzt, folglich weit eher als der Schmuck der Frau vom Hause, denn als die Waare des Hausherrn zu betrachten ist. Sei deswegen der Besitzer dieses Hauses gewesen wer oder

was er gewesen ist, jedenfalls treten uns in dieser wenig ausgedehnten Wohnung Spuren eines gebildeten Geistes reichlich entgegen und bezeugen, dass
der Besitzer ein Mann von Geschmack und beiher von Wohlhabenheit war.
Über den Plan (Fig. 160) nur ein paar Worte.

1 Ostium; die zweiflügelige Hausthür lag unmittelbar an der Straße,
und zwar noch außerhalb der kleinen Eingänge in die mit 2 bezeichneten
Läden, welche also zum Hause gehören. Unmittelbar hinter derselben lag im
Ostium das oben Fig. 138 mitgetheilte, jetzt in das Museum geschaffte Mosaik
mit dem angeketteten Hunde und der Inschrift *cave canem*. Das Ostium steigt
nicht unbeträchtlich gegen das Atrium an und ist an seinem obern Ende mit
einer einfachen Mosaikschwelle geziert, während sich vor der untern eine
kleine Öffnung der aus dem Impluvium auf die Straße führenden Rinne, zum
Abfluss des zum Reinigen gebrauchten Wassers, befindet. 3 ist das Atrium
mit einfachem schwarzweißen Mosaikboden und einem Bandornament um das
marmorbekleidete Impluvium, hinter dem rechts von der Mitte ein hübsches
Puteal steht, welches freilich in der letzten Zeit nur zur Zierde diente, da
unter ihm die Cisterne durch eine Marmorplatte geschlossen ist, von dessen
einstmaligem Gebrauche aber die in den innern Rand eingeschliffenen Rillen
Zeugniss ablegen, welche von den Tauen herrühren, an denen man die Eimer

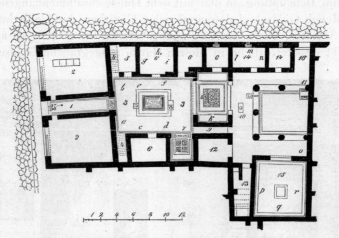

Fig. 160. Plan der *Casa del poeta tragico*.

emporzog. Eine in den wesentlichen Theilen auf sicheren Elementen beruhende Restauration dieses Atriums nebst dem Tablinum, der einen Ala und
den Fauces bietet Fig. 159. 4 Treppen: die Zweizahl derselben war wohl
nothwendig, weil die beiden Hälften des Oberstockes durch das Tablinum,
welches höher war als die Seitenzimmer und über welchem sich vermuthlich
kein oberes Zimmer befand, getrennt waren; 5 Zimmer des Atriensis, mit
Nische unter der Treppe; 6 verschiedene Wohn- und Schlafzimmer, unter
denen das erste links durch bessere Malereien und einen Mosaikfußboden ausgezeichnet ist; das zweite links, ursprünglich ein gut gemaltes Cubiculum mit
der Nische für das Bett rechts vom Eingang, ist später in eine Vorrathskammer

verwandelt worden: in der mit jüngerem weißen Stuck bekleideten Rückwand sieht man drei Reihen von Löchern für die Balken, auf denen die Bretter ruhten. 7 Ala; 8 Tablinum; 9 Fauces; 10 Peristylium mit Säulenumgang an drei Seiten und einer Hauscapelle 11 an der Hinterwand, in der man die Marmorstatuette eines Satyrn fand, welcher Früchte im Bausche eines um den Hals geknüpften Felles trägt; 12 ein Cubiculum, nicht Bibliothekzimmer, wie vielfach gesagt ist und zwar unter dem Eindruck, dass hier ein Dichter wohnte; 13 Küche, in deren Vorraum die Treppe zum obern Geschoss des Hinterhauses liegt, unter derselben der Abtritt. 14 Cubicula, 15 Sommertriclinium, geräumig und heiter, mit der Aussicht auf das Viridarium im Peristylhofe, 16 Posticum auf die *Strada della fullonica*, welche seitwärts an diesem Hause vorbeiführt.

Wir durchwandern die bezeichneten Räume noch einmal, um uns den Bilderschmuck in seinem Reichthum und in seiner Anordnung zu vergegenwärtigen. Im Atrium finden wir (jetzt freilich meistens ausgehoben und in das Museum geschafft) abgesehn von decorativen Malereien, folgende Hauptbilder: bei *a* Zeus' und Heras heilige Hochzeit; denn so, nicht als die aus dieser abgeleitete Scene auf dem Ida nach dem 14. Gesange der Ilias, wird man nach den mannichfachen neueren Erörterungen über dasselbe dies schöne Gemälde (Hlbg. Nr. 114) benennen müssen, das jetzt im Museum ist. *b.* Hier befand sich ein schon bei der Ausgrabung stark beschädigtes Gemälde (Hlbg. No. 294), darstellend eine nackte Aphrodite wesentlich in der Stellung der bekannten Statue der s. g. Mediceïschen Venus in Florenz, zu ihren Füßen eine Taube oder ein Taubenpaar; Gell macht (N. Pomp. II, p. 148) großes Wesen von demselben, ja vergleicht das Colorit mit dem Tizians. Jetzt ist nichts mehr von dem Bilde zu sehn, man kann also auch nicht sagen, wie weit dessen Lob übertrieben ist. *c.* Übergabe der Briseïs durch Achill an die Herolde des Agamemnon (Hlbg. No. 1309), vielleicht das berühmteste aller pompejanischen Gemälde, das im artistischen Theil abgebildet und besprochen werden soll (ausgehoben). *d.* Chryseïs' Einschiffung nach Ilias I, 310, oder nach neuerer, nicht unwahrscheinlicher Erklärung Helenas Entführung (Hlbg. No. 1308 u. Nachtrag S. 461, ausgehoben); *e* an Ort und Stelle, Fragment, ein Triton, der, begleitet von einem Eros auf einem Delphin, ein Seepferd am Zügel zu führen scheint, auf welchem zwei Figuren gesessen haben, von denen nur noch die Füße erhalten sind, wahrscheinlich eine, näher nicht erklärbare Darstellung aus dem Leben (der Liebe) der Meergötter (Hlbg. No. 1092); *f* stark zerstörtes Bild, an Ort und Stelle, von dem nur die Füße mehrer Figuren erhalten sind. Von den Gemächern um das Atrium ist nur das größere links mit nennenswerthen Gemälden geziert; in ihm finden wir und zwar sämmtlich noch an Ort und Stelle: *g* Entführung der Europe (Hlbg. No. 129, jetzt ganz zerstört), *h* Phrixos und Helle (Hlbg. No. 1256, erhalten ist nur das Brustbild des Phrixos mit blauem Nimbus) und *i* Apollon und Daphne, obscönes, jetzt ebenfalls stark zerstörtes Gemälde, dessen Gegenstand zu den häufigeren in Pompeji gehört (Hlbg. Nr. 210). Nach Helbig (No. 296) wäre auch noch eine Venus Pompeiana hier dargestellt gewesen, was zweifelhaft ist. Im Fries dieses Zimmers ist ein Kampf von Fußgängern gegen Amazonen auf

Streitwagen und Rossen gemalt (Hlbg. No. 1250). Im anstoßenden Zimmer
sind, ebenfalls noch an Ort und Stelle, auf abwechselnd rothen und gelben
Wandflächen Vögel gemalt; die übrigen Zimmer sind noch einfacher decorirt.
Die Ala ist ebenfalls einfach mit architektonischen Decorationen über einem
schwarzen Sockel mit Pflanzen bemalt, die jetzt sehr gelitten haben, hat aber
einen hübschen Fußboden von schwarz und weißem Mosaik. Das Tablinum
hatte außer niedlichen schwebenden Figürchen nur ein mittelmäßiges, ausgehobenes Gemälde auf der Wand k (Hlbg. No. 1158), in welchem man bestimmt mit Unrecht Terenz hat erkennen wollen, welcher in Anwesenheit von
Apollo und Diana mehren Personen ein Stück vorlese; nach der neuesten und
sicher allein richtigen Erklärung bezieht sich dasselbe auf die Geschichte von
Admetos und Alkestis. Der Fußboden zeigte ein merkwürdiges, jetzt ebenfalls
in das Museum gebrachtes Mosaik, eine Theaterprobe oder die Vorbereitungen
zur Aufführung darstellend (abgeb. farbig bei Gell, N. Pompeiana pl. 45).
Der Chorag, umgeben von verschiedenen Masken, überhört zweien Choreuten,
die als Satyrn costumirt sind, ihre Rolle, während hinter ihm ein dritter sich
mit einem gelben Gewande mit Hilfe eines Theaterdieners bekleidet. In dem
ersten Gemache links am Peristylium finden wir bei l an Ort und Stelle
Ariadne vom Theseus verlassen, einen der häufigsten Gegenstände in Pompeji
(Hlbg. No. 1225), bei m, erloschen und durch hinabrinnendes Nass sowie den
Salpeter der Wand zerstört, Narkissos sich im Quell spiegelnd, ebenfalls vielfach wiederholt (Hlbg. No. 1352), bei n Aphrodite und Eros fischend nach der
gewöhnlichen Bezeichnung; wahrscheinlich aber ist nur eine schöne Frau
gemeint, die sich die Zeit mit Angeln vertreibt, und welche Eros auch hierbei
nicht verlässt, wie denn Anmuth und Liebreiz schönen Frauen überall bleibt
(Hlbg. No. 349). Außerdem in Kränzen schwebende Eroten (Hlbg. No. 637,
638, 708, 731, 735, 736). Das folgende kleine Gemach hat auf den Seitenwänden Landschaften, auf der Hinterwand (erloschen) eine Papyrusrolle und
sonstiges Schreibzeug, wonach man dies Zimmer zum Studirzimmer gemacht
hat. Am Ende des Peristylumganges rechts bei o war das berühmte Gemälde
der Opferung Iphigenias (ausgehoben, Hlbg. No. 1304), nicht gerade hervorragend in seiner Technik, aber höchst interessant in Auffassung und Composition. In einem Hauptmotiv nämlich, dem Dastehn des Agamemnon mit
verhülltem Haupt, geht dasselbe auf ein hochberühmtes Bild von Timanthes
zurück, von dem noch später im artistischen Theil zu reden sein wird. Endlich
das Triclinium zeigt in gar anmuthigem Bilde an Ort und Stelle bei p eine
mehrfach wiederholte Composition, welche man bisher auf Leda und Tyndareos
mit dem Neste voll Kinder, welche aus den Eiern gekrochen sind, die Leda
von dem Zeusschwan empfangen hatte, bezog, während zwei neuerdings aufgefundene Exemplare (Hlbg. No. 822, 823) gelehrt haben, dass es sich um ein
Nest mit Eroten handelt, das ein junges Paar gefunden hat (Hlbg. No. 821).
An der Hinterwand ist bei q stark beschädigt die von Theseus verlassene
Ariadne anders als im Zimmer 14 wiederholt (Hlbg. No. 1218), und die Seitenwand enthält bei r, ebenfalls stark fragmentirt, ein unerklärtes Bild aus dem
Mythus der Artemis (Hlbg. No. 254). Diese fein gemalten Bilder sind auf
den Nebenfeldern der Wände von meistens schönen schwebenden Figuren

umgeben, unter denen wieder vier Tänzerinnen und vier Kämpfer oder Heroen hervorzuheben sind; der Mosaikfußboden ist in der Mitte mit schwarzen Ornamenten versehn, in welche Fische und Enten eingefasst sind. — Auch das obere Geschoss hatte reichern Schmuck, als man gewöhnlich dort annehmen kann, wenigstens hat man bei der Ausgrabung einen Mosaikfußboden in Fragmenten gefunden, der von dort herabgestürzt war und der auf andere entsprechende Decorationen schließen lässt.

(Nr. 12.) Höchst eigenthümlich ist der Grundriss des im Jahre 1878 ausgegrabenen Hauses IX, 5, 6, im Plan No. 108 a, welches in der uns vorliegenden Gestalt in römischer, aber wohl sicher noch republikanischer Zeit entstanden ist, während seine Malereien sämmtlich den Stil der letzten Zeit Pompejis zeigen [128]. Das Atrium 2 (Fig. 161) hat hier die Form eines schmalen Ganges, nur wenig breiter als das Ostium 1. Zum ersten Mal begegnet uns ferner hier die Anordnung, dass die Alen nicht am Ende, sondern in der Mitte der Langseiten angebracht sind; zwischen ihnen liegt das ungewöhnlich tiefe (0,35 M.) Impluvium. Sehr merkwürdig ist ferner die Anlage des Tablinums 5: vor demselben zweigt sich in sonst nicht vorkommender Weise links der nach hinten führende Gang (Fauces) 7 ab, rechts bei 6 die hier ganz aus Mauerwerk bestehende und erhaltene Treppe zum Oberstock; hinten ist dem Tablinum ein bedeckter Gang 8 quer vorgelegt, auf welchen es sich mit einem breiten Fenster öffnet. Aus 8 gelangt man über drei Stufen in den unbedeckten Gang 9, an welchem die Wirthschaftsräume liegen: 13 Küche; 11 Vorrathskammer, in welcher Amphoren gefunden wurden; 12 und 14 entweder auch Vorrathskammern oder Sclavenzimmer; 15 Abtritt. 10 scheint, wie auch der Raum unter der Treppe, als eine Art Schrank gedient zu haben.

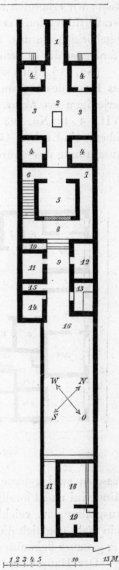

Fig. 161.
Plan des Hauses IX, 5, 6.

Die vorderen Räume, einschließlich des Tablinums, sind alle im letzten pompejanischen Stil ausgemalt und mit ziemlich sorgfältig ausgeführten Bildern verziert, deren Aufzählung wir der Kürze halber unterlassen. Nur das erste Zimmer rechts, vermuthlich die Celle des Atriensis, hat nichts als einen rohen Bewurf aus Ziegelstuck; die hinteren Räume haben einfachere Malereien, ohne Bilder.

Der geringen Ausdehnung des Hauses kam ein oberer Stock zu Hilfe, welcher sich über alle besprochenen Räume erstreckte, mit Ausnahme des Atriums 2, des unbedeckten Ganges 9 und der linken Ala (3, rechts auf dem Plan). Diese letztere war nämlich höher als alle übrigen Räume, so dass also der Querschnitt des Hauses nicht so symmetrisch war, wie der Grundriss: vielleicht wollte der Erbauer hier etwas dem Tablinum anderer Häuser ähnliches schaffen.

In Betreff des Gartens 16 ist zu bemerken, dass an der Westecke desselben ein gemauertes Bassin steht, welches durch eine von Nordwesten kommende Leitungsröhre mit Wasser gefüllt wurde und zur Bewässerung des Gartens diente. In der Nordostwand ist eine Nische angebracht, vor welcher ein kleiner Altar steht; wir erkennen hier das Lararium. An dem auf die hinten vorbeigehende Straße führenden Posticum 17 liegt ein Stall 18 für Pferde oder Esel, mit dem zugehörigen Raume 19, und es mag noch erwähnt werden, dass Reste von Pferdegeschirr in dem Raum unter der Treppe 6 gefunden wurden.

(No. 13.) Einen sehr regelmäßigen Plan einer mittelgroßen Wohnung bietet das Haus des Holconius Rufus, das Eckhaus an der *Strada degli Olconii* und derjenigen *dei teatri*, dessen Haupteingang an der erstgenannten Straße liegt (VIII, 4, 4; No. 103 im Plane). Einige der Läden, welche dieses Haus umgeben, sind schon 1766 aufgegraben, aber wieder verschüttet worden; die Ausgrabung des ganzen Hauses gehört dem Jahre 1861, und wir haben über

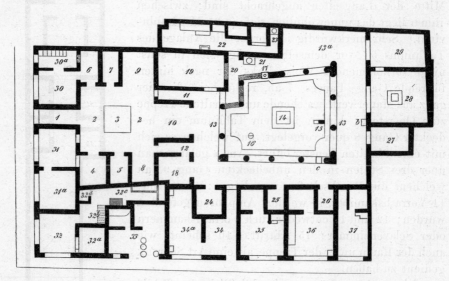

Fig. 162.   Plan des Hauses des Holconius Rufus.

dasselbe zwei genaue, einander vortrefflich ergänzende Beschreibungen von Minervini und Fiorelli [129]), auf welche für manche hier, wie bei anderen neuen Ausgrabungen, reichlicher als bei älteren bekannte Einzelheiten verwiesen sein mag, obgleich die ausführlichere Beschreibung dieses wie einiger anderer der genauer bekannten Häuser auch hier geboten erscheint.

Der Haupteingang 1 zwischen mannshoch roth, darüber weiß gemalten Pfeilern, an welchen man die Spur der hölzernen Antepagmenta deutlich wahrnimmt, war ohne Vestibulum unmittelbar an der Straße mit einer zweiflügeligen Thür versehn, deren Verschluss außer durch die gewöhnlichen in die Schwelle eingreifenden Riegel durch einen innen vorgelegten, in zwei

Löcher in der Wand eingreifenden Querbalken (*sera*) bewirkt wurde. Das Ostium, dessen Wände über rothem Sockel mit gelber und grüner Eintheilung und kleinen Vögeln breite schwarze und schmale rothe Felder haben, war auf ersteren mit anmuthigen schwebenden weiblichen Figuren bakchischen Charakters (Hlbg. No. 1909. 1913. 1920. 1942) geziert, welche schon 1855 gefunden und für das Museum ausgehoben worden sind. Auf dem obersten, weiß gegründeten Theil der Mauern sind phantastische Architekturen gemalt, von Figuren, Eroten und Weibern belebt.

Das tuscanische Atrium 2, dessen Impluvium wohl schon bei antiken Nachgrabungen seiner Marmorbekleidung beraubt worden ist, hat einen Fußboden von einer stuckartigen Masse aus Kalk und zerstoßener Lava mit regelmäßig in Linien eingelegten Marmorstückchen und in der Hauptsache über schwarzem Sockel mit grünen Pflanzen roth bemalte Wände ohne grade hervorragenden Gemäldeschmuck; hervorzuheben ist nur auf der Wand links vom Eingang ein gelagerter, epheubekränzter Silen (Hlbg. No. 375), jetzt ziemlich zerstört, welcher das auf seinem Beine sitzende Dionysoskind mit der Rechten umfaßt; schräge darunter ist auf gelbem Grund als gelbes Monochrom eine großartig gedachte Okeanosmaske mit Krebsscheeren in den Haaren gemalt, deren fließender Bart seitlich in emporgeschwungene Arabesken übergeht (Hlbg. No. 1023). Manche interessante Stücke des Hausraths sind bei der Ausgrabung in diesem Atrium gefunden worden, und zwar zum Theil auf dessen Fußboden selbst, zum Theil vier Meter über demselben, woraus hervorgeht, dass sie den Zimmern im obern Stockwerk angehört haben, von welchem sich beträchtliche Reste zeigen. Es seien nur die interessantesten der hier gefundenen Gegenstände erwähnt. Unter den aus dem Obergeschosse gefallenen sind vor allen die Gerippe zweier seiner Bewohner nebst mancherlei Gefäßen von Thon und Glas hervorzuheben; unter denen, welche dem Erdgeschoss angehörten, verdient besonderes Interesse das Gerippe der Frau vom Hause, welche mit ihrem in einer Büchse verwahrten Schmuck zu fliehen versucht hatte, aber nahe beim Tablinum niedergestürzt ist. Unter diesem Schmuck zeichnet sich ein Halsband besonders aus, welches aus einer Menge verschiedenartiger Amulette zusammengesetzt ist, und auf das wir zurückkommen werden. Außerdem sind besonders mehre kleine Schlösser bemerkenswerth, welche auf hier vorhanden gewesene Schränke und Truhen oder Kasten hinweisen; einer derselben wird wohl links vom Eingang gestanden haben, wo am Boden noch Eisenspuren kenntlich sind.

Von den das Atrium umgebenden Zimmern 4, 5, 6, 7, welche alle gegen jenes mit Thüren abschließbar waren, deren Angeln man in den Schwellen sieht, war das erste rechts 4 die Cella des Sclaven, welcher den Verkauf uns unbekannter Waaren des Hausherrn in dem neben dem Ostium belegenen und mit dem Atrium sowie mit dieser Cella in Verbindung stehenden Laden 31 besorgte und vielleicht zugleich als Atriensis diente. Seiner Bestimmung als Aufenthalt eines Sclaven gemäss ist dies flach gedeckte Zimmerchen sehr einfach auf weißen Wänden, die durch gelbe und rothe Linien eingetheilt sind, mit Darstellungen verschiedener Gefäße, Candelaber und Festons decorirt. Reicher ist das folgende Cubiculum 5 geschmückt, welches durch eine

Austiefung in der linken Wand zur Aufnahme der Bettstelle als Schlafzimmer
bezeichnet ist. Die weißen Wandfelder, mit einfachen aber ziemlich sorgfältig
gemalten Ornamenten enthalten in der Mitte kleine viereckige Bilder (Hlbg.
No. 372. 384. 417. 454. 455. 1274), welche in Halbfiguren Wesen hauptsächlich des bakchischen Kreises, daneben Paris und Eros darstellen, ohne große
Kunst, aber flott gemalt. Gedeckt war das Zimmer mit einer 3,83 M. hohen
Verschalung in Form eines Tonnengewölbes. Von dem Bette, das hier gestanden, wurden einige Theile des bronzenen Beschlags aufgefunden. Ganz
schmucklos ist die Cella 6 links am Atrium, welche mit dem Laden links am
Ostium im Zusammenhange steht, also für den hier verkaufenden Sclaven
wie die gegenüberliegende für seinen Collegen vom andern Laden bestimmt
war. In der Hinterwand sieht man die Löcher für die Deckenbalken; die
linke Wand ist bis zur Höhe des ersten Stockwerks erhalten, welches durch
eine Treppe in 30 a zugänglich war; in der Rückwand des obern Zimmers
war ein Abtritt mit Röhrenleitung angebracht. Die Hinterwand und die linke
Seitenwand des anstoßenden Cubiculum 7 ist bei alten Nachgrabungen durch-
schlagen; dasselbe ist einfacher als das gegenüberliegende 5, aber gleichfalls
mit ähnlichen Bildern bakchischen Inhalts (darunter die Silenbüste Hlbg.
No. 413), freilich von ungleich roherer Malerei, geschmückt, von denen einige
durch die Durchschlagung der Wand zerstört sind. Auch dies Zimmer war wie
5 mit einer Verschalung bedeckt, aber nur 3,21 M. hoch. An der linken Wand
hat eine eisenbeschlagene hölzerne Kiste gestanden, deren Spuren an der Wand
und im Fußboden sichtbar sind; zu ihr gehörten verschiedene Exemplare vielfach vorkommender, eigenthümlicher Röhren von Knochen, deren Bedeutung,
lange ein Räthsel, jetzt erklärt ist, und auf welche bei Besprechung des pompejanischen Hausgeräths zurückgekommen werden soll.

Die Ala 9 hat einen Fußboden aus einer stuckartigen Masse mit Marmor-
brocken; die Mitte ist durch ein aus Marmorplatten gebildetes, mit einer
Mosaikborde eingefasstes Quadrat ausgezeichnet. Auf den auch hier bei antiken Nachgrabungen durchbrochenen Wänden finden wir Bilder, unter denen
Apollon mit Daphne (Hlbg. No. 209), Perseus und Andromeda links (Hlbg.
No. 1192) und ein halbzerstörtes rechts (Hlbg. No. 1149) zu nennen sind,
welches letztere wahrscheinlich Herakles darstellt, welcher Alkestis dem Admet
zurückführt. Anders verhält sich's mit dem gegenüber liegenden Zimmer 8,
der Lage nach der zweiten Ala, welche aber von Anfang an kleiner war, und
von der es sehr zweifelhaft ist, ob dieselbe, wenigstens in der letzten Zeit
Pompejis, als solche gedient hat. Hier fand man nämlich, aufgestellt auf
den Resten von hölzernen Brettern, welche in den roh angestrichenen Wänden
befestigt waren, überaus reichliches Küchengeräth von Bronze, Eisen und
Thon. Natürlich widerspricht dieser auch bei den entsprechenden Gemächern
in anderen Häusern sich wiederholende Umstand der Bestimmung des Zimmers
als Ala; wir werden es vielmehr als Gefäßkammer anzuerkennen haben;
Spuren eines Verschlusses sind nicht nachweisbar, doch wird ein solcher wohl
vorhanden gewesen sein. Die Lage dieser Gefäßkammer ist auffallend genug,
um so mehr, da wir die Küche auf der andern Seite des Hauses finden
werden; wir erinnern uns dabei der Schränke, welche, wie oben (S. 261) bemerkt,

oft in den Alae angebracht wurden. — Vollkommen normal liegt dagegen das
Tablinum 10; gänzlich unverschlossen gegen das Atrium, gegen das Peristylium jetzt ebenfalls ganz offen, ist dies Tablinum in antiker Zeit gegen dieses
mit einer sich mehrfach zusammenlegenden Thür von Holz verschließbar gewesen, deren hölzerne Antepagmenta mit eisernen Krampen in die Wände
befestigt waren. Der Fußboden ist ebenso behandelt wie in 9, die Decoration
der Wände ziemlich reich, obgleich zum Theil zerstört. Auf der Wand rechts
sind in der Mitte die Reste einer der oft wiederholten Darstellungen von
Selene und Endymion (Hlbg. No. 961) mit Wahrscheinlichkeit erkennbar, zur
Seite sind schwebende Figuren der Jahreszeiten (Hlbg. No. 984. 993, schlecht
erhalten) gemalt. Auf der Wand links finden wir, wiederum zwischen jenen
der rechten Seite entsprechenden Figuren, einen Gegenstand, dem wir auch
schon begegnet sind (s. oben S. 288): das junge Paar nämlich, das ein Eroten-
nest gefunden hat (Hlbg. No. 822), hier mit manchen Besonderheiten behandelt. Das eine der Kinderchen hatte bei der Entdeckung des Bildes, jetzt
nicht mehr, einen deutlich erhaltenen Flügel, welcher es als Eros charakterisirt. In $^2/_3$ der Höhe der Wand läuft ein kleiner Carnies von Stucco, oberhalb
dessen die Wandfläche mit den gewohnten phantastischen, hier durch menschliche Figuren belebten Architekturen bedeckt ist; ähnliche Architekturen
sind auch als Umrahmung der oben genannten Bilder verwandt.

An allen Thüren am Atrium, mit Ausnahme des Ostiums und der rechten
Ala (8) waren die dem Atrium zugewandten Ecken mit hölzernen Antepagmenta verkleidet. Die Zimmer selbst waren nicht alle von gleicher Höhe:
6 und 7 waren 3,21 M., die anderen 3,83 M. hoch. Die oberen Räume waren,
nach den Malereien zu schließen, niedrig und bescheiden; über 6 und 7 (nur
ein Zimmer) waren die Wände roh, über 4 einfach bemalt und hier höchstens
3 M. hoch, so dass beide Stockwerke nicht ganz 7 M. erreichten.

Nach dem Plane scheint es, als hätte das Haus zwei Fauces, 11 und 12;
doch ist nur 12 in der That dieser Durchgang zwischen dem öffentlichen
und privaten Theile des Hauses, in 11 dagegen lag die Treppe zum obern
Geschoss, deren erste steinerne Stufe erhalten ist, und unter welcher, vom
Peristyl aus zugänglich, ein Tisch an die Wand angelehnt gestanden hat;
von Decoration ist nicht die Rede; es ist übrigens deutlich zu erkennen, dass
11 erst nachträglich von dem anstoßenden Zimmer 19 abgetrennt worden ist.
Eine bescheidene Decoration findet sich in dem Gange 12, dessen Wände mit
sehr rohen, jetzt zerstörten Figürchen bemalt waren; am linken vordern
Pfosten ist roh ein Gladiator gemalt. Außerdem ist hier der Name PRIMI
mit Farbe angeschrieben und ein Distichon eingekratzt gewesen, von dem wir
mit anderen Graffiti später sprechen werden. Thürangeln zeigen, dass dieser
Gang an beiden Enden verschließbar gewesen ist. — Mit 13 ist das Peristylium bezeichnet. Die eigenthümliche Anordnung der nur an der linken vordern Ecke durch ein Podium verbundenen Säulen zeigt der Plan. Sie gehört
aber nicht der ursprünglichen Anlage an; es ist vielmehr erweislich, dass die
eigenthümliche Einknickung an der erwähnten Ecke auf einen Umbau zurückgeht, welcher jünger ist als die dem letzten Decorationsstil angehörige Stuckbekleidung der übrigen Säulen; die frühere Gestalt der linken Seite des

Peristyls lässt sich nicht mehr mit Sicherheit ermitteln. Die Decke des Peristylumganges bildete zugleich eine breite, von einer obern Säulenstellung umgebene Gallerie, zu der die erwähnte Treppe 11 emporführte, und von der aus man die Zimmer des obern Geschosses betrat. Links nach hinten bei 13 *a* nimmt der Peristylumgang mehr als doppelte Breite ein und bildet hier eine Art von großem offenem Saale, welcher als Sommertriclinium benutzt worden sein mag. Das Gärtchen in der Mitte ist von einer großen Wasserrinne umgeben, in welche aus Röhren, die sich in den Säulen der Vorder- und Rückseite (hier zwei an jeder Säule und eine an jedem Eckpfeiler) finden, aus der Höhe von 1,25 M. vom Boden verschiedene Wasserstrahlen sich ergossen. Die kleine Piscina in der Mitte 14 ist 1,35 M. tief; in ihr steht auf einer cannellirten Säule, welche ein Wasserrohr umkleidet, ein runder marmorner Tisch, aus dessen Mittelpunkte sich der Wasserstrahl des Springbrunnens erhob. In den Wänden der Piscina sieht man acht (vier erhaltene) eiserne Haken, an welchen man etwa Fleisch, Früchte u. dgl. zum Abkühlen in dem zu- und abfließenden, also stets frischen Wasser aufgehängt haben mag. Bei 15 ist ein kleiner Brunnen, gebildet durch die ziemlich rohe Marmorstatue eines Knaben, der eine Ente und ein Gefäß in den Armen trägt und auf einer kleinen Marmortreppe steht, über deren Stufen der aus dem Gefäß gegossene Wasserstrahl herunterplätscherte. Bei 16 steht noch ein runder marmorner Tisch, während 17 die Mündung einer Cisterne bezeichnet. Die Decoration des Peristyls ist im Ganzen einfach; die 4,10 M. hohen Säulen sind im untern Drittheil bei ausgefüllten Canneluren gelb, oben bei offenen dorischen Canneluren weiß, die dorischen Capitelle mit bunten gepressten Ornamenten verziert; die Wände (verblichen) sind in breite schwarze und schmale rothe Felder getheilt, deren erstere je ein kleines Bild, namentlich Esswaaren darstellend (Hlbg. No. 1665. 1671. 1713), letztere je einen Candelaber enthalten; der Sockel ist mit Pflanzen und Vögeln bemalt. Von den verschiedenen an den Wänden und Säulen des Peristyls gefundenen Graffiti (eingekratzten Inschriften) kann hier nur eine erwähnt werden, die auf einer Wand der rechten Seite gefunden wurde:

IIX · ID · IVL · AXVNGIA · P · CC

ALIV · MANVPLOS · CCL

d. h. zu deutsch: »den 7. Juli Schweinefett 200 ℔., Knoblauch 250 Bündel«, eine Notiz über an diesem Tage gekaufte oder wahrscheinlicher verkaufte Waare. Von den im Peristyl gefundenen Gegenständen sind besonders die Reste von zwei großen hölzernen, mit Metall beschlagenen Kisten zu nennen, deren eine bei *b*, die andere bei *c* stand. Ehe von den das Peristyl umgebenden Zimmern gesprochen wird, ist dasjenige zu erwähnen, welches rechts neben dem Faucesdurchgange, auf diesen und auf das Peristylium geöffnet, liegt und mit 18 bezeichnet ist. Durch die an der Rückseite angebrachte Nische für das Bett giebt es sich deutlich als Cubiculum zu erkennen. Von den nur ornamentalen Malereien seiner über rothem Sockel wieder schwarz gegründeten und durch rothe Streifen getheilten Wände ist nichts zu sagen; es sei aber nicht vergessen, zu erwähnen, dass in ihm zwei Gerippe gefunden worden sind. Das größere gegenüber links gelegene Gemach 19 ist ein Triclinium, dessen oblonge Gestalt ganz Vitruvs Vorschrift ent-

spricht und welches in seiner Bestimmung auch noch durch die Nachbarlich-
keit der Küche 22 bestätigt wird; durch ein großes Fenster empfing das
Gemach vom Peristyl aus Licht. Der Fußboden liegt eine Stufe tiefer als
dieses und besteht aus *opus Signinum*, in welchem weiße Steinchen ein Muster
bilden; ein Mosaikornament bezeichnet den Platz des Tisches. Die Wände
sind abermals schwarz und außer mit Ornamenten verschiedener Art und
schwebenden Eroten an den beiden Langseiten mit mythologischen Bildern
von freilich nur geringer Ausdehnung geschmückt; und zwar finden wir links
Phrixos auf dem Widder, von welchem Helle eben herabgestürzt ist (Hlbg.
Nr. 1254), einen Gegenstand, dem wir z. B. schon im Macellum und in der
Casa di Modesto und *del poeta tragico* begegnet sind, und rechts die un-
zählig oft wiederholte verlassene Ariadne (Hlbg. No. 1229). Mehr als drei Meter
vom Boden fand sich in die Wand eingekratzt: SODALES AVETE »seid
gegrüßt, Genossen!« was zu der Bestimmung des Gemachs bestens passt, da
wo es steht aber nur angeschrieben werden konnte von Jemand, der sei es auf
eine Bank, sei es auf eine Leiter gestiegen war. Wer der Schreiber war,
lässt sich nicht sagen, aber Fiorellis Annahme, es sei der Sclave gewesen, der
die Wände abzuputzen hatte, ist sehr anmuthend; dem mag bei seiner Arbeit
der vielleicht oft genug von seinem Herrn gehörte Anruf an seine Gäste ein-
gefallen sein; der Herr selbst hätte dergleichen wohl anders und anderwärts,
wenn überhaupt, angeschrieben. Von diesem Triclinium, welches wir als das
für den Winter bestimmte werden auffassen dürfen, führt der Weg zunächst
in die nachbarliche Küche. Man gelangt dahin, indem man jenen kleinen
Gang 20 betritt, welcher gegen das Viridarium durch die schon früher erwähnte
Brüstungsmauer abgeschlossen ist und durch welchen man, rechts gewandt,
in das Peristyl kommt. Neben diesem Gange befindet sich ein viereckiges
gemauertes Wasserbehältniss 21, das durch ein kleines Leitungsrohr gefüllt
wurde und von der Küche aus durch ein überwölbtes Loch in der Wand
erreichbar ist. Geht man von dem zuerst erwähnten Eingange an dem Fenster
des Triclinium vorbei gradaus, so kommt man in die eine Stufe tiefer liegende
Küche 22, an welche hier wiederum der Abtritt 23 grenzt. In der Küche
finden wir den Heerd, eine Vorrichtung, um einen großen Kessel zu erhitzen,
ein gemauertes Wasserbassin und einen langen Tisch mit weißer Marmorplatte, auf welchem die Speisen zugerichtet wurden und welcher, wie andere
ähnliche Tische, an seinem einen Ende eine flache Aushöhlung zeigt, vielleicht
bestimmt, um in derselben Salz und Gewürze fein zu reiben. Die etwa einst
vorhanden gewesene Decoration dieses Raumes ist gänzlich zerstört, nur über
dem Wasserbassin ist eine rohe Larennische sichtbar.

Von den das Peristylium umgebenden Gemächern können die drei kleinen
auf der der Küche gegenüber gelegenen Seite, 24, 25, 26, welche mit ziemlich
untergeordneten Decorationen versehn sind, als Cubicula bezeichnet werden.
Neben dem ersten derselben liegt ein Posticum, welches in einen Laden und
weiter auf die Theaterstraße hinausführt.

Größer, reicher decorirt und bestimmter charakterisirt sind die drei Gemächer an der Hinterseite des Peristylium 27, 28 und 29. Das erste derselben,
27, ist freilich in seinen Decorationen auch von geringem Belang und scheint

ein Schlafzimmer gewesen zu sein; der Fußboden ist *opus Signinum*, die Wände, hauptsächlich gelb und roth gegründet, zeigen, abgesehn von den bekannten Architekturen, rechts eine Nereïde auf einem Delphin (Hlbg. No. 1030) und links entsprechend die an der Flanke des Zeusstieres durch die Wellen getragene Europe (Hlbg. No. 128); hinten, dem Eingange gegenüber ein sehr zerstörtes und nicht sicher erklärtes, aber, wie es scheint, auf Licht-gottheiten bezügliches Bild (Hlbg. No. 964). Eine Besonderheit findet sich in eben dieser Wand; in ihrer Mitte unmittelbar über dem Boden ist eine $0,58 \times 0,65$ große viereckige Öffnung, welche einstmals ganz mit Holz aus-gekleidet und nach vorn und hinten mit hölzernen Thüren versehn gewesen ist; in ihr fand man acht Lampen. An sich betrachtet, würde sich dieser kleine Wandschrank also als zur Aufbewahrung der Lampen bestimmt sehr wohl verstehn lassen; das Merkwürdigste aber ist, dass hinter ihm einer jener unter-irdischen Canäle sich hinzieht, durch welche in Pompeji das Wasser von den Straßen und aus den Häusern ablief. Es scheint nun, dass die besagte Öffnung auch die weitere Bestimmung hatte, diesen Abzugscanal, vielleicht behufs ge-legentlicher Reinigung zugänglich zu machen. Mehr kann man hierüber bis jetzt nicht sagen, da die ganze Einrichtung bisher vereinzelt ist.

An dieses Schlafzimmer grenzt die schöne und große Exedra 28 mit weiß und schwarzem Marmorfußboden und einem kleinen, jetzt halb zerstörten Impluvium in der Mitte, welches aber wohl schwerlich auf eine Öffnung in der Decke schließen läßt, sondern vermuthlich einen kleinen Springbrunnen enthielt. Die Wände sind mit schönen Gemälden von ansehnlicher Größe geschmückt; diejenige dem Eingange gegenüber zeigt, sehr zerstört, aber durch die Art wie das Spiegelbild dargestellt ist, nicht uninteressant, eine der vielen Wiederholungen des sich im Quell spiegelnden Narkissos (Hlbg. No. 1356); links finden wir einen auf die Schulter des Silen gelehnten Herma-phroditen (Hlbg. No. 1372), dessen schwermüthige Gedanken Silen mit Lauten-spiel sowie ein daneben stehender Eros mit der Doppelflöte zu begleiten scheint, während ein Panisk ihn verwundert betrachtet und eine zur Seite stehende Bakchantin Thyrsos und Tamburin hält. Rechts endlich eine der ebenfalls oft wiederholten Darstellungen der von Dionysos in Begleitung seines Thiasos aufgefundenen schlafenden Ariadne (Hlbg. No. 1240). Außer-dem tritt eine Reihe nur zum Theil erhaltener weiblicher Figuren hervor, unter denen drei Musen, Urania (Hlbg. No. 891), Klio und Melpomene am sichersten erkennbar sind, sowie am obern Theile der Wand schwebende Figuren und Bilder erscheinen, deren Gegenstand (links Adonis? Hinterwand Danaë?) kaum mehr zu bestimmen ist. Eine Thür verbindet diese Exedra mit dem Triclinium 29, von dessen wiederum reicher Decoration wir nur die Hauptbilder, einen Achill auf Skyros (Hlbg. No. 1296), ein sehr interessantes Parisurteil (Hlbg. No. 1284) und eine größtentheils zerstörte und nur nach dem besser erhaltenen Exemplar (Hlbg. No. 1333) bestimmbare Darstellung der Iphigenia in Tauris (Hlbg. No. 1336) hervorheben wollen, ohne eine Reihe von sechs Medaillons mit Halbfiguren zu vergessen, welche, ähnlich denen, die wir in dem Zimmer 5 am Atrium gefunden haben, sich größtentheils auf die Kindheitspflege des Dionysos beziehn (Hlbg. No. 1413. 1427. 1440).

Sämmtliche Gemächer um das Peristyl zeigen in ihren Schwellen Spuren von Thüren, mit denen sie verschlossen werden konnten.

Über die Läden, welche dieses Haus an zwei Seiten umgeben und die mit den Nummern 30 — 37 bezeichnet sind, ist nicht viel zu sagen. Drei derselben, No. 30 mit 30 *a*, 31 mit 31 *a* und No. 34, 34 *a* neben den beiden Eingängen des Hauses, stehn mit diesem in Verbindung, die übrigen vermiethet gewesenen bestehn meist nur aus dem Ladenlocal mit einem kleinen Hinterzimmer und bieten außer dem durch große in den Boden eingemauerte thönerne Dolien (Vorrathsgefäße) ausgezeichneten No. 33 nichts Charakteristisches. Nur die mit der Ziffer 32 bezeichneten Räume geben sich ziemlich unzweifelhaft als Behausung und Werkstatt eines Färbers (*offector*) zu erkennen, und zwar durch die in dem Gange 32 *c* aufgefundenen gemauerten und mit härtestem Stucco ausgekleideten Färberwannen, in denen Reste der zum Färben gebrauchten Materie erhalten waren; bei der chemischen Analyse erwies sich diese als schwefelsaures Eisenoxyd. Der hier arbeitende Färber hatte auch im Obergeschoss noch ein paar Cenacula inne, zu denen eine Treppe hinaufführte. Der erwähnte Gang enthält außerdem einen Heerd; die Bestimmung des niedrigen Verschlages 32 *d* ist unklar. Sein Laden ist nach beiden Straßen weit geöffnet und war in einer Weise verschlossen, auf welche im folgenden Capitel zurückgekommen werden soll. Erwähnen wollen wir schließlich noch, dass neben dem Laden 30 in 30 *a* eine Treppe in das obere Geschoss hinaufführte.

(No. 14.) Unter den einfachen Häusern mit mehr oder weniger regelmäßigem Plane nimmt einen hervorragenden Platz ein dasjenige des M. Epidius Rufus. Dasselbe liegt an der östlichen Verlängerung des *Strada degli Olconii*, der s. g. *Strada della casina dell' aquila* (IX, 1, 2; No. 116 im Plane) und wurde von 1866 an ausgegraben. Es stammt aus der Tuffperiode und ist in römischer Zeit nur wenig umgebaut worden; späteren Ursprunges ist namentlich die Treppe 15. Von der dem ursprünglichen Bau wahrscheinlich gleichzeitigen Decoration ersten Stils ist in verschiedenen Räumen namentlich das charakteristische Zahnschnittgesims erhalten. Später, etwa in der Zeit des Augustus, wurde das Haus in einer dem dritten Stil verwandten, aber auch dem zweiten noch nahe stehenden Decorationsweise (»Candelaberstil«) ausgemalt; auch von dieser Decoration sind Reste (im Atrium und in 8) erhalten [130]. Endlich erhielten die meisten Räume eine größtentheils geschmackvolle und sorgfältige Decoration im Stil der letzten Zeit Pompejis.

Die Eigenthümlichkeit dieser Wohnung beginnt schon vor ihrer Hausthür mit einer in Pompeji bisher einzigen Einrichtung, welche beim Beginne der Ausgrabung den Gedanken nahe legte, dass es sich nicht um ein Privathaus, sondern um ein öffentliches Gebäude handele. An der Straße liegt nämlich vor der Façade und zwischen rechts und links vorspringenden Anten eine fast 15 M. breite und 1,20 M. hohe rothbemalte Rampe oder Platform 1, welche vorn in ihrer ganzen Breite auf einer Hausteinkante vergittert gewesen ist und zu der an ihren beiden Enden verschließbar gewesene gebrochene Treppen von sechs Stufen emporführen. Die Façadenwand (unten schwarz, durch rothe Streifen in Felder getheilt, oben weiß), welche mit vielen, zum Theil über

einander gemalten, also älteren und jüngeren Wahlprogrammen bedeckt ist,
wird nur in der Mitte von der sehr stattlichen Hausthür durchbrochen, deren
Pfosten als Pilaster gestaltet sind. Durch sie betritt man ein wiederum eigenthümliches, wenngleich nicht einziges Vestibulum 2: dasselbe hat nämlich

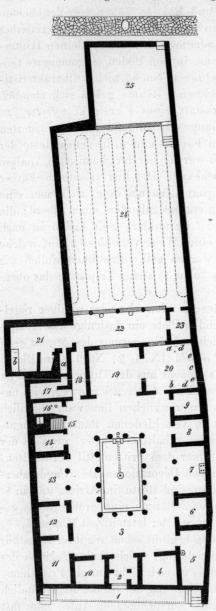

eine Hauptthür gradaus im Grunde
und daneben rechts zur Seite eine
zweite, natürlich ebenfalls verschließbar gewesene kleinere, welche offenbar
dem alltäglichen Verkehre bestimmt
war, während die Hauptthür besonderen Gelegenheiten vorbehalten blieb.
Durch ein kurzes aber weites Ostium
betritt man das sehr prächtige korinthische Atrium 3, dessen Porticus von
sechszehn ganz weißen und cannelirten Säulen von Stein mit feinem, altem
Stuccoüberzug und kleinen dorischen
Capitellen getragen wird. Dieselben
umgeben ein sehr großes Impluvium
mit einem Springbrunnen, dessen
bleiernes Zuleitungsrohr (im Plane
punktirt) erhalten ist, in der Mitte und
einem marmornen, nicht mehr am Ort
befindlichen Tisch im Hintergrunde.
Von der Malerei des Atriums ist wenig
erhalten; Bilder sind hier gar nicht.
Oberhalb des spätern Stuckes hat man
ein Stuckgesims mit Zahnschnitt,
einen Rest der Decoration ersten Stils,
stehn lassen. — Das erste Gemach
rechts an diesem Atrium 4 ist ein Sclavencubiculum mit weißen Wänden
und einem in halber Höhe umlaufenden Stuccocarnies, einem Rest der
ältern Decoration; über diesem ist
die Wand nach der Straße von zwei
schmalen Licht- und Luftöffnungen
(Fenster kann man sie kaum nennen)
durchbrochen, von deren eigenthümlicher und schöner Umrahmung die
folgende Figur 164 wenigstens eine
Vorstellung geben wird. Die äußerste

Fig. 163. Plan der domus M. Epidii Rufi.

Linie stellt einen hochkantig stehen-
den Stuccorahmen dar, die darauf folgende ist kräftig roth, die Lichtöffnung
selbst liegt im Spiegel vertieft; in späterer Zeit scheint hier eine Glasscheibe eingesetzt gewesen zu sein. Das folgende Gemach 5 ist eine Vorrathskammer (*cella*

Ansicht des Sacellum im Hause des M. Epidius Rufus.

penaria) gewesen, in welcher sich eine Cisternenöffnung und der Fuß eines steinernen Tisches findet, und das dann folgende Gemach 6 ein zweites Cubiculum, dessen Wände im Stil der letzten Zeit Pompejis bemalt sind: die gelben Felder, ohne Bilder, werden getrennt durch architektonische Durchblicke auf schwarzem Grunde; der obere Wandtheil zeigt die gewohnten leichten Architekturen auf weißem Grunde. Eine Thür zu der anstoßenden rechten Ala 7 ist antik vermauert. Diese Ala, deren Gebälk oder Giebel von zwei unten roth bemalten, oben weißen und cannelirten (ursprünglich aber ganz weißen und cannelirten) ionischen Säulen getragen wird, gewährt eben hierdurch einen überaus stattlichen Anblick. Sie ist zum häuslichen Heiligthum eingerichtet worden, und zwar von zwei Freigelassenen, welche an der Hinterwand das Sacellum errichteten, welches die beiliegende Ansicht nach photographischer Aufnahme darstellt. Die Inschrift auf der Marmortafel

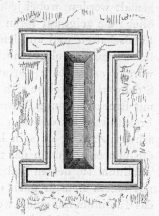

Fig. 164. Fenster.

lautet: *Genio M(arci) n(ostri) et Laribus duo Diadumeni liberti* (also: dem Genius unseres Marcus und den Laren geweiht von den beiden Freigelassenen Diadumenus). Die weißen Wände dieser Ala, welche mit leichten Ornamenten letzten Stils und auf halber Höhe mit einem der ältern Decoration angehörigen Stuccocarnies geschmückt sind, zeigen seitwärts schwebende Figuren (Eroten), im Hintergrunde rechts und links neben der Aedicula Opferscenen, ein Weihrauch- und ein Stieropfer (Hlbg. No. 59), welche dem Genius und den Laren dargebracht werden. Die Statuetten, welche offenbar in dem Tempelchen stehn sollten, sind nicht aufgefunden worden. Dass die ganze Einrichtung dieser Ala als häusliches Heiligthum später ist als der Bau des Hauses, geht besonders aus der Art hervor, wie, offenbar nach der Weihung, der Raum zwischen den Säulen und zwischen diesen und den Wänden durch ein hölzernes Gitter abgesperrt wurde, von dessen etwas roher Befestigung man in den Säulen die deutlichen Spuren sieht und auch in der Abbildung erkennen kann; auch zeigen die erwähnten Opferscenen den Stil der letzten Zeit der Malerei in Pompeji. Zwischen der Ala und dem folgenden Gemach ist eine Thür schon im Alterthum zugemauert worden. Sowohl 8 als 9 sind einfache Cubicula; in ersterem ist auf dem obern Wandtheile die Decoration im Candelaberstil erhalten, während sie unten in der letzten Zeit Pompejis durch rothe und gelbe Felder (ohne Bilder) ersetzt worden ist. Gegenüber, an der linken Seite finden wir ein ebenfalls rohes Zimmer 10, wahrscheinlich die Cella des Atriensis; das größere Gemach 11 war ursprünglich ein Triclinium, wie die für die Speisesophas bestimmten Aushöhlungen in den Wänden beweisen; aus dem rohen Stuckbewurf, unter dem nur geringe Reste der Decoration ersten Stils zum Vorschein kommen, müssen wir schließen, dass es in der letzten Zeit zu geringeren Zwecken, etwa als Speisezimmer der Dienerschaft gebraucht wurde; das von ihm aus zugängliche Gemach ungewisser Bestimmung 12 hat eine hübsche Decoration letzten Stils auf weißem Grunde;

eine Thür führt von hier in die linke Ala 13. Diese, welche der gegenüberliegenden in Anlage und architektonischer Ornamentik entspricht, aber ihrer
ursprünglichen Bestimmung erhalten blieb, ist ebenfalls im letzten Stil ausgemalt worden, wobei jedoch auch hier der Stuccocarnies ersten Stils erhalten
blieb; sie zeigt auf ihren weißen Wänden außer leichten Ornamenten kleine
Landschaften und auf dem Mittelfelde der Rückwand eine schwebende weibliche Figur. Folgt eine, an den Löchern, in denen die Bretter befestigt
waren, erkennbare Vorrathskammer (*apotheca*) 14, die Treppe zum obern
Stockwerk 15, welche sich nach rechts über 16, einer zweiten Vorrathskammer
mit Brunnenöffnung fortsetzt, und ein überwölbter dunkler Raum 17, der ein
Ergastulum, als das man ihn bezeichnet hat, des mangelnden Lichtes wegen
schwerlich gewesen sein kann. Im Hintergrunde des Atrium liegen zunächst
die Fauces 18, dann das nach hinten nur durch ein großes Fenster geöffnete
Tablinum 19, dessen Malereien nicht erhalten sind, und endlich ein ebenfalls
mit einem Fenster nach dem Garten versehenes Triclinium 20, welches wie
das Tablinum mit einem weißen Mosaikfußboden geschmückt ist und auf seinen
Wänden eine reiche Decoration letzten Stils auf weißem Grunde bewahrt hat.
Bei *a* finden wir den lyraspielenden Apollon, bei *b* gegenüber den flötenden
Marsyas (Hlbg. No. 231), bei *c* eine unerklärte Darstellung von Lichtgottheiten
(967 *b*), außerdem bei *dd* und *ee* Musen (863 *b*. 870 *b*. 874 *b*. 885 *b*. 892 *b*. und
noch eine), welche mit dem Apollon und Marsyas offenbar als Schiedsrichte-
rinnen in ihrem Wettstreit in ideeller Verbindung stehn, obgleich sie mit
diesen beiden Hauptpersonen nicht in eine Gesammtscene zusammencompo-
nirt sind. Die Fauces durchschreitend gelangt man links in die überwölbte,
geräumige, aber dunkele und nur von zwei Oberlichtern erleuchtete Küche
21 mit ihrem Zubehör, einer kleinen Vorrathskammer *a* und dem Heerde *b*.
Ehe aber der Garten besprochen wird, muss hervorgehoben werden, dass an
der schon erwähnten Treppe 15 ein Gemach des obern Stockwerks, wenn auch
nicht ganz, erhalten ist und dass neben demselben rechts die Treppe sich noch
mit einigen Stufen fortsetzt und in ein etwas höher liegendes Zimmer führt,
so dass hier also die Räume des Obergeschosses nicht alle in gleicher Höhe
lagen. — Im Garten 24, in welchen man durch eine Porticus mit Ziegelsäulen
22 gelangt, an der am Ende die Cella des Gärtners (*hortulanus*) 23 liegt, ist die
antike Beetanlage vollkommen erhalten und lässt keinen Zweifel übrig, dass
es sich um einen Nutz- und Gemüsegarten, nicht um einen Ziergarten handelt;
Blumen und Ziergewächse sind dagegen wenigstens nicht unwahrscheinlich
auf dem erhöhten Stücke des Gartengrundes hinter dem Gemüsegarten 25
gezogen worden, zu dem man über eine rechts gelegene Treppe gelangt und
von dem aus sich ein hinterer Ausgang (*posticum*) auf die hintere Straße (*vico
dei Serpenti*) öffnet.

(No. 15.) Nicht geräumiger als dies Haus, dagegen von einer viel eigen-
thümlichern Planeintheilung ist dasjenige, welches man unter dem nicht besser
als viele andere begründeten Namen der *Casa di Sallustio* oder (nach
einem Hauptgemälde) *Casa di Atteone* kennt, No. 15 im Plane (VI, 2, 4). Im
Jahre 1806 aufgefunden und der Hauptsache nach ausgegraben, aber erst 1809
beendigt, zeichnet sich dies an der jetzt *Strada consolare* genannten Haupt-

straße vom Herculaner Thor schräge gegenüber dem ersten Brunnen gelegene Haus vor manchen anderen durch treffliche Erhaltung, sinnige Benutzung des nicht eben günstigen Bauplatzes, edlen Gemäldeschmuck und eine auffallende Anmuth und Wohnlichkeit aus. Auch dies Haus stammt aus der Tuffperiode; die eben dieser Zeit eigene, Marmortäfelung nachahmende Wanddecoration ist hier besonders gut erhalten [131]). In der Zeit des dritten Decorationsstils wurden verschiedene Räume neu ausgemalt, und wahrscheinlich erhielt damals das rechts neben dem Atrium liegende Peristyl 31 im Wesentlichen seine jetzige Gestalt; zur Zeit des letzten Stils erfuhr es einige Veränderungen und wurde neu ausgemalt. An der Hauptstraßenfronte (unten auf dem Plane Fig. 165) finden wir mehre Läden; die Räume 6, 7, 8 und 9

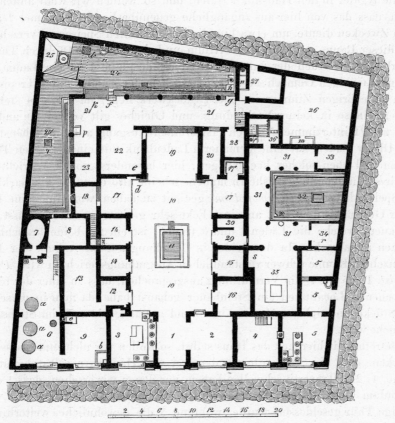

Fig. 165. Plan der *Casa di Sallustio.*

waren an einen Bäcker vermiethet, der in 6 drei Mühlen *a* und den großen elliptischen Backofen mit Schornstein 7, in 9 (ehemals einem Laden) seine Küche mit Heerd *b* und Abtritt *c*, und in 8 einen Nebenraum hatte, während eine Treppe im Backhaus zu Zimmern im obern Geschoss führte. Die Einrichtungen der Mühlen und Bäckereien, deren wir noch mehre in verschiedenen Häusern finden werden, sollen in einem folgenden Capitel erläutert werden. Der Laden 3 mit einem kleinen Wandschrank steht durch eine weite Thür mit

dem Atrium in Verbindung und war auch gegen den Hausflur geöffnet, in ihm
betrieb also der Hausherr selbst ein Geschäft, und zwar hielt er vermuthlich
hier eine Garküche; denn in den Ladentisch sind nicht nur, wie so häufig,
Thongefäße eingelassen, welche zur Aufbewahrung von Flüssigkeiten, aber
auch von Korn und Hülsenfrüchten dienen konnten, sondern er läuft neben
der Thür zum Atrium in eine heerdartige Vorrichtung aus, um ein Gefäß
durch ein darunter gestelltes Kohlenbecken warm zu halten: auch dies eine
häufig wiederkehrende Erscheinung. Mitten im Local steht noch ein zweiter
gemauerter Tisch, auf welchem weitere Gefäße Platz finden konnten; der auch
auf dem Plan angedeutete niedrigere Theil desselben (links hinten) diente
wohl dem Verkäufer als Sitz. Die ganze Anlage ist offenbar darauf berechnet,
dass die Käufer in den Hausflur 1 traten, und so werden wir wohl annehmen
dürfen, dass das von hier aus zugängliche gegenüberliegende Zimmer 2 ähnlichen Zwecken diente, um etwa hier die in 3 gekauften Speisen zu verzehren;
auch dieser Raum steht mit dem Atrium und dem Zimmer 16 durch Thüren
in Verbindung. Auch der zunächst angrenzende Raum 4 ist ein Laden, der
aus einem einzigen Gemach besteht, in welchem der Anfang einer Treppe zu
einem zugehörigen Zimmer im obern Stockwerk liegt; im Übrigen steht er
mit dem Hause in keiner Verbindung, und Gleiches gilt von einem andern,
5 mit zwei Hinterzimmern, deren erstes einen Ausgang auf die Nebenstraße
hat. Dieser Laden hat eine gemauerte Ladenbank mit eingelassenen Thongefäßen und eben solcher heerdartigen, hier besonders großen Vorrichtung,
wie wir sie in dem des Hausherrn fanden, scheint also ebenfalls als Garküche
und Speisewirthschaft (*thermopolium*) gedient zu haben, wozu ihn seine Lage
an der Geschäftsstraße und an einer Ecke sehr geeignet erscheinen lässt. In
der Mauer, welche die Läden 4 und 5 trennt, ist ein für beide brauchbarer
Brunnen angebracht. In den leider in Beziehung auf die Angabe der Lage
der einzelnen Räume schwer verständlichen Ausgrabungsberichten wird (*Pomp.
ant. hist.* I, ii, p. 84) die Vermuthung ausgesprochen, dass in einer der bisher
besprochenen Localitäten ein Steinhauer gehaust habe, da man in derselben
viele Stücke und Splitter Marmor und Sand auffand, wie er beim Steinsägen
gebraucht wird.

Betreten wir hiernach das Haus selbst, so wollen wir nicht unterlassen zu
bemerken, dass die Straßenthüren der drei vom Hausherrn selbst benutzten
Räume, 1, 2, 3 Travertinschwellen haben, aus denen wir ersehen, dass 1 ohne
Vestibulum gleich an der Straße durch eine dreiflügelige, 2 durch eine vierflügelige Thür geschlossen wurde, während 3 die gewöhnliche, weiterhin zu
besprechende Ladenthür hatte. Diese hatte auch 6 über einer schlecht erhaltenen Lavaschwelle, und wahrscheinlich auch 4 und 5, wo die Schwellen ganz
fehlen und vermuthlich aus Holz waren. Von dem wohlerhaltenen tuscanischen
Atrium 10 giebt Fig. 166 eine anmuthige Restauration, in welcher nur die
Cassettendecke und die Malereien an den oberen Theilen der Wände besser
weggeblieben wären, da dieser Theil des Hauses keine Gemälde hat. Hinter
dem Impluvium stand ein Tisch aus Cipollin mit Füßen aus *rosso antico* in
Form von Adlerfängen. In dem Zimmer 16 dürfen wir den Aufenthalt des
Sclaven vermuthen, der vielleicht als *dispensator* in dem Laden 2 und als

atriensis zugleich fungirte. Die drei mit 14, 14 und 15 bezeichneten Zimmer, von denen das erste und zweite einfach ausgemalt sind, das dritte am obern Theil seiner Wände schöne Reste der Decoration ersten Stils bewahrt hat,

Fig. 166. Restaurirte Ansicht der *Casa di Sallustio.*

waren Gastzimmer, 12 bildet ein Vorzimmer zu einem geräumigern Zimmer 13, das offenbar durch Oberlicht erleuchtet worden ist und bei den meisten Schriftstellern für ein Wintertriclinium gilt. In jedem Falle ist dies wahrscheinlicher, als ein Schlafzimmer in ihm zu erkennen, wenngleich auf die Nachbarschaft des Backofens, durch welchen man dies Gemach behaglich erwärmen lässt, nicht zu viel Gewicht fallen möchte. Denn da der Backofen mit seinen ohnehin starken Mauern nicht unmittelbar an dies Zimmer grenzt, dürfte es mit seiner Erwärmung nicht so gar weit her gewesen sein. Etwas anderes ist es wohl um ein Zimmer im ersten Stock über dem Raum 8 und über dem Backofen 7 gewesen: dieses ist dem Backofen und seinem Schornstein, denn er wie andere Backöfen in Pompeji hat einen solchen, nahe genug gewesen, um von ihm durchwärmt worden zu sein und als *hibernaculum*, Winterwohnzimmer, zu gelten; es gehörte aber zur Bäckerei und war durch die Treppe in 6 zugänglich.

In den beiden Alae 17 ist, wie im Atrium, die eine Bekleidung mit buntem Marmor in Stuck nachahmende Decoration ersten Stils gut erhalten. Neben derjenigen links und neben dem Tablinum, an der Stelle einer vermauerten Thür, ist ein durch seine jetzt entfernten Malereien (Hlbg. No. 51) kenntliches Lararium *d* als Nische in der Wand angebracht. In der Rückwand eben dieser Ala führt eine Thür in das von der Ala nur durch eine Brüstung getrennte Zimmer 18, aus welchem man über eine Treppe, über 14 hinweg, in das Obergeschoss der um das Atrium liegenden Räume gelangte. An der rechten Ala liegt der große Wandschrank 17, neben ihr die Fauces 20; es ist aber wohl werth beachtet zu werden, dass dies Haus ursprünglich ebenso wie das einer frühern Periode angehörige Haus des Chirurgen (S. 279) keine Fauces

hatte, sondern 17, 20 und 28 nur ein großes, wie es scheint ziemlich schmuckloses Zimmer bildeten. Das Tablinum 19 ist nach vorn ganz offen, nach hinten
durch eine niedrige Brüstungsmauer geschlossen und links zwei Stufen aufwärts in ein größeres Gemach 22 geöffnet, in welchem man viel wahrscheinlicher das Sommerspeisezimmer, als eine Bibliothek oder Pinakothek erkennt.
In diesem Gemache ist an der Hinterwand bei *e* an der Stelle einer vermauerten
Thür aus dem Atrium eine blinde Thür gemalt, welche nächst der blinden
Thür im Gebäude der Eumachia mit als Grundlage zur Reconstruction der
verbrannten Holzthüren Pompejis dienen kann; die Thür aus dem Tablinum
ist erst nachträglich durchgebrochen worden [132]. Durch die Fauces gelangt man
in den Säulengang 21 des kleinen Gartens, von dem gleich die Rede sein soll,
nachdem die Gemächer kurz bezeichnet worden sind, welche von diesem
Säulengang ihren Eingang haben. Es sind dies außer dem Triclinium 22 ein
kleines Zimmer 23, welches von dem Garten hinter der Bäckerei durch ein
Fenster sein Licht erhält und als Cella des Gärtners gelten kann; sodann hinter
dem Schrank 17 ein kleines Schlafzimmer 28, gegenüber der Abtritt *n* und
neben demselben der hintere Ausgang, das *posticum*, durch einen Raum unbekannter Bestimmung 27, von dem man wegen des benachbarten Abtritts
vermuthen kann, dass er in einer frühern Periode einmal als Küche gedient
hat; endlich hinter einem an 27 vorbeiführenden Gange ein großer, jetzt ganz
schmuckloser, aber nie besonders decorirt gewesener Raum 26, aus welchem
einige Schriftsteller augenscheinlich verkehrt ein Bad machen wollen, während
Andere, wie Mazois, hier die Küche erkennen. Diese berufen sich auf das mit
m bezeichnete Mauerwerk, welches zerstört aufgefunden, restaurirt und wieder
zerstört worden ist, und welches der Heerd sein soll, aber gewiss nicht ist.

Fig. 167. Restaurirte Ansicht des Gartens.

Eher könnte man hier den
Arbeitssaal der Sclaven vermuthen; es steht aber nicht
einmal fest, dass dieser Raum
bedeckt war. Rechts an dem
Gange, der in denselben
führt, finden wir in *o* die
Treppe in das obere Geschoss.
Von dem freilich sehr kleinen, aber allerliebst und interessant angelegten Garten
kann man sich durch die auf
durchaus sicheren Elementen
beruhende Restauration (Fig.
167) leichter als durch eine
Schilderung in Worten einen
Eindruck verschaffen. Da zur
Anpflanzung von Bäumen
und Gesträuchen zu wenig
Raum vorhanden war, hat man sich hier wie in einigen anderen Beispielen in
Pompeji begnügt, einen unregelmäßigen und um ein paar Stufen über den

Säulengang erhabenen Sandplatz 24 auf beiden Langseiten mit gemauerten rinnenartigen Behältern für Erde zur Blumenzucht zu umgeben und die fehlenden Bäume auf die Hinterwand zu malen, wo sie (jetzt allerdings sehr zerstört) von zahlreichen bunten Vögeln belebt, die Aussicht zu erweitern und zu begrenzen schienen. Freilich gehört diese Ausschmückung des Gartens erst einer spätern Zeit, etwa der des dritten Decorationsstils an: ursprünglich hatte die durch weiße Pilaster getheilte Gartenwand einen rothen Sockel, der durch einen hell marmorirten vorspringenden Gurt von der gelben obern Fläche getrennt wurde. Zwei kleine Treppen *f* und *g* führen an den beiden Enden in diesen Garten; neben der einen derselben befindet sich am schmalen Ende der Cisternenbrunnen *h*; *k* ist eine kleine, inwendig blau ausgemalte Piscina. Das breite Ende des Gartens nimmt ein gemauertes Triclinium 25 ein; dasselbe war von einer Laube beschattet, wie die Restauration sie zeigt, was durch das Vorhandensein der Löcher für die Balken oder Latten der Decke und durch einen dieselben stützenden Pfeiler unwidersprechlich erwiesen ist. In der Mitte dieser gemauerten und bemalt gewesenen Ruhebänke steht noch der Fuß eines steinernen Monopodium, eines einbeinigen Tisches, dessen Platte allerdings zertrümmert ist. Ganz nahe neben der einen Bank des Triclinium und auf der Grenze der Laube finden wir an der Wand einen Altar *l*, auf welchen man die Libationen ausgoss; etwas weiterhin bei *n* sprang aus der Wand ein lustiger Strahl Trinkwassers aus der städtischen Leitung und lief über eine an den Seiten mit einem aufstehenden Rande versehene Marmorplatte in ein Becken im Boden, aus welchem es in nicht bestimmbarer Weise weitergeleitet wurde. Unter dem Säulengang und vor dem Zimmer 23 steht in der Nähe des Triclinium an der Wand ein kleiner Heerd *p*, dessen Bestimmung man in nichts Anderem zu suchen haben wird, als darin, die Speisen, die aus der Küche am andern Ende des Hauses gebracht wurden, und welche in freier Luft schnell abkühlen mussten, vor dem Auftragen auf den Tisch zu erwärmen und während des Essens zur zweiten Darbietung warm zu halten; ein Heerd unter dem Säulengang eines Hofes, dessen unbedeckter Theil ein gemauertes Triclinium enthält, findet sich auch in einem kürzlich ausgegrabenen Hause (VIII, 5, Südseite), obgleich dort die Küche ganz in der Nähe ist. Der an der linken Seite des Hauses sich hinziehende Theil des Gartens, 20′, mit einer Cisternenmündung *q*, war vermuthlich mit Pflanzen besetzt; auch an ihm entlang erstreckte sich ursprünglich die Säulenhalle, welche erst nachträglich zum Theil in die Zimmer 18 und 23, mit Fenstern auf den Garten, verwandelt worden ist.

Es entgeht wohl Niemandem die große Ähnlichkeit des Grundrisses der bisher besprochenen Theile mit dem der *casa del Chirurgo* (S. 279): hier wie dort fehlt der private, hintere, um das Peristyl gruppirte Theil des Hauses fast ganz. Und vielleicht war ursprünglich die Übereinstimmung noch größer, und war auch hier die schiefwinklige Fläche rechts vom Atrium und den anliegenden Zimmern zu Wirthschaftsräumen benutzt. In römischer Zeit hat man dann hier den vorher fehlenden privaten Theil des Hauses, ein kleines Peristyl mit Küche und einigen Zimmern, angelegt. Die eng gestellten dünnen und niedrigen achteckigen Säulen, die niedrigen Thüren, die zierlichen Male-

reien letzten Stils, in denen es auch an figürlichen Darstellungen nicht fehlt,
bilden einen eigenthümlichen Gegensatz zu den hohen und weiten Verhältnissen,
dem ernsten, Marmorbekleidung nachahmenden Wandschmuck der bisher besprochenen Theile. Dort ist alles auf Großartigkeit und Repräsentation, hier
auf Eleganz und Wohnlichkeit berechnet: die Wandelung der Zeiten und des
Geschmacks wird hier recht anschaulich. Ganz unbegründet ist die weit verbreitete Ansicht, welche hier ein *Venereum*, einen Ort für geheime Orgien
erkennt. Die Bilder, auf welche man sich dafür berufen hat und von denen
weiter unten die Rede sein wird, sind in ganz Pompeji, in Räumen jeglicher
Art, häufig genug angebracht, so dass aus ihnen gar nichts geschlossen werden
kann. Als vollständige Wohnung freilich konnten diese Räume nicht genügen,
da sie außer dem Säulenhofe nur eine Küche 36, ein großes Triclinium 35 und
zwei kleine Zimmer 33 und 34 enthalten, welche letztere beide wegen der großen
Fenster auf den Garten zu Winterschlafzimmern nicht geeignet waren; als
solche wurden ohne Zweifel die Zimmer am Atrium benutzt, während dieser
ganze Theil des Hauses hauptsächlich als Sommeraufenthalt dienen mochte. Wir
erwähnen noch, dass diese Räume nicht gleich in ihrer jetzigen Gestalt angelegt wurden: die beiden Zimmer 33, 34 sind erst nachträglich in das Peristyl
hinein gebaut worden, zu welchem dagegen früher das zweite Hinterzimmer
des Thermopoliums 5 gehörte, welches auch zum Winterschlafzimmer geeignet
war. Endlich hatte das Triclinium 35 damals auch rechts eine solche nischen-
oder alenartige Erweiterung wie noch jetzt bei *s*. Vor diesen Veränderungen
waren diese Räume im dritten, nach ihnen wurden sie im vierten Stil ausgemalt.

Der Eingang in diese Privatabtheilung des Hauses ist aus dem Atrium
durch einen Gang 29, der, wie die erhaltene Schwelle und Reste der Thürangeln
beweisen, am hintern Ende durch eine Thür geschlossen werden konnte. Von
dem Kämmerchen 30 neben diesem Gange kann man nur vermuthen, dass es
entweder als Vorrathskammer für Hausgeräthe oder, was wahrscheinlicher ist,
als Wachtzimmer für einen Sclaven diente. Durch den Gang also gelangt
man in das Peristyl 31, welches von neun achteckigen und rothbemalten Säulen
oder Pfeilern gebildet wird, die einen offenen Hofraum 32 mit einer umlaufenden Wasserrinne an drei Seiten umgeben. Da der Hofraum nicht gepflastert
oder mit sonst einem Fußboden bedeckt ist, darf man annehmen, dass er als
Blumengarten diente. An der Hinterwand des Peristyls, in welchem sich die
von Helbig unter No. 373, 493 und 1943 verzeichneten, nicht eben bedeutenden
Bilder finden, ist zu beiden Seiten des Hofraums je ein Zimmer 33 und 34,
welches durch ein Fenster vom Hofraum Licht erhielt und die Aussicht auf
die Blumen des Gärtchens hatte. Diese Zimmer sind mit Eleganz decorirt,
ganz besonders aber dasjenige rechts 34, in welchem sowohl der Fußboden als
der Sockel der Wände, letzterer mit Ausnahme des Platzes, wo an der Rückwand das Bett stand, mit Marmor getäfelt ist; hier fand man auch eine
Bronzestatuette in einer Nische der Wand *r*, und neben mehren bronzenen
ein goldenes Gefäß von 85 Grammen Gewicht und Münzen des Vespasian.
An der Hinterwand ist das noch an Ort und Stelle befindliche Gemälde: Ares
und Aphrodite (Hlbg. No. 319) angebracht, darunter Paris und Helena (Hlbg.

No. 1311) und in den Nebenfeldern schwebende Eroten (Hlbg. No. 746. 751). Die Wände des Peristyls schmücken andere Bilder in reicher architektonischer Umrahmung, die Hinterwand zwischen den Cabinetten das Bild des bestraften Aktaeon (Hlbg. No. 249 b), eines der größten Pompejis (4 × 3 M.), diejenige am Cabinet rechts Phrixos auf dem Widder, von welchem Helle hinten in das Meer gefallen ist (Hlbg. No. 1255) [133], die gegenüberliegende an dem Cabinet 33 Europa neben dem Stier durch die Wellen schwebend (Hlbg. No. 124), außerdem die von Helbig unter No. 1055, 429 und 465 näher beschriebenen Bilder. Rechts von dem Eingange ist ein großes Triclinium 35 mit einem jetzt fast ganz zerstörten schwarzweißen Mosaikfußboden, welcher die Stellung der Ruhebetten in seinen Figuren bezeichnet haben soll. Erkennbar ist als eine Nische in der rechten Wand s die Stelle für den Tisch, auf welchem die Sclaven die Speisen zerlegten, die bekanntlich ohne Hilfe von Gabeln genossen wurden. Gegenüber links am Ende des Peristylganges ist ein Raum 36, der die Küche, den Abtritt und die Treppe enthält. In der Küche wurde mancherlei ihrer Bestimmung entsprechendes Geräth von Bronze und Thon gefunden. Die Treppe führt zunächst auf die flache Decke des Peristyls, welche auf der Ost- und Südseite (links und oben auf dem Plan) eine Art großen Balcons oder ein *solarium* abgab, von welchem aus man wohl in die auf der rechten Seite des Atriums liegenden Räume des Oberstockes gelangte; dagegen war die nördliche Halle (unten auf dem Plan) mit einem schrägen Dache bedeckt. — Zum Schlusse sei noch bemerkt, daß nach sicheren Spuren in dem öffentlichen Theile auch dieses Hauses in alter Zeit, vielleicht von den ursprünglichen Bewohnern selbst, nachgegraben und das Meiste der beweglichen Habe weggenommen worden ist. In den privaten Theil, rechts, sind sie dagegen nicht eingedrungen, und hier fand man außer einigem schon angeführten Hausrath und ein paar unbedeutenden Bronzefigürchen auch noch eine merkwürdige Lampe mit zwölf Schnauzen, eine Art antiken Kronleuchters.

(No. 16.) Eine gewisse Ähnlichkeit des Planes mit dieser *Casa di Sallustio* zeigt die *Casa di Meleagro*, welche deshalb zunächst folgen möge; denn auch in diesem Hause ist die ganze private Abtheilung neben anstatt hinter die öffentliche gelegt. Im Übrigen zeigt diese von 1829—1831 ausgegrabene, an der Ostseite der vornehmen Mercurstraße belegene Wohnung (VI, 9, 2; No. 37 im Plane) beträchtliche Unterschiede von der eben betrachteten und bietet, ohne zu den größten zu gehören, in Anordnung und Schmuck der Gemächer eines der reizendsten Bilder des behaglichen und heitern Luxus, denen wir auf unserer Wanderung durch Pompeji begegnen. Und da nun auch die größte Mehrzahl der hier gefundenen Bilder publicirt ist, so dass man sich auch ohne an Ort und Stelle gewesen zu sein grade von der Decoration dieses schönen Hauses eine Vorstellung machen kann, so ist an ihm am wenigsten stillschweigend vorüberzugehn. Es ist in der Tuffperiode wesentlich in seiner jetzigen Gestalt auf der Stelle mehrer älteren Häuser erbaut worden; von der Wanddecoration jener Zeit ist aber nur ein geringer Rest in 10 erhalten, im übrigen zeigen sämmtliche Malereien den Stil der letzten Periode.

Wie die allermeisten Häuser der Mercurstraße, die man *Strada della signoria* zu taufen sich versucht fühlt, ist auch die *Casa di Meleagro* ohne

20*

Läden an der Straßenfront. Ihre Außenwand, in der man die Reste der
Bauart und des Gesteins der ältesten Periode erkennt, ist ganz mit Stucco
bekleidet, welcher im untern Drittheil wie graugestreifter Marmor gefärbt
und durch rothe Streifen in Felder getheilt, oberhalb weiß ist; außer der

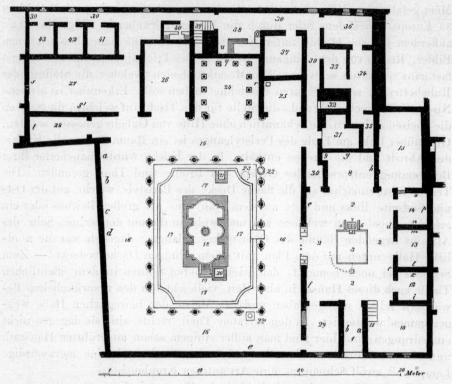

Fig. 168. Plan der *Casa di Meleagro*.

Hausthür wird dieselbe nahe bei der letztern nur von drei hoch angebrachten
Fenstern, zwei größeren und einem kleinen, durchbrochen, welche den Zimmern rechts und links vom unmittelbar an der Straße verschlossenen Ostium 1
Licht geben. Schon in diesem Ostium beginnt der Gemäldeschmuck; in
der Mitte der unten schwarz, darüber roth und oben weiß gegründeten, mit
reichen Grottesken geschmückten Wände finden wir einerseits in bester Erhaltung *a* Demeter, der Hermes einen Beutel in den Schoß zu legen im Begriff
ist (Hlbg. No. 362), andererseits *b* ein Bild, von dem das Haus seinen Namen
erhielt: Meleagros und Atalante nach Erlegung des kalydonischens Ebers im
Gespräche mit einander (Hlbg. No. 1163). Zu den Seiten außerdem noch
schwebende Figuren und im obersten Theile von Figuren belebte Grottesken.
Betreten wir das geräumige tuscanische Atrium 2, so fällt unser Blick zunächst
auf das mit Marmor ausgekleidete Impluvium 3, hinter dem ein marmorbekleidetes Postament 5 und über einer doppelten mit Marmor ausgekleideten viereckigen Vertiefung zum Kühlen von Flaschen u. dgl., 7, ein wohl erhaltener
Marmortisch 6 steht, dessen Füße durch die oft wiederkehrenden geflügelten

Löwen von eleganter Sculptur (Mus. Borb. VII, 28, 2) gebildet werden. Der Fußboden des Atrium ist von *opus Signinum* mit reichlichen eingelegten Marmorstücken, aber stark beschädigt; die Wände sind über dunkelrothem Sockel hauptsächlich schwarz gegründet und außer mit den gleich zu nennenden Bildern mit leichten Architekturen bemalt; darüber lag, jetzt zu Grunde gegangen, ein buntfarbiger Stuccosims. Von den Hauptbildern nennen wir: bei *c* ein auf Paris und Helena bezogenes, aber nicht sicher erklärtes und jetzt ausgehobenes Gemälde (Hlbg. No. 1386 *b*); bei *e* eine allegorische Darstellung der drei Welttheile des Alterthums (Europa, Asien und Afrika, Hlbg. No. 1113, ausgehoben), bei *d* folgt eine größtentheils zerstört aufgefundene und jetzt vollends zu Grunde gegangene Darstellung von Daedalos, welcher der Pasiphaë die hölzerne Kuh bringt (Hlbg. No. 1208), und bei *f* Hephaestos, welcher der Thetis die für Achill geschmiedeten Waffen zeigt (Hlbg. No. 1317, ausgehoben). Am Sockel finden wir, links noch jetzt erhalten, auf Meerthieren reitende Nereïden, dergleichen an derselben Stelle auch noch in anderen Theilen dieses Hauses wiederkehren.

Das Tablinum 8 hat einen ähnlichen Fußboden wie das Atrium, mit in regelmäßigen Figuren eingelegten Marmorstückchen. In 9 sehn wir eine aus der linken Seitenwand des Tablinum herausgebaute Nische; in derselben sind noch jetzt die Spuren eines hier angebracht gewesenen hölzernen Schrankes mit mehren Brettern wahrnehmbar. Die Decoration des Tablinum, von welcher die Abbildung der hintern Wand *g* im Mus. Borb. X, 37 eine Vorstellung geben kann (gelbe Felder, getheilt durch leichte Architekturen auf weißem Grunde, wie sie vermuthlich auch im obern Wandtheil angebracht waren), ist besonders durch einen theils gemalten, theils aus Stuccorelief bestehenden, aber jetzt entfernten oder zu Grunde gegangenen Fries, das einzige Beispiel eines solchen in Pompeji, ausgezeichnet und trug außerdem auf der Wand rechts bei *h* eine Darstellung von Ares und Aphrodite (Hlbg. No. 318, ausgehoben); das Gemälde der linken Wand enthielt wahrscheinlich die bei Helbig 132 verzeichnete, ebenfalls entfernte Darstellung von Argos mit Io; am Sockel setzen sich die Nereïden auf Seethieren fort. Von den übrigen das Atrium umgebenden Zimmern giebt sich dasjenige rechts neben dem Eingange 10 unzweifelhaft als Vorrathsraum zu erkennen, in welchem zugleich die Treppe 11 liegt; denn in seinen einfach weißen Wänden finden wir in zwei über einander liegenden Reihen von viereckigen Löchern die sicheren Spuren hier befestigt gewesener ringsumlaufender Brettgestelle, und von den hier bewahrt gewesenen Geräthen und Gefäßen sind wenigstens einige nach den Ausgrabungsberichten (*Pomp. ant. hist.* II, ii, p. 229 und III, i, p. 102) aufgefunden worden. So schmucklos dies Zimmer ist, so hübsch decorirt sind die drei kleinen Cubicula rechts am Atrium, 12, 13 und 14. Das erste derselben hat über schwarzem Sockel rothe Wände mit weißem obern Theil und außer reichen Grottesken mit mancherlei Figuren in seinen drei Wänden kleine aber hübsche Bilder gehabt, von denen die beiden auf den Seitenwänden ausgehoben sind: bei *i* die wohl kaum mythisch zu fassende Mahlzeit eines Mannes und einer Frau (Hlbg. No. 1448 *b*), gegenüber bei *k* den schlafenden Ganymedes, zu welchem Eros den in einen Adler verwandelten Zeus heranführt (Hlbg. No. 154); das Bild in der Hinter-

wand ist an Ort und Stelle geblieben, aber zerstört. No. 13 hat sehr schöne
grüne Wände mit rothem Sockel und weißem obern Theil, wiederum mit
reichen Grottesken und schwebenden Eroten, und trug auf seinen beiden
Seitenwänden rechts bei *l* eine schöne auf einem Lehnstuhl sitzende Frau, der
Eros ein geöffnetes Schmuckkästchen darbietet, wohl nicht mythisch (Hlbg.
No. 1430, zerstört), gegenüber bei *m* ein obscönes, nicht publicirtes, im Museum befindliches Bild (Hermaphrodit und Panisk, Hlbg. No. 1371). Endlich
hat No. 14 auf rothen Wänden alle drei Bilder an Ort und Stelle, aber völlig
zerstört: bei *n* Leda mit dem Schwan (Hlbg. No. 149), bei *o* Herakles mit seinem
Söhnchen Telephos auf dem Knie, welcher der Hirschkuh, die ihn gesäugt
hat, einen grünen Zweig darbietet (Hlbg. No. 1144), endlich bei *p* eine der
oft wiederholten Darstellungen einer angelnden Schönen (Hlbg. Nr. 355). Die
Spuren der Thürangeln sind in den Schwellen aller dieser Zimmer erhalten.

Rechts neben dem Tablinum liegt ein geräumiges Zimmer 15, welches
gelbe Wände über rothem Sockel, aber keine Hauptbilder auf den großen
Flächen hat. Seine Form ist die eines Tricliniums; eigenthümlicher Weise
war die linke Wand durch Holzpfosten, an welche der Stuck hinangestrichen
war, in zwei größere (in der Mitte) und zwei kleinere Abschnitte getheilt; der
Fußboden besteht aus *opus Signinum*; man fand hier (s. *Pomp. ant. hist.* III, I,
p. 103 und 105) ziemlich reichliches Bronzegeschirr, zwei Kessel, einen Candelaber, eine Schale, ein Ölgefäß, ein Sieb, ein kleines silberbeschlagenes
Altärchen (wohl zum Verbrennen von Räucherwerk) u. dgl. m. Fin Fenster,
welches dies Triclinium mit dem Zimmer No. 14 verbindet, mag zum Hin-
einreichen der Speisen gedient haben, so dass die Thür während des Mahles
geschlossen bleiben konnte.

Indem wir die Fauces (30) links neben dem Tablinum und alle jene Räume,
zu denen dieser sehr lange Gang in seinem Verlaufe führt, einstweilen übergehn, wenden wir uns der in der linken Wand des Atrium befindlichen breiten
Thür zu, durch welche wir das schöne und große Peristylium 16 und den privaten Theil des Hauses mit seinen zum Theil überaus prachtvollen Gemächern
betreten. Die erwähnte Thür war eine vierflügelige, welche in sich zusammen-
geschlagen fast nur die Dicke der Wand bedeckte und einen sehr stattlichen
Durchgang und Durchblick in das Peristyl gestattete. Dies luftige Peristyl
bildet einen 3,50 bis 4 M. breiten Umgang um das Viridarium 17 mit der
Piscina 18 in der Mitte; vierundzwanzig unten nicht cannellirte und roth bemalte, oben cannellirte und weiße Säulen phantastischer Ordnung auf runden
Basen und mit flachem Capitell umgeben das Viridarium. Die Intercolumnien
konnten mit Gardinen verhängt werden; die Haken, an welchen man die
Schnur befestigte, vermöge deren diese Gardinen gezogen wurden, sind in
dem Fußende einiger Säulen an der linken und hintern Seite (vor 24 und 26)
erhalten. Durch diesen Apparat, dem man übrigens in mehren anderen großen
Peristylien und Atrien wieder begegnet, muss dieser weite, farbenglänzende,
schattige und doch lichte Peristylumgang zu einem wahrhaft reizenden Aufent-
halte geworden sein. Von den Pflanzungen im Viridarium sind die Wurzeln
bei der Ausgrabung noch aufgefunden worden. Die Piscina in seiner Mitte ist
1,20 M. tief, von mannichfaltigem Planschema, wie unsere Figur zeigt, und

innen mit lebhaft azurblauem Stucco bekleidet, welcher dem Wasser eigenthümlich schöne Reflexe mitgetheilt haben muss; ein Springbrunnen in der
Mitte der Piscina ist fast genau so eingerichtet gewesen, wie derjenige im
Hause des Holconius, und besteht aus einer Säule, welche eine jetzt größtentheils zerstörte Tischplatte trägt, auf welche das aus einer darauf liegenden
Säulenbasis emporspringende Wasser plätschernd wieder herniederfiel. Ein
zweiter Strahl rieselte von einem Brunnenuntersatz 19 mit acht Stufen, auf
dem vermuthlich eine Figur stand, in die Piscina, eine Einrichtung, der wir
sehr oft in Pompeji begegnen. Mit 20 ist ein neben dieser Brunnentreppe
befindlicher, mit der Piscina durch ein Rohr verbundener Wasserbehälter bezeichnet, der zur Aufbewahrung von Fischen oder auch zum Kühlen von
Getränken gedient haben mag; bei 21 befindet sich ein ähnlicher kleinerer,
bei 22 das Puteal der Cisterne, bei 22′ eine zweite Öffnung der Cisterne ohne
Puteal, mit einem Lavadeckel, und 23 bezeichnet ein großes thönernes Gefäß,
welches nur zufällig da gestanden hat, wo wir es sehn, und in welchem ein
reichlicher Vorrath von Gypsstucco aufgefunden worden ist, worin man einen
Beweis dafür zu finden meint, dass dies Haus bei der Verschüttung in
Reparatur war. Die schwarzen Wandfelder werden getrennt durch lebhaft
gefärbte leichte Architekturen auf weißem Grunde, welche auch den obern,
ebenfalls weißen Wandtheil erfüllen. In den schwarzen Feldern sind nicht
weniger als achtzehn Bilder angebracht, von denen aber nur noch fünf an
Ort und Stelle sind, nämlich bei *a* Aphrodite, welche, einen Speer in der
Linken haltend, eine Kette aus einem ihr von Eros dargebotenen Kästchen
nimmt (Hlbg. No. 303, beschädigt, aber nicht zerstört), bei *b* Silen in
felsiger Gegend gelagert, dem ein Knabe (Satyr?) ein Trinkhorn bringt (Hlbg.
No. 419), bei *c* Narkissos (Hlbg. No. 1344), bei *d* Dionysos und ein Knabe
(Hlbg. No. 401), endlich an der westlichen Wand bei *e* Silen sitzend, welcher
in beiden Händen das fröhlich nach einer ihm von einer Nymphe dargebotenen Traube greifende Dionysoskind emporhebt (Hlbg. No. 377). Von den
entfernten Bildern, deren Ort sich nicht genauer bestimmen lässt, seien in
Kürze noch genannt: Adonis (Hlbg. No. 337), Pan und Eros (No. 406), Satyr
und Knabe (No. 441), Satyr und Mädchen (No. 545), Hymenaeos (No. 855),
Perseus und Andromeda (No. 1202), Ariadne (No. 1227), Thetis (No. 1320),
und wahrscheinlich noch Apollon und Daphne (No. 214). Am Sockel treten
außer Pflanzen wiederum Nereïden auf Meerungeheuern reitend hervor.

Von den das Peristyl umgebenden Gemächern ist weitaus das bemerkenswertheste der schöne Oecus Nr. 24. Derselbe öffnet sich ohne jeden Verschluss
gegen das Peristyl zwischen zwei Halbsäulen und zwei mit seiner innern
Säulenstellung gekoppelten Säulen von der Stärke und Höhe derer im Peristyl. In seinem Innern wird er an drei Seiten, die ersten gekoppelten mit
gezählt, von zwölf dünneren und niedrigeren Säulen umgeben, welche höchst
wahrscheinlich eine Gallerie trugen, zu der die Treppe 39 hinaufgeführt hat.
Diese Gallerie stützte sich auf flache Bogen, deren Ansätze an den Capitellen
nachweisbar sind und deren einer probeweise neuerdings restaurirt worden ist.
Wir können dies schöne Speisezimmer als korinthischen Oecus bezeichnen,
wenn es auch der Beschreibung des Vitruv (VI, 5) nicht ganz genau entspricht,

und wir von dem Verhältniss der Säulen zur Decke, bei dem Fehlen der oberen
Theile, keine sichere Vorstellung haben. Dass das Leben und sein wechselndes
Bedürfniss, dass Lust und Laune des Bauherrn und Architekten sich an die
starre Norm nicht band, lehrt uns ganz Pompeji wieder und immer wieder.
Sehr merkwürdig ist ferner die Thatsache, dass die gesammte Decoration in
diesem Saale einfarbig in Gelb gemalt ist. Von den ebenfalls einfarbigen
Hauptbildern sind zwei erhalten, bei *q* Theseus, nach Erlegung des Minotauros
mit Ariadne im Gespräch (Hlbg. No. 1215) und bei *r* eine noch nicht genügend erklärte Vorstellung, in welcher ein Satyr ein Mädchen mit einer um
einen Stab gewundenen Schlange zu schrecken scheint (Hlbg. No. 541). Der
Fußboden ist von weißem Mosaik mit schwarzen eingelegten Ornamenten.

Von den beiden Exedren, welche diesen Oecus rechts und links umgeben,
ist diejenige rechts No. 25 auffallend einfach: die Wände sind ganz weiß, aber
sorgfältig geglättet und oben durch einen schönen Stuccocarnies abgeschlossen;
der Fußboden ist mit Mosaik belegt; man fand hier (s. *Pomp. ant. hist.* a. a. O.
p. 107) außer einer Wage, einem Kessel, einem Siebe und anderen Sachen
die Fragmente des bronzenen Beschlages eines Ruhebettes (*lectus tricliniaris*).
Die größere Exedra links No. 26 hat ihren vollständigen und sehr reichen
Wandschmuck erhalten, welcher der Hauptsache nach aus phantastischen
Architekturen mit schwebenden Figuren auf den roth und blau gegründeten und zum Theil wie aufgespannte Tücher behandelten Feldern besteht;
von den Hauptbildern sind die der Seitenwände zerstört, erhalten das der
Rückwand, welches Marsyas (Hlbg. No. 227) darstellt. Am Sockel abermals
Nereïden auf Meerthieren (Hlbg. No. 1031. 1035. 1038. 1039), dies Mal aber
schön und in natürlichen Farben ausgeführt, außerdem nicht uninteressante
Atlanten, welche stehend und kniend den Carnies des Sockels zu tragen
scheinen. Das größte Gemach dieses Hauses ist das Triclinium No. 27,
welches sich sowohl gegen das Peristyl wie gegen den zur Küche führenden
Gang öffnet und vermuthlich durch ein Fenster bei *s* von dem dort anstoßenden
offenen Hofe erleuchtet wurde. Seine Decoration — schwarze und rothe
Felder, dazwischen Durchblicke auf bunte phantastische Architekturen — ist
sehr reich, und auch hier haben wir bei der Zerstörung einiger anderen (außer
schönen schwebenden Figuren) wenigstens einige mythologische Hauptbilder
zu bemerken, bei *s* ein Parisurteil (Hlbg. No. 1285) und bei *s'* Paris sich
rüstend, wie man meint (Hlbg. No. 1313). Am Sockel der Langwände liegende
weibliche Figuren, an dem der Schmalseite telamonenartige Satyrfiguren,
welche aber hier, leicht dahinschreitend, nur mit einer Hand den Carnies
stützen. Der Fußboden besteht auch hier und in 26 aus schwarzweißem
Mosaik.

Links an dieses Speisezimmer grenzt ein geräumiges Cubiculum 28, wir
dürfen wohl vermuthen dasjenige des Hausherrn; es erhielt wahrscheinlich Licht
durch ein Fenster über der Thür. Die Decoration zeigt auf rothen Wänden
bei schwarzem Sockel und weißem obern Theile zierliche Grottesken, auf
seiner Hinterwand bei *t* ein anmuthiges Genrebild, eine schöne Dame, an
deren Knie sich Eros, schalkhaft plaudernd, vertraulich anlehnt (Hlbg. No.
1429, ausgehoben), während die Bilder beider Langwände an Ort und Stelle

zu Grunde gegangen sind. Der Fußboden aus *opus Signinum* zeigt ein mit kleinen Steinen eingelegtes Muster. Endlich haben wir noch eines an der entgegengesetzten Ecke des Peristyls gelegenen Zimmers 29 Erwähnung zu thun, welches sich freilich auch gegen das Atrium öffnet, allein zum Peristyl durch ein breites Fenster neben der Thür einen noch bestimmtern Bezug hat. Die hellblauen Wände über rothem Sockel und mit weißem obern Theile sind reich mit architektonischen Ornamenten, schwebenden Figuren und mythologischen Bildern bemalt, von welchen letzteren wir eines (Hlbg. No. 205, der es irrig in das Peristyl setzt) hervorheben, welches Apollon mit einem nicht benennbaren Geliebten darstellt; der Fußboden besteht aus schwarzem Mosaik mit weißem Rande. Für ein *triclinium fenestratum* erscheint das Zimmer zu klein; wir können in Betreff seiner Bestimmung nur sagen, dass es, nach Norden geöffnet, einen angenehmen Sommeraufenthalt bieten musste.

Es bleibt nur noch übrig, einen Blick in die Wirthschaftsräume dieses stattlichen Hauses zu werfen, die sämmtlich an dem Gange 30 liegen, welcher neben dem Tablinum 8 beginnt und rechtwinkelig umbiegend an der von mehren Fenstern durchbrochenen Hinterwand des Hauses hinläuft; an seinem Ende ist er antik vermauert; einst aber mündete er auf einen von der hintern Straße, dem *Vico del Fauno*, zugänglichen Hof, der also in einer frühern Periode zum Hause gehört haben muss. Verfolgen wir ihn in diesem seinem Verlaufe, so begegnen wir zuerst einem überwölbten Zimmer 31 mit zwei Bettnischen; nach seinen sehr geringen Malereien auf weißem Grunde zu schließen, war es in der letzten Zeit von Sclaven bewohnt; doch deutet der sehr gute schwarz-weiße Mosaikfußboden darauf, dass es einst eine andere Bestimmung hatte. Hinter diesem liegt in 32 eine die Treppe ersetzende geneigte Rampe, welche in den obern Stock führte, dessen Zimmermauern zum Theil über denen des Erdgeschosses erhalten sind. Wir verzichten darauf, die vier Räume 33—36 genauer zu benennen und erkennen in ihnen nur Wirthschaftsräume unbekannter Bestimmung. Das erste Zimmer links an dem zweiten Flügel des Ganges, No. 37, können wir als Sclavencubiculum betrachten, obgleich es einen freilich sehr gewöhnlichen Mosaikfußboden hat. Nun folgt die Küche 38 mit leidlich erhaltenem gemauerten Heerd und einer Cisternenmündung. Über dem Heerde bei *u* fand sich noch ein Gemälde, welches (Hlbg. No. 37), obwohl es in der Hauptsache nur die vielbekannten heerd- und hausbeschützenden Genienschlangen darstellt, dadurch sehr merkwürdig ist, dass es diese um einen nabelförmigen Stein gewunden zeigt, in welchem ein uraltes Symbol der Göttin des Hauses, Hestia oder Vesta nachgewiesen ist [134]. Von der Treppe 39 zur Gallerie des Oecus ist bei diesem bereits gesprochen; an dem Abtritt 40 gehn wir stillschweigend vorüber, und von den kleinen und schmucklosen Zimmern 41, 42 und 43 ist nichts zu sagen, als dass sie wahrscheinlich Sclavencubicula für die in einem so vornehmen Hause natürlich zahlreiche Dienerschaft gewesen sind. — Von den in diesem Hause bei der Ausgrabung gefundenen Gegenständen sind einige schon bei den einzelnen Gemächern genannt worden; der Rest, mannichfache Geräthe und Gefäße, Thürangeln, Thürbeschläge und Beschläge von allerlei Mobilien, Glas- und Thongefäße u. dgl., welche in den Tagebüchern (*Pomp.*

ant. hist. Vol. II, ɪɪ, p. 214 ff., III, ɪ, a. d. a. O.) verzeichnet sind, verdienen eine Einzelerwähnung an dieser Stelle nicht.

(No. 17.) Wenden wir nun unsere Aufmerksamkeit einem Hause zu, welches durch die Fülle der in demselben gefundenen Gegenstände zu den interessantesten der Stadt gehört. Es ist dies das 1847 vom März bis Juni

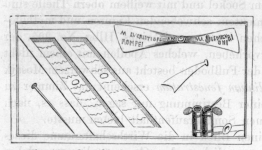

ausgegrabene, an der *Strada stabiana* belegene Haus des M. Lucretius (IX, 3, 3; No. 109 im Plan), welches seinen Namen einem etwas verschiedenen Umstande verdankt, als andere Häuser in Pompeji; nicht an dem Hausthürpfeiler fand man nämlich den Namen Lucretius, sondern auf einem Gemälde in einem Cabinet (20) am

Fig. 169. Gemälde im Hause des Lucretius.

Peristyl. Dies Gemälde (Fig. 169) stellt Schreibzeug dar, ein Tintenfass, Falzbein, eine offene Tafel, den Schreibstift und endlich einen Gegenstand, den man für einen geschlossenen und adressirten Brief hält. Die Adresse: M LVCRETIO FLAM · MARTIS DECVRIONI POMPEI [*s* oder *ano*] zu Deutsch: »An Marcus Lucretius, den Priester des Mars und Decurionen in

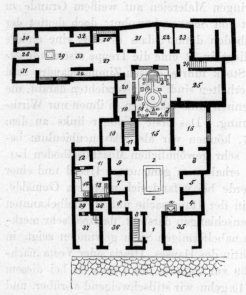

oder von Pompeji« hat man auf den Hausbesitzer bezogen. In den Ausgrabungsberichten und einigen älteren Schriften führt dies Haus nach einem Gemälde in demselben den Namen der *Casa delle suonatrici*; was, um Irrthümer zu vermeiden, bemerkt werden muss[135]). Das Haus zeigt durchaus die Construction der spätern römischen Zeit, nur die Vorderseite des Nebenatriums (28, 30, 31) ist älter; die Decoration gehört ganz der letzten Periode an. Der Plan bietet nicht viele, aber immerhin einige Besonderheiten, die es der Mühe werth machen, denselben im Einzelnen zu betrachten. Der Flächenraum des Areals ist unregelmäßig und umschließt auf der linken Seite ein

Fig. 170. Plan des Hauses des Lucretius.

kleines fremdes Haus, dessen Plan in Fig. 170 unterdrückt ist; zugleich aber hat dies Areal eine nicht unbeträchtliche Steigung von der Straße nach hinten, so dass das Atrium höher liegt als der Fußweg der Straße, und der Garten oder Xystus wieder ganze acht Stufen in den Fauces höher als das Atrium. Deswegen führt das 4,80 M. lange und mit weiß und schwarzem

Mosaik gepflasterte Ostium 1 hinter einem nur etwa 1,20 M. tiefen Vestibulum ziemlich rasch aufwärts in das tuscanische Atrium 2, vorbei an einer *cella ostiarii* 3, welche zugleich eine Treppe in das obere Gemach enthält. Schon das Ostium ist mit Gemälden geziert, und zwar, selbst abgesehn von den rein decorativen Malereien, mit bedeutenderen als sich sonst gewöhnlich in Pompeji an dieser Stelle finden; namentlich ist eine Komoedienscene (Hlbg. No. 1469) hervorzuheben und sind die musicirenden Bakchantinnen (Hlbg. No. 482. 1919. 1945) zu erwähnen, von welchen das Haus bei der Ausgrabung, wie schon erwähnt, den Namen *delle suonatrici* erhielt. Das mit einem weißen Mosaikfußboden versehene, 8,36 × 9,7 M. große Atrium ist zunächst dadurch merkwürdig, dass es kein Impluvium hat, während eine gemauerte Wasserrinne durch dessen ganze Tiefe und unter dem Fußboden des Ostiums, sowie der Schwelle und dem Trottoir hindurch auf die Straße führt. Doch sind Spuren eines ältern Impluviums vorhanden, welches vermuthlich in kostbarem Material erneuert werden sollte, so dass die erwähnte Rinne nur als eine provisorische Aushülfe zu betrachten ist. Die Wände sind über einem Sockel, welcher verschiedene Marmorarten nachahmt, blau gegründet und mit Grottesken bedeckt, innerhalb deren Tritonen, Nereïden u. a. Seewesen gemalt sind; der Fries bestand aus vergoldetem Stucco und ist bei der Ausgrabung in vielen Stücken in der Verschüttungsmasse gefunden worden. An ungewöhnlicher Stelle und in ungewöhnlicher Gestalt, aber ähnlich der in dem Hause No. 117 im Plane (S. 268), finden wir hier gleich rechts vom Eingange bei *a* die mit farbigem Stucco reich verzierte Larennische, deren Giebel von zwei Säulen getragen wurde, deren Stellen wenigstens noch erkennbar sind. Man fand hier drei Figürchen von Bronze.

Vier Cubicula, 4, 5, 6, 7 gruppiren sich zunächst um das Atrium, alle auf's reichste bemalt, und zwar alle vier auf weißem Grunde, der das nicht besonders helle Licht in diesen Zimmern hebt, welche vermuthlich wie in der *Casa di Meleagro* durch Fenster über den Thüren, auch wenn diese verschlossen waren, erleuchtet wurden. Ähnlich sind einander in den vier Cubiculis auch die architektonischen leichten Umrahmungen der Haupt- und Nebenbilder; im Übrigen ist die größte Mannichfaltigkeit vorhanden. Das Zimmer No. 4 hat auf jeder Wand als Nebenbilder kleine Genien oder Eroten, die mit Waffen spielen (Hlbg. No. 624), rechts als freilich sehr kleines, aber feingemaltes Mittelbild Selene und Endymion (Hlbg. No. 950), einen oft und in sinniger Weise behandelten Gegenstand, an der Mittelwand Achill vom Kentauren Cheiron im Leierspiel unterwiesen (Hlbg. No. 1294, sehr zerstört), ebenfalls ein in Pompeji und in Herculaneum wiederkehrender Gegenstand. Auf der dritten Wand links stellt das Mittelbild eine Nereïde auf einem Seepferd dar (Hlbg. No. 1029). An dem obern Theile der rechten und linken Wand sind noch die Musen Melpomene und Thalia gemalt (Hlbg. No. 876. 880). — Eine Nereïde auf einem Delphin reitend (Hlbg. No. 1037) bildet auch den ersten Hauptgegenstand rechts in dem Zimmer No. 5, dessen übrige Bilder, ein Kyparissos (Hlbg. No. 219) und ein Polyphem mit Galatea (Hlbg. No. 1051) stark gelitten haben, so dass ihre Deutung nicht ohne Bedenken ist und dass mit Sicherheit nur noch in den Nebenfeldern außer zwei schwebenden Satyrfiguren

vier Bildchen erkannt werden können, welche mit Thieren spielende Genien
darstellen (Hlbg. No. 778. 792. 845), in einer obern Reihe links ein, wie es
scheint, allegorisches Bild, in dem die Personification Afrikas mit einer Ele-
phantenexuvie auf dem Kopf (Hlbg. No. 1116) erkannt wird, rechts eine Frau
mit Fruchtschale, in der Mitte eine solche mit einem Füllhorne, außerdem sechs
Genien. In diesem Zimmer wurde ein 1 M. hoher Candelaber gefunden.

Auch in dem Zimmer No. 6 sind nur zwei Bilder außer den Decorations-
malereien vorhanden, das eine, an der Hinterwand, derb obscön, Faun und
Nymphe darstellend (Hlbg. No. 562), das andere links (ausgehoben) den so
vielfach wiederholten Narkissos, der sich im Quell bespiegelt (Hlbg. No. 1354),
das dritte rechts stellt Aphrodite mit Eroten dar (Hlbg. No. 820 *b*). Unter den
Decorationen in den oberen Reihen kehren Mädchenfiguren mit verschiedenen
Attributen wieder (Hlbg. No. 932. 1798 *b*. 1820. 1947). Endlich das Zimmer
No. 7 enthält an der untern Abtheilung seiner Wände eine Reihe kleiner
Gemälde bald in rundem, bald in viereckigem Rahmen, unter denen rechts
ein Polyphem, der Galateas Brief empfängt (Hlbg. No. 1049), in der Mitte eine
angelnde Frau (Hlbg. No. 354) und links (jetzt ausgehoben) eine Darstellung
von Phrixos auf dem Widder, von dem Helle in's Meer stürzt (Hlbg. No. 1253);
zu nennen ist, beides mehrfach wiederholte Gegenstände. Die Rundbilder
zeigen die Brustbilder der Aphrodite mit Eros (Hlbg. No. 277) und diejenigen
des Zeus (Hlbg. No. 99, sehr zerstört) und der Hera (Hlbg. No. 159), beide
einander entsprechend an der Eingangswand. In der obern Abtheilung der
Hinterwand ist eine Nike mit Kranz und Palme auf einem Zweigespann gemalt
(Hlbg. No. 939), an den Seitenwänden finden wir Thierstücke (Hlbg. No. 1521.
1588). Darüber Mädchen auf Globen stehend (Hlbg. No. 453. 471), sowie
an der Hinterwand seitwärts weibliche Genien (Psychen) mit Schmetterlings-
flügeln (Hlbg. No. 830).

An der gewöhnlichen Stelle liegen im Verfolge der Gemächer um das
Atrium die Alae 8 und 9. In der Ala rechts No. 8 sind über einem Sockel,
der weißen, leichtgeaderten Marmor nachbildet und einer rothen Borde mit
Meerungethümen auf hauptsächlich gelbem Grunde, der hie und da roth geworden ist, die Stellen von sieben ausgehobenen Bildern, die wir in Neapel
zu suchen haben (Hlbg. No. 1455. 1458. 647. 835. 839. 840). Der eine
Stufe über das Atrium erhobene Fußboden ist von weißem Mosaik mit
schwarzen Linien. Bei der linken Ala No. 9, unter deren Bildern eine bessere
und eine schlecht erhaltene Komoedienscene (Hlbg. No. 1466. 1474) hervorzuheben sind, und deren Fußboden nur aus *opus Signinum* besteht, kehrt
ein Umstand der Anlage wieder, den wir im Hause des Sallust gefunden
haben, dass nämlich dieselbe nach hinten nicht geschlossen ist, sondern
einen Durchgang bildet, dort nur zur Treppe des obern Stockwerks, in
dem vorliegenden Falle zu mehren Räumen, welche den Bedürfnissen des
Haushalts dienten. Und zwar öffnet sich die Ala einerseits in ein dunkeles
und durchaus ungeschmücktes Gemach 10, welches nur Vorrathskammer gewesen sein kann, andererseits nach hinten auf den gemeinsamen Vorplatz 11
des für zwei Personen eingerichteten Abtritts 13 und der durch Fenster aus
dem Raume 39 dürftig, besser vielleicht durch Oberlicht erleuchteten Küche

14, in der man den Heerd, auf dessen einem Ende ein kleiner Backofen steht, und den Ausgussstein für das gebrauchte Wasser nebst verschiedenem Küchengeräth fand, und endlich der Speisekammer 12, welche nur durch ein Fenster von der Küche aus dürftig erleuchtet war.

Das Tablinum 15 im Hintergrunde des Atriums, über dessen Fußboden sich auch dieses um eine Stufe erhebt, ist sowohl durch seine elegante Decoration wie durch einen besondern Umstand merkwürdig und bedeutend. Der Fußboden besteht aus weißem, mit schwarzen Linien eingefasstem Marmormosaik, welches sich um ein Mittelstück von farbigen Marmorplatten und eine dasselbe einfassende bunte Mosaikborde legt. Die Wände sind mit reichen Architekturen verziert, die jederseits einen viereckigen, vertieften, leeren Raum einrahmen, über dessen Bedeutung man bis auf den heutigen Tag noch nicht ganz im Reinen ist. Nach der gewöhnlichen Ansicht waren in diese leeren Räume Bilder auf Holz eingelassen, die man aber schon im Alterthum entfernt hätte, und es gehört grade dies Beispiel zu den hauptsächlichen Beweisen für die Annahme, als hätten die Alten fertige Temperabilder auf Holztafeln in die Wände eingelassen. Allein die genauere Untersuchung durch Donner (Einleitung zu Helbigs Wandgemälden S. cxxvi) ergiebt, dass, obwohl ohne Zweifel Holz in diesen jetzt leeren Räumen befestigt gewesen ist, dieses, von dessen Kohle sich noch Spuren im Verputz fanden, weder von den Alten entfernt worden ist noch füglich als Bildtafel gedient haben kann, ohne dass es möglich wäre, eine bessere Vermuthung aufzustellen. Die Decke des Tablinum war von Stucco, und zwar zeigen die reichlich aufgefundenen Fragmente derselben farbige Cassetten mit vergoldeten Rosetten im Centrum.

Das große Gemach 16 rechts vom Tablinum, von 6,40 zu 5,70 M. Grundfläche, welches, weil ein Eingang von hinten wegen der Niveauunterschiede unthunlich war, mit einem weiten Eingange gegen die rechte Ala geöffnet ist, scheint ein Wintertriclinium (*triclinium fenestratum*) gewesen zu sein, dessen Vorhandensein im Vorderhause durch die Lage der Küche (No. 14) in demselben in so fern bedingt wird, als zu dem einzigen Gemach rechts vom Xystus, welches noch ein Triclinium gewesen sein kann, der Weg von der Küche übermäßig weit erscheint. Sein Licht empfängt es durch das große niedrig anhebende Fenster in der linken Wand, welches auf den Garten hinausgeht, und zwei höher an der rechten Wand angebrachte, welche sich über die Dächer der angrenzenden Läden erheben. In ihm fand man die Reste einer um seine drei Wände umlaufenden Ruhebank, eines überaus kostbaren Möbels, da seine acht gedrechselten hölzernen, mit einer eisernen Stange im Centrum in den Boden befestigten Füße mit getriebenem Silber überkleidet waren. Die Decoration dieses Zimmers ist, solchem Luxus entsprechend, überaus kostbar und vortrefflich; der Fußboden ist mit weiß und schwarzem Mosaik im Maeandermuster bedeckt, die Wände enthielten außer dem hier wie überall die Hauptbilder umrahmenden architektonischen Ornament und sechs kleineren trefflichen aber ausgehobenen Bildern von Eroten und Psychen (Hlbg. No. 757. 759. 760. 766. 767. 768), drei große Bilder mit fast lebensgroßen Figuren, von denen zwei in das Museo nazionale gebracht sind. Das erste derselben stellt Herakles bei Omphale dar (Hlbg. No. 1140), das zweite den Knaben

Bakchos auf stierbespanntem Wagen von seinem Gefolge umgeben (Hlbg.
No. 379), und das dritte (Hlbg. No. 565) die Errichtung eines Tropaeon durch
bakchische Figuren, aber nicht Dionysos selbst, obgleich das Bild wohl auf
den indischen Sieg des Gottes bezüglich ist. Diese drei Bilder, welche zu den
bedeutendsten und schönsten von Pompeji gehören und uns im artistischen
Theile noch beschäftigen werden, sind nicht, wie man wiederholt gesagt hat,
fertig in die Wände eingelassen worden, sondern, wie das auch bei anderen
Bildern der Fall ist, auf eigens für sie eingeputztem Stuck an Ort und Stelle
a fresco gemalt.

Links vom Tablinum sind die Fauces 17, welche sich dadurch von sonstigen unterscheiden, dass sie, wie schon erwähnt, eine achtstufige Treppe in
das Peristyl enthalten. An dem Theile vor dem Beginn der Treppe sind die
Wände dieses Ganges mit zwei erwähnenswerthen Bildern geschmückt (Hlbg.
No. 111 und 167), welche die Masken (links) des Zeus und (rechts) der Hera
nebst Adler und Weltkugel bei jenem und dem Pfau bei dieser darstellen.
Auf der Treppe fand man ein Gerippe und rechts liegt auf ihr das Bleirohr,
welches dem Springbrunnen im Peristyl das Wasser zuführte. Der Peristylhof
18. wird an zwei Seiten von Pfeilern umgeben, welche durch Brüstungsmauern
mit ein paar Eingängen verbunden werden, während das Tablinum 15 an die
dritte und eine Exedra oder ein Oecus 25 an die vierte Seite grenzt. Auf den
Eckpfeiler links ist ein jetzt ausgehobenes Labyrinth nebst der Inschrift:
Labyrinthus. Hic habitat Minotaurus (abgeb. Mus. Borb. XIV, tav. *a*) sehr roh
mit einem scharfen Griffel in die Tünche eingeritzt gewesen. An der Stelle des
linken Peristylganges finden wir ein kleines Zimmer 19 und einen halboffenen
Raum 20, und in ersterem, gegenüber dem Fenster auf den Peristylhof, ein
auf Paris und Helena bezügliches, schlecht erhaltenes Bild (Hlbg. No. 1312),
während in dem zweiten das oben Fig. 169 mitgetheilte Bild gefunden wurde.
Der Peristylhof ist nicht, wie gewöhnlich, durch ein Viridarium geschmückt,
sondern in einer ganz eigenthümlichen und im Ganzen herzlich geschmack-
losen Weise eingerichtet und verziert. Im Hintergrunde zunächst an der Mauer
steht auf fünfstufigem Untersatz eine mit Mosaik, Muschelwerk und Malerei
verzierte Brunnennische, in derselben als Brunnenfigur ein kleiner Silen.
Dergleichen Nischen, und zwar zum Theil noch geschmackloser mit Muscheln
verzierte, kommen auch sonst noch vor, es brauchen nur die beiden nach ihren
Brunnen benannten Häuser *della grande* oder *prima* und *della piccola* oder
seconda fontana a musaico in der Mercurstraße (Plan No. 32 und 33) und die
Casa del granduca in der Straße der Fortuna (Plan No. 62) genannt zu werden;
im Übrigen aber ist die Decoration des Hofes hier einzig. Das Wasser, welches
die Brunnenfigur ausgoss, floss über die Stufen des Unterbaues der Nische
herab, wurde unten durch eine flache Marmorrinne gesammelt und in eine
runde Piscina in der Mitte des Hofes geleitet, in der ein Springbrunnen angebracht ist. Um diese Piscina herum sind nun zunächst allerlei Thiere von
Marmor, aber von ganz verschiedener Größe, aufgestellt, unter denen eine
Ente, zwei liegende Kühe (auch diese von verschiedenem Maßstabe), zwei
Kaninchen und zwei Ibisse genannt werden mögen. Weiter hinaus stehn
dann zwei Reihen von Sculpturwerken; zunächst am Brunnen zwei Hermen-

pfeiler mit Doppelköpfen einerseits (*a* im Plan Fig. 170) des stierhörnigen,
bärtigen und des ebenfalls stierhörnigen aber unbärtigen Dionysos, andererseits (*c*) wiederum des bärtigen, aber nicht gehörnten Dionysos und eines
wahrscheinlich weiblichen Wesens (Ariadne?). Diesen entsprechen zwei gleiche
Hermenpfeiler *d e* in den vorderen Ecken des Hofes, welche beide einen bärtigen Bakchos und ein weibliches Wesen darstellen. In einer noch etwas
vorgerückten Reihe stehn sodann zunächst den Hermenpfeilern zwei seltsame
Bildwerke *f g*, welche Eroten auf große Polypen verschlingenden Delphinen
reitend darstellen, während in der Mitte eine sehr mittelmäßige Gruppe *h*
einen bocksfüßigen Pan zeigt, dem ein kleiner Satyr einen Dorn aus dem Fuße
zieht. Endlich stehn links zwischen den Hermenpfeilern noch zwei Sculpturen,
welche die übrigen übertreffen, nach hinten ein junger Satyr *i*, welcher die
Hand über den Kopf hebt, als wolle er sich gegen die Sonnenstrahlen schützen,
ein lebensvolles und auch nicht schlecht ausgeführtes Bildchen, weiter nach
vorn ein in Hermenform auslaufender Satyr mit der Rohrflöte *k*, der ein Zicklein im Arm hält und an dem eine Ziege nach ihrem Jungen emporspringt.
Die ganze Sammlung von Sculpturen, die mit einander nichts gemein haben,
macht einen nichts weniger als künstlerischen Eindruck, wohl aber den eines
heiterem Lebensgenusse dienenden Raumes. Das Wasser für den Brunnen
und den Springbrunnen wurde von der Straße her durch ein Bleirohr geleitet,
welches zuerst in den Fauces 17 und wieder hier links von der Nische vollkommen erhalten aufgefunden und noch heute nebst seinem Hahn und den
zwei Zweigen, welche den Brunnen (Silen) und einen Springbrunnen in der
Piscina speisten, vorhanden ist. Die Brüstungsmauern des Peristylhofes sind
zur Aufnahme von Erde für Blumen ausgehöhlt.

Um das Peristyl liegen: 21 ein Zimmer mit zwei Eingängen, dessen
Bestimmung als geräumiges Schlafzimmer wenigstens in hohem Grade wahrscheinlich ist, indem man nur die rechte Hälfte seiner Wände, wo als Hauptbilder Narkissos (?oder Aphrodite, Hlbg. No. 304) und Apollon mit Daphne
(Hlbg. No. 207) hervortreten, bemalt fand, während die andere Hälfte links,
mit dem eigenen schmalen Eingange, einfach abgeweißt ist, wie man glaubt,
um mit Teppichen oder Tapeten (*aulaea*) als der eigentliche Schlafraum be-
hangen zu werden. Als eine Art von Vorzimmer zu diesem vermuthlichen
Schlafzimmer des Hausherrn, und vielleicht für dessen Kammerdiener bestimmt, folgt das Cubiculum 22, daneben ein ungeschmücktes Vorrathszimmer 23; hierauf finden wir rechts einen Treppenraum 24, der in den Keller
führte, und den Oecus 25 mit hübschen, aber kleinen Bildern, welche Eroten
als Winzer (Hlbg. No. 801) und spielende Knaben (Hlbg. No. 1477) darstellen.
Auf der gegenüberliegenden linken Seite des Peristylganges kommt man an
der Treppe in das obere Geschoss 26 vorbei auf einen breiten Durchgangsplatz
27 in eine kleinere Nebenabtheilung des Hauses, ursprünglich ein selbständiges
kleines Haus, dessen Tablinum 33 jetzt den Durchgang bildet, mit einem
eigenen Eingang 28 von einer bisher namenlosen Seitengasse, eigenem Atrium
29 ohne Impluvium (ein kleines, nicht in der Mitte liegendes, jetzt fast ganz
mit Erde bedecktes Bassin kann kaum als solches bezeichnet werden), links mit
einem nicht sicher gedeuteten Bilde (Hlbg. No. 78), drei Cubiculis 30, 31, 32,

dem schon erwähnten Tablinum und den Fauces 34, Alles mit geringen Decorationen, so dass wir hier wohl mit einigem Recht an eine Sclavenwohnung
denken können. Übrigens ist es klar, dass diese ganze Abtheilung nicht von
Anfang an zum Hause gehörte, sondern dasselbe durch den Ankauf eines
angrenzenden kleinen Hauses erweitert worden ist, ohne dass, wie bei den
weiterhin zu besprechenden Doppelhäusern, ein vollständiger Neubau oder ein
durchgreifender Umbau stattfand. Ein dem hier vorliegenden Beispiel solcher
lockern Verbindung zweier Häuser ganz analoger Fall findet sich in

(No. 18.) dem Hause des Siricus, an welchem ohnehin nicht wohl
stillschweigend vorbeigegangen werden kann, weil es auch sonst manches
Interessante darbietet und eine nicht geringe Zahl bedeutender Malereien
enthält.

Dieses in der zweiten Hälfte der 50er und im Anfange der 60er Jahre
unseres Jahrhunderts ausgegrabene, anfänglich als *Casa dei principi Russi*

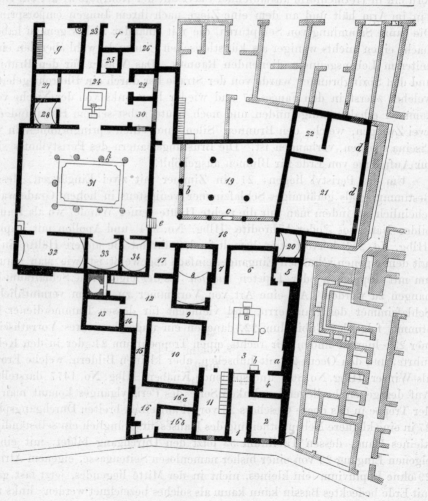

Fig. 171. Plan des Hauses des Siricus.

benannte und jetzt nach ziemlich sicheren Merkmalen, namentlich einem aufgefundenen Petschaft als »*Domus Sirici*« bezeichnete Haus (VII, 1, 47; Plan
No. 91), liegt unmittelbar nördlich von den Stabianer Thermen, mit dem Eingange seines zunächst zu besprechenden westlichen Theiles in der *Strada delle
terme Stabiane*, während seine andere Abtheilung den Eingang von der *Strada
Stabiana* aus hat. Seinem Haupteingange 1 gegenüber steht an der Wand die
Inschrift *otiosis locus hic non est, discede morator*, auf welche zurückgekommen werden soll; in den Fußboden des Ostiums, nahe am Atrium, sind in
Mosaik die Worte SALVE LVCRV(m) (sei gegrüßt, Gewinn!) eingelegt, so
dass man gewiss nicht fehlgeht, wenn man dies Haus als dasjenige eines
Kaufmanns betrachtet. Die Anlage dieses westlichen Theils geht wohl auf
ältere Zeit zurück, doch hat derselbe in römischer Zeit beträchtliche Umbauten
erfahren. Die Hausthür, deren eine Hälfte aus der Form, welche sie in der
Verschüttungsmasse zurückgelassen hatte, abgeformt worden ist, war reich mit
kupfernen Nägeln beschlagen, von denen man 85 aufgefunden hat. An seinem
ziemlich langen und am Ende wieder mit einer Thür versehenen Ostium 1
liegt rechts ein Gemach 2 mit weißen Wänden, leichten Ornamenten, kleinen
Vögeln, welches als die Cella des Ostiarius gilt, für eine solche aber reichlich
groß erscheint, vielleicht also als Geschäftsraum, allerdings aber nicht als
Laden des Hausbesitzers gedient hat. Sein Licht empfing es von der Straße
aus durch ein ziemlich großes, aber hoch angebrachtes, vergittertes Fenster.
Das Ostium führt auf das sehr geräumige tuscanische Atrium 3, dessen Wände
erst roh berappt sind, dessen marmornes Impluvium dagegen sehr schön ist;
in ihm steht ein kleines Marmormonopodium (einfüßiges Becken zur Aufnahme
eines Wasserstrahls), hinter dem sich die Basis des verlorenen Brunnenbildes
und ein größeres Marmormonopodium findet. Rechts vom Impluvium steht
das Puteal von weißem Travertin, welches geborsten war und von den Alten
geflickt ist; an der vordern rechten Ecke des Atriums (bei *a*) sieht man die
Spuren eines hölzernen Schrankes, in dem nicht wenige Tischgeräthe und
Gefäße gefunden worden sind, ferner bei *b* einen Stein, auf welchem die Geldkiste befestigt war. Eine besondere Merkwürdigkeit in diesem Atrium bilden
zwei viereckige Höhlungen in seiner rechten Wand, in welchen, den Ecken
des Impluvium gegenüber, einst zwei hölzerne Bohlen (*antae*) aufrecht standen,
oberhalb deren, wie noch deutlich zu erkennen ist, die das Dach tragenden
Querbalken (S. 255) in die Wand eingelassen waren. Als wirkliche Stütze der
Dachbalken konnten die beiden Bohlen wegen ihrer zu geringen Stärke nicht
in Betracht kommen; sie waren vielmehr eine Verzierung der Wand, welche
freilich die Vorstellung einer solchen Stütze erwecken sollte. Eine ähnliche
Verzierung begegnete uns in einem Zimmer der *casa di Meleagro* (S. 310).
Neben der rechten Ecke öffnet sich die Thür eines sehr einfachen kleinen
Cubiculum (4), vielleicht der *cella atriensis*, mit einer Bettstatt an der rechten
Wand. Grade gegenüber befindet sich eine ähnliche kleine Kammer 5, welche
früher durch eine Thür mit dem Tablinum 6 verbunden war, zuletzt aber,
nachdem diese Thür vermauert worden, als Schrankzimmer gedient hat, in
welchem man noch die Spuren von drei Reihen Brettern in den Wänden
erkennt. Das Tablinum 6 liegt an der gewöhnlichen Stelle, ist aber un-

gewöhnlicherweise nach hinten geschlossen und erscheint wie das Atrium in
seiner Ausschmückung unfertig, einfach roh abgetüncht. In diesem Tablinum
fand man außer manchen anderen Gegenständen die Reste einer sehr großen
hölzernen Kiste und in derselben Reste von Geweben, welche möglicherweise
die Waaren des Siricus waren. Neben ihm führen die Fauces 7 in den hintern
Theil des Hauses und neben ihnen liegt ein großes und elegantes *triclinium
fenestratum* 8. Dieses empfing sein Licht aus dem Peristyl durch ein breites
Fenster, an dem man nachweisen kann, dass es mit doppelten Klappladen
geschlossen werden konnte, welche sich an einen in der Mitte stehenden
hölzernen Pfeiler anlehnten. Wie so häufig in Triclinien war der innere Theil
des Zimmers, wo der Tisch und die Ruhebetten standen, mit einer flach
gewölbten Verschalung, der vordere Theil mit einer flachen Decke in der
Scheitelhöhe der Verschalung überdeckt; über ihm lag ein Zimmer im Oberstocke, von dessen Wänden Stücke erhalten sind. Unter der Wölbung war
ein eleganter Stuccocarnies angebracht; sehr elegant, im letzten pompejanischen Stil, sind auch seine unten gelb und schwarz, oben weiß gegründeten
und durch bunte Ornamentstreifen eingetheilten Wände bemalt, welche innerhalb reicher Architekturen eine Reihe interessanter Bilder tragen, so (ausgehoben) eine Darstellung von Aeneas' Verwundung, eines der sehr wenigen
auf römische Poesie (hier Verg. Aen. XII, 398 ff.) zurückgehenden Bilder
(Hlbg. No. 1383), die nicht näher zu erklärende Schmückung eines Jünglings
durch Mädchen (Hlbg. No. 1386) und ein mit Sicherheit noch gar nicht gedeutetes Bild (Hlbg. No. 1396); außerdem an den untergeordneten Stellen
schwebende weibliche Figuren (Hlbg. No. 478. 485. 488. 494. 1915. 1983).
Dagegen besteht der sehr einfache Fußboden aus *opus Signinum* mit einem
grob ausgeführten Muster aus weißen Steinchen. Neben diesem Triclinium
führt der Gang 9 in die Küche; jenseits dieses Ganges liegt am Atrium und
weit gegen dasselbe geöffnet das größte und am glänzendsten geschmückte, auch
mit den interessantesten Bildern ausgestattete Gemach des Hauses, die große
Exedra 10, deren mit *opus Signinum* gedeckter Boden in der Mitte durch ein
mit Marmor getäfeltes, von einer Mosaikborde umgebenes Viereck ausgezeichnet
ist. Auch hier zeigen die Malereien den Stil der letzten Zeit. Auf der Wand
dem Eingange gegenüber ist als Hauptbild Herakles bei Omphale gemalt
(Hlbg. No. 1139), an der Wand links der troïsche Mauerbau durch Poseidon
und Apollon (Hlbg. No. 1266), auf derjenigen rechts Thetis' Besuch bei
Hephaestos, um die für Achill geschmiedeten Waffen in Empfang zu nehmen
(Hlbg. No. 1316). Diese Bilder stehn auf rothem Grunde; ringsum in den
gelben Nebenfeldern sind Apollon und die Musen angebracht (Hlbg. No. 186.
860. 863. 866. 869. 872. 882. 888. 890), Apollon und Kalliope auf der besonders reich geschmückten Hinterwand, die anderen Musen rechts und links
neben den Hauptbildern vertheilt, während über einem umlaufenden Carnies
von der Decoration des obern Theiles der Wand außer Architekturen die
bronzefarbig, also als Statue gemalte Figur des Ares (Hlbg. No. 273 *b*) erhalten
ist. An der vordern linken Ecke des Atriums befinden sich zwei Thüren, von
denen die eine, dem Ostium zunächst, den Zugang einer ziemlich breiten, nicht
erhaltenen Holztreppe zum obern Stockwerk bildet, während die andere in

ein sehr geräumiges, aber seinem Zwecke nach schwer zu bestimmendes, wiederum von der Straße aus durch ein vergittertes Fenster erleuchtetes Gemach 11 führt, das auf weißen Wänden mit sehr einfachen Ornamenten letzten Stils und kleinen Landschaften und mit einer interessanten Folge von Götterattributen (Adler, Blitz und Globus für Zeus, Pfau und Wollkorb für Hera, Greif und Kithara für Apollon u. s. w., Hlbg. No. 108. 166. 192. 241. 268. 364. 586. 1108) decorirt ist. Der Fußboden besteht aus *opus Signinum*. Auch hier wurden die Reste einer großen hölzernen Kiste und ein schöner Candelaber gefunden, dessen Fuß mit scenischen Masken geziert ist. — Der Gang 9, an welchem rechts eine Nische für eine Lampe angebracht ist, führt, wie schon erwähnt, in die Küche 12; diese enthält an der Wand rechts vom Eintretenden den Heerd, ferner einen Backofen sowie einen gemauerten Wasserbehälter 14 mit einer Öffnung zum Abflusse des gebrauchten und einer Röhre der Wasserleitung zur Zuführung frischen Wassers, endlich die Spuren einer, offenbar schon in antiker Zeit entfernten Mühle, für welche der Hausbesitzer in der größern Bäckerei seines Nachbars in der *Via stabiana* Ersatz finden mochte. Über dem Wasserbehälter sind Vesta, Vulcan und Laren (Hlbg. No. 63) in roher Ausführung gemalt. Neben der Küche liegt eine größere Vorrathskammer 13. Ein langer Gang 15 führt in einen auch von der Straße aus zugänglichen Raum 16, in welchem, gleich links für den von der Straße eintretenden, ein Abtritt, ferner rechts eine unbestimmbare Kammer (Vorrathsraum?) 16 b und ein offener Raum 16 a angebracht ist. — Durch die Fauces 7 und durch ein kleines, gänzlich schmuckloses Zimmer 17, welches für irgend einen Sclaven bestimmt gewesen sein mag, gelangt man in das Peristyl, dessen Porticus 18 an zwei Seiten von Säulen, theils aus Tuff, theils aus Ziegeln, gebildet wird, die mit Stucco überkleidet, nicht cannellirt, sondern nur gekantet und mit einander durch eine Brüstungsmauer (*pluteus*) verbunden sind; innerhalb des frei bleibenden viereckigen Raumes 19 stehn vier grün bemalte und nicht cannellirte Säulen, auf denen ein leicht gebautes Schattendach gelegen haben wird. An der rechten Seite der Porticus wurde eines der vollständigsten Beispiele eines mit *tegulae* und *imbrices* gedeckten Daches gefunden, welches indessen nicht hat erhalten werden können. Halb in die Brüstungsmauer eingeschlossen ist bei b eine Cisternenmündung und bei c eine zweite mit einem thönernen Puteal angebracht. In der vordern rechten Ecke der Porticus liegt ein kleines Gemach 20 mit weißen Wänden und leichten Ornamenten letzten Stils. Dagegen haben die Wände des Peristyls eine Decoration zweiten Stils bis auf die letzte Zeit bewahrt. Am rechten Ende der vordern Porticus ist in der dem Atrium zunächstliegenden Wand in bedeutender Höhe eine Nische angebracht, bestimmt vermuthlich zur Aufstellung von Thonfiguren [136]. Der unbedeckte und ganz schmucklose Raum 21 ist durch Niederreißung verschiedener Zimmer gewonnen worden; es ist wohl das wahrscheinlichste, dass er als Garten diente. An ihm ging südlich früher eine Straße vorüber, auf welche sich bei d zwei Thüren und außerdem mehre Fenster öffneten. Diese Thüren und zum Theil auch die Fenster wurden zugemauert, als beim Bau der Thermen die Straße einging und nur der auf unserem Plan ersichtliche schmale und unzugängliche Gang übrig

blieb. Damals wurde nahe der rechten hintern Ecke ein Ausgang auf die
Stabianer Straße eröffnet, dann aber ebenfalls wieder zugemauert. Das innerhalb dieses Gartens gelegene kleine, sorgfältig im dritten Stil ausgemalte
Zimmer 22 diente jedenfalls als Schlafgemach. Es hatte drei Hauptbilder;
dasjenige der Hinterwand aber ist zerstört, während man links vom Eingang
einen nicht ganz sicher erklärten musikalischen Wettstreit (Hlbg. No. 1378),
rechts gegenüber ein noch ganz unerklärtes Bild findet, welches (Hlbg. No.
1388 b) einen Jüngling vor einem barbarischen (phrygischen) Könige darstellt. —
Mit dem in den Räumen 1—20 in ziemlich normaler Anlage ursprünglich abgeschlossenen, dann durch 21 und 22 erweiterten Hause ist nun vermöge einer
durch die Wand der Porticus, wie es scheint nach ihrer Ausmalung im zweiten
Stil, gebrochenen Thür e ein zweites Haus verbunden, welches wiederum für sich
betrachtet eine ziemlich normale Anlage zeigt. Seine Bauart gehört der spätern
römischen Zeit, seine Malerei ganz der letzten Zeit Pompejis an. Für diese Zeit
ist auch die Vernachlässigung der Räume um das Atrium charakteristisch, während die besseren, von der Familie des Hausherrn benutzten Wohnräume um
das Peristyl liegen. Sein Eingang 23 ist, wie schon gesagt, von der *Strada
Stabiana* aus; das mit gelben Wänden geschmückte ziemlich tiefe Ostium,
neben dem an der Straße zwei Läden f g liegen, führt in ein mäßig geräumiges
tuscanisches Atrium mit dem regelmäßigen, hier mit Marmor getäfelten Impluvium; am hintern Rande desselben steht eine Basis für eine Brunnenfigur,
welche einen Wasserstrahl in ein im Impluvium stehendes wannenförmiges
Marmorbecken fallen ließ; hinter der Basis endlich steht ein Marmortisch.
Von den das Atrium umgebenden, durchweg kleinen Zimmern ist das auf
gelben Wänden nur roh ornamentirte 25 eine Vorrathskammer mit zwei Reihen
Brettgestellen. In 26 (weiße Wände) sind auf der Wand links vom Eingang die
bekannten zwei Schlangen angebracht; da wir hier keine der in einer Küche
gewöhnlichen Vorrichtungen finden, müssen wir wohl annehmen, dass dieser
Raum früher einmal als Küche, später aber zu anderen Zwecken diente; vielleicht war es auch eine *cella penaria*; an der Eingangswand rechts führt
eine Treppe zu oberen Räumen. 27 und 29, auch mit weißen Wänden, sind
offenbar Sclavencubicula; ziemlich gut ausgemalt ist das Cubiculum 28. Nur das
alaartige Gemach 30 ist reicher mit gemalten Architekturen geschmückt und
empfängt außer durch die Thür vom Atrium her, so wie auch das benachbarte
Zimmer 29, Licht durch ein Fenster in seiner Hinterwand, welches auf einen
am Ende vermauerten Gang des Nebenhauses hinausgeht. Jeder tablinumartige Raum fehlt diesem Hause; aus dem Atrium tritt man durch eine breite,
verschließbar gewesene Thür sofort in das geräumige und regelmäßige Peristylium 31, dessen Porticus von zehn 2,50 M. hohen, unten gelb bemalten,
oben weißen Säulen mit angedeuteten Canneluren getragen wird, innerhalb
deren in der umlaufenden Rinne ein Puteal h steht. Die Wandfelder sind
gelb, roth und schwarz, in nicht eben geschmackvoll angeordnetem Wechsel,
und diejenige Wand, welche gegen das Peristyl des vorher beschriebenen
Hauses grenzt, ist mit interessanten Bildern bemalt, unter denen eine
muthmaßliche Leto (Hlbg. No. 170) und als ihr Gegenstück eine Artemis
(Hlbg. No. 238) hervorzuheben, außerdem schwebende Figuren, eine Bak-

chantin und Niken (Hlbg. No. 490 ; 907. 911. 914), endlich im Friese ein
Amazonenkampf (Hlbg. No. 1250 *b*) zu bemerken sind. In der rechten hintern
Ecke des Peristyls finden wir eine gewölbte Nische und in derselben eine
Basis: es kann nicht zweifelhaft sein, dass auf dieser Basis die Aedicula der
Laren stand. Im Hintergrunde des Peristyls liegen drei Gemächer, von denen
das erste 32, auf gelbem Grunde reich bemalt, jetzt aber sehr zerstört, ein
Triclinium ist. Das mittlere 33 trägt exedraartigen Charakter und hat ebenfalls
gelb bemalte Wände. Das dritte Gemach 34, ein Cubiculum, hat drei Hauptbilder aufzuweisen: links vom Eingange Aphrodite und Ares (Hlbg. No. 317),
an der Hinterwand Endymion (Hlbg. No. 957) und rechts Achill auf Skyros
(Hlbg. No. 1300); außerdem Büsten (Hlbg. No. 356 *c*. 1270). Alle drei Zimmer
waren mit flach gewölbter Verschalung überdeckt.

(No. 19.) Obgleich in der durch die verschiedensten Verhältnisse be-
dingten Mannichfaltigkeit der bereits mitgetheilten Pläne das Streben nach
der Normalanlage und das Festhalten an der charakteristischen Ordnung der
wesentlichen Räume des römischen Hauses eben so wenig verkannt werden
kann, wie in den in der Folge mitzutheilenden Plänen, so soll doch nicht
versäumt werden, hier Plan und Durchschnitt desjenigen Hauses von Pompeji mitzutheilen, welches am meisten von allen die Regel darstellt und die
charakteristischen Räumlichkeiten am vollständigsten enthält. Es ist dies,
wie schon früher bemerkt, das unter dem Namen der *Casa di Pansa*
bekannte, 1811 entdeckte, aber eigentlich erst 1813 und 1814 ausgegrabene
Wohnhaus (No. 25 im Plan), welches mit seiner Façade an der *Strada delle*

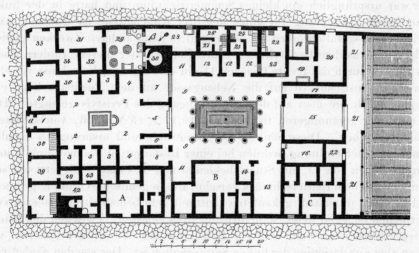

Fig. 172. Plan der *Casa di Pansa* (Norden rechts).

terme den alten Thermen gegenüber liegt, mit seinem Areal jedoch eine ganze
Insula, d. h. ein Quartier zwischen vier Straßen (*Strada delle terme, Vico della
fullonica*, *Vico di Mercurio* und *Vicolo di Modesto*) ausfüllt. Seiner Bauart
nach stammt es offenbar aus der Tuffperiode, doch haben in nicht näher be-

stimmbarer römischer Zeit Umbauten stattgefunden, denen namentlich die
Läden an der Westseite (oben auf dem Plan) angehören. Von Malereien ist
fast nichts erhalten [137].

　　a Vestibulum, dessen innere Schwelle mit einem SALVE in Mosaik
geschmückt gewesen und auf welches, ziemlich rasch ansteigend, das Ostium 1
folgt; 2 Atrium mit dem marmorbekleideten Impluvium; 3 Cubicula; 4 Alae,
durch feinere Fußböden aus *opus Signinum* vor den anderen Zimmern ausgezeichnet, hier zu beiden Seiten des Atriums vorhanden und zu keinem
Nebenzweck benutzt, während wir bereits in mehren Häusern des beschränk-
tern Raumes wegen nur eine Ala oder eine derselben, sei es als Vorrathskammer, sei es als Durchgang, benutzt gefunden haben; 5 Tablinum, dessen Boden,
wie in vielen anderen Häusern, mit weißem, schwarzgerandetem Mosaik bedeckt ist; dasselbe ist ganz offen nach beiden Seiten, nur dass der Boden nach
hinten um zwei Stufen erhöht ist; 6 Fauces, auch hier nur auf einer Seite
angebracht, während gegenüber ein mit weißem Mosaikboden geschmücktes,
nach hinten gegen das Peristyl nur durch eine niedrige Brüstungsmauer
geschlossenes Zimmer 7 liegt, welches von Einigen nach den angeblich vorgefundenen Resten von Manuscripten die Bibliothek oder das Archiv des
angesehenen und reichen Bewohners gewesen sein soll, welches aber viel
eher den Eindruck eines *triclinium fenestratum*, kurz eines behaglichen, zum
Peristyl in Beziehung stehenden großen Wohn- oder Speisezimmers macht.
Ungefähr dasselbe gilt von dem Zimmer 8, rechts neben den Fauces und mit
einem Eingange von ihnen, welches auch gegen das Peristyl durch eine, dem
Fenster des Gemaches links entsprechende weite Thür geöffnet ist; dieses Zimmer war ursprünglich ein kleines Sommertriclinium und hatte in der linken
Wand eine Aushöhlung für eines der drei Ruhebetten; da dieselbe später
theilweise ausgefüllt worden ist, so scheint es dann anderen Zwecken gedient
zu haben.　Aus dem Peristylium 9 führt gleich hinter diesem vordern Theile
des Hauses durch das rechte Gemach 11 ein mit eigenem Verschluss versehen
gewesenes Posticum 10 auf die Nebengasse; an dem Posticum liegt eine
Treppe, durch die man auf den obern Umgang des Peristyls gelangte.　Dies
ist eines der geräumigeren in Pompeji, $19,17 \times 15$ M. groß, von sechszehn
Säulen umgeben.　Diese Säulen, von Nocerastein und ursprünglich ziemlich
reiner ionischer Ordnung, wurden bei einer Restauration, wahrscheinlich nach
dem Erdbeben von 63, mit Stucco bekleidet und im Capitell mit jetzt nur sehr
wenig erhaltenem Blätterschmuck versehn, also in gemischte Ordnung gebracht,
und in ihrem untersten, gekanteten Drittheil gelb bemalt, in den oberen zwei
Drittheilen dagegen tiefer cannellirt und weiß gelassen.　Zwischen den beiden
ersten Säulen jeder Seite war ein Puteal für das Wasser der Cisterne, von
denen aber nur dasjenige der linken Seite erhalten ist.　Der von den Säulen ein-
geschlossene Raum war vermuthlich bepflanzt; die Mitte desselben bildet eine
Piscina von gegen 2 M. Tiefe, deren Wände mit Wasserpflanzen und Fischen
bemalt gewesen, jetzt aber völlig farblos sind.　Von den Gemächern, welche
das Peristylium umgeben, bilden die ersten beiden rechts und links 11 eine
Art von Exedren, schattige offene Räume mit Ruhebänken, welche beim
Lustwandeln im Peristyl benutzt worden sein mögen; die zur Rechten diente

zugleich als Durchgang zum Posticum. Auf der linken Seite liegen drei Cubicula 12, von denen die beiden letzten ausnahmsweise durch eine Zwischenthür verbunden sind. Rechts finden wir nur ein großes Triclinium 13 mit einem Nebenzimmer 14, welches wahrscheinlich für die Bedienung beim Gastmahl benutzt wurde; möglich auch, dass sich hier die Musikanten, Tänzerinnen, Gaukler und dergleichen Leute versammelten und vorbereiteten, welche man gegen das Ende der Mahlzeit den Gästen ihre Künste vorführen zu lassen liebte. Der übrige Raum dieser Seite steht mit dem Innern des Hauses in keiner Verbindung. Im Hintergrunde des Peristyls liegt das Hauptgemach des Hauses, ein prachtvoller Oecus 15 von $10,40 \times 7,40$ M., mit breitem thorartigem Eingang vom Peristyl, nach dem höher liegenden Säulengang und Garten hinter dem Hause durch eine Futtermauer gesperrt, welche die ganze Aussicht frei ließ, jedoch ohne die innere Säulenstellung, welche wir aus dem Oecus der *Casa di Meleagro* (S. 311) kennen. Neben demselben ein um zwei Stufen erhöhtes, nicht näher zu benennendes Zimmer 16 mit schmaler Thür, andererseits ein faucesartiger Durchgang in den Garten 17 mit einem Eingang in den Oecus. Neben diesem Gange sehn wir die Küche 19 und in 18 den Stall für Pferde oder Maulthiere mit einem Abtritt; der größere Nebenraum 20, mit einem breiten, auch für Pferde und Wagen hinreichenden Ausgang auf die zweite Nebengasse, ist offenbar die Wagenremise. In der Küche sind außer dem gemauerten Heerde, auf dem noch die Holzkohlen gelegen haben sollen, viele Geschirre von Thon gefunden worden. Links vom Heerde ist ein Larenbild mit den Schlangen darunter (Hlbg. Nr. 53), zur Seite rechts ein aufgehängter Schinken gemalt, während das entsprechende Bild links zerstört ist. An der hintern Fronte des Gebäudes erstreckt sich ein Säulengang 21, dessen mittelstes Intercolumnium, wo die Säulen durch dickere Pfeiler ersetzt sind, wie sich das mehrfach in ähnlichen Fällen wiederholt (s. Isistempel, größere Thermen u. s. w.), weiter ist und ohne Zweifel auch höher war als die übrigen (welche nur 2,35 M. hoch sind), um eine freie Aussicht auf den Oecus und aus demselben zu gestatten. Das einzige an ihm liegende Zimmer 22 wird als Wohnung (*cella*) des Gärtners (*hortulanus*) zu betrachten sein, welche wir an der entsprechenden Stelle auch im Hause des M. Epidius Rufus gefunden haben.

Was nun endlich diesen jetzt völlig wüst liegenden Garten anlangt, dessen Anfang der Plan Fig. 172 zeigt, so will man seine Beete bei vorsichtiger Ausgrabung noch unter den Lapilli gefunden haben, wie dies bei dem Garten in dem eben genannten Hause des M. Epidius Rufus sicher der Fall ist. Hier im Hause des Pansa ist davon jetzt nichts mehr zu sehn; doch geht aus ihrer durch frühere Berichte überlieferten und mit derjenigen im Hause des Epidius Rufus übereinstimmenden Anordnung, welche man im Plan erkennen kann, deutlich hervor, dass der Garten nicht als Zier- und Blumen-, sondern als Nutz- und Küchengarten gedient hat. Ob die hier gefundenen Bleiröhren zur Bewässerung der Beete und nicht vielmehr zur Füllung der Piscina dienten, darf bezweifelt werden; sicher diente jenem Zwecke ein in der auf dem Plan Fig. 172 fehlenden) rechten hintern Ecke angebrachter gemauerter Wasserbehälter. Zwei große kupferne Kessel können nur zufällig in diesen Garten

gekommen sein, so gut wie eine kleine Bronzegruppe, Bakchos und einen
Satyrn darstellend (abgeb. unten im artistischen Theil), die man in Leinen
gewickelt in einem dieser Kessel fand, wohl nur
bei der Flucht der Bewohner hierher gelangt ist.

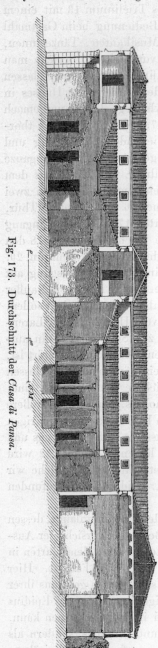

Fig. 173. Durchschnitt der *Casa di Pansa.*

Von der Einrichtung des obern Geschosses,
dessen sichere Spuren vorhanden sind, können
wir nichts Bestimmtes mittheilen; das Vorhandensein eines obern Umganges über der Porticus
des Peristyls bezeugen die erhaltenen Säulen-
reste; nur in einigen wenigen Zimmern des obern
Stockwerks fand man den Fußboden bei der Ausgrabung noch nicht eingestürzt, und dass man in
diesen Räumen namentlich sehr viele Gegenstände der Toilette und des weiblichen Putzes
auf dem Boden liegend fand, beweist, was ohnehin anzunehmen war, daß hier Schlafzimmer,
namentlich solche für den weiblichen Theil der
Familie waren. Es ist zweckmäßig erschienen,
von diesem regelmäßigen Hause einen aus zuverlässigen Elementen von Mazois restaurirten
Durchschnitt (Fig. 173) zu geben, in welchem
jedoch leider der obere Umgang des Peristyls ausgelassen ist. Ehe wir aber dasselbe verlassen,
muss noch der Läden und sonstigen Räumlichkeiten Erwähnung geschehn, welche dasselbe
rings umgeben und durch deren Miethe der Hausherr einen nicht unbeträchtlichen Theil seines
Aufwandes bestritten hat.

An der obern Seite unseres Planes beginnend, finden wir zunächst in 22. 23 eine kleine
Wohnung, zu welcher noch wenigstens ein Zimmer im obern Geschoss gehörte, wie dies die
Treppe in 22 selbst beweist. Das hintere Zimmer
23 steht durch Fenster mit dem Peristyl und mit
dem Cubiculum 12 in Verbindung: wir können
uns vorstellen, dass diese Wohnung einem Sclaven überlassen war, welcher auswärtige Geschäfte
besorgte, aber mit dem Hausherrn, der vielleicht
in 12 schlief, in steter Verbindung bleiben musste.
— Zwei ganz ähnliche kleine Wohnungen sind
24. 25 und 26. 27: in beiden enthält der Hauptraum einen Heerd und ist von demselben eine
kleine Schlafkammer abgetheilt; nur in 24 führte
eine Treppe zu obern Räumen.

Die Räume 28—34 gehören einer Bäckerei und Mühle an, deren Einrichtungen wir später an einem andern Beispiel genauer kennen lernen werden.

29 ist das Mühlenhaus mit drei Mühlen, zwei gemauerten Tischfüßen und mehren Wasserbecken, 30 der Backofen, 28 das Backzimmer (*panificium*) mit dem Backtisch und zwei cylinderförmigen Steingefäßen, die wohl zum Kneten des Teiges dienten; in 33 mit dem Hinterzimmer 34 wird man den Laden annehmen dürfen, und auch 31. 32 scheinen ähnlichen Zwecken gedient zu haben. — In dem Mühlenraum, *pistrinum*, war ein talismanisches Bild an die Wand gemalt mit der Unterschrift: *Hic habitat Felicitas*, Hier wohnt das Glück.

Der folgende Laden 35 gehört zum Haus, in welches er sich öffnet, und zwar durch ein am Atrium gelegenes Zimmer 36, in welchem der Sclave sich aufhielt, der in diesem Laden für seinen Herrn feilbot. Welcherlei Waare, lässt sich nicht entscheiden: es ist aber in diesem Falle allerdings anzunehmen, dass es die Erträge des Feld-, Wein- und Ölbaus des Hausbesitzers gewesen seien. Der nächste Laden 37, sowie die beiden Läden an der Hauptstraße jenseits des Einganges zum Hause 38 und 39 bilden einzelne Zimmer oder Gewölbe ohne Zusammenhang unter sich oder mit dem Hause. Auch die Treppen fehlen ihnen, mit Ausnahme von 38, und nur der Laden 39 hat ein Hinterzimmer 40. Größer ist die Einrichtuug des gewerbtreibenden Abmiethers des Eckladens 41, welcher außer diesem Laden noch ein größeres, durch ein Fenster auf die Straße erleuchtetes Gemach 42 innehatte, in welchem ein Backofen nebst einem Wasserbehälter steht und an welches ein Hinterzimmer 43 anstößt. Trotz dieser Funde hat es nicht gelingen wollen, das Geschäft sicher festzustellen, welches der Inhaber dieses Ladens betrieb.

Endlich bleiben uns noch drei Gruppen von Gemächern zu erwähnen übrig, welche mit *A*, *B* und *C* bezeichnet, und welche, daran kann kaum gezweifelt werden, Miethwohnungen für weniger Wohlhabende (*inquilini*, Miethbewohner ohne Eigenthumsrecht) gewesen sind. In *A* führt die erste Thür (von links auf dem Plan) zur Treppe des Oberstockes, welcher also getrennt vermiethet war, und ebenso verhält es sich mit der zweiten Thür von *C*. *B* war nicht immer vom Haupthause getrennt: in der Rückwand des atriumartigen, aber bedeckt gewesenen Hauptraumes ist noch deutlich die Thür zu erkennen, welche hier einst in das Peristyl führte. Wir werden später aus derselben Periode stammende Häuser kennen lernen, welche in der Front zwei Atrien neben einander haben, ein vornehmeres und eines, durch welches man zu den Wirthschaftsräumen gelangte: hier war die Anordnung insofern abweichend, als das letztere neben das Peristyl gelegt, überdies aber als bedeckter Raum, ohne Impluvium behandelt war. Übrigens handelt es sich hier nicht etwa um Einverleibung eines ältern Hauses; vielmehr ist das ganze Haus des Pansa nach gründlicher Wegräumung aller älteren Bauten auf Grund eines einheitlichen Planes erbaut worden. In der Wohnung *C* hat man vier Frauengeripe gefunden, welche goldene Ohr- und Fingerringe mit geschnittenen Steinen trugen, etliche dreißig Stücke Silbergeld und noch sonst allerlei Gegenstände bei sich hatten, und die also, falls es die Bewohnerinnen dieser Abtheilung waren, was man wohl annehmen darf, beweisen, dass dergleichen zur Miethe Wohnende nicht als arme Leute zu denken sind, wenn sie auch keinen Grundbesitz hatten.

Der in Fig. 174 gegebene Plan zweier großen, in den Jahren 1828 und 1829 ausgegrabenen, unter den Namen *Casa del centauro* und *Casa dei Dioscuri (di Castore e Polluce)* oder *del questore* bekannten großen Häuser an der Mercurstraße (VI, 9, 3—7; No. 38 und 39 im Plan), zeigt uns ein Doppelbeispiel des so häufigen Vorganges der Vereinigung mehrer älteren Häuser zu einem großen. Man hat hier nicht, wie beim Hause des Pansa und in anderen noch zu besprechenden Fällen, das Alte vollständig oder fast vollständig weggeräumt, um von Grund auf in größeren Verhältnissen neu zu bauen, andererseits aber auch sich nicht begnügt, die älteren Häuser einfach in Verbindung zu setzen, wie im Hause des Siricus, sondern man hat sie so viel wie möglich benutzt, aber auch, so weit es nöthig war, gründlich umgebaut, aus welchem Verfahren sich eine gewisse Unregelmäßigkeit des Grundrisses mit Nothwendigkeit ergeben musste. Über die Benutzung der Theile solcher großen Häuser lässt sich etwas Allgemeines nicht sagen. War das eine der so verbundenen Häuser ein kleines, schmuckloses neben einem größern und reichern, so ist es ganz natürlich, dass man das kleinere als Sclavenwohnung, zu Haushaltungs- und Arbeitsräumen, zur Unterbringung von Gästen u. s. w. benutzte und die größeren und schöneren Räume dem Verkehr der Gesellschaft und ähnlichen Zwecken vorbehielt. Häufig mochten auch verwandte Familien sich ein solches großes Haus theilen, oder die verschiedenen Theile mochten zu verschiedenen Jahreszeiten vorzugsweise benutzt werden.

(No. 20.) Die *Casa del centauro*, VI, 9, 3—5, *A*, *B* auf dem Plan Fig. 174 ist vermuthlich schon in vorrömischer Zeit durch Vereinigung dreier Häuser entstanden; wir schließen dies daraus, dass die namentlich in 3, 32 und an dem

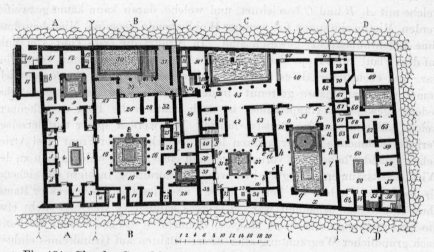

Fig. 174. Plan der *Casa del centauro* und der *Casa dei Dioscuri*. (Norden links.)

Garten 29 erhaltene Decoration ersten Stils im Wesentlichen die jetzige Gestalt des Hauses voraussetzt[138]. Wir betrachten zuerst die Abtheilung *A*. 1 Ostium, mit Thür gleich an der Straße, vor der Mitte durch eine Stufe zwischen zwei Pfosten unterbrochen; zu seinen Seiten zwei Zimmer 2, 3 mit Fenstern nach der Straße, die aber so hoch angebracht sind, dass sie sich recht deutlich als bloße

Lichtöffnungen zu erkennen geben, ohne den Bewohnern irgend eine sonstige Beziehung zu dem Leben der Straße zu gewähren. Ganz Ähnliches ist uns schon in der *Casa di Meleagro* an derselben Straße begegnet, und überhaupt ist dies die Regel. Das Zimmer rechts 3 ist deutlich ein Schlafzimmer mit einem angebauten und etwas erhöhten Alkoven α; beide Räume ernst prächtig mit mehrfarbigen Quadernachahmungen in Stucco und wohl erhaltenem, im größern Raume doppeltem Stuccocarnies mit feinsten Zahnschnitten decorirt. An die Cella des Atriensis kann hier nicht gedacht werden; eher schlief hier der Hausherr. Den kleinen Raum neben α könnte man am ehesten für die Schlafstelle eines Lieblingshundes halten. Der Fußboden des Zimmers wie des Alkovens ist mit *opus Signinum* gedeckt, in welches kleine weiße Marmorstückchen, einfache gradlinige Figuren und auf der Schwelle des Alkovens einen Mäander bildend, eingelegt sind. Das Zimmer links 2 ist im letzten Stil ausgemalt; es zeigt auf abwechselnd gelben und rothen Wandflächen allerlei Thiere, zum Theil phantastische, außerdem kleine schwebende und sonstige Figuren, unter denen eine archaïsirende, als Statue gedachte, welche auf einer Basis von vier Stufen steht, auffällt. Auch das Zimmer 2 hat einen doppelten Carnies von Stucco und war wie jenes gegenüber gewölbt. 4 tuscanisches Atrium, hinter dessen Impluvium von Tuff ein jetzt fehlender, nicht besonders eleganter Tisch von weißem Marmor stand; an der linken Wand, zwischen der ersten und zweiten Thür, stand auf einer noch vorhandenen, mit unregelmäßigen Marmorstücken bekleideten Aufmauerung die mit Bronze beschlagene Geldkiste. Links am Atrium liegen verschiedene kleine Cellen 5, deren erste ursprünglich eine Schlafkammer mit Alkoven β war, dann aber, wie die Löcher in der Wand zeigen, als *apotheca* diente; hier, wie es scheint (denn die Ausgrabungsberichte sind nicht ganz klar), fand man dreizehn silberne Löffel, sechs kleinere und sieben größere, deren Griff als Ziegenfuß gestaltet ist. Auch die letzte dieser Cellen war eine *apotheca*, die übrigen waren Sclavenschlafkammern. Rechts liegen keine Zimmer am Atrium, in der Mauer dagegen befinden sich zwei Thüren, deren eine schon im Alterthum vermauert worden ist, wobei man jedoch ihre Schwelle von weißem Marmor liegen ließ; durch die andere gelangt man drei Stufen abwärts in das Peristyl 16. Neben dem Tablinum 6 liegt links ein größeres, sehr einfach im letzten Stil auf weißem Grund ausgemaltes Zimmer 7, in dem ein kleiner Wandschrank γ angebracht ist; in diesem, in der Wand, ist ein Bleirohr der Wasserleitung sichtbar; rechts die Fauces 8, durch welche, wie durch das nach beiden Seiten ganz offene aber nach hinten um eine Stufe erhöhte Tablinum mit Resten einer Decoration dritten Stils, man in das Peristylium 9 gelangt. Dasselbe ist in jeder Weise sehr beschränkt, der Säulenumgang schmal, der als Viridarium benutzte, von einer Wasserrinne umgebene Hofraum klein; die acht Säulen von Tuff mit späterer Stuccobekleidung, deren letzte links in römischer Zeit in einen starken Doppelpfeiler von Ziegeln vermauert ist, sind durch einen *pluteus*, eine niedrige Brüstungsmauer, verbunden, welche oben ausgehöhlt ist, um Erde aufzunehmen, in welche Blumen gepflanzt wurden; in der Mitte liegt ein aufgemauertes Wasserbassin; Reste der kleinen Säulen eines obern Umgangs stehn im Tablinum. Links ist der Säulenumgang durch

ein hineingebautes Zimmer 10 verengt; hinter demselben erweitert er sich,
und man gelangt von hier gradaus in ein herrschaftliches Zimmer 11, mit
Malereien letzten Stils, links durch eine Thür zu den ebenfalls mit 11 bezeichneten Wirthschaftsräumen. Von diesen ist der hinterste, mit Ausgang
auf die östliche Straße (*vico del Fauno*), die durch Heerd und Abtritt gekenn-
zeichnete Küche; die anderen mochten als Vorrathskammer und Sclavenschlaf-
zimmer dienen. Bei δ ist der Anfang der Treppe erhalten, welche vielleicht
in einer Wendung nach links auf den Umgang des Peristyls, wenigstens sicher
nicht gradaus führte. Im Hintergrunde des Peristyls liegt eine Exedra 12, auf
deren linker Seitenwand ein mythologisches Bild sich befindet, welches (Hlbg.
No. 1382) auf Aeneas bezogen wird, der von Venus die Waffen empfängt; ihm
entsprachen andere, jetzt zerstörte, unter denen man die Auffindung Achills
unter den Töchtern des Lykomedes (Hlbg. No. 1303) erkannt hat; eigenthüm-
licherweise liegt hier eine Cisternenöffnung. Der kleine Raum 13 enthielt
wohl eine Treppe. Man sieht aus dem Überblick des Ganzen, dass dies ein
völlig in sich abgeschlossenes und vollständiges Haus gewesen ist, welches
einzig und allein durch die Thür im Atrium mit dem umgebauten Nachbarhause verbunden worden.

Dieses, *B*, welches im engern Sinne den Namen »Haus des Centauren«
nach einem Gemälde im Tablinum trägt, ist größer und reicher in seiner
Decoration und bietet in seinem Plane einige nicht unwichtige Besonderheiten.
An der Stelle des Hauptraumes 16 lag ohne Zweifel einst ein Atrium; doch
verdient derselbe in seiner jetzigen Gestalt, nach seinen Verhältnissen, mit
Viridarium und flacher Piscina, sowie nach der Form und Anordnung der
umliegenden Zimmer, eher den Namen eines Peristyls als den eines korinthischen Atriums. Neben dem Eingang 14, in dem wir demgemäß das Posticum
erkennen, obgleich er ursprünglich das Ostium des einst hier befindlichen
Atriums ist, liegt an der Straße links ein sowohl auf die Straße wie auf den
Gang des Ostium geöffnetes Zimmer 15, welches eine steile Treppe zu einer
obern, wahrscheinlich unabhängigen Miethwohnung enthielt, von dem Haupthause aber zugleich (im *subscalare*), vermuthlich als Schlafstelle für den Ostiarius, benutzt wurde. Von der Decoration des Ostium ist nur ein kleines Stück
erhalten, welches einen im Rohr gehenden storchartigen Vogel erkennen lässt.
Die Hausthür lag unmittelbar an der Straße. Im Hintergrunde des schon
erwähnten Viridariums steht eine Marmorbasis für eine Brunnenstatue ε, die
aber so wenig aufgefunden wurde, wie zwei Statuetten in Nischen des Tablinum, wahrscheinlich also von den Besitzern des Hauses nach der Katastrophe
ausgegraben worden ist. Dass im Nachbarhause *C* Nachgrabungen angestellt
sind, ist wenigstens sicher. Vor der Basis ε ist noch ein flaches Bassin für
Wasser mit zwei kleinen Löchern in die Rinne um das Viridarium. Die
sechszehn gemauerten und mit weißem Stucco bekleideten Säulen haben bemalte Capitelle, von denen ein Exemplar bei Zahn II, 19 abgebildet ist. An
dem breiten Säulenumgang liegen nur sehr wenige Zimmer. An der Straßenseite sind 17 und 18 beide in fast gleicher Weise im dritten Stil auf schwarzem
Grunde ausgemalt; 17 ist eine Schlafkammer, 18 eine Exedra. Die Wand des
Atriums rechts ist von einem weiten Eingang nicht in ein Zimmer, sondern in

eine eigene Abtheilung des Gebäudes durchbrochen, in der man, vielleicht nicht mit Unrecht, die Frauenwohnung hat erkennen wollen. Jedenfalls ist dies der privateste Theil des Hauses, erbaut auf dem Boden einer einst selbständigen kleinen Wohnung, welche, wie schon oben bemerkt, bereits in der Tuffperiode mit der *Casa del Centauro* vereinigt, später aber durchgreifend umgebaut wurde. Den Mittelpunkt bildet das kleine Viridarium 19 mit dem Brunnen, von dessen Säulenumgang aus zwei Zimmer 20 und 21 durch breite Fenster Licht erhielten, aus welchen man zugleich die Aussicht auf die grünenden Pflanzungen hatte. Die Hinterwand des Zimmers 20, eines *triclinium fenestratum*, ist bei Zahn II, 74 farbig abgebildet. Sie zeigt auf schwarzem Grunde ziemlich einfache architektonische, Pflanzen- und Thierornamente dritten Stils und macht einen wenig heitern Eindruck. 22 ist eine *apotheca*. Aus dem Peristylium zweigt sich ein schmaler gewölbter Gang 23 ab, welcher allmählich geneigt zu den Kellerräumen dieser Wohnung führt, welche sich mit jetzt eingestürzten Wölbungen soweit der Plan schraffirt ist unter No. 27, 29, 30 und 31 befinden. In diesen durch Fenster auf den *Vico del Fauno* erleuchteten Kellerräumen befindet sich die Küche, wo neben dem Heerd ein kleiner Altar an der Wand steht, auf welche über demselben das Larenbild gemalt ist. Über dem sich senkenden Gange 23 führte ein anderer, jetzt eingestürzter Gang, etwas höher als die Haupträume, um für den untern Platz zu lassen, zum Posticum auf den *Vico del Fauno*: neben dem Zugange des untern Ganges erreichte man den obern auf einer schmalen Rampe. — Neben dem Eingang in die eben besprochene Abtheilung der Wohnung liegt am großen Peristyl 16 ein Cubiculum 24, welches außer durch die Thür noch durch ein Fenster Licht erhält. Unmittelbar an dieses Zimmer grenzt ein Raum 25, der einzig in seiner Art in Pompeji ist. Es ist dies nämlich ein vorn durch eine niedrige Brüstungsmauer, in deren Marmorplatte die Spuren eiserner Riegel sichtbar sind, abgeschlossener Raum. Auf die wunderlichen Vermuthungen, als sei hier ein Behälter für wilde Thiere, oder ein Bad, oder ein Zimmer für Blumen gewesen, brauchen wir nicht einzugehen, da die wahre Bestimmung des Raumes hinlänglich klar ist. Die Brüstungsmauer ist 0,57 M. hoch; in der Höhe ihres Randes laufen viereckige Balkenlöcher um alle drei Wände; die hier eingelassenen Balken trugen also wohl unzweifelhaft einen hölzernen Fußboden; in der Hinterwand finden wir über einander zwei weitere Reihen viereckiger Löcher, in welchen Balken für Bretter oder schrankartige Kasten befestigt waren. So ist das ganze offenbar nichts anderes als ein großer, der Feuchtigkeit wegen über den Boden erhöhter Wandschrank.

Die Rückseite des Peristyls ist, weil hier noch ein Garten folgt, ziemlich so angeordnet, wie es bei der Rückseite der Atrien der Fall zu sein pflegt. Die tablinumartige Exedra (wir nennen sie der Deutlichkeit halber Tablinum) 26, nach vorn ganz offen, nach hinten halb geschlossen, war prächtig mit zwei großen ausgehobenen Gemälden geschmückt, von denen dasjenige rechts (Hlbg. No. 1146) Herakles mit den Kentauren Nessos in einer in Pompeji wiederholt vorkommenden Weise darstellend, dem Hause den Namen gegeben hat. Auf der Wand gegenüber sind Meleagros und Atalante, den getödteten kalydonischen Eber vor ihren Füßen, gemalt (Hlbg. No. 1165). An den Seiten des breiten Ausgangs nach hinten sieht man zwei blau gemalte Nischen für Statuetten, welche aber so wenig wie die Figur auf der Basis im Peristyl aufgefunden worden sind. Dagegen war dieses Haus besonders reich an mancherlei, zum Theil sehr schönem Hausgeräth, Candelabern, Vasen, Wagen u. dgl. m.

Links neben dem Tablinum, dessen Boden mit weiß und schwarzem Mosaik und in dasselbe eingelegten bunten Marmorstückchen bedeckt ist, welche regelmäßige Figuren bilden, liegt ein geräumiges Triclinium 27 mit einem doppelten Eingang aus dem Tablinum und aus dem Peristyl des Hinterhauses, auf dessen Viridarium ein breites, jetzt mit dem hintern Theile der Mauern zusammengestürztes Fenster sich öffnete. Der Fußboden dieses Saales, dessen Wände sehr einfach im dritten Stil bemalt sind, enthielt eines der schätzbarsten Mosaike, welche wir aus Pompeji besitzen und auf das wir zurückkommen werden, jene bekannte Darstellung eines von Eroten gebändigten Löwen, abgebildet unter anderem bei Zahn II, 93. Dies Bild, rund, von 2,30 M. Durchmesser, lag in der Mitte des Bodens, wurde 1829 in Gegenwart des Königs und der Königin von Sardinien entdeckt und ist in das Museum in Neapel gebracht worden. Rechts am Tablinum haben wir die Fauces 28, die hier die Gestalt eines von vorn und hinten und auch aus dem Tablinum zugänglichen Zimmers haben und reicher als gewöhnlich decorirt sind. Das in Folge des Einsturzes der Gewölbe des darunter liegenden Kellers unbetretbare und nebst den angrenzenden Räumen bis fast zur Unkenntlichkeit zerstörte Peristyl 29 und Viridarium 30 sind sehr beschränkt. Nur eine Reihe von vier Säulen, deren beide äußerste noch vermauert sind, öffnet den Zugang zum Viridarium, neben dem rechts eine Piscina lag. In der Mitte der Hauptwand des Viridarium ist, jetzt kaum noch erkennbar, eine lebensgroße Nereïde auf einem Seepferd gemalt. Neben dieser führt ein hinterer Ausgang des Peristyls 31, neben dem Posticum, auf den *Vico del Fauno*. Diesem Ausgang gegenüber finden wir in 32 eine früher nur vom Peristyl aus, jetzt gar nicht mehr erreichbare Exedra. Hier ist die eine Marmortäfelung nachahmende Decoration ersten Stils erhalten, welche aber in der Gliederung der Wände durch flache Pilaster mit eigenthümlichen, an diejenigen des Athenatempels von Priene erinnernden Capitellen, über denen ein freilich nicht ganz reiner dorischer Fries mit Triglyphen und Metopen liegt, wieder ihr ganz Besonderes hat. Eine ganze Abtheilung dieser Wand ist abgebildet im Mus. Borb. VI, tav. AB unter *E*.

(No. 21.) Die Wohnung *C*, mit welcher *D* verbunden ist, die *Casa del questore* oder *dei Dioscuri*, 1828 und 1829 ausgegraben, ist nicht allein die größte und reichste dieses Complexes, sondern nimmt nach der Schönheit und Pracht ihrer Decoration eine der ersten Stellen unter allen Häusern Pompejis ein. Den ersten Namen empfing das Haus von drei Geldkisten im Atrium. natürlich ohne jegliche Gewähr, zumal es in Pompeji zu der Zeit, welcher das Haus in seiner uns vorliegenden Gestalt angehört, keine Quaestoren gab; der zweite Name, welcher überwiegend im Gebrauche ist, bezieht sich auf ausgehobene Gemälde der Dioscuren rechts und links im Ostium (Hlbg. No. 963).

Die Façade des Hauses hat ein heitereres Aussehn, als die mancher anderen, wenngleich auch sie nur einförmig und durch die zwei kleinen Fenster der Zimmer an der Straßenfront wenig belebt ist; aber man hat durch Farbe zu helfen gesucht, den in Quaderform gearbeiteten Bewurf mit einem mannshohen rothen Sockel verziert und die darauf folgenden in Stucco nachgeahmten weißen Quadern mit zierlichen Rändern eingefasst. Auf den rechten Thürpfeiler war ein jetzt ausgehobener Mercur (Hlbg. No. 18) gemalt, der mit dem Beutel in der Hand von der Fortuna ausgesandt wird, um einem Günstling die Schätze der Göttin zu bringen, der also wahrscheinlich die Wohnung eines Kaufmanns bezeichnet. Die Schwelle des Hauses liegt zwischen zwei Anten unmittelbar an der Straße. In der Mitte des lebhaft gelb, blau und roth mit schwebenden Figuren bemalten Ostium 33 befindet sich ein Stein mit runder Öffnung, welcher zur Reinigung des unter dem Boden fortgeführten Wasserabzugs diente und sich ebenso in manchen anderen Häusern wiederfindet (oben S. 255). Rechts öffnet sich eine Thür in einen dunkeln, nur 2 M. hohen Raum 34, welcher einen Abtritt und eine Treppe in ein oberes, durch ein Fenster auf die Straße erleuchtetes Zimmer enthielt; ohne Zweifel war dies der Aufenthalt des Ostiarius, welcher also hier durch das Fenster des obern Raumes die vor der Thür stehenden in Augenschein nehmen konnte. Links vom Eingange finden wir ein nach dem Atrium geöffnetes kleines, elegant bemaltes Cubiculum 35. In ihm sieht man eine flache Nische, welche einen Schrank enthalten haben wird, und links neben der Thür füllt den Hintergrund eine Erhöhung (0,09 M.) für ein sehr breites Bett. Die weißen Wände sind mit Architekturen letzten Stils geziert, von denen Zahn II, 89 eine farbige Probe giebt; von den sie schmückenden Einzelfiguren sei in der obern Abtheilung ein Poseidon (Hlbg. No. 171) und eine als Hera mit zweifelhaftem Rechte benannte Figur (Hlbg. No. 160) hervorgehoben. Neben diesem Zimmerchen ist eine kleine Geräth- oder Kleiderkammer 36, mit eigener Thür verschließbar. Das ausnahmsweise quadratische Atrium, dessen Eingang vom Ostium her wieder von zwei Pilastern flankirt wird, 37, ist korinthisch und eines des geräumigsten und schönsten in ganz Pompeji; zwölf Säulen mit unten rothen, oben weißen und cannellirten Schäften und jetzt nicht mehr vorhandenen bemalten Capitellen umgeben das Impluvium, an welchem seitwärts das Puteal der Cisterne und in der Mitte der hinteren Säulen ein Postament für eine nicht aufgefundene Statue steht. Übrigens stammt das Atrium aus der Tuffperiode und sind die Tuffsäulen erst später in der angegebenen Weise übertüncht worden. Der bedeckte Umgang ist fast 3 M. breit; die Malerei seiner Wände ist dadurch merkwürdig, dass hier eine übrigens ziemlich einfache Decoration dritten Stils auf rothem und gelbem Grunde nur rechts hinten bei *g*, durch einen Schrank geschützt, erhalten, im übrigen aber in der letzten Zeit Pompejis, weil der Besitzer an dem ältern Stil Gefallen fand, erneuert worden ist. Die Wände sind ringsum mit Gemälden bedeckt gewesen, von denen allerdings wenig zurückgeblieben ist. Jedoch rühren nicht alle leeren Stellen der Wände von modernen Aushebungen vorgefundener Bilder her; ihrer mehre sind vielmehr bei der Ausgrabung leer gefunden worden, waren also antiker Weise hergerichtet um in dieselben den Marmor-

stucco für die nach Vollendung der Wanddecoration zu malenden Bilder ein-
zufügen. Auf der Wand *a* war Fortuna mit Füllhorn und Steuerruder (Hlbg.
No. 942), auf derjenigen *b* Bakchos mit einem Satyrknaben (Hlbg. No. 400)
gemalt; die Wand *c* zeigte Demeter (Hlbg. No. 176), diejenige *d* an der andern
Seite des breiten Eingangs in das Peristylium, Apollon die Leier spielend
(Hlbg. No. 181); über der erwähnten Thür ist in der Mitte ein Panisk mit
einem Hermaphroditen (Hlbg. No. 1370), zu beiden Seiten sind Landschaften
gemalt; dies Alles ist bis auf die an Ort und Stelle zu Grunde gegangenen
Landschaften jetzt ausgehoben. Weiter folgte, jetzt ebenfalls im Museum zu
suchen, bei *e* Kronos mit der Sichel in der Hand (Hlbg. No 96); bei *f* ist eine
schwebende Siegesgöttin mit einem Kranz und einem Schilde, auf dem die
bekannten Buchstaben S. C. (*senatus consultum, senatus consulto*) stehn (Hlbg.
No. 909), noch heute vorhanden. Auch auf den schmalen Wandflächen der
gegenüberliegenden Seite fehlten ähnliche Einzelfiguren nicht, von denen aber
nur ein Ares (Hlbg. No. 273) erkennbar und am Orte ist, während unter den
hier ausgehobenen der sitzende, von der Nike bekränzte Zeus (Hlbg. No. 102)
als besonders großartig erfunden hervorgehoben werden muss. Die Malereien
des Atriums stehen aber sowohl an Kunstwerth wie an Bedeutsamkeit des
Gegenstandes gegen mehre Bilder der anderen Gemächer dieses Hauses
zurück. Bevor wir diese durchwandern, müssen wir uns noch die drei im
Atrium bei *g g g* aufgestellten Geldkisten, von denen jetzt nur noch die gemauerten Fundamente vorhanden sind, etwas näher betrachten. Dieselben [139]
waren von starkem und dickem Holze, im Innern mit Kupfer ausgeschlagen,
äußerlich mit bronzenen Platten belegt, in welchen theils reine Ornamente,
Maeander, Arabesken, Blätterwerk, theils figürliche Reliefe ausgetrieben waren,
die aber, schon bald nach der Ausgrabung durch einander geworfen, bis jetzt
nicht näher bekannt sind. In der größern, reicher decorirt gewesenen fand man
45 Gold- und 5 Silbermünzen, in den kleineren kein Geld, sondern nur in
einer derselben einen liegenden Hund in Relief von Bronze und eine Fortunen-
büste von gleichem Material. Die schon erwähnte in der rechten hintern Ecke
verdient wegen ihrer mehr hohen als breiten Form mehr den Namen eines
Schranks als den einer Kiste. Von den das Atrium umgebenden Gemächern ist
dasjenige 38 an der Straße ein hübsch, mit dem Schlafzimmer 35 übereinstimmend ausgemaltes kleines Triclinium. Seine hintere Hauptwand, dem Eingange
gegenüber, war in der Mitte durch ein ausgehobenes Gemälde geschmückt,
welches Selene und Endymion darstellt (Hlbg. No. 960), während zu beiden
Seiten desselben auf den Nebenfeldern des architektonischen Gesammtorna-
ments sich schlecht erhaltene, schwebende Bakchantinnen finden und unter
dem Fenster auf der Wand nach der Straße die Spuren eines sich im Quell be-
schauenden Narkissos (Hlbg. No. 1364) noch erkennbar sind. Auf dies größere
folgen zwei kleinere Zimmer 39, deren zweites in einer schmalen Nische rechts
vom Eingange einen Wandschrank enthielt, während in dem ersten an den Aushöhlungen in den Wänden der Platz eines an der Rückwand stehenden Bettes
kenntlich ist. Die Ala 40 war durch einen großen Schrank ausgefüllt, dessen
Unterbau als Stufe an den Wänden hinläuft; durch ihn geschützt ist hier
eine einfache, Marmortäfelung nachahmende Malerei zweiten Stils erhalten

worden, während das Atrium zur Zeit des dritten und wieder zur Zeit des letzten Stils neu ausgemalt wurde. Auf der Rückseite des Atriums finden wir nach den Fauces 41, neben denen die Treppe liegt, ein schönes, nach beiden Seiten ganz offenes Tablinum 42 von 5,30 $\times$ 4,80 M., dessen Boden mit weißem, schwarzgerandetem Mosaik belegt ist und dessen beide Wände mit sehr reicher und prächtiger Malerei bedeutsamen Inhalts geschmückt waren. Die ganze Wand rechts, letzten Stils mit blauen Feldern, ist bei Zahn II, 23 abgebildet, die einzelnen Ornamente farbig auf Taf. 75; das ausgehobene Mittelbild stellt die Entdeckung Achills durch Odysseus unter Lykomedes' Töchtern auf Skyros dar (Hlbg. No. 1297), und ihm entsprach auf der in gleicher Weise decorirten Wand links als Hauptgemälde in der Mitte die fragmentirt ausgehobene Darstellung der bekannten Scene des ersten Buches der Ilias, wo Achill mit Agamemnon hadernd gegen den König sein Schwert ziehn will, von Pallas aber zurückgehalten wird (Hlbg. No. 1307). Dieselben beiden Gegenstände finden wir in der *Casa di Apolline* in merkwürdigen Mosaikgemälden einander ebenso entgegengesetzt; wenn auch die Gegenüberstellung derselben hauptsächlich durch Ähnlichkeit in der Composition und in der Bewegung der Hauptfiguren veranlasst sein mochte, so wollen wir doch auch den tiefern Sinn nicht verkennen: dort der Augenblick, wo die Griechen mit Mühe und List den gewaltigen Peliden gewinnen, ohne den sie nicht hoffen, Ilion einzunehmen, hier Achills Trennung von der gemeinsamen Sache der Griechen, jener Groll, der

> »den Achaeern unnennbaren Jammer erregte
> Und viel tapfere Seelen der Helden sandte zum Hades.«

Die Seitenfelder zeigen schwebende Gruppen je eines Bakchanten und einer Bakchantin (Hlbg. No. 515. 522. 523. 529), auf der linken Wand noch vorhanden, rechts ausgehoben.

Rechts neben dem Tablinum ist das Triclinium 43, welches aus dem Atrium betreten wird, aber aus dem Peristyl durch ein großes Fenster Licht erhält. Es ist reich und prächtig, ganz ähnlich wie das Tablinum, auch auf blauem Grunde, ausgemalt. Hier ist namentlich ein Gemälde an der Wand gegen das Tablinum bemerkenswerth, welches gewöhnlich als des Kindes Achill Eintauchung in den Styx durch seine Mutter gedeutet wird, aber schwerlich wirklich diesen Gegenstand darstellt (Hlbg. No. 1390). Auch Thetis mit den Waffen für ihren Sohn auf einem Seeross reitend (Hlbg. No. 1321) und gegenüber Arion auf dem Delphin (Hlbg. No. 1377) kommt hier vor, und in kleinen Medaillons tanzende und verschiedene Instrumente spielende Eroten. Auch an der Wand gegen das Atrium ist ein größeres Gemälde, welches erst neuerlich seine richtige Deutung: Minos und Skylla (Hlbg. No. 1337) erhalten hat. Viel weniger reich und elegant im letzten Stil auf weißem Grunde decorirt ist ein auf der andern Seite neben den Fauces gelegenes und ebenfalls aus dem Peristyl beleuchtetes aber kleineres Zimmer 44, an dessen Hinterwand, bestens erhalten, Apollon und Daphne (Hlbg. No. 208) gemalt sind, während rechts kaum in Spuren erhalten Adonis (Hlbg. No. 344) und links Silen mit dem Bakchosknaben (Hlbg. No. 378) die Wand ziert [140]).

Das Peristylium 45 ist ein nur unvollständiges, indem nur die vordere

Säulenreihe, einstmals in ihren Intercolumnien mit einem hölzernen Gitter verschlossen, frei steht, während links und hinten Halbsäulen aus den das Viridarium umgebenden Mauern vorspringen.   Rechts fehlen auch diese; hier tritt an die Stelle der Porticus ein schmaler, mit *opus Signinum* gepflasterter Gang, welcher durch das vorspringende Dach der Räume 46, 47 bedeckt und vom Viridarium durch ein in Steinen mit viereckigen Löchern stehendes, 0,75 M. hohes Gitter getrennt war. Vor dem Säulengang ist eine Brunnenöffnung, um das Wasser aus der Cisterne zu ziehn, auch steht hier ein Marmortisch mit Löwenfüßen. An der Rückseite des Viridariums befindet sich ein kleines zweisäuliges Tempelchen mit der Basis einer in Fragmenten gefundenen und nicht mehr vorhandenen Statuette, deren Kopf dem der Isis aus dem Tempel dieser Göttin gleichen soll; vor dem kleinen Heiligthume stand ein kleiner Altar aus Tuff, auf welchen die Opfergaben niedergelegt wurden. Auch in diesem Raume fehlt der malerische Wandschmuck nicht; unter dem Säulengang an den Mauerpfeilern des Tablinums entsprachen einander ein paar jetzt entfernte Lustspielscenen (Hlbg. No. 1465. 1470); außen an der Wand des großen Tricliniums oder Oecus 46 rechts vom Viridarium ist einerseits links neben dem großen Fenster eine Landschaft mit Staffage, ein Opfer darstellend (Hlbg. No. 1556) gemalt, andererseits, an der Schmalwand der Porticus die bekannte Geschichte von Phaedra und Hippolytos (Hlbg. No. 1242), während eine Io (Hlbg. No. 133) ausgehoben ist und auf der Hinterwand des Viridariums Bäume und Sträucher mit Blumen und flatternden Vögeln, in Spuren erhalten, den beschränkten Raum des Viridariums scheinbar zu erweitern bestimmt sind, wie das in Pompeji noch mehrfach vorkommt.

Von den Gemächern, welche von der Porticus aus ihren Zugang haben, wurde schon erwähnt das Sommertriclinium oder der Oecus 46, neben dem der Gang zur Hinterthür 47 vorbeiführt. Vielfache und bedeutende Lichtöffnungen nach allen Seiten, die man im Plane erkennen kann, und die Aussicht auf die beiden Viridarien des Hauses machten ihn zu einem der heitersten und luftigsten Räume in Pompeji. Zugleich war er eins der am kostbarsten geschmückten Gemächer der Stadt; nicht mit bemaltem Stuck waren seine Wände bekleidet, sondern mit jetzt allerdings bis auf einzelne Spuren verschwundenen Platten vielfarbigen Marmors: eine Decoration, welche in Rom erst in Caesars Zeit durch Mamurra (s. oben S. 250) aufkam. Die daneben gelegenen Zimmer 48 können als Cubiculum mit einem Vorzimmer gelten; der schöne Mosaikfußboden des erstern stammt aus einer Zeit, wo die Räume ganz anders vertheilt waren: er gehörte damals einem großen Triclinium an, welches auch das Vorzimmer und einen Theil des Oecus 46 umfasste, welcher letztere also erst später, vermuthlich in der letzten Zeit Pompejis angelegt worden ist. Auf der andern Seite des Säulenganges finden wir in 49 nach der Ansicht einiger Schriftsteller ein geräumiges Schlafzimmer, während dasselbe Anderen ungleich wahrscheinlicher für ein Wintertriclinium gilt, das sein Licht von oben empfangen haben muss. Von der Malerei seiner Wände gilt dasselbe wie von der des Atriums (oben S. 335): die Decoration dritten Stils ist nur im obern Theil wirklich erhalten, während sie unten zur Zeit des letzten Stils erneuert worden ist. Von den Bildern erwähnen wir eines an der Eingangswand, welches Narkissos

(Hlbg. No. 1366), und ein anderes an der Wand rechts von der Thür, welches nach einer frühern Deutung Hektor und Paris, nach dem sechsten Gesange der Ilias 325—341, nach richtiger Bestimmung dagegen Apollon mit einem hier so wenig wie in anderen Fällen benennbaren Geliebten darstellt, außerdem Ornamente, welche bei Zahn II, 49 farbig abgebildet sind. Neben diesem Zimmer liegt die Küche 50 mit wohlerhaltenem Feuerheerd, Resten einer Larencapelle und einer Treppe zum obern Geschoss; in 51 ist ein Durchgang mit einer Wandschranknische links neben dem Eingange; hinter diesem befindet sich in 51′ noch ein geräumiges, einfach ausgemaltes Gemach mit einem Fenster in das Viridarium, und in 52 haben wir den hier, wie vielfach, neben der Küche angebrachten, durch zwei kleine Lichtöffnungen und ein größeres Fenster von der Straße erleuchteten, merkwürdig großen und mit unten rothen, oben weißen, roth getheilten Wänden stattlich decorirten Abtritt. In der Ecke der Treppe gegenüber ist in der Küche ein Ausguss mit einer aus dem Oberstock herabkommenden Thonleitung, vor der Kammer 51 in der Wand eine Cisternenöffnung.

Wenn für ein so großes und reiches Haus wie dieses das Viridarium mit der Hauscapellennische klein und unbedeutend erscheint, so ist diesem Mangel abgeholfen durch ein zweites Peristyl 53 mit Garten und Piscina, in der ein Springbrunnen plätscherte; dies liegt, wie in der *Casa di Meleagro* (oben No. 16) und in der eben besprochenen *Casa del Centauro*, neben der Hauptabtheilung der Wohnung und steht sowohl mit den beiden Atrien 37 und 60 als mit dem Peristyl 45 durch Durchgänge in Verbindung; auf dasselbe öffnen sich die schon besprochenen Zimmer 46 und 48. Sehr ausgedehnt ist es freilich nicht, doch bot es ohne Zweifel für die im Triclinium gelagerten Gäste eine reizende Aussicht, für die Hausbewohner einen ausgesuchten Spaziergang. Der Umgang farbiger Säulen mit seinen in lebhaften Farben (Roth, Gelb, Grün, Schwarz) reich bemalten Wänden, das schöne, tiefe Bassin des Fischteiches mit dem Springbrunnen, die Pflanzen des Gartens, in welchem noch ein kleineres, viereckiges, auch wohl sicher einen Springbrunnen enthaltendes Bassin angebracht ist: alles das zusammen musste diesem Peristyl einen ganz eigenthümlichen Reiz verleihen. Es ist einer der Räume, in welchen uns die Bequemlichkeit und Heiterkeit dieses antiken Lebens so recht fühlbar vor die Seele tritt. — Wir bemerken noch, dass wir hier nicht die gleichmäßig ringsum laufenden Säulenreihen finden, wie sie in früherer Zeit, namentlich in der Tuffperiode üblich waren. Schon der Plan zeigt die in zwei Halbsäulen auslaufenden Eckpfeiler, zwischen denen auf den Schmalseiten gar keine Säulen standen; dazu kommt aber noch ein beträchtlicher Höhenunterschied zwischen den Lang- und Schmalseiten, indem die Eckpfeiler mit ihren den Schmalseiten zugewandten Halbsäulen 4,03 M., die Säulen und Halbsäulen der Langseiten nur 3,26 M. hoch waren. Ein solches Streben nach Abwechselung begegnet uns in Bauten der letzten Periode nicht selten; hier war ohne Zweifel die Rücksicht auf die große Öffnung des Tricliniums 46 maßgebend.

Der Gemäldeschmuck ist sehr interessant. Rechts und links vom Eingange aus dem Atrium setzen sich (noch vorhanden) jene Einzelfiguren fort, welche wir im Atrium gefunden haben, dort (*h*) in einer Venus Pompeiana mit

dem Genius (Hlbg. No. 295), hier (*i*) in einer schwebenden Bakchantin mit
Thyrsos und Tamburin (Hlbg. No. 481), einer der schönsten und großartigsten
dieser schwebenden Einzelfiguren. Als männliche Gegenstücke finden wir
gegenüber rechts und links neben dem Durchgang in das kleine Nebenhaus
hier (*k*) einen bewegt vorschreitenden bewaffneten Jüngling oder Heros ungewisser Deutung (Hlbg. No. 1830), dort (*l*), zerstört, einen Krieger, der
den Schild hoch erhebt und das Schwert zum Streiche bereit hält, und der
durch die kühne Verkürzung, in der sein Gesicht gemalt ist, besonders merkwürdig wird (Hlbg. No. 1834). Eine Einzelfigur schmückt endlich noch einen
jener Pfeiler, welche an den Ecken des Peristyls anstatt der Säulen die Decke
tragen, bei *m* eine Priesterin mit einer Schlange (Hlbg. No. 1819), während
auf dem entsprechenden Pfeiler *n* ein heiteres Bildchen gemalt ist, ein Knabe,
der einen Affen tanzen lässt (Hlbg. No. 1417). Auf der äußern Fläche der
Pfeiler gegen das Triclinium befand sich (jetzt ausgehoben) rechts bei *o* Medea
im Begriffe ihre Kinder zu tödten, welche in kindlicher Unschuld unter der
Aufsicht des Paedagogen Knöchel spielen (Hlbg. No. 1262), links bei *p* (auch
ausgehoben) eine der häufig wiederholten Darstellungen der Befreiung Andromedas durch Perseus (Hlbg. No. 1186). Das meiste Interesse aber von den
Gemälden dieses Hauses nehmen zwei Gegenstände auf der Fläche der beiden
anderen Eckpfeiler *q, r* in Anspruch. Beide stellen (jetzt im Museum, Hlbg.
No. 1154) golden gemalte Dreifüße dar, auf deren Querstäben die Apollons
und Artemis' Pfeilen unterliegenden Kinder Niobes, links sieben Söhne, rechts
sieben Töchter angebracht sind. Endlich nennen wir noch (ebenfalls ausgehoben)
einen Bakchos mit einem Satyrn (Hlbg. No. 399) auf der Wandfläche *s* neben
dem breiten Eingang vom Triclinium, sowie eine weitere Reihe von Compositionen und Einzelfiguren, von denen die folgenden noch an Ort und Stelle, andere
ausgehoben oder bis auf geringe Reste zerstört sind: bei *t* eine Waffnung Achills
(Hlbg. No. 1323), bei *u* ein Jüngling neben einem Pferde (Hlbg. No. 1841), gegenüber bei *v* ein bewaffneter Jüngling (Hlbg. No. 1835), endlich bei *x* ein sitzendes und wie aufmerksam lauschendes Mädchen (Hlbg. No. 1886). Außerdem sind
als Nebenbilder an den untergeordneten Stellen dieser Wände in dem Ornament
eine Menge kleiner Darstellungen angebracht, welche sogenanntes Stillleben
enthalten: eine Taube, welche eine Ähre aus einem Korbe zieht, zwei gebunden liegende Antilopen, Wasserhühner, ein todtes Rebhuhn neben einem Korb
mit Feigen, ein Schwan, ein Korb mit Früchten, ein todtes Ferkel u. dgl. mehr.

Von den umliegenden Räumen ist außer den schon besprochenen Zimmern der Ostseite noch das kleine Cubiculum an der Nordostecke (ohne
Nummer) zu erwähnen. Es war mit flachgewölbter Verschalung bedeckt, hat
einen weißen Mosaikfußboden mit schwarzem Rande und auf den Wänden
eine Malerei letzten Stils auf schwarzem Grunde.

Aus diesem Peristylium gelangt man endlich in das kleine Nebenhaus *D*,
welches in seiner ganzen Einrichtung Manches enthält, was den Gedanken zu
unterstützen scheint, den man zur Erklärung der Doppelhäuser unter anderen
ausgesprochen hat, dass nämlich die kleineren Nebenwohnungen für die
Dienerschaft der Haupthäuser benutzt worden seien. Erweislich ist freilich
eine solche Bestimmung auch hier nicht, und es darf nicht verschwiegen

werden, dass der wenngleich verhältnissmäßig bescheidene Schmuck dieser Abtheilung für eine Diener- d. h. Sclavenwohnung doch zu bedeutend erscheint. Das ursprünglich ganz selbständige Haus hat seinen eigenen Eingang von der Straße 54 behalten, neben dem rechts die Küche 55 mit wohlerhaltenem gemauertem Heerd (über demselben sind zwei Schlangen gemalt), und der Treppenraum 56 liegt, in welchem sich auch ein Abfluss für das Wasser der Küche und der Abtritt befindet. In Betreff dieser Räume und der folgenden Zimmer 57, 58, 59 ist bemerkenswerth, dass sie nicht von gleicher Höhe sind. 56 und 57 sind niedrig (2,40 M.), um Raum für obere Räume zu gewinnen, während 55 und 58 höher sind. 57, mit einem ganz kleinen Fenster auf die Nebengasse, den *Vicolo di Mercurio*, und mit sehr bescheidener Decoration, gelben, von dunkeln Pfeilern getrennten Wandfeldern ohne Bilder, scheint ein Cubiculum gewesen zu sein; hier fand man eine Fülle von wohl nur zufällig hierher gekommenen Geräthen und Gefäßen, Bronzevasen mit eingelegtem Silberornament, Candelaber, ein Räucherfass (*acerra*), bronzene Schüsseln, Badekratzen, ein Feuerfass, eine Wage, eine kleine eiserne Hacke u. dgl. mehr. Etwas eleganter ist die Decoration von 58 mit einem größern, höher angebrachten Fenster nach der Straße, und das dritte, welches am 15. November 1828 in Gegenwart des Königs Friedrich Wilhelm III. von Preußen ausgegraben wurde, der auch die mancherlei in demselben gefundenen Geräthe vom Könige von Neapel zum Geschenk erhielt. Dies die Zimmer rechts an dem einfachen und schmucklosen tuscanischen Atrium 60, in dessen Hintergrunde ein kleines mit *opus Signinum* geplattetes Tablinum 61 mit schwarzen Wänden und zerstörten kleinen Bildern, ein als Fauces dienendes Gemach 62 und ein an einer Aushöhlung in der einen Wand kenntliches Cubiculum 63 mit gelben Wänden und leichten Architekturen liegen. Die linke Seite des Atriums ist nur von der Wand mit dem Durchgange in das größere Haus *C* begrenzt, während an der Vorderseite links vom Eingange ein einziges, einfach auf gelbem und rothem Grunde ausgemaltes Cubiculum 64 liegt. Aus den Fauces gelangt man rechts in ein Triclinium 65 mit rothen und gelben Wandflächen und der Aussicht auf das kleine Viridarium, neben dem eine Cisternenöffnung liegt. Die Decke des Umganges um dies Viridarium 66 wird nicht von Säulen, sondern nur von ein paar Pfeilern getragen. Auf den Umgang öffnet sich eine Reihe kleiner Schlafzimmer 67, welche in ihrer Schmucklosigkeit und Gleichförmigkeit für die der Dienerschaft gelten mögen. Hinter dem Tablinum liegt eine Art von kleiner Exedra 68′, fast nur eine Nische oder Grotte mit einfach im zweiten Stil gemalten Wänden (während sonst dieser ganze Theil des Hauses nur Malereien letzten Stils hat), kleinem Stuccocarnies und niedriger Decke, deren Balkenlöcher erhalten sind; an den drei Schlafzimmern vorbei gelangt man in einen großen Raum 69, dessen Decke durch einen Pfeiler in der Mitte gestützt wurde und welcher einen fahrbaren, gepflasterten, jetzt vermauerten Ausgang auf die hintere Straße, den *Vico del Fauno* hatte und ohne Zweifel als Stall und Remise gedient hat. Links endlich neben diesem Stall, doch ohne Verbindung mit demselben, sehn wir noch zwei kleine Schlafzimmer 70, in welche man gradaus durch die jetzt verbaute Fortsetzung des Ganges zu 69 und durch einen Gang gelangt, der, durch ein Hinterfenster erleuchtet, am Ende über eine Rampe 71 anstatt der Treppe zum Posticum der Hauptwohnung *C* führt. Auch dies sind offenbar Sclavenzimmer gewesen.

(No. 22.) Hinter den beiden eben besprochenen Häusern, jedoch mit dem Eingang nicht aus dem breitern *Vico del Fauno*, sondern von dem engen *Vicolo di Mercurio* aus, liegt ein Haus mit zwei Atrien, die 1834 gefundene aber besonders 1835 ausgegrabene *Casa del Laberinto* (VI, 11, 9 und 10; No. 45 im Plan), welches zu den bekanntesten von Pompeji gehört. Es ist in der Tuffperiode, wohl gegen das Ende derselben, nach fast vollständiger Wegräumung älterer Häuser, nach einem klaren und übersichtlichen Plan erbaut worden; nur die Front des rechten Atriums und das vorspringende hinterste Stück der rechten Wand sind Reste älterer Bauten [141]. Die ursprüngliche Decoration ersten Stils — Nachahmung einer Marmortäfelung durch plastische Stuckarbeit — ist nur in dem rechten Atrium 27 und in einigen anliegenden Räumen erhalten. Nicht allzu lange nach der Deduction der römischen Colonie wurden in den Wirthschaftsräumen (11—22) einige Veränderungen vorgenommen, namentlich auch das kleine Bad 20—22 eingerichtet, und das ganze Haus, mit Ausnahme der erwähnten Räume am rechten Atrium, im zweiten Stil ausgemalt, welche Decoration nur in wenigen Räumen (z. B. in dem Bade) durch spätere Malereien ersetzt worden ist.

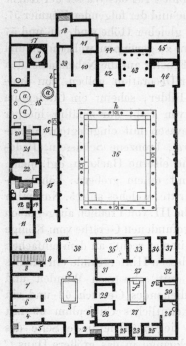

Fig. 175. Plan der s. g. *Casa del Laberinto* (Norden oben).

Ihr sind wahrscheinlich die zum Theil sehr schönen Mosaikfußböden gleichzeitig. Die rechte Vorderecke endlich ist in Folge des Erdbebens vom Jahre 63 neu aufgebaut worden. Die Orientirung ist leicht und lässt sich kurz abthun. 1 Eingang, Ostium, mit derselben doppelten Eingangseinrichtung, wie sie in dem Hause des M. Epidius Rufus (oben No. 14) besser erhalten ist. An demselben liegt rechts der Treppenraum 2, der, nach seiner Größe zu urteilen, auch entweder als Vorrathskammer oder als Schlafzimmer für Sclaven gedient hat. Das tuscanische Atrium 3, hinter dessen Impluvium der gemauerte Rest einer Statuenbasis steht, ist ein Nebenatrium, weniger regelmäßig gestaltet als das andere (27), und vermittelt den Zugang zu den links hinter ihm liegenden Wirthschaftsräumen. Am Atrium liegen nur links Zimmer und zwar 5 ein großes, von der Straße her erleuchtetes Gemach ungewisser Bestimmung mit einer gemauerten Basis an der Westwand (links), sorgfältig, wenn auch einfach decorirt, zu welchem der Gang 4 führt, an dessen Ende rechts eine frühere Thür nach 6 verbaut ist; ein kleineres dergleichen 6, welches, durch ein Fenster von der Straße her erleuchtet, in einer Decoration letzten Stils recht hübsche Bilder enthält, namentlich links (halb zerstört an Ort und Stelle) eine Entführung der Europe (Hlbg. No. 125) und gegenüber, noch mehr zerstört, eine verlassene Ariadne (Hlbg. No. 1230); sodann eine Ala 7 mit einem weißen Mosaikfußboden und streng architektonisch decorirten Wänden; eine rohe überwölbte Sclavencella 8 mit kleinen, nach außen sich verengenden Fenstern; die Schlafstätte befand sich wohl unter der vortrefflich erhaltenen Treppe 9, welche über neunzehn steile Stufen zum Oberstock führt. Von einem Vorplatze 10 gelangt man links in ein erst später hineingebautes ganz wüstes Zimmer oder einen Verschlag ungewisser Bedeutung 11 mit einem Nebenstübchen 12, in welchem sich ein kleiner Larenaltar befindet, und durch dieses in die Küche 13. Letztere hat zwei Heerde, einen rechts, neben welchem sich in einer viereckigen Nische Reste des Larenbildes finden, und einen zweiten an der Hinterwand. Von letzterem aus müssen auch die Baderäume 21, 22 geheizt worden sein, wenn gleich das Nähere hier nicht mehr kenntlich ist. Rechts neben diesem Heerde war wohl der Abtritt. Von 10 gradaus, vorbei an dem Cubiculum 14, gelangen wir auf auf einem langen Gange 15 in eine Bäckerei 16 mit den Mühlen *a*, vier großen Wasserschüsseln von Thon auf gemauerten Untersätzen *b*, einem Ausgussstein *c*, über dem der Flussgott des Sarnus, eine der symbolischen Schlangen und Vesta von zwei Laren umgeben nebst der Venus Pompeiana mit dem Genius (Hlbg. No. 65) gemalt sind, endlich dem großen gewölbten Backofen *d*. Links neben letzterem sehn wir das eigentlich zur Brotbereitung bestimmte Zimmer mit einer Brunnenöffnung an der einen Seite, dem Fuße des Backtisches in der Mitte, dem cylinderförmigen Steingefäß zum Kneten des Teiges und Balkenlöchern für Bretter in der Wand des andern Endes. Da kein Laden mit dieser Bäckerei in Verbindung steht, vielmehr der Zugang zu derselben nur durch die ganze Wohnung ist, so darf man annehmen, dass das hier gebackene Brod nicht verkauft, sondern nur für den Hausstand dieser Familie verbraucht wurde, auf dessen Ansehnlichkeit sich aus diesem Umstande schließen lässt. Hinter der Bäckerei sehn wir noch den unregelmäßigen Raum 18, welcher durch die gemauerte Krippe deutlich als Stall gekennzeichnet ist. Links von ihm führt der Gang 17 zu einem zweiten Abtritt. Das größte Interesse in dieser Abtheilung des Hauses nehmen die Räume 20, 21, 22 in Anspruch, welche ein vollständiges Bad bilden, und zwar so, dass das kleine Vorzimmer 20 das Apodyterium war, 21 das Tepidarium, welches mit Stuccatur und Malerei in seiner Wölbung verziert war, und 22 das Caldarium mit der in Muschelform überwölbten Nische für das Labrum an dem einen Ende und zwei Nischen für Wannen an dem andern Ende und an der dem Eingang gegenüberliegenden Seite. Beide letzteren Räume wurden von der Küche 13 aus geheizt vermittels des von Thonröhren getragenen suspendirten Fußbodens und der Hohlwände. Ihre Malereien sind dritten Stils, einfach aber geschmackvoll, leider schlecht erhalten[142]). Am Anfang des langen Ganges 15 ist die erste Verbindungsthür mit der Hauptabtheilung des Hauses, welche in das Peristyl führt, eine zweite und eine dritte finden wir zwischen beiden Atrien. Neben der letzten stand bei *e* im Nebenhause auf einer gemauerten Basis eine starke Geldkiste, ähnlich derjenigen im Hause des angeblichen Quaestors, von der noch jetzt einige unförmliche Reste erkennbar sind.

Die Hauptabtheilung des Hauses hat natürlich ihren eigenen Eingang von der Gasse 23 in ein ungewöhnlich breites, mehr zimmer- als gangartiges Ostium, neben dem links ein kleines Zimmer 24, füglich nur die *cella atriensis*, rechts ein noch kleineres 25 liegt, welches als *apotheca* diente. Rechts war das größere Zimmer 26 zur Zeit des zweiten Decorationsstils sorgfältig ausgemalt, vermuthlich ein Triclinium; später, als nach 63 die Ecke neu aufgebaut war, ließ man es roh und scheint es zu wirthschaftlichen Zwecken benutzt zu haben. Das Atrium 27 ist tetrastyl und von korinthischer Ordnung, geräumig, luftig, elegant; von der Stuckbekleidung der Säulen ist fast nichts erhalten; hinter dem Impluvium steht eine Basis für eine Brunnenfigur, welche einen Wasserstrahl auf einen im Impluvium selbst stehenden Marmortisch *f* fallen ließ; weiter zurück, sowie zwischen den vorderen Säulen, sind im Boden die Öffnungen der Cisterne. Als das Haus im zweiten Stil ausgemalt wurde, war im Atrium die Decoration ersten Stils noch vollständig erhalten; erst in der letzten Periode wurde sie auf dem untern Theil der Wände durch einfachen schwarzen, durch grüne Streifen in Felder getheilten Stuck ersetzt. Rechts bei *g* fand man auf gemauerter Unterlage eine in ihrem Eisenwerk wohl erhaltene zweite Geldkiste, welche aber nur mit Lapilli angefüllt war. Von den das Atrium umgebenden Zimmern gelten das erste und zweite links 28 und 29, und ein anderes rechts 30 für Cubicula, und zwar ist 29 durch die für das Bett bestimmte Aushöhlung in der einen Wand, 30 durch den erhöhten Platz des Bettes als solches gekennzeichnet. Dass 29 von beiden Atrien aus zugänglich ist, kann keinen Gegengrund abgeben. Diese beiden Zimmer sind im letzten Stil ausgemalt; in 29 ist ein wegen seines Gegenstandes bemerkenswerthes, wenn gleich nur mittelmäßig ausgeführtes Gemälde: Paris, welchen Eros, indem er ihm Helena verspricht, zur Untreue an seiner ersten Gattin Oenone verführt (Hlbg. No. 1287); das Motiv, nach welchem Eros dem willig lauschenden Paris über die Schulter seine Schmeichelreden zuraunt, kehrt auf Vasen freien Stils und in Reliefen wieder. Dagegen ist für 28 seit der Zeit des zweiten Stils nichts geschehen und befinden sich die Wände daselbst in einem sehr verwahrlosten Zustande.

Von dem Wandschmuck der rechten Ala 32 ist nichts erhalten; die Wände der linken 31 sind weiß: sie war in der letzten Zeit in einen Schrank oder eine Vorrathskammer verwandelt, so dass man für gewöhnlich nur die Thür sah; ihre Hinterwand ist von schmalen Luftöffnungen nach dem benachbarten Atrium durchbrochen. In der Mitte der Rückseite liegt das weit offene, aber nach hinten durch eine Brüstungsmauer gesperrte Tablinum 33 mit einem Fußboden von weißem Mosaik mit farbigem Rande, einer farbigen Schwelle in Form eines Maeanders und einem bunten, aus vier Maeandern gebildeten Labyrinth im Mittelpunkte; die Decoration ersten Stils ist hier erhalten. Daneben die Fauces 34, neben deren hinterer Thür eine viereckige Öffnung sich befindet, welche durch eine von sechs gewölbten Öffnungen taubenschlagartig durchbrochene Thonplatte geschlossen ist, eine Füllung innerer Fenster zum Luftdurchzug, welche in Pompeji mehrfach vorkommt. Zur linken Seite des Tablinums sehn wir endlich in

Fig. 176. Fensterverschluss.

dieser vordern Abtheilung noch ein großes Sommertriclinium 35, welches gegen die Ala wie gegen das Peristyl und gegen das anstoßende Zimmer 38 hin durch breite Fenster geöffnet ist; es ist im letzten Stil auf vorwiegend rothem Grunde ausgemalt und hat einen weißen Mosaikfußboden mit schwarzem Rande.

Das Peristylium 36, welches einschließlich des 4 M. breiten Säulenganges 23,20 × 26,50 M. misst, dürfte wohl eines der größten in Pompeji sein. Die dreißig dorischen Ziegelsäulen, welche die Decke des Umgangs trugen, sind mit feinem weißem Stucco überkleidet; ihnen entsprechen an den Wänden beider Seiten flache Wandpilaster. Von farbiger Decoration dieses weiten Umgangs ist nichts erhalten; doch war sie zur Zeit des zweiten Stils sicher vorhanden. Eine Piscina findet sich nicht im Peristylhofe, nur eine Cisternenöffnung *h* sehn wir an der hintern Säulenreihe; in der Mitte der vordern Reihe steht ein Monopodium aus grauem Marmor. Es ist nicht anders zu denken, als dass der Hofraum zum Garten benutzt war. Man denke ihn sich bepflanzt mit schattigen Baumgruppen, unter denen für buntfarbige Blumen, für welche man in Pompeji nach dem Zeugniss der Gemälde viel Sinn hatte, Raum und Licht genug bleiben mochte, eingefasst von den dreißig weißglänzenden Säulen, umgeben von dem schönen breiten und schattigen Umgang, man denke sich darüber den blauen Himmel und die glänzende Sonne Süditaliens; alsdann wird man sich vielleicht eine Vorstellung machen können von der Anmuth und Schönheit eines solchen Peristyls, das wir nur durch ein paar armselige Linien im Plan anzugeben vermögen, und das auch in seinen Ruinen den Eindruck nur ahnen lässt, welchen es einst machen musste. An diesem Peristyl liegen nur vorn und hinten einige Zimmer, vorn ihrer zwei, beide mit schwarzweißem Mosaikfußboden, nämlich eine kleine Exedra 37 rechts neben den Fauces, die Wände sehr einfach im letzten Stil gelb und roth mit schwebenden Figuren bemalt, und ein größeres, einfach im zweiten Stil ausgemaltes 38 mit breitem Eingang vom Peristylgange und großen Fenstern gegen das Atrium 3 und das Gemach 35: wie dies letztere können wir es als Sommertriclinium bezeichnen. — Die Zimmer der hintern Seite sind alle im zweiten Stil gemalt. Hier liegen neben einander zunächst zwei große, gegen den Peristylhof weit geöffnete Zimmer 39 und 40, welche beide als Triclinien bezeichnet werden müssen. Der Fußboden von 39 ist in eigenthümlicher Weise aus Signinum und Mosaik zusammengesetzt; ein Mosaikquadrat bezeichnet den Platz des Tisches; 40 hat einen schönen farbigen Mosaikboden (bei Zahn II, 99), als Triclinium wird es durch seine Form hinlänglich charakterisirt. Die einfache Decoration von 39 (Mau, Wandmalerei Tf. III) stellt eine Marmorbekleidung und vor der Wand stehende Pfeiler dar; complicirter, mit gemalten Säulen, Pilastern und Gebälken, dabei weniger geschmackvoll in den Farben ist die von 40, hinter welchem ein kleines Cubiculum 41 liegt, gekennzeichnet durch die gewöhnliche, für das Ende des Bettes bestimmte Vertiefung in der einen Wand. Weiter folgt eine allerliebste Exedra 42 mit einem noch vorhandenen schönen Mosaikgemälde im Fußboden (abgeb. Zahn II, 50), welches innerhalb eines den Rand bildenden Labyrinthes den Kampf des Theseus gegen den Minotauros darstellt und dem Hause seinen Namen gegeben hat. Sodann der prachtvolle korinthische Oecus 43 von $6,70 \times 6,80$ M., dessen Fußboden von weißem, farbig umrandetem Mosaik ist und in der Mitte ein Quadrat aus farbigen Marmorplatten enthält, und an deren Wänden entlang, ähnlich wie in der *Casa di Meleagro*, zehn mit weißem Stucco überkleidete Backsteinsäulen stehn, deren Function und Verhältniss zur Zimmerdecke bei der Zerstörung der oberen Theile nicht kenntlich ist. Die Wände sind mit barocken und nicht allzu geschmackvollen Architekturen bemalt, haben aber sehr gelitten. Sehr eigenthümlich sind die beiden kleinen gewölbten und nur durch ganz kleine Fenster in den Lünetten erleuchteten Cabinette 44 und 45 (ersteres etwas größer; der Plan ist nicht genau), welche sich zu beiden Seiten im Hintergrunde in den Oecus öffnen. Über ihre Bestimmung kann man nur die ähnlichen Räumen gegenüber schon hier und da ausgesprochene, natürlich nicht beweisbare Vermuthung aufstellen, dass ihrer eines als Zimmer zum Vorlegen und Warmhalten der Speisen, das andere als Wartezimmer für die Jongleurs, Tänzer, Akrobaten, Mimen u. dgl. Künstler diente, die man nach den Gastmählern auftreten ließ. Den Schluss der Gemächerreihe bildet ein schönes, weit offenes Zimmer (*exedra*) 46 mit einer Nische für die Ruhebank im Hintergrunde. Hier wie in 44 und 45 ist an den Wänden farbiger Marmor und Alabaster nachgeahmt und darüber liegt in der Nische ein Fries mit einfarbig gelb, grün und braun gemalten Brustbildern (Hlbg. No. 601. 1526) und kleinen scherzhaften Figuren (Hlbg. No. 1527). Der Fußboden besteht aus schachbrettartigem Mosaik.

(No. 23.) Als ein in mancher Hinsicht in seinem Plane verwandtes, aber besonders durch die Eigenthümlichkeit seiner Decoration und durch seine große Vornehmheit sich auszeichnendes Haus, welches zugleich zu den berühmtesten und meistgenannten der Stadt gehört, möge hier auf die *Casa del Laberinto* das Haus No. 46 im Plane folgen, welches man 1830 in Gegenwart von Goethes Sohn auszugraben begann, und zu Ehren dieses und seines großen Vaters eine Zeit lang *Casa di Goethe* nannte, ein Name, den wir Deutsche nicht ganz in Vergessenheit gerathen zu lassen Ursache und Recht haben, obgleich man sich seiner an Ort und Stelle nicht mehr erinnert. Denn jetzt sind zwei andere Namen für dies Haus im Schwange, nämlich entweder *Casa del Fauno* nach einer kleinen Meisterstatue eines tanzenden Fauns, oder *Casa del gran musaico* nach dem großen Mosaik der Alexanderschlacht, auf welches wir zurückkommen. Aber nicht allein dieses wundervolle Mosaikgemälde zierte die *Casa del gran musaico*; dieselbe enthielt noch mehre andere ebenfalls vorzügliche Mosaiken, und ist eben durch diesen vielfachen Mosaikschmuck und die dem ersten Decorationsstil angehörende Stuccoornamentik ihrer Wände bei geringfügiger Wandmalerei von den meisten anderen Häusern Pompejis unterschieden. Zahlreiche Amphoren für Weinbewahrung, welche man in diesem Hause fand und noch heutzutage an der linken Wand seines Peristyls sehn kann, können zu der freilich sehr unsichern Vermuthung Anlass geben, dass sein letzter Besitzer Weinhandel trieb. Das Haus nimmt, wie das des Pansa, eine ganze *insula* (VI, 12) ein, ohne wie jenes rings von Läden umgeben und durch vermiethete Räumlichkeiten beschränkt zu sein; der Haupteingang ist von der Nolaner Straße.

Auch dies Haus ist in der Tuffperiode, nach vollständiger Wegräumung

älterer Bauten, auf einmal und nach einem leicht übersehbaren Plan erbaut
worden und ist seiner Bauart nach älter als die eben besprochene *Casa del
Laberinto*. Die derselben Periode angehörige Decoration der Wände ist darum

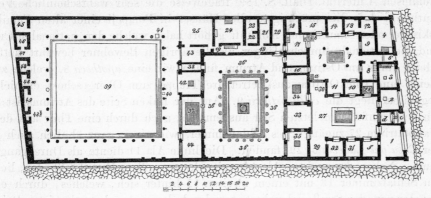

Fig. 177. Plan der s. g. *Casa del Fauno* oder *del gran musaico* (Norden links).

doch nicht dem Bau gleichzeitig: ihr gingen einige bauliche Veränderungen
vorher. In vielen Theilen finden wir unter dem Stuck Bleiplatten mit vielen
Nägeln auf die Wand befestigt; es ist aber erweislich, dass dieselben hier
angebracht wurden nicht um die uns vorliegende, sondern um eine ältere,
jenen baulichen Veränderungen vorausliegende Decoration gegen Feuchtigkeit
zu schützen. Auch diese aber muss, nach der Bauart zu schließen, dem ersten
Decorationsstil angehört haben [143]).

Wie die *Casa del Laberinto* hat auch dies Haus zwei neben einander
liegende Atrien; hier aber sind dieselben so geschickt in einander gefügt, dass
auch das Nebenatrium 7 eine regelmäßige Form, freilich ohne Tablinum und
mit den Alae in der Mitte der Langseiten, erhalten hat. Wie dort, so liegen
auch hier die Wirthschaftsräume neben dem Peristyl und sind in ganz ähnlicher Weise aus dem Nebenatrium zugänglich. Wenn wir die Rundschau in
der kleinern Abtheilung beginnen, soll doch zuvor noch kurz bemerkt werden,
dass von den vier Läden 1, 2, 3, 4 zwei mit dem Innern des Hauses in Verbindung stehen und zwar No. 1 durch eine Thür direct ins Atrium und eine
zweite in ein kleines auf das Atrium ausgehendes Ladenzimmer 5. Der Laden
gehörte also zum Hause, so gut wie No. 2, welcher sich nach hinten direct in
das größere Atrium öffnet. Im Eingang der kleinern Abtheilung gleicht ein
um zwei Stufen erhöhtes, unverschlossenes Vestibulum den schiefen Winkel
aus, welchen die Axe des Hauses mit der Straße bildet. Durch das Ostium 6
gelangen wir in das tetrastyle Atrium 7, dessen korinthische Tuffsäulen später
an ihrem untern Theile mit dickem Stucco überzogen, eben hier nicht cannellirt
und gelb bemalt sind, während ihr oberes Stück, noch mit dem dünnen und
harten weißen Stucco der ältern Periode überzogen, cannellirt ist. Der Unterschied der beiden Arten des pompejanischen Stucco und ihrer Verwendung
kann hier besonders deutlich beobachtet werden. Das Impluvium ist, wie
gewöhnlich, aus Tuff. Im Atrium wurde eine kleine Ara von Travertin mit
einer oskischen Inschrift gefunden, welche den Namen der Göttin Flora

(*Fluusaì* d. i. *Florae*) enthält. Eine kleine Bronzestatuette, in der man eben diese Göttin erkennen will, findet sich ebenfalls in den Fundberichten dieses Atriums verzeichnet, doch ist sie nicht bekannt. In Bezug auf die Flora-Inschrit äußert Mommsen (Unterital. Diall. S. 189) frageweise die sehr wahrscheinliche Vermuthung, dass dies prächtigste aller Häuser in Pompeji einer alten Familie oskischer oder samnitischer Abkunft gehört habe, welche den nationalen Cult und die nationale Sprache länger als die übrigen Bewohner bewahrt hätte. Gleich links am Ostium und Atrium finden wir eine *apotheca* 8, welche zugleich eine vom Ostium aus betretbare Treppe zum Obergeschoss enthielt; gegenüber liegt die *cella ostiarii* 9. Auf der linken Seite des Atriums ist 10 ein sehr einfach im letzten Stil ausgemaltes, auch durch eine Thür aus dem Hauptatrium 27 zugängliches Schlafzimmer, wie wir es ganz ähnlich auch in der *Casa del Laberinto* (29) fanden. Die linke Ala 11 diente als Durchgangsraum. Neben der rechten Ala 14, mit schwarzweißem Mosaikfußboden, liegt ein Schlafzimmer 13 mit einem zweiten 12 hinter sich, welches, durch ein Fenster von der Straße erleuchtet, nur durch das erstere betretbar ist. Beide sind sehr einfach, mit weißen Wänden; man würde sie für Sclavenzimmer halten, hätte man nicht in beiden, außer einigen bronzenen Vasen, elfenbeinerne Bettgestellfüße, also die Reste von sehr kostbaren Bettgestellen gefunden. Diese beiden Zimmer sind viel niedriger gestochen als die übrigen, so dass man über den Balkenlöchern der Decke den Anfang des zweiten Stockes sieht, in dessen sehr einfachen, durch die Treppe in 8 zugänglichen Räumen (über 8, 6, 9, 12, 13, vielleicht auch über dem Laden 4) wohl sicher die Dienerschaft untergebracht war. An den Enden des Atriums befinden sich rechts und links Hausteinfundamente *a* und *b*, von denen dasjenige links einem in Fragmenten gefundenen Geldkasten zur Basis gedient haben mag, während das andere rechts, so viel man aus den bei der Ausgrabung gefundenen Resten zu schließen vermag, eine Presse zum Ausdrücken einer Flüssigkeit getragen zu haben scheint, welche sich durch ein Loch in der Mauer in das durchaus ungeschmückte Zimmer 15 ergoss. In der Mitte der Steinbasis rechts steckt noch ein Zapfen von Eisen. Auf der Rückseite des Atriums finden wir links nur die Fauces 16 in das beiden Abtheilungen gemeinsame Peristyl, während der größern Abtheilung die Fauces fehlen, rechts einen Durchgangsraum zu den Wirthschaftsräumen, 17, an dem zwei Treppen und ein von der Straße her erleuchtetes Sclavenzimmer 18 liegen, und als dessen Verlängerung sich ein durch ein paar Fenster vom Peristyl 36 erleuchteter langer Gang 19 darstellt, welcher in das auf den Garten geöffnete Zimmer 43 führt. An diesem Gange liegen rechts ein zweites Sclaven- oder auch Vorrathszimmer 20, der geräumige Abtritt 21 mit einem ansehnlichen Fenster nach der Straße, ein doppeltes Badezimmer 22 und 23 mit unterhöhltem, von Thonröhren getragenem Fußboden und den Resten der die Hohlwände bildenden Thonplatten, weiter eine von zwei Fenstern erhellte geräumige Küche 24 mit einem großen gemauerten Heerde, der Öffnung zur Heizung des Caldariums 23, einer Brunnenöffnung in Travertin und einer hoch oben als Aedicula aus der linken Wand hervortretenden Larariumnische, endlich das weite Triclinium 25, welches sich mit einer Thür gegen den Gang, mit einer zweiten in die Exedra 43 öffnet

und auf den Säulengang des Gartens ganz offen ist. An der Mauer der Küche
ist im Gange noch eine Treppe in das obere Geschoss angebracht. Von Decoration ist außer dem erwähnten bescheidenen Mosaikfußboden in der Ala 14
nichts Nennenswerthes in dieser Abtheilung vorhanden, ja alle zu ihr gehörigen
Räume sind, wenn nicht ganz roh abgetüncht, wie geflissentlich einfach mit
weißen Wänden über rothem Sockelstreifen gehalten; ohne Zweifel geht dies
zurück auf den Wiederaufbau nach dem Erdbeben vom Jahre 63, welches die
rechte Seite dieses Atriums zerstörte.

Dagegen bietet das größere linke Atrium nebst den hinteren Räumen ein
treffliches Beispiel der Decorationsweise der ältern Zeit. Hier beginnt in gewissem Sinne der Schmuck schon vor dem Hause, indem in das Trottoir von
opus Signinum vor der Thür des Vestibulums 26 das Wort HAVE (*ave*, sei
gegrüßt!) mit großen Mosaikbuchstaben aus farbigen Marmorstücken eingelegt
ist. In dem Hausflur können wir sehr deutlich das durch eine dreiflügelige Thür
verschließbare Vestibulum *c* vor der, wie schon früher (S. 252) bemerkt, nach
außen sich öffnenden Hausthür, von deren Eisenwerk und Bronzebeschlag man
bedeutende Reste aufgefunden hat, und das Ostium *d* unterscheiden. Das
Vestibulum gleicht auch hier die Schiefwinkligkeit gegen die Straße aus. Das
Ostium hat eine beträchtliche Steigung bis in das Atrium und ist mit einer
Zusammensetzung von kleinen Marmordreiecken von weißer, schwarzer,
rother, gelber und grüner Farbe gepflastert und gegen das Atrium mit einem
jetzt ausgehobenen Mosaiksaume abgeschlossen, welcher meisterhaft aus
farbigen Marmorstückchen, nicht aus Pasten, gearbeitete Masken, durch-
schlungen von einer Guirlande von Früchten und Blumen (Mus. Borb. XIV,
14) darstellt. Die Wände des Ganges sind mit Feldern in Stuck bis zur Höhe
von 2,40 M. bekleidet, welche marmorartig bemalt sind. Darüber lag ein
von in Hochrelief aus Gypsstucco gebildeten Sphinxen und Löwen getragener
Carnies, über welchem zu beiden Seiten eine kleine Nische mit blinden Thüren
in Stucco mit Stuccosäulen und Pfeilern, eine vollständige Tempelfaçade darstellend, angebracht ist. Getragen werden diese Säulchen und Pfeiler von
einem mit Cassetten geschmückten, einst von Kragsteinen getragenen und mit
schönem Geison abgeschlossenen Deckengliede. Von der reichen Bemalung
der Cassetten ist wenig erhalten; die violette innerste Fläche derselben war
von einem gelben Eierstab eingefasst und enthielt in der Mitte je eine kleine
Reliefbüste, die aber nirgends erhalten ist. Von allen bisher entdeckten Hauseingängen Pompejis ist dieser weitaus der prächtigste[144].

Das tuscanische Atrium dieser Wohnung 27 hat an sich nichts besonders
Interessantes, ausgenommen die schon erwähnte, hier namentlich an der
untern Ecke rechts deutlich erkennbare Bleibekleidung der Wände. Der die
Bleiplatten haltenden Nägel sind so viele, dass man ihrer auf einem Quadrat-
meter über 200 zählt; ihre vorspringenden Köpfe dienen als Haltepunkte der
Stuccoverkleidung, welche natürlich auf dem Blei selbst nicht gehaftet haben
würde. Das ungewöhnlicher Weise mit einem Springbrunnen versehen gewesene Impluvium aus Travertin in der Mitte des Atriums ist besonders
deswegen merkwürdig, weil sich bis auf seinen Boden die in diesem Hause
vorherrschende Lust am Mosaik ausgedehnt hat, und zwar so, dass dieser

Boden aus wohl in einander gefugten Stücken bunten Marmors gebildet wird. Auf der Borde rechts vom Impluvium lag, also wohl nur zufällig an diesem Orte, der schon erwähnte meisterhafte kleine Faun, auf den wir später noch einmal zurückkommen werden. Die Bleiröhren der Leitung, welche den Springbrunnen speiste, sind im Fußboden des Atriums rechts noch jetzt an ihrer Thonbedeckung verfolgbar.

Das erste Zimmer rechts 28 ist ein Cubiculum mit zwei erhöhten Plätzen für Betten, welche im rechten Winkel zusammenstoßen und deren Oberfläche, so wie auch der Fußboden im Zimmer, mit Mosaik belegt ist. Und zwar enthielt derselbe in der Mitte ein Bild, Faun und Nymphe, welches ausgehoben ist. Die Wände sind im zweiten Stil decorirt und mit einem Stuccocarnies geschmückt; auf die Hinterwand ist in grader Perspective eine überwölbte Nische, auf die linke Wand eine Thür gemalt. Die beiden folgenden Zimmer 10 und 11, mit Durchgängen in das Atrium der andern Abtheilung, sind schon bei dieser erwähnt worden; das erstere ist mit doppeltem Stuccocarnies aus der ältern Periode über weißen, roth eingetheilten Wänden aus der jüngern geschmückt. Links neben der Thür ist ein kleines, noch theilweise mit Glas geschlossenes Fenster angebracht. In den beiden Alae 29 und 30 waren die Wände mit farbigen Quadernachahmungen ornamentirt; die Fußböden finden wir mit Mosaikbildern geschmückt, und zwar denjenigen der Ala links 29 auf schwarzem Grunde mit einer ziemlich grob gearbeiteten Darstellung von weißen Tauben, deren zwei aus einem halbgeöffneten, buntfarbigen Kästchen eine Perlenschnur ziehn, während derjenige der gegenüberliegenden Ala 30, von ungleich feinerer Arbeit (abgeb. Mus. Borb. XIV, 14), den wir aber jetzt im Museum in Neapel aufsuchen müssen, in der Mitte einer breiten Ornamentborde eine Katze darstellt, welche einen Vogel frisst, darunter zwei Enten, mehre kleine Vögel, Fische und Schalthiere. Die Hinterwand dieser Ala, ist mit einer weiten Öffnung auf das Atrium des Nebenhauses durchbrochen, so dass von den beiden Alae die eine geschützt, die andere luftig war. Die beiden durch je zwei hoch angebrachte, sich nach außen verengende Fensterchen von der Straße aus erhellten Schlafzimmer 31 und 32 enthalten nichts besonders Bemerkenswerthes, es sei denn im erstern die Decoration des zur Zeit des zweiten Stils erneuerten Sockels, welcher einen aufgehängten gelben, roth gestickten Teppich darstellt, wie auch in 28, wo er aber schlecht erhalten ist; 32 zeigt ganz die alte bunte Stucconachahmung von Quadern und einen feinen Zahnschnittcarnies. Das von mächtigen cannellirten Anten eingefasst gewesene Tablinum 33 in der Mitte des Hintergrundes ist nach vorn ganz offen und nach hinten nur durch eine niedrige Brüstungsmauer gegen das Peristyl gesperrt, während es nach beiden Seiten je zwei Fenster in die anstoßenden Säle hat. Seinen Fußboden schmückt ein buntes Mosaikpflaster, umgeben von einer weißen Borde. Hier fand man die Fragmente einer zweiten oskischen Inschrift auf einer marmornen Tafel (Mommsen, Unterital. Diall. S. 183 und 188) und einen Hermenkopf des bärtigen Bakchos. Außerdem aber grub man hier das Geripppe einer Frau aus, in der wir die Hausfrau vermuthen dürfen, welche mit reichlichem Schmuck beladen zu fliehen versucht hatte, und als sie dies für unmöglich erkannt haben mag, ihren Schmuck

weggeworfen und sich unter das Tablinum geflüchtet zu haben scheint. Der
Fundbericht (*Pomp. ant. hist.* II, ii, p. 248) giebt an, was aber kaum glaublich
ist, man habe das Skelett in einer Lage gefunden, aus der sich schließen lasse,
die Unglückliche habe mit den Händen die sich senkende Decke des Tablinums
zu stützen versucht, sei aber endlich von dieser begraben worden. Von ihrem
im Atrium gefundenen Schmucke werden wir eines der zwei unter ihm ausgezeichneten großen goldenen Armbänder (*armillae*) in Schlangenform später
in Abbildung mittheilen; das ganze Verzeichniss dieses höchst reichen Gold-
und Silberschatzes mag man in den Fundberichten nachlesen; es umfasst
verschiedene Ringe, Ohrringe, Haarnadeln u. dgl., eine silberne Vase und
einen Spiegel, sowie viele Münzen von demselben Metall, ein Glaskorallen-
halsband und Anderes [145]. Auch andere Skelette sind in den benachbarten
Zimmern gefunden worden. Rechts neben dem Tablinum liegt ein vom Atrium
aus zugängliches und vom Peristyl nur durch eine Brüstungsmauer getrenntes
großes Sommertriclinium 34, in dessen Fußboden in der Mitte eines der
schönsten Mosaikgemälde des Alterthums (jetzt ausgehoben) eingelegt war,
darstellend den bakchischen Daemon Akratos, der auf einem Panther reitet
(abgeb. Zahn II, 50). Das Zimmer links vom Tablinum 35 ist von ungewisser
Bestimmung, vielleicht ebenfalls ein Triclinium; mit Thüren sowohl auf das
Atrium als auf das Peristyl bildet es, da die Fauces fehlen, die Verbindung
zwischen beiden; auf das Peristyl hat es außerdem ein großes Fenster. Auch
hier war der Fußboden mit einem jetzt ausgehobenen Mosaik geziert, welches
zwar von gleich schöner Technik ist, wie das von No. 34, aber einen weniger
interessanten Gegenstand in natürlicher Größe darstellt, nämlich ein Stück
Meeresufer mit Fischen, Muscheln, Polypen und anderen »frutti di mare«
(abgeb. Mus. Borb. XIV, 15). Von dem Speisesopha, welches hier stand,
wurden die schönen bronzenen Füße aufgefunden. Der hier in der Farbenwahl
nicht geschmackvolle Stuccoquaderschmuck ist an der linken Wand des Zimmers 35 besonders gut erhalten. Hinter den drei zuletzt genannten Zimmern
erstreckt sich das Peristyl 36 von 24 M. Breite und 19,20 M. Tiefe mit einem
3,80 M. breiten von 28 Säulen getragenen Umgang. Diese Säulen sind von
Tuff und mit feinstem, marmorhartem, weißem, aber dünnem Stucco überzogen, unendlich verschieden von demjenigen der spätern Periode; nur einige
der allerfeinsten Einzelheiten, wie der Perlenstab der Capitelle, sind nur im
Stuck, nicht auch im Stein ausgearbeitet. Über den ionischen Capitellen lag,
grade wie bei dem aus derselben Periode stammenden Apollotempel, auf einem
sehr schmalen Architrav ein mit Triglyphen ornamentirter dorischer Fries,
von welchem ein paar Stücke rechts an der hintern Seite des Peristyls liegen.
Reste der kleinen Säulen eines obern Umganges sind jetzt an der rechten
Wand des Gartens 39 aufgestellt. In der Mitte bilden Tuffplatten mit erhöhtem
Rande ein Viereck, in dessen Mitte ein Monopodium von Marmor ein Becken
gleichen Materials trug, aus dem sich, wie in den Häusern des Holconius und
des Meleager, ein Springbrunnen erhob. Auf das Peristyl öffnen sich nur zwei
Zimmer: das auf unserm Plan nicht numerirte Cubiculum neben den Fauces
16, mit rohen Wänden und Fußboden aus Signinum, und die Exedra 37.
Letztere, gegen das Peristyl ganz offen, jedoch mit zwei rothbemalten korinthi-

schen Säulen auf 0,5 M. hohen viereckigen Basen zwischen den Antenpfeilern,
vom Garten durch eine Brüstungsmauer getrennt, ist ein Heiligthum der Kunst;
hier wurde am 24. October 1831 [146]) das wunderbare Mosaik der Alexanderschlacht gefunden, ein ganz einziges Kunstwerk, welches nach dem Vorgange
der größten Gelehrten und Kunstkenner zu würdigen und zu erläutern in dem
artistischen Theile dieser Betrachtungen versucht werden soll. In der rechten
Ecke des Peristyls führt ein faucesartiger Durchgang 38 in den säulenumgebenen Garten 39 von 32×35 M., mit dem Umgange von 4 M. Breite und 56
gemauerten und mit feinem, weißem Stucco bekleideten, flach cannellirten
dorischen Säulen, zu deren Füßen eine Wasserrinne das Wasser in die Cisterne
führte, aus der man dasselbe durch zwei Öffnungen 40 und 41 schöpfte. Nur
bei 40 ist ein schönes Puteal aus Marmor erhalten, an dessen oberem Rande
Reste von Eisenkrampen sichtbar sind, von denen man annimmt, dass sie zur
Befestigung eines Deckels dienten. Neben diesem Puteal hat vor Alters ein
marmorner Tisch gestanden, von dem man leider nur einen Fuß, eine hockende,
geflügelte Sphinx, gefunden hat, die zu den besten Werken der Sculptur gerechnet werden kann (abgeb. im artistischen Theile). Im Umgange links
stehn noch an Ort und Stelle eine Masse von Weinamphoren. In den Säulen
des Umgangs fand und sieht man zum Theil noch heute eiserne Nägel oder
Haken; vielleicht ruhten auf ihnen die Stricke, an denen die Vorhänge, durch
welche man bei heißem Sonnenschein den Umgang gegen den Garten abschließen und anmuthig beschatten konnte, hin und her gezogen wurden, wie
dies auf einigen Wandgemälden, z. B. im Zimmer 46 der *Casa del Laberinto*,
ersichtlich ist. Auch die Ringe, durch welche die Schnüre zum Ziehen der
Vorhänge liefen, hat man in jeder Säule etwa 1 M. vom Boden, wo man jetzt
die Löcher sieht, vorgefunden. Derselben Einrichtung sind wir schon in der
Casa di Meleagro begegnet, und auch die dort besprochene Vergitterung der
Intercolumnien wiederholt sich hier. Ein oberer Umgang war, wie in der
Südostecke deutlich erkennbar, nicht vorhanden, und es müssen daher die
hier aufbewahrten Reste kleinerer ionischer Säulen dem obern Umgange des
Peristyls 36 angehört haben.

Neben der Exedra des Peristyls liegt links gegen den Garten geöffnet ein
Oecus 42, dessen Fußboden abermals ein bewunderungswürdiges Mosaik enthält, das leider arg beschädigt ist und deshalb nicht hat in das Museum geschafft werden können, abgeb. Mus. Borb. Vol. IX, 55. Dasselbe stellt innerhalb einer reichen Maeanderborde einen von vorn gesehenen Löwen dar, ein
Meisterstück des Ausdrucks von Kraft und Feuer und ein eben so großes
Meisterstück der Verkürzung. Das neben diesem Oecus und am Ende des langen
Ganges 19 belegene kleinere Gemach 43 ist theils wegen seiner architektonisch
gegliederten Decoration zweiten Stils, theils deswegen bemerkenswerth, weil
in ihm eine ähnliche Maßregel zum Trockenhalten der Wände angebracht ist,
wie die oben erwähnte, nur dass hier die Bleiplatten durch solche von gebranntem Thon ersetzt sind. Die ohne Zweifel mit einem großen Fenster (die beiden
jetzt vorhandenen sind modern) auf den Gartenumgang geöffnete Saal 44 links
vom Oecus enthält jetzt eine Anzahl von zum Theil sehr interessanten Fragmenten der Stuccoornamentirung dieses Hauses nebst Stücken von thönernen

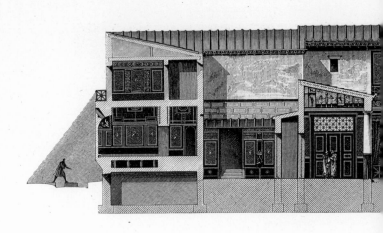

Restaurirte Ansich

(Oben Querdurchschnitt durch

...sa del Centenario.
(...tyl, unten Längendurchschnitt.)

Traufrinnen, von denen eines ein vollständiges Löwenvordertheil mit einem Blatt als Ausguss darstellt, ähnlich wie in der Traufrinne oben Fig. 143. An der hintern Seite des Gartens liegen von rechts nach links zunächst zwei kleine Zimmer ohne Schmuck 45 und 46; vermuthlich war 46, wo das Muster des Fußbodens aus Signinum den Platz des an der Straßenwand stehenden Bettes bezeichnet, die Cella des Thürhüters, 45 dagegen die des Gärtners. Sodann das Posticum 47 auf den *Vicolo di Mercurio*, neben dem in 48 eine Treppe zu einigen oberen Räumen des großen Peristyls lag; ferner eine breite, wohl zur Aufstellung von Statuen bestimmte, heute aber zur Aufbewahrung architektonischer Ornamente benutzte, über den Boden des Umganges erhöhte Nische 49, mit zwei Cabinetten 48 *a* und 48 *b* zu den Seiten, welche durch hölzerne Treppen zugänglich gewesen sein müssen und von denen 48 *a*, wie die erhaltenen Bretteindrücke und Löcher zeigen, als Vorrathskammer diente. Weiter links folgt eine Erweiterung des Umganges, von der aus unter 48 *b* die Öffnung einer gewölbten Kloake sichtbar ist. Endlich an der Hinterwand zwei kleine Lararien 50 und 51, Nischen von flachen Giebeln gekrönt. Merkwürdig ist in einer so großen Wohnung das Fehlen von Zimmern, welche sich durch Lage und Bauart als Wintertriclinien zu erkennen geben.

Von den in diesem Hause in sehr großer Zahl gefundenen Gegenständen verdienen einige versilberte Thürschlösser, bronzene Thürbeschläge mit mannichfaltigen Reliefornamenten, sowie Ornamente verschiedener Mobilien von demselben Metall, silberne Casserolen und Schalen und dergl. hier zum Schlusse noch erwähnt zu werden, da auch diese Dinge von dem Reichthum, welcher in diesem Hause herrschte, Zeugniss ablegen.

(No. 24.) In den Jahren 1879 und 1880 wurde in der neunten Region, östlich der Insulae 5 und 6, ein großes und in vielfacher Weise interessantes Haus (No. 108 *b* im Plan) aufgedeckt, welches man, weil dort bei der im Jahre 1879 veranstalteten Erinnerungsfeier an die Verschüttung Pompejis Ausgrabungen gemacht wurden, *Casa del Centenario*, oder nach einer daselbst gefundenen Bronzestatuette *Casa del Fauno ubbriaco* nennt. Wir sind in der glücklichen Lage, von demselben nicht nur den Grundriss, sondern auch den Längen- und Querschnitt nach einer in allen wesentlichen Punkten sicher richtigen Restauration zu geben. Es stammt in seiner uns vorliegenden Gestalt im Wesentlichen aus römischer, aber wahrscheinlich noch republikanischer Zeit; seine Malereien zerfallen in zwei Classen: die älteren sind vermuthlich dem Bau des Hauses gleichzeitig, jedenfalls aber, nach dem Zeugniss einer noch zu erwähnenden Wandinschrift, älter als das Jahr 15 n. Chr.; sie gehören einer dem dritten Stil verwandten Manier (»Candelaberstil«) an. Diese Malereien sind aber in den meisten, und namentlich in den bevorzugten Räumen, durch Decorationen verdrängt worden, welche den Stil der letzten Zeiten Pompejis zeigen [147].

Ein Blick auf den Plan (Fig. 178) zeigt, dass wir hier im Großen und Ganzen dieselbe Anordnung haben, welcher wir in der *Casa del Laberinto* und *del Fauno* (No. 22 und 23) begegneten: ein Haupt- und ein Nebenatrium, ein Peristyl hinter beiden, hauptsächlich aber hinter dem Hauptatrium, Wirthschaftsräume neben dem Peristyl auf der Seite des Nebenatriums. Das Cen-

trum der Wohnung ist das große Peristyl 9. Von den an ihm liegenden
Räumen können wir 7, 8 und 11 als Winter-, 36, weil es nach Norden gewendet ist, als Sommertriclinium bezeichnen. Und ein Sommeraufenthalt war

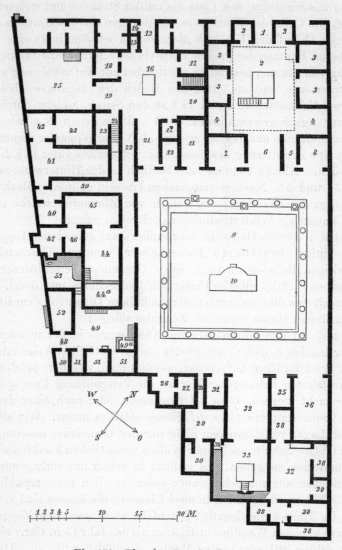

Fig. 178. Plan der *Casa del Centenario.*

offenbar auch das sehr einfach, mit weißen Wänden über wenig ornamentirtem
rothen Sockel decorirte große Zimmer 32: zwischen dem Peristyl und dem
kleinen Garten 33 gelegen, musste es ganz besonders kühl und luftig sein.
12, 31 und 35 sind Schlafzimmer; ebenso 27, welches mit einem Procoeton
26 versehen ist. — 29 und 30 sind Wirthschafts- und Vorrathsräume, ebenso
37 und 38: beide Abtheilungen sind durch den niedrigen bedeckten Gang 34
(auf dem Plan schraffirt) verbunden.

Die Säulengänge des Peristyls hatten nur auf der Vorderseite (oben auf dem Plan) ein oberes Geschoss, wie die beistehenden Durchschnitte zeigen. Die uncannelirten Säulen sind bis zur Höhe von 1,47 M. roth, dann über einem schmalen grünen Streifen weiß, mit einem blauen Streifen unter dem Capitell, welches von der dorischen Form abgeleitet ist, aber ein zierlich gegliedertes Profil hat; das einfach geformte Gebälk ist über einer Holzbohle aufgemauert. Die Säulen waren durch ein Holzgitter verbunden; an jeder derselben finden sich, auf der dem Viridarium zugewandten Seite, Reste von zwei eisernen Nägeln oder Haken, welche ohne Zweifel zum Aufhängen von Vorhängen dienten. 10 ist eine Piscina, an deren gerundeter Seite auf einer kleinen Tuffbasis eine sehr schöne Bronzestatuette (jetzt im Nationalmuseum) stand, einen Satyr darstellend, welcher aus einem Schlauch den Wein auslaufen lässt: aus der Öffnung des Schlauches ergoss sich ein Wasserstrahl in die Piscina. Die decorativ wirkungsvolle und auch in manchen Details schöne Malerei der Peristylwände, letzten Stils, ist nur auf der Südwestwand erhalten: die großen gelben, violettroth geränderten, durch phantastische Architekturprospecte getrennten Felder enthalten jedes in der Mitte ein Bild, und zwar zwei größere Bilder, deren eines die Befreiung der Andromeda durch Perseus darstellt, das andere Bauern oder Hirten, welche mit Steinen und Stöcken einer Frau zu Hülfe eilen, welche in einem Teich, in der Nähe von Gebäuden, von einer Schlange in ihren Windungen gehalten wird: wahrscheinlich eine Parodie der vorigen Darstellung. Die übrigen Bilder sind kleiner und enthalten Götterattribute. Unter jedem der erwähnten Architekturprospecte ist in schwarzem Felde ein geflügelter Kopf gemalt; einer derselben ist besonders gut erhalten und meisterhaft ausgeführt[148]: wahrscheinlich haben wir in ihnen Windgötter zu erkennen.

33 war, wie schon erwähnt, ein kleiner Garten, rechts und hinten durch den bedeckten Gang 34 (auf dem Plan schraffirt) verengt. Auf dem vordern Rande dieses letztern steht eine mit buntfarbigem Mosaik bekleidete Brunnennische, aus welcher ein Wasserstrahl über eine weiße Marmortreppe in eine geräumige, innen blau ausgemalte Piscina fiel; eine in der Nähe gefundene kleine Marmorstatue eines Hermaphroditen stand wahrscheinlich in der Nische. Die Malereien der Wände, aus der letzten Zeit Pompejis, sind nicht eben sehr geschmackvoll. Sie stellen theils die hinter einer Mauer sichtbaren Pflanzen eines Gartens dar, theils sieht man in einem 0,57 M. hohen, bis an den obern Rand der Vorderwand des Ganges 34 reichenden Streifen wie in einem Aquarium allerlei Seethiere: Fische, Muscheln, Hummer und Polypen, zum Theil im Kampf mit einander.

In Betreff der übrigen Zimmer heben wir hervor die Wanddecorationen von 7 und 8, deren Wandfelder, dort weiß, hier schwarz, mit Arabesken umsäumt sind, besonders hübsch in 7; ferner das eine Gorgonenmaske darstellende Fußbodenmosaik von 12.

Den Hauptzugang zu diesem centralen Theil der Wohnung bildet das Haupt- und Repräsentationsatrium 2, welches dieser seiner Bestimmung entsprechend nebst Alae und Ostium im Stil der letzten Zeit gut ausgemalt ist und auf seinen rothen Wandfeldern theils schwebende Figuren, theils vier

Theaterscenen enthielt, von denen drei erhalten sind. In der linken Vorderecke stand die Geldkiste, deren Platz durch den Randstreifen des schwarzweißen Fußbodenmosaiks bezeichnet ist. Die rechte Ala ist, wie so häufig,
zur Aufstellung eines sie ganz ausfüllenden großen Schrankes benutzt worden,
und zwar erst nachdem sie im Stil der letzten Zeit ausgemalt worden war.
Hinter dem Impluvium führt eine enge Treppe in einen Kellerraum, welcher
sich bis unter die vordere Halle des Peristyls erstreckt.

Es scheint, dass der Hausherr dem Dienst aegyptischer Gottheiten ergeben,
und dass diesem Dienst das erste Zimmer links am Atrium gewidmet war.
Hier ist nämlich in der Mitte eines jeden der weißen Wandfelder eine aegyptische Götter- oder Priesterfigur in ebenso unkünstlerischer wie ausführlicher
Weise gemalt, während im übrigen die Decoration von äußerster Einfachheit
ist. Man fand hier ein Sistrum aus Bronze und eine Bronzescheibe von 0,16 M.
Durchmesser, auf welcher in Hochrelief eine weibliche Büste dargestellt ist,
deren Kopf mit der Kopfhaut eines Elephanten bedeckt ist. Die übrigen das
Atrium umgebenden Zimmer (3) erläutern in sprechender Weise die schon
oben (S. 260) gemachte Beobachtung, dass sich in der Kaiserzeit das Leben
vom Atrium in die hinteren Räume zurückzog: sie dienten als Vorrathskammern und waren, wie die in den Wänden erhaltenen Löcher beweisen, mit
Brettgestellen versehen. Dass sie aber einst als Wohnräume dienten, beweist
der schöne Fußboden des zweiten Zimmers rechts, in dessen *opus Signinum*
ein Muster aus weißen Steinchen eingelegt ist, durch welches an der linken
Wand der Platz eines Bettes bezeichnet wird. Das Zimmer war also ein Schlafzimmer, aber von solcher Geräumigkeit, dass es unmöglich etwa für einen
Sclaven bestimmt sein konnte. Diese ausgedehnten Vorrathskammern, im
Verein mit den zum Theil offenbar für ähnliche Zwecke bestimmten Räumen
38, legen die Vermuthung nahe, dass der Hausherr Handelsgeschäfte trieb
und hier sein Waarenlager hatte.

Während man durch das Hauptatrium 2 nur in das Peristyl gelangte,
führte das Nebenatrium 16 (an dem auch einige Cubicula 17 und *apothecae*
14, 15 liegen) zu den verschiedensten Theilen des Hauses. Das Tablinum
21 führt in das Peristyl; der auch aus diesem zugängliche Corridor 22 zu den
verschiedenen Räumen auf der Südwestseite des Hauses, die rechte Ala 19 in
den Hof oder Garten 25 von unbekannter Bestimmung. Drei Treppen führten
in das Obergeschoss: die links am Atrium (neben 20) auch zu den Räumen
über den das Hauptatrium umgebenden Zimmern, 24 zu den oberen Zimmern der
Südwestseite, endlich eine dritte in 25 (von der die Aufmauerung an der Nord-
westmauer ein Rest ist) zu den über 18, 19 und den Läden an der Nolaner
Straße gelegenen Räumen: es ist hier ganz besonders klar, wie das Hauptatrium als stattlicher Eingang, das Nebenatrium zu praktischen Zwecken
diente.

Demgemäß war das letztere in der letzten Zeit sehr vernachlässigt (die
Wände hatten nur einen ganz rohen schwarzen Bewurf), früher zwar nicht
ohne Sorgfalt und Geschmack, aber doch nur einfach decorirt, wie die in 19,
20 und 21 erhaltene Malerei im »Candelaberstil« beweist. Dass die letztere
mindestens älter ist als das Jahr 15 n. Chr., beweist eine in die Wand von 20

neben einer rohen Zeichnung eines Gladiatorenkampfes eingeritzte Inschrift: *Officiosus fugit VIII idus nov. Druso Caesare M. Iunio Silano cos.* — Auf der Rückseite des Impluviums steht ein kleiner Tuffpfeiler, von dem wohl ehemals eine Brunnenfigur einen Wasserstrahl in das Impluvium fallen ließ.

Der schiefwinklige südwestliche Theil des Hauses enthält drei bestimmt geschiedene Gruppen von Räumlichkeiten, welche durch den Gang 22 unter einander und mit den übrigen Räumen verbunden werden. Die erste derselben, bestehend aus den Zimmern 40, 41, 42, 43, ist von 22 aus durch den Gang 39 zugänglich, und war für die Gelage und Vergnügungen des Hausherrn bestimmt: 41 ist ein großes und schönes Triclinium; 43 enthält obscöne Malereien, welche über den Charakter der Vergnügungen, denen dies Zimmer gewidmet war, keinen Zweifel aufkommen lassen; 42 ist nur ein Vorraum zu 43; für 40 lässt sich kein bestimmter Zweck nachweisen. In einer frühern Periode bestand diese Gruppe aus den Zimmern 40, 41, 45, welches letztere damals nicht mit 44 und 46, sondern mit 39 durch eine Thür in Verbindung stand, während 42 und 43 nicht von 41, sondern nur von 25 aus zugänglich waren. So kommt es, dass 42 und 43 im letzten pompejanischen Stil ausgemalt sind, während 40, 41, 45 die älteren Malereien im »Candelaberstil« bewahrt haben, und zwar 40 und 45 auf weißem, 41 auf schwarzem Grunde.

Die Malerei des Tricliniums 41 (welches auch durch die alenartigen Erweiterungen seines vordern Theils merkwürdig ist) verdient eine besondere Erwähnung als eines der schönsten und reichsten Beispiele des genannten Stils. Mit seiner schwarzen Wandfläche und seinem ebenfalls schwarzen Fußboden, in welchem eingelegte weiße Steinchen ein Muster bilden, müsste das Zimmer einen ungemein ernsten, fast finstern Eindruck machen, wenn nicht die zwar sparsamen und zarten, aber in lebhaften Farben sich kräftig abhebenden Einzelheiten der Wandbemalung dem erfolgreich entgegen wirkten. Ein rother Streif zieht sich am Fußboden entlang; weiter wird der Sockel durch einen grünen gemalten Carnies, die Hauptfläche durch zwei einen Fries einschließende gemalte Gesimse abgeschlossen, deren geschwungenes Profil ohne horizontale Gliederung mittels Abschattirung aus Violett durch Weiß zu Grün mehr angedeutet als eigentlich dargestellt ist; den obern Abschluss der ganzen Wand bildet über einem schmalen hellen Ornamentstreif ein etwas breiterer hellrother Streifen. In horizontaler Richtung werden die Wände getheilt durch dünne Säulen und einfache Candelaber, beide in Grün gemalt; von den so entstehenden Feldern ist das Mittelfeld der Hauptfläche jeder der drei Wände des engern und innern Theils zinnoberroth, das der Straßenwand und der gegen 42 (in welche die Thür erst später gebrochen wurde) gelb. Jedes dieser Mittelfelder enthielt eine ziemlich groß ohne Einrahmung auf den rothen resp. gelben Grund gemalte genrehafte Gruppe; in den übrigen, schwarzen Feldern ist in viel kleineren Verhältnissen je eine weibliche Figur mit aegyptischen religiösen Symbolen und Geräthen dargestellt; der Fries enthält abwechselnd tragische und komische Theaterscenen, endlich der obere Wandtheil kleine, als Tafelbilder gedachte Gemälde mit Genrescenen. Die vorwiegenden Farben aller dieser Darstellungen sind Violett, Gelb, Grün, Hellblau. Von den Gruppen der Mittelfelder ist nur die der Straßenwand, eine Opferscene, ganz

erhalten; die übrigen sind ganz oder theilweise zerstört worden durch die
Anlage der Thür zu 42 und dadurch, dass man in dem innern Theil des Zimmers hier in der letzten Zeit Pompejis viereckige Löcher in den Bewurf schnitt,
diese mit frischem Stuck ausfüllte und Bilder von geringem Kunstwerth darauf
malte (Theseus nach Tödtung des Minotaur, Hermaphrodit und Silen, Iphigenia, Orestes und Pylades in Tauris; Sogliano 530, 596, 585), welche zu der
ganzen Decoration wenig passen und von dem Abwärtsgehen des Geschmackes
ein deutliches Zeugniss ablegen 149).

Die zweite Gruppe, 44, 45, 46, 47 ist eine Badeanlage. 44 ist das kalte
Bad, mit dem großen Bassin 44a, zu welchem man über eine Treppe hinaufstieg. Dieser Raum war unbedeckt, und von ihm erhielten 49 und 53 ihr
Licht. Jedoch sprang aus der für den Eintretenden rechten Wand ein Dach
vor, welches eine schmale Passage von 22 zu 45 bedeckte; ferner wurde in
der Nähe des Bassins ein baldachinartiges Dach von der Eingangswand und
zwei Säulen getragen, offenbar bestimmt, den sich Aus- und Ankleidenden
Schutz zu bieten. Die Malereien der Wände, im letzten Stil, sind von geringem Interesse; wir bemerken jedoch, dass die Wände des bedeckten Theils
an der rechten Wand ihr besonderes Muster haben, und dass über dem Bassin
aegyptische Landschaften mit wenig Farben auf gelben Grund gemalt sind.
45 ist das zum Schwitzbad gehörige Apodyterium, 46 das Tepidarium, 47 das
Caldarium. Beide letztgenannten Räume liegen oberhalb des im Keller befindlichen Backofens und daher wesentlich höher als 44. Weil 45 den Zugang
vermitteln musste, ist auch sein Fußboden, als es, wie oben bemerkt (S. 357),
nachträglich zum Bade gezogen wurde, etwas erhöht worden; vorher war ohne
Zweifel 46 über eine Treppe von 44 aus zugänglich. Die Heizung der beiden
mit hohlen Fußböden und Wänden versehenen Räume 46 und 47 wurde
von der Küche 53 aus besorgt. Beide sind im letzten Stil ausgemalt; der
Fußboden von 46 besteht aus schwarzweißem Mosaik, in welchem Fische
dargestellt sind; der von 47 bestand aus rautenförmigen Marmorplatten,
welche aber durch antike Ausgrabungen fast alle entfernt worden sind. Dieser
letztere Raum hat gegen die Straße eine halbrunde (auf dem Plan irrthümlich
eckige) Nische, in der wir die *schola labri* erkennen; die andere Nische enthielt eine gemauerte Wanne.

Die dritte Gruppe besteht aus einem bedeckten Nebenatrium 49, drei
Schlafzimmern 51, einem Abtritt 50, einem Local unsicherer Bestimmung
(vielleicht einem Stall) 52, einer Küche 53 und einem unter 53, 46 und 47
liegenden Keller, welcher unter 47 einen Backofen enthält und zugänglich ist
durch einen schmalen, schräg abwärts führenden Gang neben dem eben so
schmalen, welcher schräg aufwärts in die etwas erhöht liegende Küche führt.
Am Atrium liegt links eine Treppe zu oberen Räumen; das in der rechten
hintern Ecke angebrachte Larenheiligthum besteht aus einer für kleine Bronzefiguren der Hausgötter bestimmten Nische und aus Malereien, welche auf der
rechten Wand neben der Nische die Laren, auf der Rückwand einen mit Reben
bepflanzten Berg, und neben demselben den seinen Panther tränkenden
Bakchos darstellen, welcher ganz in Trauben wie in ein Gewand eingehüllt
ist (abgeb. *Gaz. archéol.* 1880 Taf. II, *Not. degli Scavi* 1880 Taf. VII). Die

kegelförmige Gestalt des Berges macht es wahrscheinlich, dass mit ihm der Vesuv gemeint ist; doch ist die Darstellung so kunstlos, dass unsere Kenntniss von dem Aussehen desselben vor dem Ausbruch durch sie nicht wesentlich gefördert wird. Diese ganze Ecke des Atriums ist durch eine Brüstungsmauer abgetheilt, innerhalb welcher ein kleiner tragbarer Altar (eine viereckige Steinplatte auf einem cylinderförmigen Fuß) gefunden wurde [150]. Zwischen dieser Brüstung und der Thür zum Peristyl, ebenso auch an der rechten Atriumswand und an der Straße links vom Eingang 48 sind gemauerte Bänke angebracht. Im Atrium fand man das Gerippe eines Esels und Reste des Geschirrs, wodurch die Annahme wahrscheinlich wird, dass 52 (da an keinen andern Raum gedacht werden kann) ein Stall war. In der Küche 53 bemerken wir den sehr großen Heerd; außer einigem andern Geräth fand man hier eine Thonamphora, welche laut der darauf gemalten Inschrift *mulsum*, d. h. mit Honig angemachten Wein, enthielt.

Wir müssen es dahin gestellt sein lassen, ob die zuletzt besprochene Abtheilung des Hauses (48—53) von der Dienerschaft bewohnt war, oder ob hier vielleicht ein Gasthaus (*hospitium*) mit Schenkwirthschaft gehalten wurde. Für letztere Annahme könnte geltend gemacht werden, dass das den Bacchus neben dem Vesuv darstellende Gemälde so angebracht ist, dass es, wenn die Thür bei 48 offen stand, den auf der Straße Vorübergehenden in die Augen fallen musste und so den Dienst eines den »Vesuvwein« ankündigenden Aushängeschildes leisten konnte. Doch werden wir wohl, in Anbetracht der Verbindung dieser Räume mit den Wohnräumen, jene andere Annahme für wahrscheinlicher halten.

Auf den vorhergehenden Blättern ist eine Auswahl der gewöhnlichen kleineren und größeren ein- oder zweistöckigen pompejanischen Wohnhäuser, und zwar eine Reihe der normalsten Pläne, sowie der durch besondere Eigenthümlichkeiten ausgezeichneten beschrieben worden, welche zur Vergegenwärtigung der Verschiedenheiten in Anlage und Decoration genügen müssen, da es unmöglich ist, wenn nicht dieser Band gar zu sehr anschwellen und die Geduld seiner Leser auf eine gar zu harte Probe stellen soll, eine noch größere Anzahl pompejanischer Häuser im Einzelnen zu besprechen. Nur noch eines derselben muss seines ganz besonders eigenthümlichen, durch die Vereinigung mehrer Häuser entstandenen Planes wegen hier in Betracht gezogen werden. Dies ist

(No. 25.) die *domus Popidii Secundi Augustiani* (I, 4, 5; Plan No. 118), früher *Casa del citarista* genannt. Schon in der Tuffperiode wurde der südliche Theil des Hauses, das Atrium 6 und die Peristylien 17 und 32 umfassend, auf dem Boden mehrer älteren Häuser erbaut. In römischer Zeit kamen dann die Räume 19—30 und der nördliche Theil (47, 56) hinzu und erhielt das Haus eine Decoration zweiten Stils, von der nur wenig erhalten ist. Auf einige Veränderungen, namentlich am Peristyl 56, folgte dann eine Decoration dritten Stils, und endlich wurden, wiederum nach einigen Veränderungen (am Atrium 47) einzelne Räume im letzten pompejanischen Stil ausgemalt.

An der Front dieses Hauses an der *Strada Stabiana*, dessen Ausgrabung

schon 1853 begann, aber nach langer Pause erst 1868 vollendet wurde, liegen
drei Läden 1, 2 und 4, die ersteren beiden links, der letzte rechts vom Eingange 3. Zwei derselben 2 und 4 haben augenscheinlich bis in verhältnissmäßig späte Zeit mit dem Innern des Hauses in Verbindung gestanden, sind

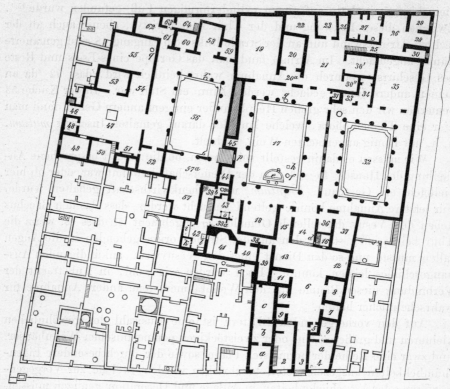

Fig. 179. Plan des Hauses des Popidius Secundus.

aber zuletzt durch neu aufgebaute Scheidemauern von ihm getrennt worden,
wobei die ursprünglich aus 2 in das Atrium führende Thür als Fenster übrig
geblieben ist. In diesem Laden (mit Hinterzimmer) lag nach sicheren Spuren
eine Treppe zu den im Oberstocke mit vermietheten Zimmern. Auch der
Laden 4 hat ein Hinterzimmer b, welches früher mit dem Atrium und Ostium
in Verbindung stand, indem die Mauer zwischen der links sichtbaren Nische
und dem kleinen Raum 5 fehlte; nach Vermauerung dieser Verbindung ward
in der erwähnten Nische ein Heerd gebaut. Der Laden 1 mit seinen beiden
Hinterräumen b c endlich war von dem Hause unabhängig und besonders vermiethet; irgend Etwas von besonderem Interesse bietet auch er nicht. In
diesen Läden ward eine ziemlich bedeutende Anzahl Geräthe und Gefäße von
Bronze gefunden. — Die Hausthür liegt unmittelbar an der Straße, über drei
Stufen erhöht; ob, wie Fiorelli behauptet, eine zweite Thür weiter im Innern
des Ostiums vorhanden gewesen sei, ist zweifelhaft; wenn sie vorhanden war,
so dürften wir vielleicht in dem sonst räthselhaften, auf das Ostium wie auf
das Atrium geöffneten kleinen Raum 5 einen Nebeneingang erkennen, ver-

gleichbar dem, welchen wir im Hause des Epidius Rufus (S. 298) neben der eigentlichen Straßenthür fanden. In dem nicht eben besonders geräumigen tuscanischen Atrium 6 ist das Impluvium fast spurlos verschwunden, aber vorhanden gewesen. In ihm fand man einen kleinen marmornen Altar mit zwei eine Guirlande haltenden Eroten, zwei Vögeln, zwei gekreuzten Palmen und einem Praefericulum verziert. Die fünf das Atrium umgebenden Cubicula 7 und 8 rechts, 9, 10 und 11 links, von denen 7, 8 und 10 mit verschließbaren Thüren versehn waren, sind unbedeutend und auch ohne nennenswerthen Schmuck. Etwas reicher erscheinen die Alae 12, 13, mit lebhaft rothen Wänden letzten Stils; diese sind in der linken 13 besser erhalten und hier ist das Brustbild eines jungen Satyrn mit einem Kantharos (Hlbg. No. 424) gemalt. Bis hierher erscheint der Plan abgesehn von seiner Schiefwinkligkeit ziemlich normal; wenn das Tablinum 14 nicht in der Mitte der Rückseite liegt, so hat dies seinen Grund offenbar darin, dass man für den im Atrium Stehenden einen Blick durch das Tablinum in das Peristyl eröffnen wollte. In den natürlichen Höhenverschiedenheiten des Bodens ist es begründet, dass das Tablinum vom Atrium aus nicht betretbar, sondern durch eine 0,50 M. hohe Futtermauer von ihm getrennt ist. Betretbar ist es theils aus dem Peristyl, gegen welches es durch eine Thür abgeschlossen werden konnte, theils aus den in ihrem ersten Theile ziemlich steil ansteigenden Fauces 15. Auch dass man von eben diesem Tablinum aus nicht allein ein Zimmer (36) des zweiten Theiles des Hauses betrat, sondern auch vermöge der Treppe *d* zum obern Geschoss der das Atrium umgebenden Räume hinaufstieg, ist ein sehr ungewöhnliches Vorkommniss. Durch dies Alles wird der Charakter des Tablinums stärker alterirt, als vielleicht in irgend einem andern pompejanischen Hause. Von den um das Atrium gruppirten Räumen ist nur noch die kleine, unter der eben erwähnten Treppe liegende Vorrathskammer 16 zu erwähnen. Die Fauces 15 führen in das erste Peristyl 17 mit rothen, leicht ornamentirten Wänden letzten Stils. Seine Porticus besteht aus ursprünglich achtzehn unten rothen, oben weißen cannelirten Säulen mit Phantasiecapitellen, von denen jedoch später eine, vor der Piscina *e*, um den Blick aus 18 auf das Viridarium frei zu machen, entfernt worden ist. In der erwähnten halbrunden Piscina *e* liegt eine Stufe; auf ihrem Rande standen als Wasserspeier eine Anzahl von theils einzelnen, theils unter einander kämpfenden Thieren von Erz: ein Eber, zwei Hunde, ein Löwe, eine Hirschkuh und eine Schlange, welche jetzt entfernt, in das Museum nach Neapel gebracht und dort in der Ordnung, in der der man sie fand, aufgestellt sind. Nahe bei diesem Bassin fand man auch die schöne Erzstatue eines kitharspielenden Apollon, von der das Haus seinen ersten Namen (*del citarista*) empfing und von der im artistischen Theile näher gehandelt werden soll. Von den beiden Cisternenmündungen hat die eine, *f*, ein Lavaputeal, die andere *g* ist in einem Marmorstein angebracht, aber ohne Puteal; *h* ist eine viereckige Grube, wie es scheint zur Abklärung des aus der Piscina abfließenden Wassers. Auf der Schwelle der großen Exedra 18 stehn zwei Säulen als Träger ihres Gebälkes; ihr Fußboden besteht aus schwarzweißem Mosaik mit einem aus Marmorplatten zusammengesetzten Rechteck in der Mitte; die Wände sind einfach im letzten Stil auf gelbem

Grunde gemalt und hatten in den Mittelfeldern drei größere Bilder, von denen aber zwei ganz fehlen, das dritte unkenntlich geworden ist.

Die Räume an der gegenüberliegenden Seite des Peristyls zeigen, wie schon bemerkt, jüngere Bauart; sie entstanden in römischer Zeit nach Ankauf des ehemaligen südöstlichen Eckhauses der Insula. Auch ihre Wandmalereien haben einen gemeinsamen Charakter und sind zwar dem dritten Decorationsstil nahe verwandt, bilden aber eine besondere, dem zweiten Stil noch näher stehende Gruppe. In der linken hintern Ecke des Peristyls liegt ein großer Oecus 19 mit reicher Decoration großer, aber sehr zerstörter Architekturen auf schwarzem Grunde; das einzige hier gefundene Bild, eine ermattet eingeschlafene Bacchantin darstellend, befindet sich im Museum zu Neapel. Der Fußboden besteht aus trefflichem weißen Mosaik mit schwarzem Rande. Weiter folgt ein wahrscheinlich als Triclinium zu bezeichnender Raum 20 mit einem eigenen Vorplatze 20 a und drei größeren Bildern auf seinen einfach gemalten Wänden, nämlich links einer Darstellung von Ares' und Aphroditens Liebe (Hlbg. No. 323), dem Eingange gegenüber einem unerklärten (Hlbg. No. 1401), rechts einer auf Leda nicht ganz sicher bezogenen Composition (Hlbg. No. 152): die beiden erstgenannten befinden sich in Neapel. Der Fußboden (Signinum mit eingelegten Steinen) ist sehr gering, besser der des Vorraumes, welcher aus in Stuck gelegten Travertinstückchen und unregelmäßigen Marmorstücken besteht. Die Wände des Vorraumes zeigen Pflanzen auf dunklem Grunde. Weiter rechts folgt eine Gruppe von Zimmern, welche aus dem atriumartigen aber bedeckten Mittelraum 21 zugänglich sind, auf dessen linker Wand eine interessante Darstellung des Parisurteils (Hlbg. No. 1286) erhalten ist. Von den hinter diesem Mittelraum liegenden Räumen ist 22, mit sehr einfachen, oben weißen, unten rothen Wänden, wohl eine Vorrathskammer; eine dort gefundene kleine Handmühle steht noch an ihrem Platz. Dagegen ist 23 ein zierlich gemaltes Cubiculum, welches auf den weißen Mittelfeldern seiner rothen Wände drei Bilder aufzuweisen hat: dem Eingange gegenüber Apollon vom Kitharspiele ruhend (Hlbg. No. 183; dies Bild geringer als die übrigen und später eingesetzt), rechts einen musikalischen Wettstreit (Hlbg. No. 1378 b), links einen unerklärten Gegenstand (ein Jüngling vor einem barbarischen oder phrygischen Könige, Hlbg. No. 1388), welcher sich ganz ähnlich in der *domus Sirici* (s. oben S. 324) wiederholt findet. Der kleine Raum daneben 24 ist eine Vorrathskammer (*apotheca*) gewesen, in welcher die Wände die Löcher zur Befestigung ringsum laufender Bretter zeigen. Hier vorbei führt der Gang 25 in eine Art von kleinem Atrium 26, an welchem ein Stall 27 und zwei Schlafzimmer der Stallknechte 29 und 30, mit vergitterten Fenstern, liegen, zwischen denen die breite Einfahrt 28 deutliche Spuren von Wagenrädern zeigt. Über allen diesen Räumen, mit Ausnahme vielleicht des von der Straße entfernten Theils des Atriums 26, befand sich ein niedriger Zwischenstock (*mezzanino*), welcher über dem Stall zwei Fenster auf die Straße hat. Darüber sieht man den Anfang des offenbar ganz niedrigen dritten Geschosses mit gut gemalten Wänden letzten Stils und einer Thür nach dem Raum über 24. Kehren wir nun durch den Gang 25 in den atriumartigen Raum 21 zurück, so finden wir an der linken (südlichen)

Seite desselben noch das im letzten Stil mit rothen und blauen Feldern über schwarzem Sockel ausgemalte Triclinium 30′, ohne erhaltene Bilder, und das zierliche Cubiculum 30″, dessen Wände (blaue Felder bei violettem Sockel und weißem obern Wandtheil) denselben oben erwähnten Stil zeigen, wie die übrigen Räume dieses Complexes. Wenden wir uns nun wieder in das Peristyl 17, so bemerken wir zunächst noch nahe der Südostecke die kleine, als Wandschrank dienende, gewölbte Nische 31, und auf der entgegengesetzten Seite die gewölbte Exedra 45, von nur sehr geringer Tiefe, mit Marmortäfelung auf dem Fußboden und am Wandsockel, endlich das Sclavencubiculum 44. Auf der Südseite ist das Peristyl von einer Mauer begrenzt, welche von zwei Thüren an den beiden Enden und zwischen diesen von sechs Fenstern durchbrochen ist. Diese Thüren und Fenster verbinden mit dem ersten ein zweites, schönes und heiteres Peristyl 32, dessen weiße Wände mit leichtem Ornament letzten Stils geschmückt sind, während seine Porticus von zwanzig dünnen, unten rothen, oben weißen cannelirten Säulen mit Phantasiecapitellen gebildet wird, zwischen denen ein Mosaiksaum liegt. Die freie Area in der Mitte ist, von einer niedrigen Mauer umgeben, erhöht und war ohne Zweifel als Xystus bepflanzt. Ein Puteal steht neben der nordöstlichen Ecksäule des Umgangs. Dieser Ecke gegenüber beginnen die Gemächer dieser Abtheilung mit einer kleinen, weit und unverschließbar gegen das Peristyl und außerdem gegen das anstoßende Cubiculum geöffneten Exedra 33, mit weiß und schwarzem Mosaikfußboden; folgt das eben erwähnte Cubiculum 34 mit Alkoven im Hintergrunde und weißen, mit leichten Architekturen decorirten Wänden, und ein großer Oecus 35, in dessen Eingang zwei Pfeiler stehn, welche den Deckenbalken trugen und zwischen denen Thüren angebracht waren. Die Wände sind in gelbe und blaue Felder getheilt und mit schwebenden Figuren bemalt, doch haben die blauen Felder sehr gelitten. Aus den blauen Mittelfeldern sind ausgehoben und in das Museum zu Neapel geschafft die Bilder bei Helbig No. 1239 und 1333, ersteres Ariadnes Auffindung durch Dionysos, letzteres Orestes und Pylades in Tauris vor Thoas gefesselt und Iphigenia mit dem Götterbild im Arme darstellend, eines der schönsten und merkwürdigsten aller in Pompeji gefundenen Bilder. Am entgegengesetzten Ende des Peristyls liegt zunächst am Tablinum 14 der ersten Hausabtheilung das Zimmer 36, gegen das Peristyl und die beiden angrenzenden Räume geöffnet. Durch die dem zweiten Stil angehörige, eine Marmortäfelung nachahmende Malerei seiner Wände wird der innerste Theil als der Platz eines Bettes bezeichnet; derselbe hatte auch seine besondere, flach gewölbte Verschalung: wir dürfen also das Zimmer als ein Cubiculum bezeichnen. Neben ihm liegt das Triclinium 37, dessen gelbe Wände letzten Stils mit Architekturen und schwebenden Gestalten (Hlbg. No. 1951) und auf rothen Mittelfeldern mit drei namhaften Bildern geschmückt waren. Von diesen ist dasjenige rechts, die von Argos bewachte Io darstellend (Hlbg. No. 137), für das Museum ausgehoben, dasjenige hinten (Hlbg. No. 1400) unerklärt und dasjenige links, Aphrodite und Adonis (Hlbg. No. 330), stark beschädigt.

So geräumig nun auch diese Wohnung in den bisher geschilderten Theilen ist, so genügte sie doch nicht dem offenbar wohlhabenden und vor-

nehmen Besitzer. Kehrt man durch das erste Peristyl 17 und die Fauces 15
in das Atrium zurück, so findet man einen aus dessen linker Ala abzweigenden Gang 38, welcher zu einem Bade führt, dessen Tepidarium 40 und Caldarium 41 unter sich verbunden sind. In früheren Zeiten war mit denselben
noch ein dritter Raum, 39, verbunden, welcher als Apodyterium und Frigidarium diente, später aber zu anderen Zwecken verwandt worden ist: die
ausgefüllte Wanne in seinem innersten Theil, sowie die vermauerte Thür zum
Tepidarium sind vollkommen kenntlich. In seiner Fortsetzung 38 *a* führt
dieser Gang weiter links in die Küche 42, welche außer dem Heerde *i* und
dem mit eigener Thüre verschließbaren Abtritt *k* auch die Vorrichtung zur
Heizung des Bades *l* enthält. Rechts zweigt dieser Gang zu einem Raume
38 *b* ab, welcher, an seinem Ende durch ein Oberlicht *m* und durch ein kleines
Fenster auf das Peristyl, wenn auch nur sehr mäßig, erleuchtet, eine Treppe
in den Oberstock und einen Brunnen oder Wasserbehälter *n* enthält. 43, aus
dem Peristyl 17 zugänglich, ist ein Vorraum zum Bade, d. h. ein kleiner Hof
mit Impluvium *o* und einem von vier achteckigen rothen Säulen getragenen
atriumartigen Dach; von diesen Säulen sind zwei nachträglich in eine Mauer
eingeschlossen, die übrigen durch ein niedriges Podium verbunden worden.

Aus dem Peristyl 17 gelangt man links noch zu einer Erweiterung dieser
Wohnung, welche nicht blos ursprünglich ein eigenes Haus gewesen, sondern
in der ganzen Einrichtung ziemlich unverändert geblieben ist, als Popidius
Secundus oder sein Vorfahr es mit seiner Wohnung verband, während die zuletzt beschriebenen Räume 38—42 ziemlich augenscheinlich von dem Nachbarhause an der *Strada Stabiana* abgeschnitten und durch Umbau zu dem
gemacht worden sind, als was wir sie kennen gelernt haben. Die Verbindung
zwischen dem ersten Peristyl und dem annectirten Hause (*domus L. Optati
Rapiani* ist seine officielle Benennung), welches, da sich die *Strada Stabiana*
an dieser Stelle bereits ziemlich rasch dem Thore zu senkt, höher liegt als die
beschriebenen Theile, wird durch eine breite Treppe von zehn aus Ziegel-
steinen aufgemauerten Stufen *p* hergestellt, neben der rechts und links in
dem theilweise mit Erde ausgefüllten Raume zwischen den Wänden des Peristyls 17 und des Nachbarhauses die beiden schon erwähnten Räume 44 und
45 ausgespart oder gewonnen sind. Bei der vollkommenen Selbständigkeit
des Planes dieses Nebenhauses wird dessen Beschreibung am besten bei seinem
eigenen Eingang an der nördlichen Nebengasse beginnen. Das kurze, unmittelbar an der Straße geschlossene Ostium 46 führt in das ziemlich geräumige
tuscanische Atrium 47, dessen Impluvium von einer sehr wenig erhaltenen
schönen farbigen Mosaikborde umgeben war. Links neben dem Ostium liegt
eine in früherer Zeit von der Straße zugängliche Treppe zum Obergeschoss, zu
welcher jedoch der nachträglich durchgebrochene überwölbte Eingang aus dem
Ostium so eng ist, dass man sich nur von der Seite hindurchschieben kann.
Die neben dieser Treppe liegenden Räume gehören nicht zu diesem Hause,
sondern zu dem Laden neben seinem Eingange. Am Atrium liegt rechts neben
dem Ostium eine nur 2 M. hohe Celle 48; ohne Zweifel konnte der Atriensis
von hier in ein oberes Gemach steigen und von dort durch ein Fenster auf die
Straße sehen, wie in der *Casa dei Dioscuri* (S. 335). Weiter folgt eine von der

Straße aus durch ein enges Fenster dürftig beleuchtete schmucklose Vorrathskammer (*cella penaria*) 49. An diese stößt das im letzten Stil gemalte Cubiculum.50, auf dessen rechter Seitenwand sich ein Bild (Hlbg. No. 542) findet, darstellend einen jugendlichen Satyrn, welcher vorsichtig eine schlafende Bakchantin beschleicht. An der linken Wand dieses Zimmers führt eine Treppe zum Oberstock, mit besonderem Zugang vom Atrium, steil über eine kleine Thür zur rechten Ala 51 hinweg; unter ihr waren einige Bretter zum Aufbewahren irgend welcher Gegenstände angebracht. Der innerste Theil der Ala 51 ist, wie öfter, durch die steinernen Substructionen eines großen hölzernen Schrankes eingenommen. Hier und unter der Treppe in 50 ist die einfache Decoration dritten Stils, mit schwarzem Grunde, erhalten geblieben. Aus der Ala führt eine Thür in das auch vom Peristyl zugängliche und, wie das Peristyl und alle umliegenden Räume, im dritten Stil (auf schwarzem Grunde) gemalte Zimmer 52. Auf der andern Seite liegt zuerst ein Triclinium 53 mit gelben Wänden letzten Stils, leichten Architekturen und kleinen Bildern von Fischen; auf dieses folgt die ursprüngliche linke Ala 54, welche aber zu einem bloßen Durchgang in ein großes Gemach 55 verwandelt worden ist, welches, in der letzten Zeit Pompejis durch Vergrößerung und Umgestaltung eines auf das Peristyl geöffneten Tricliniums entstanden, vermuthlich irgend einem Gewerbsbetriebe dienen sollte; durch die in ihm liegende Cisternenmündung *q* wird es nicht hinlänglich gekennzeichnet. Ein Tablinum fehlt diesem Hause gänzlich; das Atrium wird nach hinten durch eine glatte Wand abgeschlossen, welche nur durch die breite Thür in das Peristyl unterbrochen ist; links neben derselben liegt der Stein, auf welchem die Geldkiste durch einen noch vorhandenen Eisenzapfen befestigt war. Die ursprünglich achtzehn Säulen, welche die Porticus bildeten, wurden später in der auf dem Plan ersichtlichen Weise zum Theil in Zwischenwände verbaut; im Allgemeinen sind sie ganz roth bemalt und glatt; nur das dem Eingang aus dem Atrium gegenüberliegende Intercolumnium sowohl der vordern als der hintern Reihe, sowie auch das mittlere der linken Schmalseite sind nicht nur durch größere Breite, sondern auch dadurch ausgezeichnet, dass hier die Säulen auf der dem Intercolumnium zugewandten Seite unten glatt und schwarz, oben weiß und cannelirt, auf der andern Seite aber, wie die übrigen, glatt und roth sind. Dem entsprechend sind auch die Halbsäulen der rechten Schmalseite unten glatt und schwarz, oben weiß und cannelirt. Es äußert sich hierin die auch sonst schon von uns beobachtete Neigung der spätern römischen Zeit, hier der Zeit des dritten Decorationsstils, die den Eingängen und den größeren Zimmern entsprechenden Intercolumnien hervorzuheben. An der linken Schmalseite steht zwischen den Mittelsäulen ein Puteal aus Travertin *r*. An diesem Peristyl liegt rechts nur eine geräumige Exedra 57 (mit wenig erhaltener Malerei) hinter einem eigenen Vorraume 57*a*, welcher erst durch die oben erwähnte Umwandlung der Porticus entstanden ist, links dagegen eine ganze Folge kleinerer Gemächer. Und zwar in der Mitte ein Triclinium 58 mit marmornem und Mosaikfußboden und gelben Wänden letzten Stils mit ursprünglich drei Bildern, von denen aber das der rechten Seitenwand fehlt, während das der Hinterwand (Hlbg. No. 333), etwas beschädigt, den ver-

wundeten, von Eroten bedienten Adonis darstellt; auf der linken Wand
Nereiden auf einem Seepferd. Zu diesem Triclinium scheint das rechts von
ihm liegende und mit ihm verbundene Gemach 59 als Anrichte- und Bedie-
nungszimmer (vgl. S. 327 und 368) zu gehören, während dasjenige links 60,
welches Bilder an seinen schlecht erhaltenen Wänden hatte, als Cubiculum
gilt. Neben ihm führt ein Durchgang 61 links in eine Vorrathskammer (*cella
penaria*) 62, gradeaus in einen Durchgangsraum 63, durch welchen man zu
der rechts und hinter dem Triclinium liegenden Küche 64 gelangt, welche
durch den Heerd gekennzeichnet wird. Der Raum hinter den Zimmern 58 und
59 ist nicht ganz ausgeräumt worden; vermuthlich enthält er den Abtritt.

Es bleibt jetzt nur noch übrig, solche Leser, welche Pompeji selbst besuchen, auf einige der hier nicht beschriebenen Häuser aufmerksam zu machen,
welche, sei es der Eigenthümlichkeit ihrer Decoration oder der Besonderheit
häuslicher Einrichtung wegen, einen Besuch besonders lohnen. Als solche seien
die beiden Häuser mit den Mosaikbrunnen in der Mercurstraße, die Häuser
des Schiffes, der bemalten und der Figurencapitelle in der Fortunastraße und
besonders die in den letzten Jahren ausgegrabenen Häuser der Cornelier, des
Paquius Proculus, des N. Popidius Priscus, dasjenige mit dem Niobidenbilde
(VII, 15, 1. 2; Plan No. 52), sowie diejenigen in Reg. I, Ins. 3 und 2
besonders empfohlen, sowie auch wegen ihrer schönen und zum Theil prachtvollen Decoration die *Casa di Apolline, della parete nera, del cignale* u. A.

Es können nun aber die Privatgebäude der Stadt Pompeji nicht verlassen
werden, ohne dass wenigstens von einem jener großen mehrstöckigen oder
vielmehr terrassenartig angelegten Häuser, welche am südwestlichen Abhange
des Stadthügels auf der hier niedergerissenen Mauer erbaut sind, der Plan
mitgetheilt und kurz besprochen werde. Wie schon früher bemerkt wurde,
bildete die Straße vom Herculaner Thor, an welcher diese Häuser liegen, die
Hauptverkehrstraße, und dem entsprechend scheinen die in Rede stehenden
Häuser Kaufmannshäuser gewesen zu sein.

(No. 26.) Eine nähere Betrachtung des mitzutheilenden Planes eines der
ausgedehntesten dieser Häuser, der nach einem Wahlprogramm so genannten
Casa di Polibio (VI, *ins. occid.* 19—26; No. 3 *b* im Plane), wird dies bestätigen,
indem wir in demselben nur verhältnissmäßig wenige Wohnräumlichkeiten, dagegen eine beträchtliche Zahl solcher finden werden, die allem Anscheine nach als
Lagerräume für verschiedene, natürlich jetzt nicht mehr zu errathende Waaren
gedient haben. Vor der Analyse des Planes sei noch bemerkt, dass bei diesem
Hause unsere Autopsie nur eine theilweise hat sein können, da verschiedene
der sehr zerstörten Räumlichkeiten der unteren Geschosse unzugänglich sind.
Wir finden uns also hier vielfach auf Mazois angewiesen, nach dessen Plänen die
drei Geschosse oder Terrassenetagen neben einander gestellt worden sind, und
zwar so, dass *A* das Geschoss zu ebener Erde an der Straße enthält, dessen
Räume durch Zahlen bezeichnet sind, während in *B* das zweite, in *C* das dritte
Geschoss d. h. das unterste, im Niveau des Bodens am Fuße des Stadthügels
von Pompeji, dargestellt wird, in welchen die Räume mit lateinischen und
griechischen Lettern versehn worden sind.

Fassen wir zuerst das Erdgeschoss an der Straße *A* in das Auge. An der

Fronte der Straße liegen zunächst vier Läden 1 ohne Zusammenhang mit dem
Hause, welche mit ihrer Hinterwand den Umgang des Peristyls begrenzen.
Neben diesen weiter links ein weiter Doppelladen 2 mit zwei Eingängen und

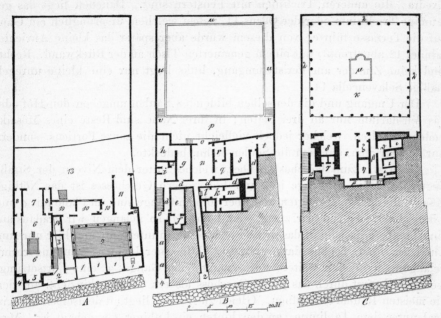

Fig. 180. Plan eines dreistöckigen Hauses.

in Verbindung mit dem Hause, und zwar sowohl mit dessen Atrium und
Peristyl wie auch vermöge eines geneigten Ganges (b in B) mit den Magazinräumen des untern Geschosses. Es kann wenig Zweifel sein, dass wir hier
die Packräume des Kaufherrn vor uns haben, aus denen die Waaren in die
Magazine gebracht wurden, zu denen ein geneigter Gang anstatt einer Treppe
führt, weil dieser für Waarentransporte ungleich zweckmäßiger ist als jene.
Die Treppe nämlich 3, welche in diesem Raume angegeben ist, führt aus dem
Erdgeschoss in das obere Stockwerk von A, der geneigte Gang geht unter
ihrer obern Wendung hindurch. Eine ähnliche, kleinere Packkammer als
Vorraum eines zweiten geneigten Ganges findet man jenseits des Hauseinganges
in 4; der Gang, den wir in B bei a wiederfinden, ist mit einer einfachen Linie
angegeben. Zwischen diesen dem Geschäft gewidmeten Räumlichkeiten liegt das
eigentliche Wohnhaus, zu dessen Verständniss auf dem Plane ein paar Winke
genügen. In 5 ist der Eingang, das Ostium, in 6 das tuscanische Atrium, in
dessen Hintergrunde das Tablinum 7 zwischen den beiden Fauces 8 leicht
erkennbar ist. Die hinteren Theile, von der Mitte des Tablinums an, sind
jetzt eingestürzt. Tablinum und Fauces öffneten sich auf eine große Terrasse 13, in welcher man die umgitterte Öffnung eines kleinen Hofes sieht,
der in das untere Geschoss Licht bringt und welche als das flache Dach eben
dieses untern Geschosses gelten kann. Für ein Peristyl im eigentlichen Sinne
war hinter dem Tablinum kein Raum; dasselbe liegt also, ähnlich wie bereits
aus anderen Beispielen zur Genüge bekannt ist, seitwärts in 9, mit dem Atrium

durch einen Zugang aus den rechten Fauces verbunden und nach hinten durch drei kleinere, mit einander zusammenhangende Zimmer 10 begrenzt, von denen das erste von rechts eine zugleich als Durchgang zur Terrasse dienende kleine Exedra, die anderen Triclinien mit Fenstern sind. Daneben liegt das geräumige Triclinium oder der Oecus 11, neben welchem ursprünglich ein Gang auf die Terrasse führte; von diesem wurde aber später das kleine Anrichtecabinet 12 abgetrennt, mit einem gemauerten Tisch an der Rückwand. Rechts sind keine Zimmer am Peristylumgang, links liegt nur eine kleine unregelmäßige Sclavencella 14.

Der Umgang und die denselben bildenden Säulen umgeben den Hof oder das Viridarium nur an drei Seiten; in ihrer Nähe sind Reste eines Mosaikbodens erhalten, welcher jedoch vielleicht nicht die ganze Porticus, sondern nur den Streifen, auf dem die Säulen stehn, bedeckte.

Gehn wir zum Géschoss B über, welches unter dem Niveau der Straße liegt. Über die Eingänge in 2 und 4 des obern Geschosses ist das Nöthige gesagt; die beiden geneigten und überwölbten Gänge sind im Plane mit a und b bezeichnet. Folgen wir zuerst dem Gange a, so gelangen wir gradaus auf eine Treppe c, welche in das dritte Stockwerk hinunterführt und hier nur zum Theil, im Plane C ganz dargestellt ist. Mit einer kleinen Wendung rechts gelangt man in eine weitere Fortsetzung d des Ganges a, eine Fortsetzung, welche sich fast durch das ganze Geschoss als ein Corridor hinzieht, auf den die meisten Räume sich öffnen. Gleich zu Anfang liegt an demselben in e ein Saal unter dem Tablinum, an den hinten ein Cabinet f angebaut ist. Man hält dies für ein Badezimmer, ohne dass die bestimmenden Merkmale dafür angegeben werden könnten. Am Ende des Saales macht der Gang eine Wendung im rechten Winkel und wird zur linken Hand von dem wirklichen Bade dieses Hauses begrenzt. In g nämlich hat man das Apodyterium, in h das eigentliche Badezimmer und in i die Officin des Bades mit dem Feuerheerd erkannt; jetzt sind diese Räume nicht mehr sichtbar. Unter diesem liegt in dem Stockwerke C noch ein Bad, welches möglicherweise für die Dienerschaft bestimmt war. An der Ecke des Saales e stößt der geneigte Gang b, von den Packkammern 2 herabkommend, mit dem Gange a zusammen, und unmittelbar im Winkel dieses Zusammentreffens liegt in k der kleine Hof, der, unbedeckt, die obere Terrasse unterbricht, und hier wahrscheinlich mit einem Geländer umgeben war. Er ist einzig der Erleuchtung des Ganges und der umliegenden Räume wegen angebracht. Diese sind auf den beiden Seiten des Hofes zwei kleinere Zimmer l und m, von denen das letztere nur sehr wenig Licht hat; dies scheinen sicher Lagerräume gewesen zu sein und ebenso auch die weiter gegen die Straße zu liegenden, auf dem Plan nicht numerirten dunkeln Räume. Dagegen geben sich die Räume auf der andern Seite des Ganges, gegen den Abhang zu, durch die in ihnen erhaltenen Malereien als Wohnzimmer zu erkennen. Von ihnen kann der große Saal n, mit einem durch eine zweiflügelige Freitreppe o vermittelten Ausgang auf die etwas niedrigere Terrasse p, als Sommertriclinium gelten; auch s mochte ein Triclinium sein, während t ein geräumiges Cubiculum ist. Etwas niedriger noch als die Terrasse p, um die von dieser aus zu genießende Aussicht nicht zu beschränken, liegt der mit

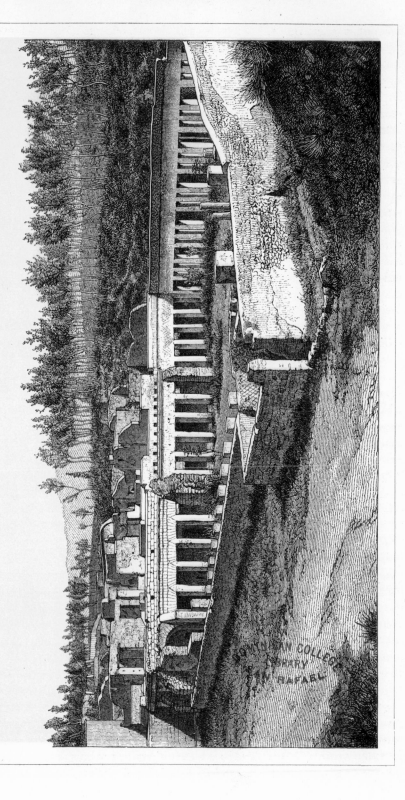

Ansicht der Villa suburbana vom Garten aus.

u bezeichnete Umgang über den Säulen, welche den Hof des untersten Stockwerks umgeben; man gelangte auf ihn über die je vier Stufen der Treppen *v*.

Endlich das Stockwerk *C*, über das sich nur wenig Bestimmtes sagen lässt.
Um bei einem Punkte anzuknüpfen, der das obere Geschoss berührt, sei zuerst
die hier mit *α* bezeichnete und in ihrer ganzen Ausdehnung sichtbare Treppe
(*c* in *B*) genannt, welche in das untere Stockwerk und durch dies hindurch in
den Hofraum führt. Rechts vom ersten Absatz dieser Treppe zweigt sich der
Gang *β* ab, welcher in die als Bad für die Dienerschaft geltenden Räume *γ*
und sodann weiter führt. Der bestimmte Zweck des hinter den Badezimmern
gelegenen, auf den Hof geöffneten Zimmers *δ* ist nicht bekannt. Durch das
Apodyterium des Sclavenbades hindurch betritt man auf dem Gange *β* ein
geräumiges Zimmer *ε* mit rohen Wänden, welches, wie der darüber in *B*
gelegene Saal *n*, als Triclinium für die heiße Jahreszeit gilt, in der man die
Kühlung der kellerartigen Luft dieses untersten Stockwerks suchen mochte.
ζ und *δ* waren ursprünglich beide Wohnräume mit guten Malereien dritten
Stils; *δ* ist dann später zu Wirthschaftszwecken (aber nicht als Küche) benutzt
worden. Der Gang *β* führt mit einigen Niveaudifferenzen, welche zum Anbringen von einigen Stufen nöthigten, am Saale *ε* und an einem Zimmer *η*,
dessen Zweck nicht bekannt ist, vorüber und neben *ζ* auf den Hof hinaus.
Rechts an demselben finden wir einen großen, überwölbten, schwach erleuchteten Raum, welcher durch dünne und nicht bis an die Decke reichende Mauern
in eine Anzahl kleiner Räume *ι* getheilt ist, welche von einem gemeinsamen
Vorraum *ϑ* aus zugänglich sind. Ob dies Sclavenwohnungen waren, ob Vorrathsräume, ist wohl schwerlich zu entscheiden. Die von Mazois aufgestellte
Meinung, es sei ein *ergastulum* mit Strafcellen, ist schon wegen der schwachen
Beleuchtung wenig glaublich [151]. Hinter diesem untersten Geschoss dehnt sich
der geräumige Hof *x* aus, den an allen vier Seiten eine Säulenhalle *λ* umgiebt,
über der der Umgang *u* des Geschosses *B* liegt; die geräumige Area des Hofes
x, in deren Mitte eine Piscina *μ* sich befindet, war ohne Zweifel zu Baum-
pflanzungen und Blumenzucht benutzt.

(No. 27.) Den Schluss unserer Betrachtungen pompejanischer Wohnhäuser
machen wir mit der vorstädtischen Villa, der sogenannten des M. Arrius Diomedes, welche nicht allein zu den größten, sondern auch zu den am besten
erhaltenen Wohnhäusern Pompejis gehört und seit ihrer Ausgrabung im Laufe
der Jahre 1771—74 ganz besonders die Aufmerksamkeit auf sich gezogen hat.
Sie mag uns zugleich als Muster ähnlicher Baulichkeiten in Pompeji, der leider
wieder zugeschütteten Villen, namentlich der sogenannten des Cicero dienen,
von der nur mangelhafte Pläne überliefert sind [152], so dass ein näheres Eingehn auf dieselben für die Zwecke dieses Buches kaum hinreichendes Interesse
bieten dürfte. Diese Villen, namentlich diejenige, welche der Kürze wegen als
diejenige des Diomedes bezeichnet werden mag, obgleich der Name durch das
gegenüberliegende Grab des M. Arrius Diomedes keineswegs hinlänglich begründet wird, verhalten sich zu der von Vitruv VI, 8 gegebenen Vorschrift der
Musteranlage fast grade so, wie die Wohnhäuser zu dem vom alten Architekten
für solche angegebenen Grundschema, übereinstimmend im Vorhandensein
und der Lage der meisten wesentlichen Theile, abweichend nach dem Bedürf-

niss des Raumes und dem Geschmack des Eigners. Es soll im Verlaufe der
Darstellung auf die Übereinstimmung mit der Regel hingewiesen werden und

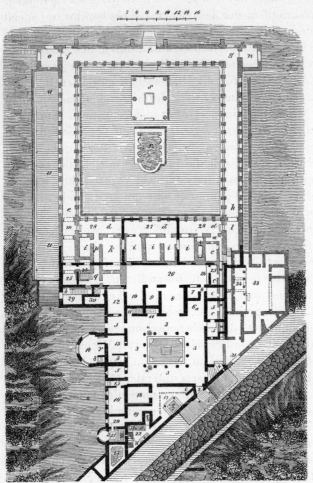

Fig. 181. Plan der *Villa suburbana*.

es darf daher von einer
vorgängigen Darstellung
dieser abgesehn werden,
welche zu vielen Wieder-
holungen führen müsste.
Der Einzelbetrachtung
des Planes ist nur die
eine Bemerkung voran-
zusenden, dass, da die
Villa mit ihrem Ein-
gange an der gegen die
Stadt ansteigenden Grä-
berstraße liegt, dieselbe
in derselben Art wie das
eben vorher betrachtete
Haus mehrstöckig ist.
Da aber diese Geschosse
fast ganz terrassenför-
mig hinter, nicht unter
einander liegen, so ist
ein Plan genügend er-
schienen, in welchem die
im Niveau der Straße lie-
genden Theile schwarz
und mit Ziffern, die tie-
fer liegenden hell ge-
halten und mit kleinen
Buchstaben bezeichnet
sind[153]).

Der Fußweg der
Gräberstraße ist etwa 4
Meter zu beiden Seiten
des Eingangs als eine kaum merklich ansteigende Rampe behandelt, vermöge
deren man auf eine kleine Plattform vor dem Eingange gelangt. Dieser ist wie
das ganze vordere Geschoss, welches die Wohnung umfasst, etwa 1,50 M. über
das Niveau des Fußweges erhoben, so dass man über eine Treppe 1 von sieben
Stufen zur Hausthür emporzusteigen hat. Auf den Enden der Treppenwangen
stehn noch die fragmentirten Schäfte zweier Backsteinsäulen, welche eine
verschwundene Bedachung der Treppe stützten. Nach Durchschreitung der
Hausthür und eines kleinen dreieckigen Vestibulums 2, welches auch hier die
diesmal ganz besonders starke Schiefwinkligkeit gegen die Straße ausgleicht,
stehn wir unmittelbar im Peristyl 3. Dies entspricht Vitruvs Angabe, dass in
Landhäusern und derartigen suburbanen Villen das Peristyl anstatt des Atriums
unmittelbar auf den Eingang folgend angelegt werde. In der Mitte des Säulen-

umgangs finden wir ein kleines Viridarium mit Regenrinne, aus der das Wasser in eine darunter befindliche Cisterne zusammenfloss. Aus dieser wurde es durch zwei roth gefärbte Puteale aus Travertin *a* geschöpft. Roth gemalt ist auch das untere nicht cannelirte Drittheil der vierzehn die Porticus bildenden dorischen Säulen von Ziegeln mit Stuccobekleidung, deren obere zwei Drittheile weiß und mit nur durch eingeritzte Linien angedeuteten Canneluren versehn sind, und deren Capitell, welches im artistischen Theile noch einmal zu erwähnen sein wird, dasjenige Ornament plastisch ausgeführt zeigte (denn erhalten ist es nirgends), welches bei den meisten Säulen nur gemalt war und verschwunden ist. Ein oberer Umgang war nicht vorhanden; die einfache Malerei der Wände zeigt den Stil der letzten Periode. Der ganze Peristylhof macht in seiner einfachen Eleganz einen sehr heitern und freundlichen Eindruck.

Von den um das Peristyl gelegenen Räumen sind die meisten leicht und mit wenigen Worten bezeichnet. Beginnt man rechts am Eingang, so findet man in einem durch oben erwähnte Umstände wiederum dreieckigen Raum 4 die Treppe zu den rechts tiefer gelegenen Theilen des Hauses, in denen sich die Wirthschaftsräumlichkeiten befinden, und zu einem Gange *a a a*, der in den Hof und Garten führt. Sodann folgt ein durch moderne Einbauten unkenntlich gewordenes Cubiculum 5, aus welchem man nach links in ein größeres Zimmer unbekannter Bestimmung, mit weißen Wänden, gelangte. An der Hinterseite des Peristyls liegt rechts der offene alaartige Vorplatz 6*a* des engen Durchganges 6, durch welchen man auf die unten zu besprechende Gallerie kommt, und an welchem rechts ein Cubiculum, links das kleine Zimmer 7 liegt, welches sich mit einem großen Fenster auf die Gallerie öffnet; weiter folgt ein nach beiden Seiten offenes Tablinum 8, aus dem man ebenfalls die Gallerie betritt. Entweder aus diesem Tablinum oder aus dem Zimmer 25 stammen die bei Helbig unter No. 546 *b* (Satyr und Bakchantin), 1222 *b* oder 1223 (Ariadne) und 1351 (Narkissos) verzeichneten, zum Theil zerstörten, zum Theil im Museum in Neapel befindlichen Bilder. Neben dem Tablinum liegen zwei wiederum auf diese Gallerie geöffnete Zimmer 9 und 10, deren letzteres als Exedra gelten kann; in 9 ist die Wanddecoration zweiten Stils, eine Porticus darstellend, erhalten. Hinter 9 und 10 die vom Peristyl zu oberen Räumen führende Treppe 11, unter deren oberem Theil ein vom Peristyl aus zugänglicher Wandschrank angebracht war. Weiter neben 10, und mit ihm durch eine Thür verbunden, das auf die Gallerie geöffnete Triclinium 12. An der linken Peristylseite finden wir zwei Cubicula 5, in deren vorderem eine nicht uninteressante Decoration zweiten Stils jetzt nur sehr wenig erhalten ist: dieselbe (abgeb. Mau, Wandmalerei Taf. VII oben) stellt einen Ausblick auf das Meer mit von Meerthieren getragenen Nereïden dar. Zwischen diesen aber betritt man das interessanteste und schönste Schlafzimmer Pompejis 14 durch ein Procoeton 13, aus welchem die zwei bei Helbig No. 196 (Wagen des Apollon) und 247 (Wagen der Artemis) verzeichneten Gemälde stammen und neben dem ein Alkoven *β* für den *cubicularis*, den Kammerdiener, angebracht ist. Dieses Schlafzimmer ist halbrund mit gradlinig verlängerten Schenkeln; sein runder Abschluss ist von drei großen Fenstern durchbrochen, welche Luft

und Sonne eindringen ließen, jedoch bei zu großer Hitze sowie bei Nacht mit
Läden ganz verschlossen werden konnten, in welchem Falle ein über dem
mittelsten derselben angebrachtes viereckiges Fensterchen das nöthige Dämmerlicht eindringen ließ. Unter den Fenstern dieses Schlafzimmers lag, jetzt
wiederum vollkommen verschüttet, ein Garten im Niveau der Straße, auf
welchen der Gang (*posticum*) 15 hinausführt. Im Hintergrunde des Schlafzimmers sieht man in γ den Bettalkoven, der mit einem Vorhang verschlossen
war, dessen Ringe man noch gefunden hat, und in δ ein Mauerwerk mit einer
Vertiefung, das wohl als Waschtisch gedient hat. Salb- und Ölgefäße hat man
ebenfalls in diesem Gemach gefunden. Neben dem Ausgang in den Seiten-
garten 15 liegt ein von diesem Gange aus betretbares, ganz schmuckloses
Zimmer 16, in welchem man die Reste mehrer Wandschränke fand, und das
darum als Garderobezimmer gilt, eine Bestimmung, die nicht recht einleuchtend ist.

Die Räume an der Vorderseite des Peristyls, zunächst der Straße,
enthalten ein vollständiges Bad und außerdem die Küche nebst einer Vorrathskammer. Aus dem Peristyl gelangt man zuerst auf einen dreieckigen
Hofraum 17; an zwei Seiten desselben bildete ein von sieben schlanken achteckigen Pfeilern getragenes Dach eine schattige Ambulatio, an deren einem
Ende bei ε ein kleiner gemauerter Heerd steht, wahrscheinlich zur Bereitung
warmer Getränke, welche die Römer nach dem kalten Bade zu genießen
liebten. Ein Kessel und mehre Töpfe wurden hier gefunden. An der dritten
Seite des dreieckigen Hofes, gegenüber dem Eingange, ist angelehnt an die
Mauer gegen die Straße das Bassin für das kalte Bad, die Piscina ζ von
2,17 × 2,85 M. Größe und 1,10 M. Tiefe, mit härtestem Stucco ausgekleidet
und durch drei in der einen Ecke angebrachte Stufen zu betreten. Die Ränder
sind mit Marmorplatten belegt und die Wände um 0,65 M. über den Boden
erhöht. Auf ihren Enden stehn zwei Säulen aus Backsteinen, welche ein Dach
trugen, dessen Spuren auch noch in der Wand erkennbar sind, und welches
die Badenden gegen die Strahlen der Sonne schützte, ohne den Zutritt der
freien Luft zu behindern. Die Hinterwand war auf blauem Grunde mit
Fischen, Muscheln und sonstigen Meerthieren bemalt, während zunächst
außerhalb der Badenische jederseits Bäume und Gebüsche auf die gelbe Wand
gemalt waren. Diese Decoration ist jetzt fast völlig verschwunden, hat aber
von Mazois, der sie Band II, Taf. 52 Fig. 1 mittheilt, noch gezeichnet werden
können. Der Boden des Hofes und Umgangs war mit weiß und schwarzem
Mosaik belegt. Das Wasser wurde von der Straße her durch ein, wahrscheinlich mit der großen Leitung der Stadt in Verbindung stehendes Bleirohr eingeführt und nach dem Gebrauch auf die Straße wieder abgeleitet. An diesen
Hofraum grenzen zunächst die beiden Zimmer 18 und 19, von denen 18, nur
durch eine schmale Thür vom Hofe aus erleuchtet und ohne andere Zugänge, mit weißen Wänden, an welchen Brettgestelle angebracht waren, als
eine Vorrathskammer zu betrachten ist. Dagegen gehört 19 zum Bade als
Vorraum oder Apodyterium, entsprechend dem Raume 20 der *Casa del Laberinto*. Aus ihm gelangt man in das Tepidarium 20. Diesem wurde die warme
Luft von dem angrenzenden Caldarium aus durch eine runde, 0,22 M. weite

und mit Stucco bekleidete, wahrscheinlich verschließbar gewesene Öffnung zugeführt. Es hat ein Fenster nach dem Garten, welches mit vier 0,27 M. im Quadrat großen dicken Scheiben in hölzernen Rahmen, den ersten in Pompeji gefundenen, geschlossen war; durch ihre Auffindung wurde die Frage über den Gebrauch der Fensterscheiben bei den Alten zuerst endgiltig gelöst. Neben diesem Tepidarium liegt das Caldarium 21, welches fast in allen Stücken mit den Caldarien der Thermen, auf deren genauere Beschreibung verwiesen werden muss, übereinstimmt. Wir finden hier den Alveus, die Wanne für das heiße Wasser, in η, und die halbrund herausgebaute, mit einer Halbkuppel in Muschelform gedeckte, mit einem schmalen Stuccofriese geschmückte Nische für das Labrum in ϑ, während der Boden durch eine *suspensura* unterhöhlt ist, um die heiße Luft durchstreichen zu lassen, zu welchem Ende auch die Mauern mit jenem ein paar Zoll Raum lassenden Plattenüberzug bekleidet sind, von dem bei der Beschreibung der Thermen gesprochen ist. An die schmale Seite dieses Caldariums lehnt sich die zugleich als Heizraum für das Bad dienende Küche 22. An der Wand des Caldariums ist in χ das Hypocaustum für die heiße Luft; über demselben stand der Kessel für heißes Wasser, zu welchem man über drei Stufen hinaufstieg. An der zweiten Wand ist der Kochheerd μ angebracht, und an dem einen Ende desselben, in der Ecke, ein kleiner Backofen λ; gegenüber an der Straßenwand stand auf zwei gemauerten Füßen ein Tisch ν. Neben dem Heerd ist in ξ der Treppenraum, in dem heutzutage die hölzerne Treppe natürlich fehlt. In der Ecke neben χ war der Abtritt. Den Schluss der Räumlichkeiten dieses kleinen Bades bildet ein Zimmer 23 ohne jeden Zugang, welches den Hauptwasserbehälter enthielt.

Kehrt man in das Peristyl zurück und durchschreitet das Tablinum oder die Fauces, so steht man auf der großen Gallerie 26 oder dem breiten Gange, auf welchen, wie oben erwähnt, außer Fauces und Tablinum die Zimmer 7, 9, 10 ihren Ausgang haben. Geräumig, reichlich erleuchtet und doch durchaus schattig, bildet dieser Gang eine der anmuthigsten Räumlichkeiten der Häuser in Pompeji; man konnte sich in ihm trefflich ergehn und vielleicht wurde er auch als Sphaeristerium oder zu ähnlichen Zwecken verwendet. An ihm liegen zu beiden Seiten kleine Gemächer 25 und 26 mit einer köstlichen Aussicht über den Garten und auf Meer und Gebirg, und nach dem Garten zu hinter dem Tablinum, nur freilich nicht in seiner Axe, ein großes Triclinium oder ein Oecus 27 mit zwei Thüren auf den Gang und nach hinten einem gewaltigen, bis auf den Boden herabgeführten Fenster, das augenscheinlich wieder nur der herrlichen, den ganzen Golf von Castellammare bis Torre dell' Annunziata nebst Capri, Ischia und Procida umfassenden Aussicht zu Liebe hier so groß gemacht ist. Zu beiden Seiten dieses Oecus liegen zwei weite unbedeckte Terrassen 28, an welche sich der Umgang über der Porticus des tiefer gelegenen Gartens *e, f, g, h* anschloss. Endlich sind noch zwei kleine Cabinette 29 und 30 zu erwähnen, welche hinter dem linken Flügelzimmer der Gallerie an einer Treppe *b* in das untere Geschoss liegen; beides sind wohl Cubicula, und zwar war das sehr einfache Zimmer 29, mit weißen Wänden und einer Nische für eine Lampe, wohl für einen Sclaven bestimmt; die Wände von 30 sind einfach gemalt. Soweit die Wohnräumlichkeiten des Geschosses im

Niveau der Gräberstraße; über denselben befand sich ein fast ganz zerstörtes Stockwerk, von dem natürlich Näheres nicht angegeben werden kann. Die Decorationen der besprochenen Gemächer, deren sich eine Reihe bei Roux, *Hercul. et Pomp.* Bd. I, Taf. 63—90 findet, sind elegant, ohne dass jedoch irgendwo außer an den bereits bezeichneten Stellen namhafte Gemälde oder auszuzeichnende Mosaiken hervortreten.

Seitwärts vom Hauptgebäude und vermöge der schon mehrfach erwähnten Steigung der Gräberstraße gegen die Stadt etwas tiefer liegt eine im Plane dunkel schraffirte Gruppe von Räumlichkeiten mit eigenem Eingange 31 von der Straße, in welchen man die Wirthschafts- und Haushaltungsabtheilung erkennt, was durch die Auffindung reichlicher Acker- und Küchengeräthschaften in derselben bestätigt wird. Sie ist vom Wohnhaus durch einen schmalen, fast ganz durchgeführten Gang 32 abgeschieden, wahrscheinlich um einer Vitruv'schen Vorschrift gemäß die Feuersgefahr, welche Bäckerei und Küche mit sich bringen, zu verringern. Diese ganze Abtheilung wurde schon bei der Ausgrabung so arg zerstört vorgefunden, dass es unmöglich ist, die Bestimmung der einzelnen Gemächer nachzuweisen. Nur so viel ist aus den stehengebliebenen Mauern auch heute noch zu erkennen, dass ein atriumartiger Hof 33 die Mitte einnimmt, an den sich die Küche, die Bäckerei, die Waschzimmer anlehnen und der an der einen Seite durch eine fünfsäulige Porticus 34 begrenzt wird. Die Auffindung von Flaschen, Gläsern, Küchengeschirren, einer Amphora mit Getreide, einigen Spaten, einer Harke u. dgl. mehr bezeugt im Allgemeinen die Bestimmung dieser Abtheilung, in der auch noch das Skelett eines Mannes neben dem einer Ziege gefunden wurde, die eine Glocke am Halse trug.

Was endlich das untere Geschoss im Niveau des Hofes und Gartens anlangt, das auf dem Plane heller schraffirt ist, so ist schon auf die beiden Zugänge zu demselben aus dem Hause, nämlich den geneigten Gang *a a a* und die Treppe *b* hingewiesen worden, welche letztere für die Herrschaft bestimmt gewesen zu sein scheint, wie ihre Lage im Innern des Hauses anzeigt. An dem geneigten und durch kleine Fenster erleuchteten Gange liegt eine Folge ebenfalls durch kleine Fenster von dem Gange her freilich nothdürftig erleuchteter Kammern *c*, welche nur als Vorrathsräume gedient haben können. Die Hauptgemächer des untern Geschosses liegen an der Hinterfront des Hauses unter dem Oecus und den Terrassen, welche diesen flankiren. Ein breiter Gang *d d d* bildet zu ihnen insgesammt den Zutritt. Dieser Gang ist vom Hofraum nur durch eine Reihe von Pfeilern getrennt, welche durch horizontale Wölbungen verbunden sind, und in gleicher Weise ist derselbe als eine Pfeilerporticus um die übrigen drei Seiten *e—f, f—g, g—h* des 33 Meter ins Geviert großen Gartens, vier Stufen über dessen Niveau, herumgeführt; er war augenscheinlich mit einem obern Umgange versehn. Diese Porticus ist auf der einen Seite, links vom Beschauer der S. 371 vorgehefteten Ansicht, bis auf die Fundamente zerstört, rechts dagegen im untern Geschoss völlig, im obern so weit erhalten, dass das Vorhandensein desselben sicher festgestellt werden kann. Die Bestimmung der elegant aber doch ziemlich einfach decorirten Zimmer *i* unter den Terrassen und dem Oecus ist nicht mehr nachzuweisen; man kann die größeren als Sommertriclinien, die kleineren als Cubicula bezeichnen; jedenfalls dienten sie als angenehmer und kühler Aufenthalt in der heißen Jahreszeit. Aus *k* stammen die bei Helbig unter No. 533. 534 (schwebende Gruppen), 875 (Melpomene), 263 (Pallas und Urania) und 1463 (Alter und Mädchen) verzeichneten Gemälde. Zwei Cabinette *l m* am Ende des Ganges *e — h* und in der Flucht der Portiken *e — f* und *g — h* sind merkwürdig wegen der hier erhaltenen flachen Decken; die von *l* ist glatt mit grünen und rothen Sternen auf weißem Grunde, die von *m* war mit wenig erhaltenen Stuck-cassetten verziert. Zwischen *a* und *i* befindet sich ein kleiner Brunnen, d. h. eine durch eine Brüstung von dem Gange *d* getrennte Nische, aus deren Rück-wand ein Wasserleitungsrohr hervorkommt. Zwei andere Cabinette zu beiden Seiten der Porticus *f — g*, mit *n* und *o* bezeichnet, sind dagegen sehr einfach verziert, und eines derselben scheint ein Lararium gewesen zu sein. Neben dem Triclinium *k* führt ein Gang *p* zu einer Treppe *q*, die in den Keller führt, in welchen man auch von den oben besprochenen Wirthschaftsräumen aus durch den Gang 32, welcher wieder mit dem Gange *a* durch eine Thür ver-bunden ist, gelangen kann. Der Keller ist gewölbt und durch kleine Ober-lichtfenster aus dem Hofe erleuchtet und erstreckt sich unter der ganzen Ausdehnung der drei Arme *e — f, f — g, g — h* der Porticus, deren Boden des-halb, wie schon erwähnt, um vier Stufen über das Niveau des Gartens und der vierten Seite *h — e* erhoben ist, um den Kellern die nöthige Höhe und das nöthige Licht zu verschaffen. Zahlreiche Amphoren, die man hier an die Wände angelehnt fand, zeigen, dass dieser Keller als Weinkeller diente. In ihm fand man die früher (S. 22) erwähnten achtzehn Gerippe der hierher geflüchteten Familie des Eigners.

In der Mitte des Gartens, dessen Bäume man, wie der Ausgrabungs-bericht vom 17. August 1771 angiebt, verkohlt, jedoch so auffand, dass man die Anordnung ihrer Pflanzung erkennen konnte, befindet sich eine geräu-mige Piscina *r*, mit einem Springbrunnen in der Mitte, deren Bassin ähnlich wie dasjenige in der *Casa di Meleagro* in Nischenform behandelt erscheint. Hinter der Piscina liegt zwei Stufen über den Boden erhoben eine Säulenhalle *s* von sechs Säulen, deren Bestimmung nur die eines Gartenhauses, eines Sommertricliniums oder eines Oecus gewesen sein kann. In ihrer Axe führt in *t* die Hinterthür aus der Porticus in die Felder: in ihrer Nähe fand man die Skelette vielleicht des Herrn und eines Sclaven. Das erstere hatte einen Goldring am Finger, einen großen Schlüssel in der Hand und neben ihm lagen 10 goldene und 88 silberne Münzen. Hinter der Porticus links führt ein Gang *u* zu einer breiten Treppe *v*, über die man in den Garten im Niveau der Straße gelangte. Auf der andern Seite, neben der Porticus *g h*, finden wir noch einen schmalen Gang, der grades Weges in der Wirthschaftsabtheilung des Hauses ausgeht.

Die in diesem Hause aufgefundenen Gegenstände, deren einige schon erwähnt wurden, sind unzählbar; Geld, Schmuck, Geräth aller Art, darunter als die werthvollsten Stücke ein leider in viele Fragmente zerbrochenes Glas-gefäß mit Reliefen und ein ebenso zerstörter silberner Becher, mehre Mobi-lientheile und sonstiger Hausrath, unter dem ein Bronzecandelaber, auf den

zurückzukommen ist, sich auszeichnet, und Anderes mehr, welches aufzuzäh-
len ermüden würde. Skelette wurden in den verschiedenen Räumen dieser
Villa 34 Stück gefunden (vgl. Anmerkung 9).

Zweiter Abschnitt.
Läden, geschäftliche und gewerbliche Wohnungen.

Nachdem wir eine ausgewählte Zahl von kleinen, mittleren und großen
Wohnungen Pompejis durchwandert und den Luxus und Aufwand in vielen
derselben kennen gelernt, sowie auch eine Reihe von Spuren und Zeugnissen
über die Art des Lebens, welches sich in diesen Häusern bewegte, aufgefunden haben, muss uns die Frage besonders interessiren, wovon denn diese
Alten lebten, womit sie die Bequemlichkeit und den Aufwand ihrer Wohnungen bestritten. Es ist nun freilich unzweifelhaft, dass manche Einwohner von
Pompeji als Rentner ohne Geschäft lebten, dass reiche Römer sich in die
anmuthige Stadt Campaniens zurückzogen, dass mancher Bürger von Pompeji
seine Einnahmen aus dem Ertrag ländlicher Güter in der Umgegend der Stadt
haben mochte; fanden wir doch manche Häuser, namentlich diejenigen in
der Straße des Mercur, welche ohne Läden oder Geschäftsräume waren. Auf
der andern Seite aber wissen wir, dass Pompeji einen schwunghaften Handel
selbst bis nach Aegypten betrieb; auch ist uns die Hauptstraße vom Herculaner
Thor bereits früh im Charakter einer Verkehrs- und Kaufmannsstraße mit
großen Magazinen und anderen bezeichnenden Räumlichkeiten erschienen;
ferner haben wir die große Zahl von Läden an den Häusern, und von Häusern,
die mit Läden in Verbindung standen, nicht übersehn und haben bemerkt,
dass mancher wohlhabende Pompejaner es nicht unter seiner Würde hielt, die
Producte seiner Felder und Weinberge, wohl auch die seines Handels, und
warum nicht die seines Gewerkes in einem mit seinem Hause verbundenen
Laden durch einen Sclaven im Einzelnen verkaufen zu lassen, während die
ungleich zahlreicheren, von den Häusern unabhängigen und mit ein paar
Zimmern vermietheten Läden uns von großer Regsamkeit in Handel und
Wandel, Kauf und Verkauf, namentlich Kleinhandel und Gewerbebetrieb
deutlich redende Zeugnisse waren.

Das Vorhandensein dieser allgemeinen Zeugnisse legt die Frage nahe, ob
sich denn etwas Näheres über die Arten und Mittel des Erwerbes, namentlich des kleinern Verkehrs, in Pompeji nachweisen lasse? Diese Frage lässt
sich mit Ja beantworten, und es sollen auf den folgenden Seiten die Läden im
Allgemeinen und die bedeutendsten und am besten verbürgten Geschäftsräume
und Erwerbsanstalten der Stadt behandelt werden, während es für einen
spätern Abschnitt vorbehalten bleibt, die sonstigen Zeugnisse des Verkehrs
und Erwerbs mit den übrigen Spuren des bürgerlichen Lebens in ein Gesammtbild zu vereinigen.

Über die Einrichtung der Läden ist im Allgemeinen schon bei der Besprechung der Häuser gehandelt und es ist gezeigt worden, dass sie entweder

aus dem einzigen Ladenlocal oder außerdem aus einem oder ein paar Zimmerchen hinter diesem bestehn, zu denen vielfach noch Schlafzimmer im obern Stockwerk sich gesellten, wie aus den Treppen in den Läden ersichtlich ist. Um noch ein paar Bemerkungen im Einzelnen beizufügen, knüpfen wir an einen kleinen Laden mit zwei hinteren Zimmern an, dessen Plan in der nebenstehenden Figur 182 mitgetheilt ist. Es ist dies der Laden eines Garkochs und Händlers mit Leckerbissen, kann aber in den meisten Dingen als Norm dienen. Wie unsere Kleinhändler nach so breiten und glänzenden Schaufenstern wie möglich streben, so sorgten auch die pompejaner Krämer und Kaufleute dafür, ihre Waaren möglichst offen auszulegen und den Vorübergehender bemerkbar zu

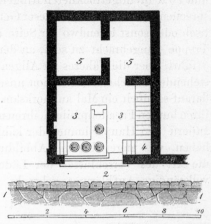

Fig. 182. Plan eines Ladens.

machen. Deshalb sind die Läden nach der Straßenfront, bei Eckhäusern nach beiden Straßenfronten, fast ganz offen, jedoch häufig im untern Theil durch einen gemauerten Ladentisch, welcher gewöhnlich, wie auf dem Plane Fig. 182 bei 3, im rechten Winkel gebrochen ist, bis auf einen Eingang von gewöhnlicher Breite gesperrt. Die gemauerten und mit bemaltem Stucco oder mit Marmorscherben bekleideten Ladentische sind in der Regel mit einer Stein- oder Marmorplatte oder mit Steinmosaik bedeckt, und häufig sind, wie in dem hier ausgehobenen Beispiel, Thongefäße zur Aufbewahrung flüssiger und auch wohl trockener Waaren, die man mit einer Schöpfkelle herausnahm, in den Ladentisch eingelassen. An den Wänden hinter dem Ladentisch sind häufig in Treppenform gemauerte Vorrichtungen zum Aufstellen von Gefäßen angebracht. Am Ende des Ladentisches

Fig. 183. Restaurirte Ansicht eines Ladens.

ist häufig, und so auch in der hier zu schildernden Garküche, eine einfache Vorrichtung (s. den Plan Fig. 182) angebracht, um ein Gefäß durch ein darunter

gestelltes Kohlenbecken warm zu halten. In vielen Thermopolien hat man auf
der Platte des Ladentisches die Spuren der dort geschenkten Getränke gefunden
und zwar in aufgetrockneten Ringen, welche den Füßen der Trinkgeschirre entsprechen. In den meisten dieser Getränke war Honig. Gegenüber dem Ladentisch oder sonst irgendwo zur Seite, auch in einem der Hinterzimmer, pflegt die
Treppe 4 angebracht zu sein, an der vorüber ein Eingang in die Ladenzimmer
5 führt, über die Näheres im Allgemeinen nicht zu sagen ist. Auch die obenstehende hübsche Restauration unseres Ladens bedarf keiner Erklärung; nur
darauf sei noch ein Mal aufmerksam gemacht, dass diese weit offenen Läden mit
ihren bunten Façadenpfeilern, ihren mancherlei Waaren und ihrem tiefschattigen
Innern den Hauptschmuck der kahlen Häuser und Straßenfronten abgegeben
haben, was angesichts der Abbildung (Fig. 183) einleuchten wird. — Über
die Art des Verschlusses der Läden haben erst die neueren Ausgrabungen
vollständige Aufklärung gebracht. Die Schwellen nämlich vor der ganzen

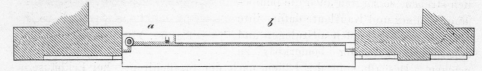

Fig. 184. Plan eines Ladeneingangs.

Breite der Öffnung sind so gestaltet, wie es vorstehende Fig. 184 zeigt. In die
Schwelle ist auf $3/4$—$4/5$ ihrer Breite an der einen Seite eine schmale Rille
eingehauen (b), während man in dem übrigbleibenden Viertel oder Fünftel die
Vorrichtung eines gewöhnlichen Thürverschlusses (a) findet. Nun zeigen
mehre während des letzten Jahrzehnts ausgegrabene und in Gyps ausgegossene
Ladenverschlüsse, deren einen Fig. 185 darstellt, dass in jene Rille schmale

Fig. 185. Plan und Ansicht eines Ladenverschlusses.

Bretter, mit ihren Enden über einander greifend (Fig. 185 b) seitwärts hinein-
geschoben wurden, in deren letztes das Schloss der sich in regelmäßigen

Angeln drehenden Thür (Fig. 185 a) eingriff, und so dem ganzen Verschluss
Halt und Festigkeit gewährte. Dass die Oberschwelle mit einer eben solchen
Rille versehn war, wie die Unterschwelle, versteht sich eigentlich von selbst,
wird aber außerdem durch ein vollkommen erhaltenes Beispiel, nicht in Pompeji, sondern in Rom am Traiansforum bewiesen [154]. — Demnächst ist auf die
Pfeiler rechts und links neben den Thüren und Verschlüssen der Läden zu
achten. Es wurden nämlich diese Pfeiler dazu benutzt, um die Aushängeschilder und Ladenzeichen aus Thon einzulassen oder häufiger noch anzumalen.
Diese angemalten oder plastischen Ladenzeichen bieten uns denn auch die
Möglichkeit, die urprüngliche Bestimmung des einen und des andern Ladens
in Pompeji nachzuweisen. Ein Milchhändler z. B. in einem Laden der
kleineren Thermen hat eine Ziege an seinem Ladenpfeiler in Terracottarelief
angebracht, ein Bäcker die Reliefdarstellung einer von
einem Maulthier getriebenen Mühle (s. Fig. 186) von
der unten zu erklärenden Art; an dem Ladenpfeiler eines
Weinhändlers fand man ebenfalls in Steinrelief zwei
Männer, die eine Weinamphora an einem Stock auf den
Schultern tragen [155], während ein anderer, ungleich geschmackvoller als die meisten übrigen Kleinhändler,
einen recht leidlichen Bakchos, der eine Traube aus-
drückt (Hlbg. No. 25, jetzt zerstört), auf seinen Ladenpfeiler hatte malen lassen. Andere Zeichnungen auf den
Pfeilern sind ihrer Bedeutung nach nicht sicher, und so

Fig. 186. Reliefdarstel-
lung an einem Bäcker-
laden.

auch die Bedeutung der mehrfach an Schenken vorkommenden Schach-
oder Damenbretter; da aber die Alten das Brettspiel kannten, so mag
durch diese Aushängeschilder angezeigt worden sein, dass man in diesen
Localen auch sein Spielchen machen konnte. Ein einzeln vorkommendes
Schild eines Ladens an den kleineren Thermen neben dem des Milchhändlers,
welches einen Gladiatorenkampf darstellt, dem Laden den Namen der
Gladiatorenschule verschafft hat und an die Verse des Horaz Sat. II, 7, 71 ff.
erinnert, erklärt sich vielleicht aus der Vergleichung der Sitte in modernen
Matrosen- und Handwerkerkneipen, auf deren Schildern auch oft die Gäste
gar anmuthig abconterfeit zu sehn sind. Der Laden wäre danach besonders
von Gladiatoren besucht worden. Unter dem Bildchen steht in vorzüglicher
und dem Stande der Gäste angemessener Orthographie, nämlich ABEAT
VENERE BOMPEIIANAMA IRATAM QVI LAESERIT (d. h. *habeat Vene-
rem Pompeianam* [156] *iratam qui laeserit*), eine Verwünschung dessen, welcher
das schöne Gemälde beschädigen würde. Von ganz besonderem Interesse sind
die Schilder einiger Hospitien (Wirthshäuser), indem sie wie viele der unseren
ein Thier als Zeichen führen; so beispielsweise das Wirthshaus im *Vico delle
terme Stabiane*, No. 90 im Plane, neben der *Casa di Sirico*, dessen Schild, dem
Vicolo del balcone pensile grade gegenüber, einen Elephanten darstellt, der von
einer Schlange umringelt und von einem Zwerge gehütet wird [157]. Darunter
steht mit großen Buchstaben roth auf weißem Grunde HOSPITIUM ·
· HIC · LOCATUR ‖ TRICLINVM CVM TRIBVS LECTIS ‖ IIT COM(*modis
omnibus*) [158] also: »Wirthshaus. Hier vermiethet man ein Speisezimmer mit

drei Lagern und allen Bequemlichkeiten«, wie wahrscheinlich zu ergänzen sein
wird. Der Gastgeber in diesem übrigens äußerst bescheidenen Elephanten-
wirthshaus scheint ein in einer kleinen Inschrift (*Sittius restituit elepantu*[*m*])
über dem Abzeichen als dessen Erneuerer genannter Sittius zu sein. Hospitien
dieser Art kehren in nicht geringer Zahl in Pompeji wieder; hier mag
nur noch dasjenige im *Vicolo di Eumachia* No. 15 angeführt werden, auf
dessen Wänden die hier einquartiert gewesenen Gäste mancherlei interessante
Inschriften hinterlassen haben. Die verschiedenen Lupanare, die man in
Pompeji aufgefunden haben will (das neueste ist sicher ein solches), und die
sich hier am besten anfügen lassen, können aus nahe liegenden Gründen nu
erwähnt werden. Außer den Ladenzeichen und dem ihnen Verwandten wurden
auf die Pfeiler der Läden vielfach noch die bekannten symbolischen Schlangen
als talismanische Zeichen zur Abwehr von Unheil angemalt, hier und da wohl
auch noch ein anderer Schutzgenius (*genius loci*), und dieselbe oder ähnliche
Bedeutung werden auch die Phallen haben, welche mehrfach an den in Rede
stehenden Stellen und neben Hauseingängen in Pompeji vorkommen.

Wenn man nun Alles zusammenfasst, was man von Merkmalen geschäft-
lichen Betriebes in Pompeji aufgefunden hat oder auch aufgefunden zu haben
meint, — denn man kann sich keineswegs für Alles verbürgen, — so können
wir die folgende kleine Reihe von Handwerken und Gewerben in Pompeji
nachweisen. Die Werkstatt eines Grobschmiedes oder eines Wagners
(Plan No. 19) liegt in der Straße vom Herculaner Thor unfern des zweiten
Brunnens an der Vorderseite eines geräumigen Hauses, welches jedoch außer
einem ziemlich bedeutenden Keller nichts besonders Bemerkenswerthes bietet.
Auch die Werkstatt an sich enthält von Nennenswerthem höchstens eine kleine
Nische für den Schutzgenius, die charakteristischen und nicht uninteressanten
Werkzeuge sind in das Museum geschafft. Man fand mehre Hebebäume, von
denen einer am obern Ende in einen Schweinefuß ausgeht, Hammer, Zangen,
eiserne Zirkel und andere Geräthe, Wagenachsen und die Felge eines Rades.
Größeres Interesse gewährt eine Töpferei in einem der Läden links an der
Gräberstraße, namentlich durch die beiden eigenthümlichen Öfen zum Brennen
der Geschirre. Dieselben sind gemauert und zwar mit doppelter Höhlung;
der untere Theil, in welchen die Feuerung gethan wurde, ist mit einer flachen,
von vielen kleinen Löchern durchbrochenen Wölbung gedeckt, um die Hitze
in den obern Raum, in den die Gefäße gestellt wurden, leicht durchdringen
zu lassen. Dieser obere Raum ist überwölbt, und zwar ist in Betreff des
kleineren Ofens bemerkenswerth, dass das Gewölbe aus in einander gesteckten
Thongefäßen gebildet ist, eine Construction, welche in sinnreicher Weise
Leichtigkeit und Festigkeit vereinigt. Keineswegs aber bilden diese kleinen
Amphoren, wie behauptet worden ist, eine Spirale — eine Construction, welche
bei der Kuppel von S. Vitale in Ravenna und in der Sophienkirche in Kon-
stantinopel im Großen angewandt worden ist. Vielmehr ist die Wölbung ein
Tonnengewölbe, gebildet durch sieben in der Querlinie liegende Reihen von
Amphoren. Hiernächst ist kurz die s. g. *Casa delle forme di creta*, das
Haus der Gypsformen (No. 59 im Plane), zu nennen, welches seinen Namen
der Auffindung ziemlich vieler Formen aus Gyps verdankt und wahrscheinlich

von einem Stuccateur bewohnt wurde. Die Ausgrabungen von 1862 haben uns wenigstens mit Wahrscheinlichkeit an der Ecke des *Vico delle terme Stabiane* und desjenigen *degli Augustali* die Werkstatt eines Riemers und Schusters kennen gelehrt[159]), bezeichnet als solche durch die Auffindung von mancherlei Handwerkszeug, unter welchem sich einige jener haldmondförmig gebogenen Messer mit in der Mitte befestigtem Griffe auszeichnen, welche noch heutzutage von den Lederarbeitern zum Verdünnen des Leders gebraucht werden (vgl. oben S. 282).

Den Ausgrabungen des Jahres 1873 verdanken wir die in der ersten Region, an der Nordostecke der fünften Insula gelegene Gerberei[160]). Da wir von der Gerberei der Alten nur wenig wissen, so kann der Zweck der einzelnen hier erhaltenen Vorrichtungen nicht genau nachgewiesen werden. Doch ist so viel klar, dass dieselben in zwei Abtheilungen zerfallen, von denen die eine zur Bereitung irgend welcher beim Gerben gebrauchten Flüssigkeit, die andere zum Einweichen der Felle diente. Es ist hier offenbar ein Haus zur Anlage der Gerberei umgebaut worden; man betritt dasselbe nicht mehr durch das Atrium, sondern gelangt zuerst in das Peristyl, an dessen einer Wand die zuerst erwähnte Vorrichtung angebracht ist. Dieselbe besteht aus einem gemauerten Becken, aus welchem die Flüssigkeit theils durch zwei Öffnungen in ein niedrigeres Becken, theils in eine an der Wand entlang laufende Rinne abfloss, aus welcher sie wieder durch drei am Anfang, in der Mitte und am Ende sich seitlich abzweigende Rinnen in große Thongefäße gelangte. Die zweite Abtheilung ist in dem frühern Atrium angelegt worden, von welchem etwa drei Viertel mit einer ganz niedrigen Mauer umgeben sind; innerhalb des so abgetheilten Raumes finden sich fünfzehn annähernd runde Gruben von 1,25 bis 1,60 M. Durchmesser und etwa 1,50 M. Tiefe, mit je zwei Löchern in den Wänden zum Ein- und Aussteigen. Sie sind, wie auch der Boden zwischen ihnen, mit Stuck bekleidet; in ihnen wurden sicher die Felle aufgeweicht. Zwischen ihnen befinden sich länglich viereckige, nach unten sich erweiternde Gruben (ungefähr 0,55 × 2,70 M.) von viel geringerer Tiefe (etwa 0,5 M.), welche nicht mit Stuck, sondern mit irgend einem andern, nicht erhaltenen Material bekleidet waren. Neben diesen länglichen Gruben ist an der Mitte jeder Langseite ein irdener Topf (größter Durchmesser 0,45, Tiefe 0,40 M.) in den Boden eingelassen. Endlich zwischen einem solchen Topf und der länglichen Grube findet sich jedesmal ein senkrechtes, cylinderförmiges Loch von der Tiefe der Grube, und gegen diese geöffnet; es sieht aus, als sei hier eine Thonröhre eingesetzt gewesen; doch ist eine solche nirgends erhalten. Offenbar diente alles dies zur Bereitung von irgend welchen zur Bearbeitung der Felle nöthigen Stoffen; und in der That fanden sich in den Töpfen Reste einer derartigen Masse, welche, soviel bekannt, noch nicht chemisch untersucht worden sind. Außerdem fand man hier vier Instrumente, welche den noch heute üblichen ähnlich sind. Das eine ist ein grades Schabmesser aus Bronze, mit einem Holzgriff, welcher den ganzen Rücken der Klinge umfasste. Das Holz war merkwürdig gut erhalten, ist auch nachher an der Luft nur etwas zusammengeschrumpft. Ferner zwei gebogene Schabeisen, mit der Schneide auf der concaven Seite und einem (in Spuren erhaltenen) Holzgriff an jedem Ende: offenbar wurden mit ihnen die auf den Schabebaum gelegten Felle gereinigt. Das vierte Instrument ist ganz aus Eisen, mit annähernd halbkreisförmiger Schneide und knopfartigem Griff und diente zum Schneiden des Leders.

Unfern des ersten Brunnens in der Straße vom Herculaner Thor liegt eine Seifenfabrik[161]; so nennt man wenigstens diese Werkstatt, in deren einem Zimmer man einen Heerd und fünf muldenartig geformte, mit sehr hartem Stucco überzogene Gefäße von Stein in den Boden eingelassen fand, welche bei der Seifensiederei gebraucht wurden. Mehre andere Seifensiedereien glaubt man an verschiedenen Stellen der Stadt nachweisen zu können, doch bieten dieselben keine interessanten Einzelheiten. Neben den angeblichen Seifenfabriken darf sodann der s. g. Laden eines Parfümeurs und Weihrauchhändlers (*bottega del profumiere*, No. 31 im Plane) nicht unerwähnt bleiben, um so weniger als er neben zu Grunde gegangenen, angeblich auf sein Geschäft bezüglichen Gemälden noch ein paar an seinen Eingangspfeilern zeigte, von denen (Hlbg. No. 1207 Daedalos und Pasiphaë und No. 1480 Ferculum der Tischlerinnung) wenigstens genauere Kunde auf uns gekommen ist.

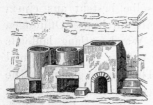

Fig. 187.
Dreifacher Heerd mit Kesseln.

Als den Laden und die Werkstatt eines Färbers betrachtet man, und zwar aus besseren Gründen als sie für manches andere Geschäft geltend gemacht werden können, wie schon früher (S. 297) bemerkt wurde, den einen Eckladen an der *Casa di Olconio* mit seinen Nebenräumen. Wahrscheinlich war auch nichts Anderes die sogenannte Fabrik von Chemikalien neben dem Hause des Lucretius an der *Strada Stabiana*, deren dreifachen Heerd mit eingemauerten Kesseln die beistehende Figur zeigt. Die Verkaufsläden liegen zu beiden Seiten des Eingangs in das Haus, welches kein besonderes Interesse bietet. Die Wohnung eines dritten Färbers glaubt man im *Vico del balcone pensile* No. 3 zu erkennen.

Hier wird sich am besten die Erwähnung von Apotheken einfügen, deren man drei in Pompeji zu kennen meint, die eine an der Straße vom Herculaner Thor gegenüber dem zweiten Brunnen an der einen Ecke der kleinen dreiseitigen Insula, deren Nebengässchen man *Vico del farmacista* getauft hat, die andere in der *Strada dell' Abbondanza* dem Gebäude der Eumachia gegenüber, und die dritte im *Vico delle terme Stabiane* gegenüber der *Casa di Sirico*. Das Aushängeschild der erstern zeigt eine Schlange mit einem Pinienapfel im Maul, bekanntlich das heilige Thier des Asklepios und der Hygieia, welche aber bei der vielfachen Verwendung der Schlangen in Pompeji in ganz anderer Bedeutung in diesem Falle die Apotheke nur sehr unsicher bezeichnen würde (vgl. auch Hlbg. S. 10 f.). Fest steht die Bedeutung des Ladens durch die Auffindung einer Menge von Arzneien, Täfelchen, Pillen, eingetrockneten Flüssigkeiten in Gläsern und dergleichen mehr. Das merkwürdigste Stück, das hier aufgefunden wurde, ist ein jetzt im Museum befindlicher Arzneikasten von Bronze mit verschiedenen Fächern und mit einer Schublade unter denselben, in welcher ein kleiner Salbenlöffel und ein Porphyrplättchen zum

Reiben der Salben lag. Die zweite und dritte Apotheke sind durch in ihnen
aufgefundene Arzneien wie die erste bestimmt.

Droguen und Arzneien fand man ferner in einem Hause der *Strada dell'
Abbondanza*; außer ihnen aber eine Anzahl interessanter chirurgischer Instrumente, weshalb man glaubt, in diesem Hause habe ein Arzt oder Chirurg
gewohnt. Das Haus eines angeblichen andern Chirurgen an der *Strada consolare* ist schon früher (S. 279) besprochen worden; chirurgische Instrumente
sind übrigens einzeln in noch mehren anderen Häusern gefunden worden.
Eine *tonstrina*, d. i. das Local eines Barbiers will man in dem feinen Stadtviertel, in der *Strada di Mercurio* neben der Fullonica in einem gar bescheidenen Stübchen von nur $3{,}30 \times 2{,}18$ M. Größe erkennen, welches eine Steinbank an der einen Wand, zwei Nischen darüber und einen gemauerten Sitz
in der Mitte hat, von dem man glaubt, dass er für die Kunden während des
Barbierens gedient habe; wir haben oben (S. 243) gesehen, dass es mit mehr
Wahrscheinlichkeit für eine Capelle zu halten ist.

Zu den am sichersten nachgewiesenen Geschäftszweigen gehören die
Farbenhandlungen, deren man mehre an verschiedenen Stellen der Stadt
gefunden hat und unter welchen diejenige in der *Casa del granduca di Toscana*
(No. 62 im Plane) das meiste Interesse in Anspruch nimmt. In den drei
Läden an der Straße fand man außer einer Reibschale mit ihrem Pistill viele
Stücke Bimstein, welche oben halbrund gearbeitet sind, um beim Reiben
bequem in der Hand zu liegen, ferner große Stücke Asphalt, ein Gemisch von
Asphalt und Pech, reines Pech sowie Harz und sodann ein Stück gelben
Ockers, in welchem sich Stücke Harz befinden, endlich von Farben Ocker in
verschiedenen Farbenabstufungen, Blau, Rauchschwarz und zwei Arten Weiß.
Fasst man alle diese Gegenstände zusammen, so ergiebt sich, dass sie sich auf
die Bearbeitung und den Anstrich von Holzwerk beziehn, welches mit dem
Bimstein glatt gerieben, mit dem Pech und Asphalt gegen Feuchtigkeit ge-
schützt und mit der mit Harz vermischten Farbe ähnlich wie mit Lackir-
farbe angestrichen wurde. Zum Malen von Bildern, wie man, auf die Enkaustik
hinweisend, gemeint hat, konnte die so praeparirte Farbe nicht dienen [162].
Von einer zweiten Farbenhandlung an der *Strada consolare* sprechen die Ausgrabungsberichte vom 20. October 1770; hier wurden namentlich angemachte
Farben in thönernen Schalen gefunden, welche auf verkohlten hölzernen
Brettern standen, und ganz Ähnliches ist wiederum unter dem 27. October
1808 aus ungefähr derselben Gegend, gegenüber dem Hause des Pansa berichtet. Auch unter den neuesten Funden ist ein Laden eines Farbenhändlers in
der *Strada degli Olconj* [163]. Die in diesen Läden verkauften Farben, als Material der in Pompeji besonders geübten Kunst, erinnern uns, dass man auch die
Werkstatt eines Künstlers, eines Bildhauers gefunden zu haben meint.
Dieselbe (No. 107 im Plane) liegt in der Nähe des bedeckten Theaters unmittelbar hinter dem Tempel des Juppiter, der Juno und der Minerva. In
diesem Hause fand man außer verschiedenen Geräthen zur Steinsculptur,
ähnlich denen, welche noch heute gebraucht werden, mehre Marmorstatuen,
Hermen und Büsten, ferner aber auch eine halb auseinandergesägte Marmorplatte mit darin steckender Steinsäge, verschiedene Tische mit verzierten

Füßen, wie wir sie aus den Häusern kennen, endlich einen unfertigen marmornen Mörser, also Gegenstände, aus denen hervorgeht, dass der in Frage
kommende Bildhauer nicht nur mit höheren künstlerischen, sondern auch mit
handwerksmäßigen Aufgaben beschäftigt gewesen ist [164]). Um so mehr sei
noch ein Mal an den Meister S t e i n h a u e r erinnert (vgl. S. 302), dessen
Werkstatt von den Ausgrabungsberichten in der *Casa di Sallustio* vermuthet
wird. Neben dem Bildhauer dürfen dann auch die G o l d s c h m i e d e genannt
werden. Die Läden derselben glaubt man in der Straße hinter oder neben
dem Gebäude der Eumachia, die jetzt den Namen der *Strada dell' Abbon-*
danza führt und früher *Strada degli orefici* hieß, gefunden zu haben. Aus einer
Inschrift, in der die *aurifices universi* genannt werden, ersehn wir, dass die
Goldschmiede eine Zunft oder Corporation (*collegium*) bildeten, wie gleicherweise die Sackträger, die Maulthiertreiber, die Obsthändler und Andere, unter
denen die Miethkutscher (*cisiarii*) nicht zu vergessen sind, welche nach der
auf S. 59 besprochenen, vor dem Stabianer Thore aufgestellten Inschrift außerhalb des genannten Thores ihre Station gehabt haben [165]).

Eigentliche Kramladen sind in Pompeji nicht bekannt, nur den Laden
eines Ö l h ä n d l e r s können wir in der *Strada Stabiana* nachweisen, in welchem die Thonbank mit einer Platte von Cipollin und grauem Marmor bedeckt
und nach vorn mit einer runden Porphyrplatte zwischen zwei Rosetten verziert
ist. In diesen Ladentisch sind acht Thongefäße eingelassen, in deren mehren
man Oliven und verdicktes Öl fand. Eine neunte große Vase stand in der
Ecke des Ladens, wo auch ein Heerd gefunden wurde, sowie eine kleine
Cisterne ebenfalls für Öl. Auf dem gemauerten Repositorium fand man den
angeklebten Fuß eines Bronzegefäßes und in dem Laden einige Gold- und
Silbermünzen.

Auch wenigstens eine H a n d e l s g ä r t n e r e i ist in Pompeji bekannt.
Dieselbe (No. 84 im Plane) liegt am *Vico della maschera* und giebt sich als das
was sie ist leicht zu erkennen. Es handelt sich nämlich um nichts als um
einen Garten mit wohlerhaltener, durchaus regelmäßiger Beetanlage, welcher
nicht, wie andere ähnliche Gärten, zu irgend einer Wohnung gehört, sondern
ein Grundstück für sich bildet, in dessen linker vorderer Ecke neben dem
Eingange von der Straße ein einziges Zimmer, die Wohnung des Gärtners,
sich befindet. Dieser Wohnung gegenüber ist rechts vom Eingange von der
Straße her der Rand des ersten Beetes mit zwölf halben, d. h. ihres obern
Endes beraubten Amphoren eingefasst, welche, dicht neben einander flach in
den Boden eingelassen, augenscheinlich als Blumentöpfe gedient haben. In
ihnen mag der Mann entweder Pflanzen zum Verkauf gehalten oder auch die
Ansaat seiner Sämereien besorgt haben. Es giebt wenig so anheimelnde und
unseren Einrichtungen so sehr entsprechende Dinge in Pompeji, wie diese
kleine Handelsgärtnerei.

Genaueres als über die bisher kurz aufgeführten Erwerbszweige und die
Locale, in denen sie betrieben wurden, können wir über zwei Gewerke beibringen, erstens über B ä c k e r e i und zweitens über T u c h w a l k e r e i.

Es sind, auch abgesehn von den Privatbäckereien in mehren Häusern
Pompejis, wie z. B. in der *Casa del Laberinto* (S. 343), schon seit lange mehr-

fache gewerbmäßig betriebene Bäckereien aufgefunden und zum Theil bereits oben besprochen, so diejenige im Hause des Sallust und die im Hause des Pansa, zu denen, um unter vielen durch die neueren Ausgrabungen aufgedeckten nur noch einige zu nennen, noch eine dritte am *Vico storto* und eine vierte an der *Strada degli Augustali* (VII, 1, 36) kommt, in deren Ofen eine große Anzahl allerdings fast ganz verkohlter, aber sonst sehr gut erhaltener Brode gefunden worden ist. Dicht neben der Bäckerei im Hause des Sallust an der Straße zum Herculaner Thor liegt die bedeutendste in Pompeji, welche der Besitzer im eigenen ganzen Hause betrieb (No. 17 im Plane). Diese und die in ihr aufgefundenen Mühlen und anderen Geräthe und Einrichtungen

Fig. 188. Ansicht einer Bäckerei und Mühle.

mögen als Beispiel und Muster bei einer genauern Betrachtung dienen, während die vorstehende Fig. 188 von derjenigen in der *Casa di Sallustio* eine Ansicht nach photographischer Aufnahme bietet, aus welcher die Einrichtung eines der in Pompeji, wo man in der Regel mit Holzkohlen geheizt hat, seltenen, aber doch auch in Privathäusern, in denen sie aus thönernen Rohren bestehn, keineswegs unerhörten Schornsteine (s. Reg. VII, Ins. 12 zwei Beispiele und Ins. 3)[166] auch ohne weitere Erläuterung klar werden wird.

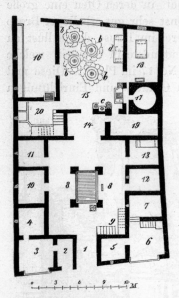

Fig. 189. Plan einer Bäckerei.

An der Straßenfront liegen rechts und links vom Eingang 1 Fig. 189 zwei Läden, die aus je drei Räumlichkeiten 2, 3, 4 und 5, 6, 7 bestehn, jedoch keine Verbindung mit dem Innern des Hauses haben, in denen also unser Bäcker nicht sein eigenes Geschäft betrieb, sondern die er anderweitig vermiethete. Die Bäckerei in Pansas Hause hangt dagegen mit einem Laden zusammen, so dass es zu viel behauptet ist, wenn einige Schriftsteller angeben, keine Bäckerei habe ihre Waare im Hause feilgehalten, sondern das Brod sei auf tragbaren leichten Tischen auf dem Forum verkauft worden, wie ein Gemälde aus Pompeji (Hlbg. No. 1497) es darstellt. Das Atrium unserer Bäckerei 8, in welchem rechts die Treppe in das obere Stockwerk 9 liegt, zeigt vier starke Pfeiler um das Impluvium als Träger der Decke, welche nach sicheren Anzeichen nicht ein schräges Dach, sondern eine Terrasse oder ein rundumlaufender großer Balcon war. Zu beiden Seiten des Atriums liegen je zwei Cubicula 10, 11 und 12, 13; das letzte ist mit gemauerten, aber nicht mehr vorhandenen Tischfüßen versehn gewesen. In der Mitte des Hintergrundes liegt ein Gemach in der Form eines Tablinums 14, natürlich hier nicht in der That ein solches, sondern ein geräumiger Vorplatz, durch welchen man in die Werkstatt selbst eintritt. Der Hauptraum dieser Werkstatt, das Mühlenhaus 15, ist $10,20 \times 8$ M. groß und enthält als ersten Gegenstand von großem Interesse vier Mühlen b, welche in Form eines verschobenen Vierecks gegen einander gestellt sind, um den Raum weniger zu beengen, als sie bei einer den Wänden parallelen Stellung gethan haben würden. Zur Würdigung dieser Maschinen muss voraus bemerkt werden, dass, obwohl um die Zeit, um welche es sich hier handelt, Wassermühlen bereits bekannt waren, welche ein Epigramm der griechischen Anthologie poetisch preist und Vitruv ganz klar beschreibt, Windmühlen nicht erfunden, und alle Vorrichtungen zum Mahlen des Getreides lange Zeit sehr unvollkommen waren, so dass Orte wie Pompeji, welche kein fließendes Wasser in ihren Ringmauern hatten, auf den Gebrauch von Mühlen angewiesen waren, die entweder durch Menschenkraft oder von Zugvieh getrieben wurden. Derartige Mühlen sind überhaupt die ältesten; schon bei Homer drehen die Sclavinnen die Handmühle, welche das noch ältere Instrument zum Zerdrücken des Getreides, Mörser und Stößel, verdrängt hatte. Dass namentlich in Italien das Zerstoßen des Getreides das Ursprüngliche ist, wird uns bezeugt und liegt

schon in dem Namen *pistor*, des Bäckers, der zugleich Müller ist. Wann das
ungleichlich vorzüglichere Princip, das Korn durch Reibung großer Steine
zerdrücken zu lassen, aufgekommen sei, ist nicht genau zu ermessen, vielleicht
dürfen wir annehmen, dass die Neuerung in Rom erst in der Zeit ein- und
durchdrang, als daselbst eigene Bäcker aufkamen, während früher jede Haushaltung ihr eigenes Brod mahlte und backte oder, noch richtiger, als einen
Mehlbrei kochte. Es wäre nicht unmöglich, dass die Einführung der Bäcker-
zunft in Rom im Jahre 480 der Stadt (274 v. u. Z.) wenn nicht mit der von
irgend welchen Mühlen überhaupt, so doch von stehenden Mühlen in größerem Maßstabe zusammenhinge, welche offenbar eine große Reform in der
Brodbereitung hervorrufen mussten, indem erst sie im Stande waren, wirklich
feines Mehl zu liefern. Mühlen wie die in unserer Bäckerei gefundenen
scheinen die um diese Zeit allgemein gebräuchlichen gewesen zu sein und
fanden sich ebenso, nur z. Th. weniger gut erhalten, in den anderen Bäckereien Pompejis. Die folgende genauere Betrachtung wird zeigen, dass diese
Maschinen, obwohl mit unseren Mühlen verglichen noch
unvollkommen, doch sinnreich genug construirt und im
Stande waren, ein ziemlich feines Product zu liefern.
Die Abbildung Fig. 190 zeigt eine Mühle halb (rechts)
in äußerer Ansicht, halb (links) im Durchschnitt. Die
Grundlage bildet ein schweres, cylinderförmiges Gemäuer
a, auf welches vielleicht, denn vorgefunden hat man dies
an keiner Mühle in Pompeji, eine rundumlaufende Rinne
b aus Haustein aufgesetzt gewesen ist, in der sich das fertige

Fig. 190. Mühle.

Mehl, welches mit den Händen herauszunehmen war, sammelte. Auf diesem
flachliegenden Gemäuer erhebt sich, in dasselbe eingelassen, ein kegelförmiger
Stein *c* mit etwas geschwungenen Profillinien. Dieser bildet den einen Reiber; der andere besteht aus einem ausgehöhlten Doppelkegel oder Doppeltrichter *d* in Form unserer Sanduhren, welcher über den festen Kegel gestürzt
ist und um denselben gedreht wird. Der obere Trichter diente um das zu
mahlende Getreide aufzunehmen, welches, durch die beide Trichter verbindende Öffnung hinabgleitend, bei der Umdrehung des Apparates allmählich
zerrieben wurde und als Mehl in die Rinne des Grundsteins fiel. Nachdem
so das Grundprincip nachgewiesen ist, sind noch einige feinere Einzelheiten
zu betrachten, deren Kenntnis wir dem glücklichen Umstande verdanken,
dass Mazois bei der Ausgrabung der hier näher beschriebenen Mühle anwesend war und die gleich zu nennenden, aus Eisen gebildeten Theile, freilich
von Rost fast ganz zerfressen, jedoch durchaus erkennbar vorfand, was bei keiner andern Mühle der Fall ist.
     Zunächst würde es beinahe unmöglich gewesen sein, den
gegen 2 M. hohen Doppeltrichter um den feststehenden untern
Reiber zu drehen, wenn beide aus rauhem vulcanischen Stein
gearbeitete Theile mit ihrer gesammten Fläche auf einander
gelegen hätten. In den feststehenden untern Reiber ist daher

Fig. 191.
Eiserner Zapfen
und Drehscheibe.

ein starker eiserner Zapfen, *a* Fig. 190, eingelassen, während die Öffnung
des Doppeltrichters an ihrer schmalsten Stelle durch eine dicke, von fünf

Löchern durchbohrte Scheibe *b* von demselben Metall verschlossen ist. In das mittelste und größte dieser fünf Löcher passte der feste Zapfen des untern Reibers, und folglich bewegte sich der steinerne Doppeltrichter um diesen Zapfen, während das Getreide durch die vier kleineren Löcher zwischen die Reiber fiel. Indem nun so der obere Reiber um ein Geringes von dem untern gehoben war, entstand zwischen beiden ein enger Zwischenraum, welcher vermöge der geschwungenen Profillinie der Reiber oben und unten etwas weiter, bei dem Punkte *e* Fig. 190 am engsten war. Hier war es also, wo eigentlich das Korn zerdrückt und zerrieben wurde, und diesem Punkte fiel es in Folge der Erweiterung des Zwischenraumes nach oben um so lebhafter zu. Wäre der Zwischenraum von oben bis unten gleich weit gewesen, so hätte man nur dann feines Mehl erhalten, wenn die Steine sich fast ganz berührt hätten, und dann wäre die Reibung so groß gewesen, dass sie nur durch die doppelte oder dreifache Kraft hätte überwunden werden können, die jetzt erforderlich erscheint, abgesehn davon, dass die ganze Operation durch den langsamern Zufall des Getreides unsäglich verlangsamt worden wäre. Die Vorrichtung zum Bewegen des obern Reibers besteht aus hölzernen Balken, welche entweder, wie bei unserer und einigen anderen, in der Form etwas abweichenden, pompejanischen Mühlen, am Zusammenstoß der beiden Trichter eingelassen, oder in einer etwas künstlichern Weise, welche wir aus einem Sarkophagrelief im Vatican [167] kennen, mit dem obern Theile des Reibers verbunden waren. An diesen Balken oder Stangen schoben nun Menschen, natürlich meistens Sclaven, und diese Arbeit war die härteste von allen, welchen die Sclaven sich zu unterziehn hatten, so dass man sie zur Strafe für Vergehungen in die Mühlen sandte. Jedoch übertrug man die Drehung der Mühle in vielen Fällen auf Thiere, Esel oder Maulesel [168], und dass dies auch in unserer Bäckerei, sowie in derjenigen in der *Casa di Sallustio* und in den anderen pompejanischen der Fall gewesen sei, lässt sich erstens daraus schließen, dass der Umgang um die Mühlen, wie Plan und Ansicht es angeben, gepflastert ist, während im Übrigen der Fußboden mit Estrich belegt ist, zweitens daraus, dass sich neben dem Mühlhause in 16 der Stall mit der steinernen Krippe befindet, in welchem Mazois einige Reste von Maulthierknochen fand. Die Art, wie die Thiere an die Balken der Mühle angespannt

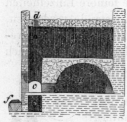

wurden, finden wir freilich nur in roher Weise in dem oben (Fig. 186 S. 379) mitgetheilten Aushängeschilde einer Bäckerei, genauer in dem erwähnten Sarkophagrelief dargestellt. Es begreift sich, dass, wenn man die Balken, an denen geschoben oder gezogen wurde, in ein Kammrad vervollständigte, man dieses auf die einfachste Weise mit einem Wasserrade in Verbindung setzen konnte. Das ist die Einrichtung, welche Vitruv beschreibt.

Fig. 192. Durchschnitt des Backofens.

Rechts von den Mühlen liegt bei 17 im Plane der Backofen, von dem Fig. 192 einen Durchschnitt giebt. Aus diesem ist ersichtlich, mit welcher Sorgfalt man die Hitze des Ofens zu benutzen strebte, indem der eigentliche innere gewölbte Ofen *a* von einem ringsum wohl verschlossenen, mit einem Tonnengewölbe bedeckten Vorraum *b* umgeben ist, der die erhitzte Luft festhielt. Durch zwei Öffnungen *d*, die mit Thonröhren verkleidet sind, und nicht, wie es nach der Abbildung scheint, in der Scheitellinie liegen, zog der natürlich auch bei Holzkohlenheizung und dem Backen des Brodes entstehende Qualm und Dampf ab; *e* ist der Aschenbehälter. Mit Holzkohlen aber muss hier, wo von einem Schornstein keine Spur ist, geheizt worden sein. Der Backofen steht vermöge einer mäßigen Öffnung *c* mit den beiden anstoßenden Zimmern, 18 und 19 auf dem Plan, in Verbindung. In dem erstern dieser Zimmern erkennen wir das Backzimmer (*panificium*); hier sah man die jetzt nicht mehr erhaltenen gemauerten Füße eines großen Tisches, dessen hölzernes Blatt verkohlt war, und der offenbar zum Formen des Teiges diente; an den Wänden waren drei Reihen Brettgestelle, zum Aufbewahren des Brodes vor und vielleicht auch nach dem Backen, angebracht. Das geformte Brod wurde durch die erwähnte Öffnung *c* links in den Vorraum des Backofens gebracht, wo der Bäcker dasselbe empfing und in den Ofen schob. War es gar gebacken, so wurde es vielleicht durch *c* rechts weiter in das durch einen wenn auch nur gewöhnlichen Mosaikfußboden ausgezeichnete Zimmer 19 gebracht, welches dann als Kühlzimmer gelten muß. Ein anderer Zweck der Verbindung dieses Zimmers mit dem Backofen ist nicht wohl denkbar; von irgend welchen bezüglichen Vorrichtungen freilich, z. B. Gestellen an der Wand, ist hier keine Spur. Links vor dem Backofen ist ein flaches Thongefäß, *f* im Durchschnitt Figur 192, in den Boden eingelassen, welches vermuthlich Wasser zum Befeuchten des halbgaren Brodes enthielt, um seine Rinde glänzender zu machen. Ferner sind an der Tablinumswand, rechts und links von einer Brunnenöffnung, *c* Fig. 189, zwei ähnliche aber größere Gefäße auf einer Erhöhung von Mauerwerk eingelassen; vermuthlich wurde aus ihnen jenes kleinere Gefäß gefüllt. *d* (Fig. 189) bezeichnet jetzt nicht mehr erhaltene gemauerte Füße eines sehr niedrigen Tisches, der vielleicht zum Sieben des Mehles dienen mochte. Über dem Brunnen und dem Wasserbehälter war ein jetzt nicht mehr sichtbares und bei Mazois (II, 19) undeutlich überliefertes Bild in zwei Zonen; die obere (Hlbg. No. 85) wird Vesta zwischen den Laren darstellen; in der untern sind die bekannten zwei symbolischen Schlangen gemalt. In dem Stalle 16 ist eine eingemauerte Tränke, welche mitten in der Wand liegt, so dass sie auch aus dem Nebenzimmer 20 erreichbar war und von hier aus mit Wasser versehen werden konnte; 20 ist also vermuthlich das Schlafzimmer des Mühlensclaven, vielleicht auch zugleich, wie man aus den Fragmenten eines Heerdes schließen könnte, die Küche oder ein zweiter Backraum. Wir erwähnen endlich noch eine hier fehlende, sonst aber häufig in pompejanischen Bäckereien, und zwar regelmäßig im Backzimmer vorkommende Vorrichtung, deren besterhaltenes Beispiel, oder vielmehr das einzige, welches auf ihre Bedeutung schließen lässt, sich in dem Backzimmer einer Bäckerei auf der Nordseite der Insula VI, 14 befindet, welche bei dem jetzigen Stande der Ausgrabungen nur durch das auf der Westseite der Insula liegende Haus No. 37 zugänglich ist. Es ist dies ein cylinderförmiges Gefäß aus Lava von 0,38 M. Tiefe und 0,47 M. innerem Durchmesser. Am Boden desselben befindet sich eine an den Enden etwas in die Höhe gebogene Eisenstange, welche um einen im Centrum des Bodens befindlichen Zapfen drehbar war, jetzt aber natürlich festgerostet ist. An dieser Stange sind Spuren von Holz kenntlich, und es fanden sich in dem Gefäß beträchtliche Holzreste. Mithin ist klar, dass in dem Steincylinder eine drehbare Vorrichtung aus Holz angebracht war. In den Wänden des Gefäßes befinden sich Löcher, deren Zweck nicht erkennbar ist. Das Ganze ist befestigt auf einem etwa 0,1 M. hohen Untersatz von Mauerwerk. Wozu nun diese ganze Vorrichtung gedient hat, ist nicht sicher, doch dürfen wir sie ohne Zweifel wiedererkennen in einigen auf das Bäckerhandwerk bezüglichen bildlichen Darstellungen, in welchen in einem cylinderförmigen Gefäß ein senkrechter Balken durch ein Pferd oder durch Männer gedreht wird. Man hat vermuthet, da sich eine andere einleuchtende Erklärung nicht bietet, dass hier eine Maschine zum Kneten des Teiges zu erkennen sei. Abbildungen von Broden, wie sie im Pompeji gebacken wurden, sind im artistischen Theile in dem für die Malerei bestimmten Capitel unter anderen Gegenständen der Stilllebengemälde mitgetheilt.

Ehe die Bäckerei ganz verlassen wird, um der Werkstatt der Tuchbereiter einen Besuch zu machen, sei noch bemerkt, dass man hinter dem Hause der Figurencapitelle (*capitelli figurati*, VII, 4, 57; No. 61 im Plane) an der *Strada degli Augustali* die Werkstatt eines Kuchenbäckers (*pistor dulciarius*) aufgefunden hat, welche deutlicher als durch die kleineren Mühlen (*pistrilla*) und den Doppelofen dadurch bezeichnet wird, dass man in dem Locale mehre Kuchen- oder Tortenformen und selbst zwei Kuchen noch vorfand, welche in das Museum gebracht sind; der eine stellt eine Art von Krone dar. Eine ähnliche Zuckerbäckerei ist in dem Hause No. 71 im Plane.

Die Fullonica oder Tuchwalkerei, an der Straße des Mercur (VI, 8, 20; No. 29 im Plan), entdeckt 1825 und hauptsächlich 1826 ausgegraben [169]), ist in allen zum Geschäftsbetrieb wesentlichen Theilen eben so gut erhalten wie die Bäckerei, und nimmt ein fast eben so bedeutendes Interesse in Anspruch wie jene. Der Plan des ganzen Gebäudes Fig. 193 ist so einfach, dass man sich mit einem flüchtigen Blick in demselben zurecht zu finden vermag. An der vordern Straßenfronte liegen links vom Haupteingange vier Läden 1, 3, 5, 6 ohne Zusammenhang mit dem Innern des Hauses, die also vom Eigner vermiethet waren und zwar die beiden ersten mit einem hintern Ladenzimmer 2 und 4, diese und der dritte außerdem mit einem oder mehren Zimmern im obern Geschoss, wie sich aus den Treppen ergiebt. Neben dem sehr geräumigen Hausflur 8 liegt ein durch ein Fenster von der Straße her erleuchtetes Gemach 7, welches man nur sehr uneigentlich als *cella ostiarii* betrachten darf, welches vielmehr bestimmt gewesen scheint, um die eingehenden Bestellungen und Arbeiten in Empfang zu nehmen. Etwas weiterhin am Hausgang ist in 9 ein räthselhaftes Kämmerchen von nur 1 □ Meter Größe, welches wohl ein Fenster auf den Hausflur, aber keine Thür hat; vielleicht war es ein Wandschrank, doch findet so das Loch in der Wand, durch welches dieser Raum mit 7 verbunden ist, keine Erklärung. An diesen Zimmern vorbei gelangt man in das Atrium 10, oder vielmehr in den Raum, der unrichtiger, wenigstens uneigentlicher Weise gewöhnlich mit diesem Namen bezeichnet wird, eigentlich aber als Peristyl zu betrachten ist. Der breite Umgang um das Viridarium wird von zwölf massiv gemauerten Pfeilern getragen, über welchen sich wohl nur ein offener Umgang, ein Solarium, befand; ursprünglich freilich stammt das Peristyl aus der Tuffperiode und hatte auch eine obere

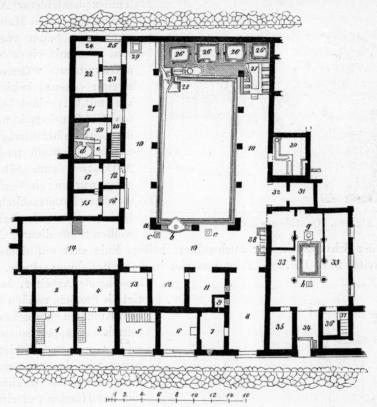

Fig. 193. Plan der Fullonica.

Porticus, deren Tuffsäulen in Fragmenten erhalten sind. Bei c' ist die Oeffnung der Cisterne: c ist eine Oeffnung der Rinne, durch welche das Regenwasser auf die Straße abfloss. Zwischen den Pfeilern des vordern Umganges befindet sich ein Wasserwerk, bestehend aus einer Marmorschale b in der Mitte, deren Fuß noch jetzt erhalten ist, und in die von beiden Seiten Wasserstrahlen aus gebogenen bleiernen Röhren fielen, während an den Pfeilern links ein kleiner Flussgott mit strömender Urne (Hlbg. No. 1011), rechts eine weibliche Figur mit einem Becken, aus dem Wasser sprudelte (Hlbg. No. 1059), gemalt ist. Das überlaufende Wasser wurde unter der muschelförmig gestalteten, in Stücken aufgefundenen Schale durch ein unregelmäßig geformtes Bassin aufgefangen. An dem mit a bezeichneten Eckpfeiler befanden sich außerdem dem Kunstwerthe nach geringe, dem Gegenstande nach interessante Gemälde (Hlbg. No. 1502), welche verschiedene Scenen, Vorrichtungen und Geräthe der Tuchwalkerei darstellen und in das Museum in Neapel gebracht sind. Auf dem ersten derselben, Fig. 194, sitzt im Vordergrunde eine reich bekleidete

Frau, welche einer jungen Arbeiterin ein Stück Zeug eingehändigt zu haben und ihr Unterweisung zu geben scheint, um dasselbe zu nähen oder zu flicken.

Fig. 194.   Gemälde aus der Fullonica.

Im Hintergrunde ist ein hochgeschürzter und nur mit der Tunica bekleideter Arbeiter beschäftigt, einen Mantel mit purpurnem Saum auszubürsten oder mit einer Striegel aufzukratzen, während ein zweiter, ebenso bekleideter, aber mit Olivenlaub bekränzter die Räucherpfanne und das Gestelle herbeiträgt, über welches die Stoffe nach dem Aufkratzen zum Schwefeln gelegt wurden: ein Verfahren, welches hauptsächlich zum Bleichen der sehr beliebten weißen Stoffe diente. Miner-vens, der Schutzgöttin der Tuchwalker, heilige Eule sitzt auf demselben. Ein zweites Bild (Fig. 195) zeigt uns vier in vieler Beziehung seltsam genug

Fig. 195.   Gemälde aus der Fullonica.

aussehende Arbeiter, beschäftigt die Stoffe in runden Bütten oder Kummen zu waschen. Der mittelste, doppelt so groß als seine Genossen gebildete Arbeiter tritt das Zeug mit den Füßen aus und stützt sich dabei mit den Händen auf eine niedrige Mauer, welche, nischenartig behandelt, diesen Raum von anderen abzugrenzen scheint. Drei fernere, klein dargestellte Arbeiter, ein kahlköpfiger Alter und zwei junge, stehn in ähnlichen Bütten, aus welchen sie das mit den Füßen gewalkte Zeug mit den Händen hervorziehn. Es ist dies die erste der in der Fullonica mit den Stoffen vorgenommenen Manipulationen, das eigentliche Walken oder Waschen unter Beimischung von Chemikalien; es diente theils zur Reinigung, theils bei neuen Stoffen zur Verfilzung der Wollfäden. Auf der andern Seite des Pfeilers sah man ein drittes Bild, in welchem eine Vorsteherin mehren Arbeitern Befehle ertheilte, während im Hintergrunde auf einer wie im ersten Bilde unter dem Boden hangenden Stange Tuch zum Trocknen aufgehängt ist. Ein viertes Bild endlich (s. Fig. 196) stellt die Zeugpresse dar, unter welche die Tuche zuletzt, wenn sie fertig waren, gebracht wurden, und welche um so weniger einer Erklärung bedarf, je genauer sie mit den bei uns gebräuchlichen fast in jeder Beziehung übereinstimmt.

Andere Gemälde an den Wänden und Pfeilern dieses Raumes sind bei Helbig (No. 190. 390) verzeichnet; sie haben mit der Fullonica als solcher nichts zu thun und können daher, als an und für sich nicht bedeutend, übergangen werden.

Auch über die um das Peristyl gelegenen Zimmer nur wenige Worte.
Das erste am Eingange links 11 scheint
ein zweites Zimmer zum Annehmen der
Bestellungen zu sein, da es sich mit
einem kleinen Fenster, gleichsam einem
Schalter, gegen den Hausflur öffnet.
Von der einfachen Decoration sind besonders zwei jetzt fast verloschene Bilder
zu nennen, welche leichte Wagen, den
einen von zwei Hirschen (Artemis,
Hlbg. No. 246), den andern von zwei
Pfauen (Hera, Hlbg. No. 169 b) gezogen darstellen. Der Fußboden besteht
aus dem in Pompeji so gewöhnlichen
weißen Mosaik mit schwarzer Borde.

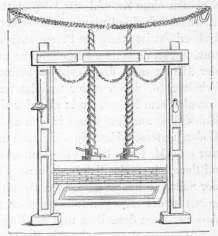

Fig. 196. Zeugpresse.

Dies Zimmer öffnet sich zugleich in das anstoßende Gemach 12, eine Exedra, welche wiederum mit einem Cubiculum 13 in Verbindung steht. Der jetzt fast bis zur Unkenntlichkeit zerstörte Gemäldeschmuck der Exedra ist ziemlich reich, aber ohne sonderlichen Kunstwerth, die beiden nennenswerthesten Hauptbilder auf den Wänden rechts und links zeigen Aphrodite und Adonis (Hlbg. No. 338) und Theseus als Sieger über den Minotauros (Hlbg. No. 1213). Ein drittes (Hlbg. No. 223) ist nicht sicher erklärt. An der linken Seite des Peristyls liegt zuerst ein oecusartiges großes, hohes und sehr luftiges Gemach 14, dessen eine schadhafte Wand durch einen modernen Strebepfeiler gestützt wird, wiederum mit weiß und schwarzem Mosaikfußboden; von der Malerei der Wände ist nichts erhalten. Die Vermuthung liegt sehr nahe, dass hier ein Haupttheil der Werkstatt, das Trockenzimmer, nicht ein Salon zu erkennen sei. Sodann folgen zwei kleine Zimmer 15 und 17, je mit einem Vorzimmer 16 und 18, das erstere mit seinem Vorzimmer drei Stufen über den Peristyl-gang erhöht; von diesen ist 15 offenbar eine Vorrathskammer, sei es für die zubereiteten Stoffe, sei es für andere Dinge; dagegen ist 17 ein mit einem Procoeton versehenes Schlafzimmer. Den Hauptraum 19 der folgenden Gruppe von Räumlichkeiten nimmt eine Privatbäckerei ein, in der ein großer Backofen d steht, an den die gemauerten Füße des Backtisches e sich anlehnen und vor dem sich ein gemauerter offener Heerd f befindet, der uns zeigt, dass man den Raum zugleich als Küche benutzte; in der Eingangswand sieht man die Löcher zur Befestigung zweier Bretter, wie sie in den Panificien der Bäcke-reien sich zu finden pflegen. Eine kleine Handmühle steht in der Porticus. Vor dem Back- und Küchenzimmer ist ein Gang 20, mit der Treppe zur Gal-lerie, und neben der Bäckerei ein ganz schmuckloses Zimmer 21, das wohl als Speisekammer oder Vorrathszimmer zu gelten hat. Über die Bedeutung und

Bestimmung der vier unter sich verbundenen Räume am Ende des Peristyls
lässt sich nicht absprechen, sicher ist nur, dass in 25 ein Durchgangsraum
theils zum Posticum, theils zu den anderen Räumen zu erkennen ist, und
wahrscheinlich, dass in 24 der Abtritt war. Die beiden Räume 22 und 23
scheinen ohne Zweifel zur Werkstatt gedient zu haben. In 23, welches von
22 nur durch eine Brüstungsmauer getrennt ist, und dessen Fußboden um einen
Fuß erhöht ist, mag die Presse aufgestellt gewesen sein; 22 diente dann wohl
nur, um zu derselben zu gelangen; zu anderem Gebrauch ist es zu klein. An
der Hinterwand des Peristyls befinden sich vier große gemauerte Wasserbehälter 26, deren erster und letzter höher liegen als die mittleren, welche
von gleichem Niveau sind; alle vier sind unter einander verbunden, so dass die
Flüssigkeit aus dem einen in den andern abliefr. Sowie an Erhebung über den
Boden unterscheiden sie sich auch an Tiefe: der erste ist 1,15 M., der letzte
nur 0,50 M. tief. Das hohle Mauerwerk dieser Behälter bildet vor den beiden
mittleren einen ziemlich breiten, nach innen geneigten Auftritt, welchen man an
der Seite des höchst gelegenen Behälters links auf einer Treppe besteigt. Dagegen ist der erste von höheren aber viel dünneren Mauern eingeschlossen, so
dass zwischen denselben und der Regenrinne Platz bleibt für ein länglich rundes Wasserbecken, während die Mauern der beiden mittleren ganz an die
Rinne hinanreichen. In den ersten Behälter mündet von links vorn eine Wasser-
leitungsröhre, deren Hahn in der Grube 28 gelegen haben muss. Aus dem
ersten konnte dann das Wasser in die folgenden Behälter abgelassen werden.
Am rechten Ende des erwähnten Auftrittes ist in 27 eine Reihe von sechs jener
kleinen Zellen angebracht, welche das eine der oben betrachteten Gemälde
(Fig. 195) zeigt, und deren Zweck, die Aufnahme der Waschbütten, hierdurch
bestimmt nachgewiesen werden kann. Dass die großen Behälter einen andern
Zweck hatten, ist wohl klar; am wahrscheinlichsten wurden sie theils zur
Färberei gebraucht, theils wurden hier die Stoffe nach dem in Fig. 195 dargestellten Verfahren in Wasser gelegt, um sie von den zum Theil sehr übel-
riechenden Stoffen zu reinigen, mit welchen sie dort in Berührung gebracht
wurden. Links ist zwischen der Treppe und einer niedrigen Mauer eine mit
Ziegelstuck bekleidete Rinne angebracht, welche sich gegen die Regenrinne
des Peristyls senkt und gewiss zu irgend welchen Waschungen diente. Am
Ende des linken Peristylganges finden wir endlich bei 29 noch einen einzelnen
und zwar in der Höhe des Bodens liegenden Behälter ungewisser Bestimmung,
am wahrscheinlichsten einen Brunnen.

Ein sehr bezeichnender Raum ist das gewölbte Zimmer 30 rechts am
Peristyl; wenigstens waren bei der Ausgrabung die jetzt nur noch in Spuren
erkennbaren Gegenstände, welche seinen Charakter bestimmen, noch sehr wohl
erhalten[170), nämlich außer einer Cisternenöffnung an der linken Wand eine
große gemauerte Wanne und an der rechten ein Steintisch zum Ausschlagen
der Wäsche mit dem noch heute in Italien und auch sonst gebräuchlichen
Schlagholz. Es ist dies also ein Waschzimmer; man fand in demselben eine
beträchtliche Menge einer Masse, in welcher man Seife zu erkennen glaubte
(vgl. S. 395). Ein kleines Schlafzimmer 31 mit seinem Procoeton 32 bildet
den Schluss der Räume um das Peristyl. Neben diesen Zimmern führt eine

Thür in eine Seitenabtheilung des Hauses, welche das Atrium 33 und neben dem eigenen Eingang 34 links ein kleines, durch die für die Ruhebetten bestimmten Aushöhlungen in den Wänden deutlich gekennzeichnetes Speisezimmer 35, rechts ein Sclavenzimmer 36 und den Treppenraum 37 umfasst. Das ursprünglich geräumige, aus der Tuffperiode stammende korinthische Atrium ist später durch hineingebaute Scheerwände, deren Zweck im Einzelnen nicht verfolgt werden kann, entstellt worden. Vor dem Impluvium steht ein Puteal aus gebranntem Thon *h*, hinter demselben eine Basis oder ein niedriger mit weißem Marmor bekleideter Altar und hinter diesem ein zweites Puteal. Endlich muss im Peristyl des Haupthauses noch eine kaum mannshohe nach vorn geöffnete Ummauerung 38 erwähnt werden, welche im Fußboden die Eindrücke von fünf Balken zeigt und vermuthlich nichts anderes als ein Schrank war.

Eine zweite Fullonica wurde im Jahre 1875 in der 14. Insula der 6. Region gefunden (No. 21. 22, Plan No. 50 b); dieselbe ist zwar von geringerem Umfange, aber auf einen mindestens eben so großen Betrieb eingerichtet. Die zur Tuchbereitung dienenden Vorrichtungen finden sich theils in einem Laden, theils im Peristyl. Im Laden, wo jedenfalls der Verkehr mit dem Publicum stattfand, sind die Plätze für drei Waschbütten (Fig. 195) und außerdem eine Vertiefung im Fußboden, in welcher vermuthlich die Presse festgemauert war. Im Peristyl sind weitere sieben Plätze für Waschbütten und drei große Wasserbehälter (3,90 × 1,65 M.) angebracht, in deren hintersten das Wasser aus einer Leitungsröhre hineinfiel, um dann durch Löcher in den Zwischenwänden in die beiden anderen zu gelangen. An der linken Schmalseite eines jeden der drei Behälter sind Stufen in denselben angebracht, und zwar in den beiden ersten je eine in halber Tiefe. Diese machen ganz den Eindruck als habe man, auf ihnen knieend, die Stoffe auf der an dieser Seite nach Innen geneigten Oberfläche der Umfassungsmauer gewaschen. Dagegen sind in dem dritten Behälter zwei nur die halbe Breite einnehmende Stufen, welche offenbar zum Hineinsteigen dienten. In dem ursprünglich die Fauces bildenden Raume fand man eine beträchtliche Menge einer weißen Masse, in der man anfangs eine seifenartige Substanz zu erkennen glaubte; doch hat die chemische Analyse gezeigt, dass es vielmehr eine weißliche Thonart ist, Walkererde (*terra fullonica*), welche wegen ihrer fetteinsaugenden Kraft zur Reinigung der Stoffe benutzt wurde [171]. Die linke Seitenwand des Peristyls trägt ein ihre ganze Länge einnehmendes und noch auf die anstoßenden Wände übergreifendes Gemälde, welches in ziemlich geringer Ausführung die Walker darstellt, wie sie ein Fest, wahrscheinlich ihr Hauptfest, die zu Ehren der Minerva gefeierten Quinquatrus, begehn, nebst der gerichtlichen Verhandlung über eine dabei entstandene Schlägerei (abgeb. *Giornale degli scavi di Pompei*, nuova serie III tav. 4).

Eine ungleich kleinere Tuchwalker- oder Wäscherwerkstatt haben die Ausgrabungen von 1862 im *Vico del balcone pensile* (No. 81 im Plane) zu Tage gefördert, welche sich durch Heerde mit Kesseln und eine Wanne zum Waschen des Zeuges in ihrer Bestimmung zu erkennen giebt. Auch das Zimmer zum Aufhängen der gewaschenen Stoffe mit den Löchern für die zum Aufhängen dienenden Latten ist noch nachweisbar. Hier wurde die vortreffliche Bronze-

statue gefunden, welche das Titelbild darstellt, und auf welche im artistischen
Theile zurückgekommen werden soll; da diese Werkstatt mit einem durchaus
nicht unansehnlichen Hause in Verbindung steht, mag das kostbare Kunstwerk, was man früher glaubte verneinen zu müssen [172], in der That dem Walker gehört haben, der einst hier gewohnt hat.

Dritter Abschnitt.

Die Gräber und Grabdenkmäler.

So wäre sie denn durchwandert die Stadt der Lebenden, und abermals
stehn wir an dem Thore, durch das wir sie betreten haben. Wir durchschreiten das Thor, denn es bleibt noch ein Besuch bei den Wohnungen der
Todten, die Betrachtung eines Theils der Stadtanlage von Pompeji übrig,
welcher das mannichfaltigste Interesse sowohl in antiquarischer wie in künstlerischer Rücksicht in Anspruch nimmt, der vor dem Herculaner Thor gelegenen Gräberstraße. Da diejenigen Gebäude, welche außer Grabdenkmälern
und dem zu ihnen Gehörigen an dieser Straße stehn, die Villa des Diomedes,
die s. g. des Cicero, das Haus der vier Mosaikpfeiler, die Läden und Schenken
zu beiden Seiten theils genauer, theils wenigstens im Vorübergehn besprochen
worden sind, so bleiben jetzt nur diejenigen Monumente zu besichtigen,
welche mit der Todtenbestattung im Zusammenhang stehn. Eine Ansicht
der Gräberstraße in ihrem gegenwärtigen Zustande, von der Villa des Diomedes gegen das Thor aufgenommen, ist dieser Seite vorgeheftet; Fig. 197, S. 399
ist ein Specialplan der Gräberstraße, zu dem im Allgemeinen nur zu bemerken
ist, dass die Theile zwischen *A. A* den Ausgrabungen des vorigen Jahrhunderts (1755, 1756, 1757, dann besonders 1763—1782), diejenigen zwischen
B. B hauptsächlich denjenigen der Jahre 1812 und 1813 angehören.

Zur Erläuterung der nun folgenden Monumente sind nur wenige allgemeine Vorbemerkungen über die römische Todtenbestattung nöthig. Es ist
schon früher bemerkt, dass die Zwölf Tafeln sowohl das Begraben wie das
Verbrennen der Todten in der Stadt untersagten; denn früher war es Sitte,
die Todten im eigenen Hause zu bestatten, während nach dem Verbote man
sich einen Platz außerhalb der Stadt, vorzugsweise an den Heerstraßen erwarb,
um auf demselben das Grabmal zu errichten. Ein solcher Platz konnte auch
von Seiten der Gemeine als Auszeichnung für verdiente und angesehene Personen geschenkt werden, wovon uns Beispiele in Pompeji vorliegen, während
nur für die Allergeringsten, namentlich für Sclaven und hingerichtete Verbrecher ein öffentlicher Begräbnissplatz, in Rom auf dem Esquilin, vorhanden
war. Die religiös gebotene Sorgfalt für die Todten in Verbindung mit dem
Verlangen nach Pomp und Pracht und dauerndem ehrenvollen Andenken ließ
die Gräber mit der größtmöglichen Schönheit und Eleganz ausführen, so dass
wir selbst in dem kleinen Pompeji eine Reihe äußerst stattlicher Grabdenkmäler finden, welche architektonisch zum Theil zu den besten Monumenten
der Stadt zu rechnen sind, während in der Hauptstadt ein ungleich bedeuten-

Ansicht der Gräberstrasse von aussen her.

Nach S. 396.

derer Luxus und eine wunderbare Pracht in den Grabmonumenten entfaltet
wurde und namentlich die Grabmäler der Kaiser zu so kolossalen Bauwerken
erweitert wurden, dass sie mit den Gräbern der Pharaonen, den aegyptischen
Pyramiden, wetteifern können, und dass, wie männiglich bekannt, z. B. eines,
das Grabmal Hadrians, in späterer Zeit zu einer eigenen Festung, der berühmten Engelsburg umgewandelt werden konnte.

Über die Sitten der Bestattung in Rom und der römisch gebildeten Welt
sei nur das gesagt[173]), dass, während in der ältesten Zeit die Beerdigung des
unverbrannten Leichnams Sitte gewesen sein soll, welche in einzelnen Familien beibehalten wurde, und von der auch in Pompeji Beispiele vorliegen, in
der historisch bekannten Zeit das Verbrennen der Todten der allgemeinere
Gebrauch war und erst in der spätern Zeit, namentlich unter den Antoninen,
mehr und mehr wieder dem Beisetzen der unverbrannten Körper in Särgen
und Sarkophagen wich, einer Sitte, der wir einen eigenen reichen Kreis von
Kunstwerken, eine Kunstwelt für sich, in den Sarkophagreliefen verdanken.
Verbrannt wurden die Leichen auf Scheiterhaufen, welche in einem eigenen,
für diese bestimmten, meistens wohl ummauerten Raume errichtet wurden,
welcher den Namen *ustrinum* führte und, wie Inschriften beweisen, häufig mit
dem Grabe verbunden war. In Pompeji können wir kein sicheres Beispiel eines
ustrinum nachweisen. Nach der Verbrennung der Leichen wurden die Knochen
gesammelt, mit Wein und Milch begossen, und nachdem sie wieder getrocknet
waren, in eine Urne, sei es von Thon, sei es von Stein oder Glas oder Metall,
nebst Spezereien, oft auch mit Flüssigkeiten, namentlich Wein und Öl gelegt.
In mehren Urnen Pompejis fand man neben den Knochen auch Münzen, die
jedoch in diesem Falle wohl nicht auf das Fährgeld für Charon zu beziehn sind,
welches man unverbrannt Beerdigten in den Mund zu stecken pflegte, sondern
die man hier eher als Andenken, vielleicht auch als Merkmal des Datums der
Bestattung zu betrachten hat. Die Urnen wurden im Innern der Grabmäler in
Nischen aufgestellt, deren nur eine vorhanden war, wenn das Grab ein Einzel-
denkmal sein sollte, deren jedoch mehre, oft sehr viele angebracht waren,
wenn viele Urnen der Mitglieder einer Familie in einem gemeinsamen Grabmal beigesetzt werden sollten. Bei großer Zahl der Urnen, welche namentlich
dadurch stark anwachsen konnte, dass manches Familienhaupt, außer für sich
und die Seinen, auch für seine Freigelassenen Raum in dem Grabe haben
wollte, half man sich durch Steinbänke, welche die Mauern des Grabes innen
unter den Nischen umgaben, und auf welche man die Urnen hinstellte.
Wuchsen solche gemeinsame Grabmäler einer Familie oder auch einer Corporation zu einer beträchtlichern Zahl von Nischen in den Wänden an, so nannte
man sie *columbaria*, wegen ihrer Ähnlichkeit mit Taubenschlägen. In den
öffentlichen großen Grabmälern in Rom hatte sich ein armer Sclave, der
ein eigenes Grab nicht bezahlen konnte, eine Nische, *olla* genannt, für seine
Urne zu kaufen, und diese *ollae* waren selbst Gegenstände von Geschenken,
welche sich die Ärmeren unter einander machten, wie dies Inschriften beweisen. Denn unterhalb der einzelnen *olla* wurde in diesem Falle eine kleine
Inschrift angebracht, welche den Namen dessen enthielt, dessen Gebeine in
der Urne lagen und welche im Schenkungsfalle zugleich als Schenkungs-

urkunde abgefasst wurde. Bei Privatgräbern dagegen wurde die Grabschrift
außen, der Straße zugewendet angebracht, wie man dies in Pompeji an einer
Fülle von Beispielen sehn kann. Wenn nun schließlich noch bemerkt wird,
dass die Grabmäler in der Regel mit einer das Areal bezeichnenden Mauer
eingehegt waren, so dürfte Alles vorausbemerkt sein, was zum Verständniss
der folgenden Einzelbetrachtung und zur Vermeidung von Wiederholungen
nöthig erscheint; vieles Einzelne wird man am besten den Monumenten gegenüber kennen lernen.

Der wichtigste und am vollständigsten bekannte Begräbnissplatz in Pompeji ist die s. g. Gräberstraße vor dem Herculaner Thor, es ist aber in mehr
als einer Beziehung werth hervorgehoben zu werden, dass man auch vor anderen Thoren der Stadt Gräber gefunden hat, so vor dem von Nola, vor dem
Seethor [174]) und angeblich auch vor dem Stabianer Thore [175]). Doch verdienen
von diesen nur die Gräber vor dem Nolaner Thor eine kurze Erwähnung.
Offenbar befand sich hier ein Begräbnissplatz armer Leute, denen es nicht
möglich war, eine eigene Grabstätte zu erwerben. Ihnen gestattete man, ihre
Todten am Fuße der Stadtmauer, im städtischen Boden (im Pomerium) zu
begraben. Den Ort bezeichneten sie theils dadurch, dass sie den Namen des
Bestatteten in die Steine der Stadtmauern eingruben, theils durch Aufstellung
der weiterhin zu erwähnenden kleinen Cippen in Hermenform; ein solcher
Cippus, sowie Aschen- und Knochenreste wurden in der Nähe der erwähnten
Inschriften gefunden [176]). — Wenden wir uns jetzt zur Betrachtung der Gräber
vor dem Herculaner Thor.

Schon lange bevor in römischer Zeit die stattlichen Monumente zu beiden
Seiten der Straße entstanden, begruben hier in viel anspruchsloserer Weise
die Osker ihre Todten. Da wo sich kurz vor der s. g. Villa des Diomedes
rechts für den von der Stadt her Kommenden eine Straße abzweigt, sind
rechts an dieser Straße neuerdings einige ihrer Gräber, namentlich von Leuten
geringen Standes, aufgedeckt worden: zwei derselben sind auf unserm Plan
angegeben. Dieselben bestehen aus sargartigen Kasten aus Kalkstein, und
zwar zum Theil aus Quadern, zum Theil aus kleineren Steinen, und waren mit
Erde bedeckt. In ihnen fand man die Gerippe der unverbrannten Leichen
(während die Gräber der römischen Zeit durchweg zur Beizetzung der Asche
bestimmt sind) und viel kleines bemaltes Thongeschirr nolanischer Fabrik,
während im übrigen bemalte Vasen in Pompeji nicht gefunden werden; ferner
2 Kupfermünzen mit oskischer Aufschrift, von denen man vermuthet, dass sie
in Nola geprägt sind. Für eine genaue Zeitbestimmung fehlt es an Anhaltspunkten; vermuthlich aber gehören diese Gräber in's zweite oder dritte Jahrhundert v. Chr. In der sie bedeckenden Erde haben dann in der Kaiserzeit
arme Leute die Asche ihrer Todten beigesetzt: man fand daselbst Thongefäße
mit verbrannten Knochen und Münzen der genannten Periode. Ob diese dicht
gereihten einfachen Gräber auch über der Erde einzeln kenntlich waren,
wissen wir nicht; wahrscheinlich war es nicht der Fall; wenigstens hat man
keine zu ihnen gehörigen Cippen gefunden [177]).

Eigentliche Grabmonumente entstanden hier erst in römischer Zeit, und
zwar, wie es scheint, von den ersten Zeiten der Colonie an. Ein Blick auf

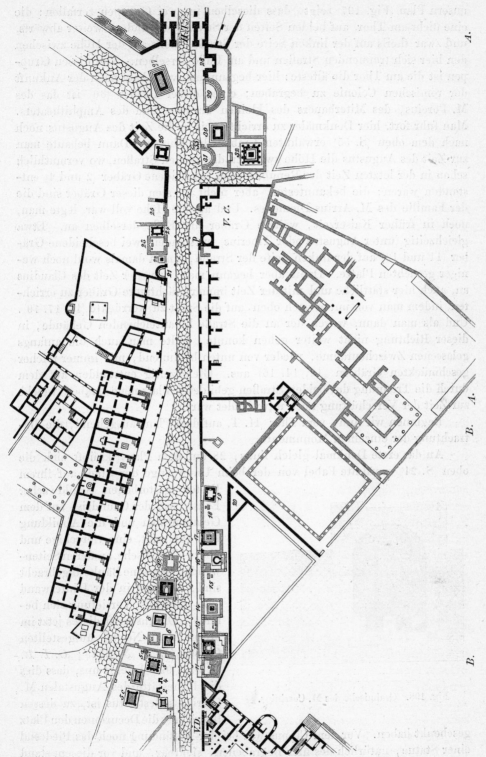

Fig. 197. Plan der Gräberstrasse.

unsern Plan (Fig. 197) zeigt, dass dieselben in zwei Gruppen zerfallen: die eine dicht am Thor, auf beiden Seiten der Straße, die andere weiter abwärts, und zwar theils auf der linken Seite der Straße, theils auf der Höhe zwischen den hier sich trennenden Straßen und am Fuße derselben. Von diesen Gruppen ist die am Thor die älteste: hier begann man wohl bald nach der Ankunft der römischen Colonie zu begraben; eines dieser Gräber (30) ist das des M. Porcius, des Miterbauers des kleinen Theaters und des Amphitheaters. Man fuhr fort, hier Denkmäler zu errichten bis in die Zeit des Augustus, noch nach dem oben (S. 55) erwähnten Umbau des Thores. Dann bebaute man zur Zeit des Augustus die Höhe zwischen den beiden Straßen, wo vermuthlich schon in der letzten Zeit der Republik zwei bescheidene Gräber (2 und 4) entstanden waren; die bekanntesten, aber nicht ältesten dieser Gräber sind die der Familie des M. Arrius Diomedes. Und als die Höhe voll war, legte man, noch in früher Kaiserzeit, weitere Gräber am Fuße derselben an. Etwa gleichzeitig (unter Augustus oder Tiberius) entstanden zwei bescheidene Gräber (11 und 13) auf der linken Seite der Straße, einem damals wohl noch weniger gesuchten Platze. Dann aber begann man, von der Zeit des Claudius an, auch hier stattliche und mit der Zeit immer prächtigere Gräber zu errichten, indem man von unten nach oben (auf die Stadt zu) vorrückte (16, 17, 19). Und als man dann, wegen der an die Straße hinanreichenden Gebäude, in dieser Richtung nicht weiter gehen konnte, füllte man auch die anfangs gelassenen Zwischenräume, wieder von unten beginnend, mit immer reicher geschmückten Gräbern (12, 14, 15) aus. Gleichzeitig entstanden auf dem durch die Trennung der beiden Straßen gebildeten Platz neue Gräber, welche zur Zeit der Verschüttung noch unvollendet waren.

Beginnen wir nun, vom Thor (H. T. auf dem Plan) ausgehend, die Betrachtung der einzelnen Monumente.

An das erste Denkmal gleich links, 28 auf dem Plan, knüpft sich die oben (S. 21) erwähnte Fabel von der beim Untergange der Stadt auf ihrem Posten gestorbenen Schildwache. Es ist, wie der Grundriss auf dem Gesammtplan und die Abbildung Fig. 198 zeigt, eine viereckige und überwölbte Nische, an deren Seitenwänden steinerne Bänke angebracht sind, während in der Hinterwand eine viereckige Vertiefung sich befindet. Die Inschrift dieses jetzt im Museum zu Neapel aufgestellten Cippus (*I. R. N.* 2315; *C. I. L.* X, 994. 995) belehrt uns, dass dies die Ruhestätte des Augustalen M. Cerrinius Restitutus ist, zu dessen Begräbniss die Decurionen den Platz

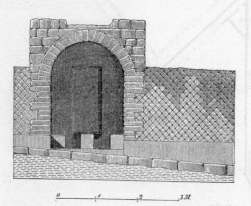

Fig. 198. Grabnische des M. Cerrinius.

geschenkt haben. Vor dem Cippus war bei der Auffindung noch das Piedestal einer Statue, natürlich des hier Begrabenen, sichtbar, und vor diesem stand ein an den Ecken mit Hörnern verzierter, nachher zerstörter Altar mit der gleichen Inschrift. So stand also der Todte hier im Bilde vor seinem Grabstein und es wurden ihm auf dem vor ihm stehenden Altar die Todtenopfer dargebracht[178].

Weiter hinausschreitend befinden wir uns vor einer symmetrisch angeordneten Gruppe von Monumenten, bestehend aus zwei großen unbedeckten halbrunden Sitzen von Tuffstein, welche ein bis auf den Unterbau fast ganz zerstörtes Grabmal einfassen, 29, 30, 31 auf dem Plan. Und zwar ist es klar, dass von diesen Monumenten das Grabmal das älteste ist, die Sitze erst später an dasselbe hinangebaut sind, während der erste Sitz seinerseits älter ist als die Nische des Cerrinius. Die beiden Sitze sind 6 M. breit und nach vorn mit

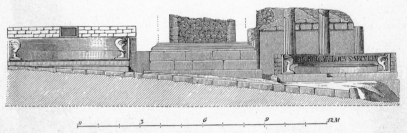

Fig. 199. Grabmäler des A. Veius, des M. Porcius und der Cerespriesterin Mamia.

Löwentatzen abgeschlossen, wie sie als Abschluss auch an dem Sitze auf dem Forum triangulare und an der untersten Cavea des kleinen Theaters (Fig. 99) vorkommen. An den ersten derselben (29) ist nachträglich in der Mitte der Rückseite eine die Lehne überragende Basis angebaut worden, welche eine (nicht gefundene) Statue und auf der Vorderseite oberhalb der Lehne eine Inschrift trug, welche besagt, dass dieselbe dem Aulus Veius, zweimal Rechtsduumvirn, Quinquennalen und aus der Bürgerschaft gewähltem Militärtribun auf Decurionenbeschluss gesetzt war; wohl zur Zeit des Augustus, da später die Würde des *tribunus militum a populo* nicht mehr vorkommt. Dass A. Veius hier auch begraben war, geht aus der Inschrift nicht hervor, und wir haben keinen Grund es anzunehmen. Noch später, beim Bau der Nische des Restitutus, ist dann, wie es scheint, die Lehne bis zur Höhe der Basis aufgemauert worden; doch ist das, was hiervon jetzt sichtbar ist, fast durchaus moderne Restauration[179].

Das dann folgende Grab 30 war ein massiger Bau auf einem Lavafundament. Seinen Bruchsteinkern müssen wir uns mit Quadern verkleidet denken, die hier alle verschwunden, aber an dem ähnlichen Monument 27 erhalten sind; dieselben bestanden aus Travertin, was in Anbetracht des hohen Alters dieses Monumentes auffallend ist. Am Platz geblieben ist zwar nur der Ablauf, doch liegen am Fusse des Monumentes auch Theile der volutenartigen Glieder, durch welche es als Altar charakterisirt war (vgl. Fig. 206). Die im Innern befindliche Grabkammer war vermauert und unzugänglich. Zwei kleine Lavacippen an den beiden vorderen Ecken tragen in alterthümlicher Schrift die gleichlautende Inschrift: *M. Porci M. f. ex dec. decret. in frontem*

ped. XXV, in agrum ped. XXV. Es ist also dies das Grab des M. Porcius,
für welches die Decurionen ein Grundstück von 25 Fuss ins Geviert angewiesen. In der That ist dies die ungefähre Größe des Monuments; genau
25 Fuß freilich beträgt weder die Seite desselben noch die Entfernung der
Cippen [180].

Fig. 200. Grab der Mamia.

Die Lehne des zweiten Sitzes 31, dessen Löwentatzen viel weniger gut
gearbeitet sind, als die des ersten, trägt in ihrer ganzen Ausdehnung in
großen und schönen Buchstaben eine Inschrift (*I. R. N.* 2318; *C. I. L.*

X, 998), welche besagt, dass der öffentlichen Priesterin Mamia, Tochter des
Publius, durch Decurionendecret der Platz zum Begräbniss angewiesen ist:
Mamia ist uns bekannt als die muthmaßliche Stifterin des Augustustempels am
Forum (S. 117). Das Grab selbst [181], 32, liegt weiter zurück, weil an der Straße,
wegen des sich hier abzweigenden Weges, kein genügender Raum vorhanden
war; es bestand aus einem tempelartigen Bauwerk mit Halbsäulen auf erhöhtem
Unterbau und lag innerhalb einer von kleinen Bogen durchbrochenen Umfassungsmauer, wie die Gesammtansicht Fig. 200 zeigt, während Fig. 201 links
den Durchschnitt und rechts die Restauration vorführt [182]. Aus dem Durchschnitt ersieht man, dass in den Mauern Nischen für Urnen sich befanden;
es sind ihrer zehn und eine größere in der Ostwand; doch ist es wahrscheinlich, dass auch der große Steinpfeiler in der Mitte weitere Nischen enthielt.
Auf die in diesen Nischen beigesetzten Personen beziehen sich wahrscheinlich
die Inschriften und Grabcippen, welche innerhalb der Umfassungsmauer
des Grabmals gefunden worden sind; eine dieser Inschriften (*I. R. N.* 2319;
C. I. L. 999) nennt eine zweite öffentliche Priesterin, und zwar der Ceres,
Istacidia Rufilla; andere Grabsteine gehören anderen Mitgliedern der vornehmen
Familie der Istacidier, andere solchen der Familie der Melissaeer, einer einem
Freigelassenen der Colonie, C. Venerius Epaphroditus (so genannt nach der

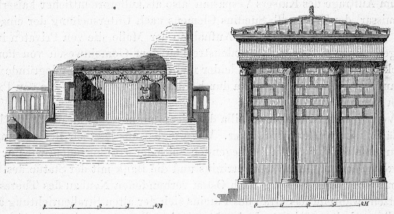

Fig. 201. Durchschnitt und Restauration des Grabes der Mamia.

colonia Veneria, S. 12). In welcher Beziehung diese Personen zur Mamia
standen, können wir nicht feststellen. Der Zugang zu diesem umfriedigten
Raum war von der Stadtseite her durch einen schräg ansteigenden Gang hinter
dem Grabe des Porcius (30), wie der Plan zeigt. An dem Eingange der Straße,
welche sich neben dem Sitze der Mamia abzweigt, war eine große Schlange,
das Bild des *genius loci*, angemalt; unterhalb derselben sprang ein Ziegel
vor, auf welchen man kleine Opfergaben niedergelegt haben mag. Jetzt
ist dies vollkommen zerstört und die Straße vermauert. Diese aber führte nicht
zu dem besprochenen Grabe, sondern theils an das Meer und namentlich zu
der auf S. 200 erwähnten Badeanstalt des M. Crassus Frugi, theils zu mehren
von eigenen Mauern umgebenen, jetzt wieder verschütteten Abtheilungen
dieses antiken Friedhofes; in letzteren fand man außer mehren Inschriften

auf Hermencippen auch Statuen und Statuenfragmente, einige mehr oder
weniger zerstörte nicht sehr erhebliche Monumente und einige mit Thonplatten bedeckte Gräber in der Erde, in denen ganze Gerippe (also von Begrabenen) sowie verbrannte Knochen lagen. Die Mauern dieser Abtheilungen waren theils mit Masken, theils mit Stierschädeln verziert. In den
ersteren hat man verkehrter Weise ein Zeichen sehn wollen, dass dieser
Platz zum Begräbniss von Schauspielern gedient habe, während die Masken
nach mehrfacher Analogie nur als ein allgemeines Grabessymbol, die ab-
geworfene Maske des Lebens, gelten können. Noch ungleich verkehrter
hat man die mit Stierschädeln decorirte Abtheilung zum Viehbegräbnissplatz
(*sepolcro dei bestiami*) machen wollen, während in Wahrheit diese Bukranien,
wie sie oft zur Verzierung von Altären und sonstigem heiligen Geräthe verwendet wurden, eben auch nichts sind, als ein auf Opfer hinweisendes Symbol. Der Annahme einiger Schriftsteller, dieser Platz sei das Ustrinum
gewesen, steht die Auffindung von Gräbern in demselben entgegen [183]. Den
Eingang zu der ersten dieser Abtheilungen, durch eine eigene Thür, lässt die
Ansicht Fig. 200 erkennen.

An der Ecke jenseits des mehrerwähnten Weges stand eine jetzt im Museum befindliche Inschrift (*I. R. N.* 2314; *C. I. L.* X, 1018), welche besagt,
dass im Auftrage des Kaisers Vespasian (also als außerordentlicher kaiserlicher
Commissar) der Tribun T. Suedius Clemens nach Untersuchung der einzelnen
Fälle (*causis cognitis*) und nach Aufnahme der Maße die von Privaten in Besitz genommenen (*occupata*) Bodenstrecken dem Gemeinwesen von Pompeji
zurückerstattet hat. Wir wissen leider nicht, wo diese Gemeindegründe lagen
und auf welche Weise — ob etwa durch Anlage von Gräbern — sie von Privat-
leuten occupirt worden waren.

Von hier an tritt die s. g. Villa des Cicero unmittelbar an die Straße hinan
und lässt keinen Platz für Gräber. Wir wenden uns jetzt zur Betrachtung der
Monumente auf der gegenüberliegenden Seite der Straße, indem wir nur noch
bemerken, dass das Grab des Cerrinius und die Bank mit der Statue des Veius
den mit einer Verschiebung nach Osten verbundenen Neubau des Thores voraussetzen, während das Grab des Porcius sich der alten Straßenrichtung anzu-
schließen scheint. Die Bank der Mamia ist allem Anschein nach jünger als
die des Veius.

Gegenüber also finden wir gleich am Thor, diesseits der sich hier abzweigenden, an der Mauer entlang führenden Straße, ein Grab 27, welches dem
des M. Porcius sehr ähnlich ist: ein mit Tuffquadern bekleideter Kern aus
Incertum auf einem Unterbau aus Lava. Auch hier sind Theile der oben
erwähnten volutenartigen Altarglieder erhalten, die Grabkammer ist auch hier
unzugänglich. Offenbar setzt dies Grab den Neubau des Thores voraus [184].

Ihm gegenüber liegt jenseits der erwähnten Straße das Grab des Aedilen
T. Terentius Felix (auf dem Plan ohne Nummer), zu dessen Begräbniss die
Stadt nicht nur den Platz, sondern noch 2000 Sesterzen ($435\frac{1}{2}$ Mark) bewil-
ligte; mit dieser Beihülfe hat ihm seine Gattin Fabia Sabina, des Probus
Tochter, das Denkmal errichtet, wie die Inschrift (*I. R. N.* 2337; *C. I. L.*
X, 1019) bezeugt. Das Grab ist sehr einfach: eine bloße Ummauerung,

innerhalb deren die auf dem Plan schraffirt angegebenen ganz niedrigen
Mauern sichtbar sind; man wird in ihnen vielleicht zwei eingefriedigte Be-
gräbnissplätze und ihnen gegenüber einen kleinen Altar erkennen dürfen.
Nach dem Schriftcharakter gehört das Grab ebenfalls der Kaiserzeit an.

Weiter folgt eine Reihe von Gräbern (24—26), deren der Straße nicht
parallele Richtung (auf dem Plan nicht deutlich) sich dadurch erklärt, dass
sie älter sind als der Neubau des Thores und an einer Linie liegen, die verlängert die Ostseite des alten, weiter westlich liegenden Thors traf, von welchem aus die Straße sich allmählich erweiterte [185]. Das erste (26) scheint dem
des Porcius ähnlich gewesen zu sein; nur der Unterbau ist erhalten; ebenso
steht es mit dem folgenden, nur zum kleinsten Theil freigelegten (ohne Nummer). Daran stößt 25 eine in Netzwerk gemauerte Grabeinfassung (rechts auf
der Abbildung Fig. 202), in welche ein äußerst enger Eingang zwischen zwei
altarförmigen Cippen hineinführt; innerhalb der Mauern sind nur ein Paar
namenlose Hermencippen gefunden worden. Hierauf folgt das G r a b d e r
G u i r l a n d e n (*tomba delle ghirlande*), 24 auf dem Plan, so genannt von den
Verzierungen an den Seiten, welche die nachstehende Abbildung (rechts)
erkennen lässt. Das Grabmal besteht aus einem einfachen, auf einer Basis
stehenden Mauerwürfel, an dem Pilaster vorspringen, vier an der Front, drei

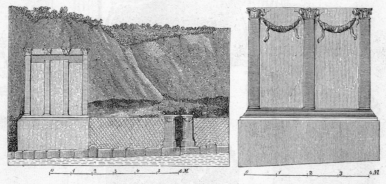

Fig. 202. Grabmal der Guirlanden.

an den Seiten, zwischen denen die Guirlanden angebracht sind. Die Guirlanden sind ein beliebtes Motiv des zweiten Decorationsstils. Die Tuffquadern,
mit denen der Kern aus Incertum verkleidet ist und in welchen die Pilaster gearbeitet sind, haben eine dünne weiße Stuckhülle nach Art der vorrömischen
Zeit, der Zeit des ersten Decorationsstils. Doch ist weder diese Stuckhülle so
fein, noch sind die Quadern so gut gearbeitet und gefügt, wie es in jener Zeit
üblich war. So werden wir also ohne Bedenken dies Grab der ersten Zeit der
römischen Colonie und des zweiten Decorationsstiles zuschreiben dürfen.
Auch hier war die Grabkammer unzugänglich. Nach einer leeren Ummauerung 23 folgt endlich ein an sich wenig ausgezeichnetes Grab, 22 auf dem
Plan, dessen allein erhaltener, aus Quadern aufgeführter unterer Theil auf
Fig. 203 rechts theilweise sichtbar ist. In demselben wurde das schönste
Werk in Glas gefunden, welches wir bisher neben der Portlandvase aus dem

Alterthum besitzen.   Es ist eine Vase von dunkelblauem Glase mit weißer
Reliefdarstellung bakchischer Scenen in reichem Laubwerk, deren Abbildung
und Besprechung im artistischen Theil gegeben werden soll.   Hier genügt es
zu bemerken, dass das Grab von diesem Glasgefäß den Namen der *tomba del
vaso di vetro blu* erhalten hat.

Den Abschluss dieser Reihe von Monumenten bildet ein nischenförmig
überwölbter Sitz, 21 auf dem Plan, dessen Ansicht die folgende Figur 203
darstellt. Man könnte vermuthen, dass, wie der Sitz der Mamia zu dem Grabe
derselben, so dieser zu dem des blauen Glasgefäßes in Beziehung stände;

Fig. 203. Halbkreisförmige Nische.

doch ist allem Anschein nach die Nische viel jünger als das Grab und gehört wohl der Zeit des dritten Decorationsstils an. So ist es wahrscheinlich,

dass dieselbe ohne Beziehung auf ein Grab zur Bequemlichkeit der Vorübergehenden angelegt worden ist. In der That ist sie ein gar angenehmer Sitz, theils wegen der Aussicht auf die schönen gegenüberliegenden
Monumente und über dieselben hinaus auf das prachtvolle Gebirge, theils
weil derselbe vermöge einer einfach sinnigen Einrichtung im Winter Wärme,
im Sommer Schatten gewährte. Die Öffnung der Nische liegt nämlich fast
genau gegen Süden (SSW), und die Nische selbst ist so tief, dass die hoch-
stehende Sommersonne, wie in der Abbildung Fig. 203, den Schatten der
Wölbung auf die Bank im Hintergrunde wirft, während sie bei tieferem
Stande im Winter ungehindert die Nische mit ihren warmen Strahlen erfüllen
kann. Die Stuckornamentik der Nische ist bizarr; namentlich gilt dies von
den Pilastern, welche die Öffnung einfassen, und welche in einer Doppel-
stellung über einander ohne trennende Balken aus einander hervorspringen.
Die nur an der Wölbung jetzt zerstörte Malerei im Innern ist einfach und gefällig. Wie aus älteren Abbildungen (Mus. Borb. XV, tav. 25; Mazois I, pl. 34)
und Nachrichten ersichtlich, war in der Wölbung eine fast die ganze Halbkuppel einnehmende Muschel in Weiß gemalt, während die ringsum übrig
bleibenden Theile des Grundes blau waren; auf den rothen Wandfeldern sind
in natürlichen Farben kleine Thiere gemalt, während von den dieselben trennenden schwarzen Streifen oder Pfeilern das leichte Ornament sich goldfarbig
abhebt. In das Giebelfeld der Nische ist eine kleine aber unbeschriebene
Gedenktafel eingelassen.

Wir wenden uns jetzt zur Betrachtung einer etwas jüngern Gruppe von
Gräbern, denjenigen, welche auf der Höhe zwischen den beiden in einiger
Entfernung vom Thor sich theilenden Straßen und am Fuß derselben liegen,
1—10. Hier ist bei 1 die 1774 aufgedeckte Grabstätte der Familie des M.
Arrius Diomedes, gegenüber der *Villa suburbana*, welche eben deshalb gewöhn-
lich als »Villa des Diomedes« bezeichnet wird.

Auf einem gemeinsamen, durch eine Treppe bei dem Grabe 5 zu erstei-
genden Unterbau von *opus incertum* erheben sich mehre Denkmäler; zunächst,
von Norden (links) beginnend, zwei kleine Cippen in Hermenform, welche nach
ihren Inschriften *I. R. N.* 2357. 2358; *C. I. L.* X, 1044. 1045) die Ruhestätten
zweier Mitglieder der Familie des Diomedes bezeichnen. Dann folgt das Haupt-
monument in Form eines zweisäuligen Tempelchens mit jetzt nicht mehr
erhaltenem flachen Giebel; der Vorderwand hat man die Form einer geschlossenen Doppelthür gegeben, auf der zwei Fasces mit den Beilen die höhere
obrigkeitliche oder priesterliche Würde des Gründers dieser Grabstätte bezeichnen. Aus der über der Doppelthür eingelassenen Inschrift in Marmor
I. R. N. 2355; *C. I. L.* X, 1042) lernen wir, dass M. Arrius Diomedes, Freigelassener der Arria, Magister der Vorstadt Augustus Felix, dies Grab für sich
und die Seinigen erbaut hat. Unterhalb dieses Grabes ist in den Unterbau,
der Straße zugewandt, eine Tuffplatte eingelassen mit der Inschrift *Arriae M.
f. Diomedes l(ibertus) sibi suis* (auf der Abbildung Fig. 204 sichtbar), welche
besagt, dass Arrius Diomedes hier für seine ehemalige Herrin (*patrona*) Arria,
für sich und die Seinigen eine Ruhestätte gegründet hat. Ohne Zweifel haben
wir das Grab der Arria in dem in unserer Abbildung theilweise sichtbaren

Monument 5 c zu erkennen: es ist viereckig, von ähnlicher Bauart wie das des
Diomedes (Lavaincertum mit Ziegelecken), mit dem es durch eine Mauer verbunden ist, mit nur theilweise erhaltener Stuckbekleidung. Nach Mauerwerk
und Schriftcharakter gehören die Arriergräber wohl in die Zeit des Augustus.

Fig. 204. Grabstätte des M. Arrius Diomedes.

Rechts neben dem Monumente des Diomedes, aber etwas hinter demselben
zurückliegend und durch die erwähnte Mauer von ihm getrennt, finden wir
ein zweites Monument, 2 auf dem Plane, in Form einer giebelgekrönten
Nische, in der die Spuren einer von Stuccorelief gebildeten Figur in den eingeritzten Umrissen unter Guirlanden erkennbar sind; es bezeichnet nach der
in den Unterbau eingelassenen Inschrift (*N. Velasio Grato vix. ann. XII*) die
Ruhestätte des zwölfjährigen N. Velasius Gratus. Dies Grab ist wohl
das älteste dieser Gruppe, erweislich älter als die der Arrier und das gleich
zu erwähnende des Labeo, und kann nach dem Schriftcharakter sehr wohl
in republikanische Zeit gehören; das erwähnte Stuccorelief geht auf eine
spätere Ausputzung zurück. Namenlose Hermencippen stehn in nicht unbeträchtlicher Anzahl in der Nähe. Auf ein äußerst kleines und inschriftloses, nichts desto weniger in Form eines Tempelchens mit einem Cippus
gearbeitetes Grab, 4 auf dem Plane, links auf der folgenden Abbildung *a*, folgt
das von seinem Freigelassenen Menomachus errichtete Monument des
Rechtsduumvirn und Quinquennalen L. Ceius Labeo, 5 auf dem
Plane, welches zu den am wenigsten geschmackvollen von Pompeji gehört.
Dasselbe ist in *opus incertum* erbaut und mit Stucco überkleidet; es bildet
zuerst eine glatte Basis, welche nach vorn die heute ganz unkenntliche Copie
der im Museum befindlichen Inschrift (*I. R. N.* 2351; *C. I. L.* X, 1037) trägt;
über dieser erhebt sich ein von Pilastern eingefasster Würfel, welcher nach der

Vorderseite *a* zwei ebenfalls nicht mehr erkennbare Porträtreliefe in Festons zu beiden Seiten eines Korbes zeigte, an der Seitenfläche nach der Stadt *b* in

a   *b*

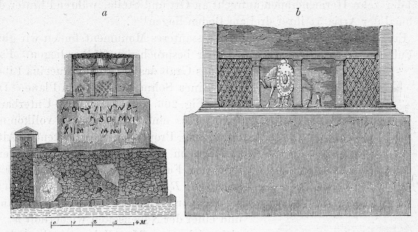

Fig. 205. Grab des L. Ceius Labeo.

der Mitte zwei jetzt gänzlich zerstörte Reliefdarstellungen, deren erstere einen Gerüsteten neben einem Pferde zum Gegenstand hatte, während die andere, schon bei der Ausgrabung gänzlich zerstört, nur die Beine eines wie es scheint gleichfalls Gerüsteten erkennen lässt. Zu beiden Seiten sind die Felder mit gitterförmiger Stuccatur sehr dürftig ausgefüllt. Dieser reliefgeschmückte Würfel diente als Basis mittelmäßiger Statuen, welche aus Tuff gearbeitet und mit feiner Tünche überzogen einen Mann in der Toga und eine reichlich bekleidete Frau, wahrscheinlich Ceius Labeos Gemahlin, darstellen, was wir um so bestimmter annehmen dürfen, da auch die fragmentirte Inschrift der Frau (*I. R. N.* 2352; *C. I. L.* X, 1038) im Museo Nazionale aufbewahrt wird. Die Statuen waren von dem theilweise zerstörten Basenwürfel herabgestürzt und sind im Museum; doch stehn vier nicht bessere Statuen ohne Kopf, deren Herkunft nicht nachgewiesen werden kann, jetzt an den Unterbau dieses Grabmals und des dahinter befindlichen 5 *b* angelehnt. Das Grab des Labeo ist erweislich älter als das gleich zu erwähnende 5 *b*, welches in der Bauart dem der Arria auffallend gleicht und ihm daher wohl gleichzeitig ist, jünger dagegen als das des Velasius Gratus: wir werden es also in die erste Zeit des Augustus setzen dürfen. Hinter demselben liegen noch zwei sehr zerstörte Monumente 5 *a*, *b* und *c* auf dem Plane. Das erste, 5 *a* ist eine 1,25 M. hohe Umfassungsmauer, nach hinten und der rechten Seite von achtzehn schmalen gewölbten Öffnungen durchbrochen, wie sie uns an der Umfassungsmauer des Grabes der Mamia begegneten. Zugänglich war der so eingefriedigte Platz nur durch eine 0,90 M. weite Öffnung, die aber auf den 2,20 M. hohen Abhang nach der Stadtseite geht und von außen nur durch Ansetzen einer Leiter oder Holztreppe erreicht werden konnte. An die entgegengesetzte Seite grenzt das Monument 5 *b*, welches dem Grabe der Arria, 5 *a*, sehr ähnlich ist: ein viereckiger Unterbau von *opus incertum*, mit einer halb unter das Niveau des Bodens vertieften Grabkammer im Innern. Über ihm erhebt sich ein kleinerer

Oberbau gleicher Construction mit Stucco überkleidet und etwa 1,30 M. hoch erhalten, mit einer zweiten Kammer. Hinter diesem Monumente stehn neben einander zehn Hermencippen aufrecht an Ort und Stelle, während hinter dem Grabmal der Arria 5 c ihrer drei am Boden liegen[186].

Ein ungleich schöneres und interessanteres Monument finden wir gleich am Fuß der Anhöhe, auf der die bisher besprochenen Gräber liegen. Es ist

Fig. 206.
Das Grabmal der beiden Libella.

dies das Grab des M. Alleius Luccius Libella und seines Sohnes, 6 auf dem Plane. Dasselbe (Fig. 206) erhebt sich ohne Unterbau in Form eines einfachen, aber in vollkommen tadellosen Proportionen gehaltenen Altars von feinem und hartem weißen Travertin über den Fußweg der Straße. Aus der Inschrift (*I. R. N.* 2350; *C. I. L.* X, 1036), welche ganz gleichlautend auf der Haupt- und einer der Nebenseiten wiederholt ist, ergiebt sich, dass M. Alleius Luccius Libella der Vater Aedil und fünfjähriger Duumvir (hier *duumvir praefectus quinquennalis* genannt) [187], sein Sohn, obwohl bereits im 17. Jahre verstorben, Decurio von Pompeji war, unddass die Gemahlin des Libella, Alleia Decimilla, die ihrem Gemahl und ihrem Sohne dies Monument hat aufrichten lassen, öffentliche Priesterin der Ceres war, deren Tempel bisher in Pompeji noch nicht hat nachgewiesen werden können. In jeder Weise haben wir es also hier mit einer vornehmen und angesehenen Familie zu thun, von deren Geschmack und Bildung das einfach schöne Monument eben so deutlich Zeugniss ablegt, wie von ihrem Ansehn zwei in der Inschrift erwähnte Umstände. Erstens, dass der junge Libella so früh schon Decurio geworden war, was um so mehr bedeuten will, da wir Ciceros Antwort auf die Bitte um Unterstützung bei der Bewerbung um eine Decurionenstelle in Pompeji kennen: es sei leichter in Rom Senator als in Pompeji Decurio zu werden. Als ein ferneres Zeugniss von dem Ansehn der Familie muss es uns gelten, dass nach der Inschrift der Platz für das Monument diesen verdienten Bürgern von der Stadt geschenkt wurde (*locus monumenti publice datus*). Ein Zugang zu einer Grabkammer ist auch hier nicht vorhanden.

Hinter diesem Grabmal befindet sich ein ummauerter viereckiger Raum, von dessen kleinen pyramidal auslaufenden Eckthürmchen jetzt keines mehr erhalten ist, 7 auf dem Plane. Man hat denselben als Umfassung von Gräbern ärmerer Bürger oder Einwohner, wie sich eine ähnliche Einfassung auf der andern Seite der Gräberstraße findet, angesprochen, ohne doch jemals nur die leiseste Spur von Gräbern darinnen zu finden. Andere haben in diesen vier kahlen Mauern ein Ustrinum erkennen wollen, was auch aus verschiedenen Gründen nicht angeht; denn erstens würde ein solches doch wohl einen Zugang haben, zweitens durfte ein Ustrinum nicht in geringerer Entfernung

als 500 Schritt von der Stadt angelegt werden. Wahrscheinlich sollte hier ein
stattliches Denkmal errichtet werden; nachher aber fehlten die Mittel, und
man gab den bis zu einer gewissen Höhe gediehenen Mauern durch jene Eckthürmchen eine Art Abschluss. Jedenfalls ist das vor diesen beiden liegende
Grabmal 8 unvollendet, oder
richtiger eben erst begonnen; es
besteht aus zwei Lagen großer,
roh behauener weißer Kalksteine
auf einer breiten Unterlage.

Ehe wir uns auf die an interessanten Monumenten ungleich reichere rechte Seite hin-
überbegeben, betrachten wir
noch das mitten auf der Kreu-
zung der beiden Straßen belegene
Grabmal, 9 auf dem Plane. Die
äußere Form dieses aus kleinen
Tuffsteinen meist in *opus reti-*

Fig. 207. Das Grab mit der Marmorthür.

culatum regelmäßig erbauten Grabes (Fig. 207), welches, da es namenlos ist,
nach seiner bemerkenswerthen Thür den Namen des Grabes mit der Marmorthür (*della porta di marmo*) erhalten hat, ist einfach,
aber sein Detail mannichfaltig genug, um unsere Aufmerksamkeit auf einige Zeit zu fesseln. Wir finden nämlich
hier eine weit vollständiger als im Grabe der Mamia erhaltene Grabkammer, welche leider heutzutage unzugänglich
ist, so dass wir für die folgenden Einzelheiten auf frühere
Berichte angewiesen sind. Die Marmorthür, welche die
Grabkammer verschließt (Fig. 208), dreht sich, wie die
Zeichnung deutlich erkennen lässt, auf starken bronzenen,
in die Ober- und Unterschwelle und zwar in Kapseln von
gleichem Metall eingelassenen Zapfen, wurde durch das

Fig. 208.
Marmorthür.

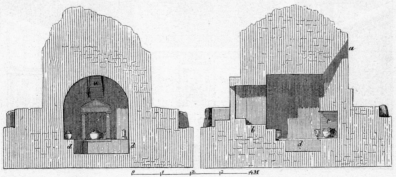

Fig. 209. Grabkammer des Grabes mit der Marmorthür.
Quer-   und   Längendurchschnitt.

Anziehn einer bronzenen Handhabe geöffnet und durch das Vorschieben eines
in Spuren erhaltenen Riegels und eines mit dem Schlüssel zu öffnenden

Schlosses geschlossen. Das Innere bildet eine durch ein kleines Fenster *a*
(Fig. 209) von oben her beleuchtete und mit einem Tonnengewölbe gedeckte
Kammer, in welche man über zwei Stufen *b* hinabsteigt, und welche im Hintergrunde eine giebelgekrönte Nische *c* für den ersten oder hauptsächlichen
Aschenbehälter, den des Stifters, enthält, wie aus der Abbildung ersichtlich.
Das in dieser Nische stehende größere Gefäß von Alabaster enthielt wirklich verbrannte Knochen. Um die ganze Grabkammer läuft eine Steinbank *d*, welche
andere Aschengefäße von Glas, von Marmor und von Thon, und außerdem
mehre bronzene Lampen trug, mit denen wahrscheinlich an den Feralien,
dem römischen Allerseelenfeste, das Grab beleuchtet wurde. Es ist nicht
glaublich, dass das *opus reticulatum* hier sichtbar bleiben sollte; ohne Zweifel
sollte das Grab eine Quaderbekleidung, wahrscheinlich aus Travertin, erhalten,
zu der wohl die rechts und hinten an den Kern angesetzten, aber weder genau
an einander gepassten noch behauenen Blöcke dienen sollten. Vielleicht gingen
auch hier den Erben die Mittel aus, um den Bau in der beabsichtigten Großartigkeit durchzuführen; denn das Mauerwerk trägt nicht den Stempel der
letzten Periode. In dem viereckig ummauerten Platze 10 hat man das zu dem
eben besprochenen Grabe gehörende Ustrinum erkennen wollen, doch steht
dem die Gesetzesbestimmung entgegen, dass ein Ustrinum mindestens 500
Schritt von der Stadt entfernt sein musste (vgl. Anm. 183). Es wird wohl auch
dieses ein angefangenes Grab sein.

　　Wir wenden uns jetzt zurück auf die andere Seite der Straße, zu dem
jüngsten Theil der Gräberstraße, welcher mehr und besser erhaltene Monumente darbietet. Gleich das erste derselben, 11 auf dem Plane, ist von beträchtlichem Interesse. Es ist ein durch eine giebelgekrönte Thür über drei

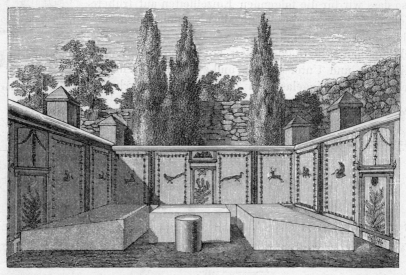

Fig. 210. *Triclinium funebre.*

Stufen betretbares, rings ummauertes, aber unbedecktes Triclinium für
die Leichenmahle, welche den Schluss der Bestattung bildeten, erbaut

dem Cn. Vibrius Saturninus aus der falernischen Tribus von seinem Freigelassenen Callistus, wie die in den Giebel eingemauerte Inschrift *I. R. N.* 2349;
C. I. L. 1033 (Copie der alten) aussagt. Die vorstehende Innenansicht zeigt
dies jetzt viel mehr zerstörte Monument so, wie man es bei der Ausgrabung
fand, eigentlich restaurirt ist aber außer der Decoration nichts als die kleine
runde, jetzt theilweise zerstörte Basis eines Opferaltars. Die Wände waren
einfach aber graciös bemalt, doch ist von der Malerei jetzt so gut wie nichts
mehr vorhanden; die Bänke für die Theilnehmer am Mahle sowohl als der
Tisch in ihrer Mitte bestehn, wie in manchem Triclinium in Privathäusern
oder deren Gärten (z. B. im Hause des Sallust, s. S. 305), aus stuccoüber-
zogenem Mauerwerk, ebenso das kleine runde Piedestal, in welchem ein
Opferaltar für die Libationen während des Mahles schwer zu verkennen ist.
Hinter der Mauer des Tricliniums zieht sich die gemeinsame aus Tuffsteinen
in *opus incertum* erbaute und bis an das Peristyl der Villa des Cicero fort-
geführte Einfassung der Gräberstraße hin. Dies einfache Monument ist nebst
einem noch zu erwähnenden (13) das älteste dieser ganzen Reihe.

An dies Triclinium, in welchem, wie bereits in der Einleitung angegeben,
mehre Gerippe gefunden worden sein sollen, die wohl in das Gebiet der Fabel
gehören, grenzt eines der bedeutendsten Grabmäler Pompejis, das der Naevoleia Tyche. Das Motiv desselben weicht von denen der bisher betrachteten
Gräber gänzlich ab, wird uns aber auf dieser Seite der Straße noch öfter begegnen. Aus seinem Grundriss, 12 auf dem Plane, sowie aus der Ansicht Fig. 211
links erkennt man, dass dasselbe aus einer Umfassungsmauer (vorn aus Tuffquadern, im übrigen *opus incertum*) mit einer Thür nach der Straße besteht, inner-

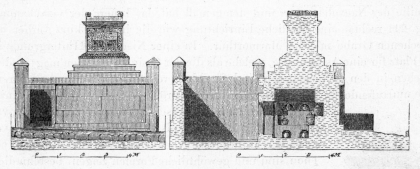

Fig. 211.   Grab der Naevoleia Tyche.
Ansicht   und   Durchschnitt.

halb welcher Umfassungsmauer sich eine Grabkammer (aus Tuffquadern) erhebt,
die oben durch ein Monument in Altarform geschlossen wird. An der Vorderseite des Altars ist unter dem Reliefporträt der Gründerin und über einem ein
Todtenopfer darstellenden Relief in eleganter und reicher Arabeskenumrah-
mung die Inschrift (*I. R. N.* 2346; *C. I. L.* X, 1030) angebracht, welche in
erster Linie unsere Aufmerksamkeit erheischt. Sie lehrt uns Folgendes: Naevoleia Tyche, die Freigelassene eines Lucius Naevoleius, hat dies Grabmal
sich und dem Augustalen und Paganen (s. S. 13) L. Munatius Faustus, sowie

ihren und seinen freigelassenen Sclaven und Sclavinnen bei Lebzeiten errichtet.
Dem Munatius Faustus aber haben die Decurionen unter Zustimmung des

Fig. 212. Inschrift und Relief am Grabe der Naevoleia Tyche.

Volkes wegen seiner Verdienste die Ehre des Bisellium zuerkannt (s. Figg. 212
und 214).

Man sieht also zunächst, dass das Grabmal das gemeinsame der ganzen
Familie der Naevoleia war, und demgemäß hat das Innere der Grabkammer
(Fig. 211 rechts) eine ähnliche Einrichtung wie die in dem kurz vorher besprochenen Grabe mit der Marmorthür. In einer Nische im Hintergrunde ist
der Platz für eine Aschenurne, welche als die der Gründerin gelten mag; andere
Nischen in den Seitenwänden sind für kleinere Gefäße bestimmt, während
eine umlaufende Steinbank deren mehre von größeren Dimensionen und einige
Lampen trug. Von den Aschengefäßen sind nur drei, von
denen in Fig. 213 eines als Probe mitgetheilt wird, von
speciellerem Interesse; denn während die übrigen von
Thon sind und gewöhnliche Formen zeigen, bestehn diese
drei aus Glas, welches in einer bleiernen, ungefähr gleich
gestalteten Kapsel steht: die gewöhnliche Art, Glasgefäße
in Gräbern gegen etwaige äußere Verletzungen zu schützen.
Obgleich nun diese Gefäße keineswegs zu den besseren
Arbeiten in Glas gehören, von denen uns ein Meisterstück
oben begegnete, so sind sie doch wegen ihres vollkommen
erhaltenen Inhalts merkwürdig genug. Sie enthalten oder

Fig. 213. Aschenurne.

enthielten, so wird nämlich von Früheren überliefert, die verbrannten Knochen,
schwimmend in einer aus Wasser, Wein und Öl gemengten Flüssigkeit, welche
als bei ihrer Auffindung halbdick, aber durchsichtig, in einem Fälle röthlich,
in den anderen gelblich geschildert wird.

Das in der Inschrift erwähnte Bisellium des L. Munatius Faustus ist zum Andenken seiner Ehrenauszeichnung, über deren Bedeutung bei der Besprechung der Theater das Nöthige gesagt ist, auf der einen Seite des Altars in Relief dargestellt, während die andere Seite ein Schiff darstellt, an dem die Segel gerefft werden. Über das Bisellium wäre höchstens das Eine zu bemer-

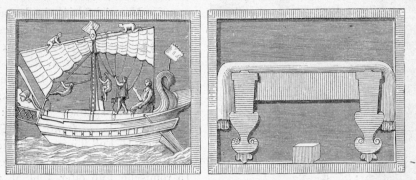

Fig. 214. Relief vom Grabe der Naevoleia Tyche.

ken, dass der in der Mitte vor demselben stehende Schemel die Bedeutung dieser Doppelsitze für eine Person recht augenscheinlich macht. Das Schiff dagegen ist verschieden gedeutet worden. Nicht wenige Schriftsteller über Pompeji sehn in demselben eine allegorische Hinweisung auf den Tod als das Einlaufen in den Hafen nach den Stürmen des Lebens, indem sie sich auf eine Stelle Ciceros (*de senect.* 19, 71) berufen, in welcher der Blick auf das Grab mit dem Blicke des Reisenden verglichen wird, der nach langer Fahrt sich dem Gestade und Hafen nähert. Vermuthlich aber ist nach Analogie anderer Grabsteine in diesem Schiffe nichts zu erkennen als ein Denkmal des Geschäftes, welches einer der hier Begrabenen trieb. Entweder Faustus oder Tyche (letzteres ist vielleicht wahrscheinlicher) trieb Handel und hatte ein eigenes Schiff zur See. Zugleich aber werden wir in der am Steuer sitzenden weiblichen Figur die Fortuna (griechisch Tyche), und somit eine Hindeutung auf den Namen der Erbauerin des Grabes zu erkennen haben.

Das Relief endlich unter der Inschrift und dem ansehnlichen Porträt der Naevoleia zeigt uns das Todtenopfer, zu welchem die Sclaven und Sclavinnen oder die Freigelassenen der Naevoleia Opferspenden herzutragen. Dies Grab ist neben dem gleich zu erwähnenden des Calventius Quietus das am reichsten ornamentirte, und muthmaßlich sind diese beiden auch die jüngsten der ganzen Reihe.

Hart neben diesem Grabe der Naevoleia und der Ihrigen liegt das Grab eines Freigelassenen, des Paganen N. Istacidius Helenus, und seiner Familie (Fig. 215). Dies sehr einfache Monument, neben dem Triclinium das älteste dieser Reihe, besteht wie der Grundriss 13 auf dem Plane verglichen mit der nachstehenden Ansicht lehrt, aus einer Ummauerung, innerhalb deren mehre Hermencippen mit den Inschriften (*I. R. N.* 2344. 2345; *C. I. L.* X, 1028. 1029) aufgerichtet sind. Einer derselben ist in seinem obern runden Theil

nach hinten als ein menschlicher Kopf mit Haarflechten behandelt, wovon wir
weiterhin noch ein Beispiel finden werden. Vor dem einen Cippus ist eine

Vase in den Boden eingelassen, um
die Spenden aufzunehmen. Das Grab
bietet in seiner Einfachheit kein besonderes Interesse, wenn nicht das,
uns die Mannichfaltigkeit der alten
Grabstätten zu zeigen. Eine Besonderheit bietet die Inschrift an der
Frontmauer der Straße (*I. R. N.* 2343;
C. I. L. X, 1027), in so fern sie die
Maße des von dieser Familie gekauften Begräbnissplatzes enthält: *in
agro pedes XV, in fronte pedes XV*,
d. h. von 15 Fuß Tiefe und gleicher
Breite. In der That ist derselbe genau
15 römische Fuß oder 4,44 M. tief,
während die Breite nur 4,34 M. beträgt.

Fig. 215. Grab der Familie Istacidia.

Das folgende Grabmal, No. 14
auf dem Plane, hat wiederum ein
größeres eigenes Interesse und muss
zu den zierlichsten Monumenten seiner Gattung gezählt werden, obgleich es
von Einigen überschätzt wird. Wahr ist es, dass ein reinerer Geschmack in
diesem Denkmal herrscht, als in manchen anderen, auch dem der Naevoleia

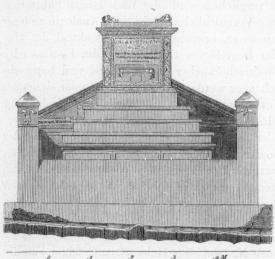

Tyche, dem es durch die
ganze Anordnung und den
Reichthum der Ornamente
am nächsten steht; aber den
Adel der Einfachheit und
die Reinheit der Verhältnisse
des Grabaltars der Libella
erreicht dies dem Augu-
stalen C. Calventius
Quietus [188] gesetzte Monument nicht. Dasselbe besteht, wie die (restaurirte)
Abbildung (Fig. 216) zeigt,
innerhalb einer nach der
Straße zu niedrigen, nach
hinten erhöhten und giebelartig abgeschlossenen, von
kleinen Pfeilern mit Relief

Fig. 216. Grabaltar des C. Calventius Quietus.

flankirten Ummauerung aus einem Altar auf drei Stufen und einem viereckigen
Unterbau (aus Ziegeln und ziegelfömig behauenen Steinen). Die Hauptfaçade
des Altars nach der Straße zu trägt die Inschrift (*I. R. N.* 2342; *C. I. L.* X,

1026), aus der wir den erwähnten Namen und Stand des Calventius Quietus, sowie ferner erfahren, dass ihm die Decurionen unter Zustimmung des Volkes wegen seiner Munificenz das Bisellium zuerkannt haben. Dies ist denn unterhalb der Inschrift in Relief gebildet, fast ganz so wie das Bisellium des Munatius Faustus am Grabe der Naevoleia und wie dieses mit dem Schemel vor der Mitte des Doppelsitzes. An den beiden Nebenseiten des Altars sind Eichenkränze mit Bändern, das sind bürgerliche Kronen (*coronae civicae*), gebildet, welche für verschiedene Verdienste, namentlich aber für Lebensrettung von Bürgern ertheilt wurden, weshalb vielfach bei ähnlichen Reliefen im Kranze steht *O. C. S. = ob civem servatum* oder *ob cives servatos*. Welcher Art Calventius' Verdienste waren, und worin seine Munificenz sich offenbarte, wissen wir nicht, obgleich es nahe liegt, in Bezug auf letztere an den Neubau der Stadt nach dem Erdbeben zu denken, bei dem der Bürgersinn mancher reichen Pompejaner sich, wie wir gesehn haben, so glänzend kundgab, und bei dem eben hierfür diesen Bürgern mehr als eine Ehrenauszeichnung zu Theil wurde. Der hintere Giebel der Umfassungsmauer enthält, jetzt am besten von dem Nachbargrabe aus sichtbar, eine von in Stuck gearbeiteten, schwebenden Flügelfiguren, wohl Victorien, getragene und unten von Löwenklauen gestützte Gedenktafel, auf der jedoch die Inschrift fehlt. Die kleinen Thürmchen oder Pfeiler der Umfassungsmauer waren mit Stuccoreliefen geziert, welche jetzt fast gänzlich abgefallen und nur noch in ihren eingerissenen Umrisslinien halbwegs erkennbar sind.

Die Gegenstände der interessantesten dieser Reliefe, welche nach früheren, freilich ungenügenden Abbildungen in den Figg. 217 und 218 mitgetheilt werden, sind: Oedipus vor der Sphinx in dem Augenblick, wo er, dem Sinne des berühmten Räthsels nachdenkend, den Finger an die Stirn legt, während am Fuße des Felsens, auf dem die Sphinx hockt, die Leichen der von ihr getödteten thebanischen Jünglinge liegen. Sodann wahrscheinlich Theseus im Labyrinth nach Besiegung des Minotauros (s. Fig. 217).

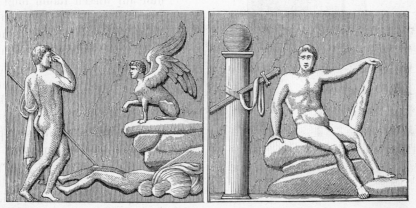

Fig. 217. Reliefe vom Grabe des Calventius.

Das dritte Relief Fig. 218 ist, in so fern es richtig verstanden und erklärt worden, von besonderer Bedeutung, indem es uns eine Sitte der Todtenbestattung vergegenwärtigt. Der Scheiterhaufen, auf welchem die Leiche lag, war von dem nächsten Angehörigen zu entzünden, und dies geschah, um den begreiflicher Weise unsäglich schmerzlichen Eindruck zu vermeiden, welchen der Anblick des geliebten Todten in dem Augenblick hervorrufen musste, wo er der Zerstörung auf immer anheimfallen sollte, hinterrücks mit abgewandtem Gesichte. Es scheint nun, dass die Figur unseres Reliefs, welche als eines der officiellen Klageweiber zu erklären sehr oberflächlich ist, eine Frau oder Tochter in dem Augenblick darstellt, wo sie die Fackel an den Holzstoß legt.

Fig. 218. Relief ebendaher.

Dies Grabmal wird gewöhnlich als Kenotaph bezeichnet, weil ein Zugang zu einer Grabkammer nicht vorhanden ist. In der That ist dies auffallend, weil es offenbar, wie die ähnlichen Gräber zeigen, in dieser spätern Periode üblich war, die Grabkammer zugänglich zu lassen; doch dürfen wir die Möglichkeit nicht leugnen, dass man hier einmal zu der ältern Weise zurückgekehrt ist, vielleicht weil der Verstorbene keine Angehörigen hatte, die mit ihm in demselben Grabe beigesetzt werden sollten.

An dieses Grab grenzt ein mit einer, wie man annimmt provisorischen Mauer umzogener Raum, 15 auf dem Plane, in welchem erst später Monumente oder Gräber angelegt werden sollten, in dem aber wenigstens ein Hermencippus steht; und auf diesen Raum folgt ein von den bisher betrachteten in einer Beziehung abweichendes, aber inschriftloses Familienbegräbniss, 16 auf dem Plane. Dasselbe besteht innerhalb einer mit kleinen reliefgeschmückten Thürmen versehenen Mauer aus einem runden und stumpfen Thurm, zu dessen von der Straße abgewendetem, jetzt vermauertem Eingang man auf einer in Fig. 219 durch die Thür sichtbaren steinernen Treppe emporsteigt. Der runde Thurm

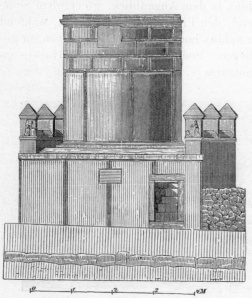

Fig. 219. Rundes Grabmal.

auf viereckiger Basis ist von außen mit Stucco bekleidet, und enthält, abermals nach früheren Berichten über das jetzt unzugängliche und wohl gänzlich ausgeräumte Monument, die mit kleinen, aber zierlichen Gemälden (Arabesken) verzierte und 2 M. weite Grabkammer mit drei Nischen, welche Lampen und die in den Boden ganz eingemauerten Urnen einschließen. In einer derselben fand man noch die verbrannten Knochen. Am merkwürdigsten ist die geschweifte Wölbung der Decke, deren Profilirung in antiken Monumenten ohne ein zweites Beispiel sein dürfte, wohl aber in der türkischen Architektur wiederkehrt. Der flache Boden dieser Decke soll mit einem ziemlich roh gemalten Gesichte (etwa einem Gorgoneion?) verziert sein oder gewesen sein; für eleganter gelten die übrigen einfachen Malereien, deren Charakter sich einigermaßen aus der Zeichnung in Fig. 220

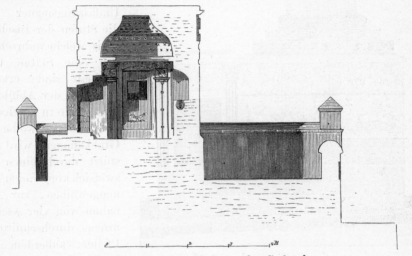
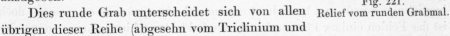

Fig. 220. Grabkammer des runden Grabmals.

erkennen lässt. Die Thürmchen auch dieser Umfassungsmauer, in welche in der Mitte der Frontseite eine unbeschriebene Tafel eingelassen ist, sind, wie erwähnt, nach der Seite der Straße hin mit Reliefen in Stucco verziert. Diese Reliefe, von denen eines einen schwebenden Genius, das zweite eine Opfercaeremonie darstellt, bieten weder ihrem Gegenstande noch ihrer Ausführung nach ein besonderes Interesse; nur ein drittes ist von größerer Bedeutung. Es stellt eine Frau dar, welche eine Taenie (Binde) auf das Geripppe eines auf Steintrümmern liegenden Kindes zu breiten im Begriffe ist (s. Fig. 221). Warum und mit welchem Rechte man freilich dieseDarstellung vielfach auf eine Scene des Erdbebens vom Jahre 63 bezogen hat, ist schwer anzugeben.

Fig. 221.
Relief vom runden Grabmal.

Dies runde Grab unterscheidet sich von allen übrigen dieser Reihe (abgesehn vom Triclinium und dem Grabe der Istacidier) durch größere Einfachheit und durch die Bekleidung mit Stucco anstatt mit Marmor. Schon dies lässt auf höheres Alter schließen.

27*

In der That kann deutlich festgestellt werden, dass es älter ist, als das anstoßende, jetzt gleich zu besprechende, welches, wie wir sehen werden, der
Zeit des Claudius angehört.

Es ist dies, 17 auf dem Plan, das Grab des Scaurus[189]). Das Haupt-
interesse dieses 1812 aufgefundenen Grabmals, von dessen keineswegs schöner
Form Fig. 222 eine Gesammtansicht bietet, besteht in den Gladiatorenreliefen,
welche bei Besprechung
des Amphitheaters hin-
reichend genau betrach-
tet worden sind. Die Art,
wie diese Reliefe auf die
Umfassungsmauer und
die Stufen der Inschrift-
basis, welche wahrschein-
lich eine Statue trug,
vertheilt sind, erkennt
man aus der Abbildung
ohne weitern Nachweis.
Das Tonnengewölbe der
Grabkammer wird ge-
stützt durch einen von
zwei sich kreuzenden Ton-
nengewölben, zur Auf-
nahme von vier Aschen-
urnen, durchschnittenen
Pfeiler; außerdem sind
in den Wänden vierzehn
Nischen (*loculi*) für weitere Urnen angebracht. —

Fig. 222.   Grab mit den Gladiatorenreliefen.

Wir ersahen oben (S. 192) aus den Reliefen, dass dies Grab in die Zeit des
Claudius oder die erste Zeit des Nero (41—59 n. Chr.) fällt. Von den späteren,
mit denen es im Grundmotive übereinstimmt, unterscheidet es sich durch die
Armuth an Ornamenten, indem der oberste Würfel an drei Seiten nur mit Stuck,
an der Vorderseite mit der ganz einfachen Inschrifttafel bekleidet ist.

Ein wenig weiterhin liegt ein Grab, 19 auf dem Plan, welches denjenigen des Calventius Quietus und der Naevoleia Tyche am meisten gleicht,
indem es aus einem altarförmigen Monumente besteht, welches sich über
zwei Stufen auf einem viereckigen Unterbau von glattbehauenen Tuffquadern
erhebt. Von den genannten Monumenten unterscheidet es sich durch etwas
einfachere Ornamentirung, indem Ablauf und Carnies ohne Ornamente und
einfach glatt sind. Auf seiner Hinterseite hat es einen jetzt vermauerten Eingang. Man sagt, dies Grabmal sei bei der Verschüttung erst im Aufbau
begriffen gewesen, und bezeichnet es demnach als *sepolcro in costruzione;* doch
ist das Fehlen einiger Platten der Marmorbekleidung hierfür kein genügender
Beweis und kann sehr wohl auf andere Ursachen zurückgehen; mit mehr
Recht kann auf Grund der erwähnten einfachern Ornamentirung ver-

muthet werden, dass dies Grab zeitlich dem der Naevoleia Tyche und des Munatius Faustus vorausliegt. Neben diesem Grabe steht ein im Plane mit 18 bezeichneter Hermencippus von Marmor, an welchem man die wunderliche Form dieser Pompejii eigenthümlichen Monumente aus der umstehenden Abbildung recht genau kennen lernen kann. Die Hinterseite (rechts) zeigt deutlich, dass mit dem obern runden Theil ein menschlicher Hals und Kopf gemeint ist, der hier wie in anderen Beispielen wie Haare mit auf den Schultern herabfallenden Flechten gearbeitet ist, während das Gesicht (s. die Vorderseite links) entweder wie in diesem Falle ganz fehlt oder durch die Inschrift ersetzt wird, die sich hier auf dem untern Theile findet, deren Erläuterung sich aber nicht füglich in der Kürze geben lässt [190]). Nach dem Grabe No. 19 wird die Folge der Gräber unterbrochen, indem die s. g. Villa des Cicero, und die zu ihr gehörigen, früher (S. 38) erwähnten Läden unmittelbar an die Straße herantreten; der Eingang der Villa ist auf dem Plane mit *V. C.*, ein neben ihm liegendes Wasserbehältniss mit *P* bezeichnet. Den ummauerten dreieckigen Raum 20, dessen Mauer wie diejenige des Grabmals 5 *a* und desjenigen der Mamia Fig. 200 von einer Reihe kleiner neben einander stehender Bogenöffnungen durchbrochen ist, hat man

Fig. 223. Ein Hermencippus.

ohne genügenden Grund für den oskischen Begräbnissplatz oder für ein Ustrinum gehalten; in Wahrheit gehörte er wohl zur Villa. Die jenseits der letzteren folgenden Gräber sind schon oben besprochen worden.

Fünf Formen von Grabmonumenten sind es (abgesehn von den oskischen Gräbern), die wir auf unsrer Wanderung durch die Gräberstraße kennen gelernt haben. 1. Ummauerungen, in denen man die Asche mehrer Todten begrub und die Plätze der einzelnen durch Hermencippen bezeichnete. 2. Grabnischen über dem gleichfalls unterirdischen Grabe; in einer derselben fanden wir einen Cippus, das Bild des Todten und einen Altar. 3. Große, mit Tuffquadern bekleidete Monumente in Altarform (das besterhaltene 27), wahrscheinlich mit einer Grabkammer im Innern, welche nach der Beisetzung geschlossen wurde. Dieser Classe schließt sich auch das Grab der Libella an, nur in eleganterer Form und feinerem Material. 4. Monumente in Tempelform, in einem Falle mit Tuffquadern bekleidet (Guirlandengrab), sonst aus Incertum mit Stuckverkleidung; auch hier ist die Grabkammer mit Ausnahme eines Falles (Mamia) vermauert; ob das Grab mit der Marmorthür dieser oder der folgenden Classe angehören sollte, können wir nicht entscheiden. 5. Gräber wie das der Naevoleia Tyche: ein großer, die mit Ausnahme eines Falles (Quietus) zugängliche Grabkammer enthaltender Unterbau, trägt das viel kleinere als Altar oder als einfacher Würfel (Scaurus) gestaltete, mit der Inschrift versehene Monument. — Von diesen fünf Classen gehört die fünfte der letzten Zeit Pompejis, seit Claudius, an. Die dritte und vierte

können wir seit den ersten Zeiten der römischen Colonie, die zweite wahrscheinlich seit Ende der Republik, die erste seit der frühern Kaiserzeit nachweisen. Doch ist wahrscheinlich, dass die beiden ersten Classen, bei denen
die Pompeji eigenthümlichen Hermencippen zur Verwendung kamen oder
kommen konnten, eine mindestens eben so alte Sitte darstellen, wie die dritte
und vierte. Es ist ferner klar, dass die vierte Classe erst seit Augustus allgemeiner wurde und die dritte verdrängte; mit dem Grabe der Libella (der
Vater Quinquennal 25/26 n. Chr.) griff man auf ein älteres Motiv zurück. —
Wir bemerken noch, dass die ältesten Monumente den Kern aus *opus incertum*
mit Tuffquadern verkleidet haben, welche in einem Falle (Guirlandengrab)
nach Art der vorrömischen Zeit eine dünne, weiße Stuckschicht tragen. In
der ersten Kaiserzeit begann man dann, das *opus incertum* einfach mit Stuck zu
bedecken und in diesem die Ornamente auszuführen; gleichzeitig entstand das
auch in dieser Beziehung vereinzelt dastehende Travertingrab des Libella.
Endlich seit Nero begann die Sitte der Verkleidung mit immer reicher ornamentirten Marmorplatten.

Fünftes Capitel.

Die gegenständliche Hinterlassenschaft des Verkehrs und des Lebens.

Erster Abschnitt.

Mobilien, Geräthe und Gefäße.

Bei der Beschreibung einer Anzahl der bemerkenswerthesten pompejaner
Häuser ist allerdings hier und da auch des in den verschiedenen Zimmern
gefundenen und für ihre Bestimmung bezeichnenden Hausraths im weitesten
Sinne, der gemauerten Bettstellen, der in die Wände vertieften oder an denselben befestigt gewesenen Schränke und Bretter, der Speisesophas, Geldkisten, dann auch der in ihnen gefundenen Candelaber, Kessel, Lampen u. s. w.
gedacht; allein das ist doch mehr gelegentlich geschehn, und zwar aus dem
bedachten Grunde, um einerseits die sich immer wiederholenden Verzeichnisse
wichtiger und unwichtiger Geräthe und Gefäße zu ersparen, welche das Lesen
der Fundberichte bis zur Unleidlichkeit ermüdend machen, und um andererseits die hier in Frage kommenden Gegenstände in einer planmäßig geordneten
Auswahl zu vollständigerer Übersicht bringen zu können, als es bei der Ver-
flechtung in die Darstellung der Häuser in ihrer architektonischen Anordnung
und in ihrer künstlerischen Ausschmückung möglich gewesen wäre. Hier soll
nun versucht werden, von dem ganzen antiken Hausrath aller und jeder Art,
welcher die Häuser in Pompeji erfüllte, eine so vollständige Anschauung zu
geben, wie dies innerhalb gewisser, nothwendig einzuhaltender Grenzen thunlich ist.

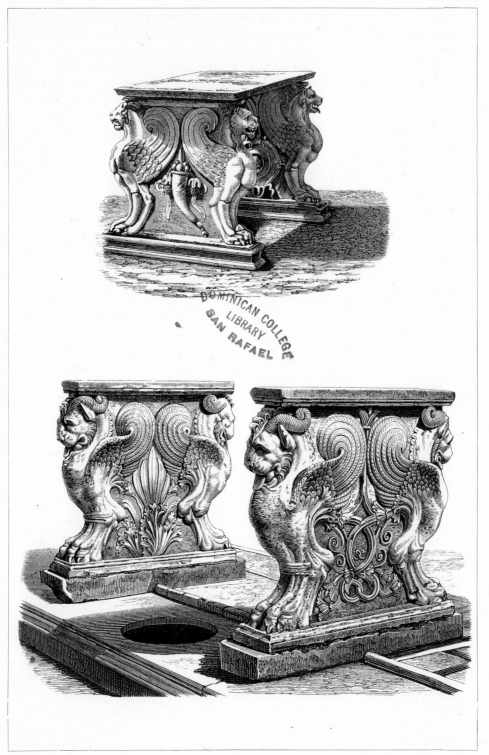

Zwei Marmortische.

Beginnen wir mit dem, was wir »Mobilien« (beweglichen Hausrath) nennen, obgleich deren Manches, wie die gemauerten Bettstellen in Pompeji eben nicht beweglich gewesen ist, so muss vorweg bemerkt werden, dass deren Funde nicht so zahlreich und bedeutend gewesen sind, wie man vielleicht vermuthen mag. Der Grund hiervon ist ein doppelter. Erstens ist natürlich alles aus vergänglichen Stoffen, namentlich alles aus Holz Verfertigte bis auf verhältnissmäßig geringe Reste verkommen und untergegangen, und erst das neueste schonende Verfahren bei der Ausgrabung hat auch von diesen Dingen Manches so weit erhalten, dass es entweder durch neue Nachbildung ersetzt oder in Gyps abgegossen werden konnte. Von ein paar in Gypsabgüssen erhaltenen merkwürdigen Gegenständen werden demnächst die ersten überhaupt gemachten Abbildungen vorgelegt werden. Aber Alles, was man auf diese Weise hat gewinnen können und Alles, was man in der Zukunft noch gewinnen mag, wird gegenüber der Masse des rettungslos verlorenen Holzwerks immer wenig bleiben, und das trifft besonders die Mobilien; denn dass Holz mit verschiedenen Verzierungen aus anderen Stoffen, Elfenbein, Metall und dergleichen auch im Alterthum das Hauptmaterial der Möbelschreinerei gewesen sei, braucht kaum gesagt zu werden. Dazu kommt aber noch ein Anderes. Es ist nämlich eine Thatsache, dass der Hausrath der Alten ungleich einfacher und weniger mannichfaltig war, als der unsere, indem namentlich die vielerlei Schränke und Commoden, die unter wechselnden Namen und Bestimmungen unsere Häuser füllen, als Mobilien fast ganz fehlen, und entweder durch eingetiefte oder angehängte Wandschränke oder durch kofferartige Kasten ersetzt wurden. Mit Tischen, Sitzen, sophaartigen Lagern, Betten und Kasten ist im Grunde das antike Mobiliar erschöpft, wobei freilich innerhalb dieser Klassen Mannichfaltigkeit nicht ausgeschlossen ist, und auch nicht bestritten werden soll, dass dieses und jenes über dieselben hinausgeht, wovon der Schrank mit einer Klappe in dem kastenartig vertieften Boden, welcher, nach antiken Resten genau restaurirt (und deshalb ohne Thür, weil man diese nicht gefunden hat), im Localmuseum der *porta della marina* ein sehr bemerkenswerthes Beispiel darbietet.

Möge die Rundschau in den Mobilien Pompejis von denen der Schlafzimmer ausgehn. In diesen findet man in der Regel nur die Bettstelle, am gewöhnlichsten, wie bereits mehrfach bemerkt, in eine Vertiefung der Wand eingepasst, aber auch in einem Alkoven der Hinter- oder einer Seitenwand, welcher, wie das Beispiel des halbrunden Cubiculum in der Villa des Diomedes uns lehrt, wohl durch eine an einer Stange und Ringen hangende Gardine verschlossen werden konnte. In anderen Fällen mag man ein Geräth, welches wir eine »spanische Wand« nennen würden, wie auch wir das thun, um die Lagerstatt oder das Bett gestellt haben. Ein solches Geräth, wohl eines der in seiner Erhaltung merkwürdigsten ist der Bettschirm, welchen Fig. 224 nach einer Zeichnung des Verfassers darstellt, für welche demgemäß auf alle mögliche Nachsicht gerechnet werden muss. Es kann freilich nicht verbürgt werden, dass dieselbe, deren Gypsabguss im Localmuseum steht, in einem Schlafzimmer aufgefunden worden ist, allein ihr Zweck kann kein anderer gewesen sein, als den wir mit dergleichen Geräthen verbinden. Dies antike

Stück, welches uns die drei Theile des Schirmes *a*, *b* (in der Abbildung unsichtbar, hinter *a*) und *c* zusammengelegt zeigt, besteht aus einem festen, ziemlich schweren Holzrahmen, der auf der halben Höhe durch eine Querleiste

getheilt wird. Da, wo diese Querleiste in den Hauptpfosten eingezapft ist, ist der letztere mit einem bronzenen Knopfe verziert, der jetzt fest auf dem Gyps haftet. In diese feste Umrahmung sind nun feine hölzerne Stäbe senkrecht und wagerecht eingespannt, welche je drei Vierecke in der Breite und ihrer vier in der Höhe jede der beiden Abtheilungen bilden und auf ihren Schneidungspunkten mit Knöpfen aus weißem Knochen verziert sind, die ebenfalls auf dem Gyps haften. Weiter spannen sich noch feinere hölzerne Stäbe querlaufend durch die eben beschriebenen Vierecke, und endlich ist der Grund des Rahmens von hinten her mit starkem, zwilligartigem Zeuge

a   *(b)*   *c*
Fig. 224. Bettschirm.

gefüllt, dessen Gewebe sich auch im Gypsabguss noch erkennen lässt. — Die antiken Bettstellen waren von Holz, mit Bronze oder auch mit Elfenbein und natürlich in sehr verschiedenem Grade einfach oder reich verziert. Ganz aus Metall gearbeitete Bettstellen, wie sie jetzt in Italien üblich sind, scheinen in Pompeji nicht oder nur sehr selten vorgekommen zu sein, wenigstens sind deren keine vorgefunden worden. Dagegen sind einige Fragmente elfenbeinerner Bettgestelle, namentlich gedrechselte Füße, aufgefunden und früher schon erwähnt, so dass man, die leichte Zerstörbarkeit dieses Materials erwägend, auf eine nicht gar zu seltene Verwendung desselben schließen darf. Von dem Kopfende einer hölzernen Bettstelle ist ebenfalls ein Gypsabguss, den die folgende Figur (auch sie nach einer Zeichnung des Verfassers) wenigstens einigermaßen vergegenwärtigen wird, in dem Localmuseum an der *porta della marina* vorhanden.

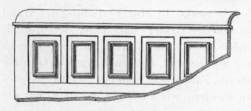

Der halbrund gebogene Ablauf oben und die mit fünf Spiegeln (Pannelen) verzierte Fläche darunter wird wohl Jeden an manches Ähnliche bei uns erinnern. Die Breite dieses Bettkopfes scheint darauf hinzuweisen, dass dasselbe für zwei Personen bestimmt war.

Fig. 225. Kopfende eines hölzernen Bettes.

Bei einem andern Bettkopfe daselbst sind die Ornamente, theils grade Linien, theils blattartige Zierath von Knochen eingelegt und haften auf dem Gypsabguss. Am häufigsten aber findet man die Bettstelle durch Mauerwerk hergestellt, und zwar als eine gewöhnlich etwa 2 M. lange, 1 M. breite und nur 0,50 bis 0,70 M. hohe Stufe, deren vorderer Rand zuweilen etliche Finger breit erhöht ist. Auf diese gemauerte Unterlage

wurden die Matratzen oder Decken und Kissen gebreitet. Dass im Schlafzimmer und in seinem Procoeton, wo ein solches vorhanden war, noch einige
andere Mobilien, Sitze, Waschtische und Kleiderkisten, sowie dergleichen für
Kostbarkeiten, die man in den innersten Gemächern verwahrte, gestanden
haben, ist natürlich anzunehmen, obgleich von denselben nichts vorgefunden
ist, ausgenommen den gemauerten Waschtisch im halbrunden Cubiculum der
Villa des Diomedes (S. 372). An den Wänden sind sehr häufig die Löcher
gefunden worden, in denen Bretter befestigt waren. Die nicht selten in verschiedenen Räumen der Häuser in Resten aufgefundenen großen Kisten
bezeichnet man wohl mit Unrecht durch die Bank als Geldkasten; es mögen
auch ganz andere Dinge, namentlich Kleidungsstücke in ihnen bewahrt
worden sein. Die Scharniere von solchen Kisten und wohl auch anderen
Mobilien, wurden gewöhnlich aus Knochen und zwar aus jenen in unübersehbarer Zahl aufgefundenen Knochenröhren gebildet, welche man früher als
Flötenstücke bezeichnete, und deren wirkliche Bestimmung erst neuerlich
nachgewiesen ist, wie sie denn auch bei einem neu hergestellten Modell eines
kleinen Kastens im Localmuseum an der *porta della marina* in praktische Anwendung gebracht worden sind [191]). Zwei besonders schöne Exemplare erz-
beschlagener Kisten, welche den neueren Ausgrabungen verdankt werden, stehn
im Museum zu Neapel in dem letzten Bronzezimmer, wo auch die beiden gleich
zu erwähnenden Speisesophas aufbewahrt werden. Ihr Schmuckwerk ist so
reich und fein, dass ihre Darstellung in diesem Buch in Holzschnitt oder
Lithographie nicht wohl möglich gewesen ist.

Besser erhalten sind uns die Mobiliargegenstände der Wohn- und Esszim-
mer, welche in Sitzen und Stühlen bestehn. Die antiken Sitze, Stühle und
Sessel sind uns in Malereien in anmuthigster und reichster Mannichfaltigkeit
überliefert, so dass wir eine lange Reihe von Formen in denselben verfolgen
können. Diese beginnen bei dem einfachen lehnelosen Klappstuhl, dessen
Beine in der Regel als Thierbeine gestaltet, dessen Sitz aus einem Stück Leder,
Leinen oder Wollenzeug über Gurten gebildet ist, treten sodann als feste
Sessel mit vier in leichter Säulenform gestalteten Füßen und gradem Sitzbrett
und als eben solche mit ausgerundetem Sitz auf; ihnen folgen Klappstühle
mit schräge zurückliegender Lehne, welche gerundet und oben geschweift dem
Körper die bequemste Stütze bieten musste, die man sich denken kann. Endlich um nur die Hauptformen anzuführen, da das Eingehn auf das Einzelne
in's Endlose führen würde, schließen sich die s. g. Throne (*solia*), die eigentlichen Armstühle mit hoher und grader Lehne, weitem, von Armstützen
begrenztem Sitz an, welche als die Sitze von Göttern und vornehmen Personen
vorkommen. Die Bisellien, über deren Bedeutung bereits gesprochen ist,
mögen der Vollständigkeit wegen noch einmal erwähnt werden. Von dem
ganzen Reichthum dieser Formen ist in Wirklichkeit in Pompeji nur sehr
wenig gefunden; dass Holz begreiflicher Weise grade für Stühle und Sessel
das Hauptmaterial war, hat deren Untergang bedingt. Von gewöhnlichen
lehnelosen Sitzen seien als Beispiele die beiden in Fig. 226 folgenden von
Bronze angeführt, der eine in perspectivischer, der andere in geometrischer
Ansicht von zwei Seiten gezeichnet. Die geschmackvolle Art der einfachen

Verzierung ergiebt sich aus der Abbildung; nur auf die Schweifung des Sitzes möge aufmerksam gemacht werden, welche das Sitzen auf diesen Sesseln selbst

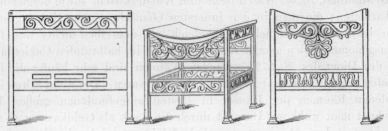

Fig. 226.   Zwei Sessel von Bronze.

ohne Polster bequem macht.   Zwei bronzene Bisellien stellt die Abbildung Fig. 227 dar; auch bei ihnen genügt die Zeichnung, um den Charakter des

Fig. 227.   Zwei Bisellien.

Schmuckwerkes zu erkennen; die in demselben hervortretenden Pferdeköpfe mögen auf ritterlichen Stand deuten.   Die in Herculaneum gefundenen *sellae curules* gehn uns hier nicht an.

Nächst den Sitzen erwähnen wir die Ruhebetten und Sophas (*lecti*), die wir ebenfalls in großer Fülle und in sehr zierlicher Gestalt aus Bildwerken kennen, in Wirklichkeit dagegen in Pompeji nur selten gefunden und in diesen Ausnahmefällen bereits angeführt haben (s. z. B. S. 317).   Den neueren Ausgrabungen werden die schon erwähnten drei prachtvollen *lecti tricliniares* Speisesophas) verdankt, welche als Hauptschaustücke im letzten Bronzezimmer des neapeler Museums stehn und von denen Fig. 228 das eine, wie es nach seiner Restauration dasteht, nach photographischer Aufnahme wiedergiebt.   Das ganze Gestell und das Kopfende ist von Holz, welches, natürlich verkohlt, in einem so vorzüglichen Zustande der Erhaltung aufgefunden worden ist, dass man es ganz nach dem antiken Muster hat wiederherstellen können.   Es war beschlagen mit feingetriebener Bronze (nur die Halbfiguren am Kopfende sind gegossen) und diese mit silbernen Verzierungen ausgelegt.   Von solchen zierlichen Ruhebetten und Speisesophas sind außer den Fragmenten bronzener, mit Silber eingelegter Bekleidung auch solche mit elfenbeinernen

Füßen gefunden worden. Sie waren entweder beweglich oder mit den Füßen in den Boden eingelassen und so befestigt, und wurden beim Gebrauche über einer Gurtenspannung mit beweglichen, zum Theil matratzenartigen, zum

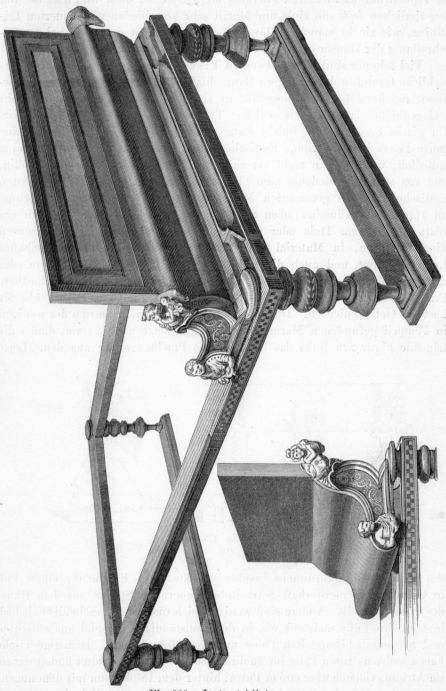

Fig. 228. *Lectus tricliniaris.*

Theil pfühlartigen Polstern, auf welche man den linken Arm stützte, belegt.
Als einfache Form der Ruhebetten können wir die lehnelosen Bänke betrachten,
die wir gemauert in einigen Häusern im Atrium, oder den Alae, von Bronze
im Tepidarium der kleineren Thermen fanden. Über diese und über die von
den zierlichen *lecti* von Holz und Metall sehr verschiedenen gemauerten Triclinien, wie sie in manchen Häusern sich fanden, ist dem, was bei der Beschreibung der Häuser gesagt worden, hier nichts hinzuzufügen.

Viel seltener sind in Kunstwerken T i s c h e dargestellt, wovon der hauptsächliche Grund in der geringern Mannichfaltigkeit des Gebrauchs gelegen ist.
Sitze brauchten die Alten ungefähr so viel wie wir, obgleich sie bei mehr
Gelegenheiten lagen als wir es thun; Tische hatten sie weit weniger als wir,
die wir in Ess-, Sopha-, Spiel-, Putz-, Schreib- und anderen Tischen eine
ganze Heerschaar besitzen. Esstische hatten die Alten in ihren Triclinien
natürlich, und zwar in recht verschiedener Form, mehrfüßig und einfüßig,
und von sehr verschiedener zum Theil großer Kostbarkeit. Die einfachsten
Esstische sind die gemauerten Monopodien, wie beispielsweise derjenige
im Hause des Sallustius (oben S. 305), auf deren massiven Fuß man ein
Blatt von glattem Holz oder auch eine Steinplatte legte. In hölzernen
Tischen wurde, in Material und Verzierung, ein zum Theil fabelhafter
Luxus entfaltet, und auch die steinernen sind, wenn sie aus weißem oder
farbigem Marmor gearbeitet wurden, großentheils ebenfalls gar kostbare
Prachtstücke, welche außer als Esstische, namentlich auch als Schautische für
kostbare Gefäße dienten. Dieser Zweck kann bei den schönsten der wenigen
in Pompeji gefundenen Marmortische vorausgesetzt werden, von denen die
folgende Figur 229 links das besterhaltene Prachtexemplar aus dem Hause

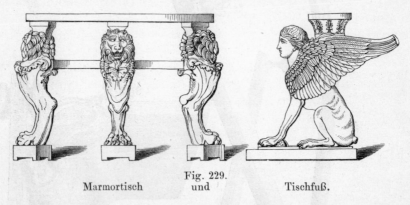

Fig. 229.
Marmortisch   und   Tischfuß.

des kleinen Mosaikbrunnens, rechts ein kostbares Fragment, einen Fuß
in Gestalt einer meisterhaft gearbeiteten kauernden Sphinx aus dem Hause
des Fauns darstellt. Andere sind weniger reich und schön geschmückt, jedoch
bestehn ihre Füße meistens wie in dem vollständigen Beispiel aus stilisirten
und tektonisch behandelten Thier- meistens Löwenklauen. Derartige Tische
haben meistens ihren Platz im Tablinum, etwas anders gestaltet finden wir sie
im Atrium, vielfach über einem Puteal hinter dem Impluvium mit dem augenscheinlichen Zweck, die Schöpf- und Wassergefäße oder diejenigen Gegen-

stände aufzunehmen, die man im Wasser kühlen wollte. Hier sind sie oftmals ganz einfach mit zwei durchgehenden Füßen und schlichtem dickem Blatt. In anderen Fällen dagegen, von denen die diesem Capitel vorgeheftete Ansicht zwei Beispiele bietet, und zwar ein ganz erhaltenes aus der *domus Sirici* und ein besonders prächtiges ohne Blatt aus der *domus Corn. Rufi*, sind die durchgehenden Füße reich mit Sculptur verziert, und stellen über den stützenden Löwentatzen, die sich auch hier wiederholen, die Leiber und Köpfe mehr oder weniger fabelhafter geflügelter Thiere dar, während sie auf der Mittelfläche bald mit einem Füllhorn, wie in dem Beispiel aus der *domus Sirici*, bald mit verschiedenen Ornamenten, wie in dem andern, verziert sind. Ein merkwürdiges Beispiel steht in der *domus Octavii primi* (No. 54 im Plane), ganz erhalten wie der Tisch in der *domus Sirici*, aber an den Breitseiten unten zwischen den geflügelten Löwenklauen anstatt mit den gewöhnlichen Ornamenten mit interessanten kleinen Reliefen verziert, darstellend zwei Mal einen Hund neben einem Baum und einen solchen, der einen Eber gepackt hat. Auch die, an den Innenseiten besser erhaltenen, Farbenspuren sind bemerkenswerth; an den Flügeln der Löwenfüße sind reichliche Reste von rother und gelber, an den großen Eicheln des einen Baumes von grüner Farbe.

Putztische hatten die Alten ebenfalls, jedoch sind uns deren keine erhalten. Eine eigene leichte Art von Tischchen stellen die bronzenen Dreifüße (gelegentlich Vierfüße) dar, welche freilich ursprünglich den Küchengeräthen angehören und zur Aufnahme von Kesseln bestimmt waren, die aber, wie in den folgenden Beispielen, zum Theil von solcher Zierlichkeit und Eleganz sind, dass sie für diesen ursprünglichen Zweck wenig geeignet erscheinen, vielmehr sich nur als leichte Tische mit losem Blatt darstellen, die man im Wohnzimmer, im Tablinum oder Atrium stehn hatte, um dies und das aus der Hand zu legen, oder um Blumenvasen oder einzelne Prachtgefäße darauf zu stellen. Durch kein Beispiel wird das klarer bewiesen, als durch den Vierfuß

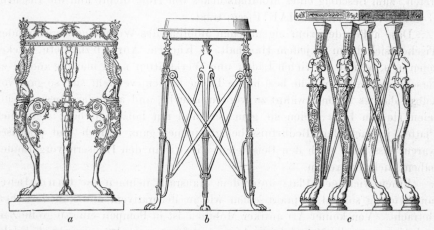

Fig. 230. Dreifüße und Vierfuß von Bronze.

c in Fig. 230, den man von den Dreifüßen durchaus nicht trennen kann; denn hier ist die Tischplatte von *rosso antico* mit um den Rand umlaufender bron-

zener Verzierung erhalten, und in sie sind die vier Füße eingezapft. Ein verwandter Gebrauch der Dreifüße zum Schmucke des Speisesaales ist schon
homerisch und für Pompeji wird er mit dadurch bestätigt, dass diese Mobilien
nicht in der Küche, sondern in Wohnräumlichkeiten aufgefunden sind. Von
den beiden mitgetheilten Proben von Dreifüßen zeichnet sich das eine *a*,
welches aus dem Isistempel stammt und dem Cultus diente, durch große
Zierlichkeit und reichen Schmuck aus, während das andere *b* durch eine Vorrichtung zum Höher- und Niedrigerstellen interessant ist, welches sich bei
dem Vierfuß wiederholt. Die Beine sind oben in Gelenkbändern beweglich,
und die ebenfalls beweglichen Querstäbe enden in einen Ring, der an einem
Metallstab an den Beinen herauf und hinunterläuft, so dass vermöge dieser
Vorrichtung der Dreifuß bei breiter Auseinanderstellung der Füße um $1/4$ der
Höhe seiner Beine erniedrigt, bei engerer Fußstellung um so viel erhöht
werden kann. Angesichts aller dieser und vieler anderen antiken Tische kann
die Bemerkung nicht unterdrückt werden, wie viel reiner der Geschmack der
Alten war, als der moderne, indem sie allen Schmuck auf die Füße und auf
die Kante des Blattes verwendeten, nicht aber wie es seit der Renaissance
geschieht, auf die Fläche dieses letztern, welche zum Bestellen oder Belegen
bestimmt ist, und auf der das Ornament verschwindet oder für das Auge
wenigstens unterbrochen wird, sobald der Tisch seinen Zweck erfüllt, irgend
Etwas zu tragen.

Auch dürfte hier der Ort sein, die Bemerkung einzuschalten, zu der die
neueren Ausgrabungen die Unterlage geliefert haben, dass nämlich, mag der
größte Theil der pompejaner Mobilien an Ort und Stelle oder in den benachbarten Städten gearbeitet worden sein, man prächtigere Stücke weiterher, ja
aus der Hauptstadt selbst bezog. Den Beweis liefert ein im Localmuseum von
Pompeji aufbewahrtes Plättchen von Bronze, welches nebst verschiedenen
Ornamenten, unter denen zwei jugendliche gehörnte Dionysosköpfe hervortreten, zum Beschlag eines Mobiliarstückes von Holz diente und die Inschrift
C · CALPVRNIIVS · ROMAE . F (*ecit*) trägt.

Dass außer den zum eigentlichen Mobiliar des Wohnhauses gehörenden
Tischen sich deren in jedem Haushalt, in Küchen, Anrichtezimmern, Bäckereien u. s. w. und in vielen Läden und Werkstätten noch manche andere zu
verschiedenem Gebrauche bestimmte Tische fanden, versteht sich so ganz von
selbst, dass es kaum erwähnt zu werden braucht, und auch dass diese Tische,
seien sie von Holz, seien sie gemauert und mit hölzernen oder steinernen
Platten je nach dem Bedürfniss belegt, immer ganz einfach und praktisch
waren, lässt sich nach den Beispielen, die wir in den Häusern vorgefunden
haben, nicht bestreiten.

Einen wichtigen Platz unter dem Hausrath nehmen die Candelaber
ein, wichtig sowohl in praktischem wie in decorativem und künstlerischem
Betracht. Von keiner Art antiker Mobilien ist in Pompeji eine so große Zahl
und eine so große Mannichfaltigkeit aufgefunden worden, wie von Candelabern, und in wenigen anderen zeigt sich die unermüdliche und unerschöpfliche
Erfindungsgabe der Alten so glänzend und erstaunlich, wie in diesen Geräthen.
Über die Candelaber kann man nicht reden, ohne einige Worte über die antike

Beleuchtung vorauszusenden. Dieselbe stand, was die Hervorbringung hellen Lichtes anlangt, keineswegs auf einer hohen Stufe der Ausbildung, namentlich deshalb nicht, weil bei dem die Benutzung von Kerzen weit überwiegenden Gebrauch der Lampen die Alten keine jener Erfindungen gemacht hatten, durch welche wir, die Hitze der Flamme zusammenhaltend, die Verbrennung im Wesentlichen auf das aus dem Brennmaterial sich bildende Gas nebst der Verzehrung des Rauches beschränken. Von Gläsern, welche die leuchtende Flamme umgaben, kommt nicht eine Spur vor, und die antiken Lampen, selbst die größten und schönsten, sind in ihrer Einrichtung grade so vollkommen und um nichts vollkommener, als die kleinen Lämpchen, die wir in unseren Küchen und Gesindestuben zu verwenden pflegen oder wenigstens in älteren Zeiten verwendet haben. Denn jede antike Lampe besteht aus einem weitern, gewöhnlich flachen, runden Behälter für das Öl und den dasselbe aufsaugenden Docht, welcher aus einer an das Ölgefäß angefügten Lichtschnauze hervorsteckte. Grade dasselbe Princip zeigen noch heutigen Tages auch die Stubenlampen besonders in Rom, die von den antiken nur darin abweichen, dass sie von Messing gemacht und an einem den antiken Candelaber ersetzenden Stiel hinauf und hinabschiebbar sind. Wer diese römischen *lumi* aus Erfahrung kennt, der weiss, wie schlecht sie ihm (namentlich ehe er sich an sie gewöhnt und civilisirtere Lampen vergessen hatte) geleuchtet haben, mochten sie auch mit drei oder vier Flammen brennen, welche, um nicht trotz der Verwendung von Olivenöl erster Güte, unerträglich zu dunsten, klein gehalten werden müssen, in jedem Luftzuge flackern und im Winde auslöschen. Was von diesen modern-antiken, das gilt ebenso von den wirklich antiken Lampen, und namentlich gilt, dass man auch bei deren kleinen Flammen in der Vervielfachung dieser das einzige Mittel zur Steigerung der Beleuchtung besaß. Wollte man ja einmal eine größere Flamme brennen lassen, so musste man für einen Rauchfang über derselben Sorge tragen, wovon uns in der immerbrennenden Lampe des Kallimachos im Tempel der Polias in Athen, bei welcher der Rauchfang als ein Palmbaum gestaltet war, ein interessantes Beispiel überliefert ist. Die Vervielfältigung der Flammen erreichte man nun entweder, wie wir dies z. B. in den kleineren Thermen gefunden haben, durch die Aufstellung einer größern Anzahl von Lampen mit einer Flamme oder Tülle, welche mit einem aus dem griechischen entlehnten Ausdruck *myxa* hieß und der einflammigen Lampe den Namen *monomyxos* gab, oder durch die Vervielfältigung der Tüllen an einer Lampe, welche man nach deren Zahl mit den Namen *dimyxos* (zweitüllig) oder *bilychnis* (zweiflammig), *trimyxos* (dreitüllig) oder *trilychnis* u. s. f. belegte. Als das einfachste Material erscheint gebrannter Thon, neben dem jedoch vielfach auch Bronze verwendet wurde. In beiden Hauptmaterialen, Thon und Bronze, zu denen gelegentlich edlere Metalle kamen, finden wir, dass die Lampen von der allereinfachsten Form sich durch eine fast unübersehbare Reihe von Ornamenten bis zu äußerst zierlichen und schönen Kunstwerken erheben, wobei natürlich die Blüthe der Entwickelung der Bronze zufällt. In der folgenden Abbildung Fig. 231 ist eine Reihe pompejanischer und herculanischer Lampen zusammengestellt, in der die Hauptstufen des Aufsteigens sowohl in Beziehung auf die Zahl der

Flammen wie desjenigen von der einfachsten Form bis zur kunstvollsten
veranschaulicht werden.

Fig. 231. Lampen von Thon und Bronze.

Die einfachste Grundform der antiken Lampe vergegenwärtigt das Lämpchen a aus gebranntem Thon. Derartige Lämpchen sind in unübersehbarer
Masse in allen Theilen des weiten Römerreichs gefunden, bestehn in der Regel
aus nicht glasiertem, einmal gebranntem Thon und sind sehr oft in der einfachsten Weise dadurch verziert, dass mit einem scharfen Instrument auf den
Deckel oder den Bauch des Ölbehälters Kreise, Spiralen oder sonstige Linien
eingerissen, oder dadurch, dass diese Linien mit einer blassrothen Farbe aufgetragen sind. Von den beiden Löchern in der Lampe dient dasjenige im
Bauch, welches, wie wir sehn werden, bei besseren Lampen mit einem oft sehr
hübsch verzierten Deckel verschlossen wird, zum Eingießen des Öles, dasjenige
in der Tülle für den Docht. Zu diesen beiden natürlich immer vorhandenen
Löchern kommt oft noch ein viel kleineres drittes am Anfang der Tülle,
welches entweder zum Herausstochern des Dochtes, oder viel wahrscheinlicher
noch dazu diente, um den nöthigen Luftdruck zu vermitteln, falls die Ölöffnung durch einen Deckel verschlossen war. Zu den einfachen Verzierungen
dieser kleinen Thonlampen gesellt sich sehr oft noch der unter dem Fuß ein-
gestempelte Name des Fabrikanten, wie dies beispielsweise das Lämpchen b
zeigt. Dieser Name steht entweder, wie hier, im Nominativ und allein PVL-
CHER, oder mit einem F (fecit) hinter sich, oder im Genetiv allein, z. B.
TITINI, des Titinius Lampe oder Machwerk, oder was man sonst ergänzen

will, oder auch mit vorhergehendem OF., d. h. *officina*, Fabrik, z. B. OF·
ATIMETI, Fabrik des Atimetus. — Die Lämpchen *a* und *b* vergegenwärtigen,
wie gesagt, die gewöhnliche Grundform, welche wir noch vielfach, aber doch
nicht so ausschließlich wieder finden werden, dass daneben nicht andere, zum
Theil verwandte Formen vorkämen. Als Beispiel einer solchen diene das
Lämpchen *c*, bei dem die Tülle als runde Spitze verlängert und der Griff seitwärts angebracht ist. Auf ihr erscheint nun auch zuerst einer jener figürlichen,
fast den ganzen Kreis darstellbarer Gegenstände umfassenden Verzierungen,
welche insbesondere eine fast vollständige und sehr mannichfaltige mythologische Folge enthalten und in welcher eines der wesentlichsten Interessen der
antiken Lampen liegt. Auf diesem Lämpchen ist ein kampfbereit stehender
Gladiator in flachem Relief angebracht, wogegen das in gewöhnlicher Weise
gestaltete Lämpchen *d* ein palmettenartiges Ornament zeigt, in dessen Mitte
das Ölloch durchgebohrt ist. Unter *e* ist ein in mehrem Betracht interessantes
Beispiel einer *bilychnis* von Bronze in der Oberansicht mitgetheilt, welche sich
von der in der Folge noch vorzufindenden gewöhnlichsten Form der zweiflam-
migen Lampen dadurch unterscheidet, dass bei ihr die Tüllen einander gegenüber liegen, anstatt wie gewöhnlich neben einander. Der Grund hierfür ist
darin zu suchen, dass diese Lampe zum Hängen an Kettchen bestimmt war,
welche in die als Haken behandelten ornamentalen Gänseköpfe auf den Tüllen
eingehängt wurden. Eine ganz besondere Wichtigkeit erhält diese im Übrigen
sehr einfache Doppellampe dadurch, dass sie die erste war, in deren Tülle
man, wie später bei mehren anderen, den Docht steckend fand, wie dies die
Abbildung zeigt. Dieser antike Docht besteht aus gehecheltem, aber nicht
gesponnenem Flachs, der zu einer Art von Strick zusammengedreht ist, und
verdankt seine Erhaltung der Berührung mit dem Metall, einem Umstande,
der auch sonst noch manchen leicht zerstörbaren Gegenstand in Pompeji hat
auffinden lassen, wie z. B. leinene Geldbeutel, das wollene Futter von Bronze-
helmen u. dgl. m. Einen reicher verzierten bronzenen Dimyxos der gewöhnlichen Form stellt *f* dar: sein Griff ist als Adler gestaltet und auf der Decke
seines Ölbehälters, aus dem die beiden Lichttüllen neben einander entspringen,
ist die Büste einer Luna vor der Mondsichel ausgetrieben, welche zugleich als
ein Beispiel dieser mythischen Darstellungen dienen mag, und bei der auf die
nach damaliger Sitte als Perücke gestaltete Haartracht aufmerksam gemacht
werden möge. Ehe zu weit in der aufsteigenden Entwickelung der Verzierungen fortgeschritten wird, sind ein paar an sich einfache vielflammige
Lampen *g, h* zu betrachten, von denen die erstere sehr deutlich den Übergang
der gewöhnlichen Form mit neben einander stehenden Lichttüllen zu der
kreisförmigen Stellung der Flammen zeigt, welche sich bei der zweiten Lampe
h findet. Bei ihr ist der mit dem Kranze verzierte Theil der Ölbehälter, das
Loch zum Eingießen liegt rechts, das kleine Loch für die Luft nach vorn.
Dadurch, dass dies nur einmal, nicht aber bei jedem Flammenloch vorhanden
ist, wird sein angegebener Zweck recht deutlich. Ein anderes Beispiel einer
ringförmigen Hängelampe mit mehr Verzierung ist mit *n α* und *β* bezeichnet;
die drei nach innen stehenden Zapfen sind durchbohrt und in ihnen waren die
Ketten zum Aufhängen befestigt. Die Löcher zum Öleingießen sieht man oben

neben dem Silenskopf, hinter dem ein kleiner Griff angebracht ist. Unter *i*
folgt ein kleines, aber sehr anmuthig und reich gestaltetes Bronzelämpchen
in der Oberansicht, dem weiterhin unter *k* ein anderes in der Seitenansicht
beigefügt ist, während bei *l* und bei *m* zwei jener nicht seltenen Lampen
abgebildet sind, welche bei sehr einfach gestaltetem Körper einen mehr oder
weniger reich, hier im einen Falle durch einen kräftig modellirten Löwenkopf,
im andern durch einen Pferdekopf geschmückten Griff zeigen. Außer dem
Körper und dem Griff der Lampe bietet nun besonders noch der Deckel oder
der Deckelknopf des Ölbehälters Gelegenheit zu kunstreicher Gestaltung,
wovon *o* ein Beispiel ist. Hier steht auf dem Deckel ein leichtgegürteter
Jüngling, der sich im vollen Laufe gleichsam nach einem mit ihm um die
Wette laufenden umblickt, und der zugleich als Halter des Häkchens dient,
mit dem man den Docht stocherte. Ein ungleich anmuthigeres Beispiel eines
sehr gefällig gestalteten und durchweg mit großem Geschmack verzierten
Dimyxos finden wir bei *p*. Hier stellt der Deckelknopf eines jener allerliebsten
Genrebilder der antiken Plastik dar, welche noch immer nicht gehörig zusammengestellt und gewürdigt sind, ein Flügelknäbchen, das mit einer Gans
ringt, an deren Fuß zugleich das Kettchen hangt, mit welchem der Deckel an
den Griff befestigt ist. Den Grundgedanken der kleinen Gruppe bietet ein
Werk des Boëthos, welches Plinius anführt, und welches auch in Marmor
nachgebildet auf uns gekommen ist. Eine ziemlich reich verzierte größere
dreiarmige Hängelampe ist mit *q* bezeichnet, und endlich sind unter *r*, *s*, *t* und
u vier Lampen von besonderer Form zusammengestellt, welche beweisen, dass
der Geschmack in der Gestaltung dieser Geräthe grade nicht immer sich auf
gleicher Höhe hielt. Die Abbildung *r* zeigt eine dreiflammige Lampe, bei der
für die zweite und dritte Flamme ein Nebenlämpchen dem Körper der Haupt-
lampe unorganisch genug angeflickt ist, *s* eine schiffartig geformte vielflammige Lampe, *t* eine Lampe in Form eines menschlichen Kopfes, bei dem die
abnehmbaren Haare als Ölöffnung und der maskenartig verzerrte Mund für
den Docht diente, endlich *u* eine ähnliche Lampe in Maskenform in drei Ansichten. Diese Spielerei kommt in ähnlicher Weise ziemlich häufig vor,
während, ungleich sinniger, auch die Form des Schneckenhauses, indem dieses
umgekehrt aufgehängt wurde, nicht selten zu Lampen verwendet worden ist.

Doch nun zurück zu den Candelabern, zu deren Würdigung diese Ab-
schweifung in der Besprechung der pompejanischen Geräthe nothwendig war,
um die Zwecke der Candelaber deutlich zu machen. Die Durchmusterung der
Lampen hat gezeigt, dass die meisten zum Hinstellen eingerichtet sind; das
Hinstellen konnte nun freilich wohl auf den bloßen Tisch erfolgen, aber in
diesem Falle wäre die Flamme so niedrig gewesen, dass ihr Licht sich nur auf
einen kleinen Kreis erstreckt haben würde. Man musste also Untersetzer für
die Lampen haben, welche man auf den Tisch stellen konnte, und diese Untersetzer erscheinen entweder in Form niedriger Tischchen oder Dreifüße, oder
als die der einen Hauptclasse der Candelaber, welche etwa einen Fuß bis
anderthalb hoch sind. Aber nicht allein auf den Tisch wollte man Lampen
stellen, es galt viel häufiger die Erleuchtung des ganzen Zimmers. Wollte
man nicht Hängelampen verwenden, so musste man höhere Stände für die

Lampen haben, und diese Stände sind die zweite Hauptclasse der Candelaber, welche 3—5 Fuß hoch von Bronze, in noch viel größeren Maßen, jedoch gewiss nicht zu häuslichem Gebrauche, sondern besonders wohl für Tempel oder für Paläste der Großen bestimmt, auch von Marmor gebildet, zugleich zu den schönsten Mobiliarstücken des Alterthums gehören. Die folgende Auswahl von Lampenfüßen, kleineren und größeren Candelabern wird zur Vergegenwärtigung dieser Geräthe genügen. Von den vier Lampenfüßen Fig. 232 sind

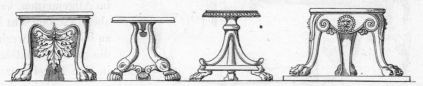

Fig. 232. Lampenfüße von Bronze.

zwei gewichtig und zwei leicht und elegant. Der Vorzug dieser antiken Lampenfüße, bei denen meistens Thierfüße, einmal Delphine als Stützen der Platte benutzt sind, vor den meisten der sehr ähnlichen modernen Füße der *lampes à modérateur* besteht in der Klarheit, mit der die zum Tragen bestimmten Theile diese ihre Function ausdrücken, während wir nur zu oft in dieser Beziehung ganz gedankenlos verfahren und künstlerisch betrachtet Unmögliches schaffen.

Noch ungleich größer ist die Mannichfaltigkeit und zugleich die Anmuth der Formen bei den kleinen Candelabern, von denen nachstehend fünf als Proben ausgewählt sind, welche, wenngleich sie eine sehr kleine Auswahl aus der Fülle des Vorhandenen bilden, doch im Stande sein werden, eine ungefähre Vorstellung von diesen Geräthen zu geben. Die kleinen oder Leuchtercandelaber, wie man sie nach der Analogie unserer auf den Tisch zu stellenden Leuchter und Armleuchter nennen könnte, sind wie diese zunächst nach der Lampenzahl zu unterscheiden, welche sie zu tragen bestimmt sind. Die Abbildung giebt in *a* einen einlampigen, in *b* und *d* zweilampige, in *e* einen vierlampigen und in *c* einen fünflampigen Candelaber, so dass der letzte, mit fünf Bilychnen behängt, mit zehn Flammen leuchtete. Ferner kann man diese Leuchtercandelaber insgesammt nach der Form in zwei Hauptclassen eintheilen, in solche, die rein tektonische Formen verwenden, wie in Fig. 233 *a* und *e*, und solche, die in freierer Weise pflanzliche und ausnahmsweise thierische oder menschliche Formen benutzen, wie in *b*, *c* und *d*. Die ersteren stehn den großen Candelabern am nächsten, bei denen man als die Haupttheile Fuß, Schaft und Platte unterscheidet, die als Träger der Ornamentik erscheinen. Bei der andern Art findet sich freilich ebenfalls in vielen Fällen Fuß, Schaft und Platte, wie in *b* und *e*, in vielen anderen ist aber entweder der Fuß im eigentlichen Sinne aufgegeben wie in *d* oder die Platte ganz weggelassen wie in *c*, bei welchem als Baum gestalteten Candelaber die fünf Lampen an Ketten von den Zweigen hangen. Bei der Anmuth aller dieser Exemplare verdient doch ohne Zweifel *a* als tektonisch, *d* als freier gestaltetes Geräth den Preis, wogegen *b* einem leisen Tadel nicht recht organischer Verbindung des Fußes mit dem Schaft schwerlich entgehn wird.

Noch etwas anders gestaltet sich die Aufgabe bei den großen Candelabern, welche frei ins Zimmer auf den Boden oder auch in Wandnischen gestellt wurden, in denen einige Exemplare gefunden worden sind, bestimmt die Räume im Allgemeinen, kaum aber dieselben sehr hell zu beleuchten, weshalb die großen Candelaber in der Regel nur für eine, zwei bis höchstens drei Lampen, die freilich mehrflammige sein konnten, auf ihren Platten oder Tellern Raum bieten. In Fig. 234 sind drei ganze Candelaber und einige Beispiele der drei schon oben genannten Haupttheile, Fuß, Schaft und Knauf oder Platte zusammengestellt, auf welche bei der folgenden Beschreibung zu verweisen ist. In seiner Gesammtheit spricht der Candelaber seine Bestimmung, das Licht hoch emporzuheben, mit seiner leichten Schlankheit auf das Vortrefflichste aus.

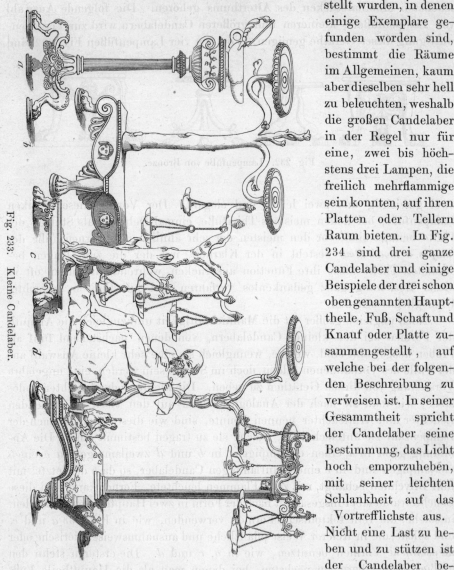

Fig. 233. Kleine Candelaber.

Nicht eine Last zu heben und zu stützen ist der Candelaber bestimmt, deshalb konnte ein Schaft so dünn und lang genommen und auf dem zierlichen Fuße erhöht werden. Dieser meistens aus Thierklauen, aber auch aus pflanzlichen Formen zusammengesetzte Fuß ist wieder nur diesen leichten Stengel zu tragen im Stande, der möglicher Weise aus einer natürlichen vegetabilen Stütze hervorgegangen und deshalb auch zuweilen nach ihrem Schema gearbeitet (siehe Fig. 234 das Schaftstück bei *g*), in der Regel aber nach diesem Grundschema, wie alle Säulen, weiter stilisirt und zu einer cannelirten Säule geworden ist, aus der in der überwiegenden Mehrzahl der Fälle und in den besten Exemplaren ein, natürlich ebenfalls stilisirter, Blumenkelch emporblüht, dem das Licht der Lampe entstrahlt. Die Abweichungen

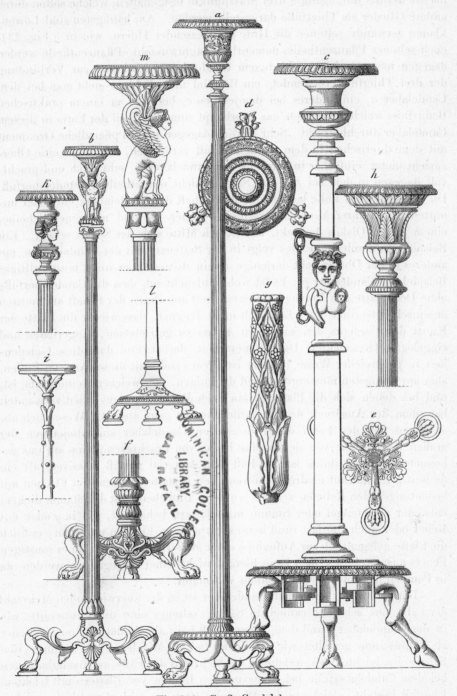

Fig. 234. Große Candelaber.

von diesem als regelmäßig zu betrachtenden Schema sind bei allen drei Theilen
mannichfaltig genug, um eine etwas genauere Betrachtung zu rechtfertigen.
Im Fuße sind die Verschiedenheiten nicht so bedeutend wie im Knauf. Zunächst werden durchgängig drei Stützpunkte festgehalten, welche selten durch
andere Glieder als Thierfüße dargestellt werden. Am häufigsten sind Löwenklauen verwandt, seltener die Hufe grasfressender Thiere, wie in *c* Fig. 234,
noch seltener Pflanzentheile, namentlich Baumwurzeln. Pflanzentheile werden
dagegen meistens in verschiedenem Grade des Reichthums zur Verbindung
der drei Thierfüße verwendet, ein Beispiel ihres Fehlens sieht man bei dem
Candelaber *a*, ein anderes bei demjenigen *c*, bei dem sie einem praktischen
Bedürfniss weichen mussten, das überhaupt zum Nachtheil der Form in diesem
Candelaber durchherrscht. Sehr zierlich dagegen ist das pflanzliche Ornament
mit dem thierischen in dem Candelaberfuß verbunden, von dem *e* eine Oberansicht bietet, einfacher in dem Fuß des Candelabers *b*, sehr reich und prachtvoll dagegen in dem bei *f* in der Seitenansicht mitgetheilten Candelaberfuß.
Die so gestalteten Füße lassen nun den Schaft des Candelabers entweder unmittelbar aus ihrer Mitte emporschießen, oder sie sind mit einer Scheibe,
einem Teller (Diskos) bedeckt, aus dessen Mitte sich der Schaft erhebt. Ein
Beispiel eines solchen Fußes zeigt in der Seitenansicht der Candelaber *a*, ein
anderes in der Oberansicht derjenige *d*, ein drittes, aber nicht mustergiltiges
Beispiel der Candelaber *c*. Es ist wohl einleuchtend, dass die Candelaberfüße
ohne Deckplatte den Vorzug verdienen, weil aus ihnen der Schaft am meisten
organisch entspringt, doch lässt sich nicht läugnen, dass wieder die Platte der
Kunst des Ciseleurs den schönsten Anlass zu getriebenen, eingeritzten und
eingelegten Ornamenten (Damascenerarbeit) darbot, und dass diese Gelegenheit in geistreicher Weise benutzt ist. Verwandt mit dieser Art von Füßen,
aber am wenigsten mustergiltig sind diejenigen, von welchen *l* eine Probe ist,
und bei denen sich die Platte in ein flach glockenförmiges Glied verwandelt
hat, dem der Ausdruck des Emporhebens fast ganz abgeht. Wesentlich abweichend von der Form dieser bronzenen Candelaber sind diejenigen der
großen marmornen, von denen eine Reihe von Prachtexemplaren auf uns gekommen ist. Bei ihnen ist der Fuß dem Material gemäß massiver, als ein
dreiseitiger Altar auf niedrigen Löwenfüßen gestaltet, dessen drei Flächen mit
bedeutungsvollen Reliefen verziert wurden. Und ebenso ist der Stamm dicker:
entweder als Stengel oder Stamm mit Blättern behandelt, wie in *g* oder mit
Relief oder auch von fast rund herausgearbeiteten Figuren umgeben, endlich
die Platte gelegentlich zur Aufnahme einer größern Fackel oder eines sonstigen
Feuers ausgeweitet. Doch kann hierauf nicht näher eingegangen werden, da
in Pompeji dergleichen Geräth nicht vorkommt.

Der Schaft der bronzenen Candelaber ist in der überwiegenden Mehrzahl
der Fälle eine schlanke cannelirte Säule, seltener eine nicht cannelirte wie
in dem Candelaber *c* und dem, dessen Fuß bei *l* abgebildet ist, noch seltener
als Baumstamm gestaltet wie der Schaft bei *g*. Mit dem Fuße verbindet den
Schaft eine leichte Basis, welche in der Mehrzahl der Fälle, am musterhaftesten
bei dem Candelaberfuße bei *f* aus mehren Reihen von Blättern mit leichtem
Überfall besteht, gleichsam den Wurzelblättern des schlanken Blüthenstieles.

Bei anderen Candelabern ist dies Bindeglied zwischen Fuß und Schaft zum Nachtheil des Organischen ins Kurze gezogen, aber nur in sehr seltenen Fällen verfehltermaßen in der Gestalt der eigentlichen Säulenbasis behandelt und niemals vergessen. Dass das Bindeglied bei Füßen mit der Deckplatte kleiner sein dürfe, als bei solchen ohne diese, leuchtet von selbst ein. Endlich der Knauf und die Platte. Die Blüthenkelchform ist bei Candelabern mit canne-lirtem Schaft für den Knauf ohne Frage die beste und naturgemäßeste, die ihr nahe verwandte Vasenform weniger zu loben. Bei Candelabern mit Pflanzen-schaft muss natürlich der Knauf der Natur des Stengels folgen, was in ein-fachster Weise durch Darstellung von Zweigen geschieht, welche die Platte tragen; ein einfaches Beispiel ist bei i. So wie der Anfang des Schaftes mit dem Fuß, so muss das Ende oder die Spitze desselben mit dem Knauf ver-bunden werden, was am besten wie bei a und h durch Glieder geschieht, welche die stilisirte Blumenform des Knaufs tragen und sich ihm unten gleich-sam wie der Fruchtboden und die Kelchblätter den Kronenblättern der Blume anlegen. Andere Verbindungen, sei es durch reine architektonische, sei es durch thierische Glieder, verdienen weniger Lob, und so anmuthig die Schaft-spitze des Candelabers b mit der Sphinx, welche vergrößert in der Seitenansicht bei m wiederkehrt, auch erscheinen mag, so kann sie doch der tektonischen Idee nach nicht tadellos genannt werden. Ganz verwerflich erscheinen aber Vermittelungen des Schaftes und des Knaufes wie die, wovon k ein geschmack-loses Beispiel ist. Schließlich sei noch auf die Vorrichtung zum Verlängern und Verkürzen bei dem Candelaber c hingewiesen. Man sieht, dass der Schaft aus dem Fuße gelöst werden kann, indem zwei große Scharniere in dem letz-tern, wie es die Zeichnung darstellt, geöffnet werden; ferner, dass der Schaft selbst aus zwei in einander steckenden Theilen besteht, von denen der obere emporgehoben und durch einen an einem Kettchen hangenden durch seinen durchlöcherten Stiel gesteckten Pflock beliebig hoch oder tief gestellt werden kann. Schön wird wohl Niemand diesen Candelaber finden.

Mit den Sitzen, Tischen, Dreifüßen, Leuchtern und Candelabern nebst Lampen und Hängelampen ist das ständige Mobiliar des pompejanischen Wohn-zimmers und Salons erschöpft. Von solchen Mobilienstücken oder Geräthen, welche zeitweilig in diesen Räumen aufgestellt wurden, sind nur etwa noch die Feuerbecken oder Kohlenpfannen und tragbaren Öfchen und Heerde zu nennen, welche im Winter, da wo man nicht etwa durch Hypokausten geheizte hohle Fußböden und Wände hatte, was in Pompeji außer in Baderäumen nicht vorkommt, unsere Öfen ersetzen mussten, und grade so gut und so schlecht ersetzt haben werden, wie die ganz verwandten Kohlenbecken dies thaten und thun, welche vor noch nicht langer Zeit den ganzen Heizapparat im modernen Süditalien ausmachten, übrigens besser sind, als ihr Ruf durch manchen modernen Reisenden. Diese Kohlenbecken, deren je eines in beiden Thermen schon erwähnt wurde, sind so einfach eingerichtet, dass Abbildungen derselben unnöthig sein würden, wenn zur Mittheilung einiger Proben nicht doch die anmuthige Verzierung veranlasste. Sie bestehn wie aus Fig. 235 ersichtlich aus einer gewöhnlich runden Platte mit einem entweder grade oder geschweift aufsteigenden Rande, welcher mit verschiedenen getriebenen oder eingegra-

benen Ornamenten verziert wird. Auf die Platte werden unverbrennliche
Stoffe, in der Regel Ziegel- oder Bimssteinstücke gelegt, über diese ein Rost

Fig. 235. Bronzene Feuerbecken.

von Eisenstäben, auf welchen man die glühenden Holzkohlen schüttete. Das
Ganze wird von drei oder vier Füßen getragen, die, wie sich dies beinahe von
selbst versteht, durch Thierklauen dargestellt werden, und bildet, obgleich
gewöhnlich, doch mit Ausnahmen, an Zierlichkeit und Eleganz hinter den
Candelabern nicht allein, sondern auch hinter Sitzen und Tischen zurück-
stehend, doch ein Stück, welches sich dem hübschen Hausrath harmonisch
einfügt und die modernen *scaldini* höchlich überragt. Von den kleinen tragbaren Heerden von Bronze wird besser bei Durchmusterung der Küchengeräthe
gesprochen werden, denn als bloße Heizapparate haben diese schwerlich gedient. Ehe wir uns zu diesen wenden, muss noch kurz der Mobiliardecoration,
wenn man so sagen darf, der Atrien gedacht werden, welche außer in den

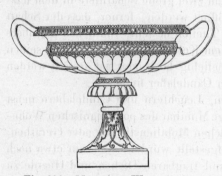

Fig. 236. Marmornes Wasserbecken.

schon erwähnten und abgebildeten an
den Impluvien stehenden, mehr oder
weniger reich und geschmackvoll gestalteten Tischen, Putealen, Wasserbecken und Springbrunnen, in Candelabern, Sesseln, Stühlen und Bänken
und außerdem noch gelegentlich in
kleinen Altären besteht, von denen
ein paar Beispiele in der Beschreibung
der Häuser erwähnt worden sind, abgesehn von den mehrfach vorhandenen
Geldkisten und von gelegentlich vorhanden gewesenem Statuen- oder Her-

menschmuck. Das marmorne Wasserbecken Fig. 236 in flacher Kraterform
wurde in einem Hause gegenüber dem Gebäude der Eumachia gefunden und
ist das schönste seiner Art in Pompeji.

Die Einrichtung der Küchen war, so weit es sich aus den monumentalen
Resten beurteilen lässt, einfach genug. Die in der Regel und mit nur sehr
seltenen Ausnahmen gemauerten Heerde, über denen nur in ganz einzelnen
Fällen ein Heerdmantel angebracht ist, welcher den Rauch auffing und in die
Esse leitete, während gewöhnlich mit rauchlos brennenden Holzkohlen geheizt
worden sein wird, diese Heerde machten nur ein Kochen auf der Platte über
freiem Feuer möglich, über welches die Kochgeschirre auf Dreifüßen gestellt

wurden. Von den gewöhnlichen Heerden braucht nach dem Gesagten nicht
näher geredet zu werden, dagegen müssen hier jene kleinen tragbaren Öfen
und Heerde oder Feuerbecken erwähnt werden, die freilich schwerlich zum
eigentlichen Kochen oder Backen der Speisen dienen konnten, und deshalb
auch schwerlich in der Küche ihren Platz fanden, sondern welche zum Warmhalten oder Wiedererwärmen der Speisen allein geeignet scheinen, und aller
Wahrscheinlichkeit nach im Triclinium oder in dem mehrfach, wie bei der
Häuserbeschreibung bemerkt wurde, mit dem Triclinium verbundenen An-
richtezimmer standen. Es sind hier zwei Hauptfor-
men zu unterscheiden. Die erstere, welche, mit
Ofen bezeichnet, Fig. 237 vergegenwärtigt, besteht
aus einem auf drei Löwenfüßen stehenden Cylinder
von Eisenblech mit einem beweglichen Henkel zum
Tragen an seinem obern Rande. In diesen Cylinder
ist von oben her ein kupferner Kessel von fast $^2/_3$
der Höhe des Ofens hineingelassen (s. die punktirte Linie), so dass für die Kohlen darunter nur
wenig Raum verblieb. Diese wurden durch die
kleine Thür, deren Griff einen Gänsekopf bildet,
hineingethan, und für den nöthigen Luftzug um sie
brennend zu erhalten war dadurch gesorgt, daß man
weiter oben ein paar mit Löwenköpfen verkleidete
Löcher anbrachte, die Rauch abzuführen gewiss

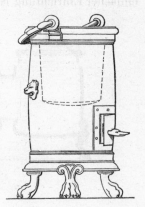

Fig. 237. Ofen.

nicht bestimmt sein konnten. Man sieht recht deutlich, dass es sich bei diesem
Ofen um ein Instrument zum Erhitzen der Gegenstände handelt, die man in
den Kessel that, und nicht um einen Heizapparat für ein Zimmer. Das Gleiche
gilt von den kleinen Kohlenbecken, welche Fig. 238 darstellt. Sie bestehn
wie die Feuerbecken aus einer
Feuerplatte mit umgebendem
Rande, der jedoch doppelt und
oben verschlossen, eine rundumlaufende Rinne für Wasser
bildet. Wird nun das Innere
des Feuerbeckens mit glühenden Kohlen gefüllt, so musste,

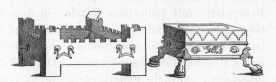

Fig. 238. Kohlenbecken von Bronze.

wie leicht einzusehn, das umgebende Wasser schnell erwärmt werden, und
die obere Fläche der erhitzten Röhre oder Rinne konnte zum Aufstellen heiß
zu haltender Schüsseln dienen, während immerhin auch die aufsteigende Gluth
des Feuerbeckens zu gleichem Zwecke verwendet worden sein mag. Zu
gleicher Zeit konnte man das kochende Wasser benutzen, welches durch einen
Hahn abgezapft wurde. In aller Einfachheit zeigt das niedlich verzierte Becken
rechts in Fig. 238 diese Einrichtung, während dasjenige links noch um ein
Geringes vervollkommnet erscheint. Es gleicht im Ganzen einem kleinen Be-
festigungswerk mit einem Zinnenkranz, welcher als Ornament für derlei
Heerde und Feuerbecken ganz besonders beliebt war, so dass ein ähnliches bei
einem der in Fig. 235 abgebildeten Feuerbecken, sowie bei dem Heerdchen

rechts und bei den Feuerbecken der Thermen sich wiederholt. An den vier
Ecken dieses Heerdchens erheben sich kleine, ebenfalls zinnenbekränzte
Thürme, welche mit einem Klappdeckel verschlossen sind; wurde dieser zurückgeschlagen, wie es bei dem einen Thürmchen in der Abbildung ersichtlich
ist, so konnte man ein Gefäß etwa mit zu erwärmender Brühe unmittelbar in
das heiße Wasser stellen, welches zu anderweitigem Gebrauche durch den an
der linken Fläche erkennbaren Hahn abgezapft wurde.

Verwandt im Princip, aber abweichend in der Form und von weniger
einfacher Einrichtung ist der Heerd, den Fig. 239 in Ansicht und Durchschnitt

Fig. 239. Heerd von Bronze.

darstellt. Die Grundlage bildet auch hier eine von vier Sphinxfüßen getragene
Feuerplatte mit einfachem Rande, in dem fünf Handhaben befestigt sind.
Gegen das eine Ende hin endet diese Platte rechtwinkelig, gegen das andere
ist sie einerseits halbkreisförmig, andererseits durch ein rundes, tonnenför-
miges Bronzegefäß abgeschlossen. Der halbrunde nach vorn offene Abschluß
bildet das eigentliche Feuerbecken und ist von dem Wassergefäß mit doppelten
Wänden umgeben, auf dessen Rande drei Schwäne als Träger eines überzu-
setzenden Kessels stehn. Während also das Wasser ringsum kochte, strahlten
die Kohlen auch nach oben ihre durch die Wände zusammengehaltene Hitze
aus, deren Benutzung in diesem Falle augenscheinlich und eben dadurch in
anderen Fällen wahrscheinlich ist. Mit dem halbrunden Wassergefäß, dessen
Hahn in Maskenform gearbeitet ist, steht, wie der Durchschnitt zeigt, der
tonnenförmige Behälter im Zusammenhange, der mit einem Klappdeckel verschlossen und mit einer Öffnung in Maskenform nahe dem obern Rande versehn ist. Es scheint, dass durch das Feuer in dem halbrunden Kohlenbecken
das Wasser auch in dem größern Gefäß zum Kochen gebracht wurde und dass
die Öffnung zum Ablassen des Dampfes diente, denn als bloßer Behälter kann
das größere Gefäß wegen seiner ganz freien Verbindung mit dem halbrunden
nicht gelten. War sein Deckel zurückgeschlagen, so konnte man ein passendes

Gefäß mit der zu erwärmenden Speise in das heiße Wasser stellen. Der viereckige Vorraum mag zum Abstellen der erhitzten Geschirre gedient haben.

Eine nicht uninteressante Erscheinung unter diesen Geräthen zur Bereitung warmer Speisen und Getränke bildet ein in Pompeji gefundenes Gefäß von Bronze zur Bereitung des unter dem Namen der Calda aus Wasser, Wein und Honig zusammengesetzten und sehr beliebten warmen Getränkes. Die Einrichtung desselben wird aus der nachstehenden Abbildung, welche Ansicht und Durchschnitt vereinigt, leicht klar werden. Das Ganze ist ein auf drei Füßen ruhendes, einem russischen Samovar am meisten gleichendes Gefäß

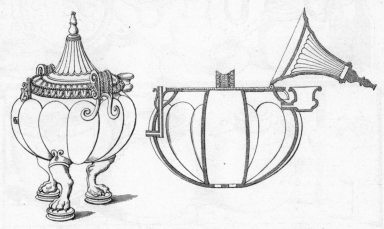

Fig. 240. Gefäß von Bronze zur Bereitung der Calda.

mit zwei Henkeln, durch dessen Bauch von oben nach unten ein mäßiges Rohr von Bronze führt, welches unten mit einem siebartigen Rost geschlossen, zur Aufnahme der glühenden Kohlen bestimmt war; den umgebenden, mit dem Getränke angefüllten Raum des Gefäßes verschließt ein abnehmbarer ringförmiger Deckel, der den Kohlenbehälter offen lässt, während der an einem Scharnier bewegliche spitze Deckel, den die Ansicht geschlossen, der Durchschnitt zurückgeschlagen zeigt, das ganze Gefäß bedeckt. An der Hinterseite desselben ist eine vasenartig erweiterte Röhre angebracht, welche in den für die Flüssigkeit bestimmten Raum führt und durch welche das allmählich abgezapfte Getränk nachgegossen werden konnte; zum Abzapfen dient ein Hahn an der Vorderseite, mit dem ein nach oben führendes Rohr in Verbindung steht, durch welches der Dampf entweichen und Luft eintreten konnte.

Hier wird nun eine Auswahl von Küchengeschirren am natürlichsten folgen, bei denen um so weniger Erklärung nöthig ist, je mehr dieselben mit den bei uns gebräuchlichen übereinstimmen.

In der untersten Reihe in Fig. 241 steht zunächst links *a* ein Kessel oder Topf auf dem niedrigen dreifüßigen Gestell, mit dem er über die auf der Heerdplatte glühenden Kohlen gestellt wurde. Dieselbe Aufstellung ist bei allen Koch-, Brat- und Backgeschirren wiederholt zu denken, weshalb auch kein antiker Topf oder Tiegel Füße hat. Die Größe der Dreifußgestelle wechselt

natürlich mit derjenigen der Geschirre, welche sie zu tragen bestimmt sind. Ein
geräumiger Kessel ist bei *b* als Beispiel vieler ähnlichen abgebildet und neben

Fig. 241. Verschiedene Küchengeschirre von Bronze.

ihm bei *c* und *d* zwei verschiedene Eimer, welche von der gewöhnlich im
Haushalt gebrauchten Sorte, keineswegs Prachtstücke wie der unten beizu-
bringende sind. Ihre Verzierungen sind einfach, und doch wie viel reicher als
an irgend einem modernen Eimer; der erstere hat im Henkel einen Ring zum
Anhängen, und neben den Ringen, in denen sich dieser Henkel bewegt, sind
Zapfen angebracht, durch welche das Niederschlagen des Henkels auf den
Bauch des Gefäßes verhindert wird. Der zweite Eimer hat einen Doppel-
henkel, durch welchen das ruhige Tragen desselben erleichtert wird und der,
niedergelegt wie in der Abbildung, genau auf den Rand passt und diesen
abzuschließen scheint. An dem oben querüberlaufenden Stabe hangen drei
Schöpfkellen, eine größere mit kurzem Stiel *e*, und zwei andere kleinere mit
längerem in einen Schwanenkopf endenden Stiele *q* und *u*. Die erste Schöpfkelle kann als in der Küche gebraucht gelten, die beiden anderen waren
bestimmt, um Wein oder andere Flüssigkeiten aus den tiefen und nicht sehr
weiten Amphoren, in denen dieselben aufbewahrt wurden, herauszuschöpfen.
Auf der Platte des Tisches liegt eine Casserole *f* und über dieser sind bei *o*
und *p* zwei flache Bratpfannen aufgehängt, welche sich durch einen spitzen
Ausguss für die Brühe im Gebrauche bequem erwiesen haben werden. Eine
andere flache Pfanne mit zwei Handgriffen ist mit *r* bezeichnet. Auf der
Tischplatte folgt bei *g* ein Gefäß, welches wahrscheinlich zur Aufbewahrung

eines trockenen Küchenmaterials gedient hat, mit einem Klappdeckel versehn
ist und sich durch den elegant als handlicher Delphin gestalteten Griff auszeichnet. Ein tehr einfacher Topf ohne Griff steht bei h, zwischen den Bratpfannen hangt bei i eine kleine viereckige Pfanne mit vier flachen Löchern,
sowie weiterhin bei t eine größere mit 29 Löchern jedoch ohne Handhaben
steht, welche beiden Instrumente wohl zum Eierbacken gedient haben werden.
Neben der größern Pfanne ist ein zierliches Töpfchen l mit wohl verschließen-
dem Deckel aufgestellt und rechts von demselben eine niedliche Kanne k,
welche sich vor anderen ihres Gleichen, die unten folgen, durch einen Klappdeckel und vor unseren Kannen durch den einfach zierlichen Griff auszeichnet.
An das Töpfchen l lehnt sich auch ein flacher rundlicher Löffel m, den wir als
Löffel zum Begießen der Braten betrachten mögen, während den Schluss zwei
Esslöffel n und v machen, von denen der Stiel des letztern in einen Ziegenfuß
endet. In der Mitte des Stabes oben hangt bei s noch eine Pastetenform,
welche, wie die meisten Geräthe der Art, muschelförmig gestaltet und auf
dem Grunde mit einem Gesichte (Gorgoneion) verziert ist. Andere derartige
Formen ahmen mancherlei kleinere Fleischgerichte nach, einen Hasen, ein
Spanferkel, Huhn u. dgl. m. und haben vielleicht nicht immer für süße Kuchen
und Pasteten, sondern für sülzeartige Speisen gedient.

Die Figur 242 enthält eine kleine Sammlung von Geräthen des Küchen-
gebrauchs, wie Siebe, Durchschläge oder Schaumlöffel, dazu bei 1 noch eine
Schöpfkelle in per-
spectivischer Seiten-
ansicht; 2, 3, 4, 5
sind eigentliche Siebe
oder Durchschläge,
welche zum Umwen-
den und Abschäumen
des kochenden Flei-
sches gedient haben,
und bei denen be-
sonders nur die zier-
lichen Figuren zu be-
merken sind, welche
die Durchlöcherung
darstellt. Bei No. 3

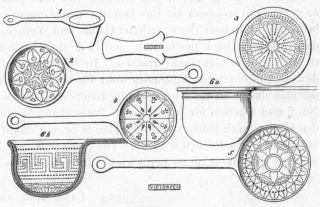

Fig. 242. Siebe von Bronze.

hat sich der Fabrikant Victor (Victor fecit) auf der Handhabe genannt.
Das Geräth No. 6 in Ansicht a und Durchschnitt b ist einem Gebrauch bestimmt gewesen, für den wir keine eigentliche Analogie haben, dem Abklären
des Weines nämlich, der vermöge der eigenthümlichen antiken Behandlungs-
und Bewahrungsart leicht einen Bodensatz bekam. Um diesen abzuklären,
bediente man sich des mitgetheilten Geräthes, welches aus einem von einer
soliden Kelle umgebenen und lose in dieser an eigenem Stiele liegenden Siebe
besteht. Schöpfte man nun mit dem ganzen Geräth den Wein im unklaren
Zustande und hob sodann das innere Sieb heraus, so blieb in der Kelle die
geklärte Flüssigkeit zurück.

Die Kannen, von denen die Figuren 243 und 244 Proben darstellen, gehören zu den am mannichfaltigsten gebrauchten und demgemäß gestalteten Geräthen des Alterthums. Schon bei uns giebt es eine Reihe von verschieden verwendeten und verschieden gestalteten Kannen von der Waschkanne bis zum Sahnekännchen hinab, im Alterthum aber mussten Kannen außerdem fast

Fig. 243. Kannen von Bronze.

allen den Zwecken dienen, für welche wir Caraffen und Flaschen verwenden, woraus sich ihre viel größere Mannichfaltigkeit leicht begreifen lässt. Ein eingänglicheres Studium der sehr verschiedenen Formen antiker Kannen, als es hier bei der Fülle zu betrachtender Gegenstände möglich ist, ist mehr als manches Andere geeignet, uns ein Bild von dem praktischen Sinn der Alten zu geben, mit welchem sie ihre Geräthe dem Gebrauch gemäß und für diesen bequem gestalteten; denn nach der Größe und Weite des Bauches, des Halses, des Ausgusses, nach der Gestalt und Lage des Henkels läßt sich in den meisten Fällen der Gebrauch errathen. In Fig. 243 darf No. 1 vermöge seines dünnen röhrenartigen Ausgusses wohl für eine Ölkanne gehalten werden, mit der man das Öl in das Mittelloch der Lampen natürlich in feinem Strahle goss. No. 2 und 4 gelten für jene kleinen Wasserkannen, aus denen man bei Tisch den Gästen nach jedem Gange die Hände begoss, damit sie dieselben in einem untergehaltenen Becken wüschen. Die größere Kanne No. 3 in der Mitte darf man als eine Weinkanne betrachten. Ihre etwas seltsame Verzierung ist aus

Fig. 244. Kannen von Bronze.

dem Thierreich entnommen; auf dem Rande sitzt, als oberer Griff zum Tragen des Gefäßes bestimmt, ein Adler auf seiner Beute, einem Reh, den eigentlichen untern, beim Einschenken in der Hand ruhenden Griff bildet der obere Theil eines Schwanes oder einer Gans, welche sich zum Fluge zu erheben im Begriff ist. Wie bequem beide Griffe in die Hand fallen, kann man freilich nicht an der Zeichnung, sondern nur am Original wahrnehmen. Der ehemalige Gebrauch der letzten schlichten Kanne No. 5 mag dahinstehn, sie wird aus der Küche stammen. Dagegen gehört die links in Fig. 244

stehende nur kleine Kanne sicher dem Gebrauche in den Zimmern des Herrn oder seiner Familie an, wenn dieselbe nicht vielleicht noch vornehmerer Bestimmung, dem Tempeldienste gewidmet war. Die eigenthümliche Form lernt man erst dann ganz würdigen, wenn man das Geräth in der Hand hält und bemerkt wie genau man die Menge der auszugießenden Flüssigkeit in seiner Gewalt hat. Man nimmt das Gefäß für eine Weinkanne. Ob die andere rechts stehende gleichen Zweck hatte, wie man nach ihrem bakchischen Ornament, namentlich dem ausdrucksvoll modellirten Satyrkopfe, aus dem der Henkel entspringt, schließen will, muss ungewiss bleiben; der weite Hals und der breite Ausguss lassen eher an eine Wasserkanne denken. Hier sei noch bemerkt, dass die Henkel der meisten Kannen sich an Schönheit ja Kunstwerth der Arbeit weit über die Schönheit der wenn auch äußerst zweckmäßig gestalteten Kannen selbst erheben; auch sind sie, die man häufig in größerer Zahl allein aufgefunden hat, ohne dass man dabei an die Zerstörung und den Verlust der zugehörigen Kannen zu denken hätte, die Producte anderer Hände als die Kannen, welche der gewöhnliche Kupferschmied anfertigte, der dann bei dem feinern Bronzearbeiter den passenden und ihm oder seinem Auftraggeber gefallenden Henkel fertig kaufte oder bestellte und sei es durch Löthung, sei es durch Vernietung mit dem Körper seines Gefäßes verband.

Recht sinnreich ist die Einrichtung der zierlichen Schnellwagen oder Desemer, welche in Pompeji gäng und gebe waren, wie sie es noch heute in Italien sind, und von denen Fig. 245 etliche Probestücke bietet. Das einfache Princip dieser Geräthe ist wie bei unseren Decimalwagen das der ungleichen Schenkel, an dem kürzern hangt der zu wägende Gegenstand, an dem längern wird das in allen Fällen gleich bleibende Gewicht auf einer Scale bald näher an den Aufhängungspunkt, bald entfernter von demselben gerückt. Einige dieser Wagen (2, 4, 5) haben nur Haken, an denen der zu wägende

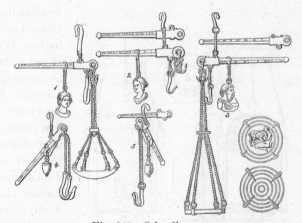

Fig. 245. Schnellwagen.

Gegenstand aufgehängt wurde, andere bieten nur eine Schale, in welche man denselben legte, bei noch anderen, wie den Nummern 1 und 3, finden sich Schale und Haken verbunden. Bei diesen und ähnlich bei No. 2 findet man zwei merkbar verschiedene Aufhängungspunkte für den zu wägenden Gegenstand, den einen ferner vom Schwerpunkte des Wagebalkens, den andern näher an demselben. Bei diesen Wagen aber ist auch eine doppelte Scale auf beide Seiten des langen Schenkels eingegraben, von denen die eine dem äußern, die andere dem innern Aufhängungspunkte des zu wägenden Gegenstandes ent-

spricht, so dass auch die erstere Scale kleinere, die andere größere Werthe und
Verschiedenheiten bietet. So zierlich diese Geräthe an sich schon sind, hat
doch das im Verzieren nie müde werdende Alterthum noch auf Gewichte und
Wagschalen besondern Fleiß verwendet; die Gewichte erscheinen in der einfachsten Form als Eicheln oder kleine Vasen (No. 4 und 5), häufiger aber noch
als Köpfe von Göttern oder Menschen, so in No. 3 als Satyrbüste, in No. 1 und
2 als weibliche, wie es scheint Porträtköpfe. Bei anderen Wagen sind Mer-
curs-, auch Bakchusköpfe oder Kaiserköpfe, sowie sonstige Menschenbilder als
Gewichte verwendet. Von der Ornamentirung der Wagschalen ist rechts in
der Abbildung ein einfaches Beispiel mit concentrischen Doppelkreisen und
ein schmuckvolleres mitgetheilt, welches einen mit einem Bock ringenden
Satyrn in Relief in seiner Mitte zeigt.

Dass man in Pompeji neben diesen Desemern auch gewöhnliche zweischa-
lige Wagen kannte, braucht kaum besonders erwähnt zu werden; eine Sammlung von dergleichen liegt im Museum von Neapel in einem Glasschranke
zusammen, in welchem sich auch eine größere Schalenwage an einem eigenen
Gestell befindet. Dieses besteht aus zwei, oben durch einen Bogen, an welchem
der Wagebalken hängt, geschlossenen Pfeilern, welche auf einer breiten Grundlage stehn; das ganze, etwa 0,50 M. hohe Geräth von streng architektonischem
Charakter besteht aus Bronze. Abgeb. b. Niccolini, Le case ecc. Descr. gen. tav. 2.

Hier mag ein weiteres Stück seinen Platz finden, welches aus den Gebieten
von Küche und Keller stammt, in denen wir uns jetzt bewegen, eine Laterne
Fig. 246. Die Veranlassung zum Gebrauch von Laternen liegt bei der früher
beschriebenen Beschaffenheit der an-
tiken Lampen, die jeder irgend lebhafter Windzug verlöschen musste,
so nahe, dass darüber nichts zu sagen
ist; nur das sei bemerkt, dass, weil
Laternen fast überall vorkommen, wo
im Freien Beleuchtung geschafft werden sollte, ihr Gebrauch ein sehr aus-
gebreiteter sowohl im Privatleben wie
im Heer- und Seewesen war, und dass
die Laternen aus verschiedenen Materialien, Holz, Bronze, Thon, vielleicht
auch edlen Metallen verfertigt und
mit Glas, geöltem Leinen oder Horn,
Blasen, Häuten, je nach Bedürfniss geschlossen wurden, sowie sie auch vier-
eckig und cylindrisch, wie das hier ausgewählte Beispiel aus Herculaneum, vorkommen. Die Abbildung zeigt diese Laterne in der Ansicht 1 bei geschlossenem
und im Durchschnitt 2 bei aufgezogenem Deckel. Hierzu ist noch zu bemerken,
dass der Boden und der obere Rand, auf welchem der Deckel ruht, nur durch die
zwei Stützen verbunden wird, welche die Zeichnung darstellt, in deren Ringen
die Kette zum Tragen befestigt ist, und deren wir eine in grader Ansicht bei 3
finden; sodann sei darauf hingewiesen, dass, wie aus der Zeichnung ebenfalls

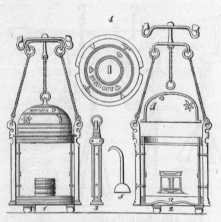

Fig. 246.   Laterne aus Bronze.

hervorgeht, das Licht im Innern von einer Lampe ausging, deren fest auf-
zusetzender, im Durchschnitt 2 gehoben gezeichneter Deckel das Verschütten
des Öles verhinderte, dass ferner der bei 4 in der Oberansicht mitgetheilte
Deckel von verschieden gestalteten Löchern durchbohrt ist, um der Luft Zutritt
und dem Rauch Abzug zu gestatten, endlich, dass bei 5 der Dämpfer oder
Lichtverlöscher dargestellt ist. Auf dem Deckel ist eine Inschrift von allerdings zweifelhafter Lesung (s. *I. R. N.* No. 6305. 13) eingeritzt, in welcher
man jedoch den Namen des einstmaligen Eigenthümers wohl nicht ohne Wahrscheinlichkeit zu erkennen glaubt.

Außer den in Beispielen mitgetheilten einfachen oder mäßig verzierten
Geräthen und Gefäßen ist noch eine beträchtliche Zahl wirklicher Prachtgefäße
in den verschütteten Städten aufgefunden worden, von denen wenigstens zwei
Proben mitgetheilt werden mögen, ein Eimer und ein Krater, zwei Gefäße,
welche an eleganter und geschmackvoller Pracht bei aller Einfachheit und
Zweckmäßigkeit so ziemlich zu den vorzüglichsten unter Ihresgleichen gehören
dürften. Schon die Gesammtform des folgenden, übrigens aus Herculaneum,
nicht aus Pompeji stammenden Eimers ist gefällig und schön, noch mehr aber
nehmen die an seinen Füßen und um seinen Rand angebrachten Ornamente
unsere Bewunderung in Anspruch. Die Stützen werden von den beliebten
Thierklauen gebildet, welche hier jedoch, wie auch in anderen Beispielen, in
ein geflügeltes Fabelthier auslaufen, welches sich dem Bauche des Gefäßes
anlegt. Den Rand bildet ein feiner Arabeskenstreifen, aus pflanzlichen Elementen mit eingefügten Thiergestalten
bestehend, und über demselben ein
reiches geflochtenes Band, jenes sinnige
Ornament, welches die antike Kunst
überall anwendet, wo ein Umfassen und
Umspannen ausgedrückt werden soll.
Die beiden Henkel, welche hier wie bei
früher betrachteten Eimern angebracht
sind, um dem Schwanken des Gefäßes
entgegenzuwirken, entspringen aus
anmuthigen Rosetten, welche zwei Masken mit Diadem und Weinlaubbekrän-
zung, vielleicht den geflügelten Dionysos darstellend, einfassen. Die Inschrift
auf den Henkeln (*I. R. N.* No. 6305.
5), *Corneliaes Chelidonis*, bietet den Namen der Eigenthümerin in einer unregelmäßigen, aber auch in Pompeji
noch sonst vorkommenden Genetivform.
Übertroffen wird die Schönheit und elegante Pracht dieses Eimers noch durch
den in Fig. 248 abgebildeten Krater,

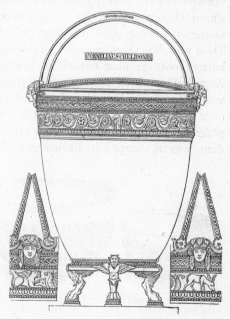

Fig. 247. Prachteimer.

welcher in Pompeji in einem Hause an der Straße der Abundantia, gegenüber
dem Seiteneingang in das Gebäude der Eumachia gefunden worden ist. Die

Krateren waren die Gefäße, in denen nach bekannter antiker Sitte der Wein mit Wasser gemischt, und aus denen er mit der Schöpfkelle geschöpft wurde.

Der hier abgebildete von 0,54 M. Höhe ist eben so tadellos und zweckmäßig in seiner Gesammtform, wie zierlich in seinen Ornamenten, welche zum Theil ausgetrieben, zum Theil mit Silber eingelegt sind, nach einer Technik, in welcher die Alten den höchsten Grad der Vollkommenheit erreicht haben. Um die Gestaltung der Stelle, welche den Fuß mit dem Gefäße verbindet (a) recht zu verstehn, muss bemerkt werden, dass sie dadurch bedingt wird, dass in der Regel Krater und Fuß oder Untersatz aus zwei Stücken bestanden, dass der Krater einen kleinen Fuß für sich hatte, und dass deshalb der Untersatz in einen Teller oder eine Platte zur Aufnahme dieses Fußes enden musste. Danach wird man das Schema des Untersatzes vollkommen billigen, wenngleich bei diesem Geräthe Krater und Fuß

Fig. 248. Krater.

ein Stück bilden, so dass die gewöhnliche Trennung nur künstlerisch und formell festgehalten ist.

So mannichfaltig nun auch die Geräthe und Gefäße von Bronze waren, so konnten sie doch nicht jeglichem Gebrauche dienen, und andere Materialien mussten zur Herstellung anderer Geräthe verwendet werden. Diese Materialien waren Thon und Glas. Es ist allerdings richtig und geht schon aus dem bisher Gesagten hervor, dass die ausgebreitete und ausgebildete Bronzetechnik dem Thon und dem Glase manche Anwendung, die sie in anderen Zeiten und Orten hatten, entzog; aber entbehren konnte man weder das eine noch das andere. Zum Aufbewahren des Weines wurden z. B. ständig thönerne Amphoren verwendet und alle jene Geräthe und Geschirre, in denen man Säuren bewahren oder aus denen man Säuren genießen wollte, mussten von Thon oder Glas angefertigt werden. Die Thongeschirre stehn freilich, vergleicht man sie mit dem, was in Pompeji in Bronze geleistet wurde, oder was Griechenland früher

Fig. 249. Trinkgefäß und Schüssel von Thon.

in Thon hervorgebracht hatte, auf einer niedrigen Stufe oder der Stufe des Verfalls. Das Material selbst, mit rothem Firniss überzogener Thon, ist allerdings noch vorzüglich zu nennen, sehr fein geschlemmt, fest, rein und in Folge dessen oft von erstaunlicher Leichtigkeit bei lebhafter Farbe; aber weder in den Gefäßformen noch in der Ornamentik ist Besonderes geleistet. Unter den Formen treten mehr oder weniger flache Schüsseln und Trinkgeschirre, wovon Fig. 249 Proben giebt, am meisten hervor, die Ornamente aber bestehn in flach aufliegenden Reliefarabesken, welche mit dem Gefäße zusammen in der Form gepresst wurden und welche meistens in der Zeichnung und Composition besser als in der Ausführung, in etwas schweren und stumpfen Formen gerathen sind.

Von Thongeschirren zeigt Fig. 250 zwei Amphoren zur Aufbewahrung des Weines *a*, *b*, beide aus dem Hause des großen Mosaik, die eine in der gewöhnlichen schlichten, die andere in einer etwas gewähltern Form, namentlich mit eleganteren Henkeln. Diese Amphoren, unfähig allein zu stehn, wurden an die Wand des Kellers gelehnt, wie man sie in der Villa des Diomedes gefunden hat, auch gelegentlich mit dem spitzen Ende in den Boden gesteckt. Aus Thon besteht auch die tiefe Schüssel mit umlaufenden Arabesken-

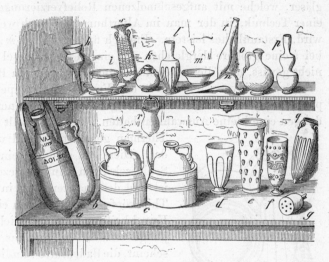

Fig. 250. Gefäße aus Glas und gebranntem Thon.

ornamenten und das flache Trinkgefäß Fig. 249, welches unterhalb eines glatten Randes und eines Eierstabes zunächst mit einer Reihe einzelner Blätter verziert ist, zwischen denen die Inschrift *Bibe amice de meo*, »trinke, Freund, von meinem Weine!« steht, einer der vielfachen ähnlichen Sprüche auf solchen Trinkgeschirren. Zu unterst besteht das Ornament wieder aus einzelnen Blättern, an denen zwei Kaninchen nagen und zwischen denen zwei Hunde Eber oder nach Anderen Wölfe verfolgen. Endlich finden wir an der einen uns zugewendeten Seite einen Frauenkopf zwischen zwei Caduceen (Mercurstäbchen) von eigenthümlicher Form. Reicher konnte eine Sammlung gewöhnlicher Glasgefäße (Fig. 250) ausgestattet werden. Hier sind zuerst von Flaschen bei *c* ein cylindrisches Flaschenpaar mit Henkeln in einem Tragbehälter von Thon, bei *o* eine kleinere kugelige Flasche ebenfalls mit einem Henkel, also eigentlich kannenartig gestaltet, mit engerem Halse als die vorigen Exemplare, in *l* und *p* dagegen zwei henkellose, also eigentliche Flaschen, die eine in anmuthiger, die andere in wunderlicher Gestalt, deren Zweck und Bedeutung schwer zu ermessen sind, endlich bei *q* ein amphorenförmiges zierliches Gefäß, wohl für feines Öl bestimmt, vereinigt. Zwecken der Körperpflege wird auch das kugelförmige Gefäßchen *k* mit kurzem engem Halse und zwei kleinen Henkeln gedient haben; unter dem sogleich zu betrachtenden Badegeräth befindet sich ein ähnliches Gefäß von Bronze für die in's Bad mitzunehmende Salbe, und ein sicheres Salben- oder Ölfläschchen von dem Putztisch einer Pompejanerin ist das Fläschchen von buntfarbig in Zickzack oder Wellenornamenten verziertem Glase bei *s*, eines der verkehrter

Weise so genannten Thränenfläschchen. Der Trichter bei h, das zierliche
Henkelgefäßchen bei r, sowie der bei n abgebildete Heber bedarf keiner
Erklärung. Verwandt ist das bei g abgebildete fragmentirte Geräth, welches
an seiner untern Fläche von sechs Löchern durchbohrt ist, um den dicklichen
Satz des Weines nicht mit durchzulassen. Bei d, e und f stehn drei Trink-
gläser, welche mit aufgeschmolzenen Reliefverzierungen versehn sind, nach
einer Technik, in der man im Alterthum, wie noch weiterhin gezeigt werden
wird, Erstaunliches leistete. Endlich finden wir bei m eine flache Schale und
bei i eine größere dergleichen auf einer Unterschüssel; es ist möglich, aber
nicht gewiss, dass diese Geschirre zum Auftragen von Brühe dienten.

Reichlich vertreten sind in den Funden von Pompeji auch die zur Körperpflege und zum Putz dienenden Gegenstände, von denen die folgenden Abbildungen eine kleine Auswahl enthalten. Fig. 251 stellt einen in den kleineren
Thermen gemachten Fund von Badegeräthschaften

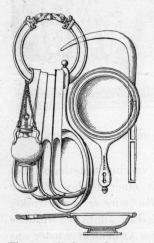

dar. Dieselben sind auf einen Metallring, unseren
Schlüsselringen ähnlich, gezogen, welcher elastisch
ist und dessen Trennung in das Ornament zweier
Thierköpfe fällt, welche in einen Apfel oder in eine
Kugel beißen. Am zahlreichsten vertreten ist dasjenige Geräth, welches uns am fremdartigsten erscheint, die Badekratze nämlich (*strigilis*), welche die
Alten nöthig hatten, um das Fett, die Salben und Öle
vom Körper abzuschaben, mit welchen sie sich ein-
zureiben und zu bestreichen liebten. Und zwar sowohl nach dem Baden wie auch bei den Übungen
auf dem Ring- und Turnplatze, bei denen sich auf
das Öl noch Staub und Schmutz legte, so dass eine
Strigilis als das einzige mögliche Werkzeug der
Fig. 251. Badegeräthschaften. Reinigung erscheint, obgleich es den Nachtheil
hatte, dass man durch häufigen Gebrauch leicht
Schwielen bekam. Die Gestalt dieser Instrumente ist aus der Zeichnung
(Innen- und Seitenansicht) wohl klar genug, um eine längere Beschreibung
unnöthig zu machen; an einem Handgriff ist ein halbhohler Haken befestigt,
dessen Schärfe über die Haut geführt wurde, so dass sich das abgeschabte Öl
in der Höhlung sammelte. Das Vorhandensein einer Mehrzahl dieser Instrumente überhob den Besitzer der Reinigung derselben während des Gebrauchs;
diese war Sache des den Herrn begleitenden Sclaven. Neben den Badekratzen
hangt einerseits ein Salbbüchschen mit aufgeschraubtem Deckel, andererseits
eine Patera, deren Innen- und Seitenansicht außerdem beigegeben ist, und
welche der Badende gebraucht haben mag, um sich nach dem Schwitzbade im
Caldarium mit dem lauen Wasser des Labrum zu begießen.

Die folgende Abbildung enthält eine Sammlung von Gegenständen des
weiblichen Schmuckes, zu der nur sehr wenige Bemerkungen zu machen sind,
während diejenigen, welche sich für die Körperpflege und den Schmuck der
antiken Damen näher interessiren, auf Böttigers »Sabina« und Beckers »Gallus«,
3. Aufl. III, S. 114 ff. verwiesen werden mögen.

Bei *a, l, m* und *n* finden wir Spiegel, und zwar in *a, l, n* die runden Handspiegel von Metall, welche überwiegend im Gebrauch waren, obwohl auch viereckige Spiegel vorkommen, wie das Beispiel bei *m* (in modernem

Fig. 252. Schmuckgeräthschaften.

Rahmen) lehrt, und Wandspiegel ebenfalls nachweisbar sind. Gewöhnlich aber bediente man sich der runden Handspiegel von Metall, meistens von Erz, hie und da auch von edelen Metallen, bei denen die Rückseite und der Stiel der künstlerischen Verzierung Raum und Anlass boten. Die Rückseite wurde bei den Römern freilich nur mit einfachen Linien, Arabesken oder sonstigen rein decorativen Ornamenten in eingerissenen oder erhabenen Figuren verziert (siehe *n*), während die Rückseite der in früheren Zeiten irrthümlich für Pateren gehaltenen Spiegel bei den Etruskern mit einer Fülle zum Theil der vortrefflichsten Figurencompositionen bedeckt wurden; den Stiel dagegen findet man auch bei Spiegeln aus Pompeji in mannichfaltiger Weise gestaltet und geschmückt, wie die mitgetheilten drei Beispiele zeigen, deren eines eine nackte auf einer Schildkröte stehende Figur zum Träger hat, während der Stiel des zweiten nur einfache Ornamentglieder zeigt und der des dritten aus einer Maske entpringt und in einen Schwanenkopf hakenförmig endet. Neben den Spiegeln stehn bei *c* und *e* ein paar Schminknäpfchen, das eine von Glas, durch welches man das vielgebrauchte Material, ein Stückchen rother und ein kleineres weißer Schminke erkennt, das andere von Elfenbein mit einem, Eros darstellenden Relief verziert. Die Kämme *d, i, k* erkennt Jeder ohne Beschreibung, es ist nur zu bemerken, dass die weiten (Pferde-) Kämme *d, k* von Bronze sind, während der Staubkamm *i*, welcher den modernen durchaus gleicht, wie diese aus Knochen besteht. Auch das Ohrlöffelchen *b* erklärt sich selbst. Den beiden Büchschen von Elfenbein *f, h* kann nur fragweise ein Zweck angewiesen werden, für das eine ist er durch hineingelegte moderne Stecknadeln angedeutet, bei dem andern mit dem Stöpsel wird er in Aufbewahrung einer feinen Salbe bestanden haben. Bei *g* endlich ist eine Auswahl von Haarnadeln von Elfenbein zusammengeordnet, deren Köpfe in verschiedener Weise und mit verschiedenem Geschmack verziert sind. Am anmuthigsten erscheinen unstreitbar die weiblichen Figürchen, welche Aphrodite darstellen, auch ungleich passender zum Schmuck eines schönen Kopfes als eine Gemse oder eine offene Hand oder dergleichen armselige, nur zum Theil durch symbolische Bedeutung der dargestellten Gegenstände motivirte

Spielereien mehr, über welche die moderne Darstellung von solchen Gegenständen sich fast nie erhebt.

Die eigentlichen Stücke der Kleidung und des Schmuckes, Fibulae,
Ringe, Spangen, Hals- und Armbänder, Ohrringe u. dgl. sind so unsäglich
mannichfaltig, dass hier unmöglich eine nur irgendwie die Verschiedenheit
ihrer Formen erschöpfende Darstellung versucht werden kann, ohne weit
über den Raum hinauszugehn, welcher diesem Abschnitt im ganzen Werke
angewiesen werden darf, weswegen die Betrachtung einiger Hauptstücke
der Geschmeide- und Goldschmiedearbeit für den artistischen Theil ver-
spart wird.

Zweiter Abschnitt.

Waffen und sonstige Instrumente.

Dem in dem vorigen Abschnitt betrachteten Hausgeräthe wird in diesem
Abschnitt eine kurze Übersicht über die sonstigen Geräthschaften beigefügt,
welche in Pompeji gefunden worden sind; der Abschnitt umfasst freilich
nicht ganz Gleichartiges, aber zu einer weitergehenden Theilung ist der Stoff
doch nicht reich genug.

Am reichlichsten vorhanden sind die Waffen, von denen jedoch die
zuerst zu behandelnden Kriegerwaffen nicht aus Pompeji, sondern fast durchgängig aus griechischen Gräbern stammen. Sie mussten trotzdem hier aufgenommen werden, um ihren großen Unterschied von den in Pompeji und
namentlich in der Gladiatorencaserne gefundenen Gladiatorenwaffen recht
augenfällig zu machen.

Von den Gladiatorenwaffen unterscheiden sich die Kriegerwaffen, von
denen Fig. 253 eine Auswahl der am meisten charakteristischen darbietet,
außer durch das Fehlen einiger besonderer Theile, welche bei jenen durch die
eigenthümlichen Kampfarten bedingt wurden, durch die Bank durch große
Einfachheit und Schmucklosigkeit, die dem Schmuck und Putz der Gladiatorenwaffen gegenüber einen sehr würdigen und wohlthuenden Eindruck
macht. Bequem und zweckmäßig mussten die Waffen des ernsten Kriegers
sein, der die Schlachten des Vaterlandes schlug oder die Ordnung in den
Städten erhielt; jene feilen Sclaven und Schlachtopfer einer blutgierigen
Menge mochten sich putzen und schmücken bei ihren elenden Klopffechte-
reien, wie man das Opferthier schmückte, das zur Schlachtbank geführt wurde.
Wir finden in Fig. 253 zunächst einen Erzpanzer in der Vorder- und in der
Hinteransicht *a* und *b*. Er besteht aus zwei Hälften, deren eine die Brust, die
andere den Rücken deckte, und welche über der Schulter mit einer Spange,
hier in Form einer Schlange, an den Seiten unter den Armen durch doppelte
Gelenkbänder verbunden wurden, welche die Zeichnung andeutet. Die
Hauptformen des Körpers sind in dem Erz des Panzers sorgfältig ausgetrieben,
damit er nicht irgend drücke und die Bewegungen lähme. Man sieht, dass
hierdurch zugleich jener widerwärtig steife und schwerfällige Eindruck fast

ganz gehoben wird, den mittelalterliche Harnische und moderne Kürasse machen. Den Unterleib und die Oberschenkel schützte ein doppelter in Falten gelegter oder in Streifen zerschnittener und mit Erzplatten benieteter Leder-schurz, welcher zugleich jeder Bewegung Raum ließ. Bei c ist diesem Erz-

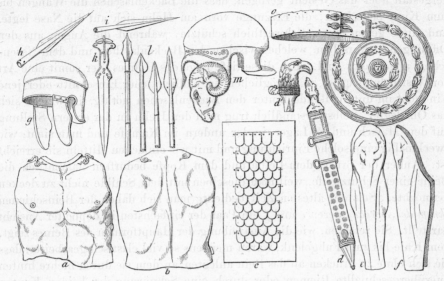

Fig. 253. Kriegerwaffen.

panzer die Probe eines im Museum von Neapel aufbewahrten Schuppenpanzers von Knochen beigefügt, der allerdings sich nicht mehr ganz herstellen lässt, dessen Zusammensetzung aus kleinen Knochenplatten, welche durch einen Riemen aneinandergeheftet wurden, man jedoch aus der Probe hinreichend erkennen kann. Während die Brust und der Leib des Kriegers vom Panzer und Lederschurz geschützt wurde, welchen letztern ein um die Nabelgegend gelegter metallener Ring oder Gürtel o verstärkte, blieben die Arme zur un-behinderten Bewegung des Angriffs und der Abwehr ganz nackt; bekanntlich wurden sie aber nebst dem Hals und dem ganzen übrigen Oberkörper durch den Schild gedeckt, den man am linken Arm trug, und der je nach der Waffen-gattung in verschiedener Größe und Form erscheint. Die Abbildung n stellt einen mäßig verzierten runden Schild (parma) dar, wie ihn die Reiterei und das leichtbewaffnete Fußvolk zu tragen pflegte. Ein Medusenhaupt, das be-liebte und passende Emblem des Schildes, schmückt die Mitte auch dieser Parma. Von den Schutzwaffen des Hauptes, den Helmen und Sturmhauben, sind zwei Exemplare verschiedener Art g und m aufgenommen, von denen das erstere g, eine einfache Sturmhaube mit beweglichen Backenlaschen, aus Pom-peji stammt. Für sie genügt der Hinweis auf die Zeichnung; dagegen ist in Betracht des Helmes m, der diesen Namen im eigentlichen Sinne verdient, und der aus den Ruinen des antiken Lokris in das Museum von Neapel ge-bracht ist, wenigstens das hervorzuheben, dass er von der Form der sogen. korinthischen Helme, wenngleich weniger hoch ist, als diese zu sein pflegen. Diese Helme haben nicht bewegliche (in Gelenkbändern wie die Sturmhaube g),

sondern elastische Backenlaschen, vermöge deren sie in zwei Stellungen auf
dem Kopfe gehalten werden, entweder zurückgeschoben, der Art, dass die
hier als Widderköpfe gestalteten Backenlaschen sich den Schläfen- und den
Backenknochen anlegten und aller Druck vom Schädel entfernt wurde, oder
dergestalt über das Gesicht gezogen, dass die Backenlaschen die Wangen bis
zum Kinn bedeckten, die Erzzunge vorn am Helm sich auf die Nase legte,
und diese gegen einen Schwerthieb schützte, während die Augen aus den
Öffnungen hervorsahen, welche zwischen den Backenlaschen und dem Nasen-
schutz angebracht sind. Um diese tiefe Lage des Helmes, der somit eine Art
von Visirhelm wurde, zu ermöglichen, ist endlich jener Einschnitt oder jene
Einbucht im untern Rande hinter den Backenlaschen nöthig, in welche sich
das Ohr legte. Selbstverständlich trug man den Helm in der erstern Stellung
auf dem Marsch und im Lager, in der andern im Kampfe und man sieht, wie
zweckmäßig eine solche Einrichtung und mit wie einfachen Mitteln sie erreicht
ist. Außer der Brust, dem Leibe und dem Kopfe bedurften namentlich die
Beine einer Schutzwaffe, weil man dieselben mit dem Schilde nicht zu decken
vermochte. Seit der ältesten Zeit bediente man sich daher der Beinschienen
(*knemides, ocreae*), deren *e* und *f* ein Paar der einfachsten in doppelter Ansicht
darstellt. Sie reichten, wie die Austreibung der Hauptformen des Beines zeigt,
vom Knie bis zum Fußgelenk, waren meistens so viel elastisch gearbeitet, dass
sie sich ohne zu drücken an das Bein anlegten, an dem sie durch mehre hinten
querübergeschnallte Riemen oder durch eine Schnürung der beiden Kanten
gehalten wurden.

Noch ungleich einfacher als die Schutzwaffen sind die zum Angriff bestimmten, Lanzen, Speere, Schwerter, Dolche und Messer. Hier ist nur
an den Unterschied der langen Stoßlanzen des schweren Fußvolkes und der
kurzen und leichten Wurfspeere des leichten Fußvolks und der Reiter zu
erinnern, und auf die Abbildung zu verweisen, welche sechs verschiedene
Lanzen- und Speerspitzenformen bei *h, i* und *l* darstellt, da hier zu weitläufigen Einzeluntersuchungen über die Gestaltungen der römischen Speere nicht
der Raum ist. Das Schwert *d* steckt in seiner Scheide, welche an den beiden
Ringen an Riemen umgeschnallt oder richtiger, über die Schulter gehängt
wurde. Der Griff ist hier zerstört, weshalb daneben der Griff eines andern
Schwertes *d'* in Form eines Adlerkopfes beigefügt ist. Endlich zeigt *k* ein
kurzes Schwert oder eine Art Dolch außer der Scheide, von dessen Griff ebenfalls nur der innere, aus Bronze bestehende Theil erhalten ist, während die
beiden Elfenbein- oder Hornplatten fehlen, die, mit den in der Zeichnung
erkennbaren Stiften aufgenietet, dem Griff erst die nöthige Dicke und Hand-
lichkeit verliehen.

Ganz anders erscheinen die Gladiatorenwaffen; reich verziert, fast
überladen stechen sie sichtbar gegen die ernste Einfachheit der Kriegerwaffen
ab. In der 254. Figur sind drei Gladiatorenhelme in drei verschiedenen Ansichten zusammengestellt, aus denen sowohl die eigenthümliche Gestaltung wie
die Verzierung derselben ersehn werden kann [192]. Anlangend die Gesammtform unterscheiden sich diese Gladiatorenhelme von den eng an den Kopf
anliegenden Kriegerhelmen namentlich durch den schwerfälligen, schirm-

artigen, weitabstehenden Rand, der sich bei allen Exemplaren in etwas verschiedener Gestalt wiederfindet. Sodann ist aber besonders das eigenthümliche Visir das unterscheidende Merkmal, das jeden Gladiatorenhelm vor dem

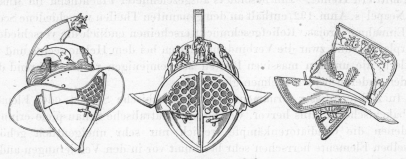

Fig. 254. Gladiatorenhelme.

Kriegerhelm auszeichnet. Wir kennen diese Visire bereits aus den früher
betrachteten Reliefen und Gemälden, welche Amphitheaterkämpfe darstellen,
hier können wir die Art der Einrichtung kennen lernen. Die Visire bestehn
aus vier Stücken, zwei massiven Platten, welche den untern Theil des Gesichtes deckten, und zwei mit vielen Öffnungen durchbohrten Platten, welche
sich vor dem obern Theile des Gesichtes befanden, das Durchsehn ermöglichten, indem sie zugleich jeden Schwerthieb abhielten, und in den unteren
am Helm mit Gelenkbändern befestigten Platten, sowie in dem Schirm des
Helmes befestigt wurden, wie dies namentlich durch den mittlern Helm in der
Vorderansicht klar wird. Seitwärts legt sich über die Verbindung der oberen
und unteren Theile noch eine kleinere Platte, welche den wohlgezielten Hieb
in diese Verbindung abwehrte, und welche bei dem Helm links am deutlichsten
zu erkennen ist.

Die Verzierung der Gladiatorenhelme ist doppelter Art, zunächst diejenige, welche ihnen durch Rosshaar oder Federbüsche verliehen wird, und
sodann die eigentlich künstlerische durch ausgetriebene und aufgenietete oder
aufgelöthete Reliefe. Der erste Helm links hat wahrscheinlich niemals einen
Busch getragen, sein Buschträger (*crista*) endet in einen Greifenkopf; die
Crista des mittlern Helms wird mit wallendem Rosshaarbusch geziert gewesen
sein, zu dessen Aufnahme die Crista oben hohl und mit kleinen Löchern am
Rande durchbohrt ist, durch die man Metallstifte oder Fäden zum Befestigen
des Busches steckte. Bei dem ersten und dritten Helm endlich ist seitwärts
am Kopfe ein schneckenförmig gewundener Behälter angebracht, in welchen
jederseits entweder ein emporstehender Rosshaar- oder ein Federbusch gesteckt
wurde.

Zur Reliefverzierung bieten fast alle einzelnen Theile des Helmes geeigneten Raum. Zunächst findet man die Crista mit Figuren geschmückt und
zwar am ansehnlichsten bei dem rechts stehenden Helm, dessen Crista vorn
einen bärtigen Krieger in Hochrelief, seitwärts eine Arabeskenverzierung mit
Greifen in Flachrelief zeigt. Verziert wird sodann der eigentliche an den Kopf
anliegende Theil, mit einem Medusenkopf nach vorn bei dem Helme rechts,

mit einem weiblichen Gesicht nach vorn und Delphinen an der Seite bei dem
Helme links, mit einem ganz umlaufenden, figurenreichen Relief, welches
verschiedene Scenen des Sieges und der Unterwerfung der Besiegten enthält, bei
dem mittlern Helme. Ein besonders ausgezeichneter Prachthelm im Museum
von Neapel (s. Anm. 192) enthält an den genannten Theilen verschiedene Scenen
der Einnahme Trojas. Reliefgeschmückt erscheinen endlich die verschiedenen
Visirplatten, und zwar die Verbindungsplatten bei dem Helme rechts und dem
mittlern, die unteren massiven Platten bei demjenigen rechts, während diese
bei den anderen beiden Helmen glatt sind.

In mehren dieser Ornamente treten bakchische Scenen oder Elemente
des bakchischen Cultus hervor, welche an theatralische Schauspiele erinnern,
zu denen die Gladiatorenkämpfe freilich nur sehr uneigentlich gehören.
Dieselben Elemente herrschen sehr bestimmt vor in den Verzierungen anderer
Waffen der Gladiatoren, namentlich in den meistens sehr reich geschmückten
Beinschienen, von denen in der nachstehenden Abbildung Fig. 255 links ein
Exemplar als Probe mitgetheilt ist. Hier bilden sechs Theatermasken, oben
und in der Mitte angebracht, den hervorstechenden Theil des Reliefschmuckes,
der in seiner Gesammt-
heit nicht erörtert werden
kann, weil dazu ein ganz
unverhältnissmäßiger
Raum nöthig sein würde.
Neben dieser Beinschiene
ist eine ähnlich gestaltete
Armberge abgebildet, eins
jener Waffenstücke, wel-
ches die Rüstung der
Gladiatoren von derjeni-
gen der Krieger unter-
scheidet. Diese Armberge

Fig. 255. Beinschiene, Armberge und Galerus.

schützte, angeschnallt wie die Beinschienen, den rechten Oberarm, während
der linke den Schild trug, von dessen verschiedenen Formen die früher betrachteten Reliefe eine Anschauung vermittelt haben. Ein ganz eigenthümliches Schutzwaffenstück, welches ausschließlich den Retiariern zukommt, den
sog. *galerus*, zeigt die Abbildung rechts [193]). Der vorgewölbte Theil schloss
sich der Schulter und dem Oberarm an, während die diesen Theil umgebende
und aufsteigende Platte mit den Reliefköpfen den Hals deckte. Befestigt war
dieser Galerus an dem Ärmel des linken Armes und mit einer Schnur um die
Brust, und so finden wir ihn in mehren Darstellungen der Retiarier von diesen
getragen. Diese Schutzwaffen sind jedenfalls die am meisten charakteristischen Theile der Gladiatorenrüstung; die meisten ihrer Angriffswaffen, unter
denen der Dreizack des Retiarius und das winkelig gebogene Schwert, die *sica*
des Thrakers, welche sich in dem Tropaeon aus der Gladiatorenkaserne (Bull.
Napol. n. s. I. tav. 7) gemalt finden, am eigenthümlichsten sind, erscheinen im
Übrigen nicht so sehr abweichend von den gewöhnlichen Formen, dass es
nöthig wäre, sie hier im Einzelnen vorzuführen. Auch sind die meisten der-

selben auf den schon oben (S. 189 f.) mitgetheilten Reliefen mit Amphitheater-
kämpfen, so weit nöthig erkennbar. Bei Vergleichung dieser Reliefe bemerkt
man, dass die Speere ganz die gewöhnliche Form haben, die Schwerter sich
nur durch den glockenförmig erweiterten Handschutz von den Kriegerschwer-
tern unterscheiden, und dass die Tridente der Retiarii, leichte dreispitzige
Speere, die einzigen Angriffswaffen sind, welche wesentlich nur von Gladiatoren geführt wurden.

Von Pferdegeschirr, welches hier zunächst Erwähnung verdient, sind
nur einige Fragmente gefunden worden, wie überhaupt Alles, was auf Reit-
und Fuhrwesen Beziehung hat, in Pompeji selten ist. Proben von pompejaner
Pferdegeschirren sind im Mus. Borb. vol. VIII, Taf. 32 abgebildet. Von einem
Wagenrade ist es gelungen, einen im Localmuseum der *porta della marina*
aufgestellten Abguss zu gewinnen.

Von den ziemlich mannichfaltigen Opfergeräthschaften der Alten
ist nur weniges in Pompeji aufgefunden oder bekannt gemacht, und das wenige
ist nicht bedeutend genug, um ein näheres Eingehn auf dasselbe an diesem
Orte zu rechtfertigen. Bekannt sind einige Kannen (*simpula*), in denen die
beim Opfer gebrauchten geweihten Flüssigkeiten getragen wurden, in ihren
Formen nicht wesentlich von oben mitgetheilten Kannen abweichend; ferner
etliche Pateren oder flache Opferschalen, mit denen man die erwähnten
Flüssigkeiten auf das Opfer ausgoss; sie sind in doppelter Hauptform bekannt, mit einem längern Stiel oder Handgriff, welcher erwünschte Gelegenheit zur Ornamentirung bietet, oder mit zwei Henkeln. Auch ein paar Weih-
rauchbüchschen (*thuribola, thymiateria*) werden im Museum bewahrt, einfach
cylindrische Gefäßchen mit einem Gelenkdeckel an Ketten hangend. Etwa
noch vorhandene Opfermesser und Beile sind nicht bekannt gemacht, dagegen
unter den in den Schränken des Museums neuerdings wohlgeordnet liegenden
Geräthen unschwer aufzufinden.

Keine andere Stelle als diese war ausfindig zu machen, um von den in
Pompeji gefundenen Sonnenuhren zu sprechen, welche als regelmäßige
Beispiele dieser interessanten Monumente gelten dürfen. Von den fünf in
Pompeji gefundenen Sonnenuhren [194], deren mehre ihres Ortes bereits erwähnt
worden sind, sei als Beispiel diejenige, welche in den größeren Thermen gefunden wurde (s. S. 216. 219), ausgehoben, indem dieselbe sich nicht allein
durch ihre oskische Inschrift und durch die besonders gewählte Ausstattung mit
Löwentatzen und Ornamenten auszeichnet, sondern vor allen anderen durch
die vollkommene Erhaltung des Zeigers wichtig ist.

Ohne dass hier auf eine Erörterung der antiken Zeitmesser, Wasser- und
Schattenuhren, eingegangen werden könnte, wird das, was zum Verständniss
des in der nachstehenden Figur in doppelter Ansicht dargestellten Instrumentes
nöthig ist, sich in wenig Worten sagen lassen. Die Fläche, auf welche der
Schatten des Zeigers (*gnomon*) fällt, ist wie ein Kugelabschnitt ausgehöhlt und
mit graden Linien eingetheilt, welche als Radien in dem Punkte zusammen-
laufen, in welchem der Gnomon horizontal befestigt ist. Jeder sieht, dass sie
die Zeiteintheilung bezeichnen, welche in anderen Exemplaren mit Zahlzeichen an ihren Endpunkten versehn ist. Wir finden rechts wie links von

der Mittagslinie ihrer je fünf; außerdem aber sehn wir diese Radien von drei
Kreislinien geschnitten, welche, antiken Zeugnissen nach, sich auf die ver-

Winter . . . . . .

Sommer . . . . .

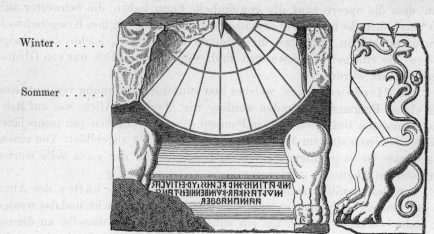

Fig. 256. Sonnenuhr.

schiedenen Jahreszeiten und die Länge des Gnomonschattens in denselben
beziehn; die oberen Linien dienten bei niedrigem, die unterste bei hohem
Sonnenstande, also jene im Winter, diese im Sommer. Diese *hemicyclium*
genannte Art von Sonnenuhren wird auf die Erfindung des Chaldaeers Berosus
zurückgeführt.

Bei weitem das meiste Interesse gewähren nächst dieser Sonnenuhr der
Betrachtung, außer den nicht eben zahlreichen musikalischen Instrumenten,
deren nur wenige, wie einige nach Art unserer Schalmeien zu blasende Flöten
und mehre grade Tuben (Posaunen) mehr oder weniger gut erhalten, die
meisten nur in Bruchstücken aufgefunden sind[195]), diejenigen, welche zu technischen Zwecken gedient haben. Hier ist denn in Eisen und Bronze die allergrößte Fülle vorhanden, beginnend bei Acker- und Gartengeräthen aller Art
von der Radehacke bis zum Baummesser, die Instrumente mehr als eines
Handwerks, besonders Tischlerwerkzeuge (Fuchsschwanzsäge und Hobel,
Hammer und Bohrer u. s. w.). Vollständig aufgefunden sind auch die Werkzeuge des Bildhauers, von dem schon früher berichtet worden ist. Aber
alle diese Geräthe entsprechen, abgesehn von ein paar unwesentlichen Abweichungen in der Form so vollkommen den heutzutage, besonders den in
Italien gebrauchten, dass es völlig überflüssig ist, sie näher zu beschreiben
oder vollends abzubilden. Nur einen Zirkel, der bei der Bildhauerei diente,
theilen wir zur Probe unter der kleinen Auswahl von pompejanischem Mess-
geräth mit, welche Fig. 257 enthält, und welches dem unsern so ähnlich ist,
wie ein Ei dem andern, was übrigens das Interesse an diesen Gegenständen
nicht vermindern kann. Wir finden zu unterst einen zusammenlegbaren Maßstab von einem römischen Fuß, welcher durch Punkte auf der einen Seitenfläche in zwölf Uncien, durch Punkte auf der untern Kante in sechszehn Digiti,
die beiden gewöhnlichen Theilungen des Fußes, getheilt ist. Den kleinen
Halter, durch welchen der auseinandergelegte Maßstab gesteift, und der,

wenn der Maßstab zusammengeklappt ist, zurückgeschlagen wird, bemerkt und versteht man wohl ohne weitern Nachweis aus der Zeichnung. In der Mitte der Figur ist ein einfacher Zirkel, innerhalb dessen Schenkeln ein Bleigewicht (Senkblei, Loth, *perpendiculum*) größern Gewichtes, sowie zwischen den Schenkeln des Halbirzirkels links ein solches kleinern Gewichtes und von zierlicher Gestalt gezeichnet. Rechts ist ein Zirkel mit gebogenen Spitzen (Tasterzirkel), von denen die

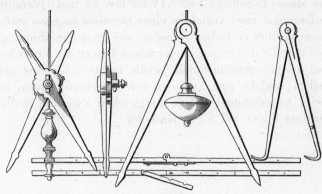

Fig. 257. Messgeräthe.

eine lose ist, aus der Bildhauerwerkstatt abgebildet, wo er zur Messung von krummen Flächen diente, und zwar mit nach innen gekehrten Spitzen zur Messung convexer, mit nach außen gekehrten Spitzen zur Messung concaver Gegenstände. Zum Verständniss der Anwendung ist etwa noch zu bemerken, dass die beiden Schenkel wie die Schneiden einer Scheere neben einander liegen, so dass der jetzt rechts befindliche links, der linke rechts stehn konnte, in welcher Stellung sodann durch Umdrehung der einen Spitze die beiden Spitzen einander zugekehrt waren. Dieselbe Einrichtung der Lage beider Schenkel in zwei Ebenen zeigt die Seitenansicht des Halbirzirkels links, über den nur hervorgehoben werden mag, dass er in jeder Weite durch die in der Seitenansicht deutliche Stellschraube befestigt werden konnte. — Mehr noch als

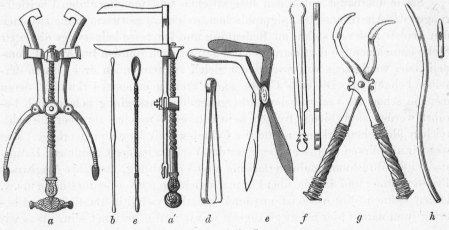

a   b   e   a'   d   e   f   g   h

Fig. 258. Chirurgische Instrumente.

diese Messgeräthe werden Manche die chirurgischen Instrumente interessiren, deren Abbildung aus mehren, für die Kundigen leicht ersichtlichen Gründen in diesem Buche ohne eingehende Beschreibung bleiben muss. Es möge deshalb genügen anzugeben, dass wir nach der ausführlichen, von Fachleuten übrigens nicht in allen Theilen unangefochten gebliebenen Erörterung Benedetto Vulpis im Museo Borbonico Vol. XIV zu tav. 26 und Quarantas zu Vol. XV tav. 23 bei *a* und *a'* zwei Ansichten eines *speculum magnum matricis*, bei *e* eine Seiten- ansicht eines einfachen *speculum ani*, zwischen ihnen und der Knochenzange bei *d* und *f* diejenigen zweier feiner Pincetten, ferner bei *c* ein Löffelchen und bei *b* eine einfache Sonde, sowie rechts bei *g* eine gebogene Zange vor uns haben, welche zum Ausziehn von Knochensplittern, zum Halten der Adern beim Unterbinden und zu dergleichen Zwecken gedient haben mag. Den Schluss bildet bei *h* ein Katheter.

Sechstes Capitel.

Zeugnisse des Verkehrs und des Lebens nach Inschriften*).

M HOLCONIVM
PRISCVM II VIR·I·D· POMARI·UNIVERSI CVM·HELVIO·VESTALE·ROG

Fig. 259. Inschrift; Wahlempfehlung.

Sowie überhaupt neben den litterarischen und monumentalen Überliefe- rungen des Alterthums die epigraphischen, welche in gewissem Sinne zwischen den beiden anderen stehn, an Bedeutung und Interesse keineswegs die letzte Stelle einnehmen, so darf man Gleiches getrost auch von den Inschriften Pom- pejis oder wenigstens von zweien der gleich zu nennenden drei Classen der- selben behaupten. Die erste Classe, die in Stein gehauenen Urkunden, deren manche schon im Verlaufe der vorhergehenden Darstellung gelegentlich be- rührt worden sind, bieten freilich kein Interesse, welches sie über die zahl- reichen ähnlichen Urkunden anderer Colonien und Municipien erhöbe. Das was wir aus diesen Steinschriften über das Verhältniss der Colonie zur Haupt- stadt, über ihre communale Verfassung und Verwaltung, über ihre Magistrate Priesterthümer und Stände, über Ehrenauszeichnungen verdienter Bürger u. s. w. lernen können, dies Alles ist uns auch sonsther vielfältig überliefert und be- zeugt, und darauf hier näher einzugehn würde wenig geeignet sein. Was wir

---

*) Die Quellennachweise mussten hier unter dem Text gegeben werden. Die im Text hinter den einzelnen Inschriften stehenden Zahlen beziehn sich auf das *Corpus Inscriptionum Latinarum Vol. IV.*

aus diesen Urkunden für die Baugeschichte der Stadt entnehmen können, ist seines Orts benutzt worden, darauf also hier nicht zurückzukommen.

Anders verhält es sich mit den beiden anderen Classen der pompejaner Inschriften, den an die Wände öffentlicher und privater Gebäude mit bald rother, bald schwarzer Farbe angemalten (*dipinti*) [196], in einzelnen Fällen mit Kohle angeschriebenen, und den ebendaselbst außen und im Innern in den Stucco eingekratzten (*graffiti*) [197]. Allerdings sind auch diese nicht einzig in ihrer Art; man hat, abgesehn von der Schwesterstadt Herculaneum, auch sonst noch angemalte, so gut wie eingekratzte Inschriften, zum Theil — es seien nur die Ausgrabungen am Palatin in Rom erwähnt*) — in beträchtlicher Anzahl und von nicht geringem Interesse aufgefunden. Allein schon ihrer bloßen Zahl nach nehmen die pompejaner *dipinti* und *graffiti* einen hervorragenden Platz ein, und ihrem Inhalte nach verdienen sie die eingehendste Betrachtung in eben so hohem Grade wie irgend welche anderen.

Einer solchen Betrachtung sind nun freilich in einem Buche, wie dieses ist, sehr enge Grenzen gezogen, und zwar nicht allein aus äußerlichen und räumlichen Gründen. Mit einer bloßen Sammlung dieser Inschriften oder der Wiedergabe und Ergänzung der von Anderen gemachten Sammlungen, von der ohnehin gewisse, hier nicht näher zu bezeichnende Theile ausgeschlossen bleiben müssten, welche sich zur Mittheilung an ein nicht gelehrtes Publikum nicht eignen, mit einer solchen Sammlung würde einem nicht gelehrten Leserkreise gewiss sehr wenig gedient sein; ausführliche Erklärungen und Erörterungen — und nicht wenige dieser Inschriften erheischen solche — würden wahrscheinlich den meisten Lesern dieses Buches auch sehr wenig willkommen sein. Und somit bleibt nichts übrig, als eine ausgewählte Zusammenstellung solcher *dipinti* und *graffiti*, welche, sei es an und für sich verständlich, sei es durch eine beigefügte Übersetzung und ein paar kurze erläuternde Bemerkungen allgemein verständlich zu machen sind. Die durchgängige Hinzufügung einer Übersetzung, so mannichfaltige Schwierigkeiten dieselbe bieten mochte, wurde für Pflicht erachtet; mögen die hier angedeuteten Gesichtspunkte von einer billigen Beurteilung dessen, was gegeben und nicht gegeben, auch wie es gegeben wird, erwogen werden.

Ehe wir auf die *dipinti* und *graffiti* näher eingehn, muss in Betreff aller pompejanischen Inschriften bemerkt werden, dass in denselben die drei Sprachen erscheinen, welche nach einander und wohl auch neben einander in Pompeji gesprochen worden sind: die oskische, die griechische und die lateinische. Die oskischen Inschriften, jedenfalls in ihrem Hauptbestande die ältesten, aus der Zeit der Autonomie Pompejis vor dem Bundesgenossenkriege und der Gründung der sullanischen Colonie (88 v. u. Z.) stammenden, müssen hier ganz bei Seite bleiben; wer sie sucht, findet sie in ihrem Hauptbestande gesammelt und erläutert in Mommsens Unteritalischen Dialekten S. 185—189 und in Fiorellis *Monumenta epigraphica Pompeiana* Heft 1, in denen sie in erster Ausgabe 1854 in Facsimiles in der originalen Größe, freilich für den Preis von 150 lire, publicirt sind, während sie in einer zweiten Ausgabe in 8⁰.

---

*) Garrucci, Graffiti de Pompei etc. 2. Aufl. Paris 1856. pl. 30 und 31.

1856, wenn auch nicht facsimilirt, leicht zugänglich sind. Nachträge neuerdings aufgefundener, wie z. B. die Wegebauinschrift aus dem Stabianer Thor (s. S. 59 und Anm. 25), die Inschrift an der Sonnenuhr aus den größeren Thermen (s. S. 219 und S. 460) u. a., hat das *Bulletino archeologico Napolitano*, welches als *Italiano* leider! mit dem zweiten Jahrgange zu erscheinen aufgehört hat, nach ihm das *Giornale degli scavi di Pompei* gebracht und bringen seitdem die *Notizie degli scavi di antichità* (in den Schriften der *R. Accademia dei Lincei*) und das *Bulletino* unseres archäologischen Instituts in Rom.

Was zweitens die griechische Sprache anlangt, so scheint es nach Maßgabe der Inschriften, dass dieselbe in Pompeji nicht so verbreitet gewesen ist, wie man nach anderen Spuren griechischer Bildung und Kunst glauben sollte. Allerdings ist Griechisch in den Schulen ohne allen Zweifel gelehrt worden, und wenn nichts Anderes, würden die gar nicht selten in die Wände eingekratzten griechischen Alphabete dies beweisen. Diese rühren von Kindern her, welche sie auf ihrem Wege in die Schule und aus der Schule in die Wände eingekritzelt haben, wo wir sie meistens, wenn nicht durchgängig, zwei bis drei Fuß über dem Boden, also auf der Höhe finden, welche den Kleinen am bequemsten war. Hier sind sie in einfacher Folge α β γ δ u. s. w. angeschrieben, theils vollständig, theils auch unvollständig, von links nach rechts und auch von rechts nach links*), je nachdem Zeit, Geduld und Wissen des kleinen Schreibers ausreichten. Hier sei denn auch gleich angeführt, dass sich in ähnlicher Weise auch das lateinische Alphabet nicht selten findet, einzelne Male wohl noch aus republikanischer Zeit stammend und mit dem X schließend (2514 sqq.)**), in anderen Fällen so, dass der Schreiber von vorn und von hinten anfangend die ersten und die letzten Buchstaben abwechselnd setzte: so: A X B V C u. s. w. oder A B V C T D S E R F I Q, was vielleicht auf eine Manier in den Schulen, das Alphabet in und außer der Reihe zu lehren, schließen lässt (2541 p. 176). Auch die gelegentlich in Graffiti vorkommenden grammatischen (Declinations-)Übungen***) finden wohl am besten an diesem Orte ihre Erwähnung. — Die übrigen griechischen Inschriften außer den erwähnten Alphabeten sind von geringem Belange, die eingehauenen ganz selten; die angemalten und eingekratzten bieten meistens nur Namen, theils einzelne, theils in größeren Folgen, von denen abgesehn werden kann†), hier und da, echt griechischer, aus den Vaseninschriften überaus bekannter Sitte entsprechend, mit einem rühmenden $\varkappa\alpha\lambda\acute{o}\varsigma$ »schön« oder »schön ist« verbunden, aber meistens mit lateinischen Buchstaben geschrieben: *calos Hermeros*, *calos Paris* u. s. w. ††). Ein besonderes Interesse bietet es, dass im Tablinum des Hauses des Bankiers L. Caecilius Iucundus der Anfang eines

---

*) *Corp. Inscr. Lat.* a. a. O. p. 164.

**) Vgl. Bücheler N. Rhein. Mus. XII, S. 246 f. Ritschl, *Priscae Latinitatis monumenta epigraphica*, tab. 17, No. 24.

***) Garrucci Taf. 17 No. 1 und 4, Taf. 26 No. 26.

†) Vgl. Bücheler a. a. O. S. 248 f.

††) Bücheler a. a. O. und Mommsen N. Rh. Mus. V, S. 462.

homerischen Verses καί μιν φωνήσας eingekratzt gefunden ist*), wie sich
dies mit Versen römischer Dichter wiederholt (s. unten S. 477). Denn dies
möchte doch ein Zeugniss dafür sein, dass die homerischen Gedichte in Pompeji gelesen wurden und im Gedächtniss hafteten. Von den wenigen längeren
Inschriften ist vorzüglich die folgende hervorzuheben, welche 1872 an der
Außenwand eines Hauses der Reg. VII, Ins. 15 gefunden worden ist und lautet:

Ἀμέριμνος ἐμνήσθη ἁρμονίας τῆς ἰδίας κυρίας
ἐπ᾿ ἀγαθῷ ἧς ὁ ἀριθμὸς με΄ (oder αλε΄) τοῦ καλοῦ ὀνόματος**)

(Amerimnos gedachte der Harmonie mit seiner eigenen Herrin zu guter Vorbedeutung, der die Zahl 45 (oder 1035) diejenige des schönen Namens ist).

Das Letztere will sagen, dass der Name, welchen Amerimnos nicht auszuschreiben wagte, durch die genannte Zahl bezeichnet wird, wenn man dessen
Buchstaben ($\mu = 40$, $\varepsilon = 5$; oder $\alpha = 1000$, $\lambda = 30$, $\varepsilon = 5$) als Zahlzeichen betrachtet und diese addirt. Den mit den Summen με΄ oder αλε΄ (denn die
Schreibung ist nicht sicher) gemeinten Namen zu errathen ist uns natürlich hier
so wenig möglich wie in einem andern ähnlichen Falle, wo im Atrium eines der
früher schon einmal ausgegrabenen und wieder verschütteten, neuerdings zum
zweiten Mal ausgegrabenen Häuser geschrieben steht: φιλῶ ἧς ἀριθμός φμε΄
(ich liebe die, deren Zahl ist 545).

Eine andere längere griechische Inschrift ist von einem Ladeneingange in
der *Strada degli Olconj* den Thermen gegenüber in die große Eingangshalle
des Museums in Neapel geschafft; sie (733) lautet, mit großen und deutlichen
rothen Buchstaben angemalt, mit Hinweglassung orthographischer Fehler:

Ὁ τοῦ Διὸς παῖς καλλίνικος Ἡρακλῆς
Ἐνθάδε κατοικεῖ· μηδὲν εἰσίτω κακόν.

also etwa:

Der Sohn des Zeus, der siegesfrohe Herakles
Bewohnt dies Haus, nichts Böses komme hier herein!

Die Verse sind auch sonsther bekannt [198]), und an sie knüpft sich eine
Anekdote von Diogenes dem Cyniker, der, als er diesen Spruch über der Thür
eines Hauses las, fragte, wo denn der Hausherr hineingehn solle? — Zwei
andere längere griechische Inschriften***) sind noch nicht entziffert und werden
vielleicht nie entziffert werden.

Hier möge denn auch ein Fund des Jahres 1875 seine Stelle finden,
welcher allerdings, streng genommen, in dieses den inschriftlichen Zeugnissen
des Verkehrs und des Lebens gewidmete Capitel nicht gehört, aber schwer
an einer andern Stelle unterzubringen ist und doch nicht unerwähnt bleiben
darf. In dem Hause V, 1, 18, dem Nachbarhause des L. Caecilius Iucundus
an der *Via Stabiana*, wurden in einem kleinen Zimmer am Atrium fünf
Gemälde entdeckt, welche, zum Theil stark zerstört, mit mehr oder weniger
vollständig lesbaren Inschriften in griechischen Versen versehn und folgender-

---

*) Bull. d. Inst. 1876, p. 233.
**) Bull. d. Inst. 1874, p. 90.
***) Garrucci Taf. 2. No. 5 und N. Rhein. Mus. XVII (1862) S. 140 mit der dazu gehörigen Tafel.

maßen angeordnet sind :

$$\begin{array}{ccc} B & C & D \\ A & & E \end{array}$$

· Das Gemälde *A*, nur theilweise erhal-

ten, stellt vor einem Rundtempel den Ringkampf zwischen Pan und Eros,
einen in antiken Kunstwerken nicht selten wiederholten Gegenstand, hier in
Anwesenheit der in nachdenklicher Haltung bei Seite stehenden Aphrodite
dar. Unter den Füßen der Ringenden stehn die jetzt zum großen Theil unles-
bar gewordenen Verse:

> Ὁ θρασὺς ἀνθέσταχεν Ἔρως τῷ Πανὶ παλαίων,
> χἀ Κύπρις ὠδίνει, τίς τίνα πρῶτος ἑλεῖ.
> »ἰσχυρὸς μὲν ὁ Πὰν καὶ καρτερός· ἀλλὰ πανοῦργος
> ὁ πτανός, καὶ Ἔρως· οἴχεται ἁ δύναμις«.

welche in Übersetzung etwa so lauten würden:

> Kühn zum Ringkampf stellet dem Pan sich Eros entgegen,
> Kypris zagt, wer wohl schneller den andern besiegt.
> »Muthig zwar ist Pan und kraftvoll, aber ein Schlaukopf
> Eros, der Flügelknab'; ihm unterlieget die Kraft«.

Das Mittelbild der Hinterwand (*C*) stellt eine in den Lebensbeschreibun-
gen Homers berichtete Anekdote dar. Homer soll in Ios am Meeresufer
sitzend Fischer, welche vom Fange heimkehrten, nach dem Ergebniss ihres
Fanges gefragt und von diesen die ihm unverständliche Antwort erhalten haben:
ὅσσ᾿ ἕλομεν λιπόμεσθα, ὅσσ᾿ οὐχ ἕλομεν φερόμεσθα (was wir gefangen haben
warfen wir weg, was wir nicht gefangen haben tragen wir bei uns). Sie
sprachen nämlich nicht von ihrem Fischzuge, sondern von Ungeziefer. Die
vor Homer (ΟΜΗΡΟϹ) stehenden Fischer (ΑΛ[Ι]ΕΙϹ), von denen der zu Homer
redende eine der Räthselantwort würdige, gemeine Gestalt ist, stellt das Bild
dar und zu den Füßen der Fischer steht der Vers. Das Gemälde links von diesem
(*B*) zeigt drei Jünglinge, welche an einem Baume vor einer mit der Statue des
Pan gekrönten Säule Netze aufgehängt haben. Die zugehörigen Verse sind
bis auf einzelne Spuren zu Grunde gegangen; aus diesen Spuren aber lässt
sich feststellen, dass diese Verse diejenigen waren, welche in der Anthol.
Palat. VI, 13 dem Leonidas von Tarent beigelegt werden und in denen drei
Brüder, ein Jäger, ein Vogelsteller und ein Fischer dem Pan zum Danke für
glücklichen Fang ihre Netze weihen. Das nur in der untern Hälfte erhaltene
entsprechende Bild rechts (*D*) zeigt eine an einer Säule sich emporwindende
Rebe, gegen welche ein Ziegenbock sich aufrichtet, um die Trauben zu fressen.
Links in dem Bilde wird derselbe Ziegenbock von einem Knaben zum Opfer
geführt, während ein Mann ihm den Saft einer Traube auf den Kopf träufelt.
Darunter stehn die ebenfalls schon anderweit bekannten Verse (Anthol. Palat.
IX, 75):

> Κἄν με φάγῃς ποτὶ ῥίζαν ὅμως ἔτι καρποφορήσω
> ὅσσον ἐπισπεῖσαι σοί, τράγε, θυομένῳ

also etwa:

> Frisst du mich auch bis zur Wurzel, genug doch trag' ich der Früchte,
> Dich zu weihen, o Bock, wirst du zum Opfer geführt.

Von der Hauptcomposition des fünften Bildes (*E*) sind nur geringe und

nicht mit Sicherheit zu deutende Reste erhalten, nichts aber von den beigeschrieben gewesenen Versen *).

Die überwiegende Masse der angemalten sowohl wie der eingekratzten
Inschriften ist lateinisch, und zwar stammen wiederum die meisten aus beiden
Classen unzweifelhaft aus der Zeit kurz vor der Verschüttung, also aus der
letzten Periode Pompejis. Allerdings lassen sich nicht ganz wenige *dipinti* bis
in die Zeit des Bundesgenossenkrieges hinaufdatiren, und beweisen neben den
Steinschriften, dass schon damals die Geschäftssprache in Pompeji lateinisch
war. Diese älteren Inschriften **), welche zum Theil erst durch das Abfallen
der sie verhüllenden Tünche späterer Perioden zum Vorschein gekommen
sind, stehn mit oskischen Inschriften gemischt auf den soliden Tuffpilastern
der älteren Bauwerke Pompejis, nicht auf dem Stucco, mit welchem in der
letzten Periode Alles überzogen worden ist; sie unterscheiden sich in den
Buchstabenformen, in den Namen, in orthographischen und grammatischen
Archaismen von denen der jüngern Zeit. Von Graffiti ist das älteste Beispiel
eine Inschrift in der Basilika (1842), welche bis in das Jahr der Stadt 676
(78 v. u. Z.) hinaufgeht, Dipinti zeigen die Daten 707 urb. (47 v. u. Z.) (60),
708 urb. (46 v. u. Z.) (60), 751 (3 v. u. Z.) (2450), 771 (17 n. Chr.) (1552),
andere die Jahre 18, 19, 21, 25, 29, 37, 47, 58 n. Chr., noch andere weisen
durch sprachliche Archaismen auf eine frühere Periode hin ***); aber die große
Masse der auf den Stucco gemalten und in denselben eingekratzten Dipinti und
Graffiti gehört, wie gesagt, der letzten Periode der Stadt nach dem Erdbeben
von 63 an, und grade diese eröffnen uns einen überaus interessanten Blick in
das Leben und Treiben der antiken Stadt, welches durch die Verschüttung
abgeschnitten wurde.

Über die Sitte oder Unsitte die Mauern und Wände öffentlicher und privater Gebäude zu beschreiben haben wir reichliche Zeugnisse in den Schriften
der Alten; in welcher erstaunlichen Ausdehnung man aber derselben huldigte,
hat uns so recht deutlich erst Pompeji gezeigt, wo an gewissen Orten eines
besonders lebhaften Verkehrs, in der Basilika, im gewölbten Theatergang und
im Amphitheater die Masse der Schreibereien so groß ist, dass sie schon den
Alten den an den drei genannten Orten bis auf kleine Abweichungen übereinstimmend eingekratzten Vers (1904. 2461. 2487) ****) eingab:

> *Admiror paries te non cecidisse ruinis,*
> *Qui tot scriptorum taedia sustineas.*

> (Wand, ich wundere mich, dass du nicht hinsinkest in Trümmer,
> Die du zu tragen verdammt so vieler Hände Geschmier.)

Beide Classen, die Dipinti sowohl wie die Graffiti gehn so recht unmittel-

---

*) Vgl. zu dem Ganzen Dilthey in den Ann. d. Inst. 1876, p. 294 sqq. mit dem Facsi-
mile tav. d'agg. P und die Abbildungen in den Monumenti Vol. X, tav. 35 u. 36.

**) Vgl. Mommsen, Unterital. Diall. S. 116.

***) Bücheler a. a. O. S. 247.

****) Hr. Prof. Zangemeister theilte mir dazu folgende naive Parallele vom Palatin mit;
da steht unter vielen Inschriften, größer als alle anderen:

> πολλοὶ πολλὰ ἐπέγραψαν, ἐγὼ μόνος οὐ[κ ἐπ]έγραψα.

> (Viele schrieben hier vieles, nur ich habe nichts hier geschrieben.)

bar aus dem täglichen Leben hervor; dennoch besteht zwischen ihnen ein
wichtiger Unterschied. Die Dipinti, allermeist an die Außenwände der Gebäude, nur in öffentlichen Gebäuden auch im Innern, angemalt, leicht mit
dem gefügigen Material flüssiger rother oder schwarzer Farbe herzustellen und
vielfach, vielleicht in der Regel von der Hand öffentlicher Schreiber (s. S. 472),
zeigen uns große, nicht selten mehr als fußgroße, dicke und deutliche Buchstaben (vgl. z. B. Fig. 259 an der Spitze dieses Capitels); sie sind, meistens
ohne Mühe und schon in größerer Entfernung zu lesen und waren für die
Öffentlichkeit bestimmt. In ihnen spiegelt sich also das öffentliche, besonders
das communale Leben; Wahlempfehlungen machen ihren Hauptbestandtheil
aus, daneben Anzeigen, namentlich amphitheatralischer Spiele, dann auch zu
vermiethender Localitäten, verlorener Sachen und dergleichen Dinge, welche
leicht und schnell von den Vorübergehenden gelesen werden sollten.

Anders die Graffiti, welche mit einem Nagel oder einem ähnlichen spitzen
und scharfen Instrument in den zum Theil sehr harten und spröden Stucco
eingekratzt werden mussten, und welche daher selten aus großen, und wohl
fast nie, wenigstens nicht durchgängig, aus mehr als etliche Zolle großen,
dünnen, mehr oder weniger lang gezogenen, oft aus ganz kleinen, gekritzelten,
schwer, zuweilen gar nicht lesbaren Buchstaben einer sehr wenig kalligraphi-
schen Cursivschrift bestehn, zu der nicht selten allerlei an Kunstwerth mit der
Schönheit der Schrift wetteifernde Zeichnungen sich gesellen (vgl. die Proben
weiterhin). In diesen Graffiti, welche die Wände sowohl im Innern der
Gebäude, in Zimmern, Gängen, Küchen u. s. w., wie außen in Anspruch
nehmen, hat das Leben der Individuen mit allen seinen Eindrücken, hat gute
und schlechte Laune, Scherz, Witz, Neckerei und bis zum bittersten Hohn
gesteigerter Spott, Übermuth und Langeweile in Versen und Prosa ihren Ausdruck gefunden; da finden wir Lesefrüchte aus Dichtern, Stücke von Rech-
nungen, Fragmente von Briefen, Erinnerungen an Gladiatorenspiele, Empfehlungen von Gasthäusern und Kneipen und Erinnerungen an deren Treiben,
gute und schlechte Lebensweisheit, Grüße und Liebesseufzer neben Verwünschungen und Angebereien bunt neben einander, kurz Alles und Jedes, was
in irgend einem Augenblick die Seele irgend eines alten Pompejaners bewegte,
oder dessen schriftlicher Ausdruck einen Zweiten zu einer Entgegnung, gelegentlich einen Dritten zu einer Duplik anregte. Waren nun auch viele dieser
Graffiti — gewiss nicht alle — bestimmt, von Anderen gelesen zu werden, so
kann man ihnen doch den Charakter der Öffentlichkeit, welchen die Dipinti
tragen, im Allgemeinen absprechen und sie als den Spiegel des Privatlebens
bezeichnen. Um so werthvoller aber sind sie für uns, denen sie einen Einblick
in innerliche, vertrauliche und zum Theil heimliche Verhältnisse dieses seit
achtzehn Jahrhunderten erloschenen Privatlebens gestatten, wie ihn kaum
irgend eine andere Überlieferung des Alterthums zu vermitteln im Stande ist.

Beginnen wir unsere Umschau in diesem Schatze von antiken Lebens-
äußerungen mit den Dipinti. Die größte Zahl derselben besteht, wie gesagt,
aus Wahlempfehlungen, durch welche die Aufmerksamkeit der Wahlberechtigten auf den einen oder den andern Candidaten für das Duumvirat oder die
Aedilität (denn meines Wissens kommen nur diese vor) von Seiten dessen oder

derjenigen gelenkt werden sollte, welche eben ihn in einer dieser obrigkeit-
lichen Stellungen zu sehn wünschten. Denn keineswegs sind es die in den
Wahlcomitien stimmberechtigten Bürger selbst, oder nur sie, von denen diese
Wahlempfehlungen ausgegangen sind, im Gegentheil finden wir unter denen,
welche sie angeschrieben haben oder haben anschreiben lassen, außer nicht
wenigen, welche sich Clienten der Empfohlenen nennen, was an sich wohl
nichts beweisen würde, Weiber, Kinder und Sclaven oder Freigelassene, kurz
Leute, welche mit den Wahlabstimmungen gewiss nichts zu thun und selbst
keine Stimmen abzugeben hatten*).

Die gewöhnliche, einfache aber vollständige Form dieser Wahlempfehlungen ist diese: sie enthält 1. den Namen des Empfohlenen, 2. das Amt, zu
dem er empfohlen wird, und 3. den Namen dessen oder deren, von denen die
Empfehlung ausgeht, mit der Formel: *Orat Vos Faciatis* (»bittet Euch, dass
Ihr macht, wählt«), welche gewöhnlich nur mit den Anfangsbuchstaben O V F
und zwar mit diesen in einer Sigle (zusammengezogen) geschrieben ist, und
deren richtige Auflösung und Erklärung sich erst in neuerer Zeit durch die
Auffindung einiger ganz ausgeschriebenen Beispiele hat feststellen lassen**).
Früher wurde sie stark missverstanden, indem man die Buchstaben O V F
ergänzte: *Orat Vt Faveat* (»bittet, dass er gewogen sei«) und darin die An-
rufung des Patrons durch einen Clienten, eines Reichen und Angesehenen
durch Arme und Hilfsbedürftige zu erkennen meinte, woraus man sodann weiter
folgerte, diese Anrufungen möchten wohl an den Häusern der angerufenen
Patrone gestanden haben. Dieser falschen Ansicht verdanken, wie schon
früher im Vorbeigehn erinnert worden ist (S. 269), die Häuser des Modestus,
des Pansa, des Sallustius, des Pomponius, des Iulius Polybius u. a. m. ihre
populären, aber ohne Frage ihnen nicht zukommenden Namen. Eine ganz
normale, einfache Wahlempfehlung würde dem Gesagten nach z. B. folgendermaßen abgefasst sein: *M. Holconium Priscum duumvirum iuri dicundo orat vos
faciatis Philippus.* Aber diese Formel ist keineswegs die alleinige oder auch
nur überwiegend häufige, sie wird im Gegentheil sehr vielfach abgeändert und
erweitert***). Unter den Abänderungen ist die geringfügigste, wenn statt
orat das gleichgeltende *rogat* oder *petit* gesetzt wird, oder wenn statt der Bitte:
orat vos faciatis die einfache Aufforderung: *facite* steht, wobei nicht selten der
Name des Auffordernden weggelassen wird, auf den es ja in der That weniger
ankam, als auf denjenigen des Empfohlenen, auf welchen die öffentliche Aufmerksamkeit gelenkt werden sollte. Setzt der Empfehlende seinen Namen
hinzu, so geschieht das wohl meistens, weil er glaubt, damit seiner Empfehlung irgendwelchen Nachdruck zu geben. Dies wird namentlich gelten, wenn
eine geschlossene Mehrzahl von Personen, eine Zunft oder eine Bruderschaft
die Empfehlung ausspricht.

Solchen Inschriften verdanken wir zugleich ein kleines Verzeichniss von
Gewerben und Gewerken, Zünften und Collegien (Bruderschaften) in Pompeji,

---

*) Vgl. Garrucci, Bull. Napol. n. s. I, p. 151 sq. *C. I. L.* a. a. O. p. 10.
**) Vgl. *C. I. L.* a. a. O. p. 9.
***) Vgl. *C. I. L.* a. a. O. p. 9 sq.

deren wir folgende nachweisen können*): die *offectores* (Färber), *pistores* (Bäcker), *clibanarii* (Topfkuchenbäcker), *aurifices* (Goldschmiede), *pomarii* (Obsthändler), *lignarii* (Holzhändler), *plostrarii* (Stellmacher), *salinienses* (Salinenarbeiter), *piscicapi* (Fischer), *agricolae* (Bauern), *forenses* (Marktleute), *muliones* (Maulthiertreiber), *cisiarii* (Kutscher), *saccarii* (Sackträger), *fullones* (Zeugwalker) nebst einem *lanifricarius* (1190)**) (Wollenwäscher), *sagarii* (Mantelschneider oder -händler), *caupones* (Schenkwirthe), *tonsores* (Barbiere), *unguentarii* (Salbenköche), einen *perfusor* (Parfümeur), einen *vestiarius* (Kleiderhändler) und einen *fornacator* (Ofenheizer). Daneben erscheinen die Collegien der *Isiaci* und *Venerei*, das sind die Tempelsclaven der Isis und der Stadtgöttin Venus. Erwähnen wir sodann noch, dass ein gewisser Phoebus mit seiner Kundschaft (*cum emptoribus*) (103); ein Valentinus, buchstäblich »mit seine Lehrlinge« (*cum discentes suos*) (275) und Sema mit ihren Kindern (*cum pueris*) (668) Wahlempfehlungen hat ausgehn lassen, und dass so gut wie die Ballspieler (*pilicrepi*) zu einer Wahl aufgefordert werden (1147), die Schläfer, und zwar »sämmtliche Schläfer« (*dormientes universi*) (575) und in einem andern Falle alle Spättrinker (*seribibi*) (581) sich zu einer Empfehlung zusammengethan haben, so bekommen wir ein heiteres Ende unserer kleinen Liste, der wir nur etwa noch hinzuzufügen haben, dass ein Mal erklärt wird, »sämmtliche Pompejaner« (*Pompeiani universi*) (1122) stimmen für den und den.

Wie sich Gesellschaften oder auch Einzelne als Empfehlende nennen, tritt auch gelegentlich der Ausdruck des Wunsches mit *cupit* oder *cupiunt* an die Stelle der Bitte oder Aufforderung, was an dem Sinne der ganzen Sache um so weniger ändert, als sich gelegentlich die Formel: *cupidissime orat vos faciatis* findet. Alle diese Bitten, Aufforderungen und Wünsche richten sich öffentlich an die Wahlberechtigten, seien dies die in den Comitien stimmberechtigten Bürger, sei es das Collegium der Decurionen, nachdem, wahrscheinlich unter Tiberius, das Wahlrecht oder ein Theil desselben von der Bürgerschaft auf jenes Collegium übertragen worden war***). Es ist nun schon gesagt, dass die Namen und der Stand sehr vieler der Empfehlenden jeden Gedanken an ihr eigenes Stimmrecht ausschließt; die gewöhnlichen Formeln der Empfehlungen sprechen nicht hiergegen, und nur das nicht selten vorkommende *facit* oder *faciunt*, auch *fecit* (»macht« oder »machen«, »hat gemacht, gewählt«) könnte wie die öffentliche Stimmabgabe eines Wahlberechtigten oder wie eine Erklärung über seine Abstimmung aussehn, doch wechselt diese Formel unter sonst ganz gleichen Umständen entweder mit den anderen, oder ist mit ihnen verbunden (*rogat et facit*), so dass wir ihr schwerlich eine besondere Bedeutung beizulegen haben****). Hervorgehoben zu werden verdienen dagegen insbesondere die Fälle, in denen sich die Bitte oder Aufforderung nicht an die Gesammtheit der Wähler, sondern an einen Wahl-

---

*) Bull. Napol. n. s. I, p. 150, vgl. den Index zum *C. I. L.* a. a. O. p. 256. Abschnitt XI.

**) Giorn. d. scavi fasc. 14, p. 36, vgl. 15, p. 81 u. 85.

***) Vgl. Bull. Napol. n. s. II, p. 51. Becker-Marquardt, Röm. Alterthümer III, S. 349. *C. I. L.* a. a. O. p. 11.

****) Vgl. Garrucci Bull. Nap. n. s. I, p. 150, Note 3. p. 151. *C. I. L.* a. a. O.

berechtigten, dessen Namen genannt werden, mit der Formel *fac* oder *fac facias* (»mache!«), einzelne Male auch *fave* (426) (»begünstige«) wendet, wovon die neueren Ausgrabungen mehre Beispiele geliefert haben. So liest man: *Modestum aed[ilem] Pans[a] fac facias* (1071) oder *Cuspi fac Fadium aed[ilem]* (1068) oder *[Post]umium Modestum Sirice fac facias* (805) (also: Pansa oder Cuspius — d. i. desselben Pansa bekannter Geschlechtsname — oder Siricus mache zum Aedilen den Modestus oder Fadius) u. s. w. Ein besonders merkwürdiges Beispiel ist: *Sabinum aed[ilem] Procule fac et ille te faciet* (635) *) (»Proculus, mache den Sabinus zum Aedilen, und er wird dich [seinerseits dazu] machen«). Mit großer Wahrscheinlichkeit ist angenommen worden **), dass in diesen Fällen die Inschriften sich an die Besitzer der Häuser wenden, an deren Wände neben der Haus- und Hinterthür die Aufforderung gemalt ist, wonach denn freilich das Haus des Pansa sich als ein ganz anderes herausstellt, als dasjenige, welches populärerweise mit diesem Namen belegt ist.

Die bisher besprochenen Abwandelungen sind nun freilich nicht die einzigen, welche die Wahlempfehlungen aufzuweisen haben. Zunächst müssen wir die mannichfaltigen Lobsprüche und Anpreisungen hervorheben, welche bald in einzelnen Buchstaben, deren Sinn bei ihrer unzählbar häufigen Wiederholung jeder alte Wähler verstand wie wir ihn verstehn, bald ganz ausgeschrieben den Namen der Candidaten hinzugefügt werden ***). Der allerhäufigste Lobspruch ist V · B d. i. *virum bonum*; er war so gewöhnlich, dass Seneca schrieb: *omnes candidatos viros bonos dicimus* (alle Candidaten nennen wir vortreffliche Männer), demnächst folgt ein *dignus, dignissimus est* (er ist würdig, sehr würdig), *dignus rei publicae* (würdig der öffentlichen Beamtung), *probissimus* und *verecundissimus* (Ehrenmann); durch: *iuvenis integer, innocuus, frugi, egregius* (junger Mann von gutem Ruf), *bonus civis* (guter Bürger), *omni bono meritus* (in jeder Weise verdient), auch *hic aerarium conservabit* ****) (wird sparsam wirthschaften) u. dgl. m. setzen sich diese Lobsprüche fort, welche sich gelegentlich verdoppeln und verdreifachen, mit einem *cupidissime rogat* (bittet auf's dringendste) des Schreibers verbinden und so bis zu beträchtlichem Schwung und Nachdruck anwachsen können. In allen diesen Fällen aber bleibt die Verhandlung zwischen den pompejaner Wahlberechtigten und den einzelnen Einwohnern, welche auf die Wahlen einen Einfluss zu gewinnen und dem sie so oder so ein Gewicht zu verleihen suchen. Nur in ein paar einzelnen Fällen, welche besondere Beachtung verdienen, finden wir eine, man kann nicht sagen Einmischung, wohl aber Hineinziehung einer höhern Autorität in den Wahlkampf der Colonie. Schon früher ist eine Inschrift zu Tage gekommen (668), welche einen Iulius Simplex zur Aedilität empfiehlt und in deren einzelnen Buchstaben V · A · S man die Worte *votis Augusti susceptis* und in diesen eine Hinweisung auf den Wunsch des Kaisers selbst ver-

---

*) Vgl. *Procule Frontoni tuo officium commoda.* No. 920.

**) Vgl. Kiessling im Bull. d. Inst. 1862, p. 94, Fiorelli im Giorn. d. scav. fasc. 15, p. 120.

***) Vgl. *C. I. L.* Index p. 253 sq. »*candidatorum laudes*«.

****) Ephem. epigr. I, 52.

muthete*); die neueren Ausgrabungen haben uns aber zwei Mal denselben
Tribunen T. Suedius Clemens, den kaiserlichen außerordentlichen Commissar,
dessen Wirksamkeit in Beziehung auf Expropriation occupirter Bodenstrecken
schon früher erwähnt wurde (oben S. 404), in die Wahlangelegenheiten Pompejis
hineingezogen gezeigt, indem seine mächtige Empfehlung für einen Candidaten in die Wagschale geworfen wird; denn an eine directe Einmischung
dieses hochgestellten Mannes ist auch hier sicherlich nicht zu denken. Um
nicht zu tief in Einzelheiten zu gerathen, welche hier doch nicht erledigt
werden können, muss es genügen, den Wortlaut der in Rede stehenden Inschriften in einer unten stehenden Note**) mitzutheilen. Als Besonderheiten
führen wir demnächst noch an, dass neben demjenigen, welcher, und zwar als
öffentlicher Schreiber, der dies Geschäft jahrein, jahraus besorgte***), die
Wahlempfehlungen angeschrieben zu haben angiebt (*scripsit; scriptor*), in
einigen Fällen auch noch der genannt ist, welcher eine ältere Inschrift über-
weißt hat (*dealbante; dealbator*) (1190. 222), um für die neuen den nöthigen
Platz herzustellen. Dem entsprechend finden wir denn auch an nicht wenigen
Stellen mehre solcher Inschriften über einander gemalt, und mehr als eine
ältere, zum Theil von den auf den Tuff gemalten, ist, wie schon erwähnt, erst
dadurch sichtbar geworden, dass die Überweißung, welche die jüngeren trug,
abgeblättert ist.

Dass die ständig sich wiederholenden Ämter des Aedilen oder Duumvirn,
zu denen der und der empfohlen wird, und dass die fast eben so ständigen
Lobsprüche, die wir oben kennen gelernt haben, dass endlich das immer
wiederkehrende *orat vos faciatis*, *rogat*, *cupit*, *facit* in Siglen und Abkürzungen oder mit einem einzigen Buchstaben für jedes Wort geschrieben ist, wird
Niemand Wunder nehmen; viel auffallender ist die Thatsache, dass auch die
Namen der Empfohlenen gelegentlich und nicht ganz selten mit den bloßen
Anfangsbuchstaben bezeichnet sind, so dass wir Inschriften finden, welche fast
nur aus einzelnen Buchstaben bestehn****); und dennoch scheint es, dass
diese Thatsache nicht wegzuleugnen ist, welche sich daraus erklären mag,
dass die in solchen Inschriften Empfohlenen besonders stadtbekannt und vielleicht grade zur Zeit einer Wahl besonders oft genannte Personen waren,
deren Namen eben alle Welt im Munde führte, so dass es genügte P · P · P ·
M · E · S · zu schreiben, um die Vorübergehenden an P. Paquius Proculus und
M. Epidius Sabinus zu erinnern. — Hiermit dürfte über die Eigenthümlichkeiten dieser Wahlempfehlungen, ohne natürlich den reichen Stoff zu

---

*) Bull. Nap. n. s. I, p. 151, Note 27, vgl. Bull. d. Inst. 1865, p. 183 sq.

**) Schon seit längerer Zeit bekannt war die Inschrift (791): *M. Epidium Sabinum
ex sententia Suedi Clementis d. i. d. o. v. f.*; die beiden neuerlich gefundenen lauten (768):
M. Epidium Sabinum d. i. dic (o v. f. dig. est. kleiner) || *defensorem. coloniae. ex. sententia.
Suedi. Clementis. sancti iudicis* || *consensu. ordinis. obmerita* (so) || *eius. et. probitatem. dignum
reipublicae. faciat* || *Sabinus. dissignator. cum. plausu. facit.* Und (1059): *M. Epidium* || *Sa-
binum* || *II. vir. iur. dic. o. v. f. dignum. iuvenem* || *Suedius. Clemens. sanctissimus* || *iudex facit.
vicinis. rogantibus.* Vgl. noch Bull. d. Inst. 1865, p. 184 und *C. I. L.* a. a. O. p. 11.

***) Henzen, Archaeolog. Zeitung v. 1846, S. 295. *C. I. L.* a. a. O. p. 10.

****) Vgl. Bull. Nap. n. s. I, p. 6 sq.

erschöpfen, das Hauptsächliche und so viel mitgetheilt sein, wie sich ohne gelehrte Einzelerörterungen überhaupt mittheilen und zum Verständniss bringen
lässt, und somit wenden wir uns zu der zweiten Classe der Dipinti, den Amphi-
theateranzeigen.

Dieselben bilden, wie ebenfalls schon erwähnt, nächst den Wahlempfehlungen die am häufigsten vertretene Art der pompejanischen Dipinti. In ihrer
einfachsten Art enthalten diese an verschiedenen Orten der Stadt zum Theil
ganz gleichlautend wiederholten Programme den Namen der zum Auftreten
bestimmten Gladiatorenfamilie, den oft lange vorher angesetzten Tag des
Auftretens, sowie fast regelmäßig den Beisatz, dass eine Thierhetze (*venatio*)
mit den Gladiatorenkämpfen verbunden und dass das Zeltdach (*vela*) ausgespannt sein werde. Eine Anzeige in dieser einfachsten Form ist z. B. diese,
welche am Album des Gebäudes der Eumachia (s. S. 135) und fast buchstäblich wiederholt an einer Wand in der *Strada degli Augustali* (1189 und 1190)
stand: *A. Suettii Certi aedilis familia gladiatoria pugnabit Pompeis pridie Ka-
lendas Iunias, venatio et vela erunt.* Eine andere fragmentirt erhaltene Anzeige
(1181) des Auftretens der Gladiatoren des Ti. Claudius Verus schließt mit den
Worten: *qua dies patientur*, d. h. »wenn das Wetter es erlaubt«, womit also
auf eine als möglich vorausgesehene Störung und eine etwa dadurch nöthig
werdende Verschiebung des Schauspiels sehr begreiflicher Weise hingedeutet
wird. Dergleichen mochte aber dem schaulustigen Pöbel nicht genehm sein,
und danach begreift es sich nicht minder leicht, dass wieder durch eine andere
Anzeige (1180) ausdrücklich erklärt wird, das Schauspiel werde stattfinden *sine
ulla dilatione* »ohne jeglichen Aufschub«.

Es ist schon bei der Besprechung des Amphitheaters (S. 176 f.) darauf
hingewiesen worden, dass die ursprünglich mit feierlichen Bestattungen allein
verbunden gewesenen Gladiatorenkämpfe später, wie jedes andere Schauspiel
mit Gebäudeeinweihungen und allen anderen Veranlassungen verknüpft wurden, bei denen überhaupt dem Volke ein Schauspiel veranstaltet wurde. Eine
Anzeige der Art fand sich, wenn auch beschädigt im Hofe der kleineren Thermen (oben S. 178), auf deren eigene Einweihung (man ergänzte die erhaltenen
Worte: *dedicatione . . . . . rum* in *dedicatione thermarum*) sie freilich, wie aus
der Zeit der Erbauung der kleineren Thermen (oben S. 176) hervorgeht, sicher
mit Unrecht bezogen worden ist[*]. Und so möge nur noch erwähnt werden,
dass diese Anzeige (1177), welche außer einer Thierhetze das Auftreten von
Athleten verheißt und neben der Ausspannung des Zeltdaches Besprengungen
(*sparsiones*) gegen Staub und Hitze ankündigt, ähnlich wie andere den Inhaber
der zum Kampfe bestimmten Gladiatorenbande (*familia gladiatoria*), hier den
Cn. Alleius Nigidius Maius nennt, neben dessen Namen dann eine dankbare
Hand geschrieben hat: *Maio principi coloniae feliciter*, d. h. Heil dem Maius
dem Stadtältesten! Ein solcher Zuruf an den Festgeber verbindet sich auch
mit anderen dergleichen Anzeigen; demselben Maius, der hier aber als Quinquennal wie dort als Ältester des Decurionencollegs bezeichnet ist, gilt er in
einer Anzeige, die man in der *Strada di Nola* fand (1179: *Maio quinq. feli-*

---

[*] Vgl. Fiorelli, Descrizione di Pompei p. 230 sq.

citer), in einer dritten in der Gladiatorenkaserne gefundenen Anzeige (1186) lautet der hinzugefügte Zuruf . . . . *o procurator*[*i*] *felicit*[*er*] und mag sich an den Vorsteher der pompejaner Gladiatorenschule richten, denn die Vorsteher der Gladiatorenschulen führten den Titel *procurator* *). Aber unendlich emphatischer ist der Zuruf an den Festgeber, wahrscheinlich Ampliatus, neben einer andern, an demselben Orte gefundenen Anzeige (1184), wo wie es scheint derselbe *totius orbis desiderium* und *munificus ubique* (»des Weltalls Liebling« und »überall freigebig«) genannt wird, Worte die an des Kaisers Titus erhabenen Lobspruch *amor et deliciae generis humani* (»Liebe und Wonne des Menschengeschlechts«) erinnern. Außer der auf die Einweihung eines uns unbekannten Gebäudes bezüglichen Anzeige in den Thermen ist noch eine solche, allerdings nur in den Ausgrabungstagebüchern und nicht durchaus zuverlässig überliefert, welche (1180) abermals von Cn. Nigidius Maius als Priester des Augustus veranstaltete Gladiatorenspiele mit der Einweihung des Altars einer Göttin ungewissen Namens, wahrscheinlich aber der Clementia in Verbindung bringt und außerdem erklärt, dieselben werden gefeiert *pro salute* . . . . *Caesaris Augusti liberorumque eius* (zum Heile des Kaisers, wahrscheinlich Claudius, und seiner Kinder) **). In ähnlicher Weise zeigt ein anderes Programm (1196) Spiele an, welche *pro salute domus Augusti* (zum Heile des kaiserlichen Hauses) gegeben werden sollen. Schon früher (S. 195 f.) ist erwähnt worden, dass manche Anzeigen auch die Zahl der zum Kampfe bestimmten Gladiatorenpaare enthalten, hier sei noch nachgetragen, dass eine daselbst angeführte Anzeige (1179) *gladiatorum paria XXX et eor*[*um*] *supp*[*ositicios*] (30 Paar Gladiatoren und »Hilfsgladiatoren, Stellvertreter«) erwähnt, welche letzteren für die Besiegten mit deren Siegern zu kämpfen hatten ***). Dieselbe Anzeige verheißt, dass die Spiele drei Tage dauern sollen.

Während, wie es scheint, die sechs Inhaber von Gladiatorenbanden, die wir bisher aus Pompeji kennen ****), Pompejaner gewesen sind, was von fünf derselben als sicher gelten darf, während ihre Mannschaften also, wenn sie in Pompeji waren, wahrscheinlich in dem uns bekannten *ludus gladiatorius* (S. 193) gehaust haben, kommen, allerdings nicht in öffentlichen Anzeigen, sondern in Graffiti, welche Erinnerungen an gesehene Spiele enthalten (1421. 1422. 1474 und sonst), neronische Gladiatoren (*Neronianus*) vor, und Neros Name in Verbindung mit Spielen ist auch in einem Dipinto in dem *Vico del lupanare* (*delle terme Stabiane*) zum Vorschein gekommen (1190). Diese neronischen Gladiatoren sind wohl ohne Zweifel Mitglieder der oder einer kaiserlichen Bande, von deren Bestehn wir sonsther unterrichtet sind†); auch wissen

---

*) Vgl. Friedlaender, Darstellungen aus der Sittengesch. Roms II, S. 203. 5.

**) Vgl. wegen der wahrscheinlichsten Ergänzungen des lückenhaft und entstellt überlieferten Textes Zangemeister in der Archaeolog. Zeitung von 1868, S. 88 f. und Mommsen das. S. 90. Dass Garrucci den Altar der Amentia statt der Clementia geweiht werden lässt, darf auch hier nicht unerwähnt gelassen werden.

***) S. Henzen in d. Atti dell' accad. pontif. Rom. XII, p. 120.

****) *C. I. L.* a. a. O. p. 70, es sind diese: Cn. Alleius Nigidius Maius, [Ti.] Claudius Verus, N. Festius Ampliatus, . . . Lucretius Valens, N. Popidius Rufus und A. Suettius Certus.

†) Friedlaender a. a. O. S. 202 ff.

wir, dass es nicht nur in Rom, sondern auch in den Provinzen, so namentlich in Capua kaiserliche Gladiatorenschulen gab. Die capuaner Bande war von Iulius Caesar eingerichtet und ihre, auch in pompejaner Graffiti (z. B. 1182. 1770) vorkommenden Glieder heißen *Iuliani*, sowie andere kaiserliche Gladiatoren als *Augustani* (z. B. 1330. 1379. 1380) bezeichnet sind. Ob aber die Mitglieder der kaiserlichen Banden in Pompeji gekämpft haben, oder ob die Graffiti Erinnerungen an in Rom oder etwa in Capua gesehene Kämpfe enthalten, muss dahinstehn. Dasselbe gilt von einem angeblich, nicht gewiss in Pompeji gefundenen, jetzt im Museum von Neapel bewahrten Graffito (2508), welcher ein interessantes Beispiel eines s. g. *libellus gladiatorius* enthält, d. h. des Programms eines Gladiatorenkampfes oder der vom Festgeber geordneten Verzeichnisse der zum Kampfe bestimmten Gladiatorenpaare, welche vielfach abgeschrieben, in den Straßen verkauft, ja nach auswärts versandt wurden. Der hier in Rede stehende *libellus*, bezüglich auf zwei Kämpfe, in denen in Pompeji sonst nicht nachweisbare Kampfarten vorkommen*), oder genauer gesprochen, das in ihm copirte Original scheint vor den Spielen aufgeschrieben und nachher mit der Bezeichnung der Sieger (*V[ictor]*) und Besiegten (*M[issus]*) versehn worden zu sein, woraus es sich am einfachsten erklärt, dass der Sieger nicht immer vor dem Besiegten genannt ist, wie dies in allen dergleichen Schriftstücken der Fall zu sein pflegt**). Auf andere Graffiti mit Erinnerungen an das Amphitheater und Nachklängen aus den dortigen Kämpfen wird weiterhin zurückgekommen werden.

Was neben den Wahlprogrammen und Gladiatorenanzeigen noch von Dipinti an den Wänden von Pompeji vorkommt, trägt durchaus den Charakter des Einzelnen. Die schon früher (oben S. 379) mitgetheilte Anzeige am Gasthause »Zum Elephanten« und die oben (s. 465) angeführte griechische Inschrift aus der *Strada degli Olconj* können hier kaum zählen, zu ihnen gesellt sich zunächst noch folgende Inschrift. Der Besitzer der *Casa di Sirico*, *Strada delle terme Stabiane* No. 16, offenbar ein Kaufmann, in dessen Schwelle, wie seines Ortes (S. 321) erwähnt, in Mosaik die Worte *Salve lucru[m]* »sei gegrüßt, Gewinn« eingelegt sind, welche in dem *Lucrum gaudium* (»Gewinn ist Freude«) auf dem Rand eines Impluviums Reg. VI, 14, 39 ihre Parallele finden, hat seiner Hausthür gegenüber an die Wand unter einem Paar ganz riesenmäßiger Schlangen mit großen rothen Buchstaben anmalen lassen (813):

Otiosis locus hic non est, discede morator.

(»Hier ist kein Ort für Nichtsthuer, hinweg Müßiggänger.«) Eher lassen sich als eine Classe öffentlicher Kundgebungen, obgleich nur durch zwei Exemplare vertreten, die Vermiethungsanzeigen anführen. Die eine verloren gegangene und in der Überlieferung an mehr als einem Punkte nicht ganz verlässliche (138) lautet:

INSVLA · ARRIANA

POLLIANA · CN · ALLEI · NIGIDI · MAI

---

*) Mit Wahrscheinlichkeit lassen sich folgende Bezeichnungen von Kämpfern entziffern: Threx, Mirmillo, Oplomachus, Essedarius, Dimachaerus.

**) *C. I. L.* a. a. O. p. 163.

LOCANTVR · EX · K · IVLIS · PRIMIS · TABERNAE
CVM · PERGVLIS · SVIS · ET · CENACVLA
EQVESTRIA · ET · DOMVS · CONDVCTOR
CONVENITO · PRIMVM · CN · ALLEI
NIGIDI · MAI · SER.

Im Häuserquartier der Arria Polla im Besitze des Cn. Alleius Nigidius Maius werden vermiethet von den nächsten Iden des Juli an Tabernen mit ihren Vorbauten und feinen Oberstuben (oder *et vestibula* (?) Mommsen, *C. I. L.* a. a. O.) und ein ganzes Haus. Der Abmiethe hat sich zu benehmen mit des Cn. Alleius Nigidius Sclaven Primus.

Die zweite, am 8. Februar 1766 gefundene und jetzt im Museum von Neapel aufbewahrte (1136) sagt aus:

IN · PRAEDIS · IVLIAE · SP · F · FELICIS
LOCANTVR
BALNEVM · VENEREVM · ET · NONGENTVM · TABERNAE · PERGVLAE
CENACVLA · EX · IDIBVS · AVG · PRIMIS
IN · IDVS · AVG · SEXTAS . ANNOS · CONTINVOS · QVINQVE
S · Q · D · L · E · N · C

»In dem Grundstück der Iulia Felix, des Spurius Tochter, werden vermiethet ein Balneum venereum und neunhundert (?)*) Läden, Buden, Oberzimmer vom nächsten 14. August bis zum sechsten 14. August auf fünf Jahre hinter einander«. Die Siglen der letzten Zeile sind überaus verschieden erklärt worden. Winckelmann **), dem Andere gefolgt sind, welche das Original nicht kannten, haben den Anfang einer Wahlempfehlung: A · SVETTIVM · VERUM · AED, welche sich unter der in Rede stehenden befindet und mit der Miethanzeige natürlich nichts zu thun hat, ungehöriger Weise zu derselben gezogen und nun erklärt: *si quis dominam loci eius non cognoverit adeat Suettium Verum aedilem* (wer die Herrin dieses Ortes nicht kennt, der wende sich an den Aedilen Suettius Verus); Andere, welche die Trennung richtig vornahmen***), erklärten entweder: *si quis domi lenocinium exerceat ne conducito* oder *si quem deceat locatio eorum nos convenito* (»wer im Hause ein schmutziges Gewerbe betreibt, wird nicht angenommen« oder »wenn Jemand Lust zur Abmiethe hat, so wende er sich an uns«). Die neueste Erklärung, welche aber eben so wenig unbestritten geblieben, ist von Fiorelli****): *si quinquennium decurrerit locatio esto nudo consensu* (»nach Ablauf der fünf Jahre wird die Vermiethung [wenn nicht gekündigt worden] stillschweigend verlängert«).

Diese kleine Reihe der für die Öffentlichkeit bestimmten Dipinti möge mit einer aus voraugusteïscher Zeit stammenden, gegen das Ende nicht

---

*) Die Lesart *nongentum* steht unbedingt fest, desto unsicherer ist die Bedeutung; die in der Übersetzung gegebene bisher allgemein befolgte Erklärung ist weder der Form noch der Sache wegen wahrscheinlich.

**) Sendschreiben §. 59, Orelli 4323.

***) Rosini, Dissert. isag. p. 1. cap. 10. pag. 63 sq.; Guarini, Fasti duumv. p. 199.

****) Bull. Nap. n. s. II, p. 23 sq. mit einem Zusatz von Garrucci, der diese Erklärung nur als möglich gelten lassen will, während sie Mommsen bei Orelli-Henzen III, p. 469 und zum *C. I. L.* a. a. O. als juristisch unmöglich bezeichnet.

sicher lesbaren Anzeige eines Diebstahls in der Theaterstraße (64) geschlossen werden:

VRNA AENIA PEREIT · DE · TABERNA
SEIQVIS · RETTVLERIT DABVNTVR
HS LXV · SEI · FVREM
DABIT · VNDI^CP
IMVAPIIC

(»eine eherne Urne ist aus einem Laden fortgekommen; wenn sie Jemand zurückbringt, so werden bezahlt 65 Sest. [ungefähr 14¼ M.], wenn den Dieb, so wird bezahlt . . . . .«).

Durchaus nicht den Charakter der übrigen für die Öffentlichkeit bestimmten Dipinti tragen ein paar gemalte Inschriften, welche sich aber auch der Form nach von den bisher besprochenen dadurch unterscheiden, dass sie sich in Gemälden befinden; eine derselbe ist jene Briefadresse an M. Lucretius (879), die ihres Ortes bei Besprechung der nach ihr genannten *Casa di Lucrezio* (S. 314) erwähnt worden ist; eine andere, welche uns mit Übergehung von noch etlichen nicht besonders bedeutenden, den Übergang zu den Graffiti bahnen mag, steht als Text auf einer halb aufgerollten, gemalten Bücherrolle (1173) und lautet unter Nichtberücksichtigung der orthographischen Eigenthümlichkeiten, in den ersten beiden Versen (welche im Hause des L. Caecilius Iucundus als Graffito wiederholt sind und deren erster an einer andern Stelle ebenso wiederkehrt) (1173, 3199. Bull. d. Inst. 1876, 233):

> *Quisquis amat valeat, pereat qui nescit amare,*
> *Bis tanto pereat quisquis amare vetat.*

(etwa: Heil sei Jedem, der liebt, weh dem, der die Liebe nicht kennet,
Doppelt verwünscht sei der, welcher die Liebe verbeut.)

Zwei folgende Verse sind so unsicher entziffert, dass sich ihr Sinn allenfalls, aber auch dies kaum, errathen lässt, so dass hier von ihnen abgesehn werden muss.

Sowie wir die Dipinti mit diesen Versen schließen, ist die Übersicht über die Graffiti mit den metrischen Inschriften zu eröffnen. Unter diesen eingekritzelten Versen findet man zuerst nicht ganz wenige Lesefrüchte aus lateinischen Dichtern, zum Theil nur abgerissene Worte und einzelne Nachklänge, wie mehrfach (1282. 2361. 3198) die ersten Worte des Verses *arma virumque cano Troiae qui primus ab oris* und (1841) *quisquis es, amissos hinc iam obliviscere Graios* aus Vergils Aeneis (I, 1 und II, 148), auch (1672 und sonst) das Wort *conticuere*, welches als das erste des Verses *conticuere omnes intentique ora tenebant* ebendaher (II, 1) gelten kann, ferner (1524. 1527), *rusticus est Corydon* und (1982) *carminibus Circe socios mutavit Ulixis* aus dessen Eclogen (II, 56 und VIII, 70), *Aeneadum genetrix* (3072) aus Lucretius (I, 1) u. m. a.; theils ganze Distichen[*], deren Lesart übrigens, obgleich die älteste auf uns gekommene, der in den Handschriften überlieferten keineswegs immer vorzuziehn ist, was sich sehr leicht daraus erklärt, dass diese Verse aus dem Gedächtniss gewiss nicht immer der Höchstgebildeten an-

---

[*]) S. Bücheler, N. Rhein. Mus. XII, S. 251 f.

geschrieben worden sind. Beispielsweise finden wir die Verse aus Ovids *Ars amandi* I, 475 f. in der Basilika von Pompeji (1895) in dieser Gestalt wieder:

> *Quid pote tam durum saxso aut quid mollius unda?*
> *Dura tamen molli saxsa cavantur aqua.*

> (Was ist härter als Fels und was ist weicher als Wasser?
> Aber der härteste Fels wird von dem Wasser gehöhlt.)

So hat ein Anderer ebendaselbst (1893. 1894) zwei Verse Ovids (*Amores* I, 77 f.) mit zweien des Properz (V, 5, 47 f.) der Ähnlichkeit des Inhaltes nach zu einem Ganzen verbunden, noch ein Anderer wieder an demselben Orte (1950) zwei andere Verse des Properz (IV, 16, 13 f.) mit einigen nicht vorzüglichen Abweichungen von unserer handschriftlichen Lesart wiederholt. Und neuerdings sind abermals zwei Verse desselben Dichters (II, 5, 98 f.) im Peristyl des Hauses Reg. VI, 14, 9 gefunden worden [*]).

Neben diesen Erinnerungen aus bekannten Dichtern und zwar überwiegend oft aus Vergil und weiter aus erotischen Gedichten, finden wir nun aber an den Wänden Pompejis nicht wenige andere Verse, welche an bekannte nur entfernter anklingen, und noch andere, von denen wir es dahingestellt sein lassen müssen, ob sie der Schreiber auch selbst gedichtet, oder wie jene anderen aus fremden, uns nur nicht bekannten Poesien entlehnt hat. Auch von solchen Versen mögen hier ein paar Proben folgen. Wiederum aus der Basilika, die überhaupt am meisten derartige Inschriften aufzuweisen hatte, ist dies aus allerlei ovidischen, properzischen und anderen Erinnerungen zusammengesetzte Distichon (1928):

> *Scribenti mi dictat Amor mo[n]stratque Cupido,*
> *[Ah] peream, sine te si deus esse velim.*

> (Mir spricht Amor vor und mich belehret Cupido:
> Weh' mir, wünscht ohne dich selber ein Gott ich zu sein.)

Sehr zierlich, und bis auf einen metrischen Fehler eines guten Dichters würdig, aus dem es ein nicht genau wiedergegebener Nachklang sein mag, ist folgendes Distichon (1649), welches an den Thürpfeiler eines Hauses im *Vico dei soprastanti* eingekratzt ist:

> *Alliget hic auras si quis obiurgat amantes*
> *Et vetet assiduas currere fontis aquas.*

> (Binde den Wind hier an wer Liebende suchet zu trennen
> Und verbiete des Quells murmelnden Wellen den Lauf.)

Überaus schmachtend hat sich der Verliebte ausgedrückt, der folgende Verse (1837) mit Anklängen an Tibull (II, 6, 17—22) und Vergil (Ecl. II, 7) in der Basilika angeschrieben hat:

> *Si potes et non vis cur gaudia differs,*
> *Spemque foves et cras usque redire iubes?*
> *[Er]go coge mori, quem sine te vivere coges,*
> *Munus erit certe non cruciasse boni.*
> *Quod spes eripuit spes certe reddet amanti . . . .*

---

*) Bull. d. Inst. 1875, p. 191.

(etwa: Kannst du mich lieben und willst es doch nicht, was vertröstest du stets mich,
    Nährest die Hoffnung und sprichst: kehre nur morgen zurück?
    Heiße mich sterben, den ach! ohne dich du zwingest zu leben,
    Dank verdienst du gewiss, quälest du länger mich nicht.
    Was Enttäuschung entriss, giebt Hoffen dem Liebenden wieder. . . .)

Den dritten Pentameter hat der Unglückliche in seiner Rührung vergessen, Andere aber hat sein Erguss zu etlichen bissigen Bemerkungen veranlasst, welche unter den obigen, von einer Hand geschriebenen Versen stehn; der Erste schrieb in vortrefflicher Orthographie *Qui hoc leget nunc quam posteac aled legat et nunquam sit salvos* (»wer dies liest, möge niemals nachher etwas Anderes lesen und es gehe ihm nie gut«), ein Zweiter fügte bei: *qui supra scripsit* (»der oben geschrieben hat«) und ein Dritter bekräftigend: *vere dicis* (»du hast Recht«).

Neuesten Funden (s. *Not. d. scavi* 1883 *Febbr.* p. 53) werden die folgenden Verse verdankt, welche an einem Pfeiler rechts neben dem Westeingange zum *Theatrum tectum* unter anderen stark beschädigten standen:

    Sei quid amor valeat nostrei, sei te hominem scis,
      Commiseresce mihi, da veniam ut veniam.

(welche man, wenn es erlaubt ist, um das kleine Wortspiel im Pentameter zu wahren, diesen als Hexameter zu fassen, etwa so übersetzen könnte:

    Wenn meine Liebe dir etwas gilt und du fühlest als Mensch dich,
      Ach, so erbarme dich mein und heiße mein Kommen willkommen.)

So schmachtend diese Verse sind, so wild geberdet sich der folgende unglückliche Verliebte, welcher seinen Zorn über die Göttin der Liebe selbst in diesen Versen ebenfalls in der Basilika (1824) ausschüttet:

    Quisquis amat veniat; Veneri volo frangere costas
      Fustibus et lumbos debilitare deae:
    Si pot[is] illa mihi tenerum pertundere pectus,
      Cu[r] ego non possim caput ill[i] frangere fuste?

(also etwa: Komme hierher, wer liebt: der Venus will ich die Rippen
    Brechen mit Prügeln und ihr weidlich die Schenkel zerbläun;
    Kann mir jene das zärtliche Herz im Busen zerreißen,
    Warum könnt' ich ihr nicht den Kopf mit Prügeln zerbrechen?)

ja sein Eifer hat ihn sogar, wie man sieht, den zweiten Pentameter verfehlen und durch einen Hexameter ersetzen lassen. — Ziemlich kräftig verwünscht seinen Nebenbuhler auch ein Liebender, welcher diese Verse (1645) an den schon erwähnten Pfeiler im *Vico dei soprastanti* angeschrieben hat:

    Si quis forte meam cupiet vio[lare] puellam,
      Illum in desertis montibus urat Amor.

    (Wer mein Mädchen verführt . . .
      Den verzehre die Lieb' einsam im rauhen Gebirg.)

Eine merkwürdige Parallele dazu findet sich zwei Mal dicht neben einander in Rom an einem der Bögen am *clivus Victoriae* an der Südseite des Palatin angeschrieben (*C. I. L.* a. a. O. Anmerkung), und zwar mit dem vorgesetzten Namen Cresce[n]s:

    Quisque meam f . . . . rivalis amicam
      Illum in secretis montibus ursus edat!

(Wer mein Mädchen verführt . . .
Den im öden Gebirg fresse der gräuliche Bār!)

Aber nicht blos Liebesseufzer und Verwünschungen sind in Versen an die Wände Pompejis geschrieben, auch ganz andere Interessen geben sich gelegentlich in Hexametern oder Pentametern kund. Gegen den Kneipwirth, der verwässerten Wein verkauft, macht z. B. ein Gast seinem Ärger in folgenden Versen Luft:

Talia te fallant utinam me[n]dacia, copo ;
Tu ve[n]des acuam et bibes ipse merum.

(O dass solcherlei Lug doch dich betrüge, du Kneipwirth;
Wasser verkaufest du uns und trinkest selber den Wein.)

welche an einem Pilaster in einer *caupona* (Kneipe) Reg. I, 2, 24 standen, aber, obwohl tief und deutlich eingekratzt, schon in dem Jahre, in welchem sie gefunden wurden, zu Grunde gegangen sind*). Wenn dagegen einer dem L. Istacidius (die Istacidier gehören zu den Vornehmen in Pompeji) wiederum in der Basilika (1880) zuruft:

L. Istacidi! At quem non ceno barbarus ille mihi est.

(L. Istacidius! Wer mich zu Tische nicht lädt, gilt mir als roher Gesell!)

wozu sich folgende daselbst (1937) in Prosa geschriebenen Worte : *quisque me ad cenam vocarit v[aleat]* (»Heil dem, der mich zur Tafel ruft !«) in Gegensatz stellen, so darf man in Beiden Zeugnisse des auch in Pompeji blühenden Parasitenthums erkennen. Und vielleicht war von dem Parasitismus auch der dankbare Gast nicht allzu weit entfernt, der in einem Schlafzimmer des Hauses Reg. VI, 14, 3 an die Wand geschrieben hat:

Semper M. Terentius Eudoxus unus supstenet amicos — et tenet et tutat supstenet omne (so) *modo***)

(Immer erhält M. Terentius Eudoxus allein seine Freunde; hält und beschützt und erhält alle in jeglicher Art).

Denn die letzten Worte sollen doch wohl ein Vers sein.

Nicht ganz so leicht verständlich wie Anderes und noch schwerer in Übersetzung wiederzugeben sind die folgenden von indirecter in die directe Anrede übergehenden Verse, die, in Schlangenwindungen***) (s. 1595) an dem Eingang eines Privathauses der *Strada di Nola* angeschrieben (jetzt im Museum) die Schlangenspiele eines gewissen Sepumius (wohl eines Gauklers oder Kautschukmannes) der Bewunderung empfehlen und den Leser auffordern, die Wage des Rechts oder des Urteils stets gleichschwebend zu halten, d. h. gerecht zu urteilen über des Sepumius Künste, möge er Bühnenliebhaber oder Liebhaber von Pferden (des Circus) sein:

[Ser]pentis lusos si quis sibi forte notarit
Sepumius iuvenis quos fac[i]t ingenio:
Spectator scaenae sive es studiosus e[q]uorum
Sic habeas [lan]ces semper ubiq[ue pares].

---

*) Bull. d. Inst. 1874, p. 252.
**) Giorn. d. scavi di Pomp. III, p. 18.
***) Siehe *C. I. L.* a. a. O. nach Garrucci tav. VI, No. 1.

(also etwa : Wer sie jemals gesehn die Schlangenspiele des jungen
Sepumius, die er künstlich zu spielen versteht :
Seist du der Bühne Freund, seist du Liebhaber der Rosse,
Stets doch halte du gleichschwebend die Schalen des Rechts.)

Neben den Hexametern und Pentametern treten ferner unter den Poesien
an den Wänden Pompejis nicht ganz selten iambische Senare auf, von denen
jedoch, theils weil die meisten nur mangelhaft entziffert sind, theils aus anderen, hier nicht zu erörternden Gründen, nur ganz einzelne Proben ausgehoben werden können. Recht anmuthig, wenngleich nicht ohne alle metrischen Anstöße, sind die Verse, welche Jemand in Erinnerung an die auf
einer Reise nach Pompeji, welche ihm, dem Verliebten, zu langsam gegangen,
empfundene Ungeduld, im Peristyl des Hauses Reg. IX, 5, 11 an die Wand
geschrieben hat, welche hier aber nur mit Unterdrückung einer dritten, nicht
metrisch gefassten Zeile in ihrer auch sprachlich interessanten Schreibweise
mitgetheilt werden können :

> *Amoris ignes si sentires mulio*
> *Magi properares ut videres Venerem.*
> *Bibisti; iamus! prende lora et excute,*
> *Pompeios defer, ubi dulcis est amor*
> *Meus . . . .*)*

(und welche man etwa, mit Modernisirung des in keinen deutschen Vers zu
bringenden Maulthiertreibers (*mulio*), so wiedergeben könnte :

> Wenn du der Liebe Feuer fühltest, Hauderer,
> So führst du schneller, um dein Liebchen zu erschaun.
> Getrunken hast du! So nimm die Zügel und peitsche drauf,
> Bring' schnell mich nach Pompeji, wo mein Schätzchen weilt,
> Das süße . . . .)

Eines der interessantesten Stücke in freilich nicht durchgeführten oder etwas
wild gewordenen Senaren ist ferner das folgende mit »Räthsel« überschriebene
aus der Basilika (1877), von dem es uns nicht wundern darf, wenn wir es
nicht ganz verstehn, da es ja schon den alten Pompejanern zu rathen geben
sollte :

> *Zetema.*
> *Mulier ferebat filium similem sui;*
> *Nec meus est nec mi similat sed*
> *Vellem esset meus*
> *Et ego: voleba[m] ut meus esset.*

> (Räthsel.
> Es trug ein Weib ein Kindchen, das ihr ähnlich war;
> Nicht ist es meines, noch auch gleicht es mir,
> Doch wollt ich, es wär' meines.
> Und ich: auch ich wollte, dass es meines wär') **).

---

*) Bull. d. Inst. 1877, p. 223.

**) Die Erklärungsversuche, die aber zu keiner Lösung geführt haben, sind im *C. I. L.*
a. a. O. angeführt. Hr. Dr. B. Rogowicz, damals stud. phil. in Halle, sandte mir brieflich
(d. d. 30. 1. 74) einen nicht unwahrscheinlichen Lösungsversuch, welcher sich in der Übersetzung nicht wiedergeben lässt, da er auf ein Wortspiel in dem Worte *sui* (= gen. von *suus*

Wohl dem Wortlaute, aber nicht so ganz ihrer innern Bedeutung nach sind
die folgenden, communistisch lautenden Zeilen in einem Hause der *Strada
di Nola* (1597) klar:

> *Communem nummum dividendum censio est,*
> *Nam noster nummus magna[m] habet pecuniam.*
>
> (Die gemeine Casse zu vertheilen hat man Lust,
> Denn unsere Casse hat gewaltig vieles Geld.)

Dagegen können wir über den Sinn des folgenden Verses aus dem Peristyl der
Casa di Olconio (s. S. 294. *C. I. L.* 2069) nicht zweifelhaft sein:

> *Moram si quaeres sparge miliu[m] et collige.*
> (etwa: Langweilst du dich, streu' Hirsen aus und lies sie auf!)*)

mit welchem grade nicht sehr witzigen Einfall eines müßigen Kopfes wir von
diesen pompejaner Versen Abschied nehmen, um uns den in Prosa abgefassten
Graffiti zuzuwenden**), unter denen wir freilich noch allerlei rhythmischen
Anklängen, daktylischen so gut wie iambischen begegnen, die aber, wenigstens
in ihrer Gesammtheit, nichts als Prosa sein wollen.

In der Fülle dieser in Prosa abgefassten Graffiti Weg und Steg zu finden
ist nicht leicht, und man weiß in der That nicht, wo man anfangen soll, um
sie in Auswahl zur Übersicht zu bringen. Denn wie sie im buntesten Durch-
einander an gewissen Wänden stehn, so greift auch ihr Inhalt vielfältig in einander über, wenn man ihn nach gewissen Classen eintheilt. Und dabei geräth
man außerdem in Gefahr bei Dingen, welche von allem Systematischen und
Steifen so entfernt wie möglich sind, den Eindruck des Steifen und Pedanti-
schen hervorzurufen. Allein in irgend einer Ordnung muss man denn doch
vorgehn, und so sei versucht, wie weit wir kommen, indem wir an die metrischen Graffiti möglichst nahe anknüpfen, während es vielleicht eben so nahe
gelegen hätte, bei den kürzesten und einfachsten Inschriften, d. h. den sehr
vielen bloßen Namen anzufangen und von ihnen zu den längeren und inhalt-
reicheren emporzusteigen. Die Anknüpfung aber geschieht wohl am besten,
wenn wir etliche Liebesergüsse voranstellen. So z. B. das sententiöse und
metrische Sprüchlein (1883): *Nemo est bellus nisi qui amavit mulierem . . . .*
(»wer nie ein Liebchen hatte ist kein braver Mann«). An einer andern Stelle
schmachtet Einer: *amans animus meus* (»mein Herz ist voll Liebe«), hat ein
Zweiter das Wort »Psyche« (»Seele«, Liebchen) so angeschrieben, dass die
Schnörkel des Ψ ein Herz bilden, welches das ganze Wort einfasst (s. *C. I. L.*
a. a. O. tab. XXVII, 15). Der Liebeszurufe mit dem griechischen καλὸς,

---

und dat. von *sus*) hinausläuft, nach welchem *filius similis sui* auch = *porculus* sein könnte.
Dass es eine *mulier* ist, welche diesen *filium similem sui* trägt, ist für die eigentliche Bedeutung
des Räthsels gleichgiltig, vermehrt aber den Doppelsinn in dem *ferre* (scil. *in ventre*). Mein
College Lange schlägt folgende Herstellung der von dem Schreiber entstellten Verse vor:

> *Mulier ferebat filium similem sui;*
> *Nec meus est nec mi similis, ast esset meus.*

Der vierte Quasivers ist Zusatz des Schreibers.

*) Anders Minervini, Bull. Ital. I, p. 55 und Fiorelli, Giorn. d. scav. I, fasc. 2, p. 90,
tav. 11, No. 6.

**) Die Citirung der Nummern des *C. I. L.* bei jedem einzelnen Graffito ist überflüssig
erschienen.

wenn auch in lateinischen Buchstaben geschrieben, wurde schon gedacht; ihnen entsprechen am nächsten diejenigen mit dem lateinischen Bravoruf *euge*; so *euge Issa, Cerialis euge* u. A. und auf dasselbe Gebiet gehört es, wenn schöne Mädchen selbst Aphroditen genannt werden, *Aphrodite Issa, Aphrodite Augustiana* u. dgl. m.   Ein zärtlicher Abschiedsgruß im Theatergange (2414) lautet: *propero, vale mea Sava* (?) *fac me ames* (»ich scheide [eile], lebe wohl, meine Sava, und liebe mich«); ein verschmähter Liebhaber schrieb (3042): *crudelis Lalage quae non am* .... (grausame Lalage, die du nicht geliebt....). Sehr rührend wird die Liebe zweier Unfreien unter den Schutz der Venus Pompeiana gestellt in dieser Zeile (2457) aus dem Theatergange: *Methe Cominiae s. atellana amat Chrestum corde, sit utreisque Venus Pompeiana propitia et semper concordes veivant* (Methe, der Cominia Sclavin, die Schauspielerin liebt Chrestus von Herzen, sei ihnen Beiden die pompejanische Venus gewogen und mögen sie stets in Eintracht leben«).   Eine Angeberei ist die folgende Zeile (2060) in dem Atrium eines Hauses an der *Strada dell' abbondanza: Romula hic cum Staphylo moratur* (»hier giebt sich Romula mit Staphylus Rendezvous«).

Zu den verliebten gesellen sich dann andere Zurufe und Grüße, so unzählbare mit *vale: Lucide vale, Crispe vale, Acti vale amicus* u. s. w., andere mit *ave* (*have*): *Egloge have*, wieder andere mit *salutem: Vettius Cranio salutem, Gemellus Cesernin[a]e salutem* ; und eben so häufige mit *feliciter* (Glück auf!), nicht nur an Privatpersonen gerichtet wie *Claudio Vero feliciter, duobus Fabis feliciter* u. A., sondern auch an Standespersonen, wie in *iudicis Augusti feliciter, defensoribus coloniae feliciter* und den Kaiser selbst (2460): *Augusto feliciter*.   Daneben ferner: *felix Atamas felix, faustus felix Florus, A. Veius M. f. felix* u. dgl., auch ein Mal *o felicem me* (»ich Glücklicher«); auch der oft gebrauchte Segenswunsch *bonum faustum felix* (»Glück, Heil und Segen«) ohne bestimmte Adresse und wiederum *felix est Ianuarius Fuficius qui hic habitat* (»der hier wohnt«) mit einer sehr bestimmten, sowie der Neujahrwunsch (2059) *Ianuarias [Kalendas] nobis felices multis annis* (»Neujahr sei uns viele Jahre glücklich«). Aber auch das Gegentheil dieser Glückwünsche und Segenswünsche findet sich nicht minder oft, Verwünschungen im Allgemeinen oder bestimmter Personen, so *vae tibi* (»wehe dir«), *Nucerinis infelicia* und *Vei Barca tabescas* (»gehe zu Grunde«) im Amphitheater; ferner *Samius Cornelio suspendere* (»lass dich hängen«) in der Basilika, oder wenn einer daselbst angeschrieben hat: *Agato Herenni servus rogat Venerem* .... (»A., Herennius' Sclave, bittet die Venus ....«) und ein Anderer darunter setzte: *ut pereat rogo* (»dass er sterbe, bitte ich«).

Zu den An- und Zurufen stellen sich sodann die gar nicht seltenen Briefe und Brieffragmente in natürliche Nachbarschaft, welche, vielleicht als Entwürfe wirklicher Briefe, vielleicht, in einigen Fällen gewiss, nur als der in diese Form gefasste Ausdruck dessen zu gelten haben, was die Seele des Schreibenden bewegte und bekümmerte. Ein solches Fragment aus der Küche der *Casa di Apolline e Coronide* (1991) lautet: *Aelius Magnus Plotillae suae salutem.   Rogo domina* (»A. M. seiner Plotilla Gruß! Ich bitte dich, Herrin«). Weiter stand nichts da, der Schreiber mag hier unterbrochen worden sein und hat später nicht fortgefahren.   Ein ähnlicher Anfang des Briefes, vielleicht eines Mädchens an ihren Schatz ist (1695): . . . . *Paguro suo salutem.* Vielleicht kann man auch als Brieffragment die folgende nichts weniger als höfliche Anrede (in dem Eingang eines Hauses des *Vico del balcone pensile,* 2043) betrachten: *Nicerate, vana succula, qu[ae] amas Felicione[m] et ad porta[m] deducis, illud tantum in mente habeto* . . . . (etwa: »Nicerate . . . ., welche du den Felicio liebst und ihn an die Thür verlockst, dies Eine bedenke doch wenigstens« . . . .). Indem wir ein paar längere, aber von Garrucci unsicher überlieferte, neuerlich nicht wieder aufgefundene Briefe bei Seite lassen, führen wir noch die beiden naivsten dieser Briefe an. Im Hausflur der *Casa del orso* (1684) steht: *Victoriae suae salute[m]. Zosimus Victoriae salutem. Rogo te ut mihi suc[c]ur[r]as aetati meae; si putas me aes non hab[e]re* . . . . (»Seiner Victoria Gruß! Zosimus grüßt Victoria. Ich bitte dich, dass du mir zu Hilfe kommst, meiner Jugend; wenn du denkst, dass ich kein Geld habe« . . . .). Das erste *Victoriae suae salutem* steht getrennt von dem Texte, gleichsam als Adresse, die Orthographie ist vielfach fehlerhaft. Aus der Basilika, jetzt im Museum ist dies (1852): *Pyrrhus Chio conlegae sal[utem]. Moleste fero quod audivi te mortuom; itaque vale.* (»Pyrrhus seinem Collegen Chius Gruß. Ich bin betrübt, dass ich gehört habe, du seiest gestorben. So gehabe dich denn wohl!«)

Im Gegensatz und zum Theil in schneidendem Gegensatze gegen die Gemüthlichkeit und Gutmüthigkeit dieser Briefe stehn die Äußerungen von Neckerei, Spott, Lästerung, welche sich sehr zahlreich finden, und welche sich bis zu den gröbsten Schmähungen und Beleidigungen steigern. Die allermeisten dieser Inschriften liegen auf einem Gebiete, von dessen Wiedergabe hier ganz abgesehn werden muss, so dass man deren Gesammtheit nach dem sehr Wenigen, das hier mitgetheilt werden kann, nicht zu beurteilen im Stande ist. Von der Angeberei der Rendezvous des Staphylus und der Romula ist schon oben gesprochen; in einer andern Inschrift, abermals in der Basilika (1948) wird einem mit Namen genannten Mädchen (Lucilla) ein schmutziges Gewerbe nachgesagt, wieder in einer andern daselbst (1949): *Oppi emboliari fur furuncule* der genannte, wahrscheinlich ein Possenreißer des Mimus, als »Dieb, Spitzbube!« angeredet. Unter dem mancherlei Spott ist beispielsweise auch dieser, allerdings nicht ganz sicher überlieferte*), dass einer ein)(hingezeichnet mit den begleitenden Worten: *Miccionis statum considerate* (»seht euch des Miccio Beine an«), und endlich treffen wir auch auf offenbar karrikirte Porträts mit Namenbeischrift, von denen Fig. 260 wenigstens eine Probe (1810) bietet, da sich dergleichen in Worten nicht wiedergeben oder umschreiben lässt. Der Name ist Peregrinus.

Fig. 260. Karrikatur.

Von ganz besonderem Interesse ist der Wiederhall des öffentlichen Lebens

---

*) S. Zangemeisters Bemerkung zu *C. I. L.* a a. O. No. 2416.

in diesen privaten Inschriften; denn anders kann man es doch füglich nicht nennen, wenn sich fünf Wahlempfehlungen und Wahlprogramme in den Stucco der Säulen und Wände der Atrien und Peristyle im Innern von Privathäusern eingekratzt finden*), die hier für die Öffentlichkeit in keiner Weise bestimmt gewesen sein können. Auf den besondern Inhalt dieser zum Theil etwas abgeänderten Wiederholungen der für die Öffentlichkeit bestimmten Dipinti kann hier nicht eingegangen werden; interessant ist vor Allem die Thatsache im Ganzen, welche deutlich zeigt, wie lebhaft bewegt das öffentliche communale Leben zu Zeiten in Pompeji war, und wie die Wahlkämpfe die Gemüther erregten.

Neben ihnen dann, und zwar in ganz besonderer Ausdehnung, die Kämpfe des Amphitheaters, die Erinnerungen an welche eine ziemlich starke Classe der Graffiti abgeben. Auch hier muss auf das Eingehn in das Einzelne verzichtet werden; von einigen dieser Inschriften, welche uns die ausgegebenen *libelli* mit den zum Kampfe geordneten Gladiatorenpaaren vergegenwärtigen, ist schon oben bei Gelegenheit der Dipinti gesprochen worden; andere und neben ihnen vielfache, wenn zum größten Theile auch sehr rohe Zeichnungen, welche Gladiatoren verschiedener Waffengattungen, häufig, ja meistens mit ihren Namen, in den verschiedensten Scenen und Stadien der Kämpfe, gegen einander angehend, siegreich und besiegt, triumphirend und gefallen darstellen, mochten als werthe Erinnerungen an die gesehenen Herrlichkeiten der heißgeliebten Spiele dienen. Auch von diesen Zeichnungen ist Fig. 261 ein Pröbchen, welches zu-
gleich zu Vergegenwärtigung des Schrift-
charakters der Graffiti dienen kann. Rechts
steigt ein Bewaffneter mit einer Palme in
der Hand, also jedenfalls ein Sieger, vielleicht ein Gladiator, eine Treppe, vielleicht
eine solche des Amphitheaters herab, die
beiden Personen links sind weniger sicher
zu erklären, möglicherweise sollen sie
einen Magistrat oder den Procurator auf

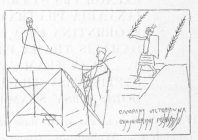

Fig. 261. Graffito mit Bild.

dem Tribunal und den Herold darstellen. Unsicher ist auch die Bedeutung der jetzt verlorenen Inschrift (1293): *Campani victoria una cum Nucerinis peristis* (»Campaner [Capuaner], ihr seid in einem Siege mit den Nucerinern umgekommen«). Sie ist schon seit langer Zeit und neuerdings wieder, wohl nicht ohne Grund, auf jene Schlägerei im Amphitheater von Pompeji bezogen worden, über welche oben S. 14 f. berichtet ist. In eine nähere Auseinandersetzung über den Wortlaut der Inschrift kann hier nicht eingetreten werden.

Sowie die Erinnerungen aus dem öffentlichen Leben finden sich auch diejenigen aus dem Leben des Hauses und der Familie in nicht geringer Zahl an den Säulen und Wänden im Innern der Häuser angeschrieben, neben ihnen auch etliche aus dem Treiben der Gesellschaft. Ein Stück einer Buchführung über Schweinefett und Knoblauch haben wir schon früher (S. 294) in der *Casa*

---

*) Zangemeister Bull. d. Inst. 1865, p. 183 sq.

di Olconio kennen gelernt. Ähnliches kommt auch sonst vor. Ferner finden sich Verzeichnisse von Kleidungsstücken, wie z. B. *K. XXI. Maias tunica pallium nonis Maias fascia. VIII idus Maias tunicae III* (»den 18. April eine Tunika ein Pallium, den 7. Mai eine Binde, den 8. Mai drei Tuniken«), welche vielleicht, in einem Falle wohl gewiss zur Wäsche gegeben, oder zu solcher vom Walker und Wäscher angenommen sind; Buchführung über Schuster- arbeit und dergleichen mehr. Von besonderem Interesse ist uns der Einblick in eine antike Spinn- oder genauer gesprochen Webestube, ein Ergastulum der Sclavinnen eines Hauses, welches uns das Verzeichniss von elf Mädchen verschafft, deren Namen nebst den von ihnen zu lösenden Aufgaben (*pensa* geschrieben *pesa*) wahrscheinlich ein *dispensator*, d. i. ein Aufseher des Erga- stulum an eine Säule, und zwar des Peristyl, nicht des Atrium, wo die Web- stühle zu stehn pflegten, in dem Eckhause der *Strada della Fortuna* (*di Nola*) und des *Vico degli scienziati* geschrieben hat (1507). In diesem Verzeichniss heißt es

VITALIS TRAMA PIISV
FLORIINTINA PIISA · III
AMARVLLIS PIISV, TRAMA · IIT · STAMIIN
IANVARIA SVPTII PIISA III IIT · STA' PIIS DVA S
HIIRACLA · PIISV STAMIIN
MARIA PII STAMIIN
LALAGII PIIS STAMIIN
IANVARIA PII ᴧ TRAMA
FLORIINTINA PIISV TRAMA
DAMALIS TRAMA PIISV
S . . . RVSA TRAMA PIISV
PAPTIS, PIISV TRAMA
DORIS, PIISV STAMIIN

Wenn dazu bemerkt wird, dass *stamen* den verticalen Aufzug am — aufrecht stehenden — Webstuhle, *trama* den schräge gekreuzten Aufzug, *subte*[*men*] die Kette des Gewebes bezeichnet und *pensum* die zum Spinnen zugewogene Wolle, so kann von einer Übersetzung des ganzen Verzeichnisses abgesehn werden; es ist nur noch auf die zum Theil sehr poetischen Namen dieser Mägde (Damalis, Doris, Lalage, Amaryllis z. B.) aufmerksam zu machen, unter denen aber die Maria nicht etwa María zu lesen und als Christin oder Jüdin zu betrachten ist, sondern Mária, als Femininum zu Márius. Aber auch an- deren häuslichen Notizen begegnet man. Mit feierlicher Angabe des Consulats ist auf der Wand des Atriums eines Hauses in der *Strada della Fortuna* (*di Nola*) die Geburt eines Eselchens am 6. Juli im Jahre 783 Roms = 29 n. Chr. ver- zeichnet (1555) so:

L · NONIO ASPRENATE
A · PLOTIO COS ASELLVS NATVS
PRIDIE NONAS · CAPRATINAS

An einem andern Orte wahrscheinlich die Geburt von Lämmern im Jahre 784 R. = 30 n. Chr. vermerkt. Auch sehr vergängliche persönliche Leiden finden wir inschriftlich verewigt, so wenn Jemand der Mitwelt kundthat und der Nachwelt, letzterer freilich ohne Absicht, hinterließ, dass er den Schnupfen habe (*pituita me tenet*). Aus dem geselligen Leben aber ist eine Erinnerung folgende Notiz über ein Ballspiel in der Basilika (1936): *Amianthus, Epaphra, Tertius ludant cum Hedysto, Iucundus Nolanus petat, numeret Citus et Stacus Amianth[o]*, in welcher die Rollen an die sieben Theilnehmer vertheilt werden, die ersten vier sollen den Ball schlagen, der fünfte ihn holen und die zwei letzten die Gänge zählen. Aus einem Ballspiel stammt auch (das. 1926) der an sich gutmüthige Spott über den schon hier genannten Epaphra, von dem es heißt *pilicrepus non est* (»ist kein Ballspieler«) und der eine sehr stadtbekannte Persönlichkeit gewesen zu sein scheint, in mehren Graffiti wieder vorkommt und sich die größten Abscheulichkeiten nachsagen lassen muss.

Diesen häuslichen und geselligen Inschriften fügen sich diejenigen an, welche sich auf Wirthshäuser und Schenken und das Leben in ihnen beziehn. Die Anzeige des Wirthshauses »zum Elephanten« haben wir oben (S. 379) kennen gelernt; hier sei zunächst erinnert, dass sich hier und da in den Straßen Empfehlungen von Wirthshäusern, Schenken oder Läden eingekratzt finden, z. B., allerdings nicht sicher (2324): *L. Sentius Celsus adeas Liani* (?) *taberna[m] ad dex[tram]* . . . (»besuche des L. Taverne rechts« an der und der Straße); auch die Worte *taberna[m] Appii* sind wohl das Fragment einer solchen Empfehlung, eine dritte anderer Art, so interessant sie ist, muss hier übergangen werden*). Ferner finden wir in mehren Hospitien, namentlich in dem schon früher (S. 380) erwähnten im *Vicolo di Eumachia* No. 15 an den Wänden der Cubicula eine Menge von Namen, welche ein Fremdenbuch vertreten, so manches Interessante sich in diesen Namen, in den Angaben über Stand und Herkunft findet**), wir müssen, um gelehrte Erörterungen zu vermeiden, daran vorübergehn. Ohne Commentar aber versteht Jeder den Stoßseufzer eines Verliebten (2146) aus demselben Wirthshause: *Vibius Restitutus hic solus dormivit et Urbanam suam desiderabat* (»V. R. schlief hier allein und sehnte sich nach seiner Urbana«). Aus der Schenke stammen aber beispielsweise folgende Inschriften: unter einem Bilde im Innern einer Schenke, auf welchem ein Soldat dem Schenksclaven den Becher reicht, steht (1291): *da fri[gi]dam pusillum* (»gieb ein wenig kalten Trunk!«), eine andere jetzt zerstörte Inschrift an demselben Orte ebenfalls mit einem Bilde (1292) lautete: *adde calicem Setinum* (»thu ein Maß Setinerwein hinzu«, nämlich zu dem Gemisch, das dem Gaste nicht stark genug sein mochte). Über ein in einer Kneipe Reg. VI, 14, 36 aufgefundenes und ausgehobenes Gemälde mit Kneipscenen und auf dieselben bezüglichen Inschriften***) lässt sich aus Gründen nicht ausführlich berichten. Dasselbe ist friesartig angeordnet und bietet vier Darstellungen neben einander. Die dritte zeigt zwei Männer beim Würfelspiel

---

*) Vgl. *C. I. L.* a. a. O. No. 1751 und N. Rhein. Mus. 1862, S. 138 mit Taf. 1.

**) Zangemeister, Bull. d. Inst. 1865, p. 179 sqq.

***) Das Gemälde ist veröffentlicht in den *Notizie degli scavi di ant.* 1876, tav. 7; mit Text p. 193 sq. und in Presuhns: Pompeji, d. neuesten Ausgrabungen, 2. Aufl. Abth. 5, Taf. 6 u. 7; über die Inschriften vgl. Bull. d. Inst. 1878, p. 192 sq.

und aus den Inschriften geht hervor, dass sie über den von dem einen oder von dem andern gethanen Wurf in Streit gerathen. Dieser droht in dem vierten Bild in Thätlichkeiten auszuarten, welche in den Beischriften von gegenseitigen Beschimpfungen begleitet sind. Der Wirth aber tritt hinzu mit den über ihm geschriebenen Worten: *»itis foris rixsatis«* (hinaus! zankt euch draußen). Hier wird es erlaubt sein, des ebenfalls auf den Trunk bezüglichen Inhalts wegen eine Inschrift nicht von einer Wand, sondern von einer 1763 in Pompeji gefundenen Weinamphora (2776) anzufügen: *presta mi sinceru[m] sic te amet quae custodit [h]ortu[m] Venus* (»gieb mir reinen Wein, so liebe dich Venus, welche den [Wein-] Garten schützt«), Worte, die der Gast zum Weinbauer spricht, welcher ihm Wein ausschenkt. Von einem starken Durst legt folgende Inschrift aus der Basilika (1819) Zeugniss ab: *Suavis vinaria sitit, rogo vos, et valde sitit* (»Suavis dürstet nach ganzen Flaschen, ich bitte euch, er dürstet gewaltig«) *), der hinzugefügt ist: *Calpurnia tibi dicit vale* (»Calpurnia [die Schenkin] sagt dir: wohl bekomm's!«). Die interessanteste dieser Schenkinschriften aber ist die im Atrium der *Casa del orso* gefundene (1679), welche so lautet: *Edone dicit: assibus hic bibitur, dipundium si dederis meliora bibes, quantus (?) si dederis vina Falerna bibes* (»Edone = [Hedone, das ist die Kellnerin] sagt: hier trinkt man für ein As; giebst du ein Doppelas, so wirst du bessern Wein trinken; wenn du viere bezahlst, trinkst du Falernergewächs«), denn dies scheint der Sinn zu sein, da die Lesung oder Erklärung des *quantus*, das eine Unregelmäßigkeit in den Satz bringt, nicht über allen Zweifel erhaben ist; die Bedeutung des Ganzen ist klar, und prächtig ist, wie der edle Falernerwein am Schlusse die poetischen Anklänge der ganzen Inschrift in einen regelrechten Pentameter sammelt. Die Verwünschung eines betrüglichen Kneipwirths ist oben (S. 480) unter den Versen mitgetheilt worden.

Wir beschließen diese kleine Übersicht mit der Erwähnung der wenigen mehr oder weniger sicheren Notizen über Juden und Christen in Pompeji, welche sich bisher gefunden haben. Dass Juden in Pompeji gelebt haben, ist bei dem schwunghaften Handel, welchen die Stadt betrieb, an sich wahrscheinlich genug, die sicheren Beweise aus Inschriften aber sind noch ziemlich vereinzelt. Was sich von ihnen hat auftreiben lassen, hat Garrucci im Bullettino Napolitano n. s. II, p. 8 zusammengestellt, doch ist von seinen Beweisstücken das Vorkommen eines anscheinend semitischen Namens *Meraob* in einer der schon oben (S. 465, Note ***) erwähnten griechischen, nicht entzifferten Inschriften nur schwach, viel bedeutender die mehrfache Wiederholung des Wortes *verpus* in Dipinti, da dieses eine aus Juvenal (Sat. 14, vs. 104) u. A. bekannte Bezeichnung der Juden ist, welche sich schwerlich anders wird erklären lassen. Ganz vereinzelt, aber doch wohl nicht zu bezweifeln ist die Erwähnung von Christen in einer mit Kohle geschriebenen Inschrift in dem Hause No. 26 des *Vico dei lupanari* (679). Zum größten Theile verwischt lässt sie mit der nöthigen Sicherheit nur das einzige, aber wohl

---

*) Die Übersetzung folgt der Erklärung Jahns, Jahrbb. des Alterth. Vereins im Rheinlande XIII, S. 106, aber vgl. denselben in Ber. d. k. sächs. Ges. d. Wiss. IX, S. 196, Note 32. *Suavis* kann auch fem. und als Schenkin bezeichnet sein.

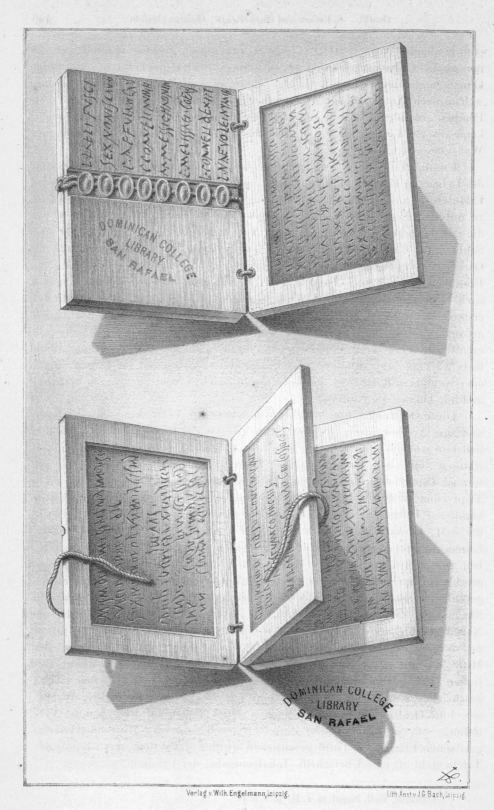

Verlag v. Wilh. Engelmann, Leipzig.   Lith. Anst. v. J.G. Bach, Leipzig.

Eine pompejanische Quittungstafel wiederhergestellt.

entscheidende Wort [C]HRISTIAN . . erkennen, welches speciell auf die neronische Christenverfolgung zu beziehn, wie dies geschehn ist, allerdings kein genügender Grund vorliegt. Eine unzweifelhaft christliche Lampe, welche nach Annahme der Akademiker von Herculaneum im Jahre 1756 in Pompeji gefunden sein soll, gehört dem vierten christlichen Jahrhundert an*), kann also zur Lösung der Frage über die Anwesenheit von Christen in keiner Weise benutzt werden.

Um die Reihe der kleineren inschriftlichen Denkmäler des Verkehrs und des Lebens in Pompeji, welche durch eine Übersetzung und einige Worte der Erläuterung zum Verständniss gebracht werden konnten, nicht durch solche zu unterbrechen, welche eine eingänglichere Erklärung nöthig machen, hat die Mittheilung des interessantesten Inschriftenfundes bis hieher, an den Schluss des Capitels verschoben werden müssen. Es handelt sich um die Quittungstafeln des Bankhalters L. Caecilius Iucundus[199]. Dieselben wurden am 3. und 5. Juli 1875 in dem durch sie seinem Namen nach bestimmten Hause Reg. V, 1, 26 gefunden, und zwar auf der Höhe des ersten Stockwerks über der Porticus des Peristyls, sorgfältig neben einander gepackt in einer hölzernen Kiste, welche selbst zu stark verkohlt war, um erhalten zu werden, während es gelang, ihren Inhalt, eben die Quittungstafeln, ihrer 127 an Zahl, mit unvergleichlicher Geschicklichkeit zu bergen, mehr oder weniger gut erhalten in das Museum nach Neapel zu bringen und zum größten Theile zu entziffern.

Diese Quittungstafeln, welche, wie schon ihre Verpackung in eine Kiste und ihre Aufbewahrung im ersten Stockwerke der Privatwohnung schließen ließ und wie die Daten, deren jüngstes aus dem Jahre 62 u. Z. stammt, bestätigen, ein alter, zurückgestellter Besitz, sind meistens Triptychen, nur wenige Diptychen, d. h. sie bestehn, wie die ideale Reconstruction eines Triptychon in der beiliegenden Abbildung zeigt, aus drei mit einander verbundenen Holztafeln, deren Größe zwischen $0,137 \times 0,120$ M. und $0,100 \times 0,053$ M. schwankt. Von den sechs zur Aufnahme von Schrift geeigneten Seiten, welche sie darbieten, sind die beiden äußersten, 1 und 6 unbeschrieben und bilden die Decken. Die Seiten 2 und 3 wurden durch einen umgeschlungenen, durch Löcher in den Rändern gezogenen Faden zusammengeschlossen und enthalten die Haupturkunde nebst den Namen und den Siegeln der Zeugen; die Seiten 4 und 5 blieben offen und enthalten die Nebenurkunde nebst der Unterschrift und dem Siegel des Ausstellenden und den Namen und Siegeln von Zeugen. Die Seiten 2, 3 und 5 sind in der Mitte, bis auf einen umgebenden Rand ausgetieft und waren in dieser vertieften Mitte mit Wachs ausgefüllt, in welches die Urkunden mit dem Griffel geschrieben wurden; die 4. Seite zeigt nur eine Vertiefung für die Wachssiegel des Quittirenden und der Zeugen, deren Namen auf der neben der Vertiefung (oft zu beiden Seiten derselben, welche in der Mitte liegt) stehn gelassenen Fläche mit Tinte geschrieben wurden. Auf dem obern Rande der Tafeln steht oft eine Überschrift (Inhaltsangabe) der Urkunde.

---

*) Garrucci, Bull. Napol. n. s. II, p. 8 a. E.

Ihrem Inhalte nach zerfallen die Tafeln a) in Auctionsquittungen , d. h. Quittungen über von L. Caecilius Iucundus ausgezahlte, aus Auctionen stammende Gelder und b) Pachtquittungen, d. h. Quittungen über von dem Genannten gezahlte Pachtgelder für die von ihm gepachteten Gemeindegrundstücke.

Mit den Auctionsquittungen verhält es sich, wenn, der gebotenen Kürze wegen, Alles, sei es auch mannichfach interessant, hinweggelassen wird, was nicht streng zum Verständniss der Sache gehört, folgendermaßen.

Bei allen Arten von Verkäufen war es in der römischen Welt üblich, den Weg der öffentlichen Auction zu beschreiten, wobei jedoch der Verkäufer in den allerseltensten Fällen das Geschäft selbst besorgte. Da man nämlich bei auch nur einigermaßen beträchtlichen Gegenständen ein bestimmtes Auctionslocal und ein geschultes Personal für Ausrufung, Rechnungsführung, Beitreibung des Geldes nöthig hatte, so bediente man sich eines Mittelmannes, des *coactor*. Dieser tritt nun dem Publicum und dem Käufer gegenüber als Verkäufer auf, stellt die Zahlungsbedingungen fest und bürgt seinem Auftraggeber für die Zahlung, welche er in der Regel sofort leistete, auch dann, wenn er selbst dem Käufer Credit geben musste. Hiezu hatte er selbstverständlich Betriebscapital nöthig und so kommt es, dass bei nur einigermaßen erheblichen Geschäften der *coactor* ein *argentarius*, d. h. ein Bankier oder Bankhalter sein musste und dass er gewöhnlich als *coactor argentarius* oder auch nur als *argentarius* bezeichnet wurde.

Für die oben bezeichneten Leistungen und für die weiteren Geschäftsunkosten, für das Local, die Ausrufer (*praecones*), die Bedienung und die Rechnungsführung, endlich für eine dem Staate zu leistende Abgabe von 1 % des Kaufgeldes erhielt der *argentarius* seinen »Lohn« (*merces*), welcher in der Regel 2 % (= $\frac{1}{50}$, »*quinquagesima*«) der gesammten Kaufsumme betrug, bei kleineren oder schwierigeren Geschäften aber höher berechnet werden konnte und in einem uns vorliegenden Falle von L. Caecilius Iucundus mit 8 % berechnet worden ist. Diesen Lohn des Auctionators hatte der Käufer als Zuschlag zu seinem Gebote zu erlegen, während dem Verkäufer die ganze Summe gut geschrieben und die Auctionskosten verrechnet, d. h. abgezogen wurden. Vom Käufer also wurden 102 statt 100 erhoben und der Auftraggeber quittirte seinem Mittelsmann beim Empfange des Auctionsbetrages über 102 »weniger den Lohn« (*mercede minus*). Die Geringfügigkeit des Lohnes (wir sagen in unserem Geschäftsleben »der Provision«) des Auctionators erklärt sich nur aus der großen Zahl der von ihm besorgten Geschäfte, und eben diese große Zahl und der wenigstens zum Theil beträchtliche Umfang der Geschäfte (die höchste dem L. Caecilius ausgestellte Quittung lautet auf 38079 Sesterzen, in runder Summe 8270 M.) macht es begreiflich, dass die *argentarii* zu angesehenen und vermöglichen Leuten wurden, dergleichen unser pompejaner Bankhalter nach Ausweis seiner Wohnung geworden zu sein scheint.

Die Quittungen selbst nun, in welchen stets L. Caecilius Iucundus als der Zahlende erscheint, dem die Quittung ausgestellt wird, während der Empfangende und Quittirende, einige Wiederholungen abgerechnet, stets wechselt, zerfallen in zwei Formen, welche sich zugleich als eine ältere und jüngere erweisen.

Die erstere Form, welche, neun Fälle ausgenommen, den Inhalt der verschlossenen Tafeln (Seite 2 und 3, »Haupturkunde«) ausmacht, darf man als das Protokoll einer mündlichen Verhandlung vor sieben (oder mehr) Zeugen, römischen Bürgern bezeichnen, abgefasst und geschrieben (stets von derselben Hand auf der 2. Seite) von dem Zahlungsleistenden, während von dem Empfänger in der dritten Person gesprochen und von diesem erklärt wird, dass er die Zahlung der aus seiner Auction stammenden Gelder von L. Caecilius Iucundus bar ausgezahlt erhalten habe (*numeratos se accepisse dixit*). Auf der dritten Seite stehn dann die Namen der sieben (oder mehr) Zeugen, oft nebst Namen und Siegel des Quittirenden. Auf die vor Zeugen (*testato*) geführte Verhandlung und Empfangserklärung (*acceptilatio*) des Quittirenden wird dann in der (offenen) Nebenurkunde (Seite 4 mit den Worten *facta interrogatione tabellarum signatarum*) verwiesen. Und weil es sich um eine mündliche Verhandlung und deren protokollarische Aufnahme vor Zeugen handelt, findet niemals eine Stellvertretung des Quittirenden statt, wie dies in den Nebenurkunden der Fall ist. Die Nebenurkunden nämlich auf der vierten und fünften Seite enthalten nur in drei Ausnahmefällen eine Wiederholung der Haupturkunde, der Regel und dem Wesen nach sind sie von der eigenen Hand des in der ersten Person redenden Empfängers geschriebene (*chirographum*), unmittelbare Empfangsbescheinigung (*scripsi me accepisse*), bei welcher es auf die eigenhändig vollzogene, unterzeichnete und untersiegelte Schrift ankommt, wobei, der Vorsicht wegen, Zeugen in beliebiger Zahl beigezogen werden können, aber nicht müssen, so dass sich lediglich von dem Empfänger des Geldes vollzogene Quittungen finden. Eben deswegen kann bei diesem Acte Stellvertretung stattfinden und muss dies, wo es sich um des Schreibens unkundige Personen handelt, um welche es sich in Pompeji wohl immer gehandelt haben wird, da unter den Vertretenen sich fünf Frauen finden.

Da, wie gesagt, die Form der Haupturkunde die ältere ist, findet sie sich auch unter den datirten Quittungstafeln des L. Caecilius Iucundus nur bei den beiden ältesten (vom 7. November 27 und vom 10. Mai 54 u. Z.) in der Nebenurkunde wiederholt. Unter den chirographischen, datirten Quittungen ist die älteste vom 29. Mai 54. Es scheint also, dass bis zum Tode des Kaisers Claudius die ältere Form die allein giltige war; seitdem trat die eigenhändig geschriebene Nebenquittung auf und endlich (wie in neun der hier behandelten Fälle) gab man die ältere Form ganz auf und die Form der Nebenurkunde ist auch diejenige der Haupturkunde. Oder man begnügte sich mit einer einzigen eigenhändig geschriebenen und vollzogenen Quittung.

Von den Auctionsgelderquittungen unterschieden sich die Pachtgelderquittungen zunächst dadurch, dass bei ihnen in allen Fällen der Gemeindesclave (*servus actor; colonorum coloniae Veneriae Corneliae servus* oder kürzer: *coloniae servus*) der Quittirende ist, der aber (als Unfreier) giltig nur quittiren konnte, wenn zu seiner schriftlichen, unterschriebenen und untersiegelten Erklärung, das Geld empfangen zu haben, die Vollmacht der zur klagbaren Beitreibung der Gelder berechtigten Gemeindebeamten hinzukam, welche deshalb

die Urkunde ebenfalls zu unterschreiben und zu besiegeln hatten. Eben dies
zeigen auch die pompejanischen Urkunden, deren ältere von dem Gemeinde-
sclaven Secundus und deren jüngere von demjenigen Namens Privatus ausgestellt und welche, da es Quaestoren in der hier in Rede stehenden Zeit in
Pompeji nicht gab, von den Rechtsduovirn, entweder von beiden, oder doch
von einem derselben mit unterschrieben und besiegelt sind. Denn ein Fall
(No. 127), in welchem der *servus actor* allein unterzeichnet hat, kann nur als
eine Interimsquittung gelten, während auch die Fälle, wo neben den Rechtsduovirn noch ein weiterer Zeuge mitunterschrieben hat, als Ausnahmen
erscheinen.

Eine weitere Abweichung der Pachtgelder- von den Auctionsquittungen
besteht darin, dass bei jenen zur Bestimmung von Ort und Zeit die Gemeindebehörden (Duovirn) an der Spitze stehn, deren Namen das Datum (Tag und
Monat) folgt, während die Consuln erst am Schlusse bei der Ortsangabe genannt werden, wogegen in den Auctionsquittungen die Gemeindebehörden unerwähnt bleiben.

Mit Übergehung mancher Einzelheiten, welche sich in Kürze nicht
erörtern lassen, wie das Verhältniss der Fälligkeitstermine zu den Zahltagen,
die Vermerke über früher bereits erfolgte Theilzahlungen u. dgl. m. ist nur
noch anzuführen, dass die Zahlungen auf Grund eines mit der Gemeinde
abgeschlossenen Pachtvertrages erfolgen, als dessen Gegenstand 1) eine Weide
mit dem Pachtzins von 2675 sest. (pp. 573 M.), 2) eine Zeugwalkerei (*fullonica*) mit 1652 sest. (pp. 380 M.) Zins und 3) die Erbpacht eines der Gemeinde
gehörigen Grundstückes (*fundus*) erscheint, in welcher L. Caecilius Iucundus
jährlich 6000 sest. (pp. 1286 M.) erlegte. Das Genauere über dies letzte
Rechtsgeschäft lässt sich hier nicht darlegen.

III.

Zweiter oder artistischer Haupttheil.

Einleitung und Allgemeines.

Es ist schon in der allgemeinen Einleitung hervorgehoben worden, dass die Monumente Pompejis außer in antiquarischer auch in künstlerischer Richtung unser Interesse in Anspruch nehmen, und ebenso wurde in kurzen Zügen dargelegt, unter welchen Gesichtspunkten dies der Fall sei. Obgleich nun die antiquarische und die künstlerische Betrachtung vielfach in einander greifen und daher im ersten Theile dieses Buches mancherlei technische und künstlerische Einzelheiten, welche für die Baugeschichte Pompejis von entscheidender Bedeutung sind, haben berührt werden müssen, ist es doch zweckmäßig erschienen, die beiderlei Gesichtspunkte so viel wie möglich getrennt zu halten, um sowohl der antiquarischen wie der künstlerischen Betrachtung ihre Einheitlichkeit und Übersichtlichkeit zu wahren und der letztern die Hervorhebung mancher Gesichtspunkte zu ermöglichen, welche sich mit den gegenständlichen Erörterungen nicht wohl verbinden ließen.

So wenig aber im antiquarischen Theile die öffentlichen und privaten Gebäude Pompejis nach Maßgabe der Chronologie der Baugeschichte haben dargestellt werden können, da es galt, sie unter Zusammenfassung des gegenständlich Gleichartigen und Zusammengehörigen und deswegen sich unter einander Erläuternden zur Übersicht zu bringen, so wenig kann hier eine rein kunstgeschichtliche Abfolge der Betrachtung, wie sie vielleicht erwartet wird, unternommen werden. Der Grund davon liegt darin, dass die Reste der früheren Perioden von dem was aus den letzten Zeiten Pompejis, zwischen dem Erdbeben von 63 und der Verschüttung stammt, selbst auf dem Gebiete der Architektur und der mit dieser zunächst zusammenhangenden Wanddecoration und plastischen Ornamentik in dem Maß überwuchert wird, dass sie mehr oder weniger mühsam aufgesucht und als das was sie sind erwiesen werden müssen, während eine kunstgeschichtliche Anordnung der mit der Architektur nicht verbundenen Sculpturwerke und der Hervorbringungen des Kunsthandwerkes, so gewiss unter

beiden Älteres und Jüngeres unterschieden werden kann, nur zu sehr dürftigen
und vielfach zweifelhaften Ergebnissen führen würde. Wenn gleichwohl im
antiquarischen Theile nirgend versäumt worden ist, die Monumente innerhalb
der gleichartigen Gruppen so viel wie möglich baugeschichtlich zu ordnen,
oder wenigstens auf die Periode ihrer Entstehung hinzuweisen, so soll hier
eine allgemeine kunstgeschichtliche Übersicht über die Entwickelung der
Künste in Pompeji der Einzelbetrachtung der verschiedenen Gattungen von
Kunstwerken vorangeschickt und an diese in den späteren Capiteln erinnert
werden.

Die drei oder vier Hauptperioden der pompejanischen Bau- und Kunst-
geschichte sind schon oben S. 36 bezeichnet und kurz charakterisirt worden.

Aus der ältesten Periode, deren Beginn wir nicht bestimmen können und
welche am sichersten durch die Kalksteinhäuser bezeichnet wird, während ihr
ohne Zweifel der griechische Tempel auf dem Forum triangulare (s. S. 88) und
doch wahrscheinlich die Mauer in ihrer ursprünglichen Gestalt ohne Thürme
angehört (S. 43), lässt sich von Resten der bildenden Kunst mit Sicherheit
nichts nachweisen. Zugeschrieben sind ihr ein Simafragment mit einem
Löwenkopf als Wasserspeier von bemalter Terracotta (abgeb. bei Fiorelli, *Gli
scavi di Pompei dal* 1861 *al* 1872 *tav.* 20 und bei v. Rohden, Die Terracotten von
Pompeji, Stuttg. 1880 Taf. 1, vgl. S. 31), welches man als von dem griechischen
Tempel herstammend betrachtet (s. oben S. 88) und welches in seinem schönen
und kraftvollen Archaismus dieser Herkunft wenigstens würdig erscheint.

Anders und wesentlich besser stehn die Sachen für die zweite Periode,
die Blüthezeit der in künstlerischer Beziehung unter griechischen Einflüssen
stehenden oskischen Cultur, der s. g. »Tuffperiode«, zugleich derjenigen des
ersten Decorationsstiles, welcher die Friedenszeit zwischen dem hannibalischen
und dem Bundesgenossenkrieg (etwa von 200—80 v. u. Z.) umfasst. Dieser
Periode, welcher die hauptsächlichsten Säulenbauten (die Porticus des Forums
in ihrer ältern Gestalt, diejenige des Forum triangulare, der Gladiatorenkaserne), der Juppiter - und der Apollotempel, die Basilika, die Stabianer
Thermen, die Palaestra, das größere Theater und die alten vornehmen Häuser
des Fauns, des Labyrinths, des Sallust u. s. w. in ihrer Anlage und die letzteren auch ihrem Hauptbestande nach angehören, ist zunächst eine ausgiebige
Verwendung der Terracotta zu plastisch verzierten Baugliedern, Simsen,
Wasserrinnen und Wasserspeiern zuzuschreiben, dergleichen wir vom Apollotempel (v. Rohden a. a. O. 2 und Holzschnitt 22 *a. b*), wahrscheinlich von den
Stabianer Thermen (das. 7 u. 8) und aus den Häusern des Fauns (das. 5, 2.
6, 1. 21, 1 u. 2, und Holzschnittfiguren 32 u. 33) und des Sallust (das. 5, 1.
6, 2, vgl. S. 9 u. 10) kennen, um von weniger Sicherem zu schweigen. Aber
auch zu Friesen scheinen Terracottareliefe damals verwendet worden zu sein,
wie die Platten mit Nereiden aus der *Casa del Fauno* (das. 21) und die verwandten ungewisser Herkunft (das. 20, vgl. die Fragmente eines großen Frieses
mit Reiterkämpfen das. 22 und Holzschnitt Fig. 12) zeigen. Nicht minder gehören die in Tuff gehauenen Köpfe an den Schlusssteinen der Bogenwölbungen
des Nolaner Thores und des großen Theaters (s. oben S. 51 f. u. 158) dieser
Periode. Für die schöne Hermesherme im Apollontempel (oben S. 101) ist dies

wenigstens nicht unwahrscheinlich. Ob dagegen ebenfalls ihr oder einer spätern Zeit die Marmorcopie des polykletischen Doryphoros in der Palaestra zuzuschreiben sei, wird durch die oben S. 151 besprochene Art der Aufstellung zweifelhaft. Wichtiger aber als alles bisher Erwähnte ist, dass während Wandgemälde dem Stil dieser Periode fremd sind, nicht der geringste Grund vorliegt, zu bezweifeln, dass die bewunderungswürdigen Mosaïken der *Casa del Fauno* (s. oben S. 349 ff. u. vgl. unten Cap. 4) mit dem Bau dieses oskischen Patricierhauses gleichzeitig seien. Ob dies auch von der vortrefflichen Statuette des tanzenden Satyrn (s. S. 549 f.) gelte und wenn von ihm, dann auch von einigen anderen, ihm an Kunstwerth ebenbürtigen Bronzen, dies lässt sich nicht ausmachen und dasselbe muss man von dem schönen Niobebild auf Marmor (s. Cap. 3) sagen, welches in dem von Nissen dem Maius Castricius zugesprochenen, seiner Anlage nach altoskischen Hause (s. oben S. 56 f.) gefunden worden ist.

Der frühesten Periode der römischen Herrschaft von der Gründung der sullanischen Colonie bis zur Herrschaft des Augustus, also etwa dem halben Jahrhundert von 80—30 v. u. Z., dem von hervorragenden öffentlichen Bauten das kleinere Theater, das Amphitheater, die kleineren Thermen und der Tempel der capitolinischen Gottheiten (s. g. Aesculaptempel oben S. 110 ff.) gehören, sind zunächst mit Sicherheit nur die mit diesen Bauten verbundenen Ornamentsculpturen, also die in Tuff gehauenen Atlanten des kleinern Theaters (s. v. Rohden a. a. O. Taf. 26, 1) und die durchaus stilverwandten thönernen im Tepidarium der kleineren Thermen (das. 25), weiter mit Wahrscheinlichkeit die nur in einem beträchtlichen Bruchstück erhaltene Terracottastatuette der stadtschützenden Minerva aus der *porta della marina* (das. 31, vgl. oben S. 53) zuzuweisen, während vielleicht auch eine Anzahl von Stirnziegeln mit Götterköpfen, welche sich durch die Güte ihrer Technik und die Energie ihres Formenausdrucks vor anderen auszeichnen (s. von Rohden Taf. 11 mit S. 34), von Bauten dieser kurzen Periode herstammen. Dagegen sind ohne Zweifel nicht ihr, sondern der letzten Periode Pompejis nach dem Erdbeben die thönernen Götterbilder des s. g. Aesculaptempels zuzuschreiben, s. von Rohden Taf. 29 mit S. 20 f. und 42 f.; vgl. oben S. 112. Auf die Wanddecoration und die zu ihr gehörigen Gemälde soll weiterhin zurückgekommen werden.

Auch in dem letzten Jahrhundert Pompejis wird man zwei Perioden seines Kunstlebens zu unterscheiden haben, deren Trennung ungefähr durch die Thronbesteigung Neros (54 n. Chr.) bezeichnet wird. Die frühere, charakterisirt durch die Blüthe des dritten Decorationsstiles, steht an Güte der Kunstleistungen in der Hauptsache hinter der zweiten und dritten kaum zurück, von denen sie sich durch Verfeinerung und Eleganz unterscheidet, während die letzte, durch den vierten Decorationsstil bezeichnete, in mehr als einer Hinsicht eine Verfallzeit genannt werden muss.

Am wenigsten sicher datirt sind an sich die plastischen Monumente. Einen Maßstab für das, was wir von solchen der einen und der andern Periode zuzuweisen haben, bieten uns die zu den datirten öffentlichen Bauten gehörenden, mit ihnen als gleichzeitig zu erachtenden Sculpturen. Da sei denn für die frühere Zeit an die im Tempel der Fortuna Augusta gefundenen Statuen (oben

S. 115 f.), an die Porträtstatuen der kaiserlichen Familien in der Capelle des
Macellum (S. 124), an das Altarrelief im Heiligthume des Genius Augusti
(S. 118 f.), an die Statue der Concordia Augusta und die Porträtstatue der
Eumachia in dem nach dieser letztern genannten Gebäude (S. 134) erinnert.
Für die spätere Zeit bietet uns namentlich der nach dem Erdbeben von Grund
aus neu gebaute Tempel der Isis neben mancherlei architektonischen Orna-
mentstücken in gebranntem Thon (s. von Rohden Taf. 17, 1. 24, 1. 26, 2 und
den Holzschnitt Fig. 30), zu denen sich die Stuccoreliefe an dem s. g. Purgatorium (oben S. 109) gesellen, in den S. 106 f. genannten Statuen der Venus,
der Isis und des Bacchus (s. unten Fig. 280) nebst der Herme des Norbanus
und dem Fragment einer Sphinx von Terracotta (von Rohden Taf. 33) die
erwünschten Muster, welche durch die Thonstatuen aus dem s. g. Aesculaptempel vermehrt werden.

Nach Maßgabe dieser Muster wird man nicht zweifelhaft sein, das aller-
meiste was sich von Decorationsstatuen von Marmor und Thon in den Privathäusern gefunden hat, so gut wie die nur roh zugehauenen, auf einen Stuck-
überzug berechneten Grabstatuen von Tuff der letzten Periode zuzuweisen und
nur für wenige Ausnahmen eine frühere Entstehung anzunehmen. Zu diesen
Ausnahmen wird man unter den Marmorstatuen wohl die archaistische Artemis
(Fig. 281) zu rechnen haben, welche einer anderweitig bekannten Liebhaberei
der augusteischen Zeit für die alterthümliche Kunst entspricht, unter den Terracottawerken am sichersten die schöne, wenn auch noch nicht sicher gedeutete
Statuette eines bärtigen sitzenden Mannes (bei von Rohden Taf. 32), welche auf
ein griechisches Original zurückgeht, so wie den elegant und edel gestalteten
Atlanten (das. 26, 2), welcher einen Tischfuß bildet. Von den decorativen
Marmorsculpturen dürften am ersten mehre der kraftvoll und schön modellirten
und vortrefflich ausgeführten Tischfüße, zum Theil nachweislich griechische
Arbeiten, von denen im letzten Capitel des I. Haupttheiles gesprochen worden
ist und von denen dort einige erlesene Muster mitgetheilt sind, der frühern
Zeit zugeschrieben werden dürfen.

Anders als mit den Marmorstatuen und Terracottawerken steht es mit den
größeren Bronzefiguren, deren örtliche Entstehung in Pompeji außerdem im
allerhöchsten Grad unwahrscheinlich ist. So wie sich unter ihnen weitaus das
Beste findet, das in Pompeji von Kunstwerken zu Tage gekommen, so wird
man, was schon oben bei Erwähnung des tanzenden Satyrn berührt worden,
für manche derselben einen wesentlich ältern Ursprung in wirklich guter
Kunstzeit und eine Herkunft aus Griechenland anzunehmen geneigt sein, obgleich sich unter ihnen, vielleicht abgesehn von dem Apollon aus dem Hause
des Popidius Secundus (unten Fig. 282), nicht allein keine Arbeit irgend eines
namhaften Meisters, ja nicht einmal eine unmittelbare Copie nach irgend
einem uns bekannten griechischen Originalwerke nachweisen lässt. Nur für
wenige, durch eine gewisse Leere und Glätte auffallende Bronzefiguren, wie
z. B. die in Fig. 283 abgebildeten, wird man unter die Periode des Augustus
herabzugehn Grund haben. Von kleinen Bronzesigillen ist hierbei so wenig die
Rede wie von den kleinen Thonfiguren, von denen bei von Rohden Taf. 37 ff.
eine Auswahl abgebildet ist und welche ihrer Hauptmasse nach unzweifelhaft

örtlicher Fabrikation und den letzten Jahrzehnten der Stadt angehören. Die malerische Wanddecoration auch dieser letzten Perioden kann erst weiterhin in einem andern Zusammenhang erörtert werden und dasselbe gilt von den Hervorbringungen des Kunsthandwerkes.

Aus dieser kunstgeschichtlichen Übersicht, mit so flüchtigen Strichen sie auch skizzirt sein mag, wird man wohl von vorn herein den Schluss ziehn, dass man in Pompeji keine oder doch nur recht wenige Meister- und Musterwerke der Kunst zu suchen hat, womit freilich durchaus nicht gesagt werden soll, dass sich nicht manches Schöne und Erfreuliche fände. Aber nicht diese aus der Masse hervorragenden Stücke, welche man ja leicht aussondern und zusammenstellen könnte, oder doch nicht sie allein und nicht einmal vorzugsweise sie sind es, welche ein näheres Eingehn auf die in Pompeji vertretene Kunst rechtfertigen; es ist vielmehr auch auf dem künstlerischen wie auf dem antiquarischen Gebiete das Ganze als solches, es ist der Zusammenhang alles Einzelnen unter einander und mit dem gesammten Leben der antiken Stadt, was der kleinen pompejanischen Kunstwelt ihren eigenthümlichen Reiz und ihre große Wichtigkeit für die Forschung verleiht. Denn es giebt auch unter diesem Gesichtspunkte keinen Ort auf Erden, wo die Hervorbringungen der bildenden Künste von der Architektur an durch Plastik und Malerei und durch das Kunstgewerbe in seinen verschiedenen Zweigen bis hinab zum reinen Handwerk auch nur annähernd in gleicher Vollständigkeit erhalten wären; und wenngleich das Gesammtbild, das wir von der Kunst in Pompeji empfangen, nur dasjenige seiner letzten Periode ist, in welche die Reste der Vergangenheit mehr oder weniger vereinzelt hineinragen, so ist doch auch dies unschätzbar, mit nichts in der weiten Welt zu vergleichen und mehr als sonst irgend etwas geeignet, um uns die Kunst als einen organischen Bestandtheil des antiken Lebens erkennen und empfinden zu lassen.

Erstes Capitel.
Die Architektur und das Bauhandwerk.

Erster Abschnitt.
Material und Technik. [200]

Eine etwas eingehendere Zusammenstellung der Materialien, aus denen die pompejanischen Bauwerke aufgeführt sind, rechtfertigt sich nicht allein dadurch, dass mit dem Material die Technik aufs engste zusammenhangt, sondern weiter und nicht am wenigsten dadurch, dass diese Materialien eine der wesentlichsten Handhaben zur Bestimmung des Alters der Bauten und demgemäß zur Herstellung einer Baugeschichte der Stadt darbieten. Im Allgemeinen findet sich in Pompeji wie in der ganzen Welt dasjenige Material

zu den Bauten verwandt, welches am Orte selbst oder in seiner nachbarlichen Umgebung zu gewinnen war; und sowie das in seinem Pentelikos marmorreiche
Attika in seinen öffentlichen Monumenten fast nur Marmorbauten aufzuweisen
hat, wie in anderen Gegenden Griechenlands bald Sandstein, bald Kalkstein,
bald Tuff gebrochen und verbaut wurde, so sind in Pompeji hauptsächlich
solche Gesteinarten verwendet, welche in der Nähe oder doch in nicht allzu
großer Entfernung gewonnen wurden und noch heute nachweisbar sind. Doch
ist schon hier zu bemerken, dass die ältere Zeit sich soweit möglich an das
zunächst gelegene Material hielt, während der verfeinerte Kunstbetrieb die
Herbeischaffung des für seine Zwecke geeigneten Materials aus größeren Entfernungen nicht scheute.

Ungewiss wo, jedenfalls aber in der Nähe hatte das selbst auf einem
uralten Lavastrom erbaute Pompeji Brüche von Lava, einem sehr harten,
schwer zu bearbeitenden Material, welches daher auch nur sehr selten zu
Quadern behauen und nur an einer einzigen Stelle zu einer ganzen Quader-
mauer verwendet worden ist. Auch ihr sonstiges Vorkommen in Pfeilern,
Thürgewänden, Säulentrommeln u. s. w. ist vereinzelt, während sie ihre
Hauptverwendung außer im Straßenpflaster in den Schwellen der Thüren
und Läden gefunden hat und außerdem als unregelmäßiger Bruchstein in
kleinen Stücken häufig in den Wänden (dem *opus incertum*) der früheren
Perioden vorkommt. Auch die vulcanische Schlacke (*cruma*) und der
Bimsstein kommen nur unregelmäßig in Bruchsteinmauerwerk und, ohne
Zweifel der Leichtigkeit wegen, in Gussgewölben, wie z. B. denjenigen der
Stabianer Thermen, vor. Das erste Hauptbaumaterial ist ein aus dem Wasser
des Sarno niedergeschlagener Kalkstein, welcher sich längs des ganzen
Flusslaufes in mehr oder weniger starken Lagern findet. Derselbe ist nicht
durchaus von gleicher Beschaffenheit, bald dichter, bald poröser und von
Pflanzenresten durchsetzt; frisch gebrochen ist er nicht hart und unschwer
zu bearbeiten, während er an der Luft dunkelt und erhartet und in den antik
verwendeten Stücken braun aussieht und ein hartes, sehr widerstandfähiges
Material darstellt, welches jedoch eine feinere Bearbeitung nicht zulässt und
deswegen hauptsächlich da verwendet worden ist, wo gegen Druck, Stoß oder
Verwitterung größerer Widerstand geleistet werden sollte. Im Übrigen ist
sein Gebrauch früh eingeschränkt worden, und zwar zu Gunsten des ungleich
feinkörnigern, durch sein Gefüge und seine graue Farbe von jenem leicht zu
unterscheidenden vulcanischen Tuffes, welcher in den Bergen bei Nocera
bricht und zu Lande aus einer immerhin ansehnlichen Entfernung herbei-
gebracht werden musste, aber sich als ein sehr vorzügliches, auch zur feinern
Formgebung geeignetes Material erweist, dessen überwiegende Verwendung
die höchste Blüthezeit des selbständigen Pompeji (»Tuffperiode«) bezeichnet.
Neben diesem grauen Tuff erscheint eine zweite von gelber Farbe und sehr
geringer Haltbarkeit, welche an den Küsten um Pompeji überall vorkommt,
aber niemals in größeren Blöcken, sondern lediglich in kleinen, ziegelförmig
oder quadratisch zugeschnittenen Stücken in dem Mörtelmauerwerk verwendet
worden ist. Dass dieses jedoch nur in den letzten Zeiten der Stadt geschehn
sei, ist ein Irrthum. Dagegen gehört in architektonischer Verwendung

lediglich der Spätzeit ein allerdings schon seit alter Zeit bekannter weißer, fast marmorartiger Kalkstein ungewisser Herkunft, der s. g. Travertin, an, den wir hauptsächlich aus der unvollendet gebliebenen Wiederherstellung des Forums nach dem Erdbeben (s. oben S. 73 u. vgl. unten Fig. 270) und sonst an einigen Bauten kennen lernen, an denen er als Ersatz für den kostspieligen weißen Marmor zu dienen hatte.   Denn dieser ist wesentlich als ein Luxusmaterial der Kaiserzeit zu betrachten, welches nur decorativ in den weiterhin genauer zu beschreibenden Formen verwendet wurde, uns aber wohl häufiger, als es thatsächlich der Fall ist, entgegentreten würde, wenn er nicht bald nach der Verschüttung seines Werthes wegen entfernt worden wäre.   In dem Localmuseum der *Porta della marina* hat Ruggiero mehre Tafeln mit Proben der in Pompeji gebrauchten Marmor-, Alabaster- und sonstigen Steinarten anbringen lassen und wir finden diese Steinarten in öffentlichen und in Privathäusern der späteren Bauperioden in Säulen und Halbsäulen, Capitellen, Täfelungen, Thüreinfassungen und anderen Gliedern in zum Theil vortrefflicher Behandlung wieder.   Auch zu Fußbodenplattungen wurde in öffentlichen und Privatgebäuden farbiger Marmor verwendet, der übrigens meistens in unregelmäßigen Platten, Plättchen und Stücken vorkommt, was den Gedanken nahe legt, dass es sich hier um den Abfall handelt, der etwa in der Hauptstadt bei der Herstellung von Prachtbauten übrig blieb und der in die Provinzen verkauft worden sein mag[201].

Neben den Bruchsteinen ist endlich noch der Thonziegel zu gedenken, von denen wir nicht mit Sicherheit sagen können, ob sie einheimisches Fabrikat oder von außen her eingeführt worden sind.   Indem auf ihre Verwendung in Verbindung mit anderen Materialien zurückgekommen werden soll, sei hier nur bemerkt, dass in Pompeji, wo sie am frühesten zur Dachbedeckung, dann zu Säulen (schon in der Basilika und in den vornehmen oskischen Häusern: *del Fauno*, *del Laberinto* u. a.) verwendet wurden, kein ganzes Bauwerk lediglich aus Thonziegeln errichtet worden ist und dass ganze Wände nur aus Ziegeln (wie die Façade der Basilika gegen das Forum) zu den Ausnahmen zu rechnen sind.

Zu dem Material, von welchem die Bauweise abhangt, gehört aber nicht allein der Stein, aus dem, sondern eben so sehr das Bindemittel, mit dem man baut.   Es ist eines der wesentlichsten Verdienste Nissens (Pompejan. Studien S. 40 ff.), dies nachgewiesen und daraus die für die Bauten in Pompeji sich ergebenden Folgerungen abgeleitet zu haben.

Nun findet sich neben dem verschieden gemischten Kalkmörtel an zahlreichen pompejanischen Bauwerken Lehm als Verband der Werkstücke verwendet, und wenn es auch irrig sein würde, alle die Stellen, wo dies der Fall ist, schlechthin für älter zu erklären, als diejenigen, wo Kalkmörtel gebraucht ist, so ist doch sicher, dass der Lehmverband dem Kalkmörtel vorangegangen ist und dass, so wie ein haltbarer Bruchstein- und Ziegelbau von der Verwendung von Kalkmörtel abhangt, der massive Quaderbau durch den Lehmverband bedingt und hauptsächlich durch das Aufkommen des Kalkmörtels verdrängt worden ist.

Es unterliegt hiernach keinem Zweifel, dass wir in den massiven Quaderbauten die ältesten Monumente Pompejis vor uns haben; und zwar wurde in Privathäusern dem Sarnokalkstein, als dem in der größten Nähe zu habenden Material, der Vorzug gegeben. In den vollkommensten Mustern, von denen nur als Beispiele die *Casa del chirurgo* (oben S. 279 f.), *del naviglio* (No. 44 im Plane), *degli scienziati* (No. 48 im Plane) genannt werden mögen und von denen die Façade der *Casa del chirurgo* in der beiliegenden Abbildung mitgetheilt ist, finden wir in den Façaden und in den Hauptmauern, namentlich denjenigen um das Atrium, welche wegen ihrer Durchbrechung mit den Thüren der umliegenden Zimmer und ihrer Belastung mit den Balken des Daches besondere Festigkeit erheischten, den Kalkstein in ziemlich bedeutenden, regelmäßig behauenen Quadern verwendet, zwischen denen eine dünne Lehmschicht, nicht sowohl als Bindemittel, als vielmehr zu dem Zwecke angebracht ist, um durch sie kleine Unregelmäßigkeiten der Oberfläche auszugleichen, welche, indem sie einen ungleichmäßigen Druck der Quadern mit sich bringen, diese leicht zersprengen würden.

Dieser massive Quaderbau ist nun aber in keinem Falle durch alle Mauern eines Hauses durchgeführt, noch jemals durchgeführt gewesen, vielmehr verbindet sich mit ihm grade in den genannten besten Mustern dieser Bauweise, mit denen alle übrigen Beispiele übereinstimmen, für Innen- und Zwischenwände, welche nichts oder doch nur geringe Lasten zu tragen und die Räume nur abzuschließen hatten, der eigenthümliche Kalksteinfachbau, von welchem Fig. 262 aus einem Hause der Reg. VII, ins. 3 eine Probe giebt und der sich ebenfalls nur aus dem Mangel des Kalkmörtels verstehn lässt. Diese Wände bestehn aus kleinen Bruchsteinen, wie sie bei der Bearbeitung der Quadern abfallen mochten und daher überwiegend, aber nicht ausschließlich, ebenfalls von Kalkstein, welche ohne Verbindung durch Kalkmörtel, vielmehr nur mit Lehmverband auf einander geschichtet sind und welche deshalb ein Mauerwerk von sehr geringer Haltbarkeit abgegeben haben würden. Aus diesem Grunde hat man diesen Wänden außer massiven Quaderecken ein System von Pfeilern aus theils flach gelegten, theils hochgestellten Quadern gegeben, zu dem der Holzfachwerkbau das Vorbild geliefert haben mag. Dies Quadergerippe, dessen Zwischenräume mit den kleinen Bruchsteinen im Lehmverband ausgefüllt wurden, gab der Wand die nöthige Festigkeit, welche bei der Verwendung von wirklich verbindendem Kalkmörtel auch ohne dasselbe erreicht worden wäre.

Wenn oben gesagt wurde, dass man für den ältesten Quaderbau dem Sarnokalkstein den Vorzug gegeben habe, so würde es doch irrig sein, zu behaupten, derselbe sei zu irgend einer Zeit ausschließlich im Gebrauche gewesen und die Verwendung des Tuffes gehöre einer spätern Periode als diejenige des Kalksteines an; besteht doch schon das älteste uns bekannte Gebäude Pompejis, der griechische Tempel bis auf die Capitelle aus Tuff (s. oben S. 88). Vielmehr steht die Sache so, dass man den Kalkstein als das widerstandsfähigere Material da verwendete, wo es galt, äußeren Einflüssen (Stoß und Druck) zu begegnen, den Tuff dagegen als das feinkörnigere und leichter zu bearbeitende Material da, wo eine feinere und künstlerische Formgebung gefordert wurde. Aus diesem Grunde bestehn die unteren Theile der Stadt-

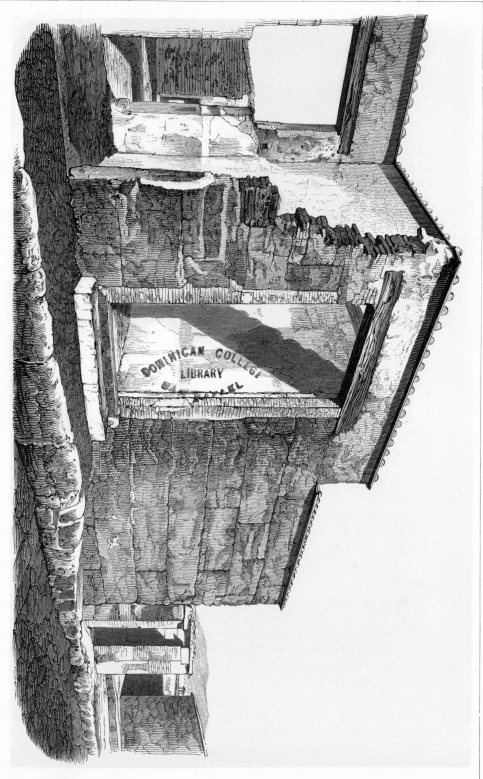

Façade der Casa del chirurgo. „Kalksteinperiode".

mauer aus Kalkstein, während in den oberen Tuff verwendet ist (oben S. 44), aus demselben Grunde behauptet der Kalkstein auch in den prächtigeren

Fig. 262. Probe einer innern Mauer aus Kalksteinfachwerk.

Häusern der Tuffperiode, deren Façaden und Säulen aus diesem Material hergestellt sind, seinen Platz in den Wandstücken der Atrien, wieder aus demselben Grunde bestehn die Capitelle der Tuffsäulen des griechischen Tempels aus Kalkstein, und wenn sich hier und da in den Façaden der Privathäuser wie in dem in Fig. 263 gegebenen Beispiele von der *domus Spurii Mesoris* (VII, 3, 29) die beiden Gesteinarten so verbunden zeigen, dass die unteren Lagen aus Kalkstein, die oberen aus Tuff bestehn, so mögen hierfür ähnliche Erwägungen wie bei der Stadtmauer maßgebend gewesen sein. Es verdient hierbei hervorgehoben zu werden, dass die kleinen Fensterspalten, welche sich an diesem Bau erhalten haben, und welche der ältesten Bauweise angehören, sich in den oberen Tufflagen befinden. Die größeren Fensteröffnungen sind erst später eingebrochen.

Die ausgedehnte, ja ganz überwiegende Verwendung des Tuffes aber beginnt im Zusammenhange mit dem Bestreben nach künstlerischer Gestaltung der Bauglieder in der Periode, in welcher der Säulenbau im Innern der Häuser Eingang gefunden hat, mit welchem der Façadenbau in demselben Material Hand in Hand geht.

Von dem Charakter, der Feinheit und Güte des Steines kann man sich aus dem vortrefflichen Quaderbau mit feinstem Fugenschnitt und glatt geschliffener Oberfläche an der 26,13 M. langen Façade eines an der Westseite der *Strada di Mercurio* gelegenen Hauses, welche die beiliegende Ansicht nach photographischer Aufnahme darstellt, eine Vorstellung machen. Es muss aber hervorgehoben werden, dass dergleichen geschlossene Façaden in der Tuffperiode sehr selten vorkommen; denn diese Periode, zugleich diejenige des lebhaften Aufschwunges des Verkehrs, war es, welche in der Regel die Häuser mit den nach der Straße weit geöffneten Läden umgab, zwischen denen die Tuffquadern nur in Gestalt von Pfeilern die Façaden der Häuser bilden. Daneben werden die Thürpfosten im Anfang noch aus Kalkstein, erst später aus Tuff als eigene Pilaster gebildet, welche den Thürsturz tragen und welche nicht selten mit mehr oder weniger reichen Capitellen (das reichste Muster an der *Casa dei capitelli figurati*, No. 61 im Plane) ausgestattet wurden. Die »Tuffperiode« war aber zugleich diejenige, in welcher der Kalkmörtel gegenüber dem Lehm zur durchgreifenden Verwendung gelangte, und

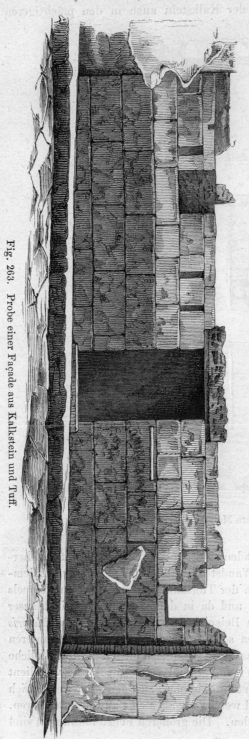

Fig. 263. Probe einer Façade aus Kalkstein und Tuff.

Mauer eines Hauses in der Strada di Mercurio. „Tuffperiode".

zwar zunächst an den Innenmauern der Bauwerke mit Tuffpfeilern, während später das Bruchsteinmauerwerk den Tuffquaderbau auch aus den Façaden verdrängte. Die Technik ist eine vorzügliche; ganz selten und nur zur Verbindung von Kalksteinquadern braucht man reinen Kalk, der Regel nach wird er mit Puzzolane gemischt, mit der er zu einer steinharten Masse zusammentrocknet. Mit diesem vorzüglichen Material wurden die Mauern aus kleinen, an ihrer Außenseite glatt behauenen Bruchsteinen erbaut, zu welchen man in der ältern Zeit gleichmäßiges Material, in den unteren Theilen ausschließlich Lava, weiter nach oben andere Steinarten wählte, während man später und namentlich bei dem Wiederaufbau der Stadt nach dem Erdbeben auch in dieser Beziehung nachlässig wurde, so dass sich das Mauerwerk der verschiedenen Perioden unschwer unterscheiden lässt. Dasjenige der ältern Zeit, welches man namentlich an der Basilika, an den jüngeren Theilen der Stadtmauer und an den Thürmen studieren kann, zeigt das s. g. *opus incertum*, d. h. eine horizontale Schichtung der mit mäßiger Mörtelmasse aufs festeste verbundenen Bruchsteine; die Ecken solcher Mauern stellte man anfangs noch aus Quadern, bald aber auch sie aus ziegelförmig behauenen Bruchsteinen her, während Thonziegel, wie bereits bemerkt, in dieser Periode nur selten verwendet wurde. Erst später kam neben dem *opus incertum* das s. g. *opus reticulatum*, das netzförmige Mauerwerk mit schachbrettartig geordneten Bruchsteinen und schräg laufenden Fugen auf, dessen gröbere Art (»Quasireticulat«) für die Bauten der sullanischen Zeit (kleineres Theater, Amphitheater, Forumstheater, Tempel der capitolinischen Gottheiten, an welchem letztern sowie an dem Grabmal des M. Cerrinius man in Fig. 61 und Fig. 198 eine kleine Probe davon erkennen kann) bezeichnend ist, während das reine Reticulat, d. h. dasjenige mit Ecken aus ziegelförmig behauenen Stücken desselben Steines, zu Vitruvs Zeit allgemein üblich war, also gegen Ende der republikanischen Zeit aufgekommen sein wird, und endlich das in der spätern Periode übliche mit Ecken von Ziegeln am frühesten an der Südwand des Macellum nachgewiesen werden kann (vgl. oben S. 120 f.).

Außer als Mörtel wurde der Kalk aber noch zum Verputz verwendet. Die Frage, bis in welches Alter der Stuccoverputz hinaufreiche, ist eine offene; oder vielmehr nicht die nach seinem frühesten Vorkommen, als vielmehr diejenige nach dem Alter und dem Maße seiner Anwendung und Verbreitung. Denn schon die Bautheile des griechischen Tempels waren, wie oben S. 88 bemerkt worden, mit feinem weißem Kalkstucco überzogen, und es wäre gegen jede Analogie, anzunehmen, dass dieser Verputz erst nachträglich angebracht worden wäre. Während aber weder die Façaden des Kalksteins, noch diejenigen des Tuffquaderbaus verputzt gewesen sind, ist es nicht gewiss, aber sehr unwahrscheinlich, dass die mit Lehm aufgeführten Kalksteinfachwände unverputzt geblieben sind und hätten bleiben können. Und so wie die Ziegelwände (Front der Basilika) und Ziegelsäulen der Tuffperiode (s. oben) ohne Stuccoüberzug gar nicht gedacht werden können, so kann man auch daran nicht zweifeln, dass die Tuffsäulen derselben Periode ebenfalls verputzt gewesen sind, während die aus Bruchstein und Mörtel aufgeführten Mauern dieser Periode die eigentlichen Träger der weiterhin näher

zu schildernden ersten Decorationsweise sind, welche auf der Nachahmung
von Marmorincrustation durch plastisch behandelten Stuccoverputz beruht.

In Betreff des Verputzes aber ist es fast noch wichtiger als in Betreff des
rein Baulichen auf den großen Unterschied der älteren Perioden von der
jüngsten aufmerksam zu machen, und zwar deswegen, weil hier der künstlerische Charakter der Architektur und der Ornamentik fast noch unmittelbarer in die Erscheinung tritt. Der Unterschied ist aber der, dass der Stucco,
wo er in den älteren Perioden als Verputz auftritt, nur bestimmt ist, dem unscheinbaren und ungleichartigen Material ein edleres und gleichmäßiges Ansehn
zu geben und der Färbung oder Malerei, wo diese auftrat, als Unterlage zu
dienen, ohne, wie dies schon bei dem griechischen Tempel bemerkt worden
ist, irgendwo zum Träger auch nur des geringsten Gliedes zu werden. Er
erscheint hierbei, technisch auf das vortrefflichste bereitet, als ein sehr harter
und feiner Überzug, der weder architektonische Glieder noch selbst plastische
Ornamente in ihren Formen verdirbt (vgl. z. B. von Rohden, Terracotten von
Pompeji S. 9), während in ihm, da wo er im Innern selbst formgebend verwendet wird, wie an Simsen und den für den ersten Decorationsstil so charakteristischen Zahnschnitten, die größte Schärfe und Genauigkeit der Formen
zeigt. Im graden Gegentheil hierzu bildet der Stuccobewurf der spätern Zeit,
welcher wesentlich als die Grundlage der Frescomalerei zu betrachten und
unter diesem seines Ortes näher darzulegenden Gesichtspunkte vortrefflich
ist, eine dicke Kruste, unter der jede Form wie jedes Material verschwindet
oder gleichgiltig wird. Mit dieser dicken Verputzungskruste hat aber die letzte
Periode Pompejis nicht nur ihre eigenen Bauten, sondern zum großen Theil
auch diejenigen der früheren Perioden überzogen und verdeckt und dabei eine
Menge schöner alter Formen nicht nur verhüllt und stumpf gemacht, sondern
auch vielfach gänzlich umgewandelt. Hierfür möge es genügen auf ein bestimmtes Beispiel hinzuweisen, welches Fig. 264 vergegenwärtigt. Um die

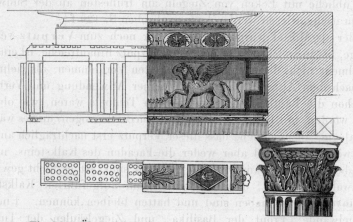

Fig. 264. Übertünchtes dorisches Gebälk vom Apollotempel.

ursprünglich ionischen Säulen mit dorischem Gebälk im Peribolos des Apollotempels (s. Fig. 51) mit dem in korinthischem Stil restaurirten Tempel in eine
Art von Übereinstimmung zu bringen, sind dieselben in der Weise, welche die

Abbildung zeigt, übertüncht worden. Jetzt ist übrigens davon nichts mehr sichtbar, an der von Mazois überlieferten, vielen anderen entsprechenden und durch die zum Theil noch erhaltene dicke Umhüllung der Säulen verbürgten Thatsache jedoch nicht zu zweifeln. Ein Beispiel der Verunstaltung eines alten Traufkranzes von Terracotta behandelt von Rohden a. a. O. Auf die originalen Stuccoarbeiten der Spätzeit soll im dritten Abschnitte dieses Capitels zurückgekommen werden.

Über die Bauweise der römischen Perioden Pompejis ist, wenn nicht auf eine Fülle von Einzelheiten eingegangen werden soll, welche großentheils bei der Beschreibung der einzelnen Gebäude berührt worden sind, nur wenig zu sagen. Das Hauptmerkmal dürfte das Aufhören des Quaderbaus und seine Ersetzung durch den Bruchsteinbau auch in den Façaden sein, wobei eine zunehmende Verwendung des Backsteinziegels in den Ecken und den Thürpfosten bemerkt wird, welche letzteren zum Theil ganz aus Ziegeln, daneben freilich auch ganz aus ziegelförmig geschnittenem Bruchstein oder gemischt, in abwechselnden Lagen (ein Bruchstein und zwei Ziegel) aus beiden Materialien aufgeführt werden. Für die augusteische Zeit scheint die Anwendung des reinen *opus reticulatum* charakteristisch, während die Bauten nach dem Erdbeben vielfach die Spuren flüchtiger Arbeit und in der Wahl der Materialien sowie in der Technik geringere Sorgfalt zeigen. Daneben wird noch ein Mal auf die vielfache Verwendung des Travertins (s. oben) und darauf hinzuweisen sein, dass der Kaiserzeit neben dem dicken Stuccoverputz auch die Incrustation und Verblendung des Baukernes mit edleren Steinarten, namentlich mit Marmor eigenthümlich ist.

Mit dem Maurerhandwerk verband sich in allen Privatbauten Pompejis und in den meisten öffentlichen das des Zimmermanns, und Holz, besonders Fichtenholz, daneben, wie die Untersuchungen der Kohlen ergeben haben, in geringerem Umfange Nussbaum-, Kastanien-, Eichen- und Buchenholz wurde überall in großer Masse und auch da verwendet, wo es in der Gegenwart vermöge der Holzarmuth Italiens vollständig verdrängt ist. Namentlich wurde es in den oberen Geschossen gebraucht, welche deshalb, wie bereits verschiedentlich bemerkt, fast durchgängig zerstört sind. Von Holz construirte man so ziemlich alles Decken- und Dachwerk in Privathäusern wie in öffentlichen Gebäuden; Wölbungen kommen außer in den Thermen, in den Thorbogen, in den Gängen der Theater und des Amphitheaters und in beschränktem Maßstabe in einigen Privathäusern (z. B. S. 284. 322) und Grabmälern nicht vor, was um so mehr bemerkt zu werden verdient, als in der Durchführung der Wölbung der bedeutendste Fortschritt der römischen Architektur gegen die griechische liegt; aber auch gerade Steinbalkendecken sind höchstens in ganz einzelnen Ausnahmen und in geringen Maßen nachweisbar, und selbst das Gebälk der alten Forumscolonnade besteht (wie S. 65 bemerkt) nicht aus einem Stück von Säule zu Säule, sondern ruhte auf einer Holzbohle, welche auf der Innenseite durch eine hochkantig gestellte Bohle verstärkt wurde. Auch hatte kein Tempel, keine der öffentlichen Hallen in Pompeji eine Steindecke, sondern die Decke wie der Dachstuhl war von Holz und wahrscheinlich mit lebhaften und glänzenden Farben bemalt. Diese Thatsachen, welche auf eine

große Billigkeit des Holzes schließen lassen, stimmen damit überein, dass
Italien noch zur Zeit des Augustus ausgedehnte und prächtige Waldungen
besaß, aus denen das viele und starke Langholz entnommen werden konnte,
welches zu diesen Decken und zu den Architravbalken über den Tablinum-
und Ladenöffnungen nöthig war, welche nicht selten bis zu 5 M. Spannweite
zeigen. Nichts desto weniger kann man auch an den Bauten Pompejis die allmähliche Abnahme des Holzreichthums gar wohl verfolgen. Es ist schon oben
(S. 258) darauf hingewiesen worden, dass die Einführung der Säulen in die
Atrien nicht sowohl als eine Verschönerung betrachtet wurde, sondern darauf
beruht, dass es bei der fortschreitenden Entwaldung Italiens immer schwerer
werden mochte, sich so schwere und starke Balken zu verschaffen, wie sie für
das tuscanische Atrium nöthig waren. Sehr deutlich weist auf denselben Umstand ein durch die sorgfältigen Untersuchungen des Architekten Ruggiero
nachgewiesenes Verfahren hin, durch welches man in dem römischen Pompeji
die Anwendung ganzer Balken von den angedeuteten Maßen zu umgehn und
eine bedeutende Holzersparniss mit fester Construction zu verbinden wusste.
Die Balken bestanden eben nicht aus einem Stück, sondern waren aus zwei
hochkantig gestellten Bohlen (*a*) vorn und hinten und aus einer darunter
liegenden wagrechten Bohle (*b*) so etwa zusammengesetzt, wie es die folgende
Skizze eines Durchschnitts Fig. 265 zeigt. Das Innere des so zusammengesetzten, eben so wohlfeilen wie starken Balkens wurde mit Mauerwerk in
Bruchsteinen mit viel Cement (*c*) und zu oberst Ziegeln ausgefüllt. Man erneuert die betreffenden Gebälke jetzt auf dieselbe Weise mit dem besten Erfolge. Von Holz bildete man
ferner die zum Theil ausgedehnten Gallerien, von denen das
bedeutendste öffentliche Beispiel in der Gladiatorencaserne,
sehr ansehnliche aber auch in den Peristylen mancher Privathäuser zu finden sind. Von Holz waren meistens in den

Fig. 265.
Durchschnitt
eines Balkens.

Häusern und in einigen öffentlichen Gebäuden die Treppen
bis auf die in der Regel von Stein gearbeiteten untersten Stufen, welche vielfach den sichersten Anhalt zum Nachweis des Vorhandengewesenseins des
Ortes und der Beschaffenheit der Treppen bieten; sodann die Thüren, wenigstens ständig in Privathäusern, meistens aber auch in öffentlichen Gebäuden,
weshalb sie auch überall fehlen; sicher in der Regel auch die Fenster, deren
Existenz nicht mehr bezweifelt werden kann und an vielen Orten nachgewiesen
ist. Nur in Ausnahmefällen, wie z. B. in den Thermen und in einigen Privathäusern finden sich metallene Fensterrahmen und Sprossen. Nicht von Holz
waren dagegen die Fußböden, sondern diese stellte man, den Forderungen des
Klimas gemäß, aus Estrich und aus den verschiedenen Arten von Mosaik her,
welche sich vom rohesten bis zu den wundervollen Mosaikgemälden erheben,
die bereits genannt und weiter unten zu besprechen sind. Über die roheren
Arten, welche man in Pompeji fast überall findet, sei hier nur kurz bemerkt,
dass den Ausgangspunkt eine auf den geglätteten Boden ausgegossene und auf
demselben geebnete Gyps- und Mörtelmasse bildet, welche nach einer in Signia
(Segni) gemachten Erfindung entweder nur mit zerstoßenen Ziegeln oder einem
sonstigen Stoff gefärbt wurde, und dadurch ungefähr das Ansehn rothen Granits

erhielt, indem zugleich die Festigkeit erhöht wurde (*opus Signinum*), oder in welche man, wie wir dies nach der Auffindung eines unvollendeten Fußbodens ganz genau beurteilen können, nach vorgezeichneten Linien vor der völligen Erstarrung verschieden gestaltete Ziegel- oder Steinstückchen incrustirte, mit denen mancherlei Linien und Figuren hergestellt wurden (vgl. Zahn II, 96). Dies ist bereits ganz das Princip des in Griechenland erfundenen Mosaiks (Lithostroton), welches in Rom seit Sullas Zeiten in Gebrauch kam, und von diesem einfachsten Mosaik bis zum vollendetsten Gemälde ist in Pompeji eine fast ununterbrochene Reihenfolge nachweisbar, indem die in den Gypsmörtel-grund eingelegten Steine denselben immer mehr verschwinden machen, wäh-rend in ihnen die Figuren und Linien immer reicher und mannigfaltiger, sodann diese Steinwürfel immer kleiner, die Zeichnungen dadurch fleißiger werden, indem man ferner die Steinwürfel farbig, oft sehr vielfarbig wählte, und sie endlich etwa in der Art eines Stickmusters so nahe und unmittelbar an einander rückte, dass der Grund, in dem sie alle haften, vollkommen ver-schwindet. Beispiele, durch welche man sich die aufsteigende Reihe ver-gegenwärtigen kann, die aber in Verkleinerung und ohne Farben hier nicht wiederholt werden können, finden sich in Zahn's Ornamenten und Gemälden 2. Folge auf den Tafeln 56. 79. 96. 99.

Um aber über die Fußböden und Mosaike das Zimmerhandwerk nicht aus den Augen zu verlieren, ist zu bemerken, dass, was uns in den verschütteten Städten sei es im verkohlten Zustand oder Abdruck oder in Nachbildung, über-liefert ist, in structiver Beziehung als gut, selbst vortrefflich behandelt anerkannt werden muss, wofür namentlich die weit ausladenden Gallerien Zeug-niss ablegen und was bei den weiten Spannungen mancher Decken, z. B. im bedeckten Theater, im Sitzungs-saale der Decurionen und sonst vorausgesetzt werden muss. Aller-dings ist das Balkenwerk in Privat-häusern, da wo es nicht in der oben näher angegebenen Weise zusam-mengesetzt ist, meistens einfach, ja sogar ziemlich roh bearbeitet, selbst nicht überall regelmäßig viereckig verschnitten, allein dies wird dadurch erklärt und entschul-digt, dass das Meiste durch ver-schiedene Verschalungen und Ver-putze den Blicken entzogen war. Auch mehre der in Gypsabguss erhaltenen Thüren sind nichts we-

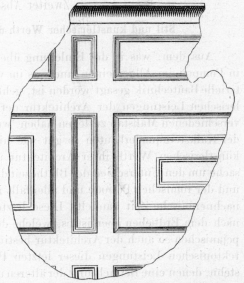

Fig. 266. Fragment einer Zimmerthür.

niger als zierlich gearbeitet, wogegen z. B. die gemalte blinde Thür im hintern Gange des Gebäudes der Eumachia (oben S. 134) und diejenige im Hause des Sallustius (S. 304) wohl geeignet sind, uns von dem Zimmerhandwerk einen günstigen Begriff zu geben. Ganz besonders aber zeigt uns das ebenfalls im Gypsabguss erhaltene Fragment einer breiten Thür aus dem Innern eines Privathauses, von dem die vorstehende Zeichnung [202]) (Fig. 265) wenigstens eine Vorstellung geben wird, die Arbeit der pompejaner Schreiner in sehr vortheilhaftem Lichte.

Metalle findet man fast an allen Orten im Bau verwendet, an welchen wir dieselben gebrauchen, und auch die Art des Gebrauchs stimmt mit der unserigen bis auf wenige Ausnahmen, z. B. die bronzenen Thürangeln überein. Bemerkt muss jedoch werden, dass gegen sonst bekannte Sitte des Alterthums das Eisen in Pompeji eine über die Bronze überwiegende Verwendung fand, und dass, was uns von Schlosserarbeit in Schlössern und Schlüsseln überliefert ist, so sinnreich es construirt sein mag, in auffallender Weise durch Schwerfälligkeit und selbst Rohheit gegen die meisten sonstigen Handwerkerarbeiten in Pompeji contrastirt, was zum großen Theile damit zusammenhangt, dass noch nicht eine einzige Schraube — so wenig wie eine Feder — in Pompeji gefunden worden ist, vielmehr Alles, was an- und aufgeheftet wurde, mit durchgetriebenen und an der Spitze umgeschlagenen Nägeln und Stiften befestigt erscheint [203]).

Nach dieser zur Vergegenwärtigung des Wesentlichen wohl genügenden, gedrängten Übersicht über die in Pompeji gebrauchten Baumaterialien und die Art ihrer Verwendung ist der folgende Abschnitt bestimmt zu vergegenwärtigen, was die pompejaner Architekten und Baumeister in formeller und stilistischer Beziehung geleistet haben.

Zweiter Abschnitt.

Stil und künstlerischer Werth der Bauwerke in Pompeji.

Aus dem, was in der Einleitung über den Entwickelungsgang der Kunst in Pompeji im Allgemeinen und was im vorstehenden Abschnitt über die materielle Bautechnik gesagt worden ist, geht hervor, dass wir auch an die künstlerischen Leistungen der Architektur der verschiedenen Perioden einen sehr verschiedenen Maßstab zu legen haben, wobei es sich indessen, da aus der Zeit der Kalksteinquaderbauten so gut wie nichts erhalten ist, das uns über den künstlerischen Werth ihrer Architektur unterrichten könnte, in der Hauptsache um den Unterschied der Blüthezeit der oskischen Cultur, der »Tuffperiode« und der römischen Periode und allenfalls innerhalb dieser um die vor- und die nachneronische Zeit handelt. Diese letztere und der Wiederaufbau der Stadt nach dem Erdbeben aber ist es, welche den Gesammteindruck wie alles Pompejanischen so auch der Architektur bestimmt; es mögen daher über die architektonischen Leistungen dieser letzten Periode einige Bemerkungen voranstehn, denen eine Betrachtung der älteren und besseren Zeiten gegenübergestellt werden sollen.

Bei der Beurteilung der jüngsten Bauten Pompejis wird man gut thun, die strengeren Forderungen nicht nur der Regel und der Schule, sondern auch eines geläuterten Geschmackes so viel wie möglich bei Seite zu lassen, womit freilich nicht gesagt sein soll, dass wir diese Forderungen auch da schweigen heißen müssten, wo gedankenlose Nachahmung das wenig Mustergiltige als Muster und rechtfertigendes Vorbild betrachtet hat, weil es auf classischem Boden steht.

Zunächst darf nicht vergessen oder verschwiegen werden, dass eine Zeit wie diejenige, aus der die neue Stadt Pompeji stammt, nicht nach einem festen, einheitlichen, alle Kunstbewegungen beherrschenden Princip baut und bildet, und deshalb auch, genau gesprochen, keinen eigenen Stil, d. h. keine Kunstform hat, welche aus dem Volksbewusstsein mit Nothwendigkeit so und nicht anders entspringt, und welche sich deshalb folgerichtig in jeder einzelnen Schöpfung offenbart. Eine solche Zeit ist vielmehr die des Eklekticismus. Und doch, wenn wir unter Stil die Kunstdarstellung gemäß der eigensten und individuellen Anschauung eines Künstlers, eines Volkes oder eines Zeitalters verstehn, so geht auch den architektonischen Leistungen der Pompejaner in der letzten Periode ein Stil, ein gemeinsamer Charakter, ein eigenthümliches Gepräge, und zwar überwiegend dasjenige der Üppigkeit, des Strebens nach Mannigfaltigkeit und decorativer Heiterkeit nicht ab. Die aus classischen Zeiten überlieferten Formen liegen auch den jüngsten Schöpfungen der pompejaner Architekten zum Grunde, aber deren strenge Anwendung und principielle Durchführung war diesem leicht lebenden Völkchen viel zu ernst und einförmig; deshalb wird die Norm und das Gesetz überall überschritten, und es entsteht eine Regellosigkeit, welche der strenge Kunstrichter, der den Maßstab des reinen Princips anlegt, freilich in derselben Art verurteilen mag, wie Vitruv gegen die Phantasiearchitektur eifert, welche in seiner Zeit in der Decorationsmalerei herrschend zu werden begann. Dennoch wird man nicht verkennen, dass diese Regellosigkeit vielfach den Reiz besitzt, den die Überschreitung strenger Formen und Gesetze durch geistvolle und muntere Menschen fast überall im Leben auszeichnet. Freilich kann auch hier zu weit gegangen werden; von der Überschreitung der Regel, von dem Verlassen des Princips bis zur Verwilderung sind nicht gar viele Schritte. Und auch in Pompeji finden wir in einigen der jüngsten Monumente Ausschweifungen, welche als Ausartungen und als mindestens der Beginn verwilderter, des innern Haltes barer Formgebung erscheinen. Ja man könnte eine recht lange Liste von unglücklichen und unrichtigen Motiven aufstellen, doch mag es genügen, einige der hauptsächlichsten deswegen hervorzuheben, weil sie nicht selten nachgeahmt worden sind.

Eines der häufigsten schlechten Motive, welches aus dem Streben nach Mannigfaltigkeit und Heiterkeit, der Furcht vor Eintönigkeit recht deutlich hervorgeht, ist die abwechselnde Bekrönung sich wiederholender Wandfelder zwischen Pilastern mit flachdreieckigen und flachgewölbten Giebeln, von der in den früheren Zeichnungen zwei Beispiele mitgetheilt sind, das eine in der Mauer des Peribolos des Tempels des Genius Augusti (s. die Ansicht zu S. 117), das andere in der als Album benutzten Seitenwand des Gebäudes der Eumachia (Fig. 78, S. 135). Dieses letztere Gebäude, welches im Übrigen manches Hübsche aufzuweisen hat, wie namentlich z. B. die schöne und reiche Thüreinfassung von Marmor mit Arabesken, welche jetzt im Museum von Neapel den Eingang zum ersten Statuenzimmer bildet (s. die Probe weiterhin), enthält in abgeschrägten Kragsteinen unter der Dachschräge des Giebels über der Nische am Ende des offenen Mittelschiffs (siehe Fig. 267) einen recht hässlichen

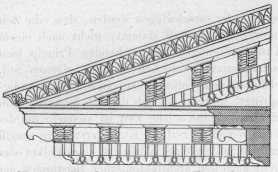

Fehler, der sich jedoch ähnlich an anderen römischen Bauwerken, z. B. sogar an der Vorhalle des Pantheon in Rom wiederholt. Zweimal sicher, vielleicht noch öfter kehrt eine Durchschneidung eines graden Zwischengebälks durch einen runden Bogen, der unter dem Gebälk keine organische Stütze hat, wieder, am

Fig. 267. Giebel mit abgeschrägten Kragsteinen.

Triumphbogen (Fig. 28, vgl. Mazois III, pl. 41, Fig. 3) und noch auffallender am s. g. Purgatorium des Isistempels (Fig. 58). In der halbrunden Nische an der Gräberstraße Fig. 203 springt ein anderer Fehler in die Augen, dass nämlich zwei Pilaster ohne Zwischengebälk über einander gestellt sind. Auf den ohne Stütze in seiner jetzigen Gestalt unorganisch aus der glatten Wand schwer ausladenden Abacus unterhalb der Nischen zur Kleiderbewahrung in mehren Sälen beider Thermen (s. Fig. 119 und die Ansicht zu S. 225) ist schon früher (S. 206 u. 226) hingewiesen worden. Sehr gewöhnlich und viel zu häufig, um in einzelnen Beispielen angeführt zu werden, ist der Verstoß theilweiser Cannellirung der Säulen, welche den Begriff der Cannellur aufhebt, den Ausdruck des Aufstrebens des Säulenschaftes, welcher so glücklich in ihrer Cannellirung gegeben ist, vernichtet. Die Nichtcannellirung des untersten Drittheils der Säulen oder die Wiederausfüllung der Cannellur durch Rundstäbe (s. den Peribolos des Isistempels und des Apollontempels in den Ansichten zu S. 80 u. S. 97) ist zum großen Theil eine praktische Folge der Überkleidung mit der dicken Stuccokruste der Spätzeit, eine Sicherung eben dieser die Säule umgebenden Stuccomasse gegen die äußeren Verletzungen, welche bei lebhaftem Verkehr beinahe unvermeidlich sind. Aber nachgeahmt, und zwar auch da, wo die praktische Rücksicht sie nicht gebietet, sollte diese Form des nicht mustergiltigen Alterthums nicht so oft werden, wie es unter uns geschieht. Noch auffallender wird der Verstoß gegen das Princip der Säulen, wenn die Schäfte im untern Drittheil dicker gehalten und zugleich nicht cannellirt sind, womit sich dann sehr oft noch das verschiedenfarbige Bemalen der Säulen verbindet. Man sollte sich doch nicht darüber täuschen, dass wenn man die aufstrebende Verticale des Säulenschaftes durch eine nicht durchgeführte Cannellur oder durch verschiedene Stärke des Schaftes oder durch eine Färbung des untern Drittheils unterbricht, man gegen die Natur und das innerste Wesen der aus dem Boden aufstrebenden Stütze handelt und den Ausdruck ihrer Function trübt oder zerstört. Einen ähnlichen Fehler finden wir an vielen Wänden nach außen, bei denen das untere Drittheil oder die untere Hälfte aus einer ganz glatten Stuccomasse besteht, während nach oben der Bewurf in derselben Art, wie bei uns geschieht, in Hausteinform, aber freilich nirgends als eine mächtig

aussehn sollende Rustica, wie an manchen modernen Bauwerken, behandelt ist.
So gut wie durch unvollständige Cannellirung der Begriff der Säulenfunction,
wird hierdurch der Begriff der Wandfunction, das Umhegen und Umschließen,
getrübt, abgesehn davon, dass in Quaderbauten, die doch nachgebildet sind,
Niemand so etwas machen könnte. Finden sich diese und eine Reihe anderer,
scheinbar kleinerer, aber aus derselben Quelle, der Principlosigkeit, fließender
Fehler, welche übrigens nur Fachkenner würdigen könnten und die deshalb
übergangen werden sollen, in öffentlichen Bauten, so ist begreiflicher Weise
die Regellosigkeit in den Privatbauten noch viel bedeutender und steigert sich
zu völliger Geschmacklosigkeit, wie z. B. der Bekleidung von Säulen und
Pfeilern mit Mosaik oder in ihrer Bemalung mit einem schuppenförmigen
vielfarbigen Ornament oder in Herstellung von Dingen, wie die Mosaikbrunnen
in den nach diesen Brunnen genannten Häusern (*Case della prima e seconda
fontana a musaico*, oder in der *Casa del granduca* oder derjenigen *di Lucrezio*
und anderen).

Gegenüber diesen Ausstellungen dürfte es nun aber am Orte sein, mit
besonderem Nachdruck dessen zu gedenken, was den Architekten Pompejis
zu unvergänglichem Ruhme gereichen wird, nämlich die bewunderungswürdig
malerische Anlage der Privathäuser und zwar nicht am wenigsten derjenigen
der letzten Periode. In der That kann man sich nicht leicht etwas Reizenderes
und Anmuthigeres denken, als die perspectivischen Durchsichten dieser Wohnungen vom Hausflur durch die Atrien, Tablinen, Peristylien und Xysten mit
dem Schmuck der Säulen, der farbigen Wände, der marmornen Tische, Springbrunnen, Piscinen, Brunnennischen. Und wenn diese inneren Ansichten in
ihrer Mehrzahl noch jetzt im höchsten Grade mannigfaltig, reich ohne Überladung, farbig ohne Buntheit sind, so müssen sie im Alterthum noch ungleich
lebhafter und reicher gewirkt haben, als jetzt, wo alle Räume der fehlenden
Decken wegen im gleichmäßig hellen Lichte daliegen. Freilich haben im
Alterthum geschlossene Thüren oder Vorhänge den Blick vielfach beschränkt;
allein wenn man sich diese Thüren oder Vorhänge im Tablinum geöffnet
denkt und nun im Geiste aus dem halbschattigen Atrium durch das bedeckte
Tablinum hinausschaut in das lichte Peristylium mit den grünenden und
blühenden Gärten, den springenden und fließenden Wassern, den luftigen,
farbigen Säulengängen, dem gelegentlichen Schmuck plastischer Decorationen
und zierlicher Mobilien, so ergiebt sich ein Ganzes nicht allein von der reizendsten und behaglichsten Wohnlichkeit für das südliche Klima, sondern
von wahrhaft künstlerischer Schönheit und Harmonie.

Wenden wir uns nun von den Bauten der letzten Periode denjenigen der
früheren Zeiten und ihrer Fortsetzung im augusteischen Zeitalter zu, so wird
es erlaubt sein, von den altclassischen Ordnungen, der dorischen, ionischen
und korinthischen auszugehn und deren Modificationen in Pompeji ins Auge
zu fassen.

Es zeugt von gutem Geschmack und richtigem Gefühl, dass in der Tuffperiode die einfache dorische Ordnung wenn nicht durchgängig, so doch ganz
überwiegend zur Herstellung der Säulengänge um die großen Plätze und Hallen
verwendet ist. Dorisch ist die Colonnade des Forum triangulare, des Forum

civile, der Gladiatorencaserne, der Palaestra; auch die größeren Peristyle der Privathäuser gehören dem Dorismus an, so z. B. in der *Casa del Fauno* (S. 352), in der *Casa del Laberinto* (S. 345), in dem Hause des Epidius Rufus (S. 298);

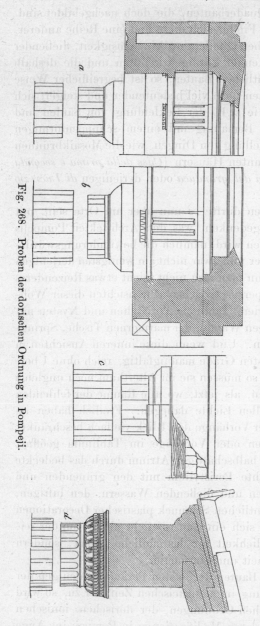

auch der Säulengang an dem kleinen Garten der *Casa di Sallustio* ist dorisch (S. 344). Ionisch dagegen oder pseudoionisch und mit einander ganz übereinstimmend sind der Peribolos des Apollotempels (S. 97) und das erste Peristyl in der *Casa del Fauno* (S. 351). Die mehrfach aufgestellte Behauptung, der Dorismus herrsche in Pompeji vor, ist also für die Tuffperiode gerechtfertigt, und nur wenn man die Stadt Pompeji, so wie sie aus ihren letzten Umwandlungen hervorgegangen ist, ins Auge fasst, muss man sagen, dass derselbe durch eine überwiegende Verwendung der korinthischen und einer korinthisirenden Misch- oder Phantasiegattung überwuchert worden ist. Von den Bauwerken in dorischer Ordnung, welche freilich nirgend in ihrer ganzen Würde auftritt, verdient die Colonnade des Forum triangulare das meiste Lob (Fig. 268 *a*, vgl. für die Einzelheiten Mazois III, 10). Die Säulen sind fast 7 ($6^7/_8$) untere Durchmesser hoch und 3 Durchmesser von einander entfernt, eine Leichtigkeit, welche, obgleich sie bei classischen Tempelmustern vor der makedonischen Zeit nicht vorkommt, aus dem Zweck der Säulen, einen großen Platz luftig zu umgeben und ein nur leichtes Dach zu tragen, sich gar wohl vertheidigen lässt, und welche dadurch um so harmonischer

Fig. 268. Proben der dorischen Ordnung in Pompeji.

erscheint, dass auch das Gebälk verhältnissmäßig leicht ($1^7/_8$ untere Säulendurchmesser hoch) genommen ist. Die mit feinem weißem Stucco überkleideten Tuffsäulen sind vom Boden aus cannellirt, sehr wenig verjüngt ($1/_9$ u. D.) und ohne Entasis (Schwellung) sowie ohne den energisch hervorgehobenen Hals guter griechischer Vorbilder in das Capitell übergeführt, dessen Echinus selbst im Verhältniss zu dem leichten Gebälk mit etwas zu wenig Ausladung straff zur dünnen Plinthe aufsteigt, eine Form, welche durch das nicht sehr widerstandsfähige Material wenn auch nicht bedingt, so doch wohl veranlasst worden ist. Dem Schein der Leichtigkeit zu Liebe ist der Epistyl (Architrav)-balken in nicht ganz stilgerechter Weise der Länge nach in zwei gleiche Hälften zerschnitten, von denen die untere um ein geringes zurückliegt. Die in gutem Verhältniss ausladende Dachschräge (Geison) ist einfach, aber nicht makellos profilirt. Die Streben des Daches ruhten auf ihr und in der Hinter-mauer einfach auf, eine Construction, welcher das Umstürzen der Säulen beim Erdbeben wesentlich mit zur Last fällt. Die einzelnen Blöcke des Gebälkes waren, wie sich aus der Abbildung Fig. 268 *a* erkennen lässt, im Innern durch eine durchgehende hochkantig gestellte hölzerne Bohle unter einander ver-bunden, wodurch ihre Tragfähigkeit vergrößert wurde.

Über den Dorismus der Palaestra (vgl. die Abbildung zu S. 151) lässt sich nur unvollständig urteilen, da das Gebälk verloren ist, und die Elemente nicht bekannt sind, auf denen Mazois' Reconstruction (III, 11) mit zerschnit-tenem Architrav und ohne Fries beruht. Nur das ist gewiss, dass die Säulen (von 7³/₄ u. D.) unverhältnissmäßig schlank und die Intercolumnien (von fast 6 u. D., Säulen 0,40 M., Intercolumnien 2,31 M.) zu weit sind, so dass lange nicht der harmonische Eindruck entsteht, den die Colonnade des Forum trian-gulare macht. Die Capitelle sind auch hier schwächlich, die Plinthen leicht, aber stark ausladend.

Die an der Südseite erhaltenen Theile der ältern Colonnade des Forum civile (Fig. 268 *b*, vgl. Fig. 26), welche nach der bereits lateinisch gefassten Erbauungsinschrift der Spätzeit der oskischen Periode Pompejis angehört (vgl. oben S. 64 f.), erscheinen, so wie sie jetzt zum Theil wieder aufgerichtet sind und wie sie Fig. 269 in einer nach photographischer Aufnahme gezeich-neten Probe darstellt, in den genau 5 untere Durchmesser hohen, 3 u. D. von einander entfernt stehenden ganz cannellirten Säulen nicht ohne Würde und Kraft, aber wiederum mit zu schwächlichen Capitellen ausgestattet und im Gebälk, auch wenn man dasselbe als Zwischengebälk betrachtet (s. oben S. 65) dadurch fehlerhaft, dass der Architravbalken fast ganz unterdrückt und ihm gegenüber Fries und Krönung schwerfällig ist. Über die Construction dieses Gebälks mit der untergelegten Holzbohle sowie über die wahrscheinliche Farbenausstattung desselben ist a. a. O. gesprochen worden. Interessant ist es, mit den ursprünglichen Säulen an der Südseite die der Restauration nach dem Erdbeben angehörenden an der Westseite zu vergleichen, von denen, wie sie ebenfalls in neuerer Zeit zum Theil wieder aufgerichtet sind, Fig. 270 nach photographischer Aufnahme eine Probe giebt (vgl. oben S. 73). Sie sind aus weißem Travertin erbaut und schließen sich in ihren Ausmessungen natürlich den vorbildlichen älteren an, doch sind sie gänzlich uncannellirt und es lässt sich kaum bezweifeln, dass sie später so geblieben wären, wenn nicht die Verschüttung die Arbeit unterbrochen hätte. Denn erstens ist auch der Fries ungegliedert und ohne die Abwechselung von Triglyphen und Metopen, welche die älteren Friesstücke zeigen, und zweitens ist die Cannellur auch am Halse nicht angelegt, wie dies bei dem Aufbau der Säulen zu geschehn pflegte,

um nach den Maßen dieses Anfangs die fertige Säule zu cannelliren. Auf die
Construction des Gebälkes mit Keilschnitt der einzelnen Blöcke ist schon oben
a. a. O. hingewiesen worden.

Fig. 269. Probestück der ältern Forumcolonnade von der Südseite.

Etwas leichter erscheint wiederum der Säulenumgang der Gladiatorencaserne (Fig. 268 c, vgl. die Ansicht vor S. 197), über deren ursprünglich sehr

verschiedene Bestimmung oben S. 197 gesprochen worden ist. Die 74, im untern Drittheil nur gekanteten, in den oberen zwei Drittheilen cannellirten, ursprünglich mit feinem Stucco bekleideten, später mit einer dicken Stuckhülle umgebenen

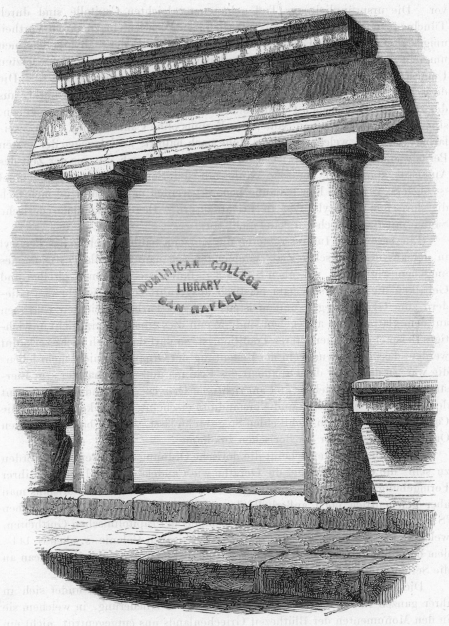

Fig. 270.   Probestück der restaurirten Forumcolonnade von der Westseite.

Tuffsäulen, welche um $3\frac{1}{2}$ u. D. von einander entfernt stehn, ersetzen mit ihrer Höhe von $7\frac{1}{2}$ u. D. (dick 0,48, hoch 3,60 M.) die fehlende Würde durch

33*

Eleganz, so dass man einen Sinn für einen harmonischen Gesammteindruck
bei dem Baumeister erkennt. Dass hier aber wiederum der Fries wie beim
Forum der Architrav fehlt, ist eben so wenig zu loben; dass sich das Dach
unmittelbar auf den Architravbalken legt, bringt ein gedrücktes Aussehn hervor. Die ursprünglich aus Tuff gehauenen, leichten Capitelle sind durch
Tünche in einer nur bei Mazois überlieferten Weise nicht zu ihrem Vortheil
umgestaltet. Über die Colonnade, welche die Palaestra der Stabianer Thermen
umgiebt (s. oben S. 220) ist kein Urteil möglich, da sie nur in ihrer letzten
Umgestaltung und Entstellung auf uns gekommen ist (oben S. 218 f.). Die
dorischen Säulen, welche zwei Seiten des Hofs der, wie S. 201 bemerkt, aus
der Zeit der sullanischen Colonie stammenden kleineren Thermen umgeben,
sind bereits wie die neuen Säulen des Forums ohne Cannellirung. Der zwei-
farbige Anstrich, welcher sie ihrer Höhe nach halbirt, wird dagegen der letzten
Periode zuzuschreiben sein. Uncannellirt ist auch noch die aus der Zeit des
Augustus stammende ionische Säule mit der Sonnenuhr im Apollotempel
(s. oben S. 101), was hier beiläufig bemerkt werden möge, und sind mehrfach
die dorischen Peristylsäulen in Privathäusern. Dagegen kommen dorische
Säulen mit Basen noch durchaus nicht vor.

Ein besonderes Interesse bieten die vierzehn Säulen, welche das Peristyl
in der aus der römischen Zeit stammenden sogenannten Villa des Diomedes
umgeben (Fig. 268 d, vgl. oben S. 369 ff.), indem sie in ihren Capitellen und
Gebälken die Gliederschemata plastisch ausgeführt zeigen, welche den Gliedern zum Grunde liegen und meistens nur mit Farbe in leichten Umrissen
auf dem glatten Kern angegeben sind. Wenn dies einerseits ein nicht unwich-
tiges Beispiel der Dauer älterer Tradition ist, so darf doch auch nicht verkannt
werden, dass das Bewusstsein der Bedeutung der Ornamente nicht mehr lebendig war, so dass zwar das Ornament des Echinus und der Sima, der s. g. Eierstab (Blätterkyma), richtig und am richtigen Orte ist, während das Ornament
der Plinthe ohne Analogie und Verständniss erscheint. Dazu kommt, dass die
Cannellur zwischen den Hohlkehlen Stege stehn lässt, was den beiden jüngeren
Ordnungen, nicht aber der dorischen zukommt.

Außer zu Gebäuden scheint die dorische Ordnung selten verwandt worden
zu sein, die Grabmäler und die Geräthe wie Candelaber u. dgl. gehn in ihrer
Formgebung von anderen Ordnungen aus; einen wie schönen Dorismus man
aber gelegentlich doch außerhalb der Säulenbauten findet, zeigt der oben
(S. 112, Fig. 63) abgebildete Altar des Tempels der capitolinischen Gottheiten,
welcher, herstammend aus der Zeit der sullanischen Colonie (s. oben S. 111),
dem berühmten Grabmal des Lucius Cornelius Scipio Barbatus im Vatican an
die Seite gestellt werden kann.

Die ionische Ordnung ist am seltensten in Pompeji und findet sich in
ihrer ganzen Reinheit und dem Reichthum ihrer Gliederung, in welchem sie
in den Monumenten der Blüthezeit Griechenlands uns entgegentritt, nicht ein
einziges Mal. Das vergleichsweise vorzüglichste Monument finden wir auch
hier wie bei der dorischen Ordnung wieder in einem der ältesten Bauten, der
Vorhalle des Forum triangulare, von der in ihrem gegenwärtigen Zustande die
der Seite 77 vorgeheftete Abbildung eine Ansicht giebt. Diese Halle zeichnet

sich sowohl im Ganzen durch schöne Verhältnisse vor den meisten Bauwerken Pompejis aus, wie auch die Säulen (Fig. 271 *a*) im Einzelnen von feinem Sinn und Verständniss der Formen und von dem Herrschen einer guten Tradition

Fig. 271. Proben der ionischen Ordnung in Pompeji.

zur Zeit der Erbauung dieser Propylaeen Zeugniss ablegen. Die Basis ist in ihrer Gliederung durchaus richtig gedacht, wenngleich ein wenig straff und trocken ausgefallen, der Schaft, der übrigens in seinem untern Theil ausgefüllte (nicht ausgehöhlte, sondern nur durch Linien bezeichnete) Cannellur hat, kräftig, ohne schwer zu sein, das Capitell aber, welches Fig. 272 in einer nach photographischer Aufnahme gezeichneten Probe darstellt, deren Eigenthümlichkeiten in Fig. 271 kaum erkannt werden können. weicht von classischen Mustern ziemlich weit ab, verdient aber um so mehr Beachtung, als ihm so ziemlich alle ionischen Capitelle aus den früheren Bauperioden Pompejis, auch diejenigen in Privathäusern entsprechen. Hervorgehoben zu werden verdient, dass an der Vorhalle des Forum triangulare wie an

Fig. 272. Ionisches Capitell von den Propylaeen des Forum triangulare.

anderen Gebäuden (z. B. auch am Peribolos des Apollotempels) alle Capitelle durch diagonale Stellung der Voluten die Gestalt von Eckcapitellen haben, ein Umstand, den man, so wenig er zu billigen ist, wohl aus dem Streben nach vermehrter Zierlichkeit ableiten darf. Das Gebälk ist einfach, findet aber in dem jetzt zerstörten Tempel am Ilissos in Athen ein durchaus classisches Vorbild.

Weit zurück steht hingegen, was sonst in ionischer Ordnung in Pompeji gebaut und hinlänglich erhalten ist, um beurteilt werden zu können. Zunächst ist bei einem der aus der ältern Periode stammenden Bauwerke, dem Peribolos des Apollotempels, die schon einmal (oben S. 99) berührte und von Vitruv (I, II, 6) streng getadelte Seltsamkeit hervorzuheben, dass die Säulen, welche vor ihrer durch Tünche bewerkstelligten Umwandlung ionisch waren, ein dorisches Gebälk mit Triglyphen und Tropfenregula tragen, weshalb man früher auch die durch den Stucco verhüllten Säulencapitelle für dorische gehalten hat. Ganz dieselbe Verbindung ionischer und dorischer Ordnung kehrt in dem Peristyl 36 der aus derselben Periode stammenden *Casa del Fauno* wieder (s. oben S. 351) und Ähnliches wiederholt sich in der Stuccodecoration des Zimmers No. 15 der *Casa di Sallustio*[204].

Die Cellasäulen des Juppitertempels (Fig. 271 *b*) haben gedrückte Basen und ein durch das fast gänzliche Fehlen des Polsters schwächliches, durch schwerfällige Voluten steifes Capitell und der leichten Schlankheit ermangelnde Schäfte, bei denen die Art, wie die Cannellur über der Basis unmittelbar aufsetzt, sehr hart und unangenehm berührt; jedoch ist hier noch kein fremdartiges Element beigemischt, wie dies bei den Pilastercapitellen der Basilika (Fig. 271 *c*) der Fall ist. Diese nehmen schon Einiges (Blätteransätze und eine Blume vor dem Polster und der Plinthe) aus der korinthischen Ordnung auf und bahnen jene Mischgattung an, welche man mit dem Namen des compositen Capitells oder der römischen Ordnung zu bezeichnen, und für welche man den Bogen des Titus in Rom als das früheste Beispiel anzugeben pflegt. Wahrscheinlich aber haben wir in den Säulen des Pronaos des Juppitertempels (Fig. 271 *d*) ein früheres Beispiel dieser aus Elementen des Ionismus und der korinthischen Ordnung gemischten Gattung vor uns. Denn ob wir die Capitelle dieser Säulen für rein korinthisch erklären können, ist zweifelhaft. Freilich sind die Voluten abgeschlagen, aber der Bruch und die Fläche derselben scheint deren einstiges Vorhandengewesensein in einer Größe zu bezeugen, welche dem reinen korinthischen Stile nicht gemäß ist.

In Privatbauten ist die ionische Ordnung selten, jedoch immerhin nachweisbar. Außer den oben bereits erwähnten Beispielen aus der *Casa del Fauno* und derjenigen *di Sallustio* finden wir ein recht gefälliges aus der *Casa dei capitelli figurati* bei Zahn II, 36, ein anderes weniger anmuthiges aus der *Casa dei capitelli colorati* daselbst 19; nicht minder ist das Peristyl in der *Casa del l'imperatore Giuseppe II* ionisch. Auch bei den Grabmälern sind die Elemente des Ionismus seltener (und dabei nie ganz rein) verwendet, als man es bei der alten Anwendung dieser Ordnung bei Gräbern erwarten sollte.

Am häufigsten findet sich, allerdings besonders in dem Pompeji der letzten Perioden, in öffentlichen und Privatbauten die korinthische Ordnung, freilich auch sie, die heitere Blüthe der Marmorarchitektur, selten ganz rein, meistens mit Elementen vermischt, welche von der geistreichen Launenhaftigkeit der Baumeister und von der Beschränkung durch das Material zugleich Zeugniss geben. Am reinsten und elegantesten in Verhältnissen und Ausführung erscheinen uns die Capitelle von Marmor im Gebäude der Eumachia (Fig. 273 *a*), ähnlich die am Grabmal der Mamia (Fig. 201), gegen welche die Formen der Capitelle in der Basilika (Fig. 273 *b*) und die sehr ähnlichen des restaurirten

Apollotempels sich stumpf und schwer ausnehmen, welcher Eindruck durch die Verhältnisse des ganzen Gliedes noch vermehrt wird. Weniger fein als die Capitelle der Eumachia sind die Steincapitelle des Tempels des Genius Augusti (Fig. 273 *c*, vgl. Mazois IV, 12), am weitesten von der Norm entfernt die Pilastercapitelle von Stucco im Isistempel (Fig. 273 *d*), welche mit ihren einfachen Blättern und den nackten Voluten recht dürftig aussehn, sowie auch die Basis, welche die zwei Polster fast ohne Hohlkehle auf einander gelegt hat, überaus schwächlich ist.

Fig. 273. Proben der korinthischen Ordnung in Pompeji.

Mit der Vergegenwärtigung der Monumente der drei altclassischen Ordnungen an den pompejaner Monumenten ist aber erst eine Hälfte von dem gethan, was zu thun ist, wenn man sich von den in Pompeji auftretenden Bauformen unterrichten will. Der lebendige Geist des Schaffens und Bildens im Sinne der Zeit offenbart sich viel deutlicher in dem Erfinden neuer Formen, als in der Wiederholung der alten und überlieferten, bei denen es mit Neuerungen im Einzelnen immer misslich steht. Es ist freilich sehr möglich, dass der Rigorismus in der Kunst sich geneigt fühlen mag, die vielfachen Erfindungen, von denen jetzt zu reden, in Bausch und Bogen als unclassisch, als Spielerei einer ungeschulten Phantasie, als Ausgeburt der Laune zu verwerfen; legt man aber einen billigern Maßstab, als den der starren Classicität an die heiteren Schöpfungen der campanischen Architekten, beurteilt man diese nach dem Werthe des in ihnen liegenden Formgefühls, der Sinnigkeit und des Verständnisses der Functionen, so wird sich Manches finden, was unserer Billigung und, recht benutzt, unserer Nachahmung durchaus würdig ist. So namentlich viele der zahlreichen und mannigfachen s. g. Phantasiecapitelle von Stein und Stucco, von denen in der folgenden Abbildung eine kleine Auswahl der vorzüglichsten zusammengestellt ist, und von denen sich die einen an Formen und Elemente der ionischen (3, Fig. 274), andere an die der korinthischen (1, 2, 4, 6, 7, 8) Ordnung anlehnen, während einzelne entfernt an den Dorismus erinnern (z. B. die Capitelle der Säulen im Xystus des Sallust Fig. 274, 5, vergl. Mazois II, pl. 37, 2), aber alle den Zweck und die Functionen des Säulen-, resp. Pilastercapitells mehr oder weniger klar, bündig, geschmackvoll ausdrücken und nur eine Minderzahl diesem echt künstlerischen Kriterium nicht genügt, wie namentlich solche Capitelle, welche, seien es Köpfe,

seien es halbe Figuren, in ihre Gliederung aufnehmen (vgl. Mazois II, Frontisp.
und Taf. 36, 2). Was von den Capitellen, gilt fast ebenso von den anderen
Gliedern der Privatbauten, in Gebälken, Täfelungen und sonstigen Einzelheiten; in Maßen und Verhältnissen, in Anlage und Ausführung findet sich
so viel Geschmack und feiner Sinn, dass sich eine Mustersammlung von großem

Fig. 274.   Phantasiecapitelle.

Reichthum zusammenstellen ließe, wenn nicht die Beschränkung des Raumes
und der technischen Mittel hier Verzichtleistung gebōte. Dass neben den
mustergiltigen Schöpfungen auch Verirrungen, Beispiele von Mangel an Geschmack, von Dürftigkeit oder von wirklicher Regellosigkeit der Phantasie
vorkommen, wer könnte das verkennen und wen könnte das in Erstaunen
setzen. Müssen wir doch vielmehr diese alten Baumeister bewundern und voll
Ehrfurcht zu ihnen emporschauen, in denen der Geist der Form und des Prin-
zips vielleicht mehr thatsächlich als bewusst, jedenfalls aber in echt künstlerischer Weise so lebendig war, dass sie für eine Gestaltung, die wir ihnen
mit Sinn und Verstand ablauschen, deren ganze Reihen aus der eigenen Phantasie hervorbrachten.

Dritter Abschnitt.

Die Decoration und Ornamentik.

Dasjenige, was in den vorigen Abschnitten über die Bautechnik und Baugeschichte Pompejis mitgetheilt ist, erheischt als wesentliche Ergänzung eine
etwas nähere Erörterung des Systems der Decoration und Ornamentik, oder
richtiger der verschiedenen, in historischer Entwickelung auf einander gefolgten Systeme. Denn nur einem ganz flüchtigen Beschauer kann die Decorationsweise der pompejaner Gebäude vermöge des Überwiegens des letzten Stiles

gleichartig erscheinen, wer auch nur etwas genauer zusieht und prüft, wird
sich der durchgreifendsten Verschiedenheiten und unschwer auch dessen
bewusst werden, dass in denselben Älteres und Jüngeres vorliegt, wenngleich
man nicht im Stande ist, so ohne Weiteres die historische Abfolge der einzelnen Decorationsweisen zu erkennen und festzustellen. Dies in umfassender
scharfsinniger und überzeugender Weise gethan zu haben, ist das Verdienst
von A. Mau [205]), dessen Ergebnisse daher im Folgenden, so gut es ohne auf zu
viel Einzelheiten einzugehn und ohne die Unterstützung von Abbildungen
möglich ist, zusammengefasst werden sollen.

Von der Decorationsweise der ältesten Periode (»Kalksteinatrien«) können
wir uns keine Vorstellung machen, es ist von ihr Nachweisbares nicht erhalten;
chronologisch feststellbar ist nur diejenige der beiden letzten Jahrhunderte
Pompejis. Der älteste Stil wird als solcher zunächst dadurch bestimmt dass er
sich im Innern der Basilika findet, auf deren Wand, wie schon früher (oben
S. 149) bemerkt worden, eine aus dem Jahre Roms 676 (= 78 v. u. Z.) stammende Inschrift eingekratzt ist. Allein dieser Anhalt ist deswegen ungenügend,
weil sich aus ihm nicht ableiten lässt, wie viel älter die Decoration der Basilika
und alles das sei, was mit ihr im System übereinstimmt. Weiter führt die
Thatsache, dass sich die Decoration dieses Stiles fast ausschließlich in Bauwerken aus der »Tuffperiode« findet, mit deren architektonischen Merkmalen,
den Quaderfaçaden mit Fugenschnitt (oben S. 502) und den Zahnschnitt-
gesimsen die in Rede stehende Decoration im unlöslichen Zusammenhange
steht. Wenn nun die Tuffperiode, wie früher bemerkt, der langen Friedenszeit zwischen dem hannibalischen und dem Bundesgenossenkrieg entspricht,
so werden wir das zweite und den Anfang des ersten Jahrhunderts v. u. Z. als
die Zeit des ersten Decorationsstils betrachten dürfen, dessen besterhaltene
Muster uns außer der Basilika die *Casa di Sallustio* und die *Casa del Fauno*
(vgl. oben S. 301 f. und 347 f.) bieten, während sich mehr oder weniger bedeutende Überbleibsel in nicht wenigen anderen Gebäuden finden, welche
beweisen, dass diese Decoration einstmals weit verbreitet war, aber von jüngeren
Decorationsweisen verdrängt worden ist, und zwar an nicht wenigen Stellen
in der Art, dass man deutlich die historische Abfolge zu erkennen vermag.
Diese älteste Decorationsweise (erster oder »Incrustationsstil«) besteht in einer
plastisch in Stucco ausgeführten Nachahmung der Wandbekleidung
mit Tafeln mehrfarbigen Marmors, deren Vorbilder man aller Wahrscheinlichkeit nach in Alexandria zu suchen und bis in das 3. Jahrhundert
hinaufzudatiren haben wird. Denn in Italien war um diese Zeit die Incrustation der Wände mit wirklichem Marmor noch nicht eingeführt und
wurde, wie ebenfalls schon früher bemerkt (oben S. 250), in Rom zuerst von
Mamurra, dem Zeitgenossen Caesars, etwa ein Menschenalter nach dem in
der Basilika angeschriebenen Datum angewendet. Eine Schilderung dieser
Decoration im Einzelnen würde hier zu weit führen; es sei daher nur im
Allgemeinen bemerkt, dass dieselbe, wie sie sich am besten erhalten und am
strengsten durchgeführt in dem ursprünglichen Theile der *Casa di Sallustio*
(oben S. 301) vorfindet, zu unterst mit einem in diesem Stile stets heller,
als die über ihm liegenden Mauertheile gehaltenen, meistens ganz glatten

Sockel beginnt, über welchem mehre Lagen von quaderartig behandelten, zu unterst größeren, zu oberst kleineren Rechtecken folgen. Diese bedecken jedoch selten die ganze Wand, meistens nur deren untere ungefähre Hälfte und werden durch das für diesen Stil ganz besonders charakteristische Stucco- gesims mit Zahnschnitt bekrönt, auf welches schon mehrfach in der Beschrei- bung der Häuser aufmerksam gemacht worden ist und das in Stein ausgeführt als Bekrönung der Thüren der größeren Thermen an dem *Vico delle terme Stabiane* sowie sonst noch in einzelnen Beispielen aus derselben Periode wieder- kehrt. Oberhalb dieses Gesimses bildet die Wand entweder eine nur mit gröberem Stucco überzogene weiße Fläche oder sie ist doch nur durch ver- schiedene Farben felderweise, aber nicht mehr in Quadernachahmung ein- getheilt und wird endlich zu oberst durch ein schmales und einfach gegliedertes Gesims abgeschlossen. In vielen Fällen, aber nicht immer, ist die Wand durch Pilaster oder Halbsäulen gegliedert; es verdient hervorgehoben zu werden, dass wo dies der Fall ist, wohl die nachgeahmten Quadern, niemals aber die Gesimse bis an diese Pilaster hinangeführt sind, vielmehr kurz vor ihnen mit Wiederholung ihres Profils an den Enden abbrechen. Dasselbe ist neben Thür- gewänden der Fall; die Nachahmung einer mit dem Gesims abschließenden Mauer ist also nicht rein durchgeführt. Eben so wenig ist dies die Nachahmung der Quadern, indem zwischen diese trennende Glieder eingeschoben und die Stuckmarmorplatte mit andersfarbigen Rändern umgeben wird.

Größere Gemälde, welche in mehren der späteren Stilarten den Mittel- punkt des ganzen Wandschmuckes bilden, sind von dieser Decorationsweise gänzlich ausgeschlossen; durch Malerei sind nur kleine Zwischenglieder aus- gedrückt und außerdem finden sich, nicht häufig, auf einzelnen Platten ein- farbige Darstellungen, welche zum Theil wie Naturspiele des Marmorgeäders aussehn sollen, zum Theil enkaustische Marmormalerei nachahmen. Um so unzweifelhafter ist es, dass die malerischen (Mosaïk-)Darstellungen in den Fußböden mit dieser Decorationsweise zusammenhangen und mit ihr gleichzeitig sind (s. oben S. 495). Die malerische Decoration in älterer Zeit ist offenbar durch die prachtvolle Marmorincrustation der hellenistischen Periode von den Wänden auf die Fußböden verdrängt und hier durch das in eben dieser Periode er- fundene Mosaïk in dauerhafter Weise festgehalten worden.

Die Decorationsweise des ersten Stils tritt uns als eine durch lange Übung ausgebildete Decorationskunst entgegen, welche, ihres Grundmotivs bewusst, dieses nicht in sclavischer Nachahmung wiedergiebt, sondern den Anforderun- gen des eigenen Materials gerecht wird und sich mit mancherlei Modificationen den zu schmückenden Räumen anzupassen weiß, wobei jedoch in der Wahl der Farben immer die Grenze dessen eingehalten wird, was mit den in Marmor vorkommenden wenigstens eine gewisse Ähnlichkeit hat, weswegen sich die Farbenscala hauptsächlich von Schwarz durch Violet, Grün, Roth, Gelb und verschiedene Marmorirung bewegt, Blau dagegen so gut wie völlig ausschließt.

Der zweite oder »Architekturstil« kann im Allgemeinen dahin charak- terisirt werden, dass er die Wand nicht ornamentirt, sondern zum Feld einer Darstellung architektonischer Art macht; er zerfällt sie daher in mehre, in verschiedener Tiefe liegende Flächen der gemalten Architektur, behandelt die vorspringenden Theile perspectivisch und durch Licht und Schatten und giebt jedem Theile sein bestimmtes Verhältniss zu dem architektonischen Ganzen. Er steht also mitten zwischen dem ersten Stile, welcher die architektonische Ornamentik in plastischer Wirklichkeit darstellt und den späteren Stilarten, welche die Wand als solche decoriren, jedoch zeigt er mehre Entwickelungs- stufen, welche sicher principiell, wahrscheinlich auch zeitlich auf einander gefolgt sind. Auf der ersten Stufe, für welche die *Casa del Laberinto* (oben S. 342) das beste Muster bietet, ahmt dieser Stil eben so wie der erste die Incrustation der Wände mit Marmor nach, allein nicht mehr plastisch, sondern lediglich durch Malerei; dies bezieht sich sowohl auf den Sockel und die Quadern der Wand mit dem sie umgebenden glatten Streifen, über welchen die Mitte durch Schattenlinien als erhoben gebildet ist, wie auf das charakteristische Gesims oberhalb der Quaderlagen und alle sonstige Gliederung der Wandflächen. Oberhalb des Gesimses setzt sich die Wand theils in liegenden Rechtecken (Marmortafeln nachahmend) fort, theils zeigt sie einheitliche größere Flächen, an welche verschiedene weitere Modi- ficationen anknüpfen. Ein wesentliches Merkmal dieses Stiles besteht darin, dass man, um den engen Raum der Zimmer scheinbar zu erweitern, Säulen oder Pilaster auf die Wände malt, und zwar so, dass sie entweder (seltener) auf dem Fußboden oder (gewöhnlich) auf dem perspectivisch vorspringenden Sockelstreifen aufsetzen und bis zur Decke emporragen, unter welcher sie das Epistyl tragen. Da sie nun in der Fläche der Wand liegen, so soll die zwischen ihnen gemalte Wand als hinter ihnen zurücktretend erscheinen. So große Sorgfalt aber auch auf eben diese perspectivische Wirkung gelegt ist, so wenig ist sie irgendwo streng richtig durchgeführt, noch war dies bei den wechselnden Gesichtspunkten des Beschauers möglich. Die Fiction der hinter den Säulen in größerer Tiefe sich hinziehenden Wand führt dann dazu, dass, während zwischen den Säulen vielfach Guirlanden wie frei schwebend auf- gehängt werden, das den untern Wandtheil abschließende Gesims hinter ihnen fortlaufend gemalt wird. Auf dem untern, auf diese Weise selbständig ge- wordenen Wandabschnitte werden nun entweder die Incrustationsplatten des ersten Stiles beibehalten oder diese Tafeln weichen einheitlichen und ein- farbigen Wandflächen, welche die Aufnahme von Bildern an diesen Stellen vorbereiten, während der obere Wandabschnitt entweder als eine abermals entfernter liegende Wand oder eine dahinterliegende, theilweise recht weit ausgeführte Architektur behandelt oder endlich himmelblau gefärbt wird, so dass es scheinen soll, die Wand erhebe sich nur bis zum Gesims und oberhalb desselben sehe man in's Freie.

Durch diese Behandlung der Wandflächen innerhalb der architektonischen Gesammtdarstellung, deren verschiedene Abwandelungen hier nicht weiter verfolgt werden können, bahnt sich dann endlich auch die Wiederaufnahme der durch den ersten Stil verdrängten Gemälde in den Wandschmuck an. Es ist ein erster Schritt, wenn auf dem Abschluss des untern Wandabschnittes verschiedene Gegenstände: Masken, Gefäße, kleine Tafelbilder als aufgestellt gemalt werden, ein weiterer, wenn, in nicht eben zahlreichen Fällen, der obere Abschnitt von einer Landschaft mit Staffage, auf die man gleichsam hinaus-

blickt, eingenommen wird. Es schließt sich an, wenn der Fries des untern
Wandabschnittes mit landschaftlichen Darstellungen verziert wird und wenn
auf einzelnen Platten desselben kleine Bilder, aber noch nicht Nachahmungen
von Tafelgemälden erscheinen. Der entscheidende Schritt aber wird mit eben
dieser Nachahmung von Tafelbildern gethan, welche man in den reichen
Häusern der frühern Periode ohne Zweifel vielfach vor den Wänden aufstellte und welche nunmehr in die überhaupt nur gemalte Decoration selbst
aufzunehmen und damit auch weniger Bemittelten den Gemäldeschmuck ihrer
Wohnungen zu ermöglichen kein entscheidendes Hinderniss mehr vorlag. Und
so finden wir denn in der letzten Entwickelung des Architekturstiles die Wand
zur Aufnahme des Schmuckes größerer Gemälde hergerichtet, ja diese als den
Mittelpunkt der ganzen Decoration behandelt. Die mittleren Säulen werden
vor den übrigen, welche zum Theil durch candelaberartige Gebilde ersetzt
werden, hervorgehoben, erhalten ihr eigenes Gebälk und einen selbständigen
Abschluss und bilden auf diese Weise ein pavillonartiges Bauwerk, welches
ein gleichsam dahinter erscheinendes Hauptbild einfasst und in auszeichnender
Weise umrahmt. Auf den seitlichen Wandflächen treten nun aber nicht selten
ebenfalls figürliche Darstellungen auf, seien es Einzelfiguren, welche auf eigenen Sockeln stehn oder schwebend auf der Wandfläche gemalt sind, seien es
Gegenstände, welche wie an der Wand hangend gedacht werden. Das
ganze auf diese Weise ausgebildete System aber bereitet den dritten Stil vor,
von dem sich der zweite in seiner letzten Entwickelung hauptsächlich durch
das Festhalten an structiv möglicher oder möglich scheinender Behandlung
der Glieder unterscheidet, bei denen auch das für sie angenommene Material,
sei dies Marmor, sei es Holz oder Metall, in seiner Farbe und in den ihm
natürlichen Formen mehr oder weniger gewissenhaft nachgebildet ist. Den
Zeitpunkt aber, in welchem der zweite Stil, dessen Beginn sicherlich später
ist, als die Tuffperiode und mit der Deduction der sullanischen Colonie zusammenfallen wird, durch den dritten verdrängt worden ist, lässt sich mit voller
Bestimmtheit nicht angeben; die frühesten Zeugnisse für das Vorhandensein
des dritten Stils (in Inschriften auf in diesem Stile decorirten Wänden) fallen
in die Jahre 15—19 n. Chr.; man wird aber schwerlich irren, wenn man den
Beginn desselben etwas früher und den Übergang des zweiten in den dritten
Stil etwa um den Beginn unserer Zeitrechnung ansetzt.

Der dritte oder »Decorationsstil« hält das architektonische Schema in der
Theilung der Wand aus dem zweiten Stile fest, aber er charakterisirt die Theile
nicht mehr oder doch nur andeutungsweise architektonisch. Auch hier bildet
der pavillonartige Bau für ein Hauptbild, welches auch meistens, aber nicht
immer vorhanden ist, den Mittelpunkt der ganzen Decoration [und sein Gebälk enthält noch Nachklänge eines vollständigen Baues, aber er erzielt seine
Wirkung wesentlich durch die Farben. Die weißlichen Säulen, welche auf
einem nicht mehr als vorspringend gemalten Sockel stehn, sind uncannellirt,
oder die Cannellur ist nur durch feine Linien angedeutet; sie sind mit farbigen
Ringen oder spiraligen Bändern umgeben, in mehrere Abschnitte zerlegt,
in dem Gebälke herrscht der mit feinen Flächenornamenten in matten Farben,
selten mit körperlichen Gegenständen verzierte Fries vor. Der immer dunkele,

meistens schwarze Sockel ist mit sich durchkreuzenden feinen Linien, seltener mit straff gespannten Laubbändern, noch seltener mit weiter ausgeführten Ornamenten verziert; die auf ihm gemalten, wie aus dem Boden aufsprießenden Pflanzen theilt dieser Stil mit dem vierten, niemals aber zeigt der Sockel dieses Stiles Marmornachahmung, welche erst im vierten, wahrscheinlich im Anschluss an wirkliche Marmorincrustation in reichen Häusern der letzten Zeit wieder aufkam. Über dem Sockel pflegt ein reich ornamentirter Streifen zu liegen, welcher sich ähnlich als oberer Wandabschluss wiederholt. Die verticale Theilung der Wand wird durch zum Theil auf's reichste ornamentirte Streifen bewirkt, in welchem körperliche Darstellungen mit Flächenornamenten auf eigenthümliche Art verbunden werden; schmale Wandstreifen, durch welche zu breite Flächen getheilt werden, zeigen diesem Stil eigene weiß gemalte und auf das feinste und geschmackvollste verzierte Candelaber. Die Seitenfelder der Wände sind mit feinen mehrfarbigen Linien oder mit jenen straff gespannten Laubbändern eingefasst, welche auch am Sockel erscheinen und welche, indem von ihnen äußerst fein gezeichnete Zweige und Kränze ausgehn, auch die Fläche der Wand überspannen, in deren Mittelpunkte wohl eine einzelne Figur, aber weit seltener als im vierten Stil ein nachgeahmtes Tafelbild angebracht ist. Unter diesen Figuren sind solche aegyptischen Charakters im dritten Stile nicht selten. An dem obern Theile der Wände, wo die Vorstellung eines offenen Raumes zum Grunde liegt, finden sich phantastische Architekturen, welche aber, bald weiß auf rothem, bald blaugrau auf weißem oder gelbem Grunde, sorgfältiger gemalt sind, als in dem jüngsten Stile. Überhaupt ist größte Sauberkeit, Feinheit und Sorgfalt in allen Einzelheiten für diesen Stil charakteristisch und bildet den schärfsten Gegensatz gegen die auf eine malerische Gesammtwirkung abzielende flotte und nachlässige Technik des letzten Stiles. Indem auf eine Menge interessanter Einzelheiten und Abarten, welche sich theils nicht ohne Weitläufigkeit erörtern, theils ohne Hilfe von Abbildungen unmöglich verständlich machen lassen, verzichtet werden muss, sei nur noch bemerkt, dass auch in den Hauptbildern, und zwar sowohl ihrem Gegenstande wie auch ihrer Behandlung nach, der dritte Stil sich von dem vierten sehr bestimmt unterscheidet, worauf bei der Betrachtung der Malerei zurückgekommen werden soll. Als die Zeit, in welcher der dritte Stil herrschte, lässt sich mit ziemlicher Bestimmtheit und Genauigkeit das erste halbe Jahrhundert unserer Zeitrechnung bezeichnen.

Der jüngste Stil endlich, welcher zugleich als der Hauptträger der eigentlichen, erst in einem spätern Capitel näher zu besprechenden Wandmalerei erscheint, setzt an die Stelle der verhältnissmäßigen Einfachheit des dritten eine überwuchernd reiche Entwickelung phantastischer Architekturen, welche allerdings an Vorbilder anknüpft, welche einzeln der zweite Stil darbietet, aber diese ohne Rücksicht auf structive Möglichkeit und auf die Herstellung bestimmter, in sich zusammenhangender Bauformen umgestaltet. Die Anordnung der Wand, welche dem zweiten und dritten Stil eigen ist, die Dreitheilung mit dem pavillonartigen Mittelbau, wird nicht ganz aufgegeben, aber das charakteristische Motiv des vierten Stiles ist die Durchbrechung der ganzen Wand durch zwischen die Hauptfelder eingeschobene architektonische Pro-

specte, oder die Auflösung der ganzen Wand in solche (z. B. Zahn II, 76),
welche zum Theil schon im Sockel beginnen, der außerdem eine Reihe gegen-
ständlicher Darstellungen, auch menschlicher Figuren, in sich aufnimmt, von
denen nur die Pflanzen dem dritten Stile nicht fremd sind. Auf den Haupt-
abschnitten der Wand aber treten an die Stelle kleiner Systeme von ein paar
Säulchen oder der kleinen Durchsichten in einen angrenzenden Raum ganze
Gebäulichkeiten von mehren Stockwerken mit Treppen und Balconen, Bogen-
und Säulengängen, luftigen Perspectiven. Hier lassen nun die Maler ihrer
Phantasie Zaum und Zügel schießen, die Mannigfaltigkeit der Formen, welche
sich kaum an irgend ein als bestimmt gedachtes Material, am meisten noch
an durch gelbe Farbe Vergoldung andeutendes Metall knüpfen, ist unüber-
sehbar, es ist eine Architektonik, in der sich Rohrsäulen, Festonsgebäude,
Rankenbogen in's Schrankenlose nach allen Richtungen und in zwei- und
dreifachen perspectivischen Durchsichten aufbauen. Der Reichthum des
Einzelnen entspricht dem der Hauptformen, da ist kein Pflanzenelement,
kaum eine Thiergestalt, welche nicht benutzt würde; Geräthe und Gefäße
aller Art und endlich menschliche Gestalten als Statuen und Statuetten behandelt oder auch, was am wenigsten reinen Geschmack verräth, als Bewohner
dieser luftigen Gebäude, müssen sich dem Ganzen einfügen, welches in lebhaften und bunten Farben einer ungleich reichern Scala, als in den früheren
Stilen, wie spielend mit kecker Hand hingeworfen wird. Die Hauptflächen
der nach oben oft mit einem buntbemalten Stuccogesims abgeschlossenen
Wand aber zwischen diesen phantastischen Architekturen sind reichlich mit
Bildern geschmückt; neben die Hauptgemälde in dem Mittelfelde treten auf
den Seitenfeldern viel häufiger und in größerer Mannigfaltigkeit, als im dritten
Stile schwebende Figuren, einzeln und in Gruppen, aber auch Tafelgemälde
auf und kleinere Darstellungen, Landschaften, Genre, Thierstücke nehmen
die untergeordneten Stellen ein, an welchen im frühern Stile nur feinge-
zeichnete Ornamente sich fanden. Auch hier wäre noch viel im Einzelnen zu
sagen, wäre neben manchem Schönen auf manches Andere hinzuweisen,
welches diesen Stil als den Beginn des Verfalls der antiken Decorationskunst
charakterisirt. Allein der Mangel bildlicher Darstellung und die der grade
hier besonders großen Fülle gegenüber unüberwindliche Schwierigkeit einer
Auswahl gebietet Verzichtleistung. Während aber der dem Mau'schen Buche
beigegebene Atlas für die drei früheren Stilarten bezeichnende Proben bietet,
sei für den letzten Stil nur beispielsweise auf die in den Zahn'schen Blättern
II, 6, 13, 23, 24, 25, 33, 43, 44, 53, 54, 66, 73, 76, 83, 84, 89, 94 und 95
gegebenen Proben des letzten Stils in seinen verschiedenen Abarten hingewiesen.

Nach der Vergegenwärtigung der Gesammtdecoration pompejanischer
Wände, welche, wie gezeigt wurde, nur in der ältesten Stilart einen plastisch-
architektonischen Charakter trägt, während sie in den späteren in einen male-
risch-architektonischen, dann einen malerisch-decorativen und zuletzt einen
fast ganz malerischen übergeht, ist zur Ergänzung dessen, was im zweiten Abschnitte dieses Capitels über den Stil der eigentlichen Bauformen gesagt worden,
noch ein Blick auf die Ornamentik im engern Sinne zu werfen, welche sich

mit den Baugliedern m. o. w. nahe verbindet und von ihren Grundformen ausgehend sich bis zu m. o. w. selbständiger Bedeutung erhebt. Es darf hierbei
jedoch nicht unausgesprochen bleiben, dass die Geschichte der Ornamentik in
Pompeji eine durchgreifende Bearbeitung noch nicht gefunden hat, ja dass es
selbst an einer irgendwie übersichtlichen Zusammenstellung des Materials
fehlt. Wenn also hier nicht eine Menge Einzelheiten erwähnt und geschildert
werden sollen, wozu der gebotene Raum nicht ausreicht, so muss es bei wenigen
Bemerkungen und einer allgemeinen Gegenüberstellung der älteren und der
jüngeren Perioden sein Bewenden haben.

Die ältere Periode, welcher die Quaderbauten aus Noceratuff und die
älteren Bruchsteinmauern sowie die erste und zweite Decorationsweise angehören, zeigt sich wie in diesen, so auch in der Ornamentik ernster, einfacher
und strenger als die späteren. Sie legt ihrer ornamentalen Gestaltung von
Thür- und Fenstereinfassungen, Thürbekrönungen, Friesen und Simsen
hauptsächlich die Formen des ionischen Baustiles zum Grunde oder wendet
diese in ganzer Reinheit an, was besonders von den Thürbekrönungen und
von den Gesimsen innerhalb der incrustirten Wände gilt, welche nach dem
Schema des ionischen Außengebälks und besonders des Gesimses mit darunter
liegendem glattem Friese und getragen von Mutulen und Zahnschnitten gestaltet sind. Als ihr Material verwendet diese Periode auch im Ornament entweder Tuff, oder, und zwar in ganz überwiegendem Maße Stucco. Diesen aber
weiß man in der ältern Zeit so zu bereiten, dass er im Material und folgeweise
in den Formen sich, wie dies schon bei der Besprechung einzelner Beispiele
und oben in der kunstgeschichtlichen Einleitung berührt worden, bedeutend
und sehr zu seinem Vortheile von demjenigen der spätern Periode unterscheidet. Materiell ist er von der größten Feinheit und Härte und demgemäß
lässt er sich formell mit der Feinheit und Sauberkeit behandeln, welche an
den aus ihm hergestellten Gliederungen und Ornamenten, Eierstäben, Zahnschnitten, Perlenstäben, Voluten an Capitellen, sowie an jenen zierlichen
kleinen Nachbildungen von Tempelfaçaden, mit denen das Ostium der *Casa
del Fauno* geschmückt ist (oben S. 349, abgeb. bei Niccolini, Le case ecc.
di Pompei, Casa del Fauno tav. 8), unsere volle Bewunderung erregt. Dabei
wird dieser Stucco niemals in der Dicke und Massenhaftigkeit aufgetragen
wie derjenige der spätern Periode, sondern stets, wo er nicht selbständiger
Träger der Form ist, wie z. B. in Säulenüberzügen, Füllungen u. dgl. fein
und dünn, so dass er nichts von den Formen verhüllt, denen er lediglich
eine edlere Oberfläche zu geben bestimmt ist, als die, welche das Baumaterial
darbietet. In welchem Umfange die ältere Periode ihren trefflichen Stucco in
freier Modellirung, in welchem dagegen in Anwendung mechanischer Behandlung durch das Formholz oder durch Aufpressung hölzerner Formen gestaltet
hat, lässt sich genau noch nicht feststellen, dass jedoch bei durchlaufenden
Gliedern, Eier- und Perlenstäben u. dgl. mechanische Mittel angewendet
worden sind, lässt sich gar nicht bezweifeln und an manchen Beispielen bestimmt darthun, während uns andererseits wiederum eine überraschend weit-
gehende freie Modellirung entgegentritt, welche aus leichten Ungleichheiten
in wiederholten Gliedern und Ornamenten unwidersprechlich nachgewiesen

Fig. 275. Marmorne
Thüreinfassung.

werden kann. Farbe hat die ältere Periode in der Ornamentik ungleich weniger und in ungleich geringerer Mannigfaltigkeit angewendet, als die spätere.

Was diese betrifft, ist zunächst in Betreff des zur Ornamentik verwendeten Materiales zu bemerken, dass der heimische Tuff aufgegeben wird, und für ihn, wenn auch immer nur in dem bescheidenen Umfange, auf den schon früher (oben S. 499) hingewiesen worden, Marmor und (als Surrogat) der marmorartige Travertin an die Stelle tritt. Die Güte des unvergleichlichen Materiales macht sich nun freilich in der Schärfe und Reinheit der Formen und in einem Reichthum und einer Feinheit der Gestaltung auch der plastischen Ornamentik dieser Periode geltend, der Geschmack aber ist nicht mehr derjenige der ältern Periode und an die Stelle der frühern eleganten und sinnigen Strenge tritt vielfach auch hier wie in der gesammten Decoration das Spielende, Phantastische, hier und da Überladene. Als eines der vorzüglichsten Beispiele der pompejanischen Marmorornamentik der spätern Zeit, an welchem ihre Vorzüge und ihre Mängel gleich deutlich zu Tage treten, darf die schon mehrfach genannte Thüreinfassung aus dem Gebäude der Eumachia gelten, von welcher Fig. 275 ein Stück nach Zahn II, Taf. 16 darstellt. Dass dies Gebäude aus dem Anfange der Regierungszeit des Tiberius stammt, ist oben S. 136 bemerkt, nicht minder aber, dass es bei der Verschüttung in einer umfassenden und Marmor verwendenden Restauration begriffen war, der wohl ohne Zweifel auch unsere Thüreinfassung angehören wird.

Aus einer in sinniger Weise den Fußpunkt bildenden, durch einige niedergeschlagene Wurzelblätter noch näher charakterisirten Reihe von Akanthusblättern entwickelt sich eine mit bald rechts bald links geschwungenen Spiralen reich und kräftig aufsteigende s. g. Arabeske, deren Blätterwerk hauptsächlich auch dem Akanthus entlehnt ist, während in den Windungen der Spiralen verschieden stilisirte Blumen liegen und hier und da Früchte an eigenen Stielen hervorschießen, zu denen Maiskolben (wie gleich unten), Mohn oder Granaten und Trauben die Vorbilder geliefert haben. Diese Arabeske an sich wird man gewiss (namentlich auf der hier mitgetheilten linken Seite, denn auf der rechten ist sie stellenweise etwas magerer) als gut erfunden und fein ausgeführt anerkennen dürfen, während ihr jedoch die in sie eingestreuten mannigfaltigen und zum Theil sehr ungeschickt ausgeführten und angebrachten Thiere, Hasen oder Kaninchen, Mäuse, vielerlei Vögel, Schlangen und Eidechsen, mancherlei Insecten, Käfer, Schmetterlinge, Heuschrecken, Fliegen, nebst Schnecken u. dgl. durchaus nicht zu erhöhter Zier gereichen, sondern so verständig der Grundgedanke der Belebung solches Blätterwerks sein mag, als eine dürftig erfundene und zum Theil hässliche Spielerei erscheinen.

Neben dem Marmor und verwandten Gesteinarten (s. oben S. 499) bleibt der Stucco das Hauptmaterial der Ornamentik auch in der letzten Periode; in dieser aber war er nicht auf die Herstellung einzelner architektonischer und plastischer Glieder und Schmuckstücke beschränkt wie, abgesehn von der Wandbekleidung mit Marmornachahmung, in der frühern Periode, sondern wurde zu ganzen und ausgedehnten Decorationen verwendet, wie sie ganz besonders aus dem Hofe der größeren und den Baderäumen beider Thermen bekannt und ihres Ortes (oben S. 207 f., 222 f. und 225) näher beschrieben worden sind und wie sie sich weiter z. B. im Isistempel am s. g. Purgatorium (S. 109 f.), aber auch an der einen und der andern Wand von Privathäusern wiederfinden, von deren letzteren eines der schönsten Beispiele im Museum zu Neapel im zweiten Saale der Ornamente aufzusuchen ist.

Wie in diesen wesentlich malerisch gehaltenen und mit den gemalten übereinstimmenden Decorationen wirken auch bei den einzelnen Stuccoornamenten dieser Periode an Sockeln, Einfassungen, Bekrönungen, Capitellen und Simsen sowie in den größeren Compositionen lebhafte Farben in ungleich höherem Maße mit der plastischen Gestaltung zusammen, als in den Ornamentgliedern der frühern Zeit, wie dies nicht blos aus einem Theil der auf S. 520 abgebildeten Capitelle sondern ganz vorzüglich aus dem auf S. 268 abgebildeten Sacrarium selbst in der nichtfarbigen Nachbildung ersehn werden kann. Die Formen selbst aber haben nicht blos an Classicität, sondern auch an Schärfe, Eleganz, Feinheit bedeutend verloren und sind eben so oft plump wie spielend und kleinlich und viel häufiger als früher auf mechanischem Wege, durch Aufpressen und das Formholz hergestellt. Und auch das Material selbst, obgleich dem meisten modernen Stucco, namentlich dem in unseren Privathäusern verwendeten, weit überlegen, ist in auffallendem Grade geringer als dasjenige der frühern Periode. Je mehr nun dieser massenhaft angewendete und dick aufgetragene Stucco Alles überwuchert und sich zum fast alleinigen Träger der Formgebung und Ornamentik aufwirft, er von dem mit dem vollsten Rechte gesagt worden ist, »dass er auf die Länge die Formen immer demoralisire«, desto gerechtfertigter ist es, wenn man von einer übermäßigen Tünchewirthschaft in den letzten Zeiten Pompejis redet, wodurch man sich nicht braucht abhalten zu lassen gleichzeitig den aus dem Zusammenwirken der Stuccoornamentik und der Farbe hervorgegangenen glänzenden und heitern Gesammteindruck der späten pompejanischen Decoration anzuerkennen.

Das dritte Material der plastischen Ornamentik ist der Thon, welcher modellirt oder in Formen gepresst und dann gebrannt zu solchen Ornamenten verwendet wurde, welche besonders der Nässe ausgesetzt waren. Aus gebranntem Thon bestanden deshalb besonders die Verzierungen des Daches, die Traufrinnen mit ihren Ausgüssen (Speiern) und Stirnziegeln, weiter Brunnenmündungen und die Atlanten im Tepidarium der kleineren Thermen, aber auch einzeln Friesreliefe. Im Allgemeinen jedoch ist gebrannter Thon zur architektonischen Ornamentik in Pompeji nur selten verwendet worden und seinem Material nach, wenn man von den Wasserspeiern des griechischen Tempels (S. 494) absieht, gewiss nie zu Gesichte gekommen, sondern mit einer dünnen Stuccolage überzogen und auf dieser bemalt worden, was sich für die ältere Zeit aus der damals verwendeten groben Thonmasse erklärt, welche, wie der Tuff, mit einer glatten Oberfläche versehn werden musste, um einen Farbenauftrag aufnehmen zu können, dessen Vorhandengewesensein sich jedoch selten nachweisen lässt. In der spätern Periode aber verschwand ohnehin alle Form, gegen welche man immer gleichgiltiger wurde, unter der dicken, bunt bemalten Stuccodecke.

Über die einzelnen Formen mögen hier noch die folgenden Bemerkungen Platz finden.

Die Brunnenmündungen von Thon waren seit der Tuffperiode im Gebrauch, es sind aber nur wenige auf uns gekommen. Die älteren sind mit einem Triglyphensims abgeschlossen; ein Beispiel mit einem schönen Rankenornament auf dem mittlern Theile ist bei v. Rohden, Terracotten aus Pompeji Taf. 27, 1 (das Ornament auch bei Zahn II, 46) abgebildet. Diejenigen aus der spätern Zeit, in welcher vorzugsweise Travertin zu den Puteálen verwendet wurde, sind mit ganz wenigen Ausnahmen künstlerisch werthlos; zwei Proben (die eine aus dem Isistempel) bei v. Rohden a. a. O. 2 u. 3. — Etwas zahlreicher sind die Traufrinnen, welche übrigens nur eine beschränkte Anwendung gefunden haben und deren von öffentlichen Bauten stammende nur in ganz geringer Zahl nachgewiesen werden können. Schöne Muster aus der ältern Periode stammen aus der *Casa di Sallustio* (von Rohden Taf. 5, 1) und aus der *Casa del Fauno* (das. 5, 2 u. 6, 1), wahrscheinlich aus den Atrien; sie sind mit dem schönen feinen Zahnschnittgesims der Tuffperiode abgeschlossen und ihre Speier bestehn aus vortrefflich modellirten Löwen- und Hundeköpfen, während die Eckspeier, welche die größere Masse Wasser aufzunehmen hatten und vom Impluvium entfernter waren, selten ebenfalls nur aus Köpfen, der Regel nach aus weiter vorspringenden Löwenvordertheilen bestehn, zwischen deren Tatzen sich der Ausguss befindet. Ein Beispiel aus der *Casa del Fauno* a. a. O. Taf. 6, 2. In der Zeit des zweiten Decorationsstiles scheint die Modification aufgekommen zu sein, von welcher unsere Fig. 143 (oben S. 260) eine Vorstellung giebt. Die Form der alten Eckspeier ist hier auf sämmtliche Ausgüsse übergegangen und neben ihnen, welche Hundevordertheile bilden, erscheint der Eckspeier als größerer Löwenvordertheil. Die unverkennbare Überladung wird durch die Palmetten zwischen den Ausgüssen noch vermehrt. Die Stirnziegel, welche sich jedoch keineswegs mit allen Traufrinnen verbunden finden, hatten in der ältern Zeit wohl nur die Palmettenform, welche unsere genannte Figur zeigt.

In der Spätzeit kehrte man für die Wasserspeier entweder zu der Form der Löwenköpfe zurück, welche aber kleinlich und schlecht modellirt und zwischen denen in recht wenig organischer Weise andere Reliefe angebracht wurden (Beispiele a. a. O. Taf. 10 u. 24, 1, letzteres aus dem Isistempel), oder man gestaltete die Speier als, meistens komische, Masken, welche fabrikmäßig hergestellt wurden und zugleich als Stirnziegel dienen konnten (Beispiele a. a. O. Taf. 14—16). Eine ungleich bessere Sorte von Stirnziegeln mit Götterköpfen (das. Taf. 11—13) gehört wahrscheinlich der augusteïschen Periode an.

Von Friesreliefen, welche aus guter alter Zeit stammen, sind nur einige Proben auf uns gekommen, abgeb. a. a. O. Taf. 19—22. Zwei derselben stellen auf Seethieren reitende Nereïden dar (Taf. 21 aus der *Casa del Fauno*), je zwei Compositionen, welche in längerer Folge mit einander abgewechselt zu haben scheinen; ein dritter (Taf. 22) stellte einen Reiterkampf dar, und von einem vierten ist uns nur ein Stück (Taf. 19, 1), eine anmuthige Bakchantin darstellend, erhalten. Wenn man die pompejanischen architektonischen Ornamentterracotten in ihrer Gesammtheit überblickt, so drängt sich die Bemerkung auf, welche auch von Rohden S. 16 ausspricht, dass sich in der Terracottatechnik in verhältnissmäßig nicht langer Zeit ein starker Wandel vollzogen hat, ähnlich demjenigen im Stil der Decoration. Würdig und ernst beginnend, werden die Ornamente bald bunter, leichter und kleinlicher, und nach dem Erdbeben erfolgt ein, in den letzten Jahrzehnten vor demselben vorbereiteter Niedergang der Kunst, welcher mit der Eile des Wiederaufbaus in offenbarem Zusammenhange steht. Die Alles überwuchernde Tünche, welche alle Mängel zudeckte, machte Geschmack und Sorgfalt der Ausführung überflüssig.

Wenn man schließlich die ganze pompejanische Ornamentik überschaut, darf die eine Bemerkung nicht unausgesprochen bleiben, dass sich in ihr mit den architektonischen Grundformen in auffallend geringem Maße die höhere, namentlich die figürliche Plastik verbindet. Für die jüngere Periode erklärt sich dies einfach daraus, dass in ihr der ganze Charakter der Decoration durchaus malerisch ist; aber auch für die ältere muss dieselbe Thatsache festgestellt werden, welche wohl nur aus der Beschränktheit der Mittel einer kleinen Stadt zu erklären ist. Immerhin ist es auffallend, dass in Pompeji, wo doch so Manches in dorischer Ordnung gebaut ist, sich keine einzige mit Relief geschmückte Metope findet. Ob dielben bemalt gewesen sind, lässt sich nicht mehr nachweisen, auf farbigen Schmuck derselben (roth) können wir nur schließen (s. oben S. 65). Eben so ist nicht die geringste Spur vorhanden, dass irgend einer der Giebel der Tempel und öffentlichen Gebäude plastischen oder vollends statuarischen Schmuck getragen habe, und nicht minder fehlt der Reliefschmuck an Statuenbasen und Altären, den einzigen im Tempel des Genius Augusti ausgenommen. Überhaupt ist das Relief in Pompeji selten und auch die statuarische Plastik, so vielfach ihre Werke decorativ aufgestellt worden sind, erscheint aus der nähern Verbindung mit der Architektur vollkommen gelöst.

Zweites Capitel.

Die Plastik.

Es ist schon früher bemerkt worden, dass die Plastik in ihrer ganzen
Ausdehnung nicht eigentlich die Trägerin des Charakters der Kunst in Pompeji sei. Dennoch darf sie in diesen Betrachtungen nicht übergangen oder
vernachlässigt werden, und zwar aus mehr als einem Grunde. Erstens nämlich gehören ihre Werke doch nicht allein mit zu dem Ganzen dieser ver-
sunkenen kleinen Welt, sondern es finden sich unter denselben, wenn auch
nicht eben viele, so doch immerhin einige Stücke, welche als Muster in ihrer
Art eine eingehende Betrachtung erheischen und lohnen, und die allgemeinste
Aufmerksamkeit erregen würden, wenn sie auch nicht in Pompeji gefunden
wären, Stücke, welche sich, wo nicht dem Besten, das wir überhaupt von
antiker Kunst besitzen, jedenfalls dem Bessern anreihen, und welche sich
namentlich neben Allem, was das wesentlich vornehmere und an plastischen
Kunstwerken ungleich reichere Herculaneum hat zu Tage fördern lassen,
getrost sehn lassen können. Dazu kommt zweitens, dass die plastischen Monumente aus Pompeji uns mancherlei lehren, was uns unser übriger Antiken-
besitz entweder gar nicht oder doch nicht in der Ausdehnung und Klarheit zu
lehren im Stande ist. Das gilt schon von manchen technischen Eigenthümlichkeiten, wie z. B. von der Bemalung und Vergoldung der Statuen, welche an
den pompejaner Sculpturen vermöge der Art ihrer Erhaltung sich vollständiger
nachweisen lassen, als an den meisten übrigen Antiken; ganz besonders aber
tritt auch bei den plastischen Monumenten in Pompeji das Interesse in den
Vordergrund, welches, wie schon früher hervorgehoben wurde, allem Pompejanischen seinen eigenthümlichen Werth verleiht, das Bekanntsein der Bestimmung, der Aufstellung, der Zusammengehörigkeit mit Anderem. Die
Werke der Bildhauerei nehmen in unserer modernen Welt einen verhältnissmäßig so untergeordneten Platz ein, dass es denen, welche auf diesem Gebiete
nicht besondere Studien gemacht haben, schwer wird, sich ein richtiges Bild
von der ganz verschiedenen Stellung zu entwerfen, welche die Plastik in der
antiken Welt einnahm. Es ist uns freilich geläufig genug geworden, dass die
Alten einen überschwänglichen Reichthum plastischer Kunstwerke besaßen,
wohl wissen wir, dass manche kleine griechische Stadt mehr Statuen aufweisen
konnte, als viele unserer Hauptstädte, dass das kaiserliche Rom neben seiner
lebenden noch eine andere Bevölkerung von Stein und Erz hatte; allein so
wenig wie überhaupt erweckt in diesem Falle das Anhören von abstracten
großen Zahlen eine lebendige Vorstellung. Und wenn wir die Masse von
Sculpturen überblicken, welche als geringe Reste dessen, was einst vorhanden
war, zu Tausenden unsere Museen füllen, so mag uns das freilich vergegenwärtigen, wie groß der Reichthum der Alten gewesen ist, allein nun werden
wir andererseits nicht wissen, wo wir diesen Reichthum, der ja doch im
Alterthum nicht wie bei uns in Museen zusammengehäuft war, in der
lebendigen antiken Welt unterbringen sollen. Freilich wird der Gelehrte hier
wohl nicht in Verlegenheit gerathen; die Bilder dessen, was an plastischen

Werken z. B. die Akropolis von Athen, was die Altis von Olympia, der
delphische Tempelbezirk, um nur diese zu nennen, umschloss, sind ihm mehr
oder weniger lebendig; er weiß auch, wie viel man, um ein anderes Beispiel
anzuführen, in Rom aus den Trümmern der Thermen des Caracalla oder aus
denen des Palastes des Hadrian in Tivoli gezogen hat. Allein dem Nicht-
archaeologen diese Bilder, zu denen ihm die Analogien fehlen, klar und anschaulich zu machen, wird nicht in allen Fällen leicht gelingen. Auch hier,
wie auf anderen Punkten, bietet nun Pompeji, so weit sein Besitz plastischer
Werke hinter dem mancher andern Stadt gleichen Umfangs zurückstehn mag,
eine erwünschte Vermittelung bestimmter Anschauungen. Schreitet der Kunst-
freund durch die Ruinen der pompejanischen Tempel und Capellen und man
kann ihm sagen, dass in den Cellen, dem Pronaos, den seitlichen Nischen,
dem Peribolos außer den geweihten Cultusbildern noch so und so viele Weihe-
und Ehrenbildsäulen standen, sieht er auf dem Forum die Stellen und Postamente, wo, abgesehn von Reiterstatuen, ganze Reihen von Porträtstatuen
verdienter Bürger standen (ihrer vierzehn allein an der westlichen Langseite
des Forum civile), folgt er uns durch die Straßen der Stadt, durch die öffentlichen Gebäude, durch die Grabmonumente und wir können ihm überall
nachweisen: hier sind so und so viele Nischen und Fußgestelle für Statuen
(ihrer 12—13 allein im Sitzungssaale der Decurionen, s. oben S. 129), oder
er sieht ihrer noch manche, wie im Macellum, im Gebäude der Eumachia, in
der Gräberstraße im Original oder im Abguss vor sich; betritt er dann ein
Privathaus nach dem andern und es kann ihm, sei es aus noch an Ort und
Stelle Vorhandenem, sei es aus den Fundberichten, nachgewiesen werden, wie
auch hier Hauscapellen, Atrien, Peristyle, Gärten, Brunnennischen u. s. w.
mit Statuen geschmückt und erfüllt waren: so gewinnt er auf einen Schlag
nicht allein eine Übersicht über die Fülle der hier vorhanden gewesenen Sculpturwerke, sondern er sieht eben so schnell, wo er diesen Reichthum unterzubringen und einzuordnen hat, und begreift auf einem solchen Rundgange, wie
dieser Reichthum an plastischen Kunstwerken aus dem idealen Lebensbedürfnisse der Alten naturgemäß entsprang und wie mit demselben hausgehalten
wurde.   Und das ist kein Geringes.

Wenigstens eben so wichtig aber ist ein Zweites. Unser Urteil über ein
Sculpturwerk wird sich nicht unerheblich nach Maßgabe seiner Bestimmung
zu ändern haben; Anforderungen, welche wir z. B. an ein Tempelbild oder
an ein öffentliches Weihebild stellen müssen und dürfen, sind andere als die,
welche wir einer, wenn auch mythologischem, also idealem Kreise angehörigen
Decorationsstatue gegenüber erheben werden; anders wirkt ein Sculpturwerk
in prächtigen architektonisch umschlossenen Räumen, anders in traulicher
häuslicher Umhegung, verschieden auf dem säulenumgebenen Marktplatz und
im lauschigen Winkel eines grünenden und blühenden Gartens oder dem
plätschernden Brunnen nachbarlich gesellt. Was hier in einem Falle passt und
grade das Rechte trifft, das kann im andern Falle sehr unpassend und verkehrt
sein.   In unseren Museen aber stehn die antiken Statuen unterscheidungslos
durch einander, ihre einstmalige Bestimmung und Aufstellung lässt sich in
den wenigsten Fällen erweisen, und ist sehr oft viel schwieriger festzustellen,

als man gewöhnlich weiß und glaubt. Und so hat sich denn für die Beurteilung
der Antike ein gewisser Durchschnittsmaßstab ausgebildet, mit dem wir wenn
auch nicht grade unterscheidungslos messen, aber doch sehr vielen Werken
schwerlich ganz gerecht werden. Hier wird nun durch die pompejanischen
und herculanischen Monumente wenigstens manches berichtigt. Freilich sind
auch sie jetzt mit wenigen Ausnahmen von ihren ursprünglichen Aufstellungs-
und Fundorten entfernt und in das Museum von Neapel zusammengetragen,
ein unvermeidlicher Übelstand, dem man je eher je lieber durch Rückversetzung von Abgüssen an Ort und Stelle begegnen sollte; allein auch bevor
dies geschehn sein wird, kann man diese Rückversetzung wenigstens im Geiste
bewirken, da die meisten Fundstätten bekannt sind; und fast in jedem Falle
ist es möglich, unter den Sculpturen aus Pompeji Tempel- und Cultusbilder,
Weihestatuen (Anathemata), Bilder des häuslichen Cultus, öffentliche Ehren-
standbilder, Grabstatuen, Brunnenfiguren und sonstige Decorationsarbeiten
sicher nachzuweisen und demgemäß an ihre Beurteilung eigenartigere Maß-
stäbe anzulegen, als an die große Masse der Antiken, denen die Analogie
des hier Gewonnenen ebenfalls, in gewissen Grenzen wenigstens, zu gute
kommt.

Wer diese Gesichtspunkte bei der Durchmusterung der pompejaner Sculpturen festhält, dem werden diese ohne Zweifel ein mannigfaltiges Interesse
erwecken, welches in der künstlerischen Freude an dem wahrhaft Schönen
und Gediegenen, das uns besonders unter den Bronzewerken begegnet, seinen
natürlichen Gipfel findet.

Beginnen wir mit einigen technischen Erörterungen im weitern Sinne
dieses Wortes, d. h. mit solchen, die sich auf das Material, die technische Behandlung und die Kunstformen der pompejaner Sculpturwerke beziehn, so
finden wir von Materialien am häufigsten weißen Marmor, griechischen und
italischen, aber keinen farbigen, sodann Bronze verwendet, verhältnissmäßig seltener Thon, wenngleich, auch abgesehn von kleinen Statuetten, die
Anzahl der größeren Thonstatuen und Statuetten etwas bedeutender ist, als
man vor v. Rohdens Arbeit über die Terracotten von Pompeji allgemein gewusst oder beachtet hatte, wie die Übersicht a. a. O. S. 18 beweist. Auf einzelne derselben soll im Verlaufe der folgenden Darstellung zurückgekommen
werden. Auch die kleinen Statuetten von Terracotta, welche in Griechenland
eine ganze Kunstwelt für sich ausmachen und vielfache Verwendung hatten,
sind in Pompeji verhältnissmäßig wenig zahlreich. Die Blüthezeit der Terra-
cottafabrication war vorüber, der Geschmack an Thonfiguren geschwunden,
wenngleich er sich grade in Campanien länger gehalten zu haben scheint, als
an anderen Orten. Die Römer machten dergleichen Sigilla lieber von Bronze
und zwar entweder als selbständige kleine Kunstwerke oder in mehr oder
weniger enger Verbindung mit Geräthen und Gefäßen, von denen auch die
meisten in Pompeji gefundenen stammen. Grade die pompejaner Funde bestätigen nicht am wenigsten, dass die Thonfiguren in der nachaugusteischen
Zeit auf die unteren Volksclassen beschränkt gewesen sind, deren Geschmack
die zahlreichen Männer und Frauen in römischer Tracht, die Gladiatoren und
Krieger und manche sonstige genrehafte Darstellung wie Sänftenträger, Pack-

träger, Sieger im Wettrennen neben mancherlei Porträtartigem oder Karrikirtem am meisten entsprochen haben mögen.

Von der ganz seltenen Verwendung des Tuffs und der reichlichen des Stucco ist im vorigen Capitel gesprochen worden; edle Metalle finden wir in den Producten plastischer Goldschmiedekunst, auf welche weiterhin in einem eigenen Capitel über das Kunsthandwerk zurückzukommen sein wird. Daselbst soll auch ein ganz vereinzeltes Bleigefäß mit Reliefen näher erörtert werden. Irgend namhafte Arbeiten künstlerischer Art in Elfenbein und Knochen sind aus Pompeji nicht bekannt; dagegen ist eine Merkwürdigkeit nach Maßgabe der Ausgrabungsberichte (Pomp. Ant. Hist. I, 1, p. 186, cfr. Add. pars II, p. 151) am 4. März 1766 im Isistempel gefunden worden, nämlich eine weibliche Statue, deren Kopf und Extremitäten von Marmor gearbeitet sind, und die so lagen, dass man deutlich sah, der Körper habe aus Holz bestanden. Das ist ein s. g. Akrolith[206]), und zwar fast der einzige, von dem auch nur Stücke, die widerstandsfähigen Marmortheile, aus dem Alterthum auf uns gekommen sind.

Von irgend welcher technischen Besonderheit in der Sculptur des Marmors in Pompeji ist nichts zu sagen, dagegen verdient allerdings hervorgehoben zu werden, dass viele der in allen Perioden der Ausgrabung aufgefundenen Marmorstatuen, wenn auch bei weitem nicht alle, mehr oder weniger reichliche Spuren von Bemalung und von Vergoldung zeigten und zum Theil noch heutigen Tages deutlich erkennen lassen. Wohl das merkwürdigste Beispiel einer durchgeführten polychromen Behandlung eines Marmorwerkes bietet die am 22. März 1873 in einem Hause an der *Strada Stabiana* (Reg. I, 2, 17) gefundene, in der Archaeologischen Zeitung von 1881, Taf. 7 abgebildete Gruppe der Venus und Spes von griechischem Marmor. Die ohne die Basis 0,90 M. hohe Göttin steht, oberwärts nackt, das Himation vom linken Arme hinten herum über die rechte Hüfte und über die Beine gezogen, mit dem linken Arm auf die Spesfigur gelehnt. Ihr Haar ist gelb mit einem darinliegenden weißen Bande, welches vielleicht einst roth gefärbt gewesen ist, die Augensterne sind innerhalb einer schwarzen Kreislinie graubraun mit schwarzer Pupille, Brauen und Wimpern schwarz, das Himation außen gelb wie das Haar, in beiden Fällen nicht unwahrscheinlich als Grundlage von Vergoldung, das Gewand mit einem weißen, vielleicht einst rosa gefärbten Saume, innen jetzt weiß, aber mit deutlichen Resten von blaugrüner Farbe in der Tiefe der Falten und von einem violetten Saume, also, wie in vielen Wandgemälden, als mit einem andern Stoffe gefüttert gedacht. Die Spes trägt einen grünen Chiton und eine gelbe, mit einem Saum von etwas verschiedenem Gelb verbrämte Chlamys (nicht Peplos); Haar und Augen nebst Brauen und Wimpern sind schwarz. An der Venus ist bemerkenswerther Weise am Nackten keine Spur von Farbe; nur in den Nasenlöchern und im Nabel ist etwas Roth, dagegen nicht an den Lippen[207]). Das Gleiche gilt von der Spes. Der Apfel, welchen die Venus in der linken Hand hält, ist gelb; das Sandalenband am linken, weiter aus der Gewandung vortretenden Fuß allein sichtbar, ist gelb (Gold). Der Fels, auf welchem die Spes steht, ist schwarz. Die

Farbe, welche auf die glatte Fläche des Marmors nur enkaustisch aufgetragen
sein kann, haftet nicht eben fest. Gefunden wurde diese jetzt im Museum zu
Neapel in dem Zimmer der Venusbilder zu suchende Gruppe in einer vollkommen erhaltenen Nische im Peristyl des genannten Hauses, welche außen
mit Marmor bekleidet, innen mit einer lebhaft blauen Draperie ausgemalt ist.
An der Venus sind der Kopf und die Hände der Marmorersparung wegen aus
besonderen Stücken Marmors gearbeitet und dem Körper in recht plumper
Weise angefügt; doch gehören sie nicht, wie ich früher (3. Aufl.) geglaubt
habe, einer antiken Restauration an.

Nächst dieser Gruppe dürfte eine Venus genannt werden, welche nach
den Ausgrabungsberichten (s. Pomp. ant. hist. I, ɪ, p. 165) am 16. Februar
1765 im Isistempel gefunden wurde, jetzt aber nicht mehr nachweisbar ist [208].
Sie soll nach der genannten Quelle die Göttin darstellen oder dargestellt
haben: oberwärts nackt, wie aus dem Bade gekommen, und die nassen
Haare ausdrückend, welche als gelb gefärbt bezeichnet werden, während
sie ein vergoldetes Halsband getragen haben soll und gleicherweise ihre
Brustwarzen und, seltsamer Weise der obere Theil ihres Bauches
vergoldet gewesen wäre, das Gewand dagegen, welches sie von den
Hüften abwärts umhüllt, lebhaft himmelblau (turchino) gefärbt. Auf eine
archaistische Artemisstatue mit gelbem Haar und bemalten Gewandsäumen
(unten Fig. 281) soll weiterhin zurückgekommen werden. Das Isisbild aus dem
Hofe des Isistempels (unten Fig. 280 a, vgl. oben S. 106) hat vergoldete Haare
und ein theils lebhaft rothes, theils vergoldetes Obergewand, goldene Armbänder und in der gesenkten Linken einen goldenen s. g. Nilschlüssel, sowie braun-
roth bemalte Augensterne (s. Niccolini, Le case ecc. di Pompei, Tempio d'Iside
tav. 6). Von der Statue der Concordia Augusta mit farbigem und vergoldetem
Gewand aus dem Gebäude der Eumachia ist S. 124 berichtet worden; die im
Fortunatempel gefundene weibliche Statue (S. 115) hat einen goldenen Saum
der Tunica und einen rothen der Palla (s. Niccolini a. a. O. Tempio della Fortuna
tav. 2), die männliche (S. 116) zeigt purpurne Gewandung, gelbes Haar, dunkele
Augen und rothe Lippen (Niccolini a. a. O.) und ähnlich, mit rothgefärbtem
Haar, purpurner Toga und schwarzer Fußbekleidung erscheint die 1853 gefundene Statue des M. Holconius Rufus [209]. Aber bei keiner dieser Statuen
und eben so wenig bei einer Anzahl anderer Statuen mit sicheren, aber weniger
gut erhaltenen Farben lässt sich am Nackten irgendwelche Farbspur nachweisen. Ist nun auch die Thatsache, dass man im Alterthum überhaupt die
Marmorstatuen in ziemlich hohem Grade bemalte, bekannt und nicht mehr zu
bestreiten, kann also das Vorkommen bemalter Statuen in Pompeji durchaus
nicht als etwas Eigenthümliches gelten, so gehören die pompejaner Exemplare
doch immerhin zu denen, bei welchen die Farben am sichersten und reichlichsten vorhanden sind, und sie sind deshalb nicht uninteressant. In weit
höherem Grade würden sie dies sein, wenn es erlaubt wäre, aus der Art und
dem Grade ihrer Bemalung und Vergoldung für das ganze Alterthum giltige
Schlüsse abzuleiten, was aber, gegenüber der Thatsache wechselnder Sitte in
verschiedenen Zeitaltern bestritten werden muss.

Auch von technischen Besonderheiten in der Behandlung der Bronze ist

nichts zu sagen; Erwähnung verdient aber die ganz eigenthümliche, zum
Theil lebhaft blaue Patina vieler, aber nicht aller pompejaner Bronzen, welche
am auffallendsten bei dem 1853 in der s. g. *Casa del citarista* gefundenen
Apollon (Fig. 282), weniger stark, aber doch in charakteristischer Weise bei
der in unserem Titelbild und farbig bei Niccolini a. a. O., Descrizione generale
tav. 15 abgebildeten Figur vertreten ist.   Manche Bronzen von Pompeji,
namentlich die Fragmente von Reiterstatuen, von denen früher gesprochen
worden ist, zeigen reichliche Spuren von Vergoldung, welche jedoch bei Erzstatuen im Alterthum etwas sehr Gewöhnliches ist.   Von der technischen Behandlung des Thones ist einerseits als auffallend zu bezeichnen, dass die pompejaner Thonstatuen nicht mehr Reste von Farbe zeigen, als es der Fall ist,
und andererseits ist auf eine allerdings keineswegs allein in Pompeji gefundene Art von glasirten Terracottafiguren aufmerksam zu machen, von welchen
v. Rohden a. a. O. auf Taf. 47 ff. die interessantesten Stücke aus Pompeji zusammengestellt und S. 29 f., 57 ff. besprochen hat. Sie gehören der Spätzeit an und
es scheint kaum zweifelhaft, dass die Technik aus Aegypten stammt, woher
auch die eine Classe derselben in Pompeji, die meistens aegyptische Götter-
figuren darstellt, importirt sein wird. Für die andere Classe, römisch genrehafte
Figuren, welche sich in Material und Technik (abgesehn von der Glasur) von
anderen römisch-italischen Terracotten nicht unterscheiden, ist dagegen ein
örtlicher Ursprung viel wahrscheinlicher.   Das interessanteste Stück dieser
Art aus Pompeji ist die auch in verschiedenen Gemälden dargestellte Gruppe
des Kimon und der Pero (a. a. O. Taf. 47).

Was dann zweitens die unter den pompejaner Sculpturwerken vertretenen
Kunstformen anlangt, so ist, da die Statuen und Statuetten in nichts von
denen anderer Fundorte abweichen, zunächst etwa auf die dreifache in Pompeji vorkommende Hermenform aufmerksam zu machen, deren eine, roheste
Art schon S. 421 bei Besprechung der Grabmonumente als ganz specifisch pom-
pejanisch bezeichnet worden ist.   Die beiden anderen Arten dagegen sind auch
aus anderen Fundorten nicht selten nachweisbar.   Die erstere derselben, die
in ihrer Grundform überall gewöhnlichste, besteht aus einer Büste, welche von
einem viereckigen, meistens nach unten mehr oder weniger verjüngten, bei
den pompejaner Porträthermen jedoch fast immer ganz gleichmäßig verlaufen-
den und mit viereckigen Armansätzen versehenen Pfeiler getragen wird. Sie
bietet eine namentlich für das Porträt, bei dem es auf die Hervorhebung dessen,
was am Menschen das Individuellste ist, des Kopfes, ankommt, sowie da, wo
es sich um engen Anschluss an die Architektur, an die Wand sowohl wie an
den Mauer- und Thürpfeiler handelt, aesthetisch vollkommen berechtigte, ja
ganz vorzügliche Kunstform dar, sofern sich die vordere Fläche des Pfeilers
zur Aufnahme einer Inschrift, sei es des Namens der dargestellten Person, sei
es, wie z. B. bei den bekannten Hermenpfeilern der Sieben Weisen im Vatican,
eines besonders denkwürdigen Ausspruches derselben oder wie z. B. bei einer
Sokratesherme in Neapel eines ihren Charakter bezeichnenden Satzes aller-
bestens eignet. Von den mancherlei Porträthermen dieser Art, welche aus
Pompeji bekannt sind, wird es genügen diejenige des C. Cornelius Rufus als
ein vorzügliches Beispiel hervorzuheben, welche Fig. 276 mit einem Theile

des Atrium, in welchem sie noch jetzt vor dem einen Antenpfeiler des Tablinum steht, darstellt, um zugleich zu zeigen, wie harmonisch diese Art der
Aufstellung wirkt. Auch für Götterbilder,
bei denen es aus irgend einem Grunde, wie
z. B. der Aufstellung an Thürpfeilern oder
als Grenzsteine wegen, nur auf die Bezeichnung der Gottheit durch die Hervorhebung
des Bezeichnendsten und Wesentlichen ankam, ist diese Hermenform seit alter Zeit
vielfach und so auch in Pompeji nicht selten
angewendet worden, und zwar ist sie vollkommen berechtigt, wenn und so lange die
Köpfe in vollkommener Ruhe ohne die
Hervorhebung einer besondern Bewegung
des Gemüthes dargestellt werden. Dasselbe
kann jedoch nicht gelten, wenn in den
Köpfen das Gegentheil eintritt, d. h. wenn
in denselben eine bestimmte gemüthliche
Situation, sei es Freude oder Trauer ausgesprochen ist, wie in nicht wenigen Beispielen auch unter den pompejaner Hermen.
Denn hier stellt sich zwischen der Bewegt-
heit des Kopfes und der starren Ruhe des
in ungefährer Länge und Breite des Körpers
den Kopf tragenden Pfeilers ein Widerspruch
heraus, welcher das Ganze wie unfertig oder
wie in die Gebundenheit der Versteinerung
zurückgesunken erscheinen lässt.

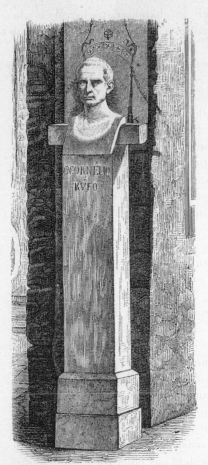

Fig. 276. Herme des C. Cornelius Rufus.

Die Gefahr eines solchen Eindruckes
wächst bei der zweiten, ebenfalls in Pompeji nicht seltenen, obgleich keineswegs
auf Pompeji beschränkten, vielmehr auch
aus Griechenland, und zwar schon in sehr
guter Kunstzeit nachweisbaren [210] Form der Hermen, das ist diejenige, welche
anstatt nur einen Kopf auf den Pfeiler zu setzen, große Theile des Ober-
körpers, sei es bis zum Nabel, sei es bis zu den Hüften hinab in natürlichen
Formen bildet und nur die Beine und Füße durch einen so oder so gestalteten Pfeiler ersetzt. Ein Beispiel einer solchen Herme in dem Peribolos
des Apollotempels ist schon (S. 101, Fig. 53) besprochen worden, andere
finden sich z. B. im Peristyl der *Casa di Lucrezio* (oben S. 319) und auch sonst
noch. So vorzügliche griechische Muster dieser Kunstform aber auch auf uns
gekommen sein mögen, immer bleibt sie als solche aesthetisch schwer zu
rechtfertigen. Bei ruhiger Haltung und engem Anschluss an die Architektur
wie im Apollotempel mag sie erträglich sein, aber beinahe unerträglich wirkt
sie, wenn sie selbständig hingestellt oder gar, wie in der *Casa di Lucrezio*,
genreartig in lebendige Beziehung zu anderen Wesen gesetzt wird. Jene

Herme z. B. im genannten Hause, welche einen jungen Satyrn darstellt, der einer Ziege, — man begreift bei seiner Angewurzeltheit in den Boden nicht wie —, ihr Junges genommen hat, und an dessen Schaft nun die alte Ziege mit voller Natürlichkeit emporspringt, ist gradezu eine Geschmacklosigkeit, und das in diesem Falle ganz Unorganische des aus Akanthusblättern aufsteigenden Pfeilers tritt uns auffallend und peinigend entgegen.

Neben den Statuen und Hermen, der vollen und der abgekürzten Form des Rundbildes, ist sodann der im ganzen, wie schon bemerkt, wenig zahlreichen Reliefe zu gedenken. Wir haben sie zum Theil ornamental verwendet an Ort und Stelle, von Marmor und anderem Stein an dem Altar des Tempels des Genius Augusti und an Grabmälern, von Stucco an manchen, hier nicht abermals aufzuzählenden Orten gefunden, und auch der wenigen Terracottareliefe ihres Ortes gedacht. Im Museum von Neapel wird noch einer nicht ganz unerheblichen Anzahl loser Platten, welche zum Theil ähnlichen Zwecken gedient haben, pompejanische Herkunft, zum Theil gewiss mit Unrecht[211] zugeschrieben. Neben diesen ist besonders der eigenthümlichen Form von beiderseits mit Reliefen geschmückten, bald runden, bald halbmondförmig oder wie eine Amazonenpelta gestalteten Marmorscheiben zu gedenken, welche nicht selten in den Privathäusern gefunden worden sind, und von denen Fig. 277 ein paar Beispiele zeigt. Man hat diese Scheiben, und zwar die halbmond- und amazonenschildgestaltigen ganz außer Acht lassend, früher für Wurf-

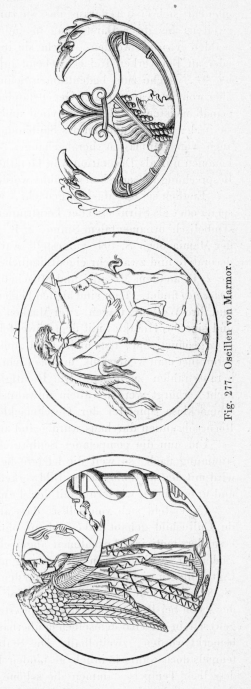

Fig. 277. Oscillen von Marmor.

scheiben (Disken) gehalten und sich hauptsächlich nur gefragt, ob sie wirklichem Gebrauche gedient haben oder nur Schaustücke gewesen sein

mögen, deren Form aus der Erinnerung an den wirklichen Gebrauch her-
stamme. Schon die vom Rund abweichende Form nicht weniger dieser
Scheiben konnte das Irrige dieser Annahme zeigen, die wirkliche Bestimmung
offenbart sich erstens daraus, dass sie zum Aufhängen eingerichtet sind, und ist
zweitens aus ihrer Darstellung in anderen Kunstwerken, Reliefen und Gemälden erwiesen worden, welche sie in der That an Zweigen heiliger Bäume
oder an Bauwerken frei schwebend aufgehängt zeigen. Es sind s. g. Oscillen [212]), welche zum bedeutsamen Schmuck zunächst an heiligen, in Pompeji
aber wohl auch an profanen Gegenständen aufgehängt wurden und welche demgemäß meistens in den Peristylien und Viridarien gefunden worden sind, wo
sie in den Intercolumnien des Säulenumgangs vom Architravbalken, vielleicht
auch von Baumästen herabgehangen haben mögen. Reliefe von Bronze
kommen nur als Decoration von Geräthen und Gefäßen vor und sind bei der
Besprechung dieser schon erwähnt worden.

Endlich sei der Masken gedacht, welche, abgesehn von den als Wasserspeier oder als Stirnziegel der Traufrinnen verwendeten (oben S. 531), theils in
symbolisch ornamentalem Sinne, z. B. an der Umfassungsmauer des Grabes
der Mamia (oben S. 404) aufgestellt waren und welche anderntheils eine rein
decorative und zwar sehr eigenthümliche Bestimmung hatten, in welcher man
sie z. B. an dem Mosaik- und Muschelbrunnen der *Casa della prima fontana
a musaico* findet. Hier sind an den beiden Pfeilern, welche die Nische einfassen
und ihre Wölbung tragen, zwei Masken, eine nicht näher bestimmte tragische
und eine des Herakles mit dem Löwenfell angebracht, deren Mund und Augen
ganz geöffnet sind; aber nicht etwa zum Ausgießen von Wasser, sondern, so
vermuthet man wenigstens, um das Licht von in die Masken gestellten Lampen
herausstrahlen zu lassen. Die Richtigkeit dieser Annahme kann allerdings
nicht verbürgt werden, allein unwahrscheinlich ist sie nicht, und diese ge-
schmacklose Spielerei der Geschmacklosigkeit des Ganzen dieser antiken
Rococcobrunnen durchaus würdig und angemessen.

Um nun die pompejaner Sculpturen ihrem Gegenstande und ihrer Bestimmung nach, so weit die letztere bekannt ist, zur Übersicht zu bringen,
wird mit den mythologischen Bildwerken am natürlichsten zu beginnen sein,
und unter diesen wiederum mit den Tempel- und Cultusbildern.

Es versteht sich von selbst, dass alle Tempel und Capellen in Pompeji
ihr Cultusbild gehabt haben, denn ohne ein solches ist, ganz einzelne und
besonders motivirte Ausnahmen abgerechnet, überhaupt kein antiker Tempel
zu denken; nachzuweisen aber vermag man von den pompejaner öffentlichen
Cultusbildern nicht eben viele. Von demjenigen aus dem griechischen Tempel
(S. 85) fehlt jede Spur; ob die schöne Büste des Zeus oder Juppiter, von
der schon bei Besprechung des Juppitertempels (S. 91, vgl. Anm. 38) die Rede
gewesen, in der That demselben ja überhaupt Pompeji angehört, ist, wie a. a. O.
bemerkt worden, zweifelhaft. Die Statue, welche in der Cella des Apollotempels doch wahrscheinlich gestanden hat, ist verloren. Aus dem Peribolos
desselben Tempels stammen die schöne eherne Apollonstatue Fig. 279, die
ihr entsprechende, nur zur Hälfte erhaltene Artemisstatue (Fig. 278) und die
marmorne Aphroditestatue Fig. 280 *b*, denen, wie oben S. 103 (vgl. Anm. 45)

nachgewiesen ist, an eigenen, ihnen entsprechenden Altären, dem Apollon an
dem Hauptaltar, geopfert worden ist. Von diesen Statuen gehören der Apollon

Fig. 278.
Artemis aus dem Apollontempel.

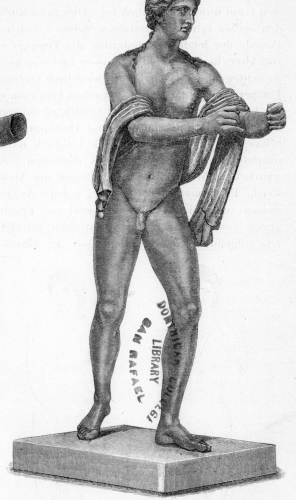

Fig. 279.   Apollon aus dem Apollontempel.

und die Artemis zunächst zusammen; nicht allein nach
ihrer Gegenüberstellung, nach
dem gleichen Material und
den gleichen Maßen, sondern
auch dadurch, dass beide bo-
genschießend dargestellt sind.
Als das Ziel ihrer Pfeile die
Niobiden zu denken, wie geschehn ist[213]), liegt kein genügender Grund vor; es muss
überhaupt bezweifelt werden,
dass an irgend ein bestimmtes
Ziel gedacht worden ist. Vielmehr wird es nur darauf an-
gekommen sein, die beiden
Letoiden nach bekannten poetisch-mythologischen Beinamen, ihn als den
»Ferntreffer«, sie als die »Pfeilfrohe« zu charakterisiren, und es ist sehr fraglich,
ob diese ihre Charakteristik mit dem Cultus, welchen sie in dem Tempel in
Pompeji hatten, in einem bestimmten, vollends in einem nachweisbaren Zusammenhange gestanden hat. Eine Combination (bei Nissen, Pomp. Studien
S. 334), welche den Apollon hier als Gott des Schicksals und des Todes fasst,
womit sich sein Bogenschießen vertragen würde, in Artemis aber, der Helferin
bei der Geburt, das entgegengesetzte Prinzip ausgedrückt findet, wozu ihr
Pfeilschießen recht schlecht stimmen würde, diese Combination, welche mit

der a. a. O. entwickelten Ansicht über die Bedeutung des Tempels und der
übrigen in ihm gefundenen Bildwerke zusammenhangt, wird wohl nach der
neu gewonnenen Einsicht in den wahren Namen des Tempels als hinfällig
erkannt werden. Es ist schon oben (S. 496) im Allgemeinen bemerkt worden,
dass die örtliche Entstehung der größeren Bronzefiguren in Pompeji im höchsten Grad unwahrscheinlich sei. Dies muss auch für die hier in Rede stehenden beiden schönen Erzstatuen gelten, welche ohne Zweifel nicht aus der
Periode der letzten Restauration des Tempels stammen, sondern demselben
von Alters her gehört haben müssen und welche daher als griechische Arbeiten
zu achten sind, von denen es zweifelhaft erscheint, ob sie für den Tempel in
Pompeji gemacht oder für denselben erworben worden sind. Ist das Letztere
der Fall, so wird man darauf verzichten müssen, eine bestimmte Beziehung
ihrer besondern Gestaltung und Handlung zu dem pompejaner Tempel zu
behaupten, und den Nachdruck lediglich darauf zu legen haben, dass sie
überhaupt Apollon und Artemis darstellen. An Analogien hierzu fehlt es
wahrlich nicht. Und so sei in Betreff des Apollon, über dessen bemerkenswerthe Fundumstände es genügt, auf die Ausgrabungstagebücher [214] zu verweisen, dem allzu abfälligen Urteil von Friederichs (Bausteine z. Gesch. d.
griech.-röm. Plastik I, S. 517) entgegen getreten, ohne damit den schlanken,
sehr jugendlich dargestellten Gott zu einem Meisterwerk ersten Ranges

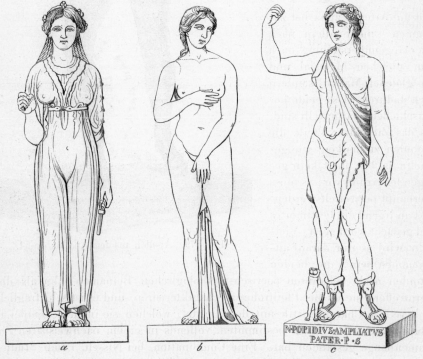

Fig. 280. Weihebilder aus pompejanischen Tempeln.

machen zu wollen. Ihm die ihm gebührende Stelle in der Entwickelung des
Apollonideales anzuweisen ist nicht hier der Ort. Es sei deshalb hier nur

noch bemerkt, dass beide Statuen aus Schmelz eingelegte Augen hatten,
welche, wie die Zeichnung erkennen lässt, bei der Artemis erhalten sind,
während der Apollon jetzt hohle Augen hat.

Dass uns die Cultusbilder des Tempels der Fortuna Augusta (S. 115 f.),
des Tempels des Genius Augusti (S. 117 f.) und dasjenige aus dem Sacellum
im Macellum bis auf einen Arm mit der Weltkugel (S. 125), die beiden letzteren Porträtstatuen, fehlen, ist an den angeführten Orten gesagt worden.
Ebenso ist (S. 134) bemerkt, dass die Statue der Concordia Augusta, die
vermuthlich die Züge der Livia trug, aus dem Sacellum im Gebäude der
Eumachia, wenn auch ohne Kopf, auf uns gekommen ist. Ebenso sind es
die Bilder von Thon aus dem Tempel der capitolinischen Gottheiten, von
welchen die männliche schon S. 112, Fig. 64 in Abbildung mitgetheilt worden.
Nicht das Cultusbild aus der Cella des Isistempels, sondern ein nach der
Inschrift von dem Freigelassenen L. Caecilius Phoebus gestiftetes Weihebild
dieser Göttin, von dessen Vergoldung und Bemalung schon gesprochen worden ist, zeigt Figur 280 a. Zu diesem Anathem gesellt sich die aus der
Nische außen an der Hinterwand der Cella desselben Tempels stammende,
in Fig. 280 c abgebildete, sehr unbedeutende Marmorstatue eines mit Epheu
bekränzten Bacchus, welche laut der Inschrift an dem Plinthos N. Popidius
Ampliatus der Vater von seinem Gelde geweiht hat; außer ihr ist als hier gefunden noch eine Satyrstatue [215]) zu erwähnen, ebenfalls ein mittelmäßiges
Stück Arbeit, obgleich besser gedacht und componirt als ausgeführt. In den
übrigen Tempeln sind Weihebilder, nachweislich mythologischen Gegenstandes, nicht aufgefunden worden.

Nächst den Tempelbildern ziehn die Bilder des häuslichen Cultus die Aufmerksamkeit auf sich, ja sie verdienen dieselbe in gewissem Sinne in höherem
Grade, als jene, da sie viel mehr eine Besonderheit Pompejis bilden. Auf die
verschiedenen Hauscapellen und Nischen für häusliche Götterbilder ist schon
in der Einleitung zu der Beschreibung der Häuser und in diesen da, wo sie
sich fanden, aufmerksam gemacht worden, auch sind ebenda schon einige
Bilder selbst angeführt worden, wie z. B. die nicht mehr nachweisbare Flora-
statuette aus der *Casa del Fauno*, zu der das Altärchen mit der oskischen Inschrift gehörte (S. 347 f.) Auf eine Menge kleiner Bronzesigilla, welche nach
Ausweis ihrer Fundorte dem häuslichen Culte gedient haben, kann hier, ohne
weitläufig zu werden, nicht eingegangen werden, es muss genügen, die
Thatsache als solche hier berührt zu haben. Im Einzelnen sind hier nur
einige Bildwerke von größeren Maßen und höherer künstlerischer Bedeutung hervorzuheben. Unter diesen verdient in mehr als einer Hinsicht den
ersten Platz die in der nachfolgenden Fig. 281 abgebildete, schon oben erwähnte Statue der Artemis. Ihre Herkunft aus Pompeji ist freilich nicht
unbestritten, allein über ihre Auffindung in der Hauscapelle eines der später
wieder verschütteten und neuerdings zum zweiten Mal ausgegrabenen Häuser
an dem südlichen Abhange der Stadt im Theaterquartier sprechen die Ausgrabungstagebücher so bestimmt und ausführlich, dass dagegen die Zweifel ver-
stummen müssen [216]). Die Art der Aufstellung, wie es scheint in einer eigenen
Aedicula im Peristyl eines großen Hauses auf einer aus Ziegeln hergestellten,

aber mit mehrfarbigen Marmorplatten bekleideten Basis ist das zunächst
Bemerkenswerthe an dieser Statue, zweitens verdient sie die größte Beachtung

Fig. 281.   Archaistische Artemisstatue.   Fig. 282.   Apollonstatue von Bronze.

als das einzige, allerdings wohl nicht echt alterthümliche, wohl aber hieratisch-
archaistische statuarische Werk, welches wir bisher aus Pompeji kennen, und
drittens wegen der sehr reichlichen Färbung, von der schon oben S. 536 im
Allgemeinen gesprochen worden ist.   Etwas genauer sei hier nur bemerkt,
dass die gelben Haare, in denen ein weißer Reifen mit rothen Rosetten liegt,
wohl (matt) vergoldet gewesen sein werden; die Gewandsäume, das Köcher-
band, die Sandalenriemen sind roth (oder rosa) gefärbt gewesen, was noch
heute in m. o. w. sicheren Spuren erkennbar ist.   Dagegen bemerkt man auch
hier am Nackten keine Farbe.   Dieser Statue stellt sich als nicht minder auch
kunstgeschichtlich interessant zur Seite die 1853 am 8. November in dem nach
ihr *Casa del citarista* (nach einem Hauptbilde *Casa d' Ifigenia*, richtig *domus*

Popidii Secundi Augustiani) genannten Hause der *Strada Stabiana* (Plan No. 118) gefundenen lebensgroßen Bronzestatue eines Apollon [217]), von welcher Fig. 282 eine nach einer Photographie gemachte Darstellung giebt. Diese Statue, auf deren künstlerische und kunstgeschichtliche Bedeutung zurückgekommen werden soll, hält in der gesenkten Rechten das Plektron, so dass kein Zweifel sein kann, dass sie mit der Linken, in welcher noch ein Apparat zur Befestigung erhalten ist, die Lyra gehalten hat, die aber spurlos verloren ist. Sie stand an der Ecksäule im Peristyl des genannten Hauses, freilich nicht in einem häuslichen Heiligthum, wie die eben besprochene, so dass wir nicht mit Bestimmtheit sagen können, dass sie dem Cultus der einstmaligen Bewohner gedient habe, welche sie auch als ein bloßes Schaustück besessen haben mögen, obgleich sie den Charakter hat, der Cultbildern besonders zuzukommen scheint.

In einer Aedicula dagegen wurde, falls nämlich den Angaben Finatis im Mus. Borbon. Vol. II zu tav. 23, der über das Datum der Auffindung (1808 statt 1811, den 6. April nach Pomp. ant. hist. I, III, p. 54 sq.) irrt, mehr als dem nicht ganz genauen Fundberichte zu trauen ist, eine zweite, kleinere bronzene Apollonstatue von sehr jugendlichen und zarten Formen gefunden, von welcher der Umriss Fig. 283 *a* wenigstens der Composition nach eine Vorstellung geben kann. Das Haus, in welchem sie stand (Plan No. 26), scheint

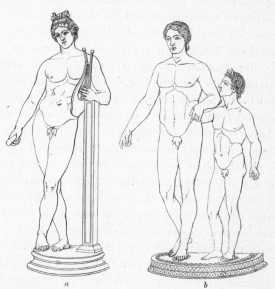

Fig. 283. Bronzene Götterbilder aus Privathäusern.

von einem besonders eifrigen Verehrer des Apollon bewohnt gewesen zu sein, denn auch in den Gemälden desselben, welches nach diesen und der Statue den Namen *Casa d'Apolline* führt, ist diese Gottheit mehr als ein Mal dargestellt. Die jetzt im Museum befindliche Statue [218]) zeigt den Gott an einen schlanken Pfeiler lässig angelehnt, sein Spiel unterbrechend, als wolle er mit sanft geneigtem Haupte den Bitten des vor ihm Opfernden horchen. Sie ist von zierlicher, wenn auch etwas glatter Arbeit und von einer so vortrefflichen Erhaltung, dass selbst noch einige der silbernen Saiten an ihrer Lyra ungebrochen sind. Diesen beiden bronzenen Statuen des Apollon gesellt sich eine dritte von griechischem Marmor, von der freilich nur der Körper antik ist [219]) (abgeb. mit den Ergänzungen Mus. Borb. XII, tav. 56), welche aber ebenfalls aus einem Privathause stammen soll und füglich ein Cultusbild gewesen sein mag. Auch in dieser Statue scheint der Gott, welcher mit über den Kopf gelegtem Arm an einen Baumstamm gelehnt ist, an dem sein Köcher hangt,

sich gnädig zuhörend den an ihn gerichteten Gebeten zu neigen. In dem
s. g. Hause der Isis und des Osiris, welches nach seinen Gemälden auch das
Haus der Tänzerinnen (*Casa delle danzatrici*, Plan No. 11) heißt, fand man in
der Aedicula, in der auch ein kleiner Altar stand, die bronzenen Statuetten
der beiden genannten aegyptischen Gottheiten nebst derjenigen des Harpo-
krates mit dem Finger auf dem Munde, ein Beleg mehr dafür, wie tief der
fremdländische Cult in die römische Welt eingedrungen war. Häuslichem
Cultus hat wahrscheinlich ebenfalls die in Figur 283 b dargestellte kleine
Bronzegruppe des Dionysos und eines Satyrn [220]) gedient, obgleich sie nicht
in ihrer Aedicula, sondern in Leinwand gewickelt und mit anderen Gegenständen in einen kupfernen Kessel verpackt, dann aber bei der Flucht weggeworfen im s. g. Hause des Pansa gefunden wurde (s. S. 328). Der Gott, den
sein dienender Begleiter zutraulich umfasst, hat wiederum den Charakter der
gnädigen Bezugnahme auf die ihm Opfernden oder zu ihm Betenden, welchen
man als den dem Cultusbilde angemessensten wird anerkennen müssen, so
vielfache Thatsachen im Allgemeinen und so manche aus Pompeji bekannte
(s. den Apollon und die Artemis aus dem Apollotempel Figg. 278 u. 279, die
archaistische Artemis Fig. 281, um nur diese zu nennen), beweisen, dass auch
solche Bilder dem Cultus gedient haben, welche sich in Situationen befinden,
die den Gedanken an eine unmittelbare Beziehung des Bildes zu dem anbeten-
den Sterblichen ausschließen. Eben dieser Umstand ist auch der Anlass, die
wenn auch noch so kleine Liste häuslicher Cultusbilder hier zu schließen, um
nicht als solche Statuen anzuführen, welche sich in dieser Bestimmung weder
durch sich selbst, noch durch die leider nur in wenigen Fällen hinreichend genauen Fundberichte erweisen lassen. Der Vorrath mythologischer Bildwerke
aber ist damit nicht erschöpft, eine größere Zahl derselben, als die bisher verzeichneten, diente erweislich anderen, als den bisher besprochenen Zwecken,
und von ihnen wiederum lassen sich ziemlich viele sicher als Brunnenfiguren erweisen. Es ist schon früher (S. 242) der Brunnenfiguren im Allgemeinen
gedacht worden, zu denen von den Statuen in unseren Museen viel mehre
gehören, als Mancher ahnen mag [221]). Eine ganze Reihe derselben ist freilich
unverkennbar, indem sie gradezu die Brunnenmündung selbst bilden und so
oder so den Ausguss des Wassers vermitteln, sei es, dass sie aus Gefäßen oder
Schläuchen den Wasserstrahl auszugießen scheinen, oder dass ein von ihnen
gehaltenes Thier oder auch eine Maske diesen ausspeit. Denn nur in ganz
seltenen Fällen besorgen Brunnenfiguren dies selbst, wie z. B. der in der
Archaeol. Zeitung von 1879 Taf. I, No. 5 abgebildete Satyr, welcher aus den
gespitzten Lippen den Wasserstrahl hervorbläst, als wollte er Jemand mit
demselben bespritzen. Eine bei diesen Statuen irgendwo, meistens sehr sinnreich, angebrachte Durchbohrung, welche das Wasserrohr aufzunehmen bestimmt war, lässt die Gattung erkennen, zu welcher sie gehört haben; bei
anderen aber fehlt dies sicherste Kennzeichen, welches entweder mit den
Theilen, an denen es sich befand, verloren gegangen ist, oder auch sich
nicht unmittelbar an der Statue selbst fand, sondern an ihrer Basis, einer
Stütze oder sonstwie in entfernterer Verbindung. Noch andere Statuen von
etwas anderer Erfindung besorgten weder das Ausgießen des Wassers selbst,

noch standen sie zu demselben in so naher Beziehung, wie die erwähnten, dennoch hatten sie mit dem Wasser von Impluvien und Piscinen zu thun, wie Beispiele aus Pompeji und Herculaneum zeigen, und gewinnen bei einer solchen Aufstellung außerordentlich an lebendigem Charakter und an Anmuth der Erfindung. Alles in Allem genommen gehören die Brunnenfiguren sehr verschiedenen Kreisen an; es giebt mythologische sowohl wie nicht mythologische. Die ersteren sind vorzugsweise, aber keineswegs ausschließlich, dem bakchischen Kreise entnommen, die anderen reine, zum Theil allerliebst erfundene Genrebilder im eigentlichen Sinne des Wortes, wie die zehn Knabenfiguren aus Bronze von Herculaneum (Mus. Borb. Vol. I, 45; II, 22 und III, 11), welche aus Gefäßen den Wasserstrahl ausgießen oder einen Fisch oder eine Maske halten, aus der er hervorspringt. Bei ihnen soll man ja nicht nach irgend einem mythologischen Namen suchen, und ihnen würde man mit der gezwungenen Beilegung eines solchen großes Unrecht thun.

Herculaneum sowohl wie Pompeji haben Brunnenfiguren aller Art, von Marmor und Erz, aus mythologischem Kreise und aus dem des Alltagslebens in nicht geringer Zahl geliefert, welche durch die Analogie, welche sie zu anderen Statuen liefern, von ganz besonderem Werth und einer Durchmusterung durchaus würdig sind. Die folgende kleine Auswahl mag die verschiedenen Classen zur Vorstellung bringen. Zunächst einige Proben solcher Figuren, welche direct als Wasserausgüsse dienten. Wie schon gesagt, sind hier ganz besonders die Figuren des bakchischen Kreises beliebt, namentlich Silene und Satyrn mit dem Weinschlauch oder der Amphora, bei denen das Ausgießen aus eben diesem Schlauche oder Gefäße, mögen sie dasselbe auf der Schulter oder unter dem Arme tragen, mögen sie den Schlauch im seligen Rausche oder im trunkenen Schlafe auf den Boden fallen gelassen, oder die Amphora, um auszuruhen, auf einen Pfeiler oder Baumstumpf gelegt haben, als natürliches, oft aber mit trefflichstem Humor behandeltes Motiv erscheint. Auch in Pompeji sind derartige Brunnenfiguren nicht selten; einem alten Silen mit dem Weinschlauche sind wir schon in der Brunnennische der *Casa di Lucrezio* (S. 318) begegnet, ein Satyr mit demselben Geräthe aus der s. g. Villa des Cicero ist auch schon erwähnt; einen zweiten Silen von Marmor, welcher in der Brunnen-

Fig. 284. Brunnenfiguren.

nische der *Casa del granduca* aus einem auf einen Baumstamm gelegten Gefäße das Wasser ausgoss, zeigt Fig. 284 *a*; auf ein zweites Motiv in der

Composition dieser Gestalt braucht angesichts der Abbildung wohl nicht besonders hingewiesen zu werden.

Weitaus die vorzüglichste Figur dieser Art ist die schon oben S. 355 erwähnte, welche in Fig. 285 nach einer Photographie abgebildet ist. Der

Fig. 285. Trunkener Satyr, Brunnenfigur aus der *Casa del Centenario*.

Gedanke der Composition ist voll Humor: der trunkene Bursche, der sich taumelnd kaum auf den Füßen erhalten kann, drückt unwillkürlich so auf den unter dem linken Arme getragenen Schlauch, dass aus diesem die Flüssigkeit in starkem Strahl hervorspritzt, was der Träger gern durch einen Griff der rechten Hand verhindern möchte. Dieser aber ist zu unsicher, um wirkungsvoll zu sein. Über die drastische Lebendigkeit, mit welcher dieser Vorgang dargestellt ist, braucht eben so wenig gesprochen zu werden wie über die Vortrefflichkeit der Formen, welche nur in der Abbildung, weil mit dem Fehler der photographischen Perspective behaftet, theilweise viel schwerer erscheinen, als sie in der That sind. Nicht vertuscht werden soll, wie sehr das Bleirohr, welches das Wasser von hinten in den Schlauch leitet, den Eindruck der Composition beeinträchtigt.

Neben den Personen des bakchischen Kreises eignen sich natürlich Fluss- götter und Quellennymphen in ganz besonderer Weise zu Brunnenfiguren; auch davon bietet Pompeji ein Beispiel in der ziemlich hübsch gearbeiteten, auch noch in anderen Exemplaren bekannten Nymphe, welche Fig. 284 *b* dar- stellt [222]; bequem auf einem Felsen sitzend scheint sich diese oberwärts nackte Figur die eine Sandale zu lösen, während sie behaglich auf das aus ihrer umgestürzten Urne rinnende und in dem Bassin zu ihren Füßen ge- sammelte Wasser blickt, bereit, demnächst badend in das kühle und klare Nass zu tauchen. Sinniger konnte eine Brunnenfigur kaum erfunden werden; es ist aber gar nicht unwahrscheinlich, dass mehr als eine Statue der im Bade kauernden oder eben dem Bade entstiegenen und die feuchten Haare trock- nenden Aphrodite in ganz ähnlicher Weise am Rande von Wasserbecken auf- gestellt gewesen ist.

In einer bedeutenden Zahl anderer Brunnenfiguren wird das Motiv des Wasserausgießens weniger nahe begründet, so dass dieses als etwas mehr Zufälliges, ja zum Theil als nicht vollkommen passend erscheint. Besonders beliebt war es, den Wasserstrahl durch irgend ein Thier ausspeien zu lassen, sei es dass dieses allein stand, wie aus Pompeji z. B. ein kleiner bronzener Stier oder ein marmorner Löwe [223] oder die thönernen Frösche, welche in der *Casa del poeta tragico* gefunden wurden und von denen einer bei von Rohden a. a. O. S. 29, Fig. 18 und 19 in doppelter Ansicht abgebildet ist, sei es dass dasselbe von einer menschlichen Figur gehalten wurde oder sonstwie mit der- selben in Zusammenhang stand. Von dieser Art sind drei der in der Archaeol. Zeitung a. a. O. abgebildeten Gruppen und ist die, freilich nicht mythologisch zu benennende, zierliche Gruppe eines Knaben mit einer gefangenen Ente Fig. 286. Dieselbe stand in der *Casa della piccola fontana a musaico* im Bassin des Viridariums selbst, und das hübsche Motiv der Composition ist offenbar, dass der Knabe sich von seiner Ver- folgung des Thieres zu weit hat fortreißen lassen und nun sich erstaunt rings von Wasser umgeben sieht [224].

Endlich haben wir auch von solchen Brunnenfiguren, welche mit dem Wasserausgießen selbst unmittelbar nichts zu thun haben, wenigstens ein mögliches, wenn auch nicht sicheres Beispiel in dem meisterhaften kleinen bronzenen Faun

Fig. 286.
Brunnenfigur.

oder Satyrn, Fig. 287, welcher der *Casa del Fauno* den Namen gegeben hat, der aber, wie S. 350 schon bemerkt wurde, nicht aufgestellt am Impluvium, sondern an dessen Rande, vielleicht nur zufällig, liegend gefunden wurde. Er mag aber dennoch zu dem, wie a. a. O. angeführt, mit einem Springbrunnen versehn gewesenen Impluvium und dessen Wasser in Beziehung gestanden haben, wie denn auch sonst Satyrn in ähnlicher Weise aufgestellt wurden, welche man sich im Walde lebend, an Bachesrande mit den Nymphen schä- kernd, zum Rauschen der Quellen ihre Flöte blasend oder unter demselben sanft entschlummert dachte und sie demgemäß bildete. Sei aber dieser Satyr am Brunnen aufgestellt gewesen oder nicht, das ist für seine künstlerische Würdigung gleichgiltig, und der Werth der Statue bleibt in allen Fällen ein sehr hoher. Es giebt gewiss nicht viele Kunstwerke, welche die ausgelassene Lust des bakchischen Taumels so vergegenwärtigen wie dieser sehnige Alte, der, ganz Bewegung und Elasticität, über den Boden dahintanzt, als gäb' es keine körperliche Schwere, und als sei die Arbeit aller angespannten Muskeln des ganzen Körpers nichts als Lust und Behagen. Den hat der Geist seines Gottes ergriffen und hebt und treibt ihn, dass er sich und die Welt vergisst; und dass wir dennoch sehn wie er arbeitet, dass hier kein Schweben und leichtes Schweifen, sondern ein tüchtiges Auftreten und Schwenken der Glieder dargestellt ist, das ist vom Künstler vortrefflich ersonnen, der uns eben ein Bild der derben Sinnlichkeit vor Augen führen will, und dieses in allen Zügen bis hinab zu den unverhüllten Zeichen halbthierischer Natur meisterhaft durchgeführt hat. Dass es sich hier um ein echt griechisches Kunstwerk aus sehr guter Zeit handelt, möge noch ein Mal hervorgehoben werden.

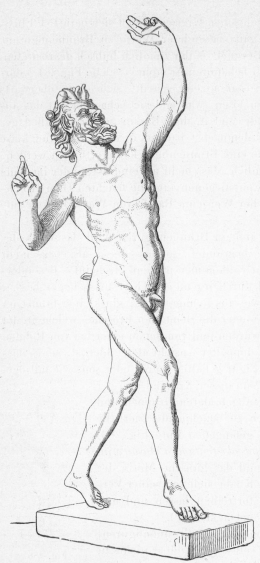

Fig. 287. Tanzender Faun von Bronze aus der *Casa del Fauno.*

Von anderen Statuen mythologischen Gegenstandes ist auch in Pompeji zufolge der mangelhaften Überlieferung des Standortes bei der Auffindung die ursprüngliche Bestimmung wenigstens nicht mit Sicherheit nachweisbar; bei mehren derselben, namentlich denen von Marmor, ist ein bloßer Decorationszweck der Atrien, Peristylien oder Viridarien, dem sonst auch Genrebilder dienten, nicht unwahrscheinlich, in ein paar Beispielen in der *Casa di Lucrezio* (S. 319) sogar nachweisbar; andere, namentlich kleinere von Bronze, soweit sie nicht dem häuslichen Cultus dienten, mögen, wie es von dem gleich zu

erwähnenden Silen erweislich ist, Träger von Geräthen und Gefäßen oder
deren Verzierungen in der Art gewesen sein wie der Silen an dem kleinen
Candelaber Fig. 233 *d* oder der bakchische Knabe auf dem Panther an demjenigen daselbst *e*, oder aber wie die Figuren auf den Lampendeckeln in Fig.
231 *o* und *p*. Für den Rest mag sich die ursprüngliche Bestimmung zum Theil
noch aus den Ausgrabungstagebüchern auffinden lassen, zum Theil bleibt er
zu errathen.

In Fig. 288 *a b c* sind
drei der besseren Mar-
morstatuen dieser Art
vereinigt; *a* zeigt den
schon S. 319 erwähnten
Satyrn aus dem Peristyl
der *Casa di Lucrezio*, welcher mit der über den
Kopf erhobenen Hand
die Strahlen der Sonne
abzublenden scheint, um
besser in die Ferne sehn
zu können, ein, wie schon
a. a. O. bemerkt wurde,
lebensvoll erfundenes und
auch nicht schlecht aus-
geführtes Bild. Mit *b* ist
eine jetzt im Museum be-
findliche jagende Artemis

a   *b*   *c*

Fig. 288. Idealbildwerke aus Marmor.

bezeichnet [225]), deren Fundort nicht genauer bekannt ist. Die Composition,
welche sich übrigens ähnlich nicht selten wiederholt, ist vortrefflich, der Eifer
der Göttin der Jagd und ihr rasches und doch nicht angestrengtes Daher-
schreiten, welchem der Hund in vollem Laufe kaum zu folgen vermag, sind
sehr wohl ausgedrückt; nur könnten die Formen weniger derb und die Arbeit
ausgeführter sein. Das Haar der Göttin und der Felsen, über welchen der
Hund daherstürmt, zeigen deutliche Spuren rother Bemalung. Unter *c* ist eine
kleine aus dem Bade gestiegene und ihr Haar trocknende Aphrodite mit gelb-
bemaltem Haar und rosarothem Gewande bezeichnet, über deren Fundort
Sicheres nicht feststeht. Es ist dieselbe, über deren nicht aufgeklärtes Verhältniss zu der im Isistempel gefundenen Figur des gleichen Motivs, aber mit
angeblich verschiedenen Farben schon oben (S. 536 mit Anm. 208) gesprochen
worden ist. Ein paar andere nach Gegenstand und Ausführung gleich interessante Marmorfiguren aus mythologischem Kreise, welche nach England ver-
zettelt worden sind, bringen die Monumenti ed Annali d. Inst. 1857, tav. 40
und 1855, tav. 11. Die erstere zeigt einen auf einem Esel liegenden betrun-
kenen, die zweite einen von einem Hunde angegriffenen Satyrn.

Unter den Erzwerken kann auf die zahlreichen ganz kleinen Figuren
(*sigilla*), unter denen sich auch nur weniges in irgend einer Hinsicht Hervor-
ragendes findet, im Einzelnen hier nicht eingegangen werden; nur einige

Werke von etwas größerem Maßstabe verdienen in alle Wege eine besondere Hervorhebung und eine etwas näher eingehende Besprechung. Ihrer zwei, wahre Perlen der Bronzebildnerei, haben die neueren Ausgrabungen zu Tage gefördert. Erstens den hierneben (Fig. 289) nach einer Photographie gezeichneten Silen (Kopfhöhe ohne die Basis 0,42 M.), welcher in dem Hause

Fig. 289.   Silen von Bronze.

des N. Popidius Priscus (*Casa dei marmi*, Plan No. 71) gefunden, als Gefäßfuß gedient hat, und zwar so, dass das fragmentirt mitgefundene Gefäß in dem von ihm mit der Linken emporgehaltenen Ringe stand. Es ist einfach unmöglich, das mühsame, alle Kräfte des Körpers in Anspruch nehmende Emporstützen einer schweren Last und den vollen und dabei derben Eifer, mit welchem der dickbäuchige alte Geselle dies Geschäft besorgt, besser auszudrücken, als es hier geschehn ist, und zwar mit Wahrnehmung nicht allein der hauptsächlichen, sondern einer ganzen Reihe feinerer Motive der Bewegung, wie dasjenige des rechten Armes, welcher das Gleichgewicht herzustellen sucht, das Andrücken des bärtigen Kinnes an die Brust, die Stellung der Füße. Seltsam, dass sich mit dieser untadelhaft ausgeführten, vortrefflichen Composition eine ganz ungereimte Erfindung zur Aufnahme des von der Figur getragenen Gefäßes verbindet. Dieses nämlich stand, an und für sich fest genug, zwischen den drei Palmetten des emporgehaltenen Ringes; allein diese Palmetten entspringen so unorganisch wie möglich aus dem Ringe, der von einer Schlange gebildet wird, und dieser wird von dem Silen an einem Punkte seines Umkreises gefasst und so mit seiner Belastung gehoben, was wiederum statisch und mechanisch ein Ding der reinen Unmöglichkeit auch dann sein würde, wenn der Ring nicht aus einem biegsamen Schlangenkörper bestünde, namentlich bei der Schwere der Last, welche eine so große Anstrengung des Trägers erfordert, wie die hier bei der Größe des Gefäßes mit gutem Grunde dargestellte. Es dürfte schwer sein, ein zweites Beispiel aus der verwandten Antike aufzufinden, in welchem sich der feinste künstlerische Geschmack mit einem ähnlichen Mangel an Takt und Gefühl verbände, während wir Modernen freilich zu Hunderten dergleichen Erfindungen machen, gegen welche diese hier noch als musterhaft gelten muss.

Noch ungleich liebenswürdiger ist die wie schon früher gesagt in einem

Hause des *Vico del balcone pensile* gefundene, in jeder Hinsicht bewunderungs-
würdige Bronzestatuette (Höhe ohne die Basis 0,59 M.), deren nach einer Photographie gemachte Abbildung das Titelblatt dieses Buches schmückt, und
welcher, wenn sie nicht die Krone aller bisher in Pompeji gefundenen Kunstwerke ist, sich nur der tanzende Satyr der *Casa del Fauno* als ebenbürtig anreihen kann. Der Name, welcher dieser unbeschreiblich weichen und dabei
dennoch frischen, lieblichen Jünglingsgestalt zu geben ist, steht auch heutigen
Tags nach vielfachen Erörterungen noch nicht über allen Zweifel fest, obgleich
die allgemeine Ansicht sich je länger, desto mehr der gleich in den ersten
Zeiten nach der Auffindung ausgesprochenen Erklärung zuneigt, dass der
mit einem Panther spielende Dionysos zu erkennen sei [226]. Allerdings hat
Minervini, dessen Resultaten sich auch Fiorelli in allem Wesentlichen angeschlossen hat [227], in einem gelehrten Aufsatze Gründe für die Benennung
der Figur als Narkissos geltend zu machen gesucht, und dieser Name ist
jetzt der am allgemeinsten gebrauchte. Allein wenn er auch ohne Zweifel
Manches für sich zu haben scheinen mag, so stehn ihm doch nicht allein einige
nebensächliche Umstände entgegen, das Ziegen- oder Rehfell nämlich, das
von der linken Schulter des Jünglings herabhangt und um seine linke Hand-
wurzel geschlungen ist, und der Epheukranz mit Beeren, welcher sich durch
sein Haar schlingt, sondern die Situation, nach welcher hier Narkissos den
Schmeichelworten der Echo lauschend dargestellt sein soll, entspricht nicht
dem Narkissosmythus. Die angeführten Einzelheiten, welche Minervini für
Narkissos vergeblich zu rechtfertigen sucht, weisen mit Bestimmtheit auf den
dionysischen Kreis hin, und ihnen gegenüber ist zur Erklärung der Statue
wohl der Gedanke an einen Satyrn ausgesprochen worden, welche in ihren
edelsten Gestaltungen nicht allein in ganz ähnlicher Zartheit und weicher
Jugendblüthe, sondern auch ohne jegliches thierische Abzeichen (Spitzohren
und Ziegenschwänzchen) vorkommen, durch welches sie sonst bezeichnet zu
sein pflegen. Ob aber irgendwo ein Satyr mit einer so zierlichen Fußbekleidung nachweislich ist, wie sie unser Jüngling trägt, ist sehr fraglich, und
Gleiches dürfte von Pan (Diopan) gelten, welchen ein weiterer Erklärungs-
versuch [228] in dem Jüngling erkennen möchte, so dass man sich auch mit
dieser Erklärung nicht zufrieden geben kann, so wenig an der gelegentlich
rein menschlichen und jugendschönen Bildung des Pan gezweifelt werden soll.
Für die Benennung als Dionysos wird neuerdings von mehren Seiten besonders
die Parallele eines von Michel Angelo zu einer Gruppe ergänzten, lebensgroßen
Marmortorso in Florenz [229] geltend gemacht, welcher, das lässt sich nicht verkennen, mit der in Rede stehenden pompejaner Figur eine große, wenn auch in
der Bewegung des Leibes vielleicht nicht vollkommene Ähnlichkeit hat. Das
Unglück ist nur, dass an dem florentiner Marmor der Kopf, beide Arme und die
Beine von den Knien abwärts der Ergänzung angehören und dass, wenngleich
eine abgearbeitete Stelle an der linken Hüfte mag schließen lassen, dass die
florentiner Figur in Übereinstimmung mit der pompejaner Bronze die linke
Hand hier aufgestützt hatte, ihr Motiv doch nur vermuthet werden kann. Nun
soll freilich nicht geläugnet werden, dass für den florentiner Torso die Annahme, dies Motiv habe in dem Spielen des Gottes mit einem neben ihm am

Boden sitzenden und sich etwa halb gegen ihn aufrichtenden Panther bestanden, nahe genug zu liegen und befriedigend genug zu sein scheinen mag.
Aber man darf doch nicht vergessen, dass dies vielleicht nur deswegen der Fall
ist, weil uns an ihm die Theile fehlen, welche dies bedingen oder hierdurch
in ihrer Haltung bedingt sein würden und dass es sich auf alle Fälle um nichts
als um eine bloße Vermuthung handelt. Es dürfte aber doch fraglich sein,
ob es gerechtfertigt ist, auf eine solche die Erklärung der pompejaner Bronze
zu stützen. Denn erstens ist auf der Basis dieser völlig unverletzt auf uns
gekommenen Figur nicht die geringste Spur weder von einem Panther noch
von sonst irgend einem verlorenen Gegenstande. Und wenn dem gegenüber
gesagt worden, das Thier sei in der verkleinerten Copie weggelassen, entweder weil man das Motiv auch ohne dasselbe für klar und deutlich genug
hielt, oder weil für den Panther auf der kleinen runden Basis kein Platz
war, so dürfte der erstere Grund insofern problematisch erscheinen, als
wenigstens uns das Motiv durchaus nicht klar ist; den zweiten aber wird
man in Abrede stellen dürfen, denn für einen Panther in der Größe, welche
ihm als Beiwerk zukam, ist auf der Basis reichlich Platz. Dazu kommt
aber zweitens, dass die Stellung der pompejaner Figur, die Neigung ihres
Kopfes, die Richtung ihres Blickes und die eigenthümliche Haltung der Finger
ihrer rechten Hand sich aus dem bezeichneten Motiv nicht erklären lassen.
Wenn der Gott mit seinem rechts neben ihm sitzenden Panther spielte, so
müsste nach natürlichem Motive sein Blick auf das Thier gerichtet sein, wobei
der Kopf anders gedreht und weniger geneigt sein würde. So wie die Figur
vor uns steht (und am Original oder Abguss ist dies noch klarer, als an der Abbildung) geht der Blick ihres stark nach rechts geneigten und nach links ge-
wendeten Kopfes entschieden nach ihrer linken Seite, wo selbstverständlich
in keiner Wiederholung der Composition der Panther gewesen sein kann. An
der Fingerhaltung der rechten Hand aber ist das Eigenthümliche, dass während die drei letzten Finger eingeschlagen sind, der Daumen und der Zeige-
finger ganz grade ausgestreckt werden, wodurch auch jeder Gedanke an
einen in dieser Hand gehaltenen Thyrsos oder dergleichen ausgeschlossen
wird. Denkt man die Figur mit einem Panther oder sonst einem Thiere spielend, so würde man die Fingerhaltung nur als den Gestus einer scherzhaften
Drohung auffassen können, wofür es an antiken Analogien fehlt. Die Stellung
des Jünglings, wenn wir von dem thatsächlich Gegebenen ausgehn, scheint
vielmehr die eines Lauschenden zu sein. Den Schritt anhaltend steht
die reizende Gestalt vor uns, und so hat sie offenbar schon eine Weile gestanden, und deshalb die linke Hand leicht auf die Hüfte gestützt; das Haupt
ist mehr träumerisch als sinnend zur Seite geneigt, die rechte Hand erhoben
nach der Richtung, wohin auch der Kopf sich neigt und woher der Ton zu
kommen scheint, auf den der Jüngling, fern von gespannter Aufmerksamkeit,
vielmehr mit einer gewissen Versunkenheit horcht, der also kein plötzlicher,
rasch vorübergehender sein kann, sondern als ein dauernder zu denken ist,
wie ein ferner Gesang. Auf diese Auffassung der Stellung ist die Ansicht gegründet, die Statue stelle Narkissos dar und es sei der Ruf der Nymphe Echo,
auf welchen der schöne Träumer lausche. Dass dieser Annahme mancherlei

Bedenken entgegenstehn, ist gesagt worden; es fragt sich nur, ob diejenigen geringer sind, welche sich an die Benennung der Statuette als Dionysos knüpfen. Denn mag es Echos Ruf, mag es der Schlag der Nachtigall oder das Rauschen eines Quells oder endlich menschlicher Gesang sein, der des Lauschers Ohr trifft, als »Lauscher« scheint ihn seine Stellung sicher zu bezeichnen und eben so sicher sind es süße Töne, die zu ihm dringen, und denen hingegeben er das Haupt wie selbstvergessen sinken lässt und wie verzaubert in seiner Stellung verharrt. Ob und wie sich hiermit der Name des Dionysos wird vereinigen lassen, dem freilich der Charakter der Gestalt entspricht, mag dahinstehn; eine sichere Entscheidung scheint nicht möglich. Denn so richtig der Grundsatz sein mag, dass wir Kunstwerke aus der Analogie paralleler Kunstwerke erklären sollen, eben so unanfechtbar dürfte der andere sein, dass keine Erklärung eines Kunstwerkes auf Giltigkeit Anspruch hat, welche wichtigen Momenten in diesem selbst widerspricht oder sie nicht deckt. Wie bedenklich aber im vorliegenden Falle der Analogieschluss aus einem nicht ganz erhaltenen, sondern selbst erst nach Vermuthung zu ergänzenden und seinem Motive nach zu errathenden Kunstwerke sei, ist hinlänglich betont worden. Und auch den Einwand, dass das Motiv des Lauschens, namentlich für eine lebensgroße Figur, wie die florentiner, zu genrehaft sein würde, kann man nicht gelten lassen. Denn einerseits fragt es sich, ob das für die florentiner Figur vorausgesetzte Motiv des Spielens mit einem Thiere minder genrehaft wäre, und andererseits sind die Beispiele derartig genrehafter Motive seit der Periode der zweiten Blüthe der Kunst zu häufig, um in einem bestimmten Fall Anstoß erregen zu können. Halten wir uns also vor der Hand an die Composition unserer pompejanischen Bronzefigur selbst, so wird man sagen dürfen, dass ihre Stellung lieblicher und anmuthiger nicht sein konnte, möge man die zarte Wellenlinie der Umrisse oder die feinen Gegensätze der tragenden und getragenen Theile, des zurückgezogenen rechten Armes mit gesenkter Schulter und des aufgestützten linken mit der höhern Schulter in's Auge fassen. Ja diese scheinbar so natürliche Stellung ist mit einer Feinheit erfunden und in der ganzen Composition durchgeführt, dass sie des größten Meisters würdig erscheint und dass sie das Auge des Beschauers nicht wieder loslässt, er möge die Statue in der Vorder- oder in der Hinteransicht oder in einem der beiden Profile vor sich haben. Und in gleichem Maße liebenswürdig sind die Formen, sind die Verhältnisse, ist die Weichheit der Einzelbehandlung, welche weit eher an Fleisch und blühend zarte Haut, als an Bronze denken lässt. Es ist freilich keine erhabene Schönheit, eher eine sinnliche, aber von der höchsten Reinheit und Unschuld, und rein und unschuldig sind auch die Züge des Köpfchens mit seiner zierlichen Lockenumrahmung und ist der zwischen Träumen und Sinnen, zwischen Lächeln und leiser Wehmuth schwebende Ausdruck des reizenden Antlitzes. Möge die Statue, welche durch ihren Charakter und Stil dem Kreise praxitelischer Kunstübung zugewiesen wird, einen Namen tragen welcher es sei, unvergänglicher Ruhm und eine bevorzugte Stelle in unserem Antikenschatz ist ihr für alle Zeit gewiss.

Unter den kleineren Bronzen zeigt die Nike (Fig. 290) am meisten Eigenthümlichkeiten, welche sie einer Hervorhebung werth machen. Zunächst

ist zu bemerken, dass die Kugel, auf welcher die Figur (vom Scheitel bis zur
Fußspitze 0,40 M. hoch) zu stehn scheint, moderne Zuthat ist; in Wirklichkeit ist sie, wie die Reste eines Ringes an ihrem Rücken beweisen, schwebend

Fig. 290.   Nike von Bronze.

aufgehängt gewesen, wozu sich noch
einige, wenngleich nicht viele antike
Analogien anführen lassen [230]. Modern
ist auch der stabartige Gegenstand in
der Linken der Göttin, an dessen Stelle
man entweder eine Palme oder vielleicht
das leichte Gestell eines Tropaeon zu
denken hat, wie es die Nike auf den zur
Reconstruction der großen Nike von
Samothrake benutzten Münzen des Demetrios Poliorketes im linken Arme
trägt [231]. Sehr möglich ist es, dass wir
auch den rechten Arm der pompejaner
Nike nach Maßgabe dieser Münzen, und
zwar mit einer Tuba zu ergänzen haben,
welche sie eben an den Mund zu setzen
im Begriff ist, um eine Siegesfanfare zu
blasen. Darauf weist die ungewöhnlich
hohe Erhebung des Armstumpfen und die
Wendung des Kopfes hin, während die, vortrefflich wiedergegebene, ungewöhnlich stürmische Bewegung des Figürchens sich am leichtesten aus einem derartigen Vorbilde der Diadochenperiode wird herleiten lassen, wie sie sich denn
außer in dem genannten Münztypus in der großen Nike von Samothrake wiederfindet, mag diese in dem Tubamotiv mit jenem Münztypus zusammengehn, wie
bisher angenommen wurde, oder nicht, wie man neuerdings glaubt nachweisen
zu können. Damit soll natürlich nur ein allgemeinerer Anschluss der pompejaner Nike an diejenige des Demetrios Poliorketes behauptet sein, nicht aber
eine unmittelbare Nachbildung dieser, wogegen ja schon der Umstand beweist,
dass die pompejaner Bronze schwebend dargestellt ist, während diejenige des
Demetrios wie die samothrakische auf einem Schiffsvordertheile steht.

Einige Proben mögen endlich die letzte Klasse mythologischer Rundbilder
in den bereits oben erwähnten Hermen vergegenwärtigen. Ursprünglich entweder durchaus oder wenigstens zum großen Theile Cultusbilder, dienten die
Hermen in Pompeji soviel wir wissen, wenn auch nicht ausschließlich (s. den
Apollotempel und die Palaestra der größeren Thermen), so doch überwiegend
Decorationszwecken, indem sie entweder an Thüreingängen oder in Atrien
und Peristylien an den Pfeilern, in Gärten an den Mauern der Laubengänge
oder um Piscinen oder endlich in der Art aufgestellt wurden, wie wir es im
Hause des Lucretius finden. Von den mythologischen Büsten, die wohl ohne
Zweifel alle auf Hermenschäften gestanden haben, sind in Fig. 291 ein paar
der besten, zwei einfache und ein Doppelkopf zusammengestellt.

Die erste Stelle an Kunstwerth nimmt unter ihnen die Marmorbüste eines
bärtigen alten Satyrn ein, bemerkenswerth sowohl durch den Gegenstand, da

jugendliche Satyrn wenigstens viel gewöhnlicher sind, wie durch die Ausführung. Mit deutlichen Zeichen der Thierheit, mit Hörnchen unter dem
struppigen, mit Epheu
bekränzten und von ei-
ner Taenie, deren En-
den auf die Schultern
herabhangen, durch-
schlungenen Haar, aus
scharf ausgeprägten
Zügen sinnlich hervor-
lächelnd, stellt uns
dieser alte Satyr, ein
würdiges, wenn auch
etwas anders gefasstes
Gegenstück zu dem
tanzenden, ein Bild

Fig. 291. Hermenbüsten von Marmor.

mitten aus dem Festzuge des Weingottes vor die Seele, in welchem alle Leidenschaften, von der überschwänglichsten Begeisterung des Gemüthes bis zur
rohesten Sinnlichkeit, entfesselt sind. Ein edleres Bild aus demselben Kreise
bietet die an zweiter Stelle gezeichnete Marmorbüste, welche wohl mit Unrecht
für weiblich gilt, während sie keinen Andern darstellt, als den jugendschönen,
fast weiblich weichen, dabei aber ernsten Dionysos selbst, und in ihrer strengen
Haltung von allen Hermenbüsten Pompejis am meisten an die ursprüngliche
Cultusbestimmung erinnert. An dritter Stelle ist eine jener Doppelhermen
abgebildet, welche ursprünglich an Scheidewegen aufgestellt waren und in
denen nach den verschiedensten Beziehungen und reli-
giösen Ideen zwei Wesen gleichsam zu einer beide Indi-
vidualitäten ergänzenden Einheit verbunden sind. Die
hier in Rede stehende Doppelherme von Marmor zeigt
einerseits das Gesicht der Athena, andererseits einen
Kopf, der für den der Demeter gehalten wird, vielleicht
jedoch mit größerem Recht für den einer apollinischen,
und deshalb lorbeerbekränzten Artemis gehalten werden
dürfte. Einen ähnlichen Doppelkopf von Bronze, allein
von ungleich kleineren Maßen, welcher, wie mehre
andere in einem Schranke des zweiten Bronzezimmers
im Museum von Neapel aufbewahrte, wohl als das Ornament eines Geräthes oder Gefäßes gedient hat, giebt
Fig. 292 wieder. Er ist bei aller Kleinheit ein Meisterwerk lebendigen Ausdrucks und scharfer Formgebung,

Fig. 292.
Doppelkopf von Bronze.

welches in einem Satyrn und einer Satyrin die unverhüllteste sinnliche Lustig-
keit ausspricht.

Vergegenwärtigt uns schon die erste Classe pompejanischer Sculpturen
einen Reichthum an plastischen Kunstwerken, welcher in der modernen Welt
fast so unmöglich wie in der antiken nothwendig und durch die idealen
Lebensbedürfnisse gefordert erscheint, so darf man nicht vergessen, dass man

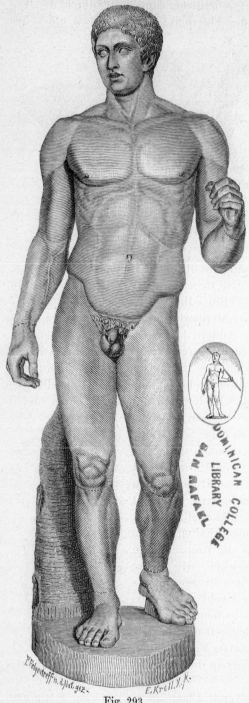

in ihnen die Masse der Sculpturen, die eine antike Stadt vereinigte, und auf welche in der Einleitung hingewiesen worden ist,
erst zur Hälfte kennt. Nur in einem einzigen Beispiel können wir
in Pompeji eine Classe von Bildwerken nachweisen, welche sich
in griechischen Städten in größerer oder geringerer Anzahl fanden,
die Athletenstatuen. Das
pompejanische Beispiel ist die in
Fig. 293 abgebildete Marmorcopie
des Doryphoros-Kanon Polyklets,
über dessen Aufstellung in der
Palaestra bereits oben S. 151 gesprochen worden ist. Dass es sich
in dieser Statue um eine Nachbildung des genannten berühmten
Meisterwerkes handelt, braucht
nach den über diesen Gegenstand
in den letzten Jahrzehnten gepflo-
genen und zum Abschluss gelangten Erörterungen [232] hier nicht
mehr nachgewiesen zu werden;
das unzweifelhafte Motiv der Figur, welche mit einem auf die
linke Schulter gelegten Speere in
der Polyklet eigenthümlichen Bewegung, wie im Schritt anhaltend dasteht, wird durch die
Nachbildung in der neben der
Statue gezeichneten Gemme vollkommen klar gemacht. Und somit
kann auf alles Weitere Verzicht
geleistet werden, da es nicht gerechtfertigt sein würde, diesen
Anlass zu einer Erörterung über
den Kunstcharakter des Polyklet
zu benutzen oder einen Nachweis
der weiteren Copien dieses Werkes, unter denen die pompejaner
nicht die erste, aber eine ehren-
volle Stelle einnimmt und unter

P.Pelgentreff n. d. Nat. gez.   E. Krell. X. J.

Fig. 293.
Doryphoros nach Polyklet. Aus der Palaestra.

denen sie durch ihre vollständige Erhaltung besonders wichtig ist, anzuknüpfen. Nur schien die Mittheilung einer Abbildung um so mehr geboten,

weil diese einzige Athletenstatue, abgesehn von ihrem eigenen, nicht unerheblichen Werthe, wie gesagt, eine ganze Classe von Bildwerken zu vertreten hat. Außer den Athletenstatuen, welche man auch dann, wenn sie
bestimmten Individuen als Ehrendenkmäler gesetzt wurden (was bei dem
Doryphoros wohl nicht der Fall war), Porträtstatuen nicht nennen kann,
weil sie nur in Ausnahmefällen mit individuellen Zügen ausgestattet wurden, gesellten sich in antiken Städten den mythologischen Bildwerken die
Porträt- und Ehrenstatuen, beinahe die einzige Gattung, die wir außer decorativen Sculpturen besitzen, die aber in Pompeji reichlicher vertreten sind,
als in sehr vielen, um nicht zu sagen den meisten modernen Städten, die
größten nicht ausgenommen. Erhalten ist uns hier freilich verhältnissmäßig
nicht eben Vieles; an die Statuen im Tempel der Fortuna Augusta (S. 115 f.),
diejenigen der Livia und des jüngern Drusus im Macellum (S. 124) und die
Statue der Eumachia (S. 134), welche ihres Ortes erwähnt wurden, möge
hier noch einmal erinnert werden, ebenso an die in Fragmenten aufgefundene bronzene Reiterstatue auf dem Forum, deren Stücke, darunter der
treffliche Kopf des Pferdes, jetzt im Museum sind[233]. Von einer andern
bronzenen Reiterstatue, welche vielleicht den Ehrenbogen am Eingang des
Forum geschmückt hat, ist der fragmentirte Reiter, welcher Caligula darzustellen scheint, ebenfalls im Museum[234], wogegen von den Statuen, welche
die übrigen großen Postamente des Forum zierten, nichts aufgefunden worden. Dasselbe gilt von den sämmtlichen kleineren Postamenten des Forum
civile, von denen nur mehre, nicht alle, die Namen der verdienten Bürger
zeigen, deren Standbilder sie einst trugen, und wiederum dasselbe von der
einen Basis im Forum triangulare, auf welcher nach der Inschrift (*I. R. N.*
No. 2228) die Statue des M. Claudius Marcellus stand. Fragmentirt wurde die
Ehrenstatue des T. Suedius Clemens in der Gräberstraße, besser erhalten eine
unbekannte ähnliche 1816 östlich vor der Stadtmauer gefunden, welche nun
im Museum ist[235]. Von der Statue des Holconius, welche neuere Funde in der
Strada degli Olconj zu Tage gefördert haben, ist schon oben (S. 536) gesprochen
worden. Aber auch mit den hier angeführten Ehrenstatuen ist der Vorrath
derselben, welchen Pompeji einst besessen, noch lange nicht erschöpft; ob
wirklich auf dem Forum triangulare die Ehrenstatue des M. Claudius Marcellus
vereinzelt gestanden hat, ist ungewiss, eben so, ob das Theater weitern Sculp-
turschmuck als die einzige Statue des Holconius (S. 163) gehabt habe, doch
ist dies, theils nach den aufgefundenen, wenngleich nicht sicher zu deutenden
Spuren (s. a. a. O.) nicht unwahrscheinlich, theils wird es durch die Analogie
des Theaters von Herculaneum nahe gelegt, welche uns annehmen lässt, dass
allein der nicht vollendete Umbau der Theater das Fehlen eines reichern
Statuenschmuckes bedingte. Und wie zahlreich müssen nicht überhaupt in
allen öffentlichen Gebäuden nach Maßgabe der zu ihrer Aufnahme bestimmten
Nischen und Fußgestelle, die bei ihrer Beschreibung verzeichnet worden sind,
die Ehrenstatuen gewesen sein; denn dass es solche waren, ist doch weitaus
am wahrscheinlichsten, obgleich der Gedanke an die Bildnisse berühmter
Staatsmänner und Redner nicht völlig ausgeschlossen ist. Rechnet man aber
auch nur die nachweisbaren und mit ziemlicher Sicherheit zu vermuthenden

Bildwerke dieser Classe zusammen, so erhält man eine Zahl von Ehren- und
Porträtstatuen, welche offenbar die Zahl ähnlicher Bilder auch in unseren
Hauptstädten übersteigt.

Als Proben aller dieser Statuen mag es genügen, die beiden aus der
Capelle des Macellum in Zeichnung Fig. 294 mitzutheilen, von denen die eine,
inschriftlich gesichert (*I. R. N.* No. 2214), Augustus' Gemahlin Livia als
dessen Priesterin, wie man annimmt, darstellt, während die andere in heroischer
Tracht ohne Zweifel mit Recht den, wenn auch inschriftlich nicht verbürgten,
Namen des jüngern Drusus, des Sohnes des Tiberius, trägt. Auf Einzelheiten,
welche diese Werke augusteïscher oder kurz nachaugusteïscher Zeit merkwürdig machen, kann hier nicht eingegangen werden.

Fig. 294. Porträtstatuen der Livia und des jüngern Drusus aus der Capelle des Macellum.

Als dritte Classe der in Pompeji aufgefundenen und vorhanden gewesenen Sculpturen endlich sind die Darstellungen aus dem nicht individuellen
wirklichen Leben, mit einem gebräuchlichen Worte die Genrebilder zu betrachten, welche der Privatliebhaberei und Laune ihre Entstehung verdanken.
Wir finden diese Genrebilder in Marmor, Bronze und Thon und in ihnen eine
ziemliche Reihe von Darstellungen, welche zu dem Orte der Aufstellung in
mehr oder weniger passender Beziehung stehn, obgleich dies nicht von allen
gesagt werden kann. Die größeren unter ihnen waren als Decorationsstücke
im Innern von Privathäusern, meistens an Brunnen, oder, nicht selten, in

Gärten aufgestellt, so z. B. die schon erwähnten thönernen Schauspieler-
statuetten (v. Rohden Taf. 35 vgl. S. 22), die Knabenstatue von Terracotta (das.
34 S. 21) u. a. m. Die kleineren, welche entweder aus Bronze oder aus Terracotta bestehn, vertraten die Stelle der bei uns üblichen Figürchen aus Gyps
oder Biscuit und sind im Innern der Häuser überwiegend, die Terracotta-
figürchen vielleicht durchgängig, in Nischen aufgestellt gewesen (v. Rohden
S. 24). Unter allen diesen Figuren sind nicht eben viele, welche in Abbildungen zu wiederholen sich lohnen würde; einige der interessanteren sind
unpublicirt. Als in Abbildungen zugängliche Beispiele mögen außer den eben
genannten Terracottastatuen und derjenigen eines anscheinend leidenden
Mannes (v. Rohden Taf. 32) nur die Bronzestatuetten zweier Jünglinge genannt werden, welche mit Trinkhörnern (Rhyta) in den erhobenen Händen
im Tanzschritt sich bewegen, abgeb. Mus. Borb. XII, 25, ferner die Marmorstatuette eines schlafenden Fischerknaben, abgeb. Mus. Borb. IV, 54, welche
am Rande des Wasserbeckens in der *Casa*
della seconda fontana a musaico liegend
gefunden wurde, die kleine Bronzestatuette eines unartig weinenden Kindes,
abgeb. Mus. Borb. XIII, 28, diejenige
eines mit einer Amphora tanzenden Alten, der nicht Silen zu sein scheint, abgeb. daselbst. Als Probe dieser Genrebilder aber möge außer dem bereits unter
den Brunnenfiguren Fig. 286 beigebrach-
ten Knaben mit der Ente die in der
nebenstehenden Figur 295 abgebildete
Bronzestatue eines Fischers dienen, der
am Rande des schon mehrfach genannten
Bassins in der *Casa della seconda fontana*
a musaico saß und in demselben zu angeln
schien. Die Statue ist eben so schätzens-
werth durch den deutlichen Ausdruck der

Fig. 295. Fischer, Genrebild von Bronze.

Situation eines Menschen, welcher die Angel in's Wasser hält und mit ge-
spanntem Blick auf das Nahen der Beute sieht, wie sie als ein Beispiel der
den Aufstellungsorten angepassten Darstellungen dieser Genrebilder interessant und belehrend ist. Aus der Maske am Sitze der Figur ergoss sich ein
Wasserstrahl.

Von einer Verzeichnung der pompejaner Reliefe ihrem Gegenstande nach
wird abgesehn werden dürfen, nachdem das einzige bedeutende unter ihnen,
dasjenige am Altar des Tempels des Genius Augusti seines Ortes (oben S. 118,
Fig. 68) besprochen worden ist. Dagegen mögen noch einige kunstgeschichtliche
Bemerkungen hier ihre Stelle finden. Nicht allgemeiner Natur noch in Beziehung auf die ganze Masse der pompejaner Monumente, über welche schon
früher gesagt worden ist, was zu sagen war, sondern nur in Hinsicht auf
einige stilistisch von den übrigen verschiedene, die hieratisch-archaistischen,
welche mehr oder weniger bestimmt alterthümliche Formen zeigen. Denn

dass irgend ein pompejaner Monument von echt alterthümlichem Stile sei, ist nicht anzunehmen. In erster Reihe kommt hier die Artemis Fig. 281 in Frage. Es ist wahr, dass die Merkmale der Nachahmung des alterthümlichen Stiles grade bei dieser Statue weniger fühlbar und augenfällig hervortreten, als bei manchen anderen archaistischen Arbeiten, und dass man grade sie eher, als manche andere für ein Originalwerk alter Kunst halten könnte, dessen Auffindung in Pompeji dann eine ganz besondere Merkwürdigkeit sein würde. Allein vorhanden sind gewisse derartige Kennzeichen dennoch, und man wird sicherer gehn, wenn man auch diese Statue für archaistisch (d. h. nachgeahmt alterthümlich), als wenn man sie für archaisch (echt alt) hält [236]. Ihr gesellt sich am nächsten die Statuette einer s. g. Venus Proserpina (abgeb. Mus. Borb. IV, 54), bei der aber keinerlei Zweifel sein kann, dass sie kein archaisches Originalwerk sei, und ferner kommen ein paar marmorne Oscillen mit Relief in Betracht (oben Fig. 277, vgl. Mus. Borb. X, 15 und 16), deren erstes in sehr bestimmter Weise nachgeahmt alterthümlich ist, während die Reliefe des zweiten Oscillum eigentlich nur noch Spuren alterthümlicher Formbehandlung zeigen, welche der absichtlich so arbeitenden Hand eines späten Künstlers zuzuschreiben gewiss nichts im Wege steht. Wenn endlich Einige in der Gruppe des Dionysos und seines Satyrn (Fig. 283 *b*) ebenfalls Spuren des Archaismus haben erkennen wollen, so ist ihnen durchaus nicht beizustimmen; was hier steif und beschränkt ist, kommt auf Rechnung spätern Ungeschicks, nicht auf diejenige früher Gebundenheit in der Formgebung. Gegenüber diesen archaistischen Sculpturen entsteht nun die Frage nach ihrer wahrscheinlichen Periode. Es ist Thatsache, dass die Nachahmung älterer Kunst, des, wenn man so sagen darf, kirchlichen Stils, in Griechenland ziemlich früh begonnen und nicht unbeträchtliche Ausdehnung angenommen hat; nicht minder aber ist bekannt, dass bei weitem die größte Mehrzahl archaistischer Werke, die wir besitzen, aus der römischen Kaiserzeit stammt, in welcher besonders Augustus und später wiederum Hadrian eine starke Liebhaberei für die Werke der alterthümlichen Kunst besaßen, welche natürlich von allen denen getheilt wurde, die irgendwie Hofluft athmeten oder mit den tonangebenden Kreisen in Verbindung standen. Echt alterthümliche Kunstwerke sich anzuschaffen war aber nicht Jedermanns Sache, und so erwuchs eine nicht unbeträchtliche Fabrikation der Nachahmung. Dieser und damit der augusteïschen und nachaugusteïschen Epoche nun auch die pompejaner archaistischen Arbeiten zuzuweisen, wird schwerlich etwas Wesentliches im Wege stehn.

Auf den ersten Blick möchte es scheinen, als sei auch der bronzene Apollon Fig. 282 einfach unter die Zahl der archaistischen Werke zu rechnen, da bei ihm allerdings gewisse Züge eines Strebens nach alterthümlicher Strenge hervortreten. Allein diese Statue wird mit gutem Bedacht erst hier und gesondert von anderen aufgeführt; denn sie ist ein kunstgeschichtlich sehr merkwürdiges Stück und geht wahrscheinlich nebst einigen anderen ihr mehrfach verwandten Statuen auf die unteritalische Schule des Pasiteles zurück, dessen Hauptthätigkeit in die Zeit des Pompejus fällt, und dessen Charakter durch große Sorgfalt einerseits und gelehrtes Studium und Nach-

bilden älterer Werke andererseits, bestimmt wird, während noch etwa ein
gewisses trocken correctes akademisches Wesen hinzukommen mag, welches
schon darin seine Spur hinterlassen hat, dass wir in seinem Schüler Stephanos und wiederum in dessen Schüler Menelaos die ersten Künstler finden,
welche sich in Inschriften an ihren uns erhaltenen Werken ausdrücklich
Schüler eines Meisters (des Pasiteles resp. des Stephanos) nennen. Mit diesen
Werken zunächst und dann mit einigen anderen offenbar verwandten ist der
pompejaner Apollon vergleichend zusammengestellt worden [237], und zwar so
gewiss mit Recht, dass wenn er bei seiner hohen Vortrefflichkeit als ein mögliches Originalwerk des Hauptes dieser Schule, des Pasiteles selbst angesprochen
wird, kaum ein wesentlicher Grund hiergegen anzuführen sein möchte.

Drittes Capitel.

Die Malerei.

Je weniger die Plastik für die Kunst in Pompeji besonders charakteristisch
ist, in desto höherem Grade ist es die Malerei; denn einmal ist in der That
die Malerei in Pompeji in ganz überwiegendem Maße geübt worden, und sodann müssen uns, wie schon in der allgemeinen Einleitung gesagt worden ist,
während die pompejaner Sculpturwerke in der Masse der uns erhaltenen antiken Sculpturen fast verschwinden, die pompejanischen Wandgemälde nebst
denen von Herculaneum und verhältnissmäßig wenigen anderen in der Hauptsache die ganze, unwiederbringlich verlorene Malerei der Alten vertreten. Sie
gewinnen dadurch in der That eine Bedeutung, welche nicht zu hoch, kaum
hoch genug angeschlagen werden kann, und wir werden zugestehn müssen,
dass wir trotz der vielfachen Beschäftigung mit diesen Schätzen doch noch
weit davon entfernt sind, dieselben in jeder Weise und nach allen Richtungen
ausgebeutet zu haben. Dass freilich die Wandgemälde Pompejis uns eine nur
unvollkommene Vorstellung von der Malerkunst der Griechen geben können,
das versteht sich theils von selbst, theils wird es sich mit wenigen Bemerkungen
begründen lassen. Sehn wir auch davon ab, dass sie, die Producte einer kleinen
Provinzialstadt aus einer Periode der Malerei, welche der gleichzeitige Plinius
als diejenige der »sterbenden Kunst« bezeichnet, keine Meisterwerke sind, dass
wir also die Herrlichkeit dessen, was die großen Künstler schufen, etwa nur
in derselben Art aus ihnen zu erkennen oder zu ahnen vermögen, wie wir im
Stande sind, aus den gleichzeitigen Sculpturen der römischen Periode Pompejis
z. B. auf die des Parthenon oder gar auf die untergegangenen Meisterwerke
eines Phidias, Praxiteles, Skopas, Lysippos zu schließen, sehn wir auch zunächst hiervon ab, so ist ganz besonders noch Folgendes zu erwägen. Die
Meisterwerke der antiken Malerei waren entweder Wand- oder Tafelgemälde,

deren erstere ihren Hauptcharakter in ihrer Monumentalität, in der Großartigkeit ihrer, ganze Wände in öffentlichen Gebäuden bedeckenden Compositionen
hatten, während die Vorzüge der letzteren hauptsächlich in der Vortrefflichkeit
ihrer technischen Ausführung, sei es in Tempera- sei es in enkaustischen Farben
bestanden. Nun aber sind die pompejanischen Gemälde weder das Eine noch
das Andere, weder Wandgemälde, welche auf einen großen, monumentalen
Charakter Anspruch erheben könnten, noch auch mit allen den Hilfsmitteln
der verschiedenen Arten der Technik hergestellte Tafelgemälde, sondern diejenigen, auf welche es hier ankommt, sind die Nachahmungen der letzteren in
einer den Originalen fremden Technik (*fresco*), welche gegen die bei den
Vorbildern angewendete in mannigfaltiger Hinsicht in wesentlichem Nachtheil
und folglich eine bedeutende Zahl ihrer größten Vorzüge. im Colorit, in der
Sorgfalt der Durchbildung u. dgl. m. an und für sich wiederzugeben außer
Stande war. Es ist hiernach eine selbstverständliche Thatsache, dass die Gemälde Pompejis in keiner Weise vermögen, uns die verschiedenen alten Schulen
in ihren gewaltigen Unterschieden überwiegender Zeichnung (der sikyonischen)
oder überwiegenden Colorits (der ionischen Schule), vorherrschend großartiger
und tiefsinniger Composition (der älteren attischen Meister) oder vorherrschend
vollendeter und lieblicher Formgebung (der Enkausten, des Apelles, Protogenes u. A.), zu vergegenwärtigen. Die Anerkennung dieser Thatsache, deren
Hervorhebung auch deswegen nöthig war, um uns vor der Abschätzung der
antiken Malerei nach dem aus den pompejanischen Gemälden zu gewinnenden
Maßstabe zu bewahren, soll gleichwohl unsere Werthschätzung dieser Gemälde
nicht verringern, sondern nur bestimmen und regeln, damit wir nicht Ansprüche erheben, die nicht erfüllt werden können und, in diesen Ansprüchen
enttäuscht, geringer von den Schätzen der alten Stadt denken, als billig ist.
So gut wie man, eine gleich mangelhafte Überlieferung in der Plastik angenommen, aus etlichen hundert Gruppen, Statuen und Reliefen aus dieser Zeit,
von etwa gleichem Werthe mit den pompejaner Malereien, freilich gewiss nicht
die ganze Herrlichkeit der alten Sculptur zu ermessen vermöchte, wohl aber
durch ein genaues Studium dieser Bildhauerwerke in Beziehung auf die
Gegenstände und ihre Auffassung und die Art ihrer Darstellung, in Beziehung
auf die Eigenthümlichkeit ihrer Formgebung und die Technik der Alten mehr
lernen würde, als aus allen, von keiner monumentalen Anschauung unterstützten, schriftlichen Nachrichten und Urteilen zusammengenommen, ja so
gut man erst durch die Anschauung auch nur eines halben Dutzends antiker
Statuen und Reliefe fähig wird, die Nachrichten und Urteile der Alten überhaupt zu verstehn: so gut bilden die pompejaner Gemälde die einzige feste
Grundlage unserer Vorstellung von der Malerei der Alten überhaupt. Zeugnisse genug hierfür sind jene seltsamen Ansichten und Meinungen, die vor der
Entdeckung alter Bilder über die Malerei im Schwange waren, der man z. B.
entweder jede Perspective, unsinnig genug, absprach, oder der man höchstens
eine der Perspective chinesischer Bilder ähnliche zugestehn wollte; die reliefartig componiren und in einer abstracten oder auch conventionellen Farbgebung
befangen sein sollte, und was dergleichen mehr war. Jetzt erscheint uns dies
freilich ziemlich abgeschmackt, jetzt ist, wir dürfen es behaupten, unser

geistiges Auge geschärft und geübt genug , um die vergangene Herrlichkeit
der griechischen Malerei ahnungsvoll zu erschauen, und die schriftlichen Nachrichten zu würdigen ; aber was hat denn unsere Blicke geschärft und geübt,
unser Urteil geläutert und uns einen Maßstab in die Hand gegeben, wenn nicht
der Schatz alter Malerei in Pompeji und Herculaneum ?

    Niemand kann eine Folge pompejanischer Gemälde , sei es auch nur in
farbigen Nachbildungen, so wenig genau diese den Charakter dieser alten Bilder
wiedergeben mögen, betrachten, ohne inne zu werden, dass die alten Griechen
und ihre Schüler, die Römer eben so sehr im Besitze des Sinnes für das eigentlich Malerische waren , wie sie der Sinn für das Plastische vor allen Völkern
alter und neuer Zeit auszeichnet. Wir finden diesen malerischen Sinn, mögen
wir nun die Blicke auf die Gegenstände, auf deren Auffassung und Composition, auf die Form- und Farbgebung richten. Wenn das oberste Prinzip der
Plastik in der Form, so liegt das Prinzip der Malerei in der Farbe; und wenn
aus dem Prinzip der Plastik sich als das Wesen ihrer Darstellung die that-
sächliche Bildung jeder einzelnen tastbaren Form als solcher ergiebt, welche
den in sich abgeschlossenen Sonderbestand jedes plastischen Kunstwerkes,
ja jedes Theiles eines solchen bedingt, so ergiebt sich aus dem Grundprinzip
der Malerei als das Wesen ihrer Darstellung das Ineinsbilden des in seiner
Beziehung zum Ganzen aufgefassten Einzelnen. Und grade die harmonische
Gesammtwirkung jedes pompejanischen Bildes, stelle es eine einzelne Gestalt
auf einfarbigem Hintergrunde dar, wie die vielen schwebenden Figuren, oder
eine große Gruppe von Gestalten mitten in landschaftlicher oder architektonischer Umgebung, wie in vielen mythologischen Compositionen, diese harmonische Gesammtwirkung jedes Bildes selbst bei nachlässig behandelten und
sogar mangel- oder fehlerhaften Einzelheiten beweist für den recht eigentlich
malerischen Sinn der Künstler, welche diese Gemälde schufen. Nicht weniger
offenbart sich dieser Sinn in dem Colorit, das, ohne natürlich der Tiefe und
Gluth unserer Ölmalerei oder der antiken Enkaustik fähig zu sein, und ohne
sich mit der feinabstufenden Abtönung in den Halbschatten unserer Malerei
messen zu können, doch so harmonisch gewählt und behandelt ist, dass wir
wohl häufig den Eindruck des Lebhaften und Glänzenden, nie aber den des
Grellen und Bunten empfangen. Und endlich zeigen sich die Künstler der
pompejaner Gemälde (und das dürfen wir bei den großen griechischen Mei-
stern in noch höherem Maße voraussetzen) auch dadurch als echte Maler,
dass sie ihren Gestalten ein glühendes, pulsirendes Leben, eine feurige Seele
einzuhauchen verstehn, die namentlich aus den ganz besonders in den Bildern
aus der letzten Periode mit bewusster Kunst oder mit bestimmter Manier, wie
man es nennen möge, behandelten Augen spricht, diesen Lichtern des menschlichen Antlitzes, deren Reiz und Zauber die Sculptur zum größten und besten
Theile darzustellen verzichten muss.

    Wenn man aber die pompejanische Malerei gerecht würdigen will , darf
man bei ihren technisch vorzüglichen Leistungen so wenig wie bei den nicht
wenigen flüchtig und selbst nachlässig gemalten Bildern vergessen , dass alle
unter dem Gesichtspunkte der Decorationsmalerei betrachtet werden wollen,
wie ja eine große Menge derselben , die Darstellung von Pflanzen mancherlei

Art, Gebüschen, Laubgängen u. dgl., dann auch Landschaften, Genrebildchen,
Stillleben, endlich die die phantastischen Architekturen gleichsam als ihre
Bewohner belebenden menschlichen Figuren mehr oder weniger eng in die in
einem frühern Capitel geschilderte Gesammtdecoration der späteren Stilarten
verflochten und ihre organischen Bestandtheile sind. Nun ist allerdings nicht
zu läugnen, dass den größeren Compositionen, besonders denen mythologischen
Gegenstandes, ein höherer ideeller Charakter zugesprochen werden muss, als
den eben erwähnten reinen Decorationsmalereien; man kann hierbei als bezeichnende Äußerlichkeit die feste Umrahmung dieser Bilder oder ihre oben
näher besprochene Einfassung in die pavillonartige Decoration der Wandmitte
geltend machen, welche sie aus der Wandfläche abhebt und welche auf's bestimmteste ihr Hervorgehn aus an den Wänden aufgehängten oder unter
eigenen Gerüsten aufgestellten Tafelgemälden einer ältern Kunst erkennen
lässt [238]. Gleichwohl haben auch diese Bilder nicht oder doch nur selten den
Charakter selbständiger, für sich bestehender Kunstwerke, sondern sie geben
die Beziehung zu der Gesammtdecoration der Wand, für welche sie gemalt
sind, so wenig auf, wie andererseits die Gesammtdecoration als Umrahmung
des Hauptbildes den Zusammenhang mit diesem verläugnet. Aus diesem
decorativen Zweck und Charakter auch der Hauptbilder erklärt sich, wenngleich nicht allein, so doch zum guten Theile die Wahl der in ihnen dargestellten Gegenstände. Denn diese gehören nicht allein bei aller Mannigfaltigkeit doch keineswegs einem sehr weiten Kreise an, begreifen vielmehr
ihrem hauptsächlichen Bestande nach, allerdings besonders in den Bildern aus
der letzten Periode, wie ein gründlicher Kenner sagt, nur die Mythen, welche
durch wiederholte Behandlung der Dichter und Künstler zu einem Gemeingut
der gebildeten Welt, zu einer Art »mythologischer Scheidemünze« geworden
waren, sondern der decorative Zweck hat auch, wie erst neuerdings gründlich
nachgewiesen worden ist [239], auf die Zusammenstellung der für einen und
denselben Raum bestimmten Bilder (die »Gegenstücke«) einen viel weiter
reichenden Einfluss ausgeübt, als der uns auf den ersten Blick gerechtfertigt
erscheinen will. Wenn es aber, was die Auswahl der Gegenstände im Allgemeinen anlangt, nur natürlich erscheint, dass die Räume, in denen man sich
täglich bewegte, mit einem Bilderschmuck bekannter und lieber Darstellungen
versehn wurden, durch welche der Beschauer, ohne zum Nachdenken oder
zum gelehrten Studium aufgefordert oder genöthigt zu sein, sich angenehm
und leicht erregt fühlte, so ist es bei einigem Nachdenken auch nicht schwer,
zu begreifen, dass bei der Zusammenstellung die Rücksicht auf Ähnlichkeit in
der Composition der verschiedenen Bilder diejenige auf die Verwandtschaft
der Gegenstände in einem uns allerdings überraschenden Maß überwogen hat.
Wenn wir aber in den pompejaner Wandgemälden eine vorwiegend auf das
Anmuthige und sinnlich Reizende gerichtete Auffassung und Darstellung
finden, so hat auch das, grade so gut wie die Auswahl der »Gegenstücke«, nicht
am wenigsten seinen Grund in dem decorativen Grundcharakter, welcher dem
Großartigen und dem tragisch Erhabenen seinem innersten Wesen nach ab-
geneigt ist.

Ehe nun auf die einzelnen Fragen über die pompejaner Bilder einge-

gangen wird, mögen noch ein paar allgemeine Bemerkungen hier ihren Platz
finden, welche für ihre Beurteilung, sei es für den, welcher sich an Ort und
Stelle befindet, sei es für den, welcher auf Abbildungen allein angewiesen
ist, wesentlich sind. Die allermeisten Hauptbilder, wenige der neuerdings
ausgegrabenen und derjenigen, welche ganze Wände bedecken, ausgenommen,
sind ausgehoben und in das Museum von Neapel gebracht worden, wo sie in
älterer Zeit in der abscheulichsten Weise aufgestellt waren, während eine neue
Aufstellung auch nicht für alle günstigen Platz und günstiges Licht hat schaffen
können. Dass man die Gemälde aus den Wänden, zu denen sie gehörten,
entfernt hat, muss als in den meisten Fällen nothwendig anerkannt werden;
eine weitere leidige Thatsache aber ist, dass sehr viele namentlich der früher
gefundenen Bilder sehr schlecht behandelt, nicht selten wiederholt mit unge-
eignetem Firniss überstrichen und somit, zum Theil bis zur Unkenntlichkeit,
entstellt und verschmiert sind. Dazu kommt, dass eine ganze Reihe der ange-
wendeten Farben, durch die Feuchtigkeit, der sie Jahrhunderte lang ausgesetzt
waren, angegriffen, jetzt durch Licht und Luft rasch verändert werden, ein Übelstand dem man erst in der neusten Zeit zum größten Theil und wie man hofft,
mit dauerndem Erfolge wenigstens zum Theil entgegen zu wirken gelernt hat.
Wer also an Ort und Stelle das Wesen der Farbengebung studiren will, der halte
sich mehr an die wenigen aus neueren Ausgrabungen stammenden noch in Pompeji befindlichen Bilder, als an die in den Sälen des Museums aufgestellten,
denen gegenüber man farbiger Nachbildungen aus der Zeit besserer Erhaltung,
so unvollkommen sie sein mögen, nicht entrathen kann, wobei jedoch die höchste
Vorsicht in der Prüfung zu empfehlen ist. Denn leider hat sich in allen
Publicationen und in allen den zahllosen Copien, welche tagtäglich im Museum
von Neapel gemacht und an die Reisenden verkauft werden, eine Behandlung
festgesetzt, welche weder von der Zeichnung noch von dem meistens viel zu
glänzend oder zu zart behandelten Colorit der alten Bilder eine rechte Vorstellung giebt. Den in Pompeji verbliebenen Bildern gegenüber vergesse man
aber ein Anderes nicht. Allerdings sieht man diese noch innerhalb des ganzen
Raumes und der ganzen Umgebung, für welche sie gedacht sind, allein man
sieht sie, und zwar mit sehr wenigen Ausnahmen alle, in einer ganz andern
Beleuchtung. Jetzt sind fast alle Räume offen, das hellste Sonnenlicht herrscht
so gut wie überall; für dieses volle, helle Tageslicht und diese allseitige Beleuchtung ist aber kein pompejaner Bild bestimmt gewesen, denn auch diejenigen in Atrien und Peristylen standen in sehr gebrochenem Licht und waren
von oben her entschieden beschattet, so dass sie nur Seiten- und halbes Oberlicht hatten. Noch ungleich weniger beleuchtet waren die Gemälde in den
verschiedenen Zimmern, ja es ist in vielen Fällen schwer zu sagen, woher sie
überhaupt die nöthige Beleuchtung empfingen. Denn die Annahme eines
Oberlichts durch die geöffnete Decke, welche ein geistreicher Kenner ausgesprochen hat [240]), ist deshalb unzulässig, weil fast überall ein oberes Stockwerk
nachweisbar, dagegen eine Vorrichtung, welche auf eine geöffnete Decke
schließen ließe, nirgendwo nachweisbar ist. Hoch angebrachte Fenster mögen
in einzelnen Fällen dem Lichte Zugang verschafft haben, allein die mit
Fenstern versehenen Zimmer gehören wohl in den seltensten Fällen (wie z. B.

das Triclinium und das cubiculum in der *Casa di Meleagro* S. 312) zu den mit reicherem Bilderschmuck versehenen und in den meisten mit Bildern geschmückten Räumen waren Fenster bestimmt nicht vorhanden, in diese drang vielmehr nur sehr gebrochenes Licht aus dem an sich schon schattigen Atrium oder Peristyl. Allein wie dem auch war, so viel steht fest, dass wir die Bilder, ja die gesammte Decoration in Pompeji heutzutage, wo alle Bedeckung von oben fehlt, in ganz anderer und viel grellerer Beleuchtung sehn, als sie die Alten sahen, ein Umstand, dem mit aller Sorgfalt Rechnung getragen werden muss. Wie ganz anders die Malereien bei einer schattigen Bedachung von oben, als bei allseitiger Beleuchtung wirken, davon kann man sich am besten in einigen der neuerdings mit vollen Schutzdächern versehenen Räumen, wie z. B., um nur diesen einen zu nennen, in dem eben schon angeführten großen Triclinium No. 27 der *Casa di Meleagro* (Plan S. 308), überzeugen, wo ein ähnliches Licht herrscht wie das, in welchem die Alten die Bilder malten und sahen. Denkt man sich hier alles frischer und lebhafter in der Farbe, so wird man hier am ehesten ungefähr den Eindruck erhalten, den die pompejaner Malerei im Alterthum hervorbrachte.

Sprechen wir nach diesen allgemeineren Betrachtungen nun zuerst von der materiellen Technik der Malerei in Pompeji.

Von den verschiedenen technischen Arten der Malerei bei den Alten, welche unter die beiden Hauptgattungen der Tafel- und der Wandmalerei fallen, ist uns in den pompejanischen Gemälden nur die letztere, die Malerei auf die Tünche der Wände erhalten. Damit soll nun allerdings durchaus nicht bestritten werden, dass man in Pompeji auch Staffeleibilder auf Holz gemalt habe, wofür schon die zweimalige Darstellung der Malerei auf Tafeln [241]) Zeugniss ablegt; allein, da uns dergleichen Bilder, wie gesagt, aus Pompeji nicht erhalten sind, so kann, ja muss hier ganz und gar von den Erörterungen abgesehn werden, welche sich auf die Tafelmalerei der Alten, ihre Technik und deren Ergebnisse beziehn, und die Darstellung auf das beschränkt werden, was über die Wandmalerei in Pompeji bisher erforscht und neuerdings in unumstößlicher Weise festgestellt worden ist.

Es ist bei dem lebhaften Interesse, welches die ganze gebildete Welt an den pompejanischen Wandmalereien nahm und nimmt, sehr begreiflich, dass man dieselben von Anfang ihres Bekanntwerdens an in jeder Weise und nach allen Richtungen hin, in Beziehung auf den Grund, auf die Farbenmaterialien, auf deren Auftrag vielfältig untersucht hat. Die Bilder selbst in ihrer unübersehbaren Menge und Mannigfaltigkeit boten diesen antiquarischen und artistischen und die aufgefundenen Farben, sowie Stücke von halb oder ganz zerstörten Bildern daneben noch chemischen Untersuchungen ein wenn auch nicht überall ausreichendes, so doch ziemlich reichliches Material, und dennoch müssen wir gestehn, dass die nur selten mit der nöthigen Unbefangenheit und technischen Kenntniss angestellten Untersuchungen vielfach zu ganz unrichtigen Ergebnissen geführt haben. So von den chemischen Untersuchungen mehr als eine derjenigen, welche, an Gemäldefragmenten vorgenommen, außer Acht ließen, dass auf diesen ein Conservationsfirniss haftete oder dass sie modernerweise mit Wachs oder auch Wasserglas überzogen worden waren, während diejenigen Untersuchungen, welche sei es an den unverfälschten Rohmaterialien, sei es an unverdorbenen Gemäldestücken vorgenommen sind, Resultate geliefert haben, welche mit den Ergebnissen der Untersuchungen über die Maltechnik in vollster Übereinstimmung stehn. Es steht nämlich, um es kurz zusammenzufassen, einerseits fest, dass in Pompeji bei den Wandgemälden außer Rauchschwarz nur anorganische, mineralische und ausschließlich solche Farbenstoffe verwendet sind, welche auch jetzt bei der Frescomalerei angewendet werden, nicht ein einziger, welcher nach antiken Aussagen und technischer Erfahrung sich (wie vegetabilische und animalische Farbenstoffe und von den mineralischen z. B. Bleiweiß) mit dem Fresco nicht verträgt, und andererseits, dass sich in den Gemälden selbst niemals irgend ein Bindemittel, weder thierischer Leim noch Eistoffe noch Wachs hat entdecken lassen.

Liegt hierin ein erstes und unzweideutiges Zeugniss dafür, dass die pompejaner Wände in ihrer Gesammtheit *a fresco* gemalt sind, so finden wir ein zweites in der Zubereitung des Bewurfes, welcher mit dem modernen Frescobewurf im Prinzip durchaus übereinstimmt und sich nur dadurch zu seinem Vortheil von diesem unterscheidet, dass er, meistens ungleich sorgfältiger und aus besserem Material bereitet, als der moderne, ungleich stärker (2 bis 2 $^1/_2$ Mal so dick) aufgetragen werden konnte, woraus sich für die Malerei selbst die gewichtigsten Vortheile ergeben und woraus sich zugleich Eigenschaften der pompejaner Fresken erklären, welche an ihrer wahren Natur haben zweifeln lassen. Die genauesten Vorschriften für die Bereitung des für Frescomalerei bestimmten Mauerbewurfes giebt Vitruv (VII, 3, 5), nach welchem außer der ersten groben Berappung der Wand nicht weniger als drei Lagen Sandmörtel und auf diese wieder drei Lagen Marmormörtel aufgetragen werden müssen, in welchen in der untersten Lage dem Kalke grobe, in der zweiten feinere und in der obersten ganz feine Marmorstücke beizumischen sind. Jede dieser sechs Lagen Mörtel soll auf die untere aufgetragen werden, grade wenn dieselbe zu trocknen beginnen will, und die letzten drei müssen mit dem Schlagholz festgeschlagen werden, damit sich ihre Masse so viel wie möglich verdichte. Als Erfolg dieser sorgsamen Bereitung des Bewurfes bezeichnet Vitruv (a. a. O. § 7), dass in ihm weder Risse noch andere Fehler entstehn können, während die so beworfenen Wände vermöge ihrer durch das Schlagen verdichteten und durch den Glanz der Marmortheilchen glatten Masse auch nach dem Auftrage der Farbe einen leuchtenden Schimmer behalten.

Nun giebt es noch heutigen Tages antiken Mauerbewurf, welcher genau nach diesen Vorschriften hergestellt ist; in Pompeji dagegen ist man vielfach von denselben abgewichen, theils wohl wegen der Eile des Aufbaus nach dem Erdbeben, theils aus Sparsamkeitsrücksichten. So ist der Marmorstucco häufig nur in zwei anstatt in drei Lagen aufgetragen, hier und da nur in einer einzigen und auch diese findet sich durch eine sehr dichte und harte Schicht ersetzt, welche aus Kalk und zerstoßenen Scherben rother Thongefäße besteht, um von anderen Eigenthümlichkeiten ordinärer Wände zu schweigen. Nichtsdestoweniger ist auch der geringere Stucco in Pompeji und ohne Zweifel der meiste den wir dort hergestellt finden, weit vorzüglicher als der meiste moderne. In den besseren Gebäuden ist die Bedeckung der Sandmörtellagen mit Marmorstucco vorherrschend und während der moderne Frescobewurf etwa 0,03 M. stark zu sein pflegt, ist derselbe in Pompeji selbst bei einfacher decorirten Wänden 0,04 —0,05 M., bei den meisten besser bemalten Wänden 0,07 bis 0,08 M. dick, was nothwendig ein längeres Nassbleiben des alten als des modernen Bewurfs zur Folge haben musste, also das Malen *a fresco* wesentlich erleichterte und namentlich die Herstellung ungleich größerer Flächen in einem Stücke möglich machte, als sie der modernen Frescotechnik möglich ist.

Dieser Umstand einerseits, eine mangelhafte Kenntniss des Frescoverfahrens und seiner Ergebnisse andererseits erklärt es, dass von vielen Schriftstellern über Pompeji und seine Wandgemälde die Technik der letzteren verkannt und die an ihnen hervortretenden Erscheinungen unrichtig gedeutet worden. Es lohnt jetzt nicht mehr die Mühe, auf diese Irrthümer und ihre Geschichte näher einzugehn, wer sich dafür interessirt, möge auf die 2. Auflage dieses Buches (II, S. 181 ff.) verwiesen werden. Die volle und ganz unbezweifelbare Wahrheit über die Technik der pompejaner Wandmalereien hat der Maler Otto Donner in seiner Einleitung (Die erhaltenen antiken Wandmalereien in technischer Beziehung) zu Helbigs Buch über die Wandgemälde der vom Vesuv verschütteten Städte Campaniens gelehrt. Das Ergebniss seiner Untersuchungen hat Donner selbst in den folgenden Worten ausgesprochen:

1. dass wenn auch nicht absolut alle, doch ein großer, ja bei weitem der größte Theil jener Wandmalereien, und zwar sowohl die farbigen Gründe als auch die auf denselben und auf weißen Gründen stehenden Ornamente, Einzelfiguren und abgegrenzten Bilder *a fresco* gemalt sind;

2. dass diese Technik die weitaus vorherrschende ist, die Leimfarben- und Temperamalerei dagegen eine sehr untergeordnete Stelle einnimmt und sich mehr aushülfsweise als selbständig angewendet findet;

3. dass enkaustische Malereien absolut nicht vorkommen.

Dies Ergebniss muss hier genügen. Es ist freilich, zumal für denjenigen welcher sich an Ort und Stelle befindet und sich von Allem durch den Augenschein überzeugen kann, von sehr hohem Interesse, das Verfahren der pompejaner Maler im Einzelnen zu verfolgen und eine Menge technischer Feinheiten und Kunstgriffe derselben kennen zu lernen, hier aber muss von allen diesen Einzelheiten mit Verweisung auf die Donnersche Schrift abgesehn werden. Denn da alles Richtige und Beste, welches wir über die pompejaner Frescotechnik wissen, auf den Untersuchungen und den überaus feinen Wahrnehmungen Donners beruht und Alles von ihm in lichtvoller und umfassender Weise mitgetheilt worden ist, so würde hier nur das von ihm Gesagte wiederholt werden können, wovon selbstverständlich keine Rede sein kann. Nur die eine Bemerkung möge hier einen Platz finden, dass während die ganz überwiegende Masse der pompejaner Bilder jeden Schlages unmittelbar auf die frische Tünche der Wand gemalt sind, sich einige wenige Beispiele nachweisen lassen (s. Donner S. LXIV ff.), dass Bilder fertig, auf eigenen Stuccotafeln gemalt und in die Wände eingesetzt worden sind, darunter möglicherweise das eine oder das andere, welches aus einer ältern Wand herausgeschnitten worden ist. Wenn man früher eine viel größere Zahl von Fällen dieser Art annahm, so erklärt sich dies daraus, dass man die viele Bilder umgebende Einputzfuge mit einer Einsatzfuge verwechselte. Eingeputzt sind nämlich nicht wenige Bilder, und zwar so, dass entweder große, vom Sockel bis zum Fries oder bis zu einem bestimmten, scharf gegliederten Wandabschnitte reichende Bilder zuerst gemalt und nachher die Wand vollends beworfen und bemalt worden ist oder dass, und dies ist bei den kleineren, umrahmten Mittelbildern auf größeren Wandflächen der Fall, die Wand völlig beworfen und bemalt, der Platz für das Mittelbild aber ausgespart oder der Stucco an dieser Stelle wieder ausgeschnitten und durch frischen Grund ersetzt wurde, um dem Maler den ganzen Vortheil frischer Tünche darzubieten. In beiden Fällen wurde dann entweder die umgebende Wand gegen das Bild oder das Bild gegen die Wand eingeputzt, was vielfach mit der höchsten Sauberkeit und Meisterschaft, nicht selten aber auch so geschehn ist, dass eine ganz feine Fuge übrig blieb oder dass eine solche im Laufe der Jahrhunderte entstand. Diese Einputzfugen liegen aber stets im je nachdem spitzen oder stumpfen Winkel zur Wandfläche, während die wenigen wirklich eingesetzten Bilder von einer rechtwinkeligen Fuge umgeben sind.

Indem es vorbehalten bleibt, das, was über den technischen Werth der pompejaner Wandmalereien und über gewisse Eigenschaften und Eigenthümlichkeiten derselben zu sagen ist, weiterhin mit den Erörterungen über ihren Stil und ihre künstlerische Bedeutung zusammenzufassen, mögen hier zunächst die Gattungen der Bilder übersichtlich zusammengestellt werden, wobei von der reinen Decorations- und Ornamentmalerei abzusehn ist. Von dieser ist früher (oben S. 522 ff.) gesprochen worden und es verdient in Betreff ihrer nur noch hervorgehoben zu werden, dass auch bei ihr so gut wie bei der plastischen Herstellung in Stucco, die ganze oder theilweise Schablone beinahe niemals angewendet, sondern Alles aus freier Hand höchstens unter Anwendung von Lineal und Zirkel ausgeführt wurde, wovon man sich leicht dadurch überzeugt, dass bei durchgehenden Ornamenten mit wiederkehrenden Formen, diese fast niemals ganz genau auf einander passen, sondern stets leise Verschiedenheiten zeigen. Vereinzelte Ausnahmen können hier kaum in Anschlag kommen und sind gewiss nicht im Stande, den bedeutenden Eindruck von Leichtigkeit und Sicherheit der Hand bei diesen alten Decorationsmalern in uns herabzustimmen. Sehr gewöhnlich nimmt die Nachlässigkeit des Machwerks nach oben hin zu, und zwar nach Maßgabe des hier immer ungünstiger werdenden Lichtes; augenscheinlich sind an einer und derselben Wand mehre Hände beschäftigt gewesen, und während ein mehr oder weniger künstlerisch gebildeter Mann die Hauptbilder und die schwebenden Figuren der Nebenfelder gemalt hat, hat ein blos handwerkermäßig geschickter Gehilfe die Umrahmungen und das architektonische Ornament hergestellt, ein Verfahren, welches an und für sich, ganz besonders aber bei der Massenproduction gerechtfertigt erscheint, durch welche der größte Theil Pompejis nach dem Erdbeben in wenigen Jahren mit Gemälden bedeckt worden ist.

Über die Stellen, an denen innerhalb der gesammten Decoration der Wände diejenigen Gemälde zu suchen sind, von deren verschiedenen Classen jetzt gehandelt werden soll, ist in dem von der Decoration handelnden Capitel gesprochen worden, wo auch über die Zunahme des Bilderschmuckes im vierten, gegenüber dem dritten Stil das Nöthige bemerkt worden ist. Indem eine etwas nähere Charakteristik der zum einen und zum andern dieser Decorationsstile gehörenden Gemälde vorbehalten wird, können diese zunächst ihren Classen oder Gattungen nach zu einer allgemeinen Übersicht gebracht werden.

Als erste Gattung der pompejaner Gemälde mögen die in außerordentlich großer Anzahl vorhandenen Landschaften und Architekturansichten genannt werden [242]), wobei jedoch von vorn herein hervorgehoben werden muss, dass sich keine so schwer in bestimmte Classen ordnen lässt, wie diese. Denn alle Classen landschaftlicher Darstellungen, welche man entweder nach formalen oder nach gegenständlichen Gesichtspunkten aufstellen mag, gehn so vielfach in einander über, dass ihre Grenzen völlig zu verfließen scheinen und dass man besten Falls versuchen kann gewisse hauptsächliche Merkmale für die verschiedenen Classen geltend zu machen.

Da wird man denn als die untergeordnetste Art die kleinen Bilder nennen dürfen, welche auf selbständige Bedeutung keinen Anspruch erheben, sondern auf Wänden des vierten Stiles als integrirende Bestandtheile der Gesammtdecoration erscheinen, und zwar einerseits, innerhalb der Architekturmalerei, als längliche Täfelchen, aufgestellt auf Sockeln und Simsen, angehängt unter Giebeln oder als der Schmuck von Friesen mit flüchtig gemalten Gebäudeprospecten, Hafenansichten, Marinen u. dgl., andererseits, besonders auf Wänden dritten Stils, unumrahmt auf die Flächen meistens weißer, aber auch rother, seltener gelber und schwarzer Wände gemalt, darstellend etliche Bäume und Baulichkeiten und mehr bestimmt, einen decorativen, als einen naturalistischen Eindruck zu machen und daher vielfach in den Farben nicht den natürlichen entsprechend, sondern zu der Grundfarbe der Wand gestimmt.

Von dieser ersten Classe unterscheidet sich eine zweite, so nahe sie in ihren

Fig. 296. Kleine Landschaft.

geringfügigeren Hervorbringungen gegenständlich jener stehn mag, dadurch, dass diese meistens quadratisch, dann auch, wie in dem Beispiel Fig. 296, rund umrahmten Bildchen und Bilder, welche sich auf der Mitte der Nebenfelder von Wänden vierten Stiles finden, eine Bedeutung als Darstellungen für sich in Anspruch nehmen und daher auch stets in natürlichen Farben gemalt sind und den blauen oder nach dem Horizont hin röthlichen Himmel oder auch Berge und Felsen als Hintergrund haben. Gegenständlich beginnt die Reihe mit Bildchen wie das, welches in Fig. 296 aus hundert ähnlichen als Probe ausgehoben ist, und welche etliche Baulichkeiten mit ein paar Bäumen, nicht selten, auf Wänden dritten Stiles, einem heiligen Baume mit seinem Sacellum enthalten und wo sie nicht, als Ansichten vom Meer aus, mit Hügeln oder Bergen abgeschlossen sind, mit sehr begreiflicher Vorliebe in vielen Fällen eine Fernsicht auf das Meer darbieten. Andere sind mehr als Seestücke gefasst und zeigen ein dahinruderndes Schiff oder deren zwei, vielleicht neben einer Landzunge oder vor einer Insel, auf welcher ein Tempel oder ein Säulengang oder sonst ein Gebäude steht. Als Staffage finden sich in solchen Bildern ein paar Hirten mit etlichen Thieren, oder Opfernde, welche sich einem ländlichen oder Baumheiligthum nähern, oder auch Fischer an den Meeresufern. Mit den Maßen der Bildflächen wachsen sodann die dargestellten Gegenstände aus einzelnen Gebäuden zu ausgedehnteren Veduten, namentlich vorzugsweise Hafenansichten mit architektonischen Perspectiven mit Brücken, Tempeln, Säulenhallen, weiten Plätzen, zu ganzen Stadttheilen, in denen man jedoch schwerlich Ansichten wirklich vorhanden gewesener Baulichkeiten zu verstehn haben wird, sondern vielmehr frei erfundene Nachbilder einer Architektonik, welche die

Küsten des Golfs von Neapel zieren mochte. Als Probe bietet Fig. 297 eins der weniger ausgedehnten und weitläufigen, dagegen besser gemalten Bilder dieser Art, welches eine mit mancherlei Tempeln und Hallen bedeckte Felseninsel darzustellen scheint. Den städtischen Hafenansichten, welche durch mancherlei Schiffe belebt werden, schließen sich nahe die Darstellungen der mehr oder weniger prächtigen Villenanlagen an, mit denen in der ersten Kaiserzeit der ganze Golf von Neapel von Bajae bis Sorrent umsäumt war. Diese Villen-

Fig. 297. Felseninsel.

darstellungen, welche uns einen weiten Einblick in das üppig heitere Leben der damaligen Zeiten eröffnen, unterscheiden sich von den Städteansichten durch das Hineinziehen eigentlich landschaftlicher Elemente, Bäume und Baumgruppen, die in ummauerten Gärten, aber auch frei stehn, Wasserfälle, Bäche, Teiche u. dgl. und durch die Staffage, in welcher an die Stelle der Schiffe Fischerbarken, wohl auch Lustgondeln treten, während das Ufer nicht selten von mancherlei Personen, Fischern mit Angeln und Netzen, aber auch vornehmeren Spaziergängern u. dgl., einzeln auch komischen Scenen belebt werden. Noch andere Bilder, in denen die eigentlich landschaftlichen Elemente wiederum stärker anwachsen, darf man als Dorflandschaften bezeichnen; es sind Darstellungen ländlicher Gebäude in größerer oder geringerer Zahl, welche sich vielfach um ein Heiligthum, nicht selten um das Sacellum eines heiligen Baumes gruppiren, aber durch die Charakterisirung des Terrains und der Vegetation sowie durch ihre aus Hirten mit Heerden, Landleuten, Opfernden u. dgl. bestehende Staffage einen idyllischen Eindruck machen.

Zu eigentlicher landschaftlicher Stimmung erheben sich indessen nicht allein unter diesen, sondern unter dem ganzen Vorrathe nur sehr wenige Bilder selbst unter den ausgedehntesten, welche zum Theil ganze Wände oder Wandabschnitte bedecken; aber ganz absprechen kann man diese, sei sie von moderner Sentimentalität auch noch so fern, den alten Malern nicht. Um, auch ohne einer weiterhin zu gebenden etwas nähern Besprechung der antiken Landschaftsmalerei vorzugreifen, deutlich zu machen, was unter der wenigstens halbwegs landschaftlichen Stimmung mancher pompejanischen Bilder, meistens, wenn nicht ausschließlich auf Wänden dritten Stiles, zu verstehn sei,

Fig. 298. Bild mit landschaftlicher Stimmung.

möge nur das eine Beispiel Fig. 298 (Hlbg. No. 1564) aus einer Reihe ähnlicher hervorgehoben werden. Hier ist es nicht sowohl der Vordergrund, welcher ein nicht allzu klar aufgebautes Baumsacellum und einen Hirten darstellt, welcher seine Ziege, vielleicht um sie zu opfern, dem Heiligthum entgegentreibt, welcher landschaftlich wirkt, als die Felsenwildniss im Mittel- und Hintergrunde, besonders die Gebirgsschlucht, an der sich Pappeln oder Cypressen hinaufziehn, welche, hinter dem entferntesten Gipfel verschwindend, uns auf eine größere Ausdehnung dieser, nur von einem rechts den Berg herabkommenden Hirten mit seinen Schafen und links, wie es scheint von einem an der Schlucht sitzenden Fischer belebten, mit unklar gemalten Statuen oder Hermen geschmückten Gebirgseinsamkeit hinweisen. Hiermit ist besonders die verwandt componirte Landschaft mit einem Wasserfall Mus. Borb. XI, 26 (Hlbg. No. 1558) zu vergleichen, ebenso die in den *Pitture d'Ercolano* I, 46 und besonders die daselbst III, 53 abgebildete, endlich, um nicht die Beispiele zu häufen, die bei Woermann (s. Anm. 242) Taf. 7 veröffentlichte, durchaus idyllisch gestimmte Landschaft.

Als letzte Classe der Landschaftsmalereien sind die mit mythologischer Staffage belebten zu nennen, welche ebenfalls fast ausschließlich Wänden dritten Stils angehören und deren Anzahl eine ziemlich bedeutende ist. Auf eine Aufzählung der Gegenstände dieser »heroischen« Landschaften muss, da ein

Eingehn auf das Einzelne unmöglich ist, verzichtet werden [243]; um aber auch hier ein Beispiel nicht fehlen zu lassen, ist in Fig. 299 ein Bild gewählt, welches die am felsigen Meeresufer dem Meerungethüm zur Beute ausgesetzte Andromeda und den für sie das Ungeheuer bekämpfenden Perseus darstellt (Hlbg. No. 1184). Diese mythologische Scene ist aber kaum als die Hauptsache in diesem Bilde anzusprechen, wenigstens hat der Künstler mit entschiedener Vorliebe die öde Felsenküste mit ihrer abgestorbenen Vegetation [244] und dem gegen die Klippen brandenden Meere dargestellt, und wenn man auch nicht behaupten kann, dass die mythologischen Personen nur in dem Sinne als

Fig. 299. Heroische Landschaft, Perseus und Andromeda.

recht eigentliche Staffage angebracht sind, um die Stimmung von wüster Einsamkeit in dem Beschauer lebendiger hervorzurufen, als der Maler sich dies ohne ein solches Beiwerk zu thun getraute, so wird man doch zugeben müssen, dass die dargestellte Handlung mit der landschaftlichen Scenerie in einen Gesammteindruck aufgeht. In ähnlicher Weise sind manche andere Bilder gemalt, nur dass sich nicht wohl in Abrede stellen lässt, dass in den meisten der Zusammenklang des mythologischen Gegenstandes mit der Landschaft weniger gelungen ist und dass namentlich in vielen das Hineinziehn von allerlei Bauwerken in die letztere, auch da, wo solche gewiss nicht hingehören, wie z. B. bei dem an den Kaukasos geschmiedeten Prometheus, die landschaftliche Stimmung auf eine, wenigstens für unser Gefühl anstößige Weise durchkreuzen. Als das vollkommenste Muster der antiken heroischen Landschaftsmalerei dürfen hier die am Esquilin in Rom gefundenen Odysseelandschaften [245] nicht unerwähnt bleiben, so wenig es dieses Ortes ist, nach irgend einer Richtung auf dieselben näher einzugehn; im Zusammenhang einer allgemeinen Besprechung der antiken und besonders der in Pompeji vertretenen Landschaftsmalerei wird ohnehin auf sie noch einmal zurückzukommen sein.

Nur anhangsweise kann hier von den wenigstens halbwegs der Landschaftsmalerei zuzurechnenden Gartendarstellungen gesprochen werden, durch welche zum Theil in den Frigidarien von Bädern, ganz besonders aber an den Wänden kleiner Gärten der mangelnde Ausblick in's Freie ersetzt und der Eindruck eines solchen hervorgebracht werden soll. Auf einzelne Beispiele ist im Verlaufe der früheren Schilderungen pompejanischer Gebäude hingewiesen worden, und so bleibt hier nur zu bemerken, dass diese Bilder, welche aus der Darstellung mehr oder weniger üppiger, vielfach von Vögeln belebter Büsche und Bäume nebst Gittern und Lauben und den zum Gartenschmuck dienenden plastischen Werken bestehn, nicht eingerahmt sind, sondern, ihrem Zweck entsprechend, ganze Wände bedecken oder sich durch deren architektonische Eintheilung, als hinter derselben liegend hinziehn.

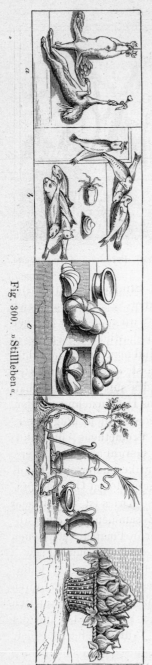

Fig. 300. „Stillleben".

Fast ausschließlich den untergeordneten Stellen in der Decoration gehören, wie die kleinen Landschaften, die als zweite Classe zu bezeichnenden Genremalereien an. Bei der niedrigsten Art derselben, dem Stillleben, den Frucht- und Blumenstücken (Hlbg. S. 404 ff.) ist dies durchaus der Fall, wenn man jene kleinen Bildchen in den allerbescheidensten Decorationen auf der Mitte der Hauptwandfläche und die großen, mit der Bestimmung des Gebäudes zusammenhangenden Darstellungen im Macellum (oben S. 126 f.) abrechnet. Von den sehr zahlreichen Darstellungen dieser Art kann in Fig. 300 nur eine kleine Auswahl vorgelegt werden, welche aber vielleicht dennoch im Stande sein wird, die Gegenstände, die Composition und die Ausführung dieser Bildchen wenigstens einigermaßen zu vergegenwärtigen. Was die Gegenstände anlangt, finden wir so ziemlich alle diejenigen wieder, welche unsere modernen Maler dieser Gattung darzustellen lieben, jedoch ist eine überwiegende Häufigkeit essbarer, für Küche und Tafel bestimmter Dinge und eine besonders liebevolle Behandlung dieser nicht zu verkennen. Es ist deshalb auch nicht als Zufall zu betrachten, dass in Fig. 300 unter fünf Bildchen vier in dieses Gebiet gehören. Von geschlachteten und zubereiteten Thieren, wie das gerupfte Huhn und der ausgeweidete Hase in *a*, hätte noch ein ganzer Speisezettel von Fleischwaaren, vom Schinken bis zur wohlpräparirten Wachtel vorgeführt werden können, sowie gebunden daliegende Zicklein, Lämmer, Schweinchen, Hähne; neben den Fischen in *b* eine beträchtliche Auswahl anderer nebst Hummern, Krebsen, Austern, Muscheln, Polypen; neben dem Brod und den Eiern in *c* verschiedene Backwerke; neben dem Korbe voll Feigen in *e* noch Äpfel, Granatäpfel, Weintrauben, Kirschen und kleinere Beeren in Gefäßen, ferner Champignons, Zwiebeln, gelbe Rüben, Rettige u. dgl. mehr. Ebenso sind die, in diesem Falle heiligem Gebrauche bestimmten, Gefäße in *d* nur ein einzelnes Pröbchen verwandter Gegenstände; allerlei sonstiger Hausrath aus Küche und Keller, Wohn- und Studirzimmer, z. B. aus letzterem Schreibmaterialien

und Bücherrollen, neben denen mehrfach kleine Haufen Münzen liegen,
hätten ebenfalls zu Gebote gestanden. In Beziehung auf die Composition darf
nicht übersehn werden, dass die alten Maler gegen die unserigen im Nachtheil
sind, sofern wir derartige Bilder aus ungleich größeren Massen zusammen-
zusetzen pflegen; auch in der Anordnung können die pompejaner Maler mit
den unseren nicht wetteifern, welche vielmehr mit liebenswürdiger Naivetät
verfuhren, ohne eben viel zu stellen und zu legen. Von der Laune, welche
sich gelegentlich in den besseren modernen Bildern dieser Art regt, sind nur
sehr vereinzelte Beispiele aus Pompeji anzuführen, doch fehlen auch diese
wenigstens nicht ganz. So wirkt es, um nur eines anzuführen, humoristisch,
wenn von zwei Seitenstücken auf einer Wand das eine Hahn und Henne in
größtem Behagen des Zusammenlebens darstellt, das andere den gar kläglich
gebunden liegenden Hahn. Auch in der Ausführung kann den neueren Künstlern, welche schon durch die Ölfarbe den alten Wandmalern überlegen sind,
der Preis nicht abgesprochen werden, obgleich nicht zu verkennen ist, dass
der effectvolle Naturalismus, welcher die Vorzüge dieser niedern Gattung der
Malerei ausmacht, auch in Pompeji so wenig fehlt, wie jene allerlei Lichter
und Reflexe in und auf Gläsern, Metallgegenständen und Anderem.

Von Blumenstücken ist keine Probe mitgetheilt, weil diese durch die
Bank herzlich unbedeutend sind, und nichts enthalten, was sich nicht leicht
Jeder ohne Abbildung vorstellen könnte. Compositionen, Sträuße, Kränze
und dergleichen selbständige Bilder kommen nicht vor, denn die ihres Ortes
bereits erwähnten dünnen Blätterschnüre in den Decorationen dritten Stiles
und in ein paar Genrebildchen, z. B. dem mit den kranzwindenden Genien
im Macellum (S. 127), kann man nicht rechnen. Im Übrigen beschränkt sich
die Darstellung auf einzelne zum Theil sehr gut gemalte Blumenpflanzen wie
Iris, Lilien, Rosenstöcke und etliche andere, welche sich hauptsächlich an den
Sockeln der Wände des dritten und des letzten Stiles finden. Von den Gartendarstellungen ist schon gesprochen worden.

Auch die Darstellungen aus dem Thierleben, welche sich meistens innerhalb der Gliederung der Decoration, daneben freilich auch in besonders umrahmten, aber meistens kleinen Bildern finden, sind viel unbedeutender als die
unserer Künstler. Ein solches liebevolles Eingehn auf das Leben und Treiben
der sich selbst überlassenen Thiere, wie das unserige, ein so feines Heraus-
fühlen ihrer Eigenthümlichkeiten und des Humors, der in den Erlebnissen
dieser Welt liegt, ist offenbar nicht die Sache der Alten gewesen. Und dergleichen finden wir nicht allein nicht in Pompeji, sondern schwerlich irgendwo noch im ganzen Kreise der antiken Kunst, so sehr dieselbe sich mit der
Darstellung einzelner Thiere beschäftigt und so bewundernswürdige Thiergestalten sie geschaffen hat. Wenn aber auch die pompejanische Malerei hier
nicht das Höchste geleistet hat, so hat sie doch dies Feld keineswegs unan-
gebaut gelassen (vgl. Hlbg. S. 398 ff.); früchtepickende Vögel, weintrauben-
naschende Hasen, schwimmende Fische, welche in dem »Aquarium« der *Casa
del Centennario* (oben S. 355) weitaus am merkwürdigsten und natürlichsten dargestellt sind [246]), und andere dergleichen Schilderungen fehlen auch unter den
selbständigen Bildchen, von denen allein hier zunächst die Rede ist, so wenig,

wie selbst einige feiner beobachtete Scenen des Thierlebens, z. B. ein kleiner
Hund im Streite mit einem größern und einer Katze um ein Stück Fleisch
(Hlbg. No. 1606), eine Schlange, welche sich gegen eine Maus aufbäumt und
diese mit dem Blicke bannt, so wenig endlich wie einige größere Bilder in der
Art des in Fig. 301 wiederholten, welches in mäßig ausgeführter Landschaft

Fig. 301. Thierstück.

einen Löwen darstellt, der zwei voll Entsetzen fliehende Stiere jagt, oder wie
jenes (Hlbg. No. 1521, M. B. XIV, 44), in welchem in sehr lebensvoller Auffassung ein Eber von zwei Hunden gestellt wird, und so noch einiges Verwandte. Sehr verschieden von diesen Thierstücken und Thierlandschaften
sind jene großen, ganze Wände bedeckenden Thierbilder wie das schon früher
(S. 278) erwähnte, welches der *Casa della caccia* den Namen gegeben hat. Dergleichen große Darstellungen kommen auch sonst vor und zeigen mannigfaltige
Thiere theils friedlich, theils im Kampfe, auch von Menschen gejagt oder von
Jagdhunden angegriffen, und wiederum die Menschen angreifend, selbstverständlich in m. o. w. ausgeführten, als Fels- und Bergwildnisse charakterisirten Landschaften. Es ist schon a. a. O. die auch von Anderen getheilte
Vermuthung ausgesprochen worden, dass die Thierhetzen im Amphitheater
manche derartige, im Allgemeinen durchaus poesielos geschilderte Scenen zur
Anschauung gebracht haben und so diese Bilder wie jene an der Brüstungsmauer der Arena des Amphitheaters (S. 181) angeregt haben mögen. Ein
neuerdings ausgegrabenes Bild [247] zeigt eine ganze Schar von Thieren zahmer
und wilder Art wie in einer großen Schaustellung neben und über einander
gruppirt und mag aus ähnlicher Quelle geflossen sein. Ein eigenthümliches
Interesse erregen endlich zwei in einem Hause des *Vico d' Eumachia* als
Gegenstücke gemalte große Thierbilder, von welchen das eine ziemlich sicher
und daher wahrscheinlich auch das andere aus der Thierfabel geflossen ist [248].
Jenes (Hlbg. No. 1584) stellt einen wahrscheinlich krank daliegenden Löwen
dar, vor dem ein Hirsch mit vorsichtig vorgestelltem linken Vorderfuße wie zu
augenblicklicher Flucht bereit steht, während im Hintergrunde ein Leopard
eine Gazelle verfolgt. Der Inhalt des Bildes stimmt deutlich genug mit der
in verschiedenen Wendungen überlieferten Fabel vom kranken Löwen überein.
Für das Gegenstück, welches einen Bären darstellt, der sich mit einem Eber
zum Kampf anschickt, während im Hintergrund ein grimmig blickender Löwe
liegt, ist eine Parallele in der antiken Thierfabel nicht erhalten, doch würde
sich eine solche leicht im Geiste bekannter Geschichten erfinden lassen.

Steigen wir von diesen untergeordneten Kreisen in diejenigen des Menschenlebens auf, so müssen vorweg zwei nach Quellen und Ausführung sehr verschiedene Arten von Genremalereien unterschieden werden. Die erstere ist diejenige, welche Helbig S. 356 ff. unter der Überschrift: »römisch-campanisches Genre« behandelt hat. Die Bilder dieser Art bieten in nicht ganz unbeträchtlicher Zahl aber in durchweg künstlerisch untergeordneter Ausführung die realistische Darstellung von mancherlei Scenen aus dem täglichen Thun und Treiben ohne Zweifel größtentheils in Pompeji selbst. In diese Classe sind jene schon früher (S. 392) mitgetheilten und besprochenen Bilder aus der Fullonica zu rechnen, welche die verschiedenen Acte der Tuchbereitung und Tuchwäsche darstellen, ferner die oben (S. 568 mit Anm. 241) angeführten Bilder einer Malerin, die in ihrem Atelier, von zwei Frauen belauscht, eine Dionysosherme copirt (Hlbg. No. 1443), und eines Porträtmalers in parodischer Auffassung (Hlbg. No. 1537). In einem Hause in Pompeji, in welchem außer einem Weinschank vielleicht ein unehrliches Gewerbe getrieben wurde, fand man die Wände des Gastzimmers mit Malereien bedeckt, in welchen verschiedene Scenen aus dem Leben dieses Hauses geschildert sind. So zeigt das eine, um nur ein paar gut erhaltene Beispiele herauszuheben, ein Gelage von Personen ziemlich niedern Standes, die, um einen kleinen runden dreifüßigen Tisch sitzend, unter lebendiger Unterhaltung aus Bechern Wein trinken, den ihnen ein kleiner Bursche kredenzt (Hlbg. No. 1504. 5), das andere Bild, Fig. 302 (Hlbg. No. 1487), lehrt uns zugleich eine nicht uninteressante Besonderheit des pompejanischen Alterthums kennen, einen auch noch in einem andern Bilde ähnlich wiederkehrenden Weinwagen nämlich, auf dem der Wein in einem großen Schlauche vor das Haus des Käufers oder Eigners gefahren wird. Diesen Schlauch müssen wir uns aus einer nicht unbe-

Fig. 302. Realistisches Genrebild; Weinwagen.

trächtlichen Zahl von Thierfellen zusammengenäht und durch die große vorn emporgebundene Öffnung gefüllt denken. Zum Ablassen des Weines in die Amphoren, in denen man ihn im Keller aufbewahrte, bedient man sich einer röhrenförmigen Öffnung am hintern Theile des Schlauches, welche aus dem Bein eines Felles gebildet scheint. Das Zusammenfallen des großen Schlauches durch die fortschreitende Entleerung ist merkbar angedeutet, und ein guter Gedanke ist es, die Pferde losgeschirrt darzustellen, um damit anzudeuten, dass der Wagen vor diesem Hause lange anhalten, vielleicht ganz abgezapft werden soll. Da hier nicht alle Bilder dieser Art einzeln angeführt werden können, so mögen nur noch die trotz der Rohheit der Darstellung gegenständlich recht interessanten Forumsscenen (Hlbg. No. 1489) hervorgehoben werden, während im Übrigen auf den ganzen oben genannten Abschnitt des Helbig'schen Buches und seine Ergänzung bei Sogliano No. 653 ff. verwiesen werden muss.

Neben diesen realistischen ist eine zweite Art von Genrebildern zu nennen, welche sich in Composition und Ausführung von der erstern stark unterscheiden, indem sie, zum Theil selbst auf die Brustbilder der dargestellten Personen, immer aber auf wenige Figuren beschränkt, durch ideale Auffassung, Reiz und Anmuth der Erscheinung sich auszeichnen und eben so fein und sorgfältig wie diejenigen der erstern Classe meistens roh und nachlässig gemalt sind. Helbig (S. 332 ff.) hat sie als »hellenistisches Genre« von dem römisch-campanischen unterschieden und ihrer eine ziemlich bedeutende Zahl (No. 1409 —1462, dazu Sogliano No. 629—649) zusammengestellt, aus der nur ein paar Beispiele angeführt werden mögen. So zeigt ein allerliebstes Bildchen (Hlbg No. 1425), welches mehrfach, am besten aber bei Ternite I, 5 abgebildet und in mehren unter einander verwandten Wiederholungen nachweisbar ist, das Brustbild einer jungen Dame, welche eine offene Schreibtafel in der linken, den Griffel in der rechten Hand nachdenklich an die Lippen gelegt hält, als besinne sie sich und schwanke, ob sie eine zärtliche Botschaft dem geschriebenen Worte anvertrauen solle oder nicht, während eine Zofe ziemlich schelmisch hinter der Herrin wartend hervorschaut, aus deren Mienen wir abnehmen können, dass die Schöne sich doch endlich entschließen werde. Nicht allzu verschieden ist dem Grundgedanken nach der Gegenstand eines ebenfalls von Ternite I, 1 mitgetheilten Bildes, welches eine als Muse erklärte, in tiefes Nachdenken versunken sitzende junge Dame darstellt, die in der That nichts als Muse charakterisirt, die vielmehr alle Zeichen reiner Menschlichkeit trägt und über eine Herzensangelegenheit nachzusinnen scheint. Ferner gehört in diese Classe reiner Genrebilder eine kleine Reihe von Bildern, in denen Eros als handelnde Person auftritt; denn in allen diesen Fällen sind die kleinen Flügelknaben rein allegorisch zu fassen. So, wenn in einem Bilde, welches seines Ortes schon in der *Casa di Meleagro* erwähnt wurde (Hlbg. No. 1429), Eros sich vertraulich plaudernd und nachlässig an das Knie einer leicht bekleideten und üppigen Schönen lehnt, so, wenn er auf einem andern desselben Hauses (Hlbg. No. 1430) der Schönen das geöffnete Schmuckkästchen entgegenhält (vgl. S. 310 u. 312), so endlich, wenn in mehrfach wiederkehrenden und ebenfalls schon mehrfach erwähnten Bildern Eros mit einem schönen Mädchen fischt (Hlbg. No. 348 ff.). Hier bedeutet der Eros im ersten Falle nichts als die Schönheit der Dame, deshalb ist er lässig wie sie, im zweiten den Liebreiz, der sie schmückt, im dritten die Anmuth, welche die schönen Mädchen überall hin begleitet; Aphrodite ist in keinem dieser Fälle in der Frau zu erkennen. Und das auch die Erotenverkäufe in zwei berühmten Wandgemälden, von denen das eine (Hlbg. No. 824) aus Stabiae stammt, das andere (Hlbg. No. 825) aus der *Casa dei capitelli colorati* in Fig. 303 aus Zahn II, 58 wiederholt ist, in das Gebiet dieser allegorischen Genrebilder gehören, hat schon Otto Jahn in seinen Archaeol. Beiträgen S. 211—221 ausführlich und geistreich nachgewiesen und begründet. In dem hier mitgetheilten Bilde werden einer schönen, erhabenen Frau, die in trübem Nachdenken auf einen

Pfeiler gelehnt dasteht, von einem alten Vogelsteller Erotchen zum Verkaufe angeboten, ganz so wie man etwa Tauben zum Verkauf anbieten würde. Zwei sitzen noch in dem Käfig, einen holt der Händler bei den Flügeln heraus, um ihn anzubieten, oder will ihn eben wieder hineinstecken, während ein vierter sich hinter der Schönen versteckt hat und muthwillig hervorschaut und ein fünfter, auf den ihr Blick gerichtet ist, ihr mit zwei Kränzen entgegenfliegt. Ist auch dies merkwürdige Bild und das andere verwandte noch nicht völlig im Einzelnen erklärt, so dürfen wir doch deren Sinn im Allgemeinen als dahin feststehend betrachten, dass den Schönen manche Liebe zur Auswahl ge

Fig. 303. Hellenistisches Genrebild; Erotenverkauf.

boten wird, und dass vielleicht die Dame in unserem Bilde nach einem Verlust oder in unerfüllter Sehnsucht den ihr dargebotenen Liebesgöttern gegenüber denkt: der, den ich meine, ist es nicht! Ob sich nicht unterdessen doch der rechte heimlich bei ihr eingeschlichen hat, mag dahinstehn. Auch die einige Male wiederholte, überaus liebliche und zarte Composition (Hlbg. No. 821 ff.), in der ein junges Liebespaar ein Nest mit Erotchen gefunden und ausgenommen hat, ganz so wie sonst wohl ein Vogelnest ausgenommen wird, und nun dasselbe gemeinsam mit einigen Gefährten betrachtet, gehört in diesen Kreis.

Zu den auf eine Person beschränkten Genrebildern gehört ferner auch eine Reihe jener schwebenden Figuren, welche die Mitte der Nebenfelder der Hauptfläche der Wand rechts und links vom mythologischen Mittelbild oder auch die Mitte aller Felder der Hauptfläche schmücken; unter ihnen auch jene mit Recht hochberühmten Tänzerinnen, welche aus der s. g. Villa Ciceros vor dem Herculaner Thore stammen (Hlbg. No. 484. 487. 1904, 6, 7, 21, 28, 31, 37, 39) und, obgleich nur von sehr kleinen Maßen (0,15—0,16 M.) zu dem Vorzüglichsten gehören, was die Malerei in den verschütteten Städten geleistet hat. Man hat für diese bewunderungswürdigen und unzählige Male copirten Gestalten, deren Fig. 304 eine der großartigsten und eine der lieblichsten (Hlbg. No. 1904 u. 484) wiederholt, auf mythologischem Gebiete Erklärungen gesucht und einzelne derselben als Bakchantinnen gedeutet; mit Unrecht; es sind menschliche Tänzerinnen, vielleicht selbst aus einer der

niederen Schichten der Gesellschaft, welche jene im Alterthum so vielgeprie-
senen kunstvollen mimischen Tänze ausführen, die wir nur mit den höchsten

Fig. 304. Hellenistisches Genre; schwebende Tänzerinnen.

Leistungen unseres Ballets vergleichen können. Die ganze Folge ist von
Ternite neu herausgegeben und von Welcker mit einer tief eindringenden
Erklärung versehn.

    In das Gesammtgebiet des Genre, aber freilich eines mythologisch ein-
gekleideten Genre gehören sodann die sehr zahlreichen Bilder, in denen
Genien oder Eroten, kurz kleine Flügelknaben in allen möglichen menschlichen Verrichtungen, zum Theil selbst sehr prosaischen erscheinen. Von
mythologischem Gehalt kann bei ihnen nicht die Rede sein, die dargestellten

a   b

Fig. 305. Mythologische Genrebilder; Eroten als Tischler und Schuster.

Handlungen fließen in keiner Weise aus einem symbolischen Begriff dieser
Flügelknaben, man nenne sie wie man will, sondern die Maler haben nur,

wie das auch in nicht wenigen Reliefen, namentlich Sarkophagreliefen
geschehn ist, der größern Anmuth
der Form und der Heiterkeit wegen
diese für erwachsene Menschen gesetzt. So finden wir diese Genien
jagend (Hlbg. No. 807 ff.), fischend,
auf Wagen fahrend (Hlbg. No. 779 ff.),
musicirend, tanzend, Kränze win-
dend (Hlbg. No. 799 f.), das Mühlenfest der Vestalia feiernd (Hlbg.
No. 777, s. oben S. 127), und so finden wir sie, um ein paar Beispiele
recht augenscheinlichen Inhalts zu
wählen, in zweien vorstehend wie-
dergegebenen Bildchen Fig. 305 *a. b*
aus Herculaneum als Schreiner ein
Brett zurechtsägend (Hlbg. No. 805)
und gar als Schuster beschäftigt
(Hlbg. No. 804).

Als mythologische Genrebilder,
aber freilich als solche von einem von
den eben besprochenen sehr verschiedenen Charakter, wird man
auch die in Pompeji nicht seltenen
P y g m a e e n darstellungen   (Hlbg.
No. 1527 ff.) rechnen dürfen. Die
Sage von den Pygmaeen (»Fäustlin-
gen«, Däumlingen) und namentlich
von ihren Kämpfen mit den Kra-
nichen ist uralt, kommt schon bei
Homer und in der bildenden Kunst
seit dem 6. Jahrhunderte (z. B. an
der berühmten Françoisvase in Florenz) nicht selten vor, ist aber ganz
besonders von der alexandrinischen
Kunst ausgebildet und mit ihr in die
römische Welt und so auch nach
Pompeji gekommen. Hier finden
sich Pygmaeendarstellungen mannigfaltiger, aber fast immer scherzhafter, oft sehr derb scherzhafter Art,
als Karrikaturen und Parodien, selten in eigenen, selbständig einge-
rahmten Bildern auf den Wandmitten,
vielmehr meistens an den untergeord-

Fig. 306. Pygmaeenbild; angeblich das Urteil Salomonis.

neten Stellen der Decoration, allermeistens, auf ihren Ursprung deutlich hinweisend, in Nillandschaften und so, dass die Zwerge mit Nilthieren, Krokodilen,
Hippopotamen u. dgl. in komische Berührung gebracht werden. Auf eine
Schilderung dieser Scenen im Allgemeinen kann hier, schon ihres vielfach an-
stößigen Charakters wegen, nicht eingegangen werden; wohl aber muss hier
das in Fig. 306 mitgetheilte, am 21. Juni 1882 aufgefundene Bild besprochen
werden, das seiner Zeit das größte Aufsehn gemacht hat und welches mancher
Leser nicht an dieser Stelle erwarten wird. Denn in der augenscheinlichsten
Weise stellt dasselbe eine Scene dar, welche mit dem weltberühmten »Urteil
Salomonis« vollkommen übereinstimmt. Auf einem Tribunal sitzt, von zwei
Räthen umgeben, von einer Leibwache begleitet, der König. Vor dem Tribunal steht ein Fleischerblock, auf welchem ein nacktes Kind liegt, das ein
Soldat eben mit einem Hackmesser auseinander zu hauen im Begriff ist, wobei
es von einer reich, wenn auch komisch aufgeputzten Frau festgehalten wird,
während eine zweite Frau sich vor dem Könige auf die Knie niedergeworfen
hat und mit ängstlichen Geberden offenbar um Verschonung des Kindes fleht.
Links steht zuschauendes Volk. Es ist kein Wunder, dass man geglaubt hat,
den Gegenstand dieses Bildes aus der Erzählung im 1. Buche der Könige
3, 16 f. ableiten zu müssen. Und dennoch bietet die Annahme, die Bibel sei die
Quelle eines in Pompeji gemalten und vollends eines aus alexandrinischer
Überlieferung herstammenden Bildes so außerordentliche Schwierigkeiten,
dennoch will schon der Umstand, dass die handelnden Personen offenbare Pygmaeen, Zwerge mit dicken Köpfen und spindeldürren Beinchen sind, zu einer
Ableitung des Gegenstandes aus der Bibel durchaus nicht stimmen und eben so
wenig der andere, dass neben diesem Bilde in demselben Zimmer noch andere
Pygmaeendarstellungen gefunden worden sind. Ein Christ oder ein Jude,
welcher sich eine Darstellung des Urteils Salomonis bestellte, hätte doch nim-
mer dulden können, dass die Personen der heiligen Schrift in dieser scherzhaften Gestalt und neben anderen gleicher Art dargestellt worden wären.
Während daher schon mancherlei Zweifel an der biblischen Quelle des Bildes
laut geworden waren, hat Lumbroso [249]) vielleicht, ja wahrscheinlich die richtige Lösung des hier scheinbar vorliegenden Räthsels gefunden, indem er auf
einen (sagenhaften) aegyptischen König Bokchoris hingewiesen hat, von dem
als von einem Ausbunde von Weisheit und Gerechtigkeit, ähnlich dem weisen
Salomo, mehre antike Schriftsteller (Diodor, Plutarch u. A.) zu berichten
wissen und von dem uns, wenn auch nicht das hier dargestellte salomonische
Urteil, so doch wenigstens ein solches überliefert ist, welches dem Grundcharakter der biblischen Erzählung und der pompejaner Darstellung entspricht.
Sollte hiermit auch noch nicht das letzte Wort gesprochen sein, so wird man doch
zugeben müssen, dass ein, aller Wahrscheinlichkeit nach wie alle Pygmaeendarstellungen aus Aegypten stammendes, seinen Gegenstand in's Komische
ziehendes Bild viel leichter aus aegyptischen Sagen und Erzählungen als aus
der Bibel herzuleiten ist.

Als eine eigene Abtheilung der Genrebilder kann man endlich die von
Helbig S. 349 ff. gesammelten ziemlich häufigen Darstellungen von Theaterscenen betrachten, die gewiss keiner andern Kategorie von Malerei sich leichter

oder nur so leicht einfügen, wie dieser. Bestimmte Scenen bekannter Stücke
sind in den allerseltensten Fällen, wenn überhaupt mit Sicherheit, erkennbar,
die dargestellten Handlungen sind nicht immer klar, am wenigsten die tragischer Scenen, in vielen Fällen jedoch, namentlich in Scenen der Komoedie,
wie z. B. in der folgenden, als Probe mitgetheilten (Hlbg. No. 1468), so ausdrucksvoll gegeben, dass man über den Inhalt im Allgemeinen nicht zweifelhaft sein kann. In dem nachstehenden Bilde, in welchem offenbar ein Kriegs-
mann, wenn auch nicht der *miles gloriosus* des Plautus, die Hauptperson bildet,

Fig. 307. Theaterscene.

sind noch die rechts und links sitzenden alten Männer zu bemerken, welche
nach Wieselers gewiss richtiger Erklärung die Theaterpolizei darstellen und als
deren Platz wir uns die Nischen des Proscenium (s. S. 171) zu denken haben.

Hiernach bleiben als die letzte und Hauptabtheilung der Gegenstände
pompejanischer Bilder die mythologischen zu besprechen übrig, welche meisten-
theils auf den Hauptstellen der Wände, in der Mitte der großen Flächen des
Mittelfeldes ihren Platz finden. Hier ist die Fülle so groß, dass für alles Einzelne auf die beiden schon mehrfach angeführten Bücher Helbigs, die »Wandgemälde aus den vom Vesuv verschütteten Städten Campaniens«, und die
»Untersuchungen über die campanische Wandmalerei« verwiesen werden muss,
deren ersteres die Bilder gegenständlich geordnet in einer bis zu den Ausgrabungen von 1867 vollständigen, von Sogliano (in: *Pompei e la regione sotterrata dal Vesuvio ecc.* Neapel 1879) bis zum Jahr 1879 fortgeführten Zusammenstellung enthält, während das zweite auf eine Reihe von Fragen über diese
Malereien näher eingeht, welche im Folgenden ebenfalls kurz berührt werden
sollen. Um es aber auch in Betreff der Gegenstände und der Composition der
Bilder nicht bei der bloßen Anführung bewenden zu lassen, soll versucht
werden, dieselben zu einer ganz summarischen Übersicht zu bringen, zu der

sich am leichtesten wird gelangen lassen, wenn auch hier wieder Classen unterschieden werden, als welche sich bieten 1. mythologische Einzelfiguren,
2. kleinere meistens schwebende Gruppen, als deren Unterabtheilung die
allegorischen Darstellungen betrachtet werden können, und 3. größere Compositionen.

Die größte Menge der mythologischen Einzelfiguren sind schwebende Gestalten in der Art der oben angeführten Tänzerinnen. Es begreift sich leicht,
dass man zu diesen vorzugsweise solche Personen wählte, bei denen das Fliegen
oder das Schweben in lebhaftem Tanze, der von der Erde emporstrebt oder
leicht über dieselbe hineilt, und bei denen eben deshalb das Weglassen des
Bodens im Gemälde ebenfalls natürlich, nicht als bloße Willkür erscheint.
Nike, Eros, Psyche, Horen oder Personificationen der Jahreszeiten, allerlei
Genien und Nymphen und daneben Personen des bakchischen Kreises,
Bakchantinnen, Maenaden, Satyrn, Kentauren u. a. dgl. bilden den Haupt-
stamm dieser Gemälde. Jedoch sind die Einzeldarstellungen keineswegs weder
auf schwebende Gestalten noch auf Personen der angedeuteten Art beschränkt,
fast alle Gottheiten des Olymp sind nachweisbar und finden sich je nach dem

Grundcharakter ihres Wesens
stehend, thronend oder gelagert,
seltener in Handlung als in derjenigen Ruhe, welche das Cultusbild auszeichnet und als Gegenstand der Verehrung erkennen
lässt. Mehre dieser göttlichen
Einzelpersonen haben aus dem
angedeuteten Grunde ein großes
Interesse, und wenngleich uns
manche unbedeutende Darstellung
auf diesem Gebiete entgegentritt,
so fehlen doch auch wirklich groß-
artige und schöne Gestalten auf
demselben nicht, ja wir finden
selbst solche, die neben den berühmtesten Statuen als wahre
Grundlagen unserer Kenntniss
der Darstellung griechischer Gottheiten betrachtet werden können,
wovon man sich durch einen
Blick auf die hierneben abgebildete Demeter aus der *Casa dei
Dioscuri* (Hlbg. No. 176), gewiss
eine der bedeutendsten und wür-
digsten Darstellungen dieser Göttin,

Fig. 308. Demeter; aus der *Casa dei Dioscuri.*

welche wir aus dem Gesammtgebiete der alten Kunst besitzen, leicht selbst
überzeugen kann. Außer den auf der Mitte der Wandfläche frei schwebenden
und den ebenfalls auf der Mitte von Wand- und Pfeilerfeldern, statuenartig

auf leicht angedeuteter Basis als selbständige Gemälde für sich stehenden und
sitzenden mythologischen Einzelfiguren erscheinen solche noch mitten in der
architektonischen Decoration in der Art, wie auch menschliche Personen, als
Bewohner der luftigen Tempelräume, oder endlich sind sie in die Decoration
selbst verschmolzen und als Statuen oder Statuetten behandelt auf Kragsteinen,
Carniesen und anderen Gliedern angebracht und in diesem Falle entweder in
der Farbe des Materials gehalten, aus dem sie verfertigt erscheinen sollen,
oder wenigstens durch ein bescheidenes und mit der übrigen Decoration har-
monirendes Colorit als das bezeichnet, was sie darstellen sollen, als Kunstwerke, Sculpturen, nicht als die lebendigen Wesen selbst.

Die zweite Classe, welche die kleinen Gruppen umfasst, ist mit der ersten
Art mythologischer Einzelfiguren am nächsten verwandt, indem diese kleinen
Gruppen fast nur in der Mitte der Wandflächen und zwar meistens in den
Seitenfeldern schwebend gebildet und aus dem Kreise gewählt sind, der oben
bei den schwebenden Einzelfiguren bezeichnet worden ist. Über den künstlerischen Werth dieser Bilder, unter denen sich die reizvollsten Sachen befinden,
ist später zu reden, hier, wo es nur auf eine Übersicht des Stofflichen ankommt, müssen als Gegenstände dieser schwebenden Gruppen außer den
mythologischen auch noch die allegorischen genannt werden, welche gewöhnlich so componirt sind, dass eine geflügelte Person eine zweite trägt, welche
die Attribute hält. In der Weise finden wir die Poesie, die Musik, das Leierspiel, den Segen des Friedens und Anderes dargestellt (vgl. Hlbg. No. 1952 ff.).

Was nun endlich die größeren mythologischen Compositionen anlangt,
ist schon früher bemerkt, dass sie aus einem bei aller Mannigfaltigkeit beschränkten und, abgesehn von den bei Helbig als »römisch-campanische Sacral-
bilder« richtig ausgesonderten, einem von Poesie und früherer Kunst durch-
gearbeiteten Kreise von Gegenständen stammen, sowie dass in den Bildern
von Wänden des letzten Stiles, welche die Mehrzahl bilden, der sinnliche Reiz
auf die Wahl der Stoffe bedingend eingewirkt hat, während bei den Bildern
auf Wänden des dritten Stiles andere Gesichtspunkte gewaltet haben, auf
welche noch einmal zurückzukommen sein wird. Reine Göttergeschichten
sind verhältnissmäßig seltener, als Darstellungen aus der Heroensage; was sich
von Göttergeschichten findet, gehört überwiegend, aber freilich nicht ausschließlich, dem bakchischen Kreise an. Die Erziehung des Dionysoskindes
durch den alten Silen, Scenen aus dem Umherschweifen des Gottes mit
seinem Chor von Satyrn und Bakchantinnen, besonders seine Auffindung der
von Theseus verlassenen Ariadne sind mehrfach dargestellte Gegenstände, ja
die verlassene und die aufgefundene Ariadne gehören zu den am häufigsten
gemalten. Neben den bakchischen Scenen kehren Zeus' Liebschaften mit
Leda, Danaë, Europe, auch Ganymedes' Entführung oder, genauer gesprochen,
die Vorbereitungen zu derselben vielfach wieder, während Ganymedes' Entführung selbst in einem Stuccorelief im Tepidarium der kleineren Thermen
(S. 207) gebildet ist. Auch auf den Io-Mythus bezügliche Monumente fehlen
nicht. Neben diesen Bildern darf aber die ernst und schön dargestellte heilige
Hochzeit des Zeus und der Hera (aus der *Casa del poeta tragico*, Hlbg. No. 114,
oben S. 287) als eines der besten pompejanischen Bilder nicht unerwähnt bleiben.

Wie Zeus' Liebesabenteuer findet sich mehrfach Apollons Verfolgung der
Daphne, welche im Augenblick, wo sie der Gott erreicht, in einen Lorbeerbaum
verwandelt wird; sehr häufig ist Ares' und Aphrodites Liebe dargestellt und
beinahe noch häufiger Adonis, der, vom Eber verwundet, in Aphrodites Armen
verblutet. Auch anderer Götter Liebschaften fehlen nicht, so die des Poseidon
mit einer allerdings nicht zu benennenden Nymphe, Hermes und ein ebenfalls nicht sicher zu bezeichnendes Mädchen; Selene und Endymion sind mehrfach dargestellt, auch Zepyros und Chloris (Hlbg. No. 974), ein Bild, welches
wegen seines in älteren Berichten gepriesenen, jetzt freilich nicht mehr be-
merkbaren, sanften Helldunkels auch künstlerisch zu den merkwürdigsten
gehört. Mag aber der eine oder der andere Gott die Hauptperson des Bildes
sein, in zehn Fällen gegen zwei oder drei wird eine Liebesscene den Gegenstand ausmachen, grade so wie in der spätern Poesie alle anderen Thaten der
Götter und ihre vielfachen Kämpfe über der Erzählung ihrer Liebschaften und
galanten Abenteuer beinahe vergessen worden sind.

Ungleich vielseitiger sind die Darstellungen aus dem Gebiete der Heroen-
sage, obgleich nicht unbemerkt bleiben darf, dass vermöge des Überwiegens
der Wände des vierten Stiles und der auf diesen hauptsächlich vertretenen
Richtung auch hier gewisse erotische, sinnlich reizende oder sentimentale
Gegenstände mit ganz besonderer Vorliebe häufig wiederholt worden sind.
Gegenüber immer nur einzeln oder in wenigen Wiederholungen vertretenen
Darstellungen heroischer Kämpfe oder sonstiger ernster oder tragischer
Mythen des Herakles, des Theseus, des Meleagros oder Perseus, der Medeia,
der Dirke, der Niobe und ihrer Kinder, der Iphigenia, des Laokoon, gegen ebenso
einzeln dargestellte Scenen aus den homerischen Gedichten, die erotischen ausgenommen, können wir ganze Reihen von Bildern stellen, welche den an der
Quelle hinschmachtenden Narkissos, die von Perseus befreite Andromeda, die
von Theseus verlassene oder die von Dionysos aufgefundene Ariadne, die von
Hippolytos abgewiesene Phaedra oder auch Herakles bei Omphale, das Urteil
des Paris oder Achill unter den Töchtern des Lykomedes zum Gegenstande
haben.

Jedoch ist, wie gesagt, auf dem Gebiete der Heroensage diese Behandlung derartiger Stoffe nicht in dem Grad überwiegend, wie auf dem der
Göttergeschichten, und es lässt sich eine ziemlich umfangreiche Gallerie
heroischer Thaten und Leiden aus pompejanischen und herculanischen Gemälden zusammenstellen. Auch hier können indessen nur im Allgemeinen
die Kreise angedeutet werden, aus denen die Stoffe gewählt sind, und einige
der wichtigeren Gemälde hervorgehoben werden. Von Herakles' Thaten,
beginnend mit seinem Erwürgen der seine Kindheit bedrohenden Schlangen,
sind mehre dargestellt, so der Löwenkampf, der erymanthische Eber, die stym-
phalischen Vögel, sein Ringkampf mit Antaeos, Prometheus' und Hesiones
Befreiung (diese in heroischen Landschaften). Aus den Bildern dieses Kreises
giebt Fig. 309 als ein Beispiel eine Darstellung von Herakles' Kampf gegen
den Löwen von Nemea (Hlbg. No. 1124), ein Bild, welches sich durch die
kräftige und naturtreue Zeichnung und die lebendige Wahrheit der Composition empfiehlt. Die Art, wie der Held hier den unverwundbaren und des-

halb weder mit der Keule noch mit Pfeil und Bogen zu besiegenden Löwen
gepackt hat, um ihn durch den Druck der gewaltigen Arme zu ersticken, gehört einer seit den ältesten Zeiten der griechischen Kunst entwickelten und

Fig. 309. Herakles mit dem Löwen von Nemea.

in den verschiedensten Kunstwerken oft wiederholten Typenreihe an. Von
sonstigen Erlebnissen des Helden sind außer etlichen Liebschaften (Omphale,
Auge) nur wenige dargestellt, unter denen die einige Male wiederholte Begegnung mit dem Kentauren Nessos hervorgehoben zu werden verdient. Zu
den vorzüglichsten Bildern gehört ferner Herakles' Auffindung seines Söhn-
chens Telephos von der Auge, der ausgesetzt und von einer Hirschkuh gesäugt
worden war (Hlbg. No. 1143); ein anderes, wenngleich weit unbedeutenderes
Bild zeigt den kleinen Telephos auf des Vaters Knien, während die treue
Hirschkuh, der der Knabe einen Zweig hinhält, zur Seite steht (Hlbg. No.
1144). Unter den Bildern, welche Herakles' Liebe angehn, sei noch ein Mal
auf das schöne, große Gemälde in der *Casa di Lucrezio* (oben S. 317; Hlbg.
No. 1140) verwiesen und eine mehrfach mit geringen Variationen wiederholte
Composition hervorgehoben, welche den Helden von Wein und Liebe be-
zwungen darstellt (Hlbg. No. 1137—39).

Unter Theseus' Thaten tritt natürlich der Kampf mit dem Minotauros
besonders hervor, doch ist fast ständig außer der Empfangnahme des Knäuels
von Ariadne nur die Scene dargestellt, wo Theseus nach der Besiegung des
todt zu seinen Füßen liegenden Ungeheuers von den ihm dankenden, geretteten
Knaben und Mädchen umgeben wird. Dass daneben die Geschichten der auf
Naxos verlassenen Ariadne und von Phaedras Liebe zu Hippolytos zu den
häufigsten Darstellungen gehören, ist schon gesagt worden. Seltener kommt
Theseus' Amazonenkampf vor. Neben den theseïschen Mythen mögen dann die
einige Male wiederholten Darstellungen von D a e d a l o s und Pasiphaë mit der
hölzernen Kuh und die immer in Landschaften behandelten von Daedalos und
Ikaros (Ikaros' Sturz, Hlbg. No. 1209 f., Sogl. No. 523 f.) erwähnt werden.

Neben einigen schon früher bekannten Bildern aus dem Mythus von Admetos
und Alkestis sind neuerlich einige solche aus der Bellerophonsage bekannt
geworden (Sogl. No. 520 ff.). Der Kreis der Argonautensage ist nach den
neueren Funden etwas reicher ausgestattet, als er es früher war; neben die
zahlreichen Darstellungen von Phrixos und Helle stellt sich Iasons erstes
Auftreten vor Pelias, aber nur ein Mal, ebenso der Bau der Argo, etwas
häufiger der Raub des Hylas, nur selten Medea mit den Peliaden und mehrfach Medea im Begriff ihre Kinder zu tödten in Bildern, auf welche in einem
andern Zusammenhange zurückzukommen ist. Zu den früher allein bekannten
Niobidenbildern in der *Casa del questore* (oben S. 340; Hlbg. No. 1154)
haben die neueren Ausgrabungen ein neues, in manchem Betracht interessantes
in dem Hause No. 52 des großen Planes (Sogl. No. 505), sowie ein sehr
schönes Gemälde auf einer weißen Marmortafel (Sogl. No. 504) hinzugefügt[250].
Als einige Male wiederholt ist sodann die Bestrafung der Dirke (Hlbg.
No. 1151 ff., Sogl. No. 503) zu erwähnen. Aus dem Sagenkreise der kalydonischen Jagd sind einige, aber nicht bedeutende Bilder erhalten, welche
lediglich Meleagros und Atalante mit einander gruppirt zeigen. Von den
häufigen Darstellungen von Perseus und Andromeda (ein Mal in einer
schönen großen Landschaft) ist schon gesprochen; außer der Befreiung der
Andromeda ist vielfach eine durchaus idyllisch gestimmte Scene wiederholt,
in welcher Perseus der Geliebten das Haupt der Medusa im Quell zeigt (Hlbg.
No. 1192 ff.). Auch seine Kindheitsgeschichte, wie er mit seiner Mutter Danaë
im Kasten auf Seriphos angetrieben ist, fehlt nicht in mehrfachen Wiederholungen, auf welche nochmals zurückzukommen ist. Ganz vereinzelt sind Bilder
aus dem thebanischen Sagenkreise, aus Oedipus' und seiner Söhne
tragischer Geschichte, s. Hlbg. No. 1155 f.; häufiger dagegen solche des
troischen Krieges und aus den ihm vorhergehenden und ihm folgenden Begebenheiten, wie sich das aus der Berühmtheit der Poesien dieses Stoffes sehr
wohl begreifen lässt. Aus den vorbereitenden Begebenheiten haben wir, um nur
die wichtigsten Scenen anzudeuten, nächst dem Mauerbau Ilions durch Apollon
und Poseidon (oben S. 322; Hlbg. No. 1266), vielfach, wie schon bemerkt, das
Parisurteil, zum Theil in Landschaften, dann mehrfach Paris' und Oenones
Liebe, Paris' und Helenas Begegnung, Iphigeniens Opferung, von der noch
einmal die Rede sein wird, Achilleus' Jugendgeschichten. Von einem Bild
in der *Casa del questore*, in welchem man mit sehr zweifelhaftem Rechte seine
Eintauchung in die Styx zu erkennen glaubt (Hlbg. No. 1390) ist schon oben
(S. 337) die Rede gewesen; sicher ist dagegen mehrfach wiederholt die Er-
ziehung des jungen Helden durch den weisen Kentauren Cheiron, namentlich
seine Unterweisung im Leierspiel, und zwar in einer der wirkungsvollsten und
schönsten Compositionen, welche Fig. 310 vergegenwärtigen mag, obwohl ein
Hauptreiz derselben, das Colorit, durch welches der herrliche, lichte Jüng-
lingskörper sich von dem dunkeln, fast braunen Leibe seines halbthierischen
Lehrers abhebt, uns leider verloren geht. Auch die Entdeckung des jungen
Helden auf Skyros unter den Töchtern des Lykomedes durch Odysseus' List
ist mehrfach zu einer der vortrefflichsten Compositionen verarbeitet (s. Hlbg.
No. 1296 ff., Sogl. No. 572 f.). Neuerdings ist ein auf Lemnos verlassener

Philoktet zu Tage gekommen (Sogl. No. 574), während die Erklärung eines großen Landschaftsbildes mit mythischer Staffage (Sogl. No. 575) aus der Sage von Protesilaos und Laodamia [251]) gerechten Bedenken unterliegt.

Von den von Homer selbst besungenen Begebenheiten des eigentlichen Kampfes gegen Troia eignen sich nur wenige zur bildlichen Darstellung, weshalb wir deren auch verhältnissmäßig nur wenige von der Kunst überhaupt dargestellt finden. Aber ganz fehlen sie auch in Pompeji nicht; das s. g. Haus des tragischen Dichters bietet zwei Bilder aus dem Kreise der Ilias, welche ihres Ortes (S. 287) angeführt worden sind. Das eine derselben, welches Fig. 311 vergegenwärtigt, die Wegführung der Briseïs aus Achilleus' Zelte, gehört in jeder Beziehung zu den für die pompejanische Wandmalerei charakteristischen Gemälden. Auch an den kleinen troischen Cyklus in der Porticus des Apollotempels (oben S. 103) braucht nur zurückerinnert zu werden. Einige zum Theil interessante Bilder (Hlbg. No. 1316—18 c, Sogl. No. 576) stellen Thetis bei Hephaestos dar, welcher ihr die neuen Waffen für ihren Sohn geschmiedet

Fig. 310. Achilleus' Erziehung durch Cheiron.

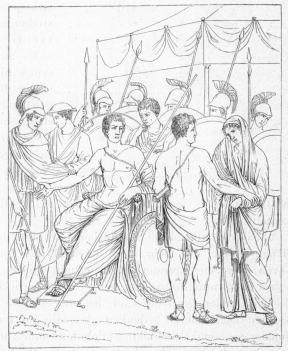

Fig. 311. Wegführung der Briseïs.

hat, deren Überbringung in mehren Wiederholungen (Hlbg. No. 1319 ff., Sogl. No. 577) sich anschließt, und möglicherweise wenigstens ist der einsam in seinem Zelte zur Laute singende Achill in einem Bilde der *Casa dei capitelli colorati* (Hlbg. No. 1315) zu erkennen. Von einer Darstellung der Zurückbringung von Hektors Leiche nach Troia in dem Hause des L. Caecilius Iucundus (Sogl. No. 579) ist nur ein kleines Fragment übrig geblieben, welches durch eine weißhaarig, sonst aber durchaus nicht alt gemalte Hekabe interessant ist [252]).

Von den nachhomerischen Begebenheiten sind nicht so viele gemalt, wie man bei ihrer poetischen Berühmtheit erwarten sollte. Hervorgehoben zu werden verdient eine Darstellung des Palladienraubes (Sogl. No. 580), welche nicht allein als ein ausführlicher Architekturprospect sondern vorzüglich auch dadurch merkwürdig ist, dass den handelnden Personen ihre Namen in griechischer Sprache beigeschrieben sind. Ferner nicht am wenigsten das auf einer Wand dritten Stiles (also vor der neronischen Zeit) in einem Hause

Fig. 312.   Odysseus und Penelope.

Reg. VI, 14, 30 zu Tage gekommene, leider an einer der wichtigsten Stellen beschädigte Laokoonbild, dessen Verhältniss zu der berühmten Gruppe im Vatican in den letzten Jahren begreiflicherweise vielfach erörtert worden ist [253]). Auszuzeichnen sind unter künstlerischem Gesichtspunkte besonders einige Darstellungen des Orestes auf Tauris (Hlbg. No. 1333 ff., Sogl. No. 583), auf welche zurückzukommen sein wird. Nennenswerth sind ferner einige Bilder aus der Odyssee, von denen eines, Kirke und Odysseus, schon früher (S. 274 f.) besprochen worden ist. Hier sei noch der in einigen Wiederholungen (Hlbg. No. 1331 ff., Sogl. No. 582) vorkommenden Begegnung der Penelope mit Odysseus gedacht, von denen Fig. 312 das Exemplar aus dem Macellum darstellt.

Während alle bisher besprochenen Bilder, denen sich noch eine ganze Menge anderer aus mehr vereinzelten Mythen und Sagen, wie Minos und Skylla, Hero und Leander, Pyramus und Thisbe (Sogl. No. 600) u. s. w. anreihen ließe, unmittelbar oder mittelbar aus griechischen, und zwar künstlerischen Quellen geschöpft sind, ist zum Schlusse noch der sehr bemerkenswerthen Thatsache zu gedenken, dass die aus römischen Dichtern, aus nationaler Sage und Geschichte entlehnten Stoffe von der alleräußersten Seltenheit unter den Gemälden der verschütteten Städte sind. Alles was sich mit einiger Sicherheit auf dies Gebiet beziehn lässt, beschränkt sich auf folgende Gegenstände [254]): aus Vergils Aeneide Aeneas' Waffnung (Hlbg. No. 1382, zweifelhaft), dessen Verwundung (oben S. 322; Hlbg. No. 1383), ein Fragment mit

den beigeschriebenen Namen: Dido, Aeneas (Sogl. No. 602) und eine mit sehr
zweifelhaftem Recht auf Aeneas und Polyphem (nach Aen. III, vs. 655 sq.) be-
zogene, ebenso wahrscheinlich Odysseus angehende Darstellung. Sodann finden wir ein Mal die Wölfin mit den Zwillingen (Hlbg. No. 1384), und als einziges
Geschichtsbild kommt der Tod der Sophoniba (aus der *Casa di Giuseppe II.*,
Hlbg. No. 1385) hinzu. Vereinzelt mag noch einiges Andere der Art zu Tage
kommen; allein gewiss wird der gesammte Bestand des nicht aus griechischen
künstlerischen Quellen Abzuleitenden allezeit ein sehr geringer bleiben und
er beweist, dass der Kunst der damaligen Zeit die Gabe der eigenen Erfindung,
wenigstens auf idealem Gebiete versagt war.

Diese Thatsache möge uns nun zu einer etwas genauern Betrachtung
der für pompejaner Gemälde nachweisbaren oder zu vermuthenden Quellen
und Vorbilder hinüberführen, wobei zuerst von den Figurenbildern gesprochen
werden soll.

Dass in einer kleinen campanischen Landstadt nicht Künstler ersten
Ranges die Decoration der Privathäuser und die mit denselben verbundenen
Compositionen malten, ist so einleuchtend, dass besondere Beweise dafür
anzuführen nicht nöthig ist. Dass nun aber diese ihrer Mehrzahl nach untergeordneten Künstler die vielen bedeutenden, geistvollen und reizenden Compositionen nicht oder wenigstens zum kleinsten Theile erfunden haben, versteht sich wohl ebenfalls von selbst, auch ohne dass man das für original zu
achtende realistische Genre zum Vergleich herbeizieht. Bei einigen wirklichen
Originalen, wie dem herculanischen Monochrom von Alexandros von Athen
(Hlbg. No. 170 *b*), von welchem die drei weiteren mit ihm zusammen gefundenen (1241, 1405 u. 1464) nicht zu trennen sind, und dem pompejanischen
Mosaik von Dioskorides von Samos ist der Künstlername beigeschrieben. Auch
ist es uns von alten Schriftstellern bezeugt, dass die Maler dieser Zeit sich
vielfältig mit der Herstellung von Copien berühmter Meisterwerke befassten.
Man braucht ferner nur die zahlreichen Darstellungen eines Gegenstandes,
eben so viele Wiederholungen desselben Grundgedankens der Composition
zu betrachten, um sich zu überzeugen, dass wir es nicht mit Originalen im
eigentlichen und höchsten Wortsinne zu thun haben. Freilich ist es auf der
andern Seite wieder viel zu viel gesagt, wenn ein geistreicher Kunsthistoriker
die pompejanischen Wandgemälde mit den Kupferstichen nach berühmten
Gemälden vergleicht, welche unsere Zimmer schmücken; denn diese wollen
und sollen doch nur ihr Original, soweit es eine andere Technik erlaubt, genau
wiedergeben, und es fragt sich, ob es in Pompeji auch nur eine einzige genaue
Copie eines ältern Bildes giebt. In Beziehung auf die nur ein Mal vorhandenen Compositionen muss diese Frage allerdings unbeantwortet bleiben;
wenn sich aber unter den vielen Wiederholungen eines und desselben Gegenstandes (z. B. Narkissos, Andromeda, Adonis, Ariadne u. a.) nicht zwei
völlig übereinstimmende, ja kaum zwei finden, denen die feineren Motive
der Composition in ihrem ganzen Umfange gemeinsam wären, so ist es augenscheinlich, dass von Copien im eigentlichen Sinne des Wortes, oder gar von
Vervielfältigungen wie durch den Kupferstich nicht die Rede sein kann. In
welchem Verhältniss der Abhängigkeit von ihren Originalen dann aber die

pompejanischen Gemälde stehn, und welche diese Originale gewesen sein
mögen, das ist eine der interessantesten Fragen, auf welche jedoch nur eine
im Allgemeinen sich haltende und im Besondern sehr unvollständige Antwort
möglich ist. Denn, so auffallend dies auf den ersten Blick erscheinen mag,
nur für ganz vereinzelte Bilder ist es möglich, bestimmte Vorbilder und das
Verhältniss zu diesen Vorbildern als Copie und freie Nachbildung mit größerer
oder geringerer Wahrscheinlichkeit zu vermuthen[255]. Am meisten Übereinstimmung herrscht, und zwar mit Recht, in der Annahme, dass die in drei
Wiederholungen (Hlbg. No. 1262—64; das neuerdings gefundene Bild: Sogl.
No. 555 ist ganz verschieden) vorhandene Darstellung der auf den Mord ihrer
Kinder sinnenden Medea auf ein litterarisch überliefertes Meisterwerk, die
Medea des Timomachos von Byzanz zurückgehe. In dem wohl erhaltenen
pompejaner Exemplar aus der *Casa dei Dioscuri* (1262, oben S. 340), von
welchem das zweite im Macellum (1263, oben S. 126) eine weniger gut erhaltene Replik zu sein scheint, besitzen wir die ganze Composition, rechts
Medea, links die auf einer viereckigen Basis in aller Unbefangenheit spielen-
den, von dem weißbärtigen Paedagogen überwachten Knaben. Von dem
herculaner Exemplare (1264) ist nur Medea erhalten. Denn die Ansicht, dass
dies Bild und ebenso das Original des Timomachos auf die Figur der Medea
beschränkt gewesen sei, ist auf's bündigste widerlegt. Die Medea dieses

dritten Exemplares aber, welche Fig. 313 vergegenwärtigt, ist, so genau sie im Übrigen mit derjenigen des pompejaner Bildes in Zeichnung und Farbe übereinstimmt,
vor dieser nicht allein durch einen lebhafter pathetischen
Ausdruck des Gesichtes ausgezeichnet, sondern unterscheidet sich von ihr auch in bedeutsamer Weise in der
Haltung der Hände. Die pompejaner Medea nämlich hat
das in der Scheide steckende Schwert in der Linken und
legt die Rechte an den Griff, als wolle sie eben die Mord-
waffe ziehn; die herculanische dagegen hält die Hände
gefaltet und presst, wie in tiefster, aber verhaltener ge-
müthlicher Erregung die Spitzen der beiden Daumen
gegen einander, während das Schwert in der Scheide mit
dem Griffe zwischen ihren Händen ruht und an ihren
linken Arm gelehnt ist, also nicht zur unmittelbar folgenden That bereit gehalten wird. Es kann nun kaum
einem Zweifel unterliegen, dass dies letztere Motiv dem

Fig. 313. Medea nach
       Timomachos.

Originale des Timomachos entspricht, nicht allein, weil als
dessen Hauptvorzug der Ausdruck des Seelenkampfes der
Medea hervorgehoben wird, der in dem herculaner Bilde weit mehr zur Geltung
kommt, als in den pompejanern, und weil das Motiv der verschränkten Hände
weit besser zu der gesammten Haltung der Gestalt passt, sondern auch weil die
Anwesenheit des Paedagogen jeden Gedanken an die unmittelbar bevor-
stehende That der grausigen Mutter ausschließt, auf welche doch das Motiv
des Ziehenwollens des Schwertes hinweist. Man sieht also aus der Vergleichung der beiden Wiederholungen, dass jedenfalls in einer derselben

— wahrscheinlich der pompejaner, und zwar nicht zu ihrem Vortheil — mit einem Hauptmotiv des Originales eine tief greifende Veränderung vorgenommen worden ist.

Vergleichsweise am wahrscheinlichsten darf man zweitens die Composition der Danaë auf Seriphos (Hlbg. No. 119—121) auf ein Original des Artemon zurückführen; aber auch hier zeigt sich in den drei bekannten Exemplaren das freie Schalten der pompejaner Maler oder ihrer unmittelbaren Vorbilder (s. unten) mit der Überlieferung, indem nur ein Bild (119) der mit dem Knaben Perseus dasitzenden Danaë zwei Jünglingsgestalten, Fischer, gegenüberstellt, wie dies im Originale der Fall gewesen sein muss, während die beiden anderen Exemplare die Darstellung auf Danaë beschränken und eines derselben (121) den Perseusknaben als Wickelkind darstellt.

Weiter ist die Zurückführung der durch Perseus befreiten Andromeda (Hlbg. No. 1186—89) und der von Argos bewachten Io (131—34) auf Originale des Nikias von Athen versucht worden. Dass dieselbe sehr wohl möglich, ja sogar bis zu einem gewissen Grade wahrscheinlich sei, kann man nicht läugnen, aber als beweisbar wird man sie kaum anerkennen dürfen. Jedenfalls, gehn diese Bilder auf Originale des Nikias zurück, so stehn namentlich die Maler der Io-Bilder, wie wir sie in Pompeji finden, ihrem Vorbilde frei gegenüber, indem sie, wie sich aus einer im Hause des Germanicus auf dem Palatin in Rom gefundenen, viel vorzüglichern Replik beweisen lässt, sehr zu ihrem Nachtheile die Composition zusammenzogen und die Figur des zur Befreiung der Io herankommenden Hermes wegließen, wodurch das Gemälde so ziemlich jede dramatische Spannung verliert.

Es sei ferner erwähnt, dass man bei dem Cyklus von Scenen aus der Ilias im Apollotempel an Originale des Theon von Samos, bei der Enthauptung der Medusa (Hlbg. No. 1182) an ein Vorbild des Timomachos, bei dem Achill auf Skyros (Hlbg. No. 1296 ff.) an ein solches des Athenion von Maronea, bei der Hesione (1129) und den Europebildern (124 ff.) an Originale des Antiphilos von Alexandria, bei den von Satyrn beschlichenen Bakchantinnen (524 ff., 559 ff.) an ein solches des Nikomachos von Theben, bei dem Stieropfer (1411) an das Vorbild eines Gemäldes des Pausias von Sikyon oder seines Schülers Aristolaos gedacht, auch in den Darstellungen des Orestes auf Tauris (1333 f., Sogl. No. 583) auf, allerdings nur zum Theil (in der überaus schönen Gruppe der gefesselten Jünglinge), bewahrte Reminiscenzen wiederum eines berühmten Originales des Timomachos geschlossen hat, ohne dass alle diese Zurückführungen, so viel Ansprechendes die meisten derselben haben mögen, für mehr als möglich gelten können. Wenn wir daher auch in diesen Fällen den Grad der Freiheit nicht zu beurtheilen vermögen, mit welchem die pompejaner Maler ihre Vorbilder behandelten und ihren Zwecken oder auch ihrem Können nach umgestalteten, so ist endlich noch des Iphigenienopfers Fig. 314 aus der *Casa del poeta tragico* zu gedenken, in welches Bild, wie übrigens nicht minder in die Reliefdarstellung derselben Scene an einem runden Fußgestell in Florenz, ein Motiv, dasjenige des im tiefsten Schmerze verhüllt dastehenden Agamemnon aus einem hochberühmten Bilde des Timanthes von Kythnos übergegangen ist, während die ganze übrige Composition mit derjenigen des Meisters nichts gemein hat.

Fig. 314. Iphigenias Opferung.

Dieses Bild ist aber zugleich so ziemlich das einzige, welches in Composition, Zeichnung und Colorit den Charakter der ältern griechischen Kunst bewahrt hat; mögen noch einige andere sei es in der Zeichnung, sei es in der der Farbe oder in den Grundmotiven Nachklänge aus den früheren Perioden der Kunst entdecken lassen, im Allgemeinen zeigen die pompejaner Bilder in jeder Hinsicht den Charakter der hellenistischen Periode, d. h. der Zeit von Alexander d. Gr. abwärts. Dieses und dass nicht minder die ganze Weise der Decoration, deren wesentlichen Bestandtheil die mythologischen Mittelbilder ausmachen, an die Entwickelung der Kunst der hellenistischen Periode anknüpft, darf als das vollkommen gesicherte und höchst wichtige Ergebniss der Helbig'schen und aller neueren Untersuchungen gelten.

Dabei verdient nun aber volle Beachtung das, was sich über das Verhältniss der pompejaner Bilder zu den hellenistischen Originalen feststellen lässt. Schon nach allgemeinen Wahrscheinlichkeitsgründen, welche durch einige Sonderuntersuchungen bestätigt worden sind, muss man schließen, dass dieses Verhältniss kein unmittelbares sei, dass die Wandmaler in Pompeji nicht die ursprünglichen Schöpfungen der griechischen Maler wiederholten, welche sie wahrscheinlich zum größten Theile selbst nicht einmal gesehn hatten, sondern dass ihnen diese Compositionen durch verschiedene Mittelstadien, Copien und Nachbildungen zugegangen sind, die von bedeutenderen Mittelpunkten des Kunsttreibens dieser Zeit aus verbreitet wurden und denen manche Umwandelung zuzuschreiben sein wird, welche auf den ersten Blick das freie Eigenthum der pompejaner Maler zu sein scheint. Es ist z. B. wahrscheinlich, dass auf eine solche Mittelstufe die Verschiedenheit in der Wiedergabe der Medea des Timomachos zurückgeführt werden muss, von der oben die Rede gewesen ist. Nur würde man wohl zu weit gehn, wenn man den pompejaner Malern jede Freiheit und Selbstthätigkeit in der Ab- und Umwandelung ihrer Vorbilder absprechen und jede Variante derselben Composition als in den unmittelbaren Vorbildern der Künstler in Pompeji bereits vorhanden betrachten wollte. Viele der Varianten besonders in den am häufigsten wiederholten Gegenständen sind theils so wenig tiefgreifend, theils lassen sie sich aus den besonderen Umständen, unter welchen die eine und die andere Wiederholung erscheint, so wohl erklären, dass man gewiss nicht irrt, wenn man sie als das Eigenthum der pompejanischen Maler betrachtet. Dies gilt z. B. von der Verschiedenheit

der vorherrschenden Farbe der einzelnen Bilder, welche — obgleich über diesen
Punkt die Forschung noch nicht zu Ende geführt ist — oft mit der Gesammt-
oder Grundfarbe der Decoration in Übereinstimmung steht und derselben
harmonisch angepasst ist; das gilt wohl auch von etwas verschiedenen, aber
an sich gleichgiltigen Stellungen und Bewegungen der verschiedenen Wiederholungen derselben Figur, von Zusätzen und Auslassungen von Nebendingen
und vielleicht auch von Nebenpersonen. Genau freilich den Grad der Selbständigkeit und der Abhängigkeit der pompejaner Maler ihren Vorbildern
gegenüber zu bestimmen, ist für jetzt nicht möglich und wird wohl um so
weniger je möglich sein, je weniger genau wir nicht allein die Originale und
die Vorbilder kennen, sondern auch das wahrscheinlich sehr verschiedene
künstlerische Vermögen der einzelnen Maler zu ermessen im Stande sind.

Wenn aber die größere oder geringere künstlerische Freiheit der pompejaner Maler gegenüber ihren Vorbildern und wenn das nähere oder entfernere
Verhältniss derselben zu den Originalen den Satz nicht aufzuheben vermag,
dass den pompejaner Wandgemälden Originale der hellenistischen Tafelmalerei
zum Grunde liegen, so muss doch um die Beziehungen der Nachbildungen zu
den Originalen richtig zu fassen wohl beachtet werden, dass es sich bei den
Wandgemälden stets nur um die Wiedergabe einer Auswahl aus den Original-
schöpfungen der Diadochenzeit handeln kann. Eine ganze Kategorie von Gegenständen, die grauenhaften, tief tragischen und pathetischen mussten, wie
schon früher bemerkt, als zur Decoration von Privatzimmern ungeeignet bei
Seite gelassen werden und sind in der That mit wenigen Ausnahmen vermieden worden. Auch sehr ausgedehnte und figurenreiche Compositionen eigneten
sich nicht zum Schmucke der kleinen Zimmerwände, auf denen sie nur in
sehr verjüngtem Maßstabe hätten wiedergegeben werden können; sie sind
daher vermieden, und es giebt kein pompejaner Bild, das eine ziemlich beschränkte Figurenzahl überschritte. Andererseits fehlt bisher jede Spur der
Nachahmung mancher auf einzelne Figuren beschränkter Werke grade der
berühmtesten Meister der Zeit Alexanders und seiner Nachfolger, eines Apelles
und Protogenes, ohne Zweifel aus dem Grunde, dass die pompejaner Künstler
die Unmöglichkeit begreifen mochten, mit ihren technischen Mitteln Bilder
nachzuahmen, deren Hauptwerth in der vollendeten Durchführung und der
virtuosen Handhabung einer von der ihrigen ganz verschiedenen Technik und
in dem Ergebniss derselben, glänzendem Colorit und feiner Abtönung bestand.
Dahin gehört es auch, dass Lichteffecte, welche nach bestimmten Zeugnissen
in der hellenistischen Periode der Malerei mit Liebe behandelt worden sind,
sich in den pompejanischen Wandmalereien so selten wiederfinden, dass
gradezu nur zwei Bilder desselben Gegenstandes, Pero, welche ihrem Vater
Kimon im Kerker die Brust reicht (Hlbg. No. 1376 und Sogl. No. 599), wobei
ein schmalerer oder breiterer Streifen Sonnenlichtes durch ein hohes Fenster
in den Kerker fällt, als solche genannt werden können, in welchen die Darstellung eines Lichteffectes versucht, aber nicht einmal durchgeführt ist, indem der Sonnenstrahl auf die Beleuchtung der Figuren kaum einen Einfluss
ausübt. Wenn das Gegentheil, d. h. eine fein abgetönte und effectvolle Beleuchtung von älteren Beobachtern bei einem Bilde behauptet wird, welches

(Hlbg. No. 974) Zephyros' und Chloris' Hochzeit darstellt, so ist davon jetzt nichts oder so gut wie nichts mehr zu sehn; nur das was auch Helbig angiebt, ein dunkeles Colorit wie im Dämmerlicht im ganzen Bilde, helleres Licht am Horizonte, lässt sich allenfalls noch wahrnehmen. Und wenn Zahn (II, 20) von dem Leda-Bilde (Hlbg. No. 144) sagt, der Hintergrund sei in einem sehr warmen Tone, »wie bei einer Vision« gehalten, so kann man das heutzutage auch nicht mehr controliren und wird den Ausdruck nicht grade sehr genau und anschaulich nennen wollen. Jedenfalls sind solche Bilder sehr vereinzelte Ausnahmen. Ebenso giebt es nur sehr wenige Figurencompositionen, in welchen die Personen einen Schlagschatten auf den Boden werfen. Offenbar liegen dieser Erscheinung, auf welche bei der Besprechung der Landschaftsmalerei zurückgekommen werden muss, technische Schwierigkeiten zum Grunde, welche den pompejaner Frescomalern Beleuchtungseffecte besten Falls in andeutender Weise zu behandeln gestatteten und welche sie dieselben daher auch da vermeiden ließen, wo dies nur mit einer gewissen Unnatur möglich war, wie z. B. bei dem flammenden Heerde des Hephaestos (Hlbg. No. 259), der keinerlei Feuerschein wirft. Andere Effecte wie Reflexe, Spiegelungen und diejenigen, welche durch durchsichtige oder halbdurchsichtige Mittel (Glas, dünne Gewandstoffe u. dgl.) hervorgebracht werden, finden sich dagegen und sind mit größerem oder geringerem Geschick ausgebeutet.

Wenn wir nun diesen Erörterungen über die Quellen und Vorbilder der Figurengemälde ein kurzes Wort über diejenigen der Landschaftsmalerei in ihrem ganzen, oben charakterisirten Umfange hinzufügen sollen, so werden wir hauptsächlich zwei Classen zu unterscheiden haben. Die eine umfasst die heroischen und die ihnen entsprechenden idyllisch staffirten Landschaften, die sich ausschließlich oder fast ausschließlich auf Wänden des dritten Stiles als deren Mittelbilder finden. Es unterliegt keinem Zweifel, dass wir die Vorbilder dieser Gemälde in solchen der hellenistischen Epoche zu suchen haben, für welche uns dergleichen, namentlich Odysseelandschaften (*Ulixis errationes per topia*) ausdrücklich (bei Vitruv VII, 5) bezeugt werden. Das Gleiche gilt von den mit Cultushandlungen staffirten, von den Dorflandschaften, den Nillandschaften, welche ihr Ursprungszeugniss in sich tragen, den Küstenansichten (*promontoria et portus*) und den Marinebildern. In die zweite Classe werden wir die Städte- und Villenansichten mit mehr oder weniger heiterer Staffage und die Gartenmalereien zu rechnen haben. Zu dieser Art von Darstellungen hat offenbar der römische, unter Augustus lebende, gewöhnlich unter dem Namen Ludius angeführte, wahrscheinlich richtiger S. Tadius zu nennende Maler den Anstoß gegeben, von welchem Plinius (N. H. 35, 116 f.) das Folgende berichtet: »Auch S. Tadius zur Zeit des Augustus soll nicht um seinen Ruhm betrogen werden, indem er zuerst eine höchst anmuthige Art von Wandmalerei einführte: Villen und Hallen und Gartenanlagen, Haine, Wälder, Hügel, Wasserbehälter, Gräben, Flüsse, Ufer, wie sie Jemand nur wünschen mochte; dazu mancherlei Figuren von Spazierengehenden, in Schiffen Fahrenden und von Menschen, welche ihre Landgüter zu Esel oder zu Wagen besuchen, ferner Fischende, Vogelsteller, Jäger, Leute auf der Weinlese. Unter seinen Werken befinden sich z. B. schöne Villen mit sumpfigem Zugange, wo die Männer keck die Frauen auf die Schultern genommen haben und nun unter ihrer Last zaghaft schwanken, und manches Witzige der Art von feinstem Salz. Er malte auch zunächst in unbedeckten Räumen Seestädte vom reizendsten Ansehn und zwar mit äußerst geringem Aufwande.« Was hier angegeben ist, finden wir in Pompeji wieder, was jedoch nicht so verstanden werden will, als ob bestimmte Bilder des Tadius hier copirt worden wären. Das ist um so weniger der Fall, je weniger Wiederholungen, einige umrahmte Landschaften vielleicht ausgenommen, wir finden; die einzelnen Bilder sind ohne Zweifel selbständig componirt, »das Rezept, wie ein solches Bild in einer gewissen Classe anzufertigen, war vorhanden, aber es war keine Schablone, nicht einmal im übertragenen Sinne des Wortes« (Woermann).

Um nun zu einer allseitig gerechten Würdigung der pompejanischen Wandgemälde unter künstlerischen Gesichtspunkten zu gelangen, müssen nicht nur die schon im Vorhergehenden angedeuteten Beschränkungen, welche der decorative Zweck und die Frescotechnik den Malern auferlegten, sondern auch die Bedingungen erwogen werden, unter welchen die Bilder gesehn wurden. Es ist schon oben (S. 567 f.) daran erinnert worden, dass diese Bedingungen, namentlich diejenigen der Beleuchtung vollkommen verschieden waren von denjenigen, unter denen wir die Bilder sei es an Ort und Stelle, sei es im Museum sehn, und auf einzelne Örtlichkeiten, wie das große Triclinium der *Casa di Meleagro* hingewiesen worden, wo die Gemälde unter ungefähr der antiken entsprechender Beleuchtung gesehn werden. Hier möge noch hervorgehoben werden, dass das Licht in sehr vielen Zimmern, stark gedämpft und mittelbar einfallend, ein höchst ungünstiges war, ein solches, unter dem eine große Menge Feinheiten der Ausführung gar nicht hätten gewürdigt werden können und dass es daher nur natürlich und verständig genannt werden kann, dass die Maler auf solche Feinheiten von vorn herein verzichteten. Aber auch die eigenthümlich neutrale oder ganz allgemein gehaltene Beleuchtung, unter welcher die gesammten Gegenstände, ganz abgesehn von den fehlenden Lichteffecten und Schlagschatten, gemalt sind, dürfte sich aus den Beleuchtungsbedingungen erklären, unter welchen die Bilder gemalt und gesehn wurden. Je bestimmter nun in unserer modernen Malerei Beleuchtung und Lichtführung durchgebildet sind, um so auffallender unterscheiden sich von modernen Bildern diese antiken Wandgemälde, in welchen Licht und Schatten wesentlich auf das Maß beschränkt sind, welches zur Modellirung der Körper und Formen nothwendig ist, ja es kann in dieser Behandlungsweise der Grund liegen, warum die antiken Bilder manchem modernen Auge nicht im eigentlichsten Sinne malerisch behandelt erscheinen und warum man von einem mehr plastischen als malerischen Charakter derselben, allerdings mit Unrecht, geredet hat.

Wenn man, um den freilich sehr ungleichen künstlerischen Werth der pompejaner Bilder durchgreifender als für jeden einzelnen Fall zu bestimmen, nach Classen oder Kategorien sucht, in welche sie sich ordnen lassen möchten, so wird man vorweg auf die Verschiedenheiten der Bilder von Wänden dritten und vierten Stiles aufmerksam zu machen haben. Von einer weiter gehenden kunstgeschichtlichen Gliederung der Gesammtmasse kann nicht die Rede sein;

denn die Annahme, dass nicht wenige Bilder in die fertigen Wände eingesetzt
seien, und die weitere, dass diese oder doch die vorzüglichsten unter ihnen,
wie z. B. die großen und schönen Bilder in der *Casa di Lucrezio* (oben S. 317 f.)
aus einer frühern und bessern Kunstzeit stammen, ist, wie ebenfalls schon
bemerkt, als widerlegt zu betrachten. Mit den älteren Decorationsweisen aber
(oben S. 521 ff.) sind Bilder überhaupt nicht verbunden. Die gegenständlichen
und die technischen Verschiedenheiten der den beiden letzten Stilarten angehörenden Bilder ist jedoch bedeutend genug, um ein Hervorheben wenigstens
der wichtigsten Merkmale der einen und der andern zu rechtfertigen [256].

Was zunächst das Gegenständliche anlangt, braucht kaum gesagt zu werden, dass alle diejenigen Malereien, welche nicht auf griechische Vorbilder
zurückgehn, also diejenigen, welche Helbig als »römisch-campanische Sacral-
bilder« bezeichnet, und diejenigen, welche er unter dem Titel: »römisch-campanisches Genre« zusammengestellt hat (s. oben S. 579) ausschließlich dem
vierten Stil angehören, dagegen die als: »hellenistisches Genre« charakterisirten (oben S. 580 f.) wenn auch nicht ausschließlich, so doch ganz überwiegend
dem dritten. Ferner soll das soeben über die Landschaftsdarstellungen des
einen und des andern Stiles Gesagte nicht wiederholt werden; im nächsten
Anschluss hieran ist aber zu bemerken, dass der dritte Stil es liebt, auch bei
mythologischen Darstellungen den landschaftlichen Hintergrund ausführlicher
zu behandeln, während in Bildern des vierten Stiles die Figuren durchaus die
Hauptsache sind und der Hintergrund meistens nur in ganz bescheidener
Weise angedeutet wird. Es darf hierbei freilich nicht unerwähnt bleiben, dass
es an derartigen Bildern auch auf Wänden dritten Stiles nicht fehlt. Obgleich
ferner eine Reihe von Gegenständen den Wänden beider Stilarten gemeinsam
ist, wie Ariadne und Theseus, Ariadne und Dionysos, Aktaeon, Odysseus und
Penelope, Perseus und Andromeda, finden sich gewisse andere nur auf solchen
dritten und wieder andere nur auf solchen vierten Stiles. Vergleicht man die
beiden Folgen, so ergiebt sich, dass die Bilder heroischen und pathetischen
Charakters überwiegend dem dritten, die mehr sinnlich reizenden wie z. B.
Ganymedes mit dem Adler, Leda mit dem Schwan, Apollon und Daphne,
Ares und Aphrodite dem vierten Stil angehören und dass im Ganzen betrachtet
die Mannigfaltigkeit der Gegenstände im dritten Stile, dem viele der nur ein
Mal vorkommenden Bilder angehören, beträchtlich größer ist, als im vierten.
Mit der Auswahl der Gegenstände hangt dann ihre Behandlung zusammen; es
ist bezeichnend, dass im vierten Stile, in welchem die sinnlichen Scenen über-
wiegen, auch eine Freude an möglichst ausgedehnter Schaustellung des Nackten
zu Tage tritt, während der dritte Stil Bekleidung liebt und auf schönen Falten-
wurf viel Werth legt. Und ebenso ist der Typus der Figuren selbst in beiden
Stilarten ein verschiedener; diejenigen des dritten Stiles sind Idealgestalten
und verleugnen namentlich auch in der Gesichtsbildung nicht ihren griechischen Ursprung, während uns in den Bildern des vierten Stiles üppige,
sinnliche Gestalten begegnen, deren Gesichter einen realistischen Zug haben
und in vielen Fällen den einheimischen Typus Campaniens wiedergeben
mögen. Dagegen scheint die Fähigkeit den Gesichtsausdruck charakteristisch
wiederzugeben in der Zeit des dritten Stiles nicht eben sehr verbreitet gewesen

zu sein, denn obwohl Ausnahmen vorkommen, finden wir nicht selten selbst
in den sorgfältig gemalten Bildern dieses Stiles eine gewisse Starrheit und
Ausdruckslosigkeit der edel geformten Gesichter.   Wenn uns dagegen in den
Bildern des vierten Stiles, und zwar nicht allein den sorgfältiger ausgeführten,
sondern auch in manchen flüchtig und lüderlich hingeworfenen eine Menge
von ausdrucksvollen Gesichtern entgegenkommt, so mag das mit dem nähern
Verhältniss der Maler zu den lebenden Modellen ihrer Zeit im Zusammenhange stehn.   Endlich sind auch die Malweise und die Farbengebung in beiden
Stilarten so verschieden, dass deren Merkmale zur Zuweisung der Bilder an
die eine und die andere ausreicht.   In den Bildern dritten Stiles ist die Zeichnung durchweg feiner, auch in den Einzelheiten mit spitzem Pinsel sorgfältig
durchgeführt, darauf berechnet in der Nähe betrachtet zu werden, häufig
freilich etwas hart und trocken.   Auf schöne Linienführung ist viel Werth gelegt; die Modellirungen sind sorgfältig durchgebildet, Licht und Schatten
gehn allmählig in einander über und die Farben sind meistens etwas kalt,
blass und matt.   Dagegen ist die Zeichnung in Bildern des letzten Stiles vielfach, aber keineswegs immer, weniger sorgfältig und mehr auf Farbenwirkung
berechnet, dafür aber nicht selten weicher und flüssiger.   Auf Linienschönheit
ist meistens weniger Gewicht gelegt, als auf die Farbenwirkung und auf das
kräftige, plastische Hervortreten der üppigen Formen.   Das Colorit ist lebhaft
und warm, namentlich in den Fleischtönen, und kräftige Lichter sind oft geschickt und wirkungsvoll aufgesetzt, ohne allmähliche Übergänge in die be-
schatteten Theile.

Es ist vielleicht nicht überflüssig, dieser Charakteristik der Bilder des
dritten und des vierten Stiles die Bemerkung hinzuzufügen, dass ein Vorzug an
sich den älteren vor den jüngeren nicht zugesprochen werden kann.   Dies
könnte in der That so scheinen, wenn man sämmtliche Hervorbringungen
der einen und der andern Periode mit einander vergleicht und dabei außer
Acht lässt, dass wir aus der jüngern so ziemlich Alles, das Geringe und
Flüchtige, selbst Rohe neben dem Bessern und Guten besitzen, während aus
der ältern, deren Monumente vielfach durch das Erdbeben zerstört und durch
Neubauten der letzten Periode ersetzt sind, eine verhältnissmäßig beschei-
denere Auswahl, ohne Zweifel des Bedeutendern, auf uns gekommen ist. Gegenüber den guten Bildern der einen und der andern Classe wird man sich wohl
zu hüten haben, von einem Vorzuge der ältern vor der jüngern zu reden, da
sich vielmehr nicht läugnen lässt, dass die schönsten aller pompejanischen
Bilder von Wänden des vierten Stiles stammen.   Als solche schönsten Bilder
nämlich wird man, um hier nur einige anzuführen, da die großartig ausgeführte Auffindung des Telephos (Hlbg. No. 1143) herculanisch ist, in erster
Linie die großen Bilder aus der *Casa di Lucrezio* (oben S. 317 f.) nennen dürfen,
demnächst das Iphigenienbild aus der *domus Popidii Secundi* (*Casa del citarista*
oder *d'Ifigenia*, Hlbg. No. 1333), welches, im Ganzen vortrefflich, namentlich
in den Gestalten des Orestes und Pylades das höchste Lob verdient.   Neben
diese Bilder stellt sich dann die heilige Hochzeit des Zeus und der Hera
aus dem Atrium der *Casa del poeta tragico* (oben S. 287), denen sich die
übrigen derselben Fundstelle, namentlich die Entführung der Briseïs (S. 591),

anreihen; vortrefflich ist auch, wie bereits bemerkt, die Erziehung des Achilleus durch Cheiron (Fig. 310), sehr wirkungsvoll die Entdeckung des Achilleus unter den Töchtern des Lykomedes (wohl am besten in der *Casa del questore* Hlbg. No. 1297, oben S. 337), auch Zephyros und Chloris (S. 598); immer noch sehr schön gemalt, wenn auch nicht so unbedingt zu loben das große Bild Isis und Io aus dem Isistempel (Hlbg. No. 138), während auch die Einzelfiguren von Göttern innerhalb der Decoration in der *Casa del questore* (S. 336) hervorgehoben zu werden verdienen.

Wenden wir uns von dieser Erwähnung einiger der besten Bilder Pompejis zu dem Versuch einer allgemeinen künstlerischen Würdigung der pompejanischen Malereien, welcher besonders deswegen von Wichtigkeit ist, weil uns dieselben, wie seines Ortes hervorgehoben worden ist, zum guten Theile die antike Malerei überhaupt vertreten müssen, so soll nicht abermals von den bereits früher erörterten eigenthümlichen gegenständlichen und technischen Bedingungen die Rede sein, unter welchen die pompejaner Bilder stehn, und ebenso darf hier die ganze Masse des flüchtig Hingeworfenen, Unbedeutenden und Rohen bei Seite bleiben, welches nur als Zeugniss für die außerordentliche Handfertigkeit und Geschicklichkeit der alten Decorationsmaler seine Wichtigkeit hat. Hält man sich an den Hauptbestand dessen, was auf künstlerischen Werth Anspruch hat, so wird man, um mit den Figurenbildern, besonders den mythologischen zu beginnen, der großen Mehrzahl eine glückliche Wahl des Gegenstandes zuerkennen müssen, man möge von seinem Interesse oder von seiner klaren und vollständigen Darstellbarkeit und Abgeschlossenheit, oder von seiner Anlage zur formalen Schönheit reden. Es sind nur sehr wenige Gemälde vorhanden, welche nicht eine in sich vollendete oder sich vollendende und deshalb aus sich selbst verständliche und erklärbare Handlung enthielten, die, bei vorausgesetzter Kenntniss der allgemeinen mythologischen Grundlage, selbst für uns keines Commentars bedürfen und eines solchen natürlich noch viel weniger für den alten Beschauer bedurften, welcher vermöge der zeitgenössischen Poesie, welche wie die Kunst aus hellenistischer Quelle schöpfte und sich vielfach an die Darstellungen der Kunst anlehnte, mitten in den Kreisen des Mythus lebte, welchen die Gemälde schildern. Durchaus vermieden, ja dem gesunden und gleichsam instinctiven Sinn der Alten für die Grenzen jeder Kunst vollkommen fremd ist jene symbolisch-allegorische Malerei, welche unsere moderne Kunst auf bedenkliche Abwege zu führen droht. Überall ist mit dem Idealismus der Auffassung der gesundeste Naturalismus der Darstellung verbunden, wobei es allerdings nicht verkannt werden darf, dass den alten Malern in ihrem von vorn herein aus idealen und realen Elementen gemischten Mythus ein Gebiet offen stand, welches uns Modernen größtentheils verschlossen ist und durch kein Analogon ersetzt wird. Auch auf die Composition äußert die glückliche Wahl und die frische und natürlich einfache Auffassung des Gegenstandes ihren Einfluss. Man hat, wie schon berührt wurde, vielfach von einer plastischen oder gar einer reliefartigen Compositionsmanier der alten Malerei geredet; dieselbe lässt sich aber in der That so wenige der wirklichen Vorzüge oder Vortheile malerischer Composition über die plastische entgehn, dass man das sogenannte plastische

Compositionsprincip, wenn man nur wirklich weiß, um was es sich bei diesem handelt, schwer würde nachweisen können. Die reliefartige Composition aber vollends kann man höchstens in dem halbwegs archaisirenden Iphigenien-opfer Fig. 314 finden; aber auch mit diesem müsste man größere Veränderungen vornehmen, als gemeinhin bis in die neuste Zeit geglaubt wird, um es als ein gutes Relief zu componiren. Das was man das plastische Compositionsprincip der pompejanischen Malereien genannt hat, besteht aber außer in der schon oben charakterisirten Behandlung von Licht und Schatten in nichts Anderem als in der großen Klarheit und Einfachheit der Compositionen, welche wahr-haftig kein Mangel und keine Schwäche, sondern ein großer Vorzug vor der Verworrenheit und Unklarheit vieler modernen Compositionen ist. Wenn ferner die Figuren in Haltung und Bewegung, im Nackten, wie in der Ge-wandung, abgesehn von dem seines Ortes erwähnten Mehr oder Weniger der verschiedenen Stilarten, im Allgemeinen gut gezeichnet und wirkungsvoll modellirt sind, so würde man das unmalerisch nur dann nennen können, wenn man behaupten wollte, der rechte Triumph der Farbe müsse mit nachlässiger Zeichnung und Modellirung verbunden sein, was angesichts der großen Colo-risten der Renaissance schwer durchzuführen sein möchte. Allerdings sind in den pompejaner Bildern gehäufte und unnöthige Verkürzungen mit feinem Takt und großer Geschicklichkeit vermieden, aber unmalerisch würde man das doch wiederum nicht nennen dürfen, da trotzdem keine Stellung und Be-wegung zu kühn erscheint und ihre Mannigfaltigkeit den höchsten Grad er-reicht. Wie sehr in der That die alten Maler Pompejis sich des Vorzugs malerischer Darstellung gegen die plastische in der Composition der Be-wegungen bewusst waren, das vermögen den Denkenden allein schon die schwebenden Figuren und Gruppen zu lehren, welche plastisch eben so un-möglich wären, wie sie nur einer Malerei möglich waren, die nicht durch die Ängstlichkeit realistischer Motivirung, wie unsere moderne, eingeengt war. Diese Tänzerinnen, diese Bakchantinnen, diese Kindergestalten schweben uns entgegen oder an uns vorbei aus dem einfarbigen Grunde der Wand, diese Satyrn oder Bakchanten umarmen die schönen, üppigen Genossinnen, tragen sie, schwingen sie empor, diese Kentauren galoppiren dahin, sei es gemächlich eine anmuthige Bakchantin auf dem Rücken wiegend, sei es von ihr zu rascherem Laufe gespornt, sei es mit ihr musicirend; aber nicht mit An-strengung vom Boden emporspringend, nicht von Flügeln oder von einer kümmerlich verstandesmäßig hinzugethanen Wolke unterstützt: sie schweben wie von innerem Schwunge getragen, als hätte die Bewegung und Leidenschaft des Gemüthes die Schwere des Körpers überwunden, als höbe und schwänge sie die unendliche Lust des Daseins. Und doch sind sie nicht Schatten- und Nebelbilder, doch erscheinen sie im vollen Farbenglanze des Lebens, und doch macht eben dieses pulsirende und glühende Leben in den schönen von leicht-flatternden Gewändern umrahmten Körpern uns dieselben glaublich und be-greiflich, ohne dass wir nach den materiellen Bedingungen fragen. Diese Compositionen sind malerisch im eigentlichsten Sinne des Wortes. Und nicht minder malerisch sind die größeren, gedrängten und vielfach bewegten Gruppen wie in der Wegführung der Briseïs oder in Achilleus' Entdeckung auf Skyros

oder wie in dem großen Bilde des Dionysoskindes auf dem Stierwagen aus der
Casa di Lucrezio und so in noch vielen anderen, die hier nicht abermals aufgeführt werden können. Mag hier jene Vertiefung der Gründe fehlen, deren
wir uns rühmen, plastisch ausführbar sind diese Compositionen nicht, sondern
sie beruhen auf der Harmonie der Farbe, auf deren Gegeneinander- und doch
Zusammenwirken. Mit ungleich größerem Rechte als man den pompejaner
Bildern eine plastische Compositionsweise nachsagt, kann man behaupten, dass
fast die gesammte spätere Reliefbildnerei durch Aufnahme malerischer Compositionsweise verdorben worden ist; doch gehört es nicht hierher, dies weiter
zu verfolgen und wurde nur bemerkt, um es erklärlich zu machen, dass wenn
man die pompejaner Gemälde nach diesen malerisch componirten Reliefen beurteilt, man sie plastisch componirt gefunden hat.

Ein plastisches Element der Composition hat man ferner noch darin sehn
wollen, dass die Hintergründe und Umgebungen der Personen in Figurencompositionen nur beiläufig und untergeordnet behandelt seien. Zunächst
ist daran zu erinnern, dass, ganz abgesehn von den mythologischen Landschaftsbildern, von denen zu den Figurenbildern so unmerkliche Übergänge
stattfinden, dass man oft nicht weiß, welcher Gattung man ein Bild zuschreiben
soll, die vorstehende Behauptung so in Bausch und Bogen auch bei unzweifel-
haften Figurenbildern keineswegs zutrifft, dass vielmehr hier, wie oben (S. 600)
erinnert worden ist, zwischen Bildern des dritten und des vierten Stiles unterschieden werden muss. Aber auch unter den Bildern vierten Stiles giebt es
genug solche, in denen die genannten Dinge nicht wesentlich untergeordneter
behandelt sind, als sie ein gu ter moderner Maler behandeln würde, dem es
darauf ankommt, seine Figurencomposition als die Hauptsache, die Umgebung
als die Nebensache erscheinen zu lassen. Es braucht nur an fast alle die gewöhnlichen, nicht landschaftlichen Darstellungen von Andromedas Befreiung,
an die Bilder erinnert zu werden, in denen Perseus der Befreiten das Haupt
der Medusa im Spiegel der Quelle zeigt, an die vielfachen Wiederholungen
der verlassenen Ariadne, an mehr als einen Narkissos in der Einsamkeit am
Quell, oder an Gemälde wie das schöne Orestesbild im Hause des Popidius
Secundus (Hlbg. No. 1333), in Beziehung auf welches Helbig (Ann. 1865 p.
330 ff.) auch über das Beiwerk und seine malerische Bedeutung gute Bemerkungen macht, sowie an gar manches Andere. In diesen Bildern, in
welchen die Umgebung für die Figurencomposition eine Bedeutung hat, um
von den eben schon berührten ganz zu schweigen, welche auf der Grenze der
beiden Gattungen: Landschaft mit Staffage und Figurenbild mit landschaft-
lichem Hintergrunde stehn, ist die Umgebung freilich nicht zu selbständiger
Bedeutung gesteigert, was ja unter Umständen ein Fehler sein würde, wohl
aber mit derjenigen Ausführlichkeit behandelt, welche sie zum integrirenden
Theil der Composition erhebt. Wo aber dagegen die Umgebung gleichgiltig
für die Handlung, wo sie unbedeutend an sich ist, wie z. B. ein Zimmer eines
Hauses, in dem eine Begebenheit spielt, die auch in einem andern spielen, oder
eine Landschaft, welche eben so gut eine andere sein könnte, da ist diese Umgebung selten ganz unterdrückt, wohl aber leichthin gehalten, mehr angedeutet als ausgeführt. Mag man, unfähig zu erkennen von wie feinem Takt

der alten Maler dies zeugt, die Aufmerksamkeit nicht auf unerhebliche Neben-
dinge ablenken zu wollen, ein solches Verfahren, welches übrigens auch große
moderne Künstler eingehalten haben, mangelhaft finden, aus einem unmalerischen, aus einem plastischen Compositionsprincip wird man es mit Fug nicht
ableiten dürfen.

Als ein plastisches Element in der antiken Malerei überhaupt, besonders
aber in den pompejanischen Wandgemälden hat man es endlich bezeichnet,
dass der Ausdruck in den Köpfen mangelhaft und gleichgiltig wie die Einen,
bescheiden und zurückhaltend wie die Andern sagen, vorgetragen sei. Auch
diese Behauptung ist, ganz abgesehn von der antiken Malerei schlechthin und
von dem, was sich in nicht wenigen Bildern namhafter Meister, eines Par-
rhasios, Timanthes, Aristides u. A. an Höhe des ethischen und pathetischen
Ausdruckes geleistet hat, selbst für die pompejanischen Bilder nur dann zu
rechtfertigen, wenn man solche des dritten Stiles (s. oben), nicht aber wenn
man solche des letzten Stiles im Auge hat, unter denen sich genug Beispiele
eines sehr energisch dargestellten Ausdrucks des Gefühles und der Leidenschaft in den Köpfen findet. Es braucht nur, um sehr Bekanntes zu nennen,
an die Medea, an den Achill bei der Wegführung der Briseïs, an die Theilnehmer an Iphigeniens Opferung, an den Orest und Pylades, an den Thoas
und selbst an den Wächter neben ihm in dem mehrfach angeführten Orestes-
bilde erinnert zu werden. Trotzdem kann man zugestehn, dass in vielen
Fällen der Ausdruck in den Köpfen minder lebhaft, namentlich aber, dass er
minder fein ist, als er in moderner Malerei sich zeigt, man darf hervorheben,
dass namentlich die leiseren Schwingungen des Gemüthes in Freude und Wehmuth sich äußerst selten auf den Gesichtern spiegeln. Wenn dies aber ein
Mangel ist, so sollte man sich doch ja hüten, denselben als ein Princip,
oder gar als ein plastisches Princip der Malerei anzusprechen. Denn es liegt
doch offenbar viel näher anzunehmen, dass Unvermögen, einen feinen seeli-
schen Ausdruck in die Köpfe zu legen, die gleichgiltigen und ausdruckslosen
Gesichter erzeugt hat, wenn man sieht, dass die Darstellung heftiger Gemüths-
bewegungen nicht blos angestrebt, sondern, als die vergleichsweise leichtere,
vielfach gar wohl gelungen ist. Aber sei immerhin die Mäßigung im Ausdruck ein Princip der alten Malerei, so ist damit noch lange nicht bewiesen,
dass es ein plastisches Element sei, um so weniger, als wir von der früher allerdings allgemein geglaubten These von der Ruhe als dem Princip plastischer
Composition mit Fug und Recht merklich zurückgekommen sind. Und wenn
wir, wie gesagt, die heftigen Bewegungen der Seele unumwunden in den
pompejaner Wandgemälden dargestellt und nur die leiseren Erregungen
mangelhaft ausgedrückt finden, während umgekehrt in der Plastik der Alten
ein Abdämpfen im Ausdruck gewaltiger Leidenschaften behauptet wird, und
eine gar nicht zu beschreibende Feinheit in der Darstellung milder Gemüths-
bewegungen und Stimmungen unbestreitbare Thatsache ist, wo bleibt da das
Vergleichbare? wo die Begründung der Thesis, der mangelhafte oder bescheidene Ausdruck in den Köpfen pompejanischer Gemälde beruhe auf einem
plastischen Princip der alten Malerei?

Wenden wir weiter unsere Aufmerksamkeit auf die Farbengebung, so ist

einerseits schon gesagt, dass die Eigenthümlichkeit der Frescotechnik jene
Gluth und Zartheit des Colorits der Ölmalerei nicht zuließ, so dass man die
pompejaner Bilder nicht mit modernen Ölgemälden, sondern nur mit dergleichen Fresken überhaupt vergleichen darf. Andererseits ist nicht zu vergessen, dass wir das Colorit bei den allerwenigsten pompejaner Bildern in
seinem ursprünglichen Zustande sehn, da manche Farbe nach der jahrhunderte-
langen Lage im Feuchten bald nach der Ausgrabung bleicht oder wie z. B.
Zinnober, ganz verändert wird und da alle älteren Bilder mit einem Conservationsfirniss überzogen sind, der, namentlich indem sich Staub in ihm festgesetzt hat, den Farben viel von ihrer natürlichen Lebhaftigkeit nimmt. Endlich ist darauf hinzuweisen, dass auch in Betreff der Farben sich die Bilder
des dritten und des vierten Stiles, beide in Übereinstimmung mit der Gesammtdecoration zu der sie gehören, sich wesentlich von einander unterscheiden
und dass diejenigen des dritten Stiles einen kühleren Ton haben, als diejenigen des vierten. Im Übrigen fehlt innerhalb der Scala der Frescofarben gewiss
keine Stufe von der sattesten bis zur lichtesten Farbe, und grade durch bewusste und absichtliche Zusammenstellung der Gegensätze sind die vortrefflichsten Wirkungen erzielt. So z. B. in dem in Fig. 310 mitgetheilten
Bilde von Achills Erziehung, wo der Gegensatz in der lichten, blühenden Carnation des halbgöttlichen Knaben und den schweren braunrothen Tinten in
dem Körper seines halbthierischen Lehrers nicht wirkungsvoller dargestellt
sein könnte; so ebenfalls in den schwebenden Gruppen der Bakchanten und
Bakchantinnen. Wenn hier die männlichen Körper fast bronzefarben gehalten
sind, so mag man darin eine Nachahmung der von südlicher Sonnengluth ge-
bräunten Hautfarbe, welche man noch heute an neapolitanischen Fischern und
Lazaronen sieht, erkennen; wenn aber die weiblichen Körper daneben, was
keineswegs etwa in gleichem Maße der heutigen Wirklichkeit entspricht, von
der durchsichtigsten Klarheit der Färbung sind, ohne dass sie als wesentlich
verhüllter, also geschützter gegen Luft und Sonne gegeben werden, so wird
man nicht wohl umhin können, in der gegensätzlichen Färbung des einen Geschlechts und des andern eine bewusste Absicht des Malers, ein bestimmtes
Streben nach Effect des Colorits zu erkennen. Und dies um so mehr, da ein
solches Princip der Carnation in der ganzen alten Malerei gewaltet zu haben
scheint, und in allerrohester Weise noch in den älteren gemalten Thongefäßen
auftritt, auf denen die Männer schwarz und die Weiber und Kinder weiß gemalt sind.

Wenn die Farbgebung in der Behandlung und Verbindung dieser Gegensätze, welche sich ähnlich im Verhältniss des Nackten zur Gewandung wiederfinden, als sehr durchdacht erscheint, so äußert sich in der Zusammenstellung
der Farben in größeren Compositionen ein höchst bedeutender Sinn für das
Harmonische. Fast niemals wird man Farben neben einander finden, welche
das Auge unangenehm berühren, der Accord der Farbe, den die moderne Op-
tik berechnet hat, tritt uns auf überraschende Weise aus den besseren pompejanischen Gemälden entgegen. Deshalb sind, wie ebenfalls schon früher
erwähnt, die guten Bilder, so farbig sie sein mögen, niemals bunt und grell,
und nur die Tiefe und Sättigung besonders in den Schattenpartien können wir

vermissen, wobei indessen nicht übersehn werden darf, dass erstens die gesammte Farbenscala des Fresco bedeutend höher steht, als die der Ölmalerei
und dass zweitens die schon besprochene Rücksicht auf die mangelhafte Beleuchtung vieler Zimmer die Maler abhalten musste, dunkele Töne und Farben
anzuwenden, auch wenn sie ihnen zu Gebote standen.

Was die anderen Gattungen in der Malerei in Pompeji anlangt, dürfte
denselben mit den Bemerkungen, welche die mitgetheilten Proben begleiten,
in der Hauptsache genug gethan sein.   Nur über die Landschaftsmalerei,
besonders auch insofern sie sich mit Figurencompositionen verbindet, mögen
hier noch einige allgemeine Betrachtungen Platz finden.   Wenn dieselben jedoch nicht am Schlusse dieses Capitels wieder zu einem eigenen Capitel aus-
wachsen sollen, so muss auf eine Wiederholung dessen, was Woermann (s.
Anm. 242) S. 392 ff. über die niemals ganz correcte, mehr auf dem Gefühl,
als auf wissenschaftlicher Erkenntniss und Construction beruhende Linearper-
spective und die meistens auch nur angestrebte Luftperspective, über die Abstimmung der in den Landschaften verwendeten Farben nach der Gesammtdecoration, über Licht und Schatten, über die zweifelhaften Naturstudien der
campanischen Landschaftsmaler und die meistens nur ganz allgemeine Charakteristik der von ihnen dargestellten landschaftlichen Elemente (besonders
Bäume, Felsen, Berge) Treffendes und Wahres gesagt hat, abgesehn und nur
das Eine hervorgehoben werden, dass wo es um das erste Erforderniss eines
Kunstwerkes, die Correctheit, so bedenklich steht, wie dies in der That bei
recht vielen, wenn nicht den meisten pompejanischen Landschaften der Fall
ist, von dem Urteil eines berühmten Kunsthistorikers, welches den pompejaner
Landschaftsmalereien den Charakter Poussin'scher Bilder zuspricht, von vorn
herein am besten ganz abgesehn wird.   Denn schon der decorative Charakter,
welchen sie mehr oder weniger alle, vielleicht mit Ausnahme der oben schon
als höchste Classe bezeichneten heroischen und idyllischen Bilder tragen,
verbietet es, sie mit eines so bedeutenden Meisters Werken überhaupt zu vergleichen.   Viel eher könnte man zu dem Zweifel gelangen, ob man eigentliche
Landschaftsmalerei in Pompeji überhaupt anzuerkennen habe.   Denn wenn
man das Gebiet der Landschaftsmalerei so eng umgrenzt, wie dies ein bedeutender zeitgenössischer Aesthetiker thut (Vischer, Aesth. § 698), welcher da
sagt, die Landschaftsmalerei idealisire eine gegebene Einheit von Erscheinungen der unorganischen und vegetabilischen Natur zum Ausdruck
einer geahnten Seelenstimmung, wenn man mit diesem Aesthetiker die freie
landschaftliche Composition als »schon nicht eigentlich das Wahre« verwirft,
und die künstlerische Schöpfung des Landschaftsmalers darauf anweist, der
realen Natur gegenüber von einem mit oder ohne Suchen gefundenen Stand-
punkte in der Weise der Zufälligkeit das Bild eines schönen Ganzen zur Anschauung zu bringen; wenn man, immer noch mit Vischer, wo möglich Alles
Menschenwerk, alle Baulichkeiten, falls sie nicht durch Verfall den Ton eines
Naturwerks erhalten haben, wenn man ferner, wo möglich alle Staffage bis
auf einzelne Thiere, vor Allem aber Menschen von dem Landschaftsbilde ausschließt, falls diese sich nicht bescheiden, nicht anders aufzutreten, denn in
der Bestimmtheit, in welcher sie selbst als Kinder der Natur erscheinen, so

dass ihre Erscheinung mit der umgebenden Natur in einen Eindruck aufgeht,
wenn wir also mit einem Worte eigentlich nur das genrehaft realistische
Stimmungsbild als rechtes Landschaftsgemälde anerkennen: dann freilich
werden wir unter Allem, was wir in Pompeji Landschaftliches finden, kein
einziges echtes Landschaftsbild anzuerkennen vermögen. Denn eine Landschaft ohne mehr oder weniger reichliche Zuthat von Menschenwerk in allerlei
Baulichkeiten und ohne Staffage von Menschen, welche durchaus nicht als
Kinder der Natur erscheinen, eine solche, obendrein eine bestimmte Gegend
wiedergebende Landschaft kommt in Pompeji nicht vor. Aber freilich müsste
man von diesem Standpunkt aus nicht Pompeji allein und nicht den Alten
allein die Landschaftsmalerei absprechen, wie das ja auch geschehn ist, sondern
von ihm aus wird man sich folgerichtigerweise auch gezwungen sehn, die ganze
moderne s. g. historische oder heroische Landschaft, die Poussins, Cl. Lorrain,
Koch, Reinhardt und Preller, als nicht vollgiltig zu bezeichnen. Schränkt
man aber das Gebiet der Landschaftsmalerei durch einen puristischen Schema-
tismus der Gattungen nicht so ein, anerkennt man, dass der Landschaftsmaler nicht auf ein Nachahmen der gegebenen Natur, sondern auf ein
Schaffen in ihrem Sinne angewiesen sei, anerkennt man die frei componirte
ideale, die historische, die mehr oder weniger staffirte Landschaft, diejenige,
welche mit spannender, pathetisch bewegter oder idyllisch stiller menschlicher Staffage zusammen componirt ist, sieht man auch noch in bedeutsamen
landschaftlichen Hintergründen von Figurenbildern ein Moment der Landschaftsmalerei, dann wird die Sache etwas anders stehn, dann wird man
sagen müssen, dass es unter den pompejaner Gemälden allerdings wohl
keine vollendeten Muster, aber sehr gewiss unverkennbare Vertreter mehr als
einer Gattung der Landschaftsmalerei giebt. Auf die vedutenartigen Prospecte
und die von diesen sich absondernden, mit mehr Stimmung ausgeführten
Bilder, von denen oben (S. 573 f.) gesprochen wurde, soll hier nicht wieder zurückgekommen werden, auch über die Landschaften mit dem Landschaftlichen
untergeordneter heroischer Staffage (S. 575) ist hier höchstens noch hinzuzufügen, dass ihrer einige durch bedeutungsvolle Stimmung, andere durch weitere Ausführung sich auszeichnen, wenn auch nicht verschwiegen oder vertuscht werden soll, dass der Zusammenklang des Landschaftlichen mit der
mythologischen Handlung nur selten ganz voll und rein ist, vielfach dagegen
durch Zuthaten getrübt wird, welche uns vollkommen ungehörig erscheinen,
wie z. B. der ionische Tempel und die vor ihm stehende Gewandherme in dem
Bilde, welches den an den Kaukasus angeschmiedeten Prometheus darstellt
(Hlbg. No. 1128). Hier möge die Aufmerksamkeit noch auf die landschaftlichen Hintergründe von Figurencompositionen gelenkt werden, sofern diese
mit dem Gegenstande der dargestellten Begebenheit in mehr oder weniger
stimmungsvoller Übereinstimmung stehn. Dabei soll weder auf die starr überhangenden Felsen am öden Strande des Meeres, unter denen die verlassene
Ariadne erwacht, besonderes Gewicht gelegt werden, noch auf die stille Einsamkeit, in welcher Perseus seiner Andromeda das grauenvolle Geheimniss
des Medusenhauptes im Quell zeigt, oder diejenige hoch im Gebirg, in welche
sich Ares und Aphrodite mit ihrer Liebe zurückgezogen haben, und auf

manches Andere der Art, obgleich diese Bilder doch auch anders sein könnten, wenn ihre Maler kein Gefühl für die landschaftliche Stimmung gehabt hätten. Es möge vielmehr nur auf ein paar Beispiele hingewiesen werden, in welchem das Gefühl für das Landschaftliche besonders fein hervorzutreten scheint. Ein Bild (Ant. di Ercol. V, 135. Roux II, 40) stellt Narkissos am Quell dar. Der Jüngling schmachtet noch nicht nach seinem Bilde, er hat sich in seinem selbstischen Trieb in die Einsamkeit zurückgezogen, die er nachlässig, träumerisch, an den Rand des Quells gelagert, genießt. Diese Einsamkeit aber ist in der Landschaft vortrefflich ausgedrückt. Vorn der im Felsenbecken gefangene Quell von einem Baume leicht beschattet, im Hintergrunde eine Fernsicht von Bergen begrenzt, durch eine weite Ebene von uns getrennt. Eben dadurch wird es im Vordergrunde so heimlich, so still, so träumerisch wie in der Seele des Jünglings, der diese Einsamkeit gesucht hat. Das schon erwähnte Hylasbild (Hlbg. No. 1260) ist in seiner Ausführung nicht grade bedeutend und gegenwärtig fast ganz verdorben; es mag in den Nachbildungen (Ant. di Ercol. IV, 31. Mus. Borb. I, 6. Roux II, 22) in der Ausführung modernisirt sein, in der Composition und in dem, was der Künstler mit seiner Landschaft wollte, ist es antik. Die Geschichte des von den Quellennymphen geraubten Hylas ist ungefähr die von Goethes Fischer; jene wunderbare Sehnsucht, die das schwärmerische Gemüth hinabzieht in die räthselhafte Tiefe des klaren kühlen Nass, liegt zum Grunde. Und dem entspricht das Landschaftliche dieses Bildes, ein schattig dichter Wald, eine Waldeinsamkeit, in der nur Echos Ruf ertönt. Unter überhangenden Büschen das krystallene Quellbecken, welches uns die Labung, die süße Lässigkeit dieses Ortes empfinden lässt. Hier ist's, wo die schönen, üppigen Daemonen der Waldesstille und der Fluthenkühle den Jüngling ergreifen und ihn umarmend hinabziehn, dass er nicht mehr gesehn wird. Diese beiden Beispiele werden zeigen, um was es sich handelt, und genügen, um auf Verwandtes aufmerksam zu machen, welches man um so bereitwilliger anerkennen wird, wenn man davon absieht, dass das Landschaftliche in der Ausführung gewöhnlich weniger vorzüglich als das Figürliche ist, und dass das Fehlen des Helldunkels dem Eindruck, den die landschaftlichen Umgebungen historischer Bilder bei satterer Behandlung auf uns machen würden, starken Abbruch thut. Denn das Fehlen einer stimmungsvollen Beleuchtung der Landschaft, auf welche die moderne Landschaftsmalerei just das allergrößte Gewicht legt und in welcher sie selbst in solchen Bildern, welche in den Formen des Terrains oder der Vegetation wenig oder keinen landschaftlichen Reiz bieten, ihre Triumphe feiert, bezeichnet die Grundverschiedenheit aller antiken, nicht blos der pompejanischen Landschaftsmalerei von der modernen. Wir kennen keine antike Landschaft, in welcher Wolken dargestellt wären und ihren Einfluss auf die Beleuchtung ausübten; alle zeigen klaren Himmel, der nach oben blau, gegen den Horizont in gelblichen und röthlichen Tönen gemalt zu sein pflegt, ohne dass man dabei an die Stimmungen von Morgen- oder Abendroth zu denken hätte. Eben so wenig äußert der Wind seine Wirkungen in der Landschaft, weder auf die Bäume noch auf das Meer, das wohl in den Fernen mit weißen Schaumstreifen, nie aber bewegt, wogend und an die Küsten brandend dargestellt wird. Und auch die Licht-

führung, so bestimmt die beleuchtete und die im Schatten liegende Seite hervorgehoben, auch der Schlagschatten, wenngleich nicht in allen Bildern,
angegeben ist, hat, wenn man von dem Unterweltsbild in der Folge der
esquilinischen Odysseelandschaften absieht, stets etwas Neutrales, Allgemeines
und wohl niemals etwas bewusst Stimmungsvolles, wie denn auch Mondschein-
landschaften völlig unerhört sind. Dagegen wird man in Betreff der Entwickelung des Terrains, der Vegetation, des Zusammenwirkens von Land und
Wasser, der Übereinstimmung der Landschaft mit der Staffage in s. g. historischen Landschaften, am vollkommensten in den Odysseebildern, endlich der
landschaftlichen Hintergründe historischer Bilder mit den menschlichen Handlungen kaum von grundsätzlichen, sondern eigentlich nur von gradweisen
Unterschieden der antiken von der modernen Landschaftsmalerei reden können. Damit aber, dass die antike Landschaftsmalerei überwiegend oder allein
auf das topographische und plastische Element der Landschaft, auf die Formen des Terrains und der Vegetation gerichtet war, hangt es zusammen, dass
so ziemlich alle antiken Landschaften wie von einem sehr hohen Standpunkt
aus aufgenommen scheinen, von dem aus sich die Gegend übersichtlicher und
weiter in ihrer Gestaltung entwickeln lässt, als von einem tiefern, während
bei diesem die Lufttöne und die Wirkungen der Beleuchtung mehr zur Geltung
kommen und wesentlicher werden, als bei jenem. Was aber die pompejaner
Landschaften betrifft, deren in erster Linie decorativen Zweck man niemals
vergessen darf, so muss man sich in die flüchtig und mangelhaft ausgedrückten
Absichten und Gedanken des Künstlers hineindenken, um auch aus ihnen
beurteilen zu können, in wie fern den Alten die Landschaftsmalerei aufge-
gangen war, in wie fern nicht. Allerdings kann man, um dies noch ein Mal
hervorzuheben, aus den wenigsten pompejaner Landschaftsbildern erkennen,
welchen Grad eines liebevollen und hingegebenen Studiums der unorganischen
Natur im Terrain und der Vegetation die antiken Künstler besaßen. Und wenn
sich nicht läugnen lässt, dass die pompejanische Landschaftsmalerei sich innerhalb eines gewissen und nicht sehr weiten Kreises der Gesammtgattung hält,
so wird man dies, soweit wir bisher zu einem Urteil berechtigt sind, wohl von
der gesammten antiken Landschaft anzuerkennen haben. Denn so wenig wie
ein stimmungsvoll beleuchtetes wird sich wohl jemals ein antikes Landschaftsbild finden, welches die Natur in ihrer Abgeschlossenheit in sich, schwerlich
eines, welches sie uns so zeigt, wie sie das moderne, aber ganz besonders das
nordische Gemüth am tiefsten ergreift, so wie sie ist, »wo der Mensch nicht
hinkommt mit seiner Qual«. Aber so fasste nicht allein der in glücklicher
Sinnlichkeit leichter als wir lebende antike Mensch die Natur nicht auf, von
einer solchen sentimentalen Anschauung weiß auch der heutige Südländer
nichts. Dem modernen Südländer ist und dem Alten war in noch ungleich
höherem Maße die Natur der Schauplatz des menschlichen Thuns und Treibens,
der Schauplatz, dessen Behaglichkeit, Schönheit, Großartigkeit er wohl zu
schätzen weiß, den er aber nicht außer Beziehung zu sich selbst aufzufassen
versteht. Und deshalb setzt nicht allein die antike Landschaftsmalerei die
Natur stets in unmittelbare Beziehung zum Menschen und seinem Thun und
Treiben, seiner Freude und seinem Leid, sei dies in genrehaft idyllischer, sei

es in historisch-pathetischer Weise, sondern fast dasselbe gilt von den modernen südlichen Nationen, während jene andere Art der Landschaftsmalerei,
welche man freilich wohl nicht die höchste, aber vielleicht die reinste nennen
darf, nicht sowohl ein Product des modernen Geistes schlechthin, als vielmehr
der Hauptsache nach diejenige des germanischen Gemüthes ist. Während
wir demnach in den vorzüglichsten Werken der deutschen und nordischen
Landschaftsmalerei im engern Sinne keine Analoga zu der antiken Landschaft
finden, werden uns diese in den Arbeiten italienischer und französischer Künstler, namentlich der älteren in weitem Umfange entgegentreten, wenn wir nur
mit Verstand zu vergleichen wissen.

Viertes Capitel.

Die Mosaiken.

Fig. 315. Mosaikschwelle.

Als eine eigene Abtheilung der Malerei sind noch die vollkommensten
Hervorbringungen einer in ihrem Ursprung freilich durchaus unmalerischen
Technik, die Mosaiken, zu betrachten, über deren primitive und geringe
Gattungen bereits oben (S. 506 f.) die nöthigen Andeutungen gegeben sind.
Wie hoch hinauf die Erfindung und Anwendung des *opus Signinum* und
anderer untergeordneten Arten zur Herstellung ebenso dauerhafter wie rein-
licher und schmucker Fußböden geht, können wir nicht nachweisen; es ist
aber nicht uninteressant, dass wir die Stufen der Vervollkommnung, welche
diese Technik durchlief, bis sie zu vielfarbigen und ausgedehnten Figurencompositionen verwendet wurde, in Pompeji so ziemlich alle neben einander
nachweisen können, in demselben Pompeji, welches auch das höchste auf uns
gekommene Meisterwerk dieser Gattung oder wenigstens eines der vollkommensten, die diesem Capitel in farbiger Nachbildung beiliegende Alexanderschlacht und noch manche andere der Technik nach noch vorzüglichere
Mosaiken bewahrt hat. Die verschiedenen Entwickelungsstufen der musivi-
schen Technik lassen sich allerdings ohne die Mittheilung einer ganzen Folge
farbiger Nachbildungen nicht zur Anschauung bringen, und es muss für solche
außer auf die Zeichnungen in den *Antichità di Ercolano*, welche in dem Werke
Pompéi et Herculaneum von Roux (deutsch Hamburg bei Meißner 1841) Band
IV nachgebildet sind, auf die nicht schwer zugänglichen Zahn'schen Publicationen verwiesen werden; die Blätter 56, 79, 96 und 99 der zweiten Folge

enthalten ausreichende Proben, welche man durch solche bei Presuhn, Pompeji, die neuesten Ausgrabungen u. s. w. ergänzen kann. Aus solchen Proben sieht man, wie der Anfang damit gemacht wird, dass man in den rothgefärbten Stucco mit weißen Steinchen einfache Linien und mathematische Figuren einlegt (Zahn 96), dass man sodann den ganzen Grund mit weißen Steinchen bedeckt, in welche man mit dergleichen schwarzen zunächst gradlinige (96 unten), sodann auch Figuren in krummen Linien einfügt, oder wie man, das Verhältniss umkehrend, den schwarzen Grund mit weißen Figuren ziert (96 links); dass ferner die Muster, die fast wie Stick- oder Häkelmuster erscheinen, immer reicher und mannigfaltiger werden, ohne dass man andere Farben als weiß und schwarz verwendet (96), dass ganz allmählich andere Farben zugezogen werden wie z. B. bei Zahn 56 in allerbescheidenster Weise ein helles Blaugrau, bis endlich nach Aufnahme der Vielfarbigkeit die allerreichsten Muster in sechs, sieben und noch mehren Farben, von denen Zahn 79 und 99 noch keineswegs die vollendetsten bringt, in einer fast unzählbaren Menge kleiner Steine, ähnlich den zahllosen Stichen einer Stickerei, dargestellt werden.

Die Anwendung des Mosaiks zur Darstellung verschiedener Gegenstände, die Mosaikmalerei, welche der eigentlichen Malerei möglichst nahe zu kommen strebt, tritt nachweislich zuerst in der Zeit des wachsenden Luxus unter den Nachfolgern Alexanders auf. Da die erste und wenn auch nicht ausschließlich, so doch besonders zu billigende Anwendung die zu Fußböden ist, so begreift sich der etwas wunderliche Gegenstand des ältesten Mosaiks, von dem Erwähnung geschieht, von Sosos von Pergamon. Dies Mosaik stellte nämlich nach Plinius (36, 184) »Speisereste und was sonst ausgekehrt zu werden pflegt, als sei es auf dem Fußboden liegen geblieben, mit kleinen, mannigfach gefärbten Würfelchen nachgebildet« dar, daneben freilich auch ein Gefäß mit trinkenden und sich sonnenden Tauben, welches in mehren Nachahmungen, darunter diejenige aus der Villa Hadrians im capitolinischen Museum die berühmteste ist, auf uns gekommen und in vielen modernen Kunstwerken, Broschen und dergl. nachgebildet ist. Aber schon um die Mitte oder gegen das Ende des 3. Jahrhunderts werden uns große Figurendarstellungen in Mosaik genannt; so war in den Fußböden eines kolossalen Prachtschiffes Hierons II. von Syrakus, an denen 300 Arbeiter ein Jahr lang arbeiteten, der ganze Mythus von Troia in Mosaiken dargestellt. In der römischen Kaiserzeit kam die Mosaikmalerei immer mehr in Aufnahme und wurde in allen Provinzen geübt, so dass auch wir noch außer in Italien in entfernten Theilen des Weltreiches, in Frankreich, England, den Rhein- und Donauländern (Köln, Weingarten, Nennig, Trier, Salzburg) nicht weniger wie in Afrika (Constantine) zum Theil nicht unbedeutende Mosaikgemälde aufgefunden haben. Auch begnügte sich die Prachtliebe und der Luxus nicht mehr mit Mosaikfußböden, sondern übertrug diese Technik auf Gemälde an Wänden, so in Pompeji z. B. in der *Casa di Apolline* und, was jedenfalls eine Geschmacklosigkeit ist, an Pfeilern und Säulen, wie wir dergleichen in Pompeji ebenfalls schon kennen gelernt haben.

Als Material dieser Malereien erscheinen Würfel oder genauer gesprochen Stifte von farbigem Thon, von Stein, Marmor, später von kostbaren Steinarten,

Leipzig   K. Braun lith.

selbst Edelstein, sodann auch von gefärbtem Glas. Diese Würfel oder Stifte werden, wie gesagt, in eine Unterlage von feinem und sehr hart werdendem Stucco ungefähr in der Art hart neben einander eingesetzt wie wir die Stiche in unseren Stickereien, den Stramingrund gänzlich bedeckend, aneinander-reihen. Wenngleich nun freilich die Mosaikmalerei vor unserer Stickerei den einen großen Vortheil hat, wirkliche Rundungen dadurch darzustellen, dass die Stifte durchgeschlagen, abgerundet, verschiedenartig gestaltet werden, so kann sie doch die unendliche Mühseligkeit der Technik so wenig jemals ganz verläugnen, wie es ihr möglich ist, die feinen Übergänge und Nüancirungen der Farbe, ihr Verschmelzen und Abtönen, diese Stärke und diesen höchsten Vorzug der Malerei zu erreichen oder zu ersetzen. Es giebt kein Mosaik und kann keines geben, welches nicht einen mehr oder weniger entfernten Standpunkt des Betrachtenden erforderte, um in voller Schönheit zu wirken; wogegen freilich wiederum zugestanden werden muss, dass namentlich die Mosaiken aus farbigem Glas eine Sattheit und zugleich einen klaren Farben-glanz besitzen, den nur die Glasmalerei zu übertreffen vermag. Zur Farben-pracht gesellt sich, um das Mosaik ganz besonders zum Schmuck von Fußböden zu empfehlen, die Dauerhaftigkeit, indem natürlich die den Glas-, Stein- oder Thonstiften einhaftende Farbe niemals verwischt und selbst durch häufiges Begehn der Fußböden nur äußerst langsam abgeschliffen werden kann und bei neuer Politur stets auf's neue in alter Pracht hervortritt.

Von den pompejaner Mosaiken ist eine Reihe der bedeutenderen schon bei Besprechung der Häuser, in denen sie sich fanden, erwähnt, so dass hier eine nochmalige Aufzählung nur ermüden könnte. Es scheint deshalb ge-rathen, anstatt eine kleine Reihe flüchtig zu besprechen, unsere ganze Auf-merksamkeit dem Hauptwerke, der Alexanderschlacht (s. das beiliegende farbige Blatt), zuzuwenden. Als das schönste Muster decorativen Mosaiks aus farbigen Marmorstückchen darf dasjenige von der Schwelle des Atrium im Hause des Faun (vgl. S. 349) gelten, welches (jetzt ausgehoben und im Museum von Neapel zu suchen) an der Stirn dieses Abschnittes (Fig. 315) nach-gebildet ist.

Von allen die Krone ist aber die Alexanderschlacht, deren Entdeckung am 24. October 1831 in der *Casa del Fauno* (S. 352), es ist nicht zu viel gesagt, eine neue Periode in unserer Erkenntniss der antiken Malerei eröffnet hat. Schrieb doch Goethe am 10. März 1832 an Hrn. Prof. Zahn, der ihm eine farbige Zeichnung mitgetheilt hatte, unter Anderem: »Mit- und Nachwelt werden nicht hinreichen, solches Wunder der Kunst richtig zu commentiren, und wir genöthigt sein, nach aufklärender Betrachtung und Untersuchung, immer wieder zur einfachen, reinen Bewunderung zurückzukehren.« Und dass dieses Lob nicht zu hoch gestimmt sei, bezeugt die gleichmäßig hohe Bewunderung aller Kenner, mögen sie Künstler oder Kunstgelehrte sein, die sich darüber haben vernehmen lassen. Ihrer ist eine große Zahl; Italiener, Franzosen, Engländer, Schweden, Deutsche haben mit einander gewetteifert, dieses Ge-mälde zu erklären und zu würdigen, mancherlei Wunderliches und Verfehltes im Ganzen und im Einzelnen ist über dasselbe geschrieben worden, aber auch manches Vortreffliche, Tiefeindringende. Die ganze Literatur kann hier nicht

angeführt werden, es muss genügen, drei Abhandlungen von Landsleuten zu
nennen, welche die Palme errungen haben, ohne dass der Werth mancher
fremdländischen Arbeit geläugnet werden soll; den Aufsatz von Gervinus
in seinen kleinen histor. Schriften VII, S. 435—487, die Besprechung von
O. Müller in den Göttinger gel. Anzeigen 1834 S. 1181—1196, und die
kürzere, aber nicht minder vorzügliche Abhandlung Welckers in seinen
kleinen Schriften III, S. 460—475.

Von der größten Wichtigkeit, ja unumgänglich nöthig zum Verständniss
der Composition ist zunächst die Feststellung des Gegenstandes. Es genügt
hier nicht, gegenüber ganz verfehlten Erklärungen, auf die nicht näher eingegangen zu werden braucht, irgend eine der Perserschlachten Alexanders
anzunehmen, sondern man muss auf's bestimmteste daran festhalten, dass die
Schlacht bei Issos gemeint und im Wendepunkt der Entscheidung dargestellt sei. In mehren Berichten über diese Schlacht wird das persönliche
Zusammentreffen der Könige, des Alexander und Dareios, sowie namentlich
bei Qu. Curtius III, 27 der Umstand hervorgehoben, dass, nachdem mehre
persische Große, welche sich schützend vor dem Großkönig auf seinem Kriegs-
wagen aufgestellt hatten, vor den Augen desselben gefallen waren, Dareios
der persönlichen Gefangenschaft nur dadurch entging, dass er seinen Königswagen, dessen Gespann in Unordnung gerathen war, verließ, ein ihm bereit-
gehaltenes Pferd bestieg und auf diesem entrann. Diese, und nur diese
Scene, mag sie eine historische Wahrheit oder eine sagenhaft ausgeschmückte
Geschichte sein, enthält den Schlüssel unseres Bildes und besonders die Erklärung für das in so auffallender Weise neben dem Königswagen in den
Mittelpunkt der Composition gestellte Pferd. Mit unwiderstehlicher Gewalt
ist Alexander an der Spitze seiner Reiter herangedrungen, schon ist der
Königswagen des Dareios gewendet, einer der edelsten Perser, der hier für
jene Mehrzahl derselben gewählt ist, und in dem wir nach der Auszeichnung
durch seine Tracht den Feldherrn und Bruder des Königs, Oxathres erkennen
dürfen, obgleich diesen die historischen Berichte nicht nennen, deckt den
Rückzug. Da stürzt sein Rappe, von einer makedonischen Lanze getroffen,
zusammen, und ehe der Reiter sein Ross ganz verlassen kann, braust Alexander heran; nichts achtet er's, dass ihm der Helm vom Haupte gestürzt ist,
nichts, dass er nach den historischen Berichten selbst im Schenkel verwundet
ist, mit dem Stoß seiner gewaltigen Lanze durchbohrt er den Perserfeldherrn.
Entsetzen und panischer Schrecken fasst die Perser, die allen Widerstand auf-
geben und, die Lanzen auf die Schulter geworfen, in wilder Flucht dahineilen.
Mit der äußersten Anstrengung treibt der Wagenlenker des Königs sein in
Unordnung gerathenes und bäumendes Viergespann; vergebens! nur eine
Hoffnung den König zu retten bleibt, einer seiner edlen Begleiter ist vom
Pferde gesprungen, das er dem König überlassen will. »Darius aber«, um mit
den schönen Worten Welckers fortzufahren, »wendet auf seinem Wagen sich
um, sieht die Rettung mit dem Rücken an, vergisst sich und die Schlacht über
dem Gefühl und der Pflicht eines Königs und eines Bruders gegen den sinkenden Feldherrn und Beschützer, und streckt den Arm nach seinem Getreuen
aus. Dieser Arm begleitet eine Rede, und die Worte des Erhabenen, die das

Getümmel verschlingen würde, sind im Bilde vernehmlich, und geben ihm eine Größe, wodurch das Grausenhafte der Scene gemildert und die fürchterliche physische Gewalt des Augenblicks wie von einem Genius der Kunst gezügelt wird. Dem Sieger, der in ruhiger fester Haltung vordringt und nun nahe daran ist, die Drohung wahr zu machen, die er ausgesprochen haben soll, den Darius in der Schlacht selbst zu tödten, wird durch diese königliche Haltung und menschliche Größe ein so gutes Gegengewicht gegeben, dass das Mitleid nicht weniger als die Furcht sich reinigt durch die Kunst, ja dass der Unterliegende eigentlich als der Sieger erscheint. Indem die Entscheidung der Schlacht in ihrem rechten Mittelpunkte klar vor uns liegt und die eingreifenden, malerisch so kräftigen Einzelheiten in einfacher, weise gewählter Mannigfaltigkeit sich vor unseren Blicken ausbreiten, reißt doch die magische Gewalt des großen und schönen und so würdig und ansprechend ausgeführten Gedankens Sinn und Theilnahme überwiegend zu sich hin.« Auf Einzelheiten des Costüms, auf den Ausdruck und die Porträtähnlichkeit in den Köpfen, welche unsere kleine Nachbildung nicht wiedergeben kann, und keine der bisherigen Publicationen genügend wiedergiebt, kann hier nicht eingegangen werden, nur auf einige meisterhafte Züge in der Composition sei hingewiesen. Welch ein feiner Tact zeigt sich darin, dass die siegreich andringenden Makedonier nur ein Drittheil, die fliehenden Perser zwei Drittheile des Bildes einnehmen, wodurch zugleich die Hauptpersonen in die Mitte gerückt werden. Wenn der Reiterangriff, der die Schlacht entscheidet, in seiner vollen Wucht und Gewalt zur Anschauung kommen sollte, so durfte er nicht dadurch geschwächt werden, dass der Maler die Situationen der Andringenden persönlich verschieden motivirte, ein gleichmäßig unwiderstehliches Heranbrausen der Schaar ist hier das einzige Ausdrucksvolle; ein solches lässt aber große Mannigfaltigkeit nicht zu. Deshalb genügt hier der kleine Raum. In den Personen des geschlagenen Heeres aber mussten die verschiedenen Abstufungen des Eindrucks gemalt werden, wenn das Bild der Flucht wahr sein sollte; panischer Schrecken, Entsetzen, Zorn, Theilnahme für den sinkenden Feldherrn, für den bedrohten König musste in den verschiedenen Individuen dargestellt werden und ist in ihnen dargestellt. Und dazu musste ein breiteres Feld in Anspruch genommen werden. Wie vortrefflich ist es gedacht, dass Alexander den Helm verloren hat, der neben ihm an der Erde liegt. Indem der Künstler so sich die Gelegenheit verschaffte, das Porträt des großen Eroberers ungestörter, namentlich sein mähnenartig emporgebäumtes Haar darzustellen, legt er durch diesen Zug in diese Figur den Ausdruck des Ungestümen, der kaum durch ein anderes Mittel so gut erreicht werden konnte. Wie wirkungsvoll ist der Gegensatz des gestürzten Pferdes, welches die Katastrophe herbeiführt, und des zur Flucht des Königs bereitgehaltenen; wie tief durchdacht ist, Dareios, der sich selbst vergisst, zunächst von solchen Personen umgeben darzustellen, die voll Aufopferung auch nur an den bedrohten König, nicht an sich denken; jenem Wagenlenker, der auf seine Weise in seiner Pflichterfüllung aufgeht, und noch ungleich mehr dem edlen Perser, der, indem er sein Ross dem König bietet, als ein sicheres Opfer, wie fest und kräftig! vor uns steht. Aber man wende den Blick wohin man will, man studire das Gemälde nach allen Seiten

und in allen Einzelheiten, ausstudiren wird man es nicht, und ganz gewiss
immer wieder zu der reinen Bewunderung zurückkehren, welche Goethe für das
Bild in Anspruch nahm.

Es leuchtet nun wohl ein, dass dieses Gemälde geeignet ist, uns von der
antiken Historienmalerei den höchsten Begriff zu geben, und dass, da es das
einzige auf uns gekommene von hunderten ist, es nicht zu viel gesagt war,
wenn oben behauptet wurde, von diesem Bilde datire eine neue Periode in
unserer Kenntniss der alten Malerei. Sehr natürlich und gerechtfertigt erscheint der Wunsch, den Urheber dieser Composition zu kennen, doch wird
er sich schwerlich erfüllen lassen, da die Perserschlachten Alexanders ein
häufiger Gegenstand der Malerei waren, ohne dass wir doch über die verschiedenen, sie darstellenden Gemälde hinlänglich Genaues erfahren, um eine
Zurückführung der vorliegenden Composition auf ein bestimmtes Vorbild mit
Sicherheit vornehmen zu können. Allerdings handelt es sich hier nicht um
irgend eine, sondern um die Schlacht bei Issos und das ist der hauptsächlichste
Grund, warum von mehren Seiten und so auch in den früheren Auflagen dieses
Buches auf die Frage nach dem Urheber des Vorbildes der pompejanischen
Alexanderschlacht mit dem Namen nicht eines Malers, sondern einer Malerin,
H e l e n a , Timons Tochter aus Aegypten (Alexandria), geantwortet worden ist.
Denn von ihr wird uns eine S c h l a c h t b e i I s s o s ausdrücklich bezeugt, welche
durch Vespasian nach Rom in den Friedenstempel versetzt worden sein soll. Die
Möglichkeit, dass mit dieser Antwort das Richtige getroffen sei, lässt sich nicht
bestreiten. Denn wenn sich unser Gefühl dagegen sträubt, einer Frau dies
gewaltige Bild, diese Stärke in der Thiermalerei, und besonders in der höchsten
Hitze des Kampfes zuzutrauen, so will das nicht eben viel sagen und Welcker
hat gegen diesen Einwurf ohne Zweifel mit Recht bemerkt: »wie die Geschichte
nicht wenige Frauen vom Geist der Deborah und Telesilla kennt, so weist sie
auch seltene Malerinnen nach, die den Neid der ersten Maler ihrer Zeit er-
weckten.« Auch der Umstand, dass die Notiz über die Schlacht bei Issos von
Helena aus einem sehr wenig zuverlässigen Autor (Ptolemaeus Hephaestion)
fliesst, kann nicht als entscheidend gelten, da die Nachricht an sich nichts
Unmögliches oder schlechthin Verdächtiges enthält. Wenn man jedoch zu
Gunsten derselben darauf Gewicht gelegt hat, wie das früher auch an diesem
Orte geschehn ist, dass es besonders nahe liegen mochte, ein von Vespasian
nach Rom versetztes, also damals besonders berühmtes Bild in Pompeji in
Mosaik zu copiren, so muss dies jetzt, nachdem wir nicht mehr zweifeln, dass
das Mosaik mit der Erbauung der *Casa del Fauno* gleichzeitig, also viel älter
ist, als die Periode Vespasians, durchaus hinfällig erscheinen. Und wenn
ferner der Umstand, dass die Borde des Gemäldes zwischen den Säulen der
Exedra (s. S. 351 f.), welche einen Fluss mit Hippopotamus, Krokodil, Ichneu-
mon, Ibissen, kurz den Nil darstellt (Mus. Borb. VIII, 45), der zu dem Gegenstande gar nicht passt, als eine Anspielung auf die Heimath der Künstlerin,
Aegypten, aufgefasst worden ist, so wurde dabei übersehn, dass sich aegyptische
Motive auch sonst in den Mosaiken der *Casa del Fauno* wiederfinden, zu denen
auch die S. 350 erwähnte, vortrefflich gebildete Katze als ein damals in Italien
noch nicht eingebürgertes Thier gehört, und dass mit der Technik des Mosaiks

auch aegyptische Gegenstände auf sehr natürlichem Wege aus Alexandria nach Pompeji gekommen sind.

Wollte man, hiernach von Helena absehend, einen zweiten Künstler als den möglichen Urheber der Composition nennen, so könnte das **Philoxenos von Eretria**, ein Schüler des Nikomachos von Theben sein, von dem Plinius (35, 110) eine **Schlacht des Alexander und Dareios** als »ein keinem andern Gemälde nachzusetzendes« Bild anführt. Allein wenn man auch das pompejaner Mosaik dieses Lobes vollkommen würdig nennen wird, so müsste man, um die Zurückführung auf Philoxenos zu rechtfertigen, die Angabe des Gegenstandes bei Plinius dahin erklären, dass es sich in dem Bilde um eine persönliche Begegnung der beiden Fürsten gehandelt habe, was, da nicht die Schlacht bei Issos genannt wird, nicht ohne Bedenken sein würde.

Fünftes Capitel.

Die untergeordneten Kunstarten und das Kunsthandwerk.

Nachdem die drei eigentlichen bildenden Künste in ihren Hervorbringungen und Leistungen in Pompeji durchmustert worden sind, bleibt zum Schluss noch eine Betrachtung der untergeordneten Kunstarten und des Kunsthandwerks übrig, welche, obgleich sie der Übersichtlichkeit wegen in einem eigenen Capitel behandelt wird, sehr kurzgefasst werden kann, da Manches schon im antiquarischen Theil erwähnt worden, und da des Hervorragenden und Bemerkenswerthen nicht gar Vieles vorhanden ist. Eine der wichtigsten der Plastik verwandten Kunstarten, die Stempelschneiderei zur Herstellung von Münzen, ist in Pompeji gar nicht geübt worden [257]; weder in der Zeit seiner Autonomie hat Pompeji Münzen geschlagen, wie andere Städte Campaniens, z. B. Capua, Nola, in welche die griechische Sitte früher und tiefer eingedrungen war, noch hatte unser Städtchen in römischer Zeit eine Prägestätte. Römische Münzen sind freilich in Pompeji in Menge gefunden worden, aber Niemand wird erwarten, diese hier besprochen zu finden. Auch die Steinschneiderei ist kaum der Rede werth; dass die verhältnissmäßig wenigen und mit einer früher (S. 29) erwähnten Ausnahme unbedeutenden Gemmen, welche man in Pompeji gefunden hat, Arbeiten einheimischer Werkstätten seien, ist unerweislich und kaum wahrscheinlich. Wenn daher auch das Dutzend geschnittener Steine hier nicht einzeln angeführt, besprochen oder abgebildet ist, so wird das keine Lücke in der Beschreibung Pompejis geben. Eine Probe ist in der 319. Figur mitgetheilt; es ist ein geschnittener Siegelring, welcher einen Frauenkopf darstellt und in der *Strada degli Augustali* gefunden wurde. Von diesem und den wenigen anderen aber Anlass zu einer Darstellung der alten Steinschneiderei und Gemmenkunst zu nehmen, würde außerhalb des Planes dieses Buches liegen. Es bleiben demnach eigentlich nur zwei Arten der Technik, welche hier eine etwas eingänglichere Betrachtung erheischen und lohnen, die Metallarbeit einschließlich der Goldschmiedekunst und die Glasarbeit.

In Beziehung auf die Metallarbeit kann es sich wesentlich nur um die Ornamentik handeln, deren uns zwei technische Hauptarten entgegentreten, die Toreutik und die Empaestik. Erstere hat es mit der Herstellung plastischer Ornamente in Relief und in ganzen Figuren zu thun und hangt auf's innigste mit der Plastik selbst zusammen, von der man sie nur des geringern Umfangs und des weniger selbständigen Charakters ihrer Arbeiten wegen trennen kann. Wir finden diese Art der Metallarbeit an fast allen Geräthen und Gefäßen, welche sich über die Befriedigung des bloßen Bedürfnisses erheben, und wir sind ihr an den Bisellien, Sesseln, Lampen, Candelabern, Dreifüßen, Eimern, Krateren, Heerden, Waffen begegnet. An diesen Geräthen und Gefäßen schafft sie das Ornament entweder in ausgetriebenen oder in gegossenen und mit dem Grabstichel vollendeten Formen, und zwar wieder bald aus einem Stück mit dem Hauptwerk, bald durch Herstellung selbständiger Schmuck-theile, welche aufgenietet oder aufgelöthet wurden. In den Formen schließt sich diese Metallarbeit wesentlich allen denen der übrigen Ornamentik und Plastik an, beginnt mit einzelnen vegetabilen Formen, erhebt sich durch die s. g. Arabeske zum Figurenrelief und endet in der Darstellung der kleinen Rundbilder, welche sich z. B. als Deckelverzierungen mehrer Lampen, an Candelabern und sonst (in Fig. 232. 233. 234) finden. Nicht selten verbindet sie mit der Herstellung der plastischen Form den Schmuck der Versilberung und Vergoldung, wie denn auch die Herstellung von Ornamenten bronzener Geräthe aus getriebenem Silber und Gold nicht eben selten ist. Selbständig-keit der Erfindung und Formgebung wird man bei diesem untergeordneten Kunstzweige in der Regel weder erwarten noch finden, obgleich allerdings einzelne größere Prachtgefäße aus dem Alterthum auf uns gekommen sind, welche die Hand wirklicher Künstler verrathen. Ohne uns aber grade Neues und Unerhörtes zu bieten, liefert uns die plastische Metallarbeit in Reliefen und Statuetten eine Fülle interessanter, zum Theil namhaften Kunstwerken im Kleinen nachgebildeter Gegenstände aus den verschiedenen Kreisen der Objecte der alten Kunst. Denn weder mythologische Bildwerke fehlen in dieser Reihe, noch Genrebilder aus dem täglichen Leben, ja, bei dem Ver-lust so unendlich vieler der großen Vorbilder muss uns mehr als eine dieser kleinen Nachbildungen zur Ausfüllung einer Lücke der kunstgeschichtlichen wie der gegenständlichen Monumentenreihe dienen.

Im Allgemeinen darf zur Veranschaulichung der Producte der pompejaner Toreutik wohl auf die Abbildungen derselben in früher mitgetheilten Figuren (230—248. 253—255) verwiesen werden; doch schien es zweckmäßig, hier noch einige der schönsten Muster der verschiedenen Hervorbringungen dieses Kunstzweiges in einer etwas größern Abbildung (Fig. 316) zu vereinigen. Hier finden wir zuerst (a vgl. b) das überaus reiche und mit reinster Schärfe getriebene Ornament eines prächtigen Eimers, welcher dem in Fig. 247 ab-gebildeten herculanischen ähnlich, aber in Pompeji gefunden ist. Bei c ist

Fig. 316. Muster toreutischer Arbeiten.

ein vorzüglich schöner Gefäßhenkel abgebildet, der allein gefunden worden und wahrscheinlich noch nicht an ein Gefäß geheftet gewesen ist (vgl. oben S. 447). Das Hauptornament bildet ein medusenartiger Kopf, der aber nicht nur von Schlangen umgeben ist, welche unter dem Kinn in einen Knoten sich verschlingen, sondern auch von Delphinen oder anderen Fischen, während zugleich auf seinen Wangen ein paar Flossenansätze liegen, welche bei Köpfen von Seewesen gefunden werden. Mit einer schlanken Arabeske geschmückt steigt der eigentliche Griff empor, welcher sich oben, wo er sich dem Rande der Kanne anzulegen bestimmt war, in zwei Arme theilt, die in Ziegenköpfe auslaufen, während in der Mitte ein breiter Haken sich zurückbiegt, auf welchem der Daumen beim Gebrauche der Kanne gelegt werden sollte. Bei *d* (vgl. *e*) ist das vorzügliche Relief von dem Kelche eines Candelabers wiederholt, der in seiner Gesammtheit schon in Fig. 234 *a* abgebildet ist. Vier Greife welche in lebensvollster Gruppirung einen Stier und einen Hirsch überwältigt haben, bilden das hoch ausgetriebene und sehr rein und scharf gezeichnete und modellirte Ornament. Endlich ist, als das vorzüglichste Muster dieser ganzen kleinen Reihe bei *f* (vgl. *g*) das ganz besonders hochgetriebene Relief eines ebenfalls schon früher (Fig. 254) in seiner Gesammtheit abgebildeten Gladiatorenhelmes ausgehoben. In der Mitte steht in amazonenhafter Gestalt die siegreiche *Dea Roma*, den einen Fuß auf einen Schiffsschnabel gestützt, die Lanze in der Rechten, das Schwert in der Linken ; neben ihr knien zwei Figuren mit Cohortenzeichen, hinter denen gefesselte Gefangene stehn, während an den Enden reiche Tropaeen errichtet sind, an denen ein paar Victorien eben noch feindliche Schilde zu befestigen im Begriffe sind. Auf den übrigen Theilen des Helmes treten bakchische Ornamente hervor, doch findet sich auch Athena im Kampfe mit einem schlangenfüßig gebildeten Giganten. — Während auf verwandte Kunstproducte aus edlen Metallen demnächst bei der Besprechung der Goldschmiedekunst zurückgekommen werden soll, dürfte hier der Ort sein, jenes schon oben S. 535 erwähnte Bleigefäß mit Reliefen in einer Abbildung (Fig. 317) mitzutheilen und etwas näher zu besprechen. Seine Bestimmung ist nicht sicher bekannt, doch hat es wahrscheinlich zur Aufnahme von Wasser, wenn nicht etwa von Korn oder dem Ähnlichem gedient. Die Natur des Materials zeigt hier sofort eine interessante Einwirkung auf die Art der aufgepressten Ornamente, welche man in Bronze oder edlen Metallen vergeblich suchen würde. Außer mit diesen ornamentalen Müschelchen, hufeisenförmig gezogenen und rautenförmig gestellten Ornamenten ist das Gefäß noch mit zwei Reihen von Medaillons geziert, von denen fünf in größerer Abbildung der Gesammtansicht beigefügt sind; dieselben zeigen theils mythologische Figuren und Köpfe, theils Thiere ; unter jenen finden wir eine jagende Artemis und eine Athena, welche eine kleine männliche Figur auf der Rechten erhebt, während ihr gegenüber ein Bildhauer mit dem Schlägel in der Hand sitzt; wahrscheinlich ist Athena Ergane (als solche ohne Aegis und Gorgoneion) zu verstehn als der göttliche Beistand werkschaffender Kunst. Das dritte Medaillon zeigt eine nicht sicher erklärte noch auch bei der Zerstörung des Attributs der rechten Hand erklärbare stehende männliche Figur, der der Adler beigegeben ist (einen Zeus Areios?), das vierte einen Herakles-

kopf. Unter den Thieren finden wir außer dem mitgetheilten Adler einen
laufenden Löwen und einen von einer schwebenden Nike bekränzten Stier,

Fig. 317. Bleigefäß mit Reliefen.

wie er auf den Münzen mehrer unteritalischen Städte wiederkehrt. — Jedoch
kehren wir zur Bronzearbeit zurück.

In anderer, beschränkterer Weise, dennoch ebenfalls in weitem Umfange
wirkt und schafft die zweite Art derselben, die Empaestik. Ihre Technik ist
der unseres Niello und unserer Damascenerarbeit verwandt, indem sie in den
Grund des zu schmückenden Geräthes Ornamente verschiedenen, meist edleren
Metalls incrustirt oder einlegt. Man begegnet diesem Kunstzweige besonders
bei den größeren Candelabern und bei den Prachtgeräthen, wo er sich auf dem
Gebiete der Ornamentik im engern Sinne hält, vielfach verschlungene Linien,
Laubwerk, Guirlanden, Arabesken mit eingestreuten Thiergestalten herstellt,
ohne sich bis zur Figurenzeichnung oder zur Herstellung bedeutsamer Compo-
sitionen zu erheben. Innerhalb ihres Ornamentgebietes dagegen schafft die
Empaestik mit so vielem Geschmack, so unerschöpflicher Phantasie, einer so
großen Correctheit und Sauberkeit des Einzelnen, dass sie uns die größte Bewunderung abnöthigt. Bei vielen Geräthen verbinden sich beide Arten der
Ornamentirung, die plastische und die in eingelegter Arbeit, und zwar so,
dass, während jene die geschmackvolle Herstellung der schärfer bestimmten
Glieder, wie z. B. des Fußes übernimmt, diese sich auf den größeren Flächen
des Geräthes, wie den Kraterbäuchen, oder den Disken der Candelaber, verbreitet und dieselben gleichsam mit einem Geäder kostbarer Zierate durchzieht.
Die Art, wie die beiden Arten der Metallornamentik sich in das Kernschema

des zu decorirenden Geräthes theilen, zeugt von dem feinsten Geschmack, bewahrt auf der einen Seite vor Unkräftigkeit in der tektonischen Gliederung, auf der andern vor Überladung und Schwerfälligkeit und ist so sehr wie irgend Etwas unseren Metallarbeitern und Goldschmieden als Gegenstand der eingänglichsten Studien zu empfehlen. Der Mangel dieser feinen Anwendung der einen und der andern Art der Ornamentik ist nicht am wenigsten Grund der Schwerfälligkeit der Geräthbildnerei unserer Zopfzeit und des Rococco.

Nächst der Bronzearbeit bleibt zunächst die ganz nahe verwandte, und nur im Material und den aus diesem fließenden Folgerungen verschiedene Goldschmiedekunst zu betrachten. Schon bei mehren früheren Gelegenheiten ist erwähnt worden, dass in Pompeji zahlreiche Goldschmiede arbeiteten und dass nicht unbeträchtliche Funde von Schmucksachen in Pompeji gemacht worden sind, obwohl augenscheinlich sehr Vieles grade von diesen Habseligkeiten der alten Bewohner bei der Flucht hat gerettet werden können und somit uns verloren gegangen ist. Leider ist von dem vielen Vorgefundenen nur sehr Weniges, eine kleine Auswahl bei Niccolini, *Le case ecc., descr. gen.* tav. 42, veröffentlicht, und wenn auch in den Büchern, welche Fundberichte enthalten, außerdem Manches erwähnt wird, so geschieht dies in so kurzer Weise, dass man aus diesen vielen Notizen nur einen trockenen Katalog zusammenstellen könnte. Es muss daher genügen, unsere Betrachtung auf eine kleine Auswahl charakteristischer Arbeiten zu beschränken, von denen Zeichnungen mitgetheilt werden können. Wir sehn dabei von Dingen wie die 1863 gefundene, mehr als zwei Pfund schwere, bei Niccolini a. a. O. abgebildete goldene Lampe ab, welche kein sonderliches künstlerisches Verdienst in Anspruch

nehmen können, und halten uns an das seiner Technik oder Form nach Bemerkenswerthe. Die Abbildung Fig. 318 zeigt eines jener großen 22 Unzen wiegenden Armbänder von gediegenem Golde, welche, wie früher erwähnt, in dem Hause des großen Mosaik gefunden worden sind. Dasselbe ist in Schlangenform gearbeitet, welche, wie kaum eine andere, sich zu diesem Zweck empfiehlt. Der Kopf der Schlange ist gegossen, die Augen sind von Rubin eingesetzt und die Zunge wird durch ein bewegliches Goldblättchen ge-

Fig. 318. Großes Armband.

bildet. Der spiralförmig geringelte Körper dagegen ist mit dem Hammer getrieben, um größere Elasticität zu haben, während alle Einzelheiten, die Zähne im geöffneten Rachen, die Schuppen am Hals und Schweif auf's sorgfältigste ciselirt sind. Derartige Bänder in Schlangenform wurden um das Handgelenk, um den Oberarm und um das Fußgelenk getragen: ihrer Größe nach wird unsere Schlange zum Schmuck des Oberarms gedient haben. Eine ähnliche findet sich in der folgenden kleinen Sammlung von Goldschmiedearbeiten Fig. 319 wieder, welche jedoch nicht flach ausgetrieben, sondern halbrund gearbeitet und wahrscheinlich zum Schmuck des Handgelenks bestimmt gewesen ist. Für alle Arten von Ringen ist die Schlangenform eine so natürliche und naheliegende, dass es uns nicht wundern wird, in unserer kleinen Sammlung auch zwei in dieser Gestalt gearbeitete Fingerringe zu finden, den einen als das vollständige Thier, welches den Kopf emporhebt, als wollte es sich von dem Finger loswinden, den andern weniger geschmackvoll aus zwei Schlangenköpfen zusammengesetzt. Ein dritter Fingerring, in den eine Hyacinthgemme zum Siegeln gefasst ist, zeigt die einfache Form des Siegelringes, welche auch bei uns gebräuchlich ist. Die Bedeutung des Frauenkopfes der Gemme ist schwerlich festzustellen; mythologischem Gebiete scheint derselbe nicht anzugehören. Oben links und ganz unten in Figur 319 sind zwei der am häufigsten in den pompejanischen Ausgrabungen vorgefundenen Arten von Ohrringen mitgetheilt; die eine (oben) ist

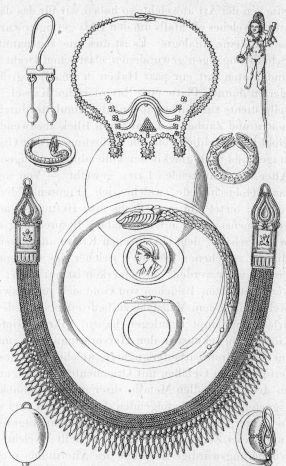

Fig. 319. Verschiedene Schmucksachen von Gold.

aus zwei Perlengehängen an einem dünnen Drahthäckchen von Gold gebildet; die andere Art zeigt in zwei Ansichten die Form eines Ausschnittes aus einem Apfel und scheint besonders beliebt gewesen zu sein, weil derartige Ohrringe bereits in beträchtlicher Menge gefunden sind. Zahlreiche in den letzten Jahrzehnten unter uns Mode gewordene Nachbildungen antiker Muster lassen uns auch das eine der beiden größten Schmuckstücke in der vorstehenden Abbildung vertraut erscheinen, nämlich das freilich nicht in Pompeji, sondern *Sta. Agata dei Goti* gefundene, hier aber in Ermangelung eines mittheilbaren pompejaner Beispieles verwandter Art aufgenommene Halsband, welches aus einem äußerst feinen Geflecht elastischen, durch ein mit zwei Fröschen auf der Platte verziertes Schloss zusammengehaltenen Golddrahtes besteht, an dem ein und siebenzig kleine Goldgehänge befestigt sind, welche den Hals strahlenförmig umgeben, woher diese sehr häufig in Gemälden vorkommenden Halsbänder den Namen der *monilia radiata* (Strahlenhalsbänder)

erhielten. Wenn dieses durch die äußerste Zartheit seiner Arbeit ausgezeichnete Halsband nur in seiner besondern Form von unseren modern antiken
Stücken der Art abweicht, so haben wir für das darüber abgebildete Schmuck-
stück, welches ebenfalls um den Hals getragen wurde, unter unseren Schmucksachen keine Analogie. Es ist dies eine sogenannte *bulla*; an dem in scharfen
Schraubengängen gewundenen elastischen Draht, welcher um den Hals ging
und hinten mit ein paar Haken in einander griff, hangt vorn an einer verzierten dünnen Platte eine linsenförmige Kapsel, die eigentliche Bulla. Dieselbe diente zur Aufbewahrung der Amulette, durch welche man allerlei Krank-
heiten und Zauber und den bösen Blick abzuwenden glaubte, und wurde von
Gold hauptsächlich von den Sprösslingen edler Geschlechter in der Jugend getragen und nach glücklicher Vollendung der Jugend beim Eintritt in das reifere
Alter den schützenden Laren geweiht. — Von derjenigen Arbeit der pompejaner Goldschmiede, welche sich, Figuren bildend, der eigentlichen Plastik
nähert, bietet die erste Probe eine Heftnadel, mit der man das Obergewand
zusammensteckte; auf eine nähere Besprechung der seltsamen Gestalt eines,
wie es scheint, dem bakchischen Kreise angehörenden, aber mit Fledermaus-
flügeln versehenen Genius, welcher das Ornament bildet, kann hier nicht
eingegangen werden; zu bemerken ist nur noch, dass unter den leider nicht
veröffentlichten Bildchen von Gold sich vorzugsweise Kindergestalten finden,
welche nach dem Maßstabe zu beurteilen sind, den wir an die niedere Metallarbeit überhaupt anzulegen haben. Ihren Gipfel erreicht die pompejaner
Goldschmiedekunst in den Hervorbringungen, mit welchen sie sich dem Gebiete des Bronzearbeiters nähert, welches oben geschildert wurde, in der Ver-
fertigung von Gefäßen mit Ornamenten und Figuren in getriebenen Reliefen,
zu denen die edlen Metalle ihrer großen Dehnbarkeit wegen sich besonders
eigneten. In der beifolgenden Ansicht sind drei silberne Becher aus Pompeji
in ganzer Gestalt und von den beiden mit Figuren geschmückten die Reliefe
in größerer Zeichnung zusammengestellt, welche demjenigen, der solche be-
wunderungswürdige Arbeiten des Alterthums nicht in den Originalen kennt,
wenigstens einigermaßen von denselben eine Vorstellung vermitteln können.
Der erste dieser Becher ist an sich einfach mit vier einander zu je zweien entsprechenden Rebzweigen verziert, welche aber mit eben so vielem Geschmack
um den Körper des Gefäßes geordnet sind, wie sie sich durch feine und reine
Modellirung auszeichnen. Ist schon dieses kein alltägliches Stück Arbeit, so
wird es doch an Interesse weit übertroffen durch die beiden anderen Geschirre.
Auf dem erstern derselben ist eine Apotheose Homers dargestellt, welcher in
der Mitte der Vorderseite von einem mächtigen Adler emporgetragen wird,
während die allegorischen Gestalten der Ilias mit dem Helm, Schild und
Speer links und der Odyssee mit der Schiffermütze und dem Ruder ausgestattet
rechts zur Seite auf den feingeschwungenen Arabesken sitzen, welche nach
hinten das ganze Bildwerk schließen. Eine an mehren Stellen aufgehängte
Guirlande umzieht den Rand des Gefäßes über der Darstellung, zwei Schwäne
(der eine fast ganz zerstört), die Vögel Apollons, erheben sich mit dem Dichter
zu den himmlischen Höhen des Olymp. Über die Sinnigkeit der Composition
im Ganzen und im Einzelnen und über den Adel der Formen ist angesichts

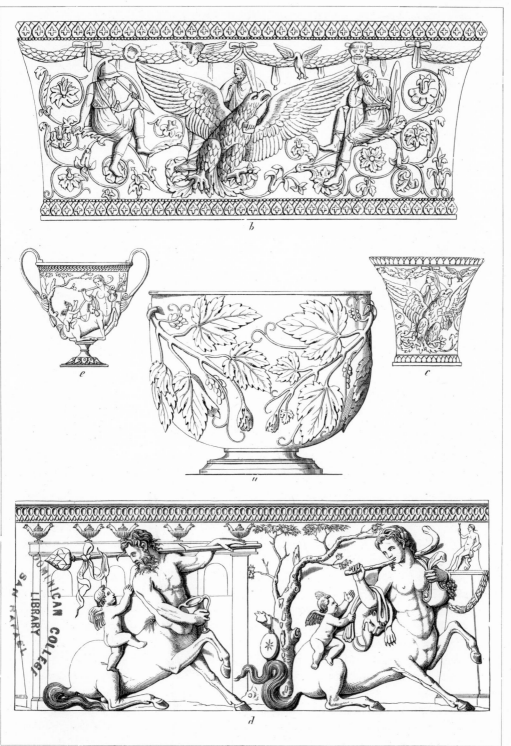

Muster von Arbeiten in getriebenem Silber.

der gelungenen Zeichnung zu reden nicht nöthig. So erfreulich aber auch dieses Kunstwerk sein mag, es wird doch an Schönheit noch weit übertroffen durch den dritten Becher, einen von zwei ganz ähnlichen, zusammengehörigen und zusammen nebst noch zwölf anderen, weniger ausgezeichneten und mancherlei anderen Dingen gefundenen, und zwar gegen Ende März 1835 in dem nach diesen ausgezeichneten Gefäßen so genannten Hause der Silbergeschirre (*Casa dell' argenteria*) in der *Strada di Mercurio* (No. 27 im Plan). Wahrlich, es lohnt sich, den Ort und das Datum dieses Fundes zu verzeichnen, denn diese Becher sind ein Höchstes in ihrer Art, dem sich nicht eben Vieles der gleichen Gattung aus dem Alterthum an die Seite stellen kann, eine so bedeutende Anzahl von Künstlern grade auf diesem Gebiete, der Reliefbildnerei in Silber, Ruhm erlangt haben. Die Figuren sind auf das Bewunderungswürdigste bis zu fast vollkommener Rundung in hohem Relief ausgetrieben, auf's feinste und zarteste modellirt, von den lebensvollsten Formen und dem gelungensten Ausdruck. Der Gegenstand ist ziemlich einfach; auf beiden Bechern ist je ein Kentaur und eine Kentaurin gebildet, welche, mit den Hinterbeinen sitzend, vorn erhoben oder wie sich erhebend einen kleinen Eros als Reiter auf dem Rücken tragen, ein Motiv, das auch sonst noch in verwandten Darstellungen sich wiederholt. Jedoch ist dasselbe jedesmal verändert. Bei den männlichen Kentauren des in der Abbildung wiederholten Bechers ist der kleine Eros eben im Begriffe aufzusteigen, während sich der Kentaur, der einen mächtigen Thyrsos auf der linken Schulter und den dionysischen Kantharos in der Rechten trägt, aufmerksam zu seinem kleinen Reiter herumwendet, offenbar bereit aufzustehn, sobald das Knäbchen fest oben sitzen wird. Bei der Kentaurin der Kehrseite hat der Reiter seinen Platz schon eingenommen und scheint sie mit erhobenem linken Händchen, mit dem rechten ein um ihren Arm geschlungenes Fell ergreifend, gleichfalls zum Aufstehn anzutreiben. Auch sie, welche einen Hirtenstab in der Rechten trägt und mit der Linken Trauben in dem Bausch ihrer Fellbekleidung zusammenhält, wendet sich zu dem Kleinen zurück, als wolle sie mit ihm über seinen Eifer scherzen. Den Hintergrund bildet dort ein portikenartiges Bauwerk, auf welchem eine Reihe Vasen aufgestellt ist, hier ein knorriger Baum links und eine Statue des Dionysos auf hohem Postamente rechts. An dem andern Becher hält der bequem auf dem Rücken des Kentauren sitzende Knabe eine Kithara und der Kentaur selbst außer einem Pinienzweige eine Syrinx, während die Kentaurin aus einem Trinkhorn Wein in eine flache Schale fließen lässt und ihr kleiner Reiter gleichfalls ein Trinkgeschirr handhabt. — Zu dem Ganzen dieser Becher ist noch zu bemerken, dass dieselben mit einer glatten Silberplatte im Innern gleichsam gefüttert sind, durch welche die hineingegossene Flüssigkeit verhindert wird, sich in den Höhlungen der ausgetriebenen Reliefe zu fangen; so sind diese kostbaren Gefäße auch für praktische Zwecke brauchbar, keineswegs bloße Schaustücke.

Der Schluss unserer pompejanischen Betrachtungen sei mit einem Meisterwerk der Glasarbeit gemacht, einer Technik, in welcher die Alten kaum minder Bewunderungswürdiges leisteten als in der Toreutik. Nach Plinius wurde das Glas dreifach bearbeitet, entweder geblasen oder gegossen oder caelirt,

d. h. mit schneidenden Instrumenten angegriffen oder geschliffen. Die beiden
letzteren Arten der Technik kommen auch vereinigt vor und zwar namentlich
bei der Herstellung der Gefäße mit Relief, von denen die berühmte Portlandvase
den ersten Rang behauptet, während die hier (Fig. 320) abgebildete, in dem nach
ihr genannten Grabe (*tomba del vaso di vetro blu*) (S. 406) gefundene Amphora
den Platz zunächst dieser einnehmen dürfte. Wie in der Regel bei diesen Gefäßen besteht der Grund oder der Kern aus einem farbigen und durchsichtigen
Glasfluss, der in diesem Falle vom schönsten satten Dunkelblau ist, während
das aufgeschmolzene und sodann zur Schärfung der Formen geschliffene und
caelirte Relief opak, undurchsichtig, in dem gegenwärtigen Falle rein weiß
ist. Die Composition dieses Reliefs ist eben so reich wie seine Ausführung
zierlich und elegant ist. Über einem schmalen sockelartigen Streifen, der
weidende Thiere enthält, sind einander gegenüber zwei bakchische Masken
angebracht, die eine männlich, die andere weiblich. Hinter denselben erheben
sich starke Reben, welche ihr mit anderem Laubwerk, Blumen und Früchten
verschlungenes Rankengeflecht um den ganzen Bauch des Gefäßes spinnen,

Fig. 320. Glasgefäß mit Relief.

indem sie zwei Figurencompositionen umrahmen. Diese beiden Figurencóm-
positionen zeigen idealisirte und durch Genien dargestellte Scenen der Weinlese in etwas verschiedener Auffassung, beide Male jedoch unter heiterer
Musikbegleitung. Einerseits (rechts in Fig. 320) schwingt in der Mitte
begeistert ein Knabe den Thyrsos, indem er zu dem Takte der Musik der
von zwei sitzenden Genossen geblasenen Hirten- und Doppelflöte die frisch-
gepflückten Trauben, die ein Vierter im Gewandbausch zuträgt, mit den
Füßen austritt; andererseits nimmt die Mitte eine Darstellung des heitern
Weingenusses unter der Musik einer Lyra ein, während zu beiden Seiten ein
Knabe, mit dem Pflücken der Trauben beschäftigt, auf einem hohen Postamente
steht. Das heitere und bewegte Leben dieser Reliefe und die reizende Fülle
der sie umrankenden Arabesken erinnert gewiss Jeden an Goethes Vers:

Sarkophage und Urnen verzierte der Heide mit Leben;

das ganze Gefäß aber, welches auf einem eigenen losen Fuß aufrecht gehalten
wurde, eines der vollkommensten seiner Art, bietet einen erfreulichen Schluss
der artistischen Betrachtungen der Denkmäler Pompejis.

Anhang.

Anmerkungen.

1) zu S. [3]. Mancher, der Italiens »ewigblauen Himmel« nur aus Büchern kennt, wird vielleicht geneigt sein, die zerstörenden Einflüsse der Witterung auf die ausgegrabenen Monumente Pompejis zu unterschätzen; ich halte es dem gegenüber und um die richtige Vorstellung zu vermitteln, dass das aufgegrabene Pompeji auch unter dem campanischen Himmel dem sichern, wenn auch langsamen völligen Untergang entgegengeht, nicht für überflüssig, einerseits hervorzuheben, dass vom September an ganz gewaltige, klatschende und spülende Gewitterregen vorkommen, deren ich im Winter 1860 daselbst etliche erlebte und gegen welche der bisher den Ruinen gegebene Schutz sehr geringfügig erscheint. Andererseits ist zu bemerken, dass in den Ausgrabungsberichten und den Rapporten über die in Pompeji vorgenommenen Arbeiten gar nicht selten nicht allein von schlechtem Wetter, Sturm, Regen, ja Schnee und Frost die Rede ist, durch welche die Arbeiten unterbrochen worden, sondern auch von thatsächlich bedeutenden Verletzungen der Ruinen durch das Wetter, welche beträchtliche Wiederherstellungsarbeiten nöthig gemacht haben. Ich will nur Einiges des hier Einschlagenden aus den Tagebüchern der Ausgrabungen (Pompeianarum antiquitatum historia ed. Fiorelli) ausheben. So heißt es 1778, 3. Januar: »des fast unaufhörlichen Regens wegen sind die Arbeiter verwendet worden, Erde aus einigen unterirdischen Räumen [Kellern der Häuser an der Westseite] auszuräumen, und nur wenn es das Wetter erlaubte, ist an der Ausgrabung der Hauptstraße fortgefahren worden.« 1784, 12. Februar: »vorigen Montag stürzte die Mauer des in der Ausgrabung begriffenen Hauses vor dem Isistempel zusammen. Es war dies die Wirkung des Druckes des von den großen Regengüssen geschwollenen Erdreichs.« 1789, 8. Januar: »die Arbeiterschaft ist verwendet worden, um den Schnee aus den Höfen und Zimmern fortzuschaffen, wo Gemälde sind, um größern durch den Frost angerichteten Schaden zu vermeiden. Der Frost hat nicht so sehr die Gemälde als den Marmor angegriffen.« 1800, 3. Januar — 9. Mai: »die Arbeiterschaft ist beschäftigt worden, die unter den Einflüssen des Frostes herabgefallenen Gemälde wegzuschaffen, der Frost hat an den Gebäuden großen Schaden gethan und die Arbeiter haben die Ausgrabungen von Unkraut und Schutt gereinigt.« 1803, 11. Februar: »es wird fortgefahren den durch heftigen Regen und Schneegestöber von den Mauern losgerissenen Bewurf fortzuschaffen; auch manche Gemälde haben gelitten, und man muss sie mit eisernen Klammern befestigen, um einigermaßen zu helfen.« 1803, 3. September: »in vergangener Nacht hat das gewaltige Wasser, welches in der Campagne von Mezza Torre bis zur Meierei des Irace ein See schien, indem der Fluss ein tüchtiges Stück ausgetreten war, das Soldatenquartier (Gladiatorenkaserne) bis wenige Zoll unter der Mündung des Brunnens (d. h. ziemlich zwei Fuß hoch!) ausgefüllt, und es ist ein Wunder, dass hier nicht Alles zusammen-

gestürzt ist. Die Orchestramauer des bedeckten Theaters ist gänzlich auf den Boden gestürzt, d. h. diejenige, welche die Orchestra von der Scene trennt. Sie war fünf Palm hoch. Ein Wasserstrom, der von dem Keller des Isidoro herkam, hat diese große Meierei zu Boden geworfen, die Straße mit Erde gefüllt und sich dann in den Fluss ergossen. Ein anderer Wasserstrom ist von der Meierei des Irace hergekommen und hat die ganze Straße verdorben, auf welcher man von der Porticus des Theaters zum Tempel emporstieg, indem er dieselbe so auffüllte, dass man wegen der 15 Palm hohen Verschüttung durchaus nicht durchdringen konnte« u. s. w. 1814, 10. Februar: »die Mauer, welche die Basilika gegen Abend abschließt, war außen mit grandiosen Groteskarchitekturgemälden und Figuren in der Mitte derselben verziert. Die starken Fröste der letzten Tage haben diese fast alle herabgestürzt, ungeachtet die gewöhnlichen Vorsichtsmaßregeln, die Ränder der Gemälde gegen die Wand verkitten zu lassen, ergriffen worden waren.« Und weiterhin: »die Gemälde in dem noch nicht lange aufgefundenen Hause nahe bei dem nördlichen Thore bleiben noch sehr feucht, und die unausgesetzten Regengüsse werden sie endlich noch ganz einweichen. Und obgleich ich die Verkittung an ihren Rändern hatte vornehmen lassen, hat der starke Frost, der in der Nacht von Samstag auf Sonntag eintrat, dieselben fast alle herabstürzen gemacht. Ich hatte auch angeordnet, dass die gewöhnlichen Ziegeldächer über ihnen angebracht würden, diese aber haben sich so gut wie vollkommen unwirksam erwiesen, da die Bilder schon mit Wasser getränkt waren« u. s. w. 1816, 5. Januar: »im Amphitheater und zwar in dem Corridor zur Linken an der Morgenseite ist am 2. d. M. durch den unaufhörlichen Regen ein Bogen eingestürzt, welcher zwei Treppen der inneren Stufenreihe mit sich gezogen hat, während alle die übrigen weiter hinauf liegenden den Einsturz drohen. Einstweilen haben wir sie zu stützen versucht, aber ich bin der Meinung, es werde am besten sein, sie ganz wegzunehmen, ehe sie zusammenbrechen, um so wenigstens die Stücke zu retten, um dieselben später wieder an ihren Platz bringen zu können.«

Und wie auch unverständige und ruchlose Menschen bei der Zerstörung und Beschädigung mitgeholfen haben, davon mögen, — abgesehn von den mehrfach in den Tagebüchern erwähnten kleineren Diebstählen und abgesehn ferner von der Thatsache, dass in Pompeji sehr viele Wände durch eingekratzte moderne Namen verunziert und beschädigt, glücklicher Weise aber zugleich zu Schandmalen der Verletzer geworden sind, — ein paar bemerkenswerthe Beispiele angeführt werden. So heißt es unter dem 12. November 1763 wörtlich: »es ist dem Don Camillo Paderni (das ist der Director des Museums!) befohlen worden, er solle nicht wagen, Hand an die antiken Gemälde zu legen, welche sich bei den Ausgrabungen finden, ohne erst an Seine Majestät Bericht erstattet zu haben, da es dem besagten Paderni nicht zukomme, zu entscheiden, welche Bilder aus den Ausgrabungen weggenommen werden und welche daselbst verbleiben sollen, indem der König mit Entsetzen (con orrore!) vernommen hat, dass viele dieser antiken Gemälde zertrümmert worden sind.« Damit vergleiche man folgende Notiz (Addenda p. 146): 1764, 25. Januar (also später!) »aus einem Attest des Antonio Scognamiglio, des Oberaufsehers, legalisirt durch den Notar Jennaco von Torre dell' Annunziata geht hervor, dass auf Befehl des Don Camillo Paderni die Bilder, welche er für unnütz hält, zerstört worden sind, indem man den Stucco, auf welchen sie gemalt sind, mit Spitzhacken herunterschlug.« (Siehe auch: Winckelmann, Nachrichten v. d. neuesten Entdeckungen Anno 1764 § 70: »dass diejenigen Gemälde, welche nicht beträchtlich geachtet werden . . . . . auf ausdrücklichen Befehl der Regierung zerfetzet und verderbet werden, damit dieselben nicht in fremde Hände gerathen«). Unter d. 12. December wird berichtet: »Don Camillo Paderni erhielt Erlaubniss nach Rom zu gehn« (etwa »fern von Madrid darüber nachzudenken«?) — 1792, 23. November: »in vergangener Nacht von Donnerstag auf Freitag hat man nahe bei dem Thor der Stadt (in dem s. g. Hause des Chirurgen) vier Bilder von den Wänden geschnitten (und gestohlen) nämlich die folgenden: in dem Zimmer, wo man ein Bild abzunehmen beschäftigt ist, welches einen Maler darstellt, der ein Idol copirt: einen Kopf; in dem anstoßenden Hofe und zwar im Tablinum : eine Wachtel ; endlich in dem letzten Hofe in dem Zimmer mit blauen Wänden : eine der Bakchantinnen und einen Kopf. Das Ganze ist mit Geschicklichkeit gemacht und der Raub davongetragen worden ; die Nacht war sehr rauh durch Regen und Wind.« 1815 , 16. Juni heißt es unter Anderem : »jetzt, wo die Arbeiten für die Ausgrabungen dieser alten Stadt aufgehört haben, ist dies Local (das Amphitheater) so gut wie alle die übrigen verlassen und der Willkür ungebildeter Menschen anheimgegeben, und leicht könnte es vorkommen, dass , indem man von dem Holzwerk stiehlt (mit dem die Wölbungen gestützt waren) man Einstürze des Gebäudes selbst hervorriefe, abgesehn von der Gefahr, dass irgend ein Neugieriger bei einer solchen Gelegenheit zum Opfer werde.« — 1816, 28. December ist unter Anderem Folgendes verzeichnet : »die unbegrenzte Freiheit, mit der jede beliebige Zahl von Personen in diese königlichen Ausgrabungen eindringen kann, bringt sehr häufig das Ärgerniss mit sich, diese kostbaren Monumente misshandelt zu finden. Vergangenen Montag kam Herr Architekt Bonucci hierher und sah mit Verdruss, dass an den Säulen des Vestibüls der Porticus des Theaters die Brunnenmaske (an einer dieser Säulen) heruntergerissen und auf die Erde geworfen, eine der mit Blei vergossenen Klammern, mit der sie befestigt gewesen, gestohlen war. Die Aufseher versicherten, es sei ein österreichischer Soldat der Schuldige, und dasselbe ist auch des folgenden Tages weiter bestätigt worden« u. s. w. Vielleicht noch pikanter ist das Folgende. Unter dem 25. Mai desselben Jahres heißt es in den Addenda (S. 277): »am 24. des laufenden Monats gegen 8 Uhr italienischer Zeitrechnung begaben sich einige Officiere der österreichischen Truppen, welche hier auf dem Durchmarsche sind, nach Pompeji, und indem sie das (kleinere) Theater besichtigten, nahmen sie einige bronzene Buchstaben der Inschrift mit, welche daselbst in den Fußboden eingelassen ist. Als aber der Sergeant der (in Pompeji als Wache befindlichen) Veteranen die Sache dem kurz darauf eingetroffenen General mittheilte, ließ derselbe jene kommen und zwang sie, ihren Raub an die Wächter abzugeben.« Der Schluss dieser Notiz ist schwerlich genau, wenigstens ist es gewiss, dass die entwendeten Buchstaben nicht wieder an Ort und Stelle gebracht wurden, was doch geschehn sein würde, wenn man derselben habhaft geworden wäre, sondern dass sie durch neue ersetzt worden sind, die man als solche nebst dem Stücke des Fußbodens, in welchem sie befestigt sind, noch heutzutage erkennen kann. Dabei ist aber der Name des Duumvirn, welcher hier genannt wird, aus Unkunde verändert worden ; der Ausgrabungsbericht (Pomp. ant. hist. Vol. I, ii , pag. 54) und ebenso Mazois IV, p. 56 und Taf. 38 u. A. geben ihn richtig M · OCVLATIVS · M · F · u. s. w. , jetzt aber lautet er M · OLCONIVS · M · F · und ist in dieser Form nicht selten (auch in den *I. R. N.* 2242) publicirt worden, während doch der in den Mauerinschriften Pompejis unzählbare Male und auch in Steinschriften mehrmals vorkommende Name mehrer Holconii ohne Ausnahme mit anlautendem H geschrieben ist. Die gestohlenen Buchstaben sind CVLAT ; in die Lücke setzte man LCON, und so wurde aus O[culat]IVS O[lcon]IVS. Von einer zweiten Verletzung derselben Inschrift durch österreichische Soldaten, welche ein R und ein O wegnahmen, wissen die Addenda zu 1809, 15. April zu berichten, s. *Pomp. ant. hist.* I, iii, p. 231.

2) zu S. 4. Die im Text als einzig möglicher Ausweg bezeichnete Auffassung scheint die von Duhn's (Verh. d. XXXIV. Phil.-Vers. S. 154) zu sein. Denn Nissen's Interpretation (Pomp. St. S. 581) wird er doch schwerlich billigen. Wie dieser durch Strabo V, p. 245 begründen will, dass derselbe zwischen ἐπίνειον und ἀποικία nicht unterscheide, ist unverständlich ; Strabo sagt dort : Dikaiarchia w a r f r ü h e r Hafenplatz der Kymäer, während er V, p. 247 eben so deutlich sagt : Pompeji i s t j e t z t Hafenplatz von Nola, Nuceria und Acerrae. Von Duhn's Ausspruch (a. a. O.), dass die Reste des griechischen Tempels nicht auf viel ältere Zeit als 310 v. Chr. deuten, dürfte doch näherer Begründung bedürfen. Was Nissen's Etymologie des Namens betrifft, so müssen hier, und leider noch an manchen Stellen des geistreichen Buches, Wendungen wie : »es ist nicht möglich zu leugnen — kann nichts anderes bedeuten« — die Stelle von Beweisen vertreten.

3) zu S. 6. Über die alte Küste und den Lauf des Sarno s. Ruggiero, *Pompei e la regione sotterrata nel LXXIX*, I, S. 5; Mau, *Bull. d. Inst.* 1880, S. 89 ff., *Rhein. Mus.* 1881, S. 127. 1882, S. 319; von Duhn, *Rhein. Mus.* 1881, S. 326 und 632.

4) zu S. 20. Was im Text über die Beschaffenheit der Decke gesagt ist, unter welcher Pompeji begraben liegt, beruht auf mannichfaltigen eigenen Beobachtungen, welche besonders an den Orten der neuen und gegenwärtigen Ausgrabungen, welche gleichsam Querschnitte des Terrains darbieten, unschwer angestellt werden können, und mit deren Ergebniss dasjenige genau übereinstimmt, was Mich. Arditi, einer der besten früheren Directoren der Ausgrabungen, über diesen Gegenstand schreibt. In den Addendis zu den Berichten vom Jahre 1809 d. 28. Februar (*Pomp. ant. hist.* I, III, p. 227) heißt es: »Jedermann weiß, dass das antike Pompeji bedeckt wurde von einem Regen von Rapilli und über diesem von einer Schlammlava (*lava bavosa*), so genannt von den Naturforschern, weil sie aus Erde und Wasser zusammengesetzt ist; weiter liegt darüber, nur wenige Palm stark, die bebaubare Erde«, u. s. w. Vgl. die neueste vortreffliche Behandlung dieser Fragen bei M. Ruggiero, *Pompei* etc. S. 22 ff. Andere wollen anders beobachtet haben, und ganz besonders complicirt klingt die Beschreibung, welche Guilelmo Bechi im 1. Bande des *Mus. Borbon.* (1814) Anhang S. 10 entwirft. Hier heißt es: »Die Stadt Pompeji ist bedeckt von vulcanischer Asche und Rapilli, welche durch einander gemischt sind. Diese Lagen von Asche und Rapilli liegen, da wo sie geblieben sind, wie der Vesuv sie ausgeworfen hat, folgendermaßen. Auf der Oberfläche des antiken Bodens findet sich eine etwa einen Palm hohe Lage von sehr schwarzer und sehr feiner Asche, sodann eine Lage Rapilli von etwa 9—10 Palm Stärke, darauf eine zweite Lage Asche etwa $\frac{1}{4}$ Palm dick und über dieser eine zweite Lage Rapilli, ebenfalls $\frac{1}{4}$ Palm stark; ferner folgt eine dritte Lage Asche von $1\frac{1}{2}$---2 Palm Mächtigkeit, über welcher wiederum eine dritte Rapillischicht von $\frac{1}{2}$ Palm liegt, so wie über dieser die vierte und letzte Lage Asche von $4\frac{1}{2}$—5 Palm Stärke sich findet, während endlich die bebaubare Erde 5—6 Palm stark den Schluss macht. Alle diese Lagen vulcanischer Producte liegen wellig und den Erhebungen und Senkungen des Bodens folgend, ohne dass zwischen denselben auch nur die leiseste Spur von Vegetation sich zeigte, ein klarer Beweis, dass die ganze Decke von jener ersten grässlichen Verschüttung herrührt.« Dies letztere ist vollkommen richtig; wo aber Herr Bechi und Andere die vielerlei Schichten beobachtet haben, möchte nicht leicht anzugeben sein.

5) zu S. 21. Ein sehr merkwürdiger Fall ist in den Ausgrabungsberichten von 1787 unter dem 30. August verzeichnet. »In dem Corridor eines Hauses mit Fußboden von gestampfter Erde und nicht beworfenen Mauern fand man ein menschliches Gerippe; allein die Knochen lagen nicht an ihrem richtigen Orte, sondern durch den ganzen Raum zerstreut. Man fand ferner das Skelett eines Hundes, und da jener Corridor von Verschüttungsmasse fast ganz leer, und die menschlichen Knochen angenagt gefunden wurden, so ist daraus zu schließen, dass der Hund an diesem Orte länger am Leben geblieben ist, als der Mensch, und dass er sich einige Zeit von dessen Leichnam ernährt hat.«

6) zu S. 21. Dies geht aus den nüchternen Aufzeichnungen in den Tagebüchern der Ausgrabungen unwiderleglich hervor; die Funde der Skelette sind immer mit Sorgfalt verzeichnet, weil sie gewöhnlich mit solchen von Werthgegenständen, Münzen und Schmuck verbunden sind, also von Dingen, welche viele Jahre hindurch den eigentlichen Gegenstand des Suchens und Nachgrabens ausgemacht haben; auch die Situationen der Skelette, sofern sie irgend charakteristisch waren, sind zum Theil mit großer Genauigkeit verzeichnet (vgl. z. B. *P. A. H.* 1812, 1. Febr.), meistens aber alles Andere eher, als romantisch. Die Geschichte mit der Schildwache ist einfach Fabel, in der Grabnische links neben dem Thor wurde überhaupt kein Skelett gefunden, eben so wenig in der Halbkreisnische an der andern Seite der Gräberstraße und wiederum eben so wenig in dem *triclinium funebre* (vgl. *Pomp. ant. hist.* 1763, 13. August: s. g. Schilderhaus; 1775, 14. und 28. Januar: *triclinium funebre*; 1811, 14. December: Halbkreisnische). Einige in der That interes-

sante Vorkommnisse kennen dagegen die romantischen Erfindungen über Skelettfunde nicht, so z. B., was *P. A. H.* 1787, 14. Juni angeführt ist, wo man acht Skelette unter Mauertrümmern fand, oder was 1818, 5. und 9. Mai berichtet wird, dass man nämlich am Forum nahe beim Iuppitertempel ein Skelett unter einer umgestürzten Marmorsäule fand, Thatsachen, welche mit zu den besten Beweisen für das mit der Verschüttung gleichzeitige Erdbeben gehören.

7) zu S. 21. Eine ähnliche Geschichte, die ich nicht zu bezweifeln vermag, obwohl die Ausgrabungsberichte auch von ihr nichts wissen, wird in der dem II. Bande des *Mus. Borbon.* angehängten *Relazione degli scavi* S. 3 berichtet. Hier heißt es wörtlich: »in einem Laden (außen an den älteren Thermen) fanden sich zwei Skelette, augenscheinlich einander umarmend, aus der Beschaffenheit von deren Knochen sich auf die Verschiedenheit ihres Geschlechts schließen ließ, sowie aus der Frische ihrer vollständig erhaltenen Zähne auf die Frische ihrer Jugend.«

8) zu S. 22. So wird außer von neueren Schriftstellern erzählt in den Ausgrabungsberichten von 1765 d. 8. Juni, *P. A. H.* I, ɪ, p. 172.

9) zu S. 22. Der ausführliche Fundbericht vom 12. December 1772 steht *P. A. H.* I, ɪ, p. 268 f. Mit den 18 Skeletten Erwachsener fanden sich noch die zweier Kinder. Beiläufig sei hier bemerkt, dass in den verschiedenen Räumen der s. g. Villa des Arrius Diomedes nach Ausweis der Fundberichte (1771, 9. März, 4. Mai; 1773, 6. 13. 20. Februar, 29. Mai; 1774, 30. Juli) außer den hier in Rede stehenden 20 noch weitere 14 menschliche Skelette nebst demjenigen einer Ziege und eines Hundes gefunden sind. Die Fundorte der meisten bestimmt der Plan La Vega's, *P. A. H.* Taf. IV—VI, Text I, ɪɪ, p. 118 ff.

10) zu S. 23. Ganz ähnliche Funde wie die hier in Rede stehenden hat man gar nicht selten schon in früherer Zeit gemacht; Skelette über den Rapilli und in der Aschenlage und zum Theil in dieser abgeformte Leichen sind z. B. verzeichnet *P. A. H.* I, ɪ, p. 272 von 1773, 13. Februar (»man erkennt gut, dass die Personen, denen diese Skelette angehörten, nachdem sie den Fall der Rapilli überwunden hatten, in der Aschenüberschwemmung umgekommen sind«), I, ɪɪ, p. 33, 1786, 9. November (ebenso), p. 36, 1787, 3. Juni und 14. Juni (zwei und acht Skelette über den Rapilli), p. 59, 1795, 13. Mai (zwei Skelette ebenso), I, ɪɪɪ, p. 78 f. 1812, 1. Februar (drei Skelette, 12 Palm über dem Boden in der Asche; »alle drei Skelettte hatten in der Asche die Abdrücke der Körper, welche sie bekleidet hatten, zurückgelassen, aber man hat kein ganzes Stück davon aufheben können, weil, als man es versuchte, Alles gleich zerfiel«) u. dgl. m.

11) zu S. 25. Vgl. Winckelmann, Sendschreiben § 25, Fiorelli im *Giornale degli scavi* fasc. 2, p. 60 sq. Die oft angeführte Inschrift Mommsen No. 3612 kann schon deshalb nicht mit Martorelli, *Reg. theca calam.* p. 37, Winckelmann u. A. auf die antiken Nachgrabungen in Herculaneum bezogen werden, weil sie gar nicht daher stammt und auf Herculaneum nicht entfernt Bezug nimmt. Richtig fasst die *abdita loca*, die hier erwähnt werden, unter Anderen O. Müller, Handb. d. Archaeol. § 251, 5.

12) zu S. 25. Vgl. Mommsen, *I. R. N.* p. 112, *C. I. L.* X, p. 90, und Fiorelli, *Giornale degli scavi di Pompei* fasc. 2, p. 57. Hier wird eine Notiz mitgetheilt, welche im Jahre 838 von Pompeji redet, und zwar als von einer »Stadt Campaniens, die nun zerstört ist« (*urbs Campaniae nunc deserta*). Wohl mit Recht bezieht Fiorelli diesen Ausdruck nicht auf Altpompeji, von dem nur einige der oberen Theile der höchsten Gebäude aus der Verschüttung hervorgeragt haben können, sondern auf den Flecken, vielleicht müssen wir sagen das Städtchen Neupompeji, von dessen Ruinen in der Gegend des alten, aber weiter gegen den Vesuv hin zahlreiche Spuren gefunden worden sind. Vgl. noch *Bull. dell' Inst.* 1865, p. 234 sq., wo Grabcippen aus dem 3. Jahrhundert unserer Zeitrechnung angeführt werden.

13) zu S. 26. Vgl. Fiorelli a. a. O. S. 58 und 59.

14) zu S. 26. Fiorelli a. a. O. S. 60.

15) zu S. 26. Die Belege sind in den Tagebüchern der Ausgrabungen acten-

mäßig vorhanden; außerdem ist aber hier ganz besonders auf einen in der *Pomp. ant. hist.* I, *Add.* p. 177 ff. mitgetheilten Bericht von dem Director der Ausgrabungen M. Arditi vom Juli 1807 zu verweisen, welcher, als es sich unter Joseph Bonaparte um die Wiederaufnahme der Ausgrabungen handelte, für diese einen wohldurchdachten, überaus lesenswerthen Plan entwarf, nach dem im Wesentlichen auch unter der folgenden Herrschaft Murats (1808—1815) gearbeitet wurde, und bei dieser Gelegenheit über die frühere Wirthschaft eben so klar wie bitter sich auslässt.

16) zu S. 27. Merkwürdiger Weise äußert sich Winckelmann in s. Sendschreiben 32 ff. über die Methode der Ausgrabungen, namentlich das Wiederverschütten der gefundenen Gebäude nicht so ungünstig wie man erwarten sollte. Sehr unzufrieden aber war mit der ganzen Wirthschaft Kaiser Joseph II., der 1769 den 7. April mit dem Könige (seit 1768 mit Josephs Schwester Caroline vermählt) und der Königin die Ausgrabungen besuchte. Der interessante Bericht über diese Anwesenheit Josephs in Pompeji steht *Pomp. ant. hist.* I, i, p. 228 sq. und ist pikant genug, um wenigstens Einiges daraus auszuheben. Gleich in dem ersten Bauwerke das er besuchte, der Gladiatorenkaserne, ärgerte sich der Kaiser darüber, dass man nicht alle Erde aus dem Innern fortgeschafft, sondern nur einen Gang rund um den Hof ausgegraben hatte; darauf macht man ihm blauen Dunst vor, indem man »für ein paar Tage die Zahl der Arbeiter vermehrt hatte«, um vor dem Kaiser etliche Zimmer auszugraben. Da fand man denn reiche Beute, der gegenüber Joseph den Zweifel aussprach, ob man nicht alle diese Dinge eigens hingelegt habe, um sie vor ihm zu finden, worüber er dann freilich eines Bessern belehrt wurde. Auf diese Weise aufmerksam gemacht, wie reiche Schätze Pompeji berge, und nachdem er noch das unfertig ausgegrabene Theater besucht hatte, fragte er den Director La Vega, wie viele Arbeiter bei den Grabungen verwendet würden. »Als er darauf gehört hatte, es seien ihrer 30, sagte er zum Könige, wie er erlauben könne, dass eine solche Arbeit so nachlässig betrieben werde.« Als man ihn beruhigen wollte, indem man ihm sagte, nach und nach werde Alles ausgegraben werden, antwortete der Kaiser, »dies sei ein Werk, an welches man 3000 Menschen stellen sollte, und ihm scheine, dass weder in Europa, noch in Asien, noch in Afrika oder Amerika ein ähnliches Werk sei, welches dem Königreich zu ganz besonderem Glanze gereiche . . . . . . Auch die Königin zeigte sich mit diesen Dingen sehr unzufrieden und drängte den König vereint mit dem Kaiser, größern Eifer hinter dieselben zu bringen.« Den Isistempel lobte der Kaiser sehr, »hörte aber nicht auf, den König mit den kräftigsten Mitteln anzuspornen (*non cessava di stimolare con le maniere le piu forti il Rè*), er möge auf diese Dinge größern Werth legen.« Darauf führte man ihn zum Thore der Stadt (dem von Herculaneum), und er war wiederum sehr unzufrieden, dass nicht auch hier gearbeitet werde. Er fragte ferner, was es mit jenen Gebäuden auf sich habe, welche er nicht gesehn, und von denen man sage, sie seien wieder verschüttet. Als man ihm dieses bestätigte, wandte er sich an den König mit der Frage, wie er dergleichen erlauben könne. Die Art wie dieser arme Junge (Ferdinand war damals 18 Jahre alt) und wie seine Beamten sich verlegen entschuldigten, ist wahrhaft kläglich. — Josephs Feuereifer und seine Sticheleien haben übrigens nicht viel geholfen, obgleich die Königin Caroline (denn dass sie regierte, weiß Jeder) etwas mehr Eifer in die Sache zu bringen wusste. Elende Knickereien und eine Menge halber Maßregeln haben aber gleichwohl noch lange die Ausgrabungen in sehr langsamem Gang erhalten.

17) zu S. 29. In dem officiellen Ausgrabungsberichte im letzten (XV.) Bande des Museo Borbonico wird S. 4 in der Note der damalige Obervorsteher Fürst Sangiorgio Spinelli als derjenige genannt, dem die neue Methode horizontaler Nachgrabungen verdankt werde, allein darauf möchte ich nicht zu viel geben, da bekanntlich nicht nur im bourbonischen Neapel nützliche und schöne Erfindungen unterer Beamten den Spitzen der Behörden gut geschrieben werden. Wahrscheinlich ist einer der höchst achtbaren noch heute thätigen Gelehrten von Neapel der wahre Erfinder der neuen Methode; nach dem *Bull. arch. nap.* N. S. 1, p. 140 wäre es der Architekt Gaetano Genovese gewesen.

18) zu S. 30. Das ganze Areal der Stadt innerhalb der Ringmauern wird berechnet auf 662,684 □ M., der bis 1878 ausgegrabene Theil auf 264,424 □ M., so dass das Verhältniss des aufgegrabenen zu dem noch bedeckten Theile der Stadt sich genauer etwa wie 2 : 5 stellt : s. *Pompei* etc. II, p. 7.

19) zu S. 34. Über das Straßennetz Pompejis vgl. Nissen, Templum S. 63 ff.; Pomp. Stud. S. 544 ff.; Fiorelli, *Gli Scavi dal* 1861 *al* 1872, *Appendice*, S. 10 ff.; v. Bezold, *Bull. d. Inst.* 1880, S. 151 ff.; Mau, ebenda 1881, S. 108 ff.

20) zu S. 36. Über die Baugeschichte vgl. Fiorelli, *Gli Scavi* 1861—1872, S. 78 ff.; Nissen, Pomp. Stud. S. 1 ff.; Mau, Pomp. Beitr. S. 1 ff.

21) zu S. 37. Nach Nissen, Pomp. Stud. S. 465, 480, 530, lief die Straße vor dem Stabianer Thor, links umbiegend, dicht an der Mauer entlang; er versichert, dem Thurm gegenüber, in einer Entfernung von nur 4 M., den alten Straßendamm gesehen zu haben. Ohne Zweifel beruht dies auf Irrthum; um hier sichtbar zu werden, hätte der Straßendamm nahezu die Höhe der Stadtmauer haben müssen, was ganz unglaublich ist: es würde dies nicht nur zwecklos, sondern eine willkommene Hilfe für den Angreifer gewesen sein.

22) zu S. 40. Das Modell ist von Vincenzo Bramante, dem geschickten Restaurator der Bronzen, und seinen Söhnen, Custoden von Pompeji, angefertigt worden. Von denselben verfertigte Modelle einzelner Häuser in doppelter Größe des Gesammtmodells besitzt der archaeologische Apparat der Universität Berlin und das archaeologische Museum in Jena; einige weitere Modelle der Art sind noch bei Bramante vorräthig.

23) zu S. 49. Über die Thürme vgl. Mau, Pomp. Beitr. S. 211 ff. Zu berichtigen ist das dort über jüngere Theile der Thürme Gesagte: eine genauere Prüfung ergab, dass dieselben modern sind. Der Sachverhalt am Südende des Forum triangulare (S. 47) ist erst durch die Ausgrabungen der letzten Jahre klar geworden; unser Plan giebt zum ersten Mal das Richtige.

24) zu S. 55. Über die Thore, namentlich das Seethor, vgl. Mau, Pomp. Beitr. S. 233 ff. — Die Beobachtung, dass der Kopf am Nolaner Thor ein Minervakopf ist, wird Herrn Dr. K. Lange verdankt. Dass das Herculaner Thor beim Neubau nach Osten verschoben wurde, ergiebt sich auch aus der Richtung der Straße, welche eben vor dem Thor eine Biegung nach Osten macht, welche an Ort und Stelle, namentlich für den im Thor Stehenden, weit deutlicher und überzeugender ist als im Plan. Über die *schola Veii* s. unten S. 401. Über das Stabianer Thor *Bull. arch. napol.* N. S. I, p. 186 tav. 8, fig. 10; Fiorelli, *Gli Scavi* 1861—72, tav. XIV, 2. Die folgende Erklärung der oskischen Inschriften ist die Nissen's, Pomp. Stud. S. 497 ff. Etwas anders Fiorelli, *Descr.* S. 83, 153. Nissen's Erklärung ist offenbar vorzuziehen, wenngleich die der zweiten Inschrift nicht recht befriedigt. Die Annahme, dass mit *veru sarinu* das Herculaner Thor gemeint ist, scheint unumgänglich.

25) zu S. 61. Folgende Straßenbreiten sind zwischen alten Häusern, nicht jünger als die Tuffperiode, gemessen. Die Breite des Fahrdammes ist dabei nur da angegeben, wo die älteste uns bekannte Normirung desselben erkennbar ist, diejenige, der die Trottoirsteine aus Lava mit der Inschrift *ex. k. qui* (S. 58) angehören. Ältere Trottoirsteine als diese (die leicht zu erkennen sind) sind nicht nachweisbar. Vergebens bemüht sich Nissen (P. St. S. 536), auf andere Weise die älteste Breite des Fahrdamms zu finden: auf Behauptungen wie die, dass immer das größte Maß als das ursprüngliche anzusehen ist (a. a. O.), können solche Untersuchungen nicht begründet werden. Die Straßenbreite der Kalksteinperiode ist nur an wenigen Stellen kenntlich.

Strada Stabiana :	M. 7,15—7,47. Fahrdamm : 3,98	
Strada Nolana :	- 7,26—8,36. -	3,54—4,0
Kalksteinperiode :	- 7,48; 8,36.	
Strada dell' Abbondanza .	- 8,47; 8,53. -	3,96 ; 4,30
Östliche Fortsetzung derselben :	- 6,83	

Strada di Mercurio, Kalksteinperiode :   M. 7,96
      Tuffperiode :   – 9,25 ; 9,58.
Strada delle Scuole :   – 8,06
Strada degli Augustali :   – 5,14   Fahrdamm : 2,45
Östl. Verlängerung, Kalksteinperiode :   – 5,77 ; 6,32.   –   3,11
Vicus zw. I,3 und I,4, Kalksteinperiode : – 5,88
  –   – VI,2 u. VI,5   – 4,50
  –   – VI,13 u. VI,14   – 5,0   –   3,0
  –   – VIII,3 u. VIII,5   – 3,0

Nach dem im Text über die Prellsteine oder Cippen Gesagten ist Nissen, Pomp.
St. S. 533 zu berichtigen. Zur Geschichte der Pflasterung in Rom vgl. Mommsen,
Hermes XII, S. 486. Über die oskische Wegebauinschrift vgl. *Bull. napol.* N. S. I,
S. 81; *Memoria della R. Accad. ercol.* VII, Appendice; Huschke, Osk. Sprachdenk-
mäler S. 180; Corssen, *Ephem. epigr.* II, S. 166; Nissen, Pomp. St. S. 131. Die
im Text gegebene Erklärung Nissen's ist wohl dort nicht ganz mit Recht als wahrscheinlich bezeichnet, vielmehr ist ein 50 Fuß breiter Fahrweg eine sehr bedenkliche
Sache (vgl. M. Voigt in Bursians Jahresber. XV (1878) S. 375 ff.). Dass der Fahrdamm der Stabianer Straße früher einmal auf 15 Fuß = 4,1 M. bestimmt war, ist
möglich, wenn auch davon keine Spuren vorhanden sind.

26) zu S. 63. Die Vermuthung liegt nahe, dass in diesem kleinen Local, neben
der Nische für den Maßtisch, ein mit der Controle der Maße beauftragter Beamter
seinen Platz hatte.

27) zu S. 65. Die Inschrift des V. Popidius zeigt einen entschieden alterthüm-
lichern Schriftcharakter als die der sullanischen Zeit zugeschriebenen Inschriften des
kleinern Theaters, des Amphitheaters und der größeren Thermen. Es ist also auch deshalb wahrscheinlich, dass seine Quaestur vor die Deduction der Colonie fällt; vgl.
Mommsen *C. I. L.* X, S. 93.

28) zu S. 66. Wenn die Inschrift *I. R. N.* 2255, *C. I. L.* X, 816 wirklich
zum Augustustempel gehört, so standen an der Stelle desselben vorher Privatgebäude,
da Mamia *solo et pecunia sua* baute.

29) zu S. 67. Von dem ältesten Durchgang ist nur der östliche Pfosten erhalten,
aus ziegelförmigem Kalkstein, auf der Nordseite mit Ziegeln unregelmäßig wechselnd;
daneben ein kleines Fenster. Darauf folgten zwei Durchgänge, der jetzige östliche
und einer in der Mitte, wo jetzt der Brunnen steht. Noch später wurde dann der
westliche dieser beiden Durchgänge geschlossen, nachdem sein westlicher Pfosten mit
der anstoßenden Mauer zerstört war (63 n. Chr.?). An seiner Stelle wurde die gewölbte Nische mit dem Brunnen hergestellt, wobei an den Ostpfosten angemauert
wurde, um die Nische dem gegenüberliegenden Laden entsprechen zu lassen. Diese
drei Phasen entsprechen der Zeit des zweiten, dritten und letzten Decorationstils.

30) zu S. 68. Ursprünglich hatte dieser Bogen auch östlich eine Nische wie die
der Nordseite; die Zusetzung derselben wird von der Marmorbekleidung vorausgesetzt,
indem der nördlich abschließende Marmorpilaster der Ostseite den Pfosten der Nische
um 0,18 M. nach Süden überragt; es gingen also der Marmorbekleidung Veränderungen
voraus, sie ist jünger als der Bogen selbst. Als sie gemacht wurde, konnte eine Zeit-
lang das Mauerwerk bloß liegen, und aus dieser Zeit kann die Pinselinschrift *Vettium*
(*C. I. L.* IV, 675) stammen, deren junger Schriftcharakter also nicht, wie Nissen
S. 319 meint, auf die Entstehungszeit schließen lässt. Der Thon ist körnig und von
ungleicher Farbe; die Priorität gegenüber dem östlich anstoßenden Bogen, mit sorgfältig geschlemmtem, gleichmäßig rothem Thon, ist augenfällig. Nissens Annahme, das
Bild des Nero habe wohl in einer der Nischen gestanden, der Bogen aber sei dem
Tiberius gewidmet gewesen (S. 373), ist wegen der Größe der Inschrift unhaltbar;
sie ist 0,70 M. hoch, der erhaltene Theil 1,72 M. lang: wenn sie zum Bogen gehört,
so kann sie nur die Hauptinschrift sein.

31) zu S. 75. Dazu kommt, dass das Forum triangulare auch von dem westlich

unmittelbar anstoßenden Stadttheil überragt wird, welcher sich in ziemlich rascher Steigung zu 32,43 und weiter zu 33,30 M. erhebt. Die Bezeichnung dieses Platzes als *arx* scheint also wenig geeignet: die Burg musste doch vor allen Dingen als Zufluchtsort nach Einnahme der Stadt dienen können. Wenn dem gegenüber der Höhenunterschied zwischen Capitol und Palatin ins Feld geführt worden ist, so kann dies wohl nur als ein Scherz gelten. Auch was Nissen neuerdings (Pomp. St. S. 338, 495) in dieser Beziehung vorbringt, kann wenig in Betracht kommen : ein Platz, auf welchem ein vom Meer aus sichtbarer Tempel liegt, und der für die Vertheidigung eine gewisse Wichtigkeit hat, wird doch dadurch nicht zur Burg. Und die Frage: »was in aller Welt sollte der Platz sonst sein«, welche nach Nissen (S. 236) jeden nähern Beweis unnöthig macht, kann uns keinen Eindruck machen.

32) zu S. 77. Die frühere Gestalt der Treppe ist nachgewiesen bei Nissen, Pomp. St. S. 257.

33) zu S. 84. Auf die von Nissen, Templum S. 162 ff. aufgestellte Theorie von der Orientirung der Tempel kann hier nicht 'eingegangen werden. In Pompeji sind augenscheinlich keine derartigen Theorien zur Anwendung gekommen, sondern man hat da (abgesehen von dem griechischen Tempel) die im Text citirte Vorschrift Vitruvs befolgt, welche Nissen S. 175 sich nicht scheut, auf ein griechisches Compendium zurückzuführen, während sie doch augenscheinlich der italischen Praxis entstammt.

34) zu S. 85. Die Basis steht an ihrem Ort, wie die Fußbodenreste bezeugen ; ihre Stellung neben der Axe ist eine auch für den dürftigen jüngern Bau höchst auffallende Nachlässigkeit. Wollte man sie daraus erklären, dass sie aus dem alten Bau stammte und an ihrem alten Ort stehen geblieben wäre, so müsste der alte Bau zwei Basen für zwei Götterbilder gehabt haben, deren eine beim Neubau entfernt worden wäre.

35) zu S. 87. Acht Frontsäulen nahm Mazois wohl nur an, weil er wegen der breiten Umgänge hier einen Pseudodipteros erkannte, für welchen dies nach Vitruv die regelmäßige Zahl ist. Für einen solchen aber ist es wesentlich, dass den Seitenwänden zwei Frontsäulen entsprechen, was hier nur durch Annahme von 4, 10 oder 7 Säulen erreicht werden kann : Zahlen, die aus verschiedenen Gründen gleich unzulässig sind. Reste von Frontsäulen sah Mazois gewiss nicht, und es liegt keine derartige Aussage von ihm vor. Wie Breton (Pompeia, S. 44) da, wo seitwärts die Quadermauer vorgelegt ist, einen Seiteneingang in die Cella erkennt, ist schwer verständlich.

36) zu S. 89. Schwerlich auch älter als das Grab der Mamia, wohin nach Nissen später das Begräbniss der Priesterinnen verlegt wurde. Über die vermeintliche Analogie des Begräbnisses der römischen Vestalen s. Jordan in Bursians Jahresber. XV (1875) S. 414.

37) zu S. 90. Obiger Sachverhalt wurde im Sommer 1882 durch Nachgrabung festgestellt. Der Curiosität halber sei erwähnt, dass Nissen (Pomp. St. S. 338) hier den Tempel der Vesta erkennt und zweifelt, dass dagegen irgend ein ernste Prüfung erheischender Grund geltend gemacht werden könne. Eine Cellamauer des Vestatempels geht doch schon aus der von Nissen citirten Ovidstelle (*Fast.* VI, 291) hervor und ist überdies selbstverständlich ; für einen Heerd in Form einer Brunnenmündung sind die »mancherlei Analogien« der »Feuerstätten in den ältesten Atrien« nicht vorhanden : s. Mau, Pomp. Beitr. S. 89 f.

38) zu S. 91. Nach Servius zu Aen. I, 422 muss die nach etruskischem Ritus gegründete Stadt drei Tempel, des Iuppiter, der Iuno und der Minerva, haben ; vgl. Vitruv I, 7 (der übrigens nicht die Haupttempel hierfür beansprucht). Da nun, so argumentirt Nissen, die drei Haupttempel Pompeji's nicht dieser capitolinischen Trias, sondern Iuppiter, Ceres und Venus geweiht waren, so kann dieselbe Trias (als Ceres, Liber, Libera, wie im Cerestempel zu Rom) auch im Iuppitertempel vermuthet werden. Nun ist Nissens Zutheilung des Apollotempels an Ceres irrig, die des griechischen Tempels an Venus Pompeiana sehr zweifelhaft. Und wenn auch Venus und Ceres in Pompeji besonders verehrt wurden, so wissen wir doch durchaus nicht, dass

sie mit Iuppiter als Trias gefasst wurden. Und gesetzt, dass der Venus Pompeiana und dem Iuppiter alteinheimische Gottheiten, Liber und Libera, zu Grunde liegen, so beruht doch die aus Griechenland stammende Trias Ceres, Liber, Libera darauf, dass durch Graecisirung Libera zur Kora (Persephone), Liber zum Iakchos wird. Hier aber müsste jene zur Aphrodite-Venus, dieser zum Zeus und weiter zum Iuppiter optimus maximus geworden sein. Oder sollen sie erst graecisirend zu Kora und Iakchos, dann durch die Sullaner zu Venus Pompeiana und Iuppiter o. m. geworden sein? Bei so complicirten Annahmen verlieren wir jeglichen Anhalt. — Was ferner die Hand mit der Blume betrifft, so gehört erstens die Blume nicht zum Typus der Venus Pompeiana, zweitens ist es nicht unmöglich, dass sie auf Irrthum beruht, und die vergoldete Blume Amicone's mit den vergoldeten Ähren und den Mohnköpfen des officiellen Berichts identisch ist: es ist dies mindestens ebenso glaublich, als dass letzterer die Blume übergangen haben sollte. Ist aber Nissens Auffassung der Berichte richtig, so war die Venusstatue kleiner als die beiden anderen. Nun fanden sich aber in der Cella Reste von mindestens zwei männlichen Kolossalstatuen (21. Jan. 1817: *testa colossale che rappresenta un vecchio*). Kolossalstatuen konnten aber nur auf der großen Basis stehn. Also entweder gehörte diese zweite männliche Kolossalstatue nicht zum Tempel (und mit welchem Recht dürfen wir dies dann von den im Keller gefundenen Fragmenten behaupten?) oder sie hat mehr Anspruch, neben Iuppiter und Ceres den dritten Platz einzunehmen, als die nicht kolossale Venus. — Andere Statuen, deren Fragmente in der Cella gefunden wurden, konnten vielleicht in den Intercolumnien der obern Säulenstellung stehn. — Der schöne Zeuskopf, auf Grund einer Photographie abgebildet bei Overbeck, Atlas der griech. Kunstmythologie, Taf. I, No. 3 und 4 (*Mus. Borb.* vol. V, tav. 9 giebt kaum die flüchtigste Vorstellung), ist aus griechischem Marmor. Für den im Iuppitertempel gefundenen gilt er sowohl in Gerhard's und Panofka's, wie in Finati's Verzeichniss der neapeler Sammlungen (dort No. 401, hier No. 468); ihn meint auch Fiorelli *Descr.* p. 255.

39) zu S. 95. Über Bauart, Maße und Decoration des Tempels s. Mau, Pomp. Beitr. S. 200 ff., wo auch auf S. 207 über die angeblichen Reste eines ältern Baues (Nissen S. 320) das Nöthige gesagt ist.

40) zu S. 96. Die Inschrift ist gedruckt *Bull. d. Inst.* 1882, S. 223, und lautet: *O. Kamp[anūs . . kva]isstur kombenni[eis tanginud] Appelluneis eítiuv[ad . . . . ops]annu aaman[aff]ed.*

41) zu S. 97. Die Ostseite des Tempelhofes liegt genau in der Verlängerung der Westseite des *Vico della Fullonica;* eine fast ganz parallele Linie bilden Mercurstraße (namentlich der alte nördliche Theil) und *Strada delle Scuole.* Wenn die Axe des Forums von diesen Linien abweicht, so kann das nur auf nachträglicher Veränderung beruhen. Unser Plan ist für diese Fragen nicht genügend. Der Iuppitertempel folgt der neuen Orientirung des Forums, ist also jünger als der Apollotempel; nur für ihn könnte es in Frage kommen, ob seine Orientirung auf sacralen Gründen beruhe und für die des Forums maßgebend gewesen sei. Doch kann das Verhältniss eben so gut umgekehrt und die Verschiebung der Forumsaxe aus dem Bestreben hervorgegangen sein, die Schiefwinkligkeit gegen die östlich einmündenden Straßen zu vermindern.

42) zu S. 98. Über den Verschluss gegen das Forum siehe Nissen, Pomp. St. S. 218 ff., berichtigt durch Mau, Pomp. Beitr. S. 99 ff., letzterer wieder zu berichtigen durch das im Text auf Grund einer Beobachtung Herrn Dr. K. Lange's über die Brüstungsmauern Gesagte.

43) zu S. 99. So wie im Text ist die Inschrift erklärt von Brizio (*Giorn. d. Sc.* I, p. 249), de Petra (ebenda II, p. 231) und Fiorelli (*Descr.* p. 241). Anders Schöne *Bull. d. Inst.* 1866 p. 11 und Nissen, Pomp. St. S. 218 ff., welchem Ussing (*Observations épigraphiques,* in *Résumé du Bulletin de l'Académie Royal Danoise des Sciences et des Lettres,* 1878 p. 21), widerspricht. Schöne's und Nissen's Erklärung, dass es sich um die Schließung der Öffnungen gegen das Forum handle, ist voreilig gebilligt bei Mau, Pomp. Beitr. S. 99. Jemandem das Licht verbauen heißt zwar *luminibus opstruere*

oder *officere*; aber *ius luminibus opstruendi* und *ius luminum opstruendorum* sind grammatisch gleichwerthig (Ussing a. O., Zumpt, lat. Gramm. § 657, S. 429 der 12. Aufl.), und es ist nicht glaublich, dass Worte, welche in der Rechtssprache eine feststehende und allgemein bekannte Bedeutung haben, hier in ganz anderem Sinne gebraucht sein sollten, um nämlich etwas zu bezeichnen, was es rechtlich nicht giebt: das Recht im Hause eines Andern die Thüren zuzumauern. Ferner ist *usque ad tegulas* bei Nissens Erklärung ein müssiger Zusatz und ein ganz unzutreffender Ausdruck für eine Anzahl Mauerstücke verschiedener Höhe, während bei der unserigen diese Worte einen guten Sinn haben. Was das rechtliche Verhältniss betrifft, so sind wir wohl nicht genügend unterrichtet, ob die Trennung zwischen Stadt- und Tempelgut in Pompeji scharf durchgeführt war, und wenn, so ist es sehr möglich, dass die bisher als öffentlicher Durchgang benutzte, ursprünglich an die Stelle einer Straße getretene Westporticus als Stadteigenthum betrachtet wurde; *privatus* muss hier den Gegensatz von *communis* bezeichnen. Die alte Südöffnung dieses Durchganges ist daran kenntlich, dass der Pfeiler zwischen dem schmalen Gang und dem anstoßenden Laden auch gegen den Gang senkrecht, wie gegen eine Thüröffnung abschließt und hier eine Einkerbung für eine Schwelle hat, während doch der Gang in dieser Breite nie benutzt worden sein kann. Nissens Meinung, dass das Nebenhaus nach 63 sich nach Osten ausgedehnt und eine 2,46 M. breite Straße occupirt habe (S. 221), widerlegt sich theils durch das im Text über den ursprünglichen Straßenzug Gesagte, theils durch die Beobachtung, dass das Haus seine jetzige Ausdehnung nach Osten schon in einer Zeit hatte, wo man mit großen Kalksteinblöcken baute und im zweiten Decorationsstil malte. Übrigens führte die Sackgasse hinter der Fruchthalle (gr. Plan XVII) einst ebenso auf die Osthalle des Tempelhofes zu, welche aber schon seit viel früherer Zeit nicht mehr als Durchgang diente (Mau, Pomp. Beitr. S. 103 ff.).

44) zu S. 99. S. Mau, Pomp. Beitr. S. 94.

45) zu S. 103. Der Platz des Apollon ergiebt sich aus der Entfernung (0,37 M.) der Löcher mit Bleiverguss in dem Plinthos der Basis, welche genau der Entfernung der Punkte entspricht, mit welchen die Füße der Statue den Boden berühren. Die Füße standen in der Diagonale auf den Eingang zu, so dass der günstigste Anblick von Westen war. Dass auf der ganz gleichartigen gegenüberliegenden Basis Artemis stand, ist selbstverständlich; auch ihre Füße standen in der Diagonale gegen die Thür, so dass sie dem Hofe und dem Apollon den Rücken zeigte, wenn nicht, was wahrscheinlich ist, der Oberkörper eine Wendung nach links machte. Für Aphrodite und den Hermaphroditen bleiben dann die beiden Basen der Vorderseite übrig. Den Nachweis der auf den Hermes bezüglichen Pausaniasstelle (VIII, 39, 6) verdanke ich C. Robert.

46) zu S. 105. Über die Reste des alten Baues, die späteren Veränderungen sowie die Maße s. Nissen, Pomp. St. S. 170 ff.; Mau, Pomp. Beitr. S. 23. Die im Text gegebene Darstellung beruht, was die Funde betrifft, auf den Ausgrabungsberichten, der einzigen authentischen Quelle.

47) zu S. 106. Dass dies der mit Sulla befreundete Archimimus Sorex sein sollte (Plut. Sulla 36; Mommsen *C. I. L.* X, 814) ist deshalb nicht glaublich, weil es bei dessen Tode doch schwerlich schon *magistri pagi aug. fel.* gab.

48) zu S. 111. Vgl. Nissen, Pomp. St. S. 175 ff.; Mau, Pomp. Beitr. S. 227 ff. Mit ganz unhaltbaren Gründen will Nissen die Vorder- und Rückmauer des Hofes einem spätern Umbau zuschreiben; namentlich die Vordermauer ist dem Tempel gleichartig. Richtig ist es aber, dass die linke Wand des Hofes älter ist als diese Mauern und der Tempel; und da an ihr keine Maueransätze vorhanden sind, so scheint es, dass hier schon vor dem Bau des Tempels ein freier Platz war. Und so wäre es wohl möglich, dass hier schon früher ein Tempel (der des Zeus Meilichios?) gestanden hätte.

49) zu S. 113. Die Statuen sind abgebildet bei von Rohden, die Terracotten von Pompeji, Taf. XXIX, besprochen ebenda S. 20 f., 42 f. Der Kopf an dem Capitell ist von vandalischen Besuchern Pompeji's abgeschlagen worden. Fontana's

Canal ist in Pompeji nicht von oben gegraben, sondern als Stollen unter dem Stadthügel durchgetrieben worden. Die antike Oberfläche berührt er nur in der durch die
Stabianer Straße bezeichneten Einsenkung, und zwar in der Straße selbst, im Hofe
des Tempels, im anstoßenden und im schräg gegenüberliegenden Hause (unser Plan
giebt ihn nicht ganz richtig an). Nur hier also konnten die Inschriften gefunden
werden, und dann natürlich am wahrscheinlichsten im Tempelhofe. Der Tempel wurde
wahrscheinlich *Capitolium* genannt (O. Kuhfeldt, *de capitoliis imperii Romani, Bero-
lini* 1882).

50) zu S. 117. S. Nissen, Pomp. St. S. 178 ff.

51) zu S. 119. Nissen, Pomp. St. S. 270 ff. bringt die Orientirung des Tempels
(71° 15′) mit dem Sonnenaufgang am 1. Mai, dem Fest der *Lares praestites* und des
Genius Augusti zusammen. Doch wird es erlaubt sein, zu zweifeln, ob hier etwas
Anderes maßgebend war als die Form des verfügbaren Grundstücks und die Richtung
der hier früher auf das Forum mündenden Straße, von der nur wenig zu Gunsten
eines etwas weniger schiefen Winkels mit dem Forum abgewichen ist. — Es beruht
wohl auf einem Missverständniss, wenn Fiorelli (*Descr.* S. 262) angiebt, die Inschrift
der Mamia sei genau so lang wie das Gebälk des Tempels. Dies konnte nicht mehr
als 5 M. lang sein, während die Inschrift etwa 8 M. messen musste. Auch das Podium
(7,20 M.) würde kaum ausreichen; sie kann nur über der Thür des Tempelhofes angebracht gewesen sein, wobei freilich der von den Maßen hergenommene Beweis wegfällt. Über Bauart und nachträgliche Veränderungen vgl. noch Mau, Pomp. Beitr.
S. 255 ff.

52) zu S. 122. Nach Niccolini soll hier ein Kasten mit 1128 silbernen und
bronzenen Münzen gefunden worden sein; doch deutet der Bericht Amicone's (*Pomp.
ant. hist.* III, ɪ, p. 31—32) auf den Hauptraum, und wohl mit Recht verlegt Fiorelli (*Descr.* S. 265) diesen Fund links vom Nordeingang; so auch Nissen, Pomp.
St. S. 283.

53) zu S. 123. S. Nissen S. 279. Die Ausgrabungsberichte wissen von diesem
Funde nichts. Übrigens kann *frutta di mare* wohl nur Muscheln, nicht Fischgräten
bezeichnen.

54) zu S. 123. Der Eingang *c* ist nicht erst nachträglich aus einem zwölften
Laden (*f*) hergestellt worden; es ist hier vielmehr alles aus einem Guss.

55) zu S. 125. Die im Text gegebene Zeitbestimmung ist im Wesentlichen
Nissen, Pomp. St. S. 282, entnommen, welcher freilich zu einem noch enger um-
grenzten Resultat kommen zu können glaubt. Iuppiter, so argumentirt er, konnte in
der Hauptnische nur vor dem Tode des Augustus (14 n. Chr.) stehen; dann standen
in den Seitennischen Augustus und Livia, Tiberius und Drusus: eine nach Nissen
unannehmbare Combination, da Germanicus, Neffe und Adoptivsohn des Tiberius,
nicht fehlen durfte. Deshalb ist der Gedanke an Iuppiter aufzugeben: in der Hauptnische stand der Divus Augustus (nach 14 n. Chr.), in den Seitennischen Livia und
Tiberius, Drusus und Germanicus. Mithin fällt der Bau zwischen 14 und 19 n. Chr.,
d. h. vor den Tod des Germanicus. — Bei dieser Beweisführung ist vorausgesetzt,
dass die Gründung eines solchen Heiligthums unmöglich war, sobald die in Betracht
kommenden Mitglieder der Kaiserfamilie in ungerader Zahl waren. Dies kann aber
nicht zugegeben werden; vielmehr musste es in einem solchen Falle möglich sein,
sich durch Auslassung oder Hinzufügung (z. B. Sejan's) zu helfen.

56) zu S. 126. Eine Fleischbank erkennt hier auch Nissen; freilich diente
dieselbe nicht, »um die geschlachteten Thiere zu zertheilen«, sondern einfach zum
Verkauf.

57) zu S. 127. Für ein Macellum erklärt das Gebäude nach Bunsen's Vorgang
auch Nissen (Pomp. St. S. 275 ff.); nur verdirbt er die Sache, indem er es mit Gewalt zum Schlachthaus machen will und daran die seltsamsten Combinationen knüpft,
während *macellum* nur eine Victualienmarkthalle ist. Als solche wird es stets bei den
Alten erwähnt (z. B. Dio 61, 18 ἀγορὰ τῶν ὄψων); nur ganz einzelne Spuren führen
darauf, dass in einigen Macellis auch geschlachtet wurde. Das Wort bedeutete wohl

im Griechischen ursprünglich eine Einfriedigung (s. Hesych. s. v.; so kommt Ma-
kella auch als Stadtname vor); Varro bezeugt, dass es bei den Lakedämoniern noch
zu seiner Zeit das *forum olitorium* bezeichnete. Das erste römische Macellum entstand
aus einem Fischmarkt (Jordan, Hermes II, S. 90 ff.). Von *mactare* kann das Wort
nicht kommen, höchstens von dem supponirten *macere (maculum,* Deminutiv *macellum),* von dem wir keineswegs wissen, dass es » schlachten « hieß (vgl. *macte virtute
esto).* Es ist aber ganz unwahrscheinlich, dass der Name einer relativ jungen Einrichtung von jenem verschollenen Verbum abgeleitet sein sollte (wir erwarten *macta-
bulum, mactatorium),* und nicht weniger unpassend ist das Deminutiv, da ein öffentliches Schlachthaus doch größer sein musste als frühere Privatschlachtstellen. Als
griechisch betrachtet das Wort auch Fick, Wörterbuch II, S. 180, und neuerdings
F. O. Weise, die griech. Wörter im Latein, S. 32 f. — Ein ähnlicher Bau wie das
pompejanische Macellum scheint das von Puteoli gewesen zu sein, dessen Reste im
Jahre 1847 gefunden wurden: s. Gervasio, *Sopra alcune iscrizioni riguardanti il ma-
cello nell' antica Pozzuoli* S. 4.

  58) zu S. 131. Nissens Vermuthung (Pomp. St. S. 305), es sei ein Heiligthum des flavischen Kaiserhauses, ist unhaltbar wegen des aus der Wandmalerei sich
ergebenden Alters des Baues: s. Mau, Pomp. Beitr. S. 256. — Die Annahme eines
Daches stößt auf die größten Schwierigkeiten: man versuche nur, sich klar zu machen,
wie dasselbe etwa mit den Dächern der beiden Seitennischen und der im Hintergrunde
zusammengehen konnte. War aber der Raum nicht bedacht, so konnte er natürlich
kein Sitzungssaal sein.

  59) zu S. 132. Dass die Front der Säulenhalle einst weiter zurück gelegen
haben sollte (Nissen, Pomp. St. S. 289), ist nicht wahrscheinlich, weil dann doch
wohl die alten Fundamente sichtbar sein würden. Mazois' Restauration benutzt das
Vorspringen der Wände an beiden Enden; wie es in der Mitte war, wird dadurch
nicht erklärt.

  60) zu S. 133. Obiges ist die Meinung Bechi's *(del calcidico e della cripta di
Eumachia,* Napoli 1820). Nissen (Pomp. St. S. 287 ff.) erklärt frischweg das ganze
Gebäude für eine Fullonica, mit Berufung auf Fiorelli, welcher von *10 vasche di di-
versa dimensione, 2 lavatoi e 10 bocche di cisterna* spricht. Wie soll aber Fiorelli mehr
gesehen haben als Bechi und Mazois, die Zeitgenossen der Ausgrabung? In Wahrheit sind die *vasche* nur die im Text erwähnten, von Fiorelli vermuthungsweise auch
auf der linken Seite angenommenen länglichen Aufmauerungen, die *lavatoi* die beiden
Vorrichtungen bei *d,* die *bocche di cisterna* die sechs Bassins an der Rinne, nebst den
drei im Text angegebenen Cisternenmündungen und einer vierten, welche, der dritten
entsprechend, vermuthungsweise auf der linken Seite angenommen ist. Ein Blick
auf Fiorelli's Plan lässt darüber keinen Zweifel. Dass einst an der Eingangswand
einer der gewöhnlichen Brunnen aus Lava gestanden habe, hat Nissen irrthümlich
aus den Ausgrabungsberichten herausgelesen, welche zweifellos von dem Brunnen
reden, welcher in einer Nische an der Nordseite der das Forum westlich vom Iuppitertempel begrenzenden Mauer steht (Anm. 29). Hier fehlt also alles das, was für
eine Fullonica charakteristisch ist (vgl. S. 390 ff.), worüber freilich Nissen (S. 295)
sich sehr leicht hinwegsetzt. Dass die Umgänge ein flaches, terrassirtes Dach hatten
(wie man Bunsen erzählte), ist deshalb nicht recht glaublich, weil es an einem geeigneten Aufgange fehlt; die wenig zugängliche Treppe in *l* ist doch dafür nicht genügend.

  61) zu S. 134. Vgl. *Pomp. ant. hist.* I, 3, p. 210.

  62) zu S. 136. Vgl. Nissen, Pomp. St. S. 291. 301; Mau, Pomp. Beitr.
S. 255, wo gezeigt ist, dass von den beiden von Nissen aufgestellten Möglichkeiten
(Tiberius und Nero) die von ihm verworfene den Vorzug verdient.

  63) zu S. 136. Den Kern des Säulenstuhles bilden Tuffquadern, und es hat
ganz den Anschein, dass er ursprünglich nur aus diesen bestand. Also entweder begnügte sich Eumachia mit einem einfachen Tuffsäulenstuhl, und die Marmorbekleidung geht auf eine spätere Verschönerung zurück, oder sie benutzte den Säulenstuhl
eines hier schon früher vorhandenen Gebäudes.

64) zu S. 138. Vgl. Nissen, Pomp. St. S. 185 ff., Mau, Pomp. Beitr. S. 152 ff., wo das über die Thür bei *h* Bemerkte nach dem im Text Gesagten zu berichtigen ist. Seltsam sind die Bemerkungen Nissen's zu der im Text besprochenen Vermuthung Schöne's: nachdem er erwiesen, dass diejenigen Eigenthümlichkeiten des Gebäudes, auf welche jene Vermuthung sich gründet, auf Veränderungen nach 63 zurückgehen, bemerkt er, dass es schwer fallen würde, gegen dieselbe einen stichhaltigen Einwand zu erheben. Aber was spricht denn nun noch für dieselbe? Nach Nissen die Beobachtung, dass, wenn man sich mit Hinzuziehung des Trottoirs und Benutzung der in dasselbe eingesetzten Pfähle Seile gezogen denkt, gerade 30 Abtheilungen entstehen, so dass also der abstimmende Bürger über Seile kletternd an seinen Platz gelangt wäre.

65) zu S. 142. Vgl. Nissen, Pomp. St. S. 306 ff., welcher in dem mittleren Gebäude das Aerarium, in dem rechten den Sitzungssaal der Decurionen, in dem linken das Local der Duumvirn erkennt. Für das Aerarium stützt er sich eigentlich nur auf gewisse *coffres de pierre* mit einigen Gold- und Silbermünzen, von deren Funde Breton spricht. Aber wo sollen denn die geblieben sein?

66) zu S. 145. Nach Nissen, Pomp. St. S. 205, war die Basilika ursprünglich ohne Tribunal, und hinten wie vorn geöffnet; die Widerlegung dieser Ansicht bei Mau, Pomp. Beitr. S. 156 ff. — Auch die Apsis der Constantinsbasilika in Rom ist durch ein Loch im Boden mit einem untern Raume verbunden.

67) zu S. 146. Die im Text angedeutete Restauration ist näher begründet bei Mau, Pomp. Beitr. S. 165 ff. Eine andere Restauration, mit überhöhtem Mittelschiff, wird nächstens von anderer Seite versucht werden, einstweilen halten wir unser Urteil über dieselbe zurück. Über die Auffindung der kleineren Säulen in der Basilika selbst s. *Pomp. ant. hist.* I, III, p. 113 f.

68) zu S. 149. S. hierüber Nissen, Pomp. St. S. 203.

69) zu S. 150. Vgl. Mau, Pomp. Beitr. S. 163 ff.

70) zu S. 150. Ein in einem benachbarten Hause gefundenes Gebälkstück mit der Inschrift *M. Artorius M. l. Prim . . . C. I. L.* X, 807 auf das Tribunal der Basilika zu beziehen, scheint kein genügender Grund vorzuliegen.

71) zu S. 152. Über die Benennung des Gebäudes, seine Maße, seine Verkürzung zu Gunsten des Isistempels, die dort gefundene Statue, vgl. Nissen, Pomp. St. S. 158 ff.; über die Maße außerdem Mau, Pomp. Beitr. S. 21. — Ein oberer Umgang ist bei der großen Schlankheit der Säulen nicht anzunehmen; die an die Südmauer angelehnte Treppe gehört zum Theater.

72) zu S. 152. Das Nähere in den Ausgrabungsberichten von 1788, *Pomp. ant. hist.* I, II, p. 41 f., und in den Addenda, p. 168, aus welcher letztern Stelle ersichtlich, dass der Name des Gebäudes von Romanelli ausgegangen.

73) zu S. 159. Nissen, Pomp. St. S. 244 ff., sucht zu erweisen, dass die Marmorstufen nicht von den Holconiern, sondern von einer zur Zeit des Unterganges noch nicht vollendeten Erneuerung herrühren, und legt besonderes Gewicht darauf, dass eine der Treppen zwischen den *cunei* aus Tuff erhalten ist. Dieselbe ist aber so sicher modern, wie irgend etwas in Pompeji; das alte Tufftheater hatte ohne Zweifel Lavatreppen. Dasselbe gilt von dem obersten Gesims; dass für dasselbe antike Fragmente benutzt sind, ist möglich, aber nicht erweislich. Übrigens wäre es doch auch nicht unmöglich, dass man dies hätte von Tuff lassen wollen. Die nicht ganz glatte Bearbeitung des Marmors beruht wohl darauf, dass dies zum Sitzen am bequemsten war. Die von Nissen nicht gefundenen Zahlen sind nach wie vor vorhanden. An der Scenawand sind keineswegs so deutlich, wie Nissen meint, zwei Perioden zu unterscheiden, und überhaupt ist von einer spätern Restauration als die der Holconier keine sichere Spur nachweisbar.

74) zu S. 172. Nissen, Pomp. St. S. 118 ff., 240, hat die Erbauungszeit des kleinen Theaters und des Amphitheaters noch genauer zu bestimmen gesucht; über den dabei begangenen Irrthum s. Mommsen, *C. I. L.* X, 844.

75) zu S. 173. In mehren deutschen und französischen Schriften wird dieser durch sehr viele eingekratzte Inschriften wichtige Corridor als Gasse oder Gässchen,

vicoletto del Teatro, ruelle du théâtre u. s. w. bezeichnet; es verdient aber hervorgehoben zu werden, dass derselbe sicher keine Gasse, sondern ein an beiden Enden verschließbarer, zum Theil überwölbter Gang ist.

76) zu S. 176. Über die Amphitheater und Gladiatorenkämpfe, sowie Alles, was damit zusammenhängt, ist besonders auf das Buch von Ludw. Friedländer: »Darstellungen aus der Sittengeschichte Roms«. 5. Aufl. Band II, S. 318 ff. zu verweisen.

77) zu S. 178. Siehe das Verzeichniss bei Friedländer a. a. O. S. 502 ff.

78) zu S. 180. Über das Amphitheater von Capua vgl. besonders die neueren Untersuchungen im *Mus. Borbon.* vol. XV mit den Tafeln 37—39 und 41 (von Rucca) und s. Friedländer a. a. O. S. 510.

79) zu S. 186. Es ist nicht etwa anzunehmen, dass sich die Brüstungsinschriften auf eine Erneuerung der Stufen beziehen. Denn dass etwa in früher Kaiserzeit die Sitze schon erneuerungsbedürftig gewesen sein sollten, ist nicht glaublich. An das Erdbeben aber zu denken ist noch weniger zulässig, theils weil damals die Stufen schwerlich leiden konnten, zumal die Bögen unverletzt blieben, theils weil sie zu vernutzt sind, um aus so später Zeit zu stammen. Ältere und jüngere Stufen zu unterscheiden, scheint unmöglich; vielfache Prüfung führt immer wieder dahin, dass die vorhandenen Unterschiede auf verschiedener Härte des Steins beruhen. Irrthümlich meint Nissen, die eine der Brüstungsinschriften (*C. I. L.* X, 857) könne frühestens der claudischen Zeit angehören: N. Istacidius N. f. Cilix kann eben so gut Patron als Nachkomme des N. Istacidius Helenus (ebenda 1027) sein. Über die Datirung des ganzen Baues, s. oben Anm. 74.

80) zu S. 186. Eine neue Abbildung nach Zeichnungen von Morelli von 1822 und den im Museum befindlichen Resten s. in *Mus. Borb.* vol. XV, tav. 29 und 30.

81) zu S. 187. Wir kennen aus Pompeji bis jetzt im Ganzen sechs Gladiatorenfamilien; s. die Namen ihrer Inhaber oben S. 474, Note ****.

82) zu S. 190. Ebenso in der neueren Abbildung *Mus. Borbon.* vol. XV, tav. 30.

83) zu S. 192. Ein Kampf mit Bären wird in einer Anzeige ausdrücklich erwähnt, indem es dort heißt: *et Felix ad ursos pugnabit. C. I. L.* IV, 1989.

84) zu S. 192. Vgl. Nissen, Pomp. St. S. 392 f.

85) zu S. 193. Von neueren Schriftstellern über Pompeji, soweit solche in Betracht kommen, ist nur E. Breton, auch in der neuesten (3.) Auflage seines Buches, Pompeia, Paris 1870, bei der Benennung *quartier des soldats* für die Gladiatorenkaserne stehen geblieben und hat dieselbe zu rechtfertigen versucht; gewiss vergebens.

86) zu S. 195. Fiorelli (*Gli Scavi dal 1861 al 1872, appendice* p. 14) berechnet die Zahl der Zuschauer welche im pompejanischen Amphitheater Platz fanden, auf 12807. Vgl. jedoch Nissen, Pomp. St. S. 116.

87) zu S. 196. Über den Fund dieses Eisens vgl. *Pomp. ant. hist.* I, ı, p. 197. Man fand in demselben Zimmer, nicht aber in dem Eisen, wie einige neuere Schriftsteller angeben, vier Gerippe.

88) zu S. 196. Abgebildet in *Bull. arch. Napolit.* N. S. vol. I, tav. 7.

89) zu S. 196. Nach Mazois war 10 die Küche; doch handelt es sich wohl um ein Missverständniss: in 10 ist von dem Heerd keine Spur, und es ist klar, dass er dort nie war, während in 13 an der Südwand mehre Heerde verschiedener Größe erhalten sind. Das Gefängniss ist in 17 nach Fiorelli angenommen worden; die Ausgrabungsberichte enthalten keine deutliche Angabe.

90) zu S. 198. Die Eingangshalle lag ursprünglich niedriger; ihr Boden wurde wohl erhöht beim Bau des kleinen Theaters. Doch mündete schon früher der Weg von der Stabianer Straße in ihr Südende ein. — Über die Maße der Gladiatorenkaserne Genaueres Mau, Pomp. Beitr. S. 24.

91) zu S. 199. Vgl. besonders die neuesten Zusammenstellungen in Beckers Gallus, 3. Aufl. von Rein, Leipzig 1863, III, S. 68—114. Marquardt, Privatleben der Römer S. 262 ff.

92) zu S. 199. Vgl. das Nähere über diese von nicht Wenigen für antik genommene Zeichnung bei Marquardt a. a. O. S. 283 ff.

93) zu S. 200. Vgl. Nissen, Pomp. St. S. 136 ff.

94) zu S. 212. Vgl. Nissen, a. a. O. S. 65 ff. und die Abbildung einer solchen Thonplatte mit den Zapfen bei Breton, *Pompeia* 3. Aufl. p. 193.

95) zu S. 213. Diese Annahme beruht auf dem Durchschnitt Mazois'. Von Nachforschungen über diesen Punkt scheint nichts bekannt zu sein.

96) zu S. 214. Nissen's und Schöne's Ansicht ist ausführlich widerlegt bei Mau, Pomp. Beitr. S. 218 ff. Das dort S. 226 über die Läden der Südseite Gesagte ist nach dem im Text Bemerkten zu berichtigen. Unrichtig ist auch das dort S. 222 und 224 über den kleinen Raum in der Nordwestecke von *K* Gesagte: in demselben ist keine Thür zu *G*, sondern nur eine Nische zugesetzt; auch hat er keinen Zugang aus *K*, sondern es ist hier modern ein Loch durchgebrochen worden.

97) zu S. 215. Über die größeren, auch die Stabianer genannten Thermen hat Minervini im *Bull. arch. Napol.* N. S. Jahrg. II (1855), S. 45; III, S. 55; IV, S. 77, 91, 95; V, S. 103, 113; VI, S. 125, 130 eine Reihe von Artikeln veröffentlicht, welche den Fortschritt der Ausgrabungen begleiten. — Außerdem findet sich in dem Prachtwerk der Gebrüder Niccolini, *Le case ed i monumenti di Pompei*, im 2. Heft eine Beschreibung der größeren Thermen, neben der außer den grade für dies Gebäude besonders unzulänglichen Ausgrabungsberichten (*Pomp. ant. hist.* II, S. 593 ff.) die sehr genaue und sorgfältige Beschreibung von Michaelis in der Archaeol. Zeitung 1859, No. 124 in Betracht kommt, sowie neuestens Marquardt a. a. O. S. 301 ff., Nissen, Pomp. St. S. 140 ff., Mau, Pomp. Beitr. S. 117 ff.

98) zu S. 223. Vgl. Overbeck, Griech. Kunstmythologie, Bd. II (Zeus), S. 177.

99) zu S. 223. S. den Ausgrabungsbericht vom 4. Juni 1857, *Pomp. ant. hist.* II, p. 649.

100) zu S. 224. X** ist aus Tuff, X* aus Ziegeln; letztere setzt die Erhöhung des Fußweges an der Stabianer Straße voraus, während X** älter ist als dieselbe.

101) zu S. 231. Über die Veränderungen der Heizvorrichtungen, sowie auch über die parallele Entwickelung der Privatbäder s. Mau, Pomp. Beitr. S. 117 ff., wo Nissens Darstellung (Pomp. St. S. 140 ff.) berichtigt ist. Über die Erfindung der *suspensurae* s. Nissen a. a. O. S. 152.

102) zu S. 232. Nachdem S. 226 nachgewiesen ist, dass in IV ursprünglich ein Badebassin war, könnte jemand vermuthen, V sei erst nach Ausfüllung desselben zum Frigidarium geworden, früher aber Laconicum gewesen. Aber weder ist bei V der Raum für den dann nothwendigen Heizapparat vorhanden, noch ist V von Ulius und Aninius erbaut worden: Mau, Pomp. Beitr. S. 131 f.

103) zu S. 233. Vgl. außer in der Archaeol. Zeitung a. a. O. noch die weiter eingehende Rechtfertigung das. 1860, Anzeiger, S. 115* f., wo auch auf die Latrine am Forum eingegangen ist.

104) zu S. 233. Vgl. *Bull. d. Inst.* 1877, p. 214 ff., 1878, p. 251 ff., wo wohl irrthümlich angenommen ist, dass die Wände keine weitere Decoration erhalten sollten.

105) zu S. 237. Über das Laconicum s. Marquardt, Privatleben der Römer S. 281 ff.; vgl. Mau, Pomp. Beitr. S. 146. — Im Laconicum war die Luft trocken, im Caldarium feucht: Galen *de meth. med.* (vol. X, p. 724).

106) zu S. 239. Die Entdeckung wird Herrn Baumeister R. Bassel verdankt, dessen Untersuchungen über die pompejanische Wasserleitung hoffentlich bald allgemein zugänglich sein werden.

107) zu S. 244. In Betreff der reichen Litteratur über die bauliche Anlage und Einrichtung des antiken, namentlich des römischen Wohnhauses wird es genügen,

auf Beckers Gallus, 3. Ausg. von Rein, Bd. II, S. 171 ff., Marquardt a. a. O. S. 208 ff. und das daselbst Angeführte zu verweisen. Neuerdings Nissen, Pomp. St. S. 593 ff. Auf eine eingehende Erörterung der Ansichten dieser Gelehrten hat dieses Orts verzichtet werden müssen.

108) zu S. 247. Vgl. Nissen, Pomp. St. S. 595 ff.

109) zu S. 248. Abgeb. *Archaeologia* 42, I, S. 99 ff. *Ann. d. Inst.* 1871, tav. d'agg. U.

110) zu S. 248. Aus den Bestimmungen der zwölf Tafeln über den Ambitus (Schoell, Fragm. p. 136 f.) schließt Nissen (Pomp. St. S. 567 f.) mit Unrecht auf Häuser mit Giebeldächern. Erstens ist es unerwiesen, dass der Ambitus nur wegen der Dachtraufe da war. Zweitens wird diese durch die spätere Bauweise keineswegs ausgeschlossen: auch die späteren Rechtsquellen (*Dig.* VIII, 2, 41; IX, 3, 5) reden von *suggrunda*, *protectum*, *stillicidii rigor*. Andererseits wird das hohe Alter des Impluvium durch alte Gebräuche bezeugt: Marquardt, Staatsverw. III, S. 318, A. 4; cf. M. Voigt in Bursians Jahresber. XV (1878) S. 379, wo freilich das über *tibicines* Gesagte wohl nicht haltbar ist.

111) zu S. 249. S. Mau, Pomp. Beitr. S. 89.

112) zu S. 252. Über alles was die Hauseingänge in Pompeji betrifft, ist besonders zu vergleichen Ivanoff in den *Ann. d. Inst.* 1859, p. 82 ff., mit *Mon.* VI, tav. 28.

113) zu S. 252. Minervini, *Bull. arch. napol.* N. S. I, S. 29, wollte wohl nur sagen, dass der betr. Hauseingang (IX, 2, 8) nach seiner Meinung unverschlossen gewesen sei; bedeckt war er sicher. Auch sonst dürften *vestiboli scoperti* in Pompeji schwerlich nachgewiesen werden können.

114) zu S. 252. Ein Beispiel bei Mazois II, pl. 41.

115) zu S. 254. Es wird dies wohl aus den Erörterungen über die antiken Schlösser und Schlüssel bei Marquardt a. a. O. S. 226 ff. hervorgehen, welche im Allgemeinen allerdings ohne Zweifel das Richtige treffen, obgleich die Modelle in einigen Einzelheiten von M.'s Darstellung abweichen.

116) zu S. 255. In der *casa di Laocoonte* (VI, 14, 30) war der Hund im Ostium angebunden zurückgeblieben, wurde in der Asche begraben und konnte nach der S. 23 beschriebenen Methode abgeformt werden. Der trefflich gelungene Ausguss steht im Localmuseum (abgebildet bei Presuhn, Pompeji 1874—78, III, Taf. 3).

117) zu S. 258. Dies deutet auch Vitruv VI, 3, 1 an, wo *vilitatem* statt *utilitatem* zu schreiben ist: Mau, *Miscellanea capitolina*, Roma 1879, p. 20, nicht widerlegt von Nohl, *Analecta Vitruviana* (Progr. d. Gymn. z. grauen Kloster, Berlin 1882) S. 13: durch *et — et* können hier nur zwei deutlich geschiedene Dinge, nicht eine allgemeine Redensart und ein bestimmter Begriff verbunden sein. Bei einem Schriftsteller von so geringem Umfang wie Vitruv aus dem Nichtvorkommen einer Ausdrucksweise Schlüsse zu ziehen ist nicht statthaft.

118) zu S. 259. Die Wasserspeier und Stirnziegel Pompejis sind abgebildet bei von Rohden, die Terracotten von Pompeji, Taf. I—XVIII.

119) zu S. 260. An den Gebälkstücken der Vorhalle des Forum triangulare springt auf der einen Seite gleich über dem Epistyl eine Leiste vor, und gleich über dieser finden sich in regelmäßigen Zwischenräumen (etwa 1,3 M.) Löcher, annähernd in der Form eines T mit sehr starkem Querstrich, 13 Ctm. hoch, oben 9, unten 5 Ctm. breit. Oberhalb dieser Leiste ist der Tuff rauh bearbeitet, unter ihr glatt. Dies erklärt sich am einfachsten durch die Annahme, dass in den Löchern steckende Stäbe eine Decke trugen, durch welche die obere, rauhe Fläche verborgen wurde. Das Epistyl ist auf dieser Seite höher, als auf der andern, weil es das einzige sichtbare Glied des Gebälks war; irrthümlich hat die moderne Restauration diese Seite nach außen gewandt. — Auf dem Forum triangulare selbst verhält es sich ebenso, nur dass die Löcher einfach rechteckig sind und das Epistyl auf beiden Seiten gleich hoch ist. —

41*

Im Peristyl der *casa del Fauno* sind auf der Innenseite des Gebälks Löcher wie die der Vorhalle; nur freilich fallen sie hier mit keinem Abschnitt in der Gliederung und Behandlung der Oberfläche zusammen, vielmehr ist die ganze Innenseite glatt und nicht allzu sorgfältig bearbeitet. — Im Atrium der *domus Epidii Rufi* findet sich eine Reihe rechteckiger Löcher, etwa 1,20 M. von einander entfernt, aber in nicht ganz regelmäßigen Zwischenräumen, gleich über einem abschließenden Gesims ersten Stils. Wenn hier eine Felderdecke angebracht war, so lag sie unmittelbar über den Säulen, so dass vom Architrav sehr wenig sichtbar war. Die Löcher finden sich in gleicher Höhe auch in den Alen. — Im Atrium der *casa del Naviglio* fällt eine ähnliche Reihe von Löchern (5—6 M. vom Boden) mit einem Abschluss der Malerei letzten Stils zusammen; an einer Stelle scheint es, dass sich die Malerei noch weiter nach oben fortsetzt, doch ist das nicht sicher.

120) zu S. 261. Als Beispiele von Vernachlässigung der Zimmer am Atrium können die *domus L. Caecilii Iucundi* (V, 1, 23) und die *casa del Centenario* (östlich von IX, 5) genannt werden; s. *Bull. d. Inst.* 1881, p. 122 f.

121) zu S. 261. Die Häuser mit zwei Atrien neben einander sind durchweg in der Tuffperiode auf einmal so gebaut worden, die *casa del Centenario* zu Anfang der römischen Zeit. Eine Ausnahme bildet das aus zwei Häusern entstandene Haus des L. Caecilius Iucundus. Im übrigen sind die durch Vereinigung von zwei oder mehr Häusern entstandenen leicht an der unregelmäßigen Form kenntlich, so das Haus des Siricus, des Lucretius, des Epidius Sabinus, des Popidius Augustianus.

122) zu S. 262. S. Nissen, Pomp. St. S. 643 f. Dass freilich die Einbeziehung des Tablinum in das Haus mit einer Vergrößerung des letzteren, einer Bebauung des Hortus zusammenhängt, ist wohl unerweislich.

123) zu S. 271. Das in den früheren Auflagen als No. 2 aufgeführte Haus (aus Mazois II, pl. IX, n. 1; auch bei Marquardt, Privatl. S. 217) ist ausgelassen worden, weil theils die Restauration, namentlich die Treppe, unsicher, theils diese Wohnung in ganz zufälliger Weise durch Abtrennung von Räumen verschiedener Häuser entstanden ist. So auch das früher unter No. 4 besprochene Haus, weil es ursprünglich einen hinteren Theil hatte und erst spät von demselben getrennt worden ist.

124) zu S. 279. Nissen, Pomp. St. S. 402 ff; Mau, Pomp. Beitr. S. 37 ff., 49 ff.

125) zu S. 279. *Pomp. ant. hist.* I, 1, S. 248, 254; 2, S. 156.

126) zu S. 282. Nissen, Pomp. St. S. 421, 6; Mau, Pomp. Beitr. S. 61.

127) zu S. 285. *Pomp. ant. hist.* II, S. 116.

128) zu S. 289. *Bull. d. Inst.* 1879, S. 91 ff. (No. 6).

129) zu S. 290. Minervini im *Bullettino italiano* vol. I, S. 18 ff., Fiorelli im *Giornale degli Scavi* fasc. 1, S. 13 ff. Die im Text erwähnten Malereien sind zum Theil in den diesen Beschreibungen beigegebenen Tafeln abgebildet.

130) zu S. 297. Mau, Gesch. d. Wandmal. in Pompeji S. 98.

131) zu S. 301. Mau a. a. O. S. 17 ff., 416 ff.

132) zu S. 304. Mau a. a. O. S. 25 ff.

133) zu S. 307. Dies Bild ist allerdings von Gaedechens, Unedirte antike Bildwerke, Heft 1, unter der Überschrift »Europa und Theophane« ganz anders erklärt worden. S. jedoch Overbeck, Griech. Kunstmythologie Bd. III, Heft 2 (Poseidon), Cap. XI, Theophane.

134) zu S. 313. Siehe Wieseler, *Ann. d. Inst.* 1857, S. 164, 165 ff., Ber. d. k. sächs. Ges. d. Wiss. 1864, S. 161.

135) zu S. 314. Von diesem Hause giebt es eine ganz besonders eingängliche und gelehrte Beschreibung von Minervini bei Niccolini, *Le case ed i monumenti di Pompei;* vgl. außerdem *Mus. Borbon.* vol. XIV, tav. *A, B.*

136) zu S. 323. Über die Aufstellung von Thonfiguren in solchen Nischen s. von Rohden, die Terracotten von Pompeji S. 24.

137) zu S. 326. Vgl. jedoch Mau, Wandmalerei S. 72.

138) zu S. 330. Mau, a. a. O. S. 76 ff.

139) zu S. 336. Vgl. *Mus. Borb.* vol. V, *relazione degli scavi* p. 7; *Pomp. ant. hist.* II, S. 214.

140) zu S. 337. Über den Grund der verschiedenen Erhaltung dieser Bilder vgl. Donner in der Einleitung zu Helbigs Wandgemälden S. LXXXVI f.

141) zu S. 342. Über Bau- und Decorationsgeschichte dieses Hauses s. Mau, Wandmalerei S. 80 ff., 259 ff., 422. Unrichtig Nissen, Pomp. St. S. 654.

142) zu S. 343. Die Ostwand und ein Theil der Nordwand des Caldariums ohne Farben bei Mau, Wandmalerei Taf. XVII, in Farben bei Niccolini *Descr. gener.* tav. 49, 53.

143) zu S. 347. Näheres bei Mau, a. a. O. S. 33 ff. Unrichtig Nissen, Pomp. St. S. 656 ff.

144) zu S. 349. Abgeb. bei Niccolini auf tav. VIII des betr. Abschnitts.

145) zu S. 351. Amicone giebt in der *Pomp. ant. hist.* III, S. 114 eine andere Fundstelle dieser Goldsachen, ebenso die *Relazione degli scavi* im *Mus. Borbon.* vol. VIII, S. 114.

146) zu S. 352. Vgl. *Pomp. ant. hist.* II, S. 251.

147) zu S. 353. Die restaurirten Durchschnitte werden Herrn Architekten P. Schuster verdankt, welcher uns eine Photographie seiner in größerem Maßstabe angefertigten Restauration zur Benutzung überließ. Über das Haus vgl. *Bull. d. Inst.* 1881, p. 113 ff.; 1882, p. 23 ff. *Notizie degli Scavi* 1879, p. 119 ff., 147 ff., 188 ff., 280 ff.; 1880, p. 97 ff., 148 ff.

148) zu S. 355. In Farben abgebildet bei Presuhn, Pompeji 1874—1881, Abth. IX, Taf VI.

149) zu S. 358. Eine Wand dieses Zimmers ist in Umrissen abgebildet *Ann. d. Inst.* 1882, *tav. d'agg. Y*, ebenda p. 307 ist die Malerei besprochen. Vgl. auch Mau, Wandmalerei S. 383.

150) zu S. 359. In einem Loche in der obern Fläche des Fußes, durch die Steinplatte verdeckt, fand Schreiber dieses einige Kupfermünzen, welche wohl irgend Jemand da versteckt hatte. Sie wurden von dem wachthabenden Custoden in Verwahrung genommen, haben aber keinen Platz in den Ausgrabungsberichten gefunden.

151) zu S. 369. Heydemann (Jen. Lit. Ztg. 1875, n. 44) will Mazois' Annahme durch einen dort liegenden Mühlstein bestätigt finden. Doch liegt derselbe in dem Gange β, keinesfalls an seinem ursprünglichen Platz, und es dürfte rathsam sein, aus demselben keinerlei Folgerungen zu ziehen.

152) zu S. 369. Siehe *Pomp. ant. hist.* vol. I, tab. 2.

153) zu S. 370. Es mag hier noch bemerkt werden, dass die Villa nach Bauart und Malerei (zweiten Stils) aus republicanischer Zeit stammt (vgl. auch Mau, Pomp. Beitr. S. 151). Nur einzelne Pfosten aus Kalksteinquadern (hinten bei 8) scheinen darauf zu deuten, dass man beim Bau Reste eines ältern Hauses benutzte.

154) zu S. 379. Vgl. Ivanoff in den *Annali dell' Inst.* 1859, S. 102 f., Fiorelli im *Giorn. degli Scavi* fasc. 1, S. 9, tav. 2.

155) zu S. 379. Abgebildet in Beckers Gallus, 3. Aufl. III, S. 28.

156) zu S. 379. Über die Venus Pompeiana sind die epigraphischen Zeugnisse zusammengestellt von Mommsen im N. Rhein. Mus. V, S. 457 ff.; vgl. auch Garrucci, *Bull. napol.* N. S. II, S. 17, Minervini, das. III, S. 58; Preller, röm. Mythologie 2. Aufl., I, S. 448, welcher die *Venus fisica*, nach ihm gleichgeltend mit φυσιχή, Göttin weiblicher Fruchtbarkeit, mit der römischen *Venus felix* zusammenstellt. Am

besten handelt über die Venus Pompeiana G. Wissowa, *de Veneris simulacris Romanis*, S. 15 ff., welcher nachweist, dass sie in der That die von Sulla verehrte *Venus felix* ist.

157) zu S. 379. Vgl. Näheres bei Helbig, Wandgem. S. 400, No. 1601 und in den angeführten Schriften.

158) zu S. 379. Vgl. Fiorelli im *Giorn. d. Scavi* fasc. 13, S. 24; 14, S. 25 f.

159) zu S. 381. Vgl. Fiorelli im *Giorn. d. Scavi* fasc. 15, S. 86.

160) zu S. 381. Vgl. *Giorn. d. Sc.* N. S. III, S. 8 ff.; *Bull. d. Inst.* 1874, S. 271 ff., 1875, S. 18 ff.; Blümner, Technologie I, S. 279.

161) zu S. 382. Vgl. *Pomp. ant. hist.* I, III, S. 20.

162) zu S. 383. Vgl. Näheres bei Donner, Einleitung zu Helbigs Wandgemälden S. CV ff., besonders S. CVII.

163) zu S. 383. Vgl. Fiorelli im *Giorn. d. Scavi* fasc. 3 e 4, p. 105.

164) zu S. 384. Vgl. *Pomp. ant. hist.* I, II, S. 70 ff., 29. März—18. Juni, und S. 84, 16. Sept. In einem jetzt glücklicherweise wie sein Verfasser vergessenen nichtsnutzigen Büchlein von Stanislaus d'Aloë (unter dem Borbonenregiment Secretär der Direction des Museums und der Ausgrabungen) mit dem Titel: »Die Ruinen von Pompeji, aus dem Französischen«, Berlin 1854, ist S. 6 angegeben, man habe in dieser Bildhauerwerkstätte mehrere Marmorstatuen in den verschiedensten Graden der Vollendung gefunden. Dieselben sind aber nirgends zu finden, und es wird uns durch das Zeugniss Fiorelli's bestätigt, dass die ganze Angabe auf barer Erfindung des genannten Ehrenmannes beruht.

165) zu S. 384. Vgl. *Bull. napol.* N. S. II, S. 25.

166) zu S. 386. Vgl. Fiorelli, *gli Scavi dal* 1861 *al* 1872 p. 12, 17, 20, 39.

167) zu S. 388. Abgebildet bei Pistolesi, *Il Vaticano descritto* IV tav. 46, und in den Berichten der k. sächs. Ges. d. Wiss. 1861, Taf. 12, 2.

168) zu S. 388. Darauf bezieht sich die naiv gemüthliche, neben der Abbildung eines die Mühle drehenden Esels eingekratzte Inschrift in einem von den neueren Ausgrabungen bloßgelegten Gemach am Palatin in Rom: *labora aselle quomodo ego laboravi et proderit tibi* (arbeite, Eselchen, wie ich arbeitete, und es wird dir nützlich sein), wie der von der Mühlenarbeit befreite Sclave seinem Esel zuruft. Vgl. Garrucci, *Graffiti di Pompei*, pl. 25 und 30. Über alles, was das Müller- und Bäckerhandwerk angeht, s. Jahn in den Ber. d. kgl. sächs. Ges. d. Wiss. a. a. O. S. 340 ff.; Blümner, Technologie I, S. 1 ff.

169) zu S. 390. Eine ausnahmsweise eingehende und verständige Beschreibung der Fullonica steht in der *Pomp. ant. hist.* II, p. 143 ff. Über Kunstdarstellungen der Handwerke, welche sich auf die Bekleidung beziehn, vgl. Jahn a. a. O. S. 371, über die Tuchbereitung Blümner, Technologie I, S. 157 ff.

170) zu S. 394. Vgl. *Pomp. ant. hist.* II, p. 150.

171) zu S. 395. Vgl. K. B. Hofmann, in den Wiener Studien VI, (1882) S. 263.

172) zu S. 396. Siehe Fiorelli im *Giorn. d. Sc.* fasc. 14, p. 59 und fasc. 15, p. 83.

173) zu S. 397. Vgl. Beckers Gallus, 3. Aufl., III, S. 368 ff. Marquardt, Privatleben der Römer S. 330 ff.

174) zu S. 398. Vgl. die Inschriften *I. R. N.* 2362—2376; *C. I. L.* X, 1047—1062.

175) zu S. 398. Vgl. *I. R. N.* 2377; *C. I. L.* X, 1065.

176) zu S. 398. Die sepulcrale Bedeutung der bezüglichen Inschriften erkannte zuerst Minervini, *Bull. napol.* N. S. III, p. 57 f., der freilich ohne Grund hier Alexandriner begraben glaubte. Siehe jetzt auch Nissen, Pomp. St. S. 480 ff.

177) zu S. 398. S. Mau und von Duhn, *Bull. d. Inst.* 1874 p. 156 ff.; Nissen, Pomp. St. S. 381 ff.

178) zu S. 401. Siehe *Pomp. ant. hist.* 1763, 13 Aug. — Winckelmann, Sendschreiben § 46, sah Inschrift und Altar noch am Platz; Gell's Angabe, Pompeiana S. 94 und 109, dass der Altar einen bronzenen Dreifuß getragen habe, der in das *cabinet secret* des Museums geschafft sei, ist demnach unglaubwürdig.

179) zu S. 401. Dass die Aufmauerung bis zur Höhe der Basis sich ganz herum erstreckte, hat die moderne Restauration angenommen; mit welchem Recht, ist jetzt nicht festzustellen. Alt ist nur ein kleines Stück zunächst am Grabe des Restitutus. Dass die Arbeit der Löwentatzen weit besser ist, als am Sitz der Mamia, muss Nissen (Pomp. St. S. 396) gegenüber ausdrücklich festgestellt werden.

180) zu S. 402. Die Front einschließlich der Cippen misst 7,55 M., von der Mitte jedes Cippus gemessen 6,79, die des Monuments, mit dem Fundament, circa 7,24, die Rückseite des letzteren 7,18, die Tiefe 7,44: doch sind die drei letzten Größen schlecht messbar. 25 Fuß würden 7,4 M. sein.

181) zu S. 403. Nissens (Pomp. St. S. 394) aus Winckelmann geschöpfte Annahme, dass das einst hinter der Bank gelegene Grabmal der Mamia nach der Aufdeckung zerstört worden sei, ist ganz unglaublich: es hätte unmöglich so spurlos verschwinden können. Die Tufffragmente eines Rundbaues, welche jetzt dort liegen, deuten auf einen Durchmesser von über 20 M., müssen also anderswo herstammen. Winckelmann ist für Pompeji keine gute Quelle. Ganz falsch ist auch Nissens Ausspruch (a. a. O.), dass das hinter dem Sitz liegende Grab augenscheinlich aus späterer Zeit datirt: die Bauart gleicht der des Augustusbogens (S. 74).

182) zu S. 403. Vgl. *Pomp. ant. hist.* I, ɪɪ, Addenda p. 112 ff. Gell's Angabe (Pompeiana 1821, S. 109), dass umher an den Wänden Statuen gestanden haben, ist nicht verbürgt: die Fundstellen der zu verschiedenen Zeiten (1763, 1812 und neuerlich) hier ausgegrabenen Statuen, sowohl männlichen in weiten Togen, wie weiblichen in vornehmer und reicher Tracht, sind in den Tagebüchern der Ausgrabungen nicht genau genug bezeichnet, um ihren Standort bestimmen zu können. Nissen (Pomp. St. S. 340. 394) erkennt hier einen Begräbnisplatz der Stadtpriesterinnen, in dem auch Freigelassene und Clienten der Göttin aufgenommen worden seien. Ohne Zweifel aber ruhte Istacidia Rufilla hier nicht als Priesterin, sondern als Angehörige der Familie der Istacidier, welcher noch verschiedene hier gefundene Grabsteine angehören, und C. Venerius Epaphroditus war Freigelassener der Colonie, nicht der Göttin: siehe Mommsen, *C. I. L.* X, 1013. Außerdem fand man hier Grabsteine der Melissäer und Buccier.

183) zu S. 404. Vgl. *Pomp. ant. hist.* I, ɪ, p. 236 *(si son trovati degli scheletri ricoperti con tegole)*, p. 241 und I, ɪ, Addenda p. 117. Allerdings ist an diesen beiden letzten Stellen nicht von Skeletten, sondern von verbrannten Knochen *(ossa bruciate)* die Rede, allein man fand dieselben in Gräbern in der Erde, deren eines einen hölzernen, mit Ziegelplatten gedeckten Sarg *(un vacuo che si conosceva essere formato da una cassa di legno rivestita di fabbrica e coverta con tegole)* enthalten hatte. Neben den Knochen wurden sog. Thränenfläschchen und andere den Todten in das Grab mitgegebene Gegenstände gefunden.

184) zu S. 404. Spuren von Ausbesserung (Nissen, Pomp. St. S. 385) sind nicht ersichtlich.

185) zu S. 405. Diese Linie liegt nicht, wie Nissen (a. a. O. S. 386) angiebt, in der Richtung der weiterhin sich abzweigenden Straße.

186) zu S. 410. Der Unterbau sowohl der Arriergräber als desjenigen des Labeo ist an den des Grabes des Velasius Gratus und des gleichartigen 4 nachträglich angemauert. 5[a] und 5[b] sind an das des Labeo angemauert, als es schon fertig war.

187) zu S. 410. Über die Bedeutung des Titels Präfect vgl. Marquardt, Staatsverwaltung 2. Aufl. I, S. 168 ff.; oben S. 13. Als Rechtsduumvirn des Jahres 26 n. Chr. kennen wir Libella aus *I. R. N.* 2269; *C. I. L.* X, 896.

188) zu S. 416. In den Quittungstafeln des L. Caecilius Iucundus (de Petra No. 40, 68), aus neronischer Zeit, kommt C. Calventius Quietus als Zeuge vor.

189) zu S. 420. Über die Benennung dieses Grabes ist gestritten worden, da es zweifelhaft schien, ob die Inschrift *I. R. N.* 2339 (*C. I. L.* X, 1024) oder *I. R. N.* 2341 (*C. I. L.* X, 1025), beide in der Nähe gefunden, zu ihm gehört. Vgl. darüber Nissen, Pomp. St. S. 391, Mommsen *C. I. L.* X, 1024. Das genaue Zutreffen der Maße, und namentlich die Thatsache, dass, wie Mazois (I, 46, n. 5) bemerkt, die Schrifttafel sich genau an die am Ort gebliebene, nicht beschriebene untere Platte anschließt, lässt keinen Zweifel übrig.

190) zu S. 421. Vgl. Mommsen im N. Rhein. Mus. V, S. 462.

191) zu S. 425. Vgl. *Giorn. degli scavi* fasc. 13, p. 6 f. und die Abbildung auf tav. 3.

192) zu S. 456. Eine Auswahl von acht Gladiatorenhelmen ist abgebildet bei Niccolini, *Le case ed i monumenti di Pompei, Caserma dei gladiatori* tav. 2, Reliefe von solchen das. tav. 3, darunter das S. 458 angeführte mit einer Iliupersis, welches bei Heydemann, Iliupersis auf einer Trinkschale des Brygos, Berl. 1866, Taf. 3 wiederholt ist.

193) zu Seite 458. Über den Galerus und die den Gladiatoren eigenthümlichen Waffenstücke überhaupt vgl. außer Garrucci im *Bull. napol.* N. S. I, p. 113 sqq., tav. 7. II, p. 134, was Friedländer in seinen Bildern aus der Sittengeschichte Roms II, S. 198 gesammelt hat.

194) zu S. 459. Über die pompejaner Sonnenuhren überhaupt und die hier mitgetheilte insbesondere vgl. Minervini im *Bull. napol.* N. S. III, p. 35 sq. 105 sq.

195) zu S. 460. Eine Auswahl ist abgebildet bei Niccolini a. a. O., *descrizione generale* tav. 41.

196) zu S. 463. Die Dipinti sind jetzt bis zu den Funden des Jahres 1869 vollständig im IV. Bande des Corpus Inscriptionum Latinarum unter der Überschrift Tituli picti (p. 1—75) von Zangemeister gesammelt, der auch in seiner Praefatio über die früheren zerstreuten Publicationen derselben und deren sehr verschiedenen Werth genau Rechenschaft ablegt; neuerlich gefundene sind in den Berichten über die Ausgrabungen Pompejis im *Bullettino dell' Instituto* mitgetheilt.

197) zu S. 463. Die Graffiti, »Graphio Inscripta« füllen den bei weitem größten Theil des Corpus Inscriptionum Latinarum vol. IV (p. 76—167). Auch von ihren früheren Publicationen ist in der Praefatio p. VIII, § 20 sqq. Alles gesagt, was hier zu sagen wäre. Für die neuerlich gefundenen genügt es, auf die Mittheilungen im *Bull. dell' Inst.* zu verweisen, neben denen gelegentliche sonstige Publicationen ihres Ortes unter dem Text angeführt sind.

198) zu S. 465. S. Clem. Alexand. Strom. VII, p. 302 und vgl. O. Jahn. Archaeolog. Beiträge S. 149, Note.

199) zu S. 489. Veröffentlicht von de Petra: *Le tavolette cerate di Pompei ecc. Memorie della R. accad. dei Lincei*, Sonderabdruck *Napoli* 1877, besonders eingänglich behandelt von Mommsen im Hermes XII (1877) S. 88, an dessen Erörterungen sich der Text hauptsächlich anschließt; vgl. außerdem Henzen im *Bull. d. Inst.* von 1877, p. 41 sqq.

200) zu S. 497. Die hauptsächlichen Grundlagen des in diesem Capitel kurz Vorgetragenen bilden die ersten Capitel von Nissens Pompejanischen Studien verglichen mit den Berichtigungen in Mau's Pompejanischen Beiträgen, Berl. 1879, S. 1 ff.

201) zu S. 499. Vgl. M. Ruggiero, *Studi sopra gli edifizi e le arte meccaniche dei Pompeiani, Napoli* 1872, p. 7.

202) zu S. 508. Auch Ivanoff hat von dieser Thür eine Zeichnung gemacht, s. *Ann. d. Inst.* XXXI, tav. d'agg. E, No. E, doch glaube ich, dass die meinige den Charakter der Zierlichkeit und Schärfe der Formen besser vergegenwärtigt.

203) zu S. 508. Vgl. Ruggiero in dem in Anm. 201 genannten Schriftchen p. 13 sqq.

204) zu S. 518. Vgl. Mau im *Giorn. degli scavi di Pompei* N. S. II, p. 392 und Gesch. der decorat. Wandmalerei in Pompeji S. 32.

205) zu S. 521. Früher, kürzer gefasst im *Giorn. degli scavi di Pompei* N. S. II, p. 386 und p. 438 sqq. in den *Osservazioni intorno alle decorazioni murali di Pompei*, neuerdings in berichtigter und erweiterter Gestalt in dem schon Anm. 204 angeführten Buche: Geschichte der decorativen Wandmalerei in Pompeji, Berlin, 1882. 8° mit einem Atlas von 20 Tafeln fol.

206) zu S. 535. Vgl. O. Müller, Handb. d. Archaeol. d. Kunst § 84 Anm. 1.

207) zu S. 535. Dilthey schließt in der Archaeol. Zeitung a. a. O. S. 134 aus den Spuren rother Farbe in den Nasenlöchern und im Nabel der Statuette, »dass die nackten Theile derselben einschließlich des Gesichtes mit einem durchgängigen Farbenüberzug versehn waren« und nennt in der Anmerkung diese seine Schlussfolgerung »natürlich und richtig«. Natürlich, d. h. naheliegend mag sie sein, ob sie auch richtig sei, ist eine andere Frage, welche indessen nicht hier, sondern nur im Zusammenhang einer umfassenden Untersuchung über die Polychromie der antiken Sculptur entschieden werden kann. Hier sei nur bemerkt, dass es sehr gute Gründe für den Zweifel giebt, ob das Nackte an Marmorstatuen gefärbt worden sei. Aus diesem Grunde habe ich im Texte gesagt, dass bemerkenswerther Weise auch an dieser, mit so vielen wohlerhaltenen Farben versehenen Statuette das Nackte keinerlei Farbenspuren zeige. Und aus demselben Grunde habe ich im Texte hervorgehoben, dass dieselbe Erscheinung sich an den meisten, wenn nicht an allen polychromen Sculpturen aus Pompeji wiederholt.

208) zu S. 536. Dies ist das Ergebniss einer noch ganz neuerdings auf meine Bitte von Herrn Prof. de Petra, Director des Nationalmuseums in Neapel, angestellten Untersuchung, auf Grund deren er durch meinen Vermittler mir d. d. 14. September 1883 melden ließ: »*confirmez à Mr. O. que cette statue n'existe pas dans le musée*«. Als identisch mit der in der *Pomp. ant. hist.* a. a. O. beschriebenen Statuette ist vielfach die bei Clarac, *Mus. de sculpt.* pl. 600, No. 1323, in den Berichten der k. sächs. Ges. d. Wiss. von 1860, Tafel VII A, auch oben in Fig. 280 b, mit den Farben bei Niccolini, *Le case ecc. di Pompei, Tempio d'Iside* tav. 8 abgebildete Statuette No. 6292 im Museum von Neapel behandelt worden, so von Stark in den Berichten u. s. w. a. a. O. S. 74 f., von Clarac im Texte zu der genannten Abbildung, von Niccolini a. a. O., von Dilthey in der Archaeol. Zeitung von 1881, S. 133. Allein diese Statuette, welche auch mir gar wohl bekannt ist, hat ein rothes Gewand, kein goldenes Halsband, keine Vergoldung der Brustwarzen und des Bauches, stimmt also in allen diesen Dingen nicht mit den Ausgrabungsberichten a. a. O. überein. Auf welcher Seite hier die Irrthümer liegen, kann icht nicht sagen.

209) zu S. 536. Vgl. *Pomp. ant. hist.* II, p. 568 sq.

210) zu S. 538. So z. B. in den schönen Hermen in der Villa Ludovisi in Rom, abgeb. in den *Mon. d. Inst.* X, tav. 56 sq., vgl. Schreiber in den *Annali* von 1878 (vol. L) p. 210 sqq.

211) zu S. 539. Vgl. bei Finati: *Il regal Museo Borbonico* I, p. 241 No. 6, p. 242 No. 9, p. 243 No. 12. 13, p. 244 No. 17. 18, p. 245 No. 21, p. 247 No. 27. 30, p. 249 No. 38, p. 250 No. 39. 41, p. 251 No. 47, p. 253 No. 58. 61, p. 254 No. 64, p. 256 No. 68, p. 259 No. 81 bis, p. 260 No. 82. 83, p. 261 No. 89. 90. 91, p. 262 No. 95. 98, welche aus Pompeji stammen sollen, wenn alle diese Angaben Glauben verdienen, was für nicht wenige, namentlich für Sarkophagreliefe, sehr bestimmten Zweifeln unterliegt.

212) zu S. 540. Vgl. K. Bötticher, Der Baumcultus der Hellenen S. 80 ff. und Fig. 8.

213) zu S. 541. So von Finati zum *Museo Borbonico* VIII, tav. 59 u. 60, wo

beide Figuren abgebildet sind, so von Welcker, Alte Denkm. I, S. 255 Anm. 35 (und an den daselbst angeführten Stellen) und von Friederichs, Bausteine z. Gesch. der griech.-röm. Plastik I, S. 517.

214) zu S. 542. *Pomp. ant. hist.* I, III, p, 214 sq., vgl. Nissen, Pomp. Studien S. 333.

215) zu S. 543. Vgl. Gerhard und Panofka, Neapels ant. Bildwerke No. 444, Finati, *Real mus. Borbon.* I, No. 86.

216) zu S. 543. Vgl. Finati a. a. O. No. 357, besonders aber im *Mus. Borbon.* II zu tav. 8, wo in möglichst ausdrücklicher Weise die pompejaner Herkunft bestritten und eine zufällige Grabung zwischen Torre del Greco und Torre dell' Annunziata als diejenige genannt wird, welche zum Funde dieser Statue geführt habe. Siehe dagegen *Pomp. ant. hist.* I, I, p. 114, 19 Luglio 1760, wo die Statue so genau beschrieben ist, dass über ihre Identität mit der in Rede stehenden nicht der geringste Zweifel übrig bleiben kann; vgl. Winckelmann, Geschichte der Kunst III, 2, § 11, der freilich daselbst I, 2, § 14 angiebt, die Statue sei in Herculaneum ausgegraben worden.

217) zu S. 545. Vgl. *Pomp. ant. hist.* II, p. 583, *Bull. arch. napol.* N. S. II, p. 65 sq., *Mus. Borbon.* XV. tav. 33.

218) zu S. 545. Finati a. a. O. No. 66, vgl. auch Friederichs a. a. O. S. 520, No. 850.

219) zu S. 545. Finati a. a. O. No. 331.

220) zu S. 546. Finati a. a. O. No. 68.

221) zu S. 546. Vgl. die neuerliche Zusammenstellung von »Brunnenfiguren« aus Herculaneum und Pompeji von E. Curtius in der Archaeol. Zeitung von 1879 (XXXVII) S. 19 ff. mit Tafel 1 und den daselbst angeführten Aufsatz desselben Gelehrten über »Die Plastik der Griechen an Quellen und Brunnen« in den Abhandlungen der Berliner Akad. von 1876.

222) zu S. 545. Finati a. a. O. No. 353.

223) zu S. 549. Der Stier bei Finati a. a. O. No. 74, abgeb. *Mus. Borbon.* XIV, tav. 53, der Löwe bei Finati No. 172.

224) zu S. 549. Die schöne, in Palermo aufbewahrte Gruppe des Herakles mit dem Hirsch, welche in der 3. Aufl. dieses Buches als ein weiteres Beispiel dieser Art von Compositionen folgte, musste weggelassen werden, seitdem feststeht, dass sie nicht in Pompeji gefunden worden ist. Vgl. *Documenti inediti per servire alla storia dei musei d'Italia pubblicati per cura del ministero della pubblica istruzione* vol. II, p. 93.

225) zu S. 551. Finati a. a. O. No. 350 bis.

226) zu S. 553. Die Erklärung der Figur als Dionysos hat wohl zuerst Brunn im *Bull. d. Inst.* von 1863 p. 92 ausgesprochen; neuerdings vgl. Heydemann im 3. hallischen Winckelmannsprogramm 1879 S. 73 f. und was dieser anführt.

227) zu S. 553. Minervini im *Bull. arch. ital. anno* II, p. 9 sqq., Fiorelli im *Giorn. degli scavi* fasc. 14, p. 60 sqq.

228) zu S. 553. Von O. Benndorf im *Bull. d. Inst.* 1866, p. 9.

229) zu S. 553. Bei Dütschke, Ant. Bildwerke in Oberitalien III, S. 126, No. 231, vgl. auch Heydemann a. a. O.; neuerlich abgeb. in dem Jahrbuch der k. preuß. Kunstsammlungen II, S. 77 zu einem Aufsatz von W. Bode; siehe ferner besonders Bayersdorfer in Lützows Zeitschrift für bild. Kunst XII, S. 129, der auf die Übereinstimmung der Hauptfigur in der florentiner Gruppe und der pompejaner Bronze zuerst aufmerksam gemacht hat.

230) zu S. 556. Die Beispiele sind noch nicht gesammelt, so dass sich über den Umfang der Erscheinung noch nicht urteilen lässt. Wenn man von den bei Pausan. II, 10, 3 erwähnten, von der Decke herabhangenden kleinen Figuren (ἀγάλ-

ματα οὐ μεγάλα ἀπηρτημένα τοῦ ὀρόφου) im Asklepieion zu Sikyon absieht, über deren Material wir nichts wissen, handelt es sich wesentlich um Terracottafiguren wie die Nike bei Stackelberg, Gräber der Hellenen Taf. 60, den angeblichen Hermaphroditen bei Panofka, Terracotten des k. Mus. in Berlin Taf 27 u. 28 und die in dem *Compte-rendu de la commiss. Imp. archéol. de St. Pétersb. pour* 1870/71. Tafel 3, No. 2 abgebildete Tänzerin. Dass der Ganymedes in Venedig wahrscheinlich nicht ursprünglich schwebend aufgehängt gewesen ist, habe ich in meiner Kunstmythologie II, S. 527 bemerkt.

231) zu S. 556. Vgl. meine Geschichte der griech. Plastik II³, S. 314 ff. mit Anm. 107.

232) zu S. 558. Vgl. meine Geschichte der griech. Plastik I³, S. 389 f. mit dem in Anm. 130 Angeführten.

233) zu S. 559. Bei Finati a. a. O. No. 57 oder 59.

234) zu S. 559. Bei Finati a. a. O. No. 54.

235) zu S. 559. Bei Finati a. a. O. No. 446.

236) zu S. 562. Vgl. meine Geschichte der griech. Plastik I³. S. 193.

237) zu S. 563. Von Kekulé, Die Gruppe des Künstlers Menelaos in Villa Ludovisi,· Leipzig 1870, besonders S. 25 ff., vgl. meine Geschichte der griech. Plastik II³, S. 411 ff.

238) zu S. 566. Vgl. Helbig, Untersuchungen über die campanische Wandmalerei, Leipzig 1873, besonders S. 122 ff.

239) zu S. 566. Vgl. A. Trendelenburg: »Die Gegenstücke in der campanischen Wandmalerei« in der Archaeol. Zeitung von 1876 (XXXIV) S. 1 ff. u. 79 ff.

240) zu S. 567. Burckhardt, Der Cicerone S. 54.

241) zu S. 568. Eine Malerin, welche eine Bakchosherme copirt (Hlb. No. 1443), ist abgebildet *Mus. Borbon.* VII, 3 und sonst, und ein scherzhaftes Bild, welches einen Porträtmaler in seinem Atelier und an der Staffelei in Pygmaeengestalt darstellt (Hlb. No. 1537) bei Zahn I, 86, Mazois II, p. 68 und sonst.

242) zu S. 572. Für Alles was die Landschaftsmalerei in Pompeji angeht, bildet das Buch von Karl Woermann: Die Landschaft in der Kunst der alten Völker, München 1876, und ganz besonders das 7. Capitel des 3. Abschnittes: Die Landschaften der campanischen Wandmalerei, die hauptsächlichste Grundlage. Dabei muss aber hervorgehoben werden, dass Woermann selbst erklärt, in den meisten Punkten mit den Ergebnissen von Helbigs: Untersuchungen über die campanische Wandmalerei, Leipzig 1873, in den die Landschaft und das Thierstück betreffenden Abschnitten übereinzustimmen und dass er dieselben als seine wichtigste Vorarbeit erklärt.

243) zu S. 575. Eine ziemlich vollständige Liste der bis 1876 bekannten heroischen Landschaften giebt Woermann, Die Landschaft u. s. w. S. 362 ff.; einige recht bedeutende, auf welche aber hier im Einzelnen nicht eingegangen werden kann, sind seitdem hinzugekommen.

244) zu S. 575. Woermann, Die Landschaft u. s. w. S. 361 Anm. 45 erklärt es für irrthümlich, wenn, wie »mancherwärts zu lesen ist und auch Helbig annimmt«, die Bäume für kahl erklärt werden; doch habe ich mich auch im Jahre 1882 am Originale nicht davon überzeugen können, dass er Recht hat. Es wird also einstweilen dabei bleiben, dass diese kahlen Bäume zur »Stimmung« gehören.

245) zu S. 575. Sie sind in den Farben der Originale veröffentlicht von Woermann, München 1876; zwei Proben ohne Farben sind in der Archaeol. Zeitung von 1852 Tafel 45 u. 46 gegeben.

246) zu S. 577. Farbig abgebildet bei Presuhn, Die neuesten Ausgrabungen u. s. w. Abth. IX, Taf. 3.

247) zu S. 578. Vgl. Helbig, Untersuchungen über die campanische Wand-

malerei u. s. w. S. 311 f., Woermann, Die Landschaft u. s. w. S. 378. Im Wesentlichen gehört auch das in der 1874—75 ausgegrabenen *Casa d'Orfeo* (Plan No. 50ᵃ)
gefundene Orpheusbild, farbig abgeb. bei Presuhn, Die neuesten Ausgrabungen
u. s. w. Abth. III, Tafel 6 in die hier besprochene Folge.

248) zu S. 578. Vgl. Helbig, Untersuchungen u. s. w. S. 92 und Wandgemälde
S. 398, No. 1583 u. 1584.

249) zu S. 584. Für die früheren biblischen Erklärungen des Bildes genügt es
beispielsweise diejenige von Victor Schultze in der Zeitschrift »Daheim« von 1883,
No. 5, S. 72 anzuführen; die Bedenken und Zweifel, welche mehr oder weniger entschieden von Sogliano, Fiorelli, de Rossi ausgesprochen worden, sind angeführt bei
Giacomo Lumbroso in seinem Aufsatze *Sul dipinto Pompeiano in cui si è ravvisato il
giudizio di Salomone* in den *Memorie della R. accademia dei Lincei*, Ser. 3, vol. XI,
seduta del 3 guigno 1883.

250) zu S. 590. Veröffentlicht von Gaedechens im *Giorn. degli scavi di Pompei*,
N. S. II, tav. 9 mit p. 238 sq.

251) zu S. 591. Farbig abgebildet bei Presuhn, Die neuesten Ausgrabungen
u. s. w. Abth. III, Taf. 9.

252) zu S. 592. Abgeb. bei Mau, Geschichte der decorat. Wandmalerei, Atlas
Taf. 13 u. 14, auch *Ann. d. Inst.* 1877. tav. d'agg. O. P.

253) zu S. 592. Vgl. die in meiner Gesch. d. griech. Plastik II³, S. 350 f.
Anm. 74 u. 75 zu S. 270 angeführte Litteratur.

254) zu S. 592. Vgl. Helbig, Untersuchungen über die campan. Wandmalerei
S. 4 f.

255) zu S. 594. Vgl. Helbig, Untersuchungen über die campan. Wandmalerei
S. 140 f.

256) zu S. 600. Vgl. Genaueres bei Mau, Gesch. der decorat. Wandmalerei in
Pompeji S. 321 ff.

257) zu S. 617. Unerwähnt bleiben soll hier jedoch nicht, dass nach Ausweis
der Ausgrabungstagebücher, *Pomp. ant. hist.* II, p. 38 man geglaubt hat, im Jahre
1821 in Pompeji einen halben Prägestock gefunden zu haben, der einen Frauenkopf
zeigte, ähnlich denen der Münzen von Neapel, Metapont und anderen Städten; was
daraus geworden ist und ob man die zweite Hälfte gefunden hat, weiß ich nicht,
muss aber das Letztere bezweifeln.

Register.

(Bearbeitet von Dr. phil. K. Kant.)

Druckfehler und Berichtigungen.

S. 34, Zeile 12 v. unten, lies: »vierzehnte« statt fünfzehnte.

S. 166,   »   9 v.   »   »   »Fig. 91« statt Fig. 92.

S. 215,   » 22 v. oben, lies: »1854« statt 1857.

S. 390,   » 25 v.   »   »   »No. 77« statt No. 71.

S. 390,   » 27 v.   »   lies: »No. 34« statt No. 29.

S. 421,   » 13 v. unten,   »   »Tuff- oder Travertinquadern« statt Tuffquadern.

S. 421,   » 10 v.   »   zu streichen: »und feinerem Material«.

S. 480,   » 17 v.   »   lies: »omne(m) modu(m)« statt omne modo.

Nachweis zum grofsen Plane von Pompeji.

EB. Ehrenbogen . . . . FG. cd
Tr. Treppen zur Gallerie des Forum . . . . C. c. D. c. E. d
SB. Ehrenbogen des Augustus (S. g. Schwibbogen) auf dem Forum . . . D. c
Fg. Fußgestelle für Statuen daselbst . . . . DE. c
Fg.* Desgleichen auf dem Forum triangulare . . . . B. f
Fg.** Desgleichen in der Strada degli Olconj . . . . D. g
S. Schranke auf dem Forum triangulare . . . . AB. f
Sa. Schola daselbst . . . . A. f
U. Umfassungsmauer daselbst (vgl. S. 89) . . . . A. f
WR. Wasserbehälter am großen Theater B. f u. an den kleinen Thermen F. c
† Fundstätte der ersten Leichenabdrücke (vgl. S. 23) . . . . D. e

Privathäuser.
Regio VI.
Insula occidentalis.
   1. Wirthshaus des Albinus . . . . I. a
   2. Kleines Haus . . . . I. a
   3, 3a, 3b. Mehrstöckige Häuser (vgl. S. 366) davon 3. Casa della dan-
      zatrice, 3b. Casa di Polibio . . . . HI. a
   4. Unbenanntes Haus . . . . GH. a
   4a. Casa dei cadaveri di gesso . . . . GH. ab
   4b. Unbenanntes Haus mit Garten . . . . G. ab
Insula I.
   5, 5a. Thermopolium des Nympheros . . . . I. a
   6. Casa delle Vestali . . . . I. a
   7. Casa del chirurgo (vgl. S. 279) . . . . I. a
   8. S. g. Seifenfabrik (vgl. S. 382) . . . . I. a
   9. Thermopolium . . . . H. a
  10. Kleines Haus . . . . K. a
Insula II.
  11. Casa d'Iside . . . . I. b
  12. Casa di Narcisso . . . . I. b
  13. Casa di Pupio (delle danzatrici) . . . . I. b
  14. Casa delle Amazoni . . . . I. b
  15. Domus A. Coss. Libani (Casa di Sallustio vgl. S. 300) . . . . H. h
  16. Kleines Haus No. 1 (vgl. S. 270) . . . . H. h
Insula III.
  17. Bäckerei (vgl. S. 385) . . . . GH. b
  18. S. g. Accademia di Musica . . . . G. b
  19. Schmiede (vgl. S. 380) . . . . G. b
Insula IV.
  19a. Angebliche Apotheke (vgl. S. 382) . . . . G. b
Insula V.
  20. Casa di Nettuno . . . . I. bc
  21. Casa del Granduca Michele di Russia (?) . . . . I. bc

674   Nachweis zum großen Plane von Pompeji.

43*

43*

Druck von Breitkopf & Härtel in Leipzig.